Die deutsche Literatur der Gegenwart

·8304 H Dur.

Aspekte und Tendenzen

Herausgegeben von
Manfred Durzak

Philipp Reclam jun. Stuttgart

Alle Rechte vorbehalten. © Philipp Reclam jun. Stuttgart 1971
Schrift: Garamond-Antiqua. Printed in Germany 1971. Herstellung: Reclam Stuttgart
ISBN 3 15 010198 0

EDINBURGH UNIVERSITY LIBRARY
CANCELLED

Inhalt

Manfred Durzak
Einleitung 7

Heinrich Vormweg
Deutsche Literatur 1945–1960: Keine Stunde Null 13

Herbert Lehnert
Die Gruppe 47. Ihre Anfänge und ihre Gründungsmitglieder 31

Hans Mayer
Zur aktuellen literarischen Situation 63

Marianne Kesting
Das deutsche Drama seit Ende des Zweiten Weltkriegs 76

Rolf-Peter Carl
Dokumentarisches Theater 99

Burghard Dedner
Das Hörspiel der fünfziger Jahre
und die Entwicklung des Sprechspiels seit 1965 128

Hans Dieter Schäfer
Zur Spätphase des hermetischen Gedichts 148

Alexander von Bormann
Politische Lyrik in den sechziger Jahren:
Vom Protest zur Agitation 170

Walter Seifert
Die pikareske Tradition im deutschen Roman der Gegenwart 192

Manfred Durzak
Zitat und Montage im deutschen Roman der Gegenwart 211

Bodo Heimann
Experimentelle Prosa 230

Reinhard Döhl
Konkrete Literatur 257

Jost Hermand
Pop oder die These vom Ende der Kunst 285

Walter Hinderer
Zur Situation der westdeutschen Literaturkritik 300

Peter Demetz
Zur Situation der Germanistik:
Tradition und aktuelle Probleme 322

Fritz J. Raddatz
Zur Entwicklung der Literatur in der DDR 337

Jörg B. Bilke
Die Germanistik in der DDR:
Literaturwissenschaft in gesellschaftlichem Auftrag 366

Walter Weiss
Die Literatur der Gegenwart in Österreich 386

Otto Oberholzer
Die Literatur der Gegenwart in der Schweiz 400

François Bondy
Die Rezeption der deutschen Literatur nach 1945
in Frankreich 415

Frank E. F. Jolles
Die Rezeption der deutschen Literatur nach 1945
in England 425

Manfred Durzak
Die Rezeption der deutschen Literatur nach 1945
in den USA 437

Claudio Magris
Die Rezeption der deutschen Literatur nach 1945
in Italien 448

Gustav Korlén
Die Rezeption der deutschen Literatur nach 1945
in Skandinavien 457

Die Autoren der Beiträge 463

MANFRED DURZAK

Einleitung

25 Jahre sind ein kleines Intervall im Epochenschema der Literaturgeschichten. Aber gut 25 Jahre deutsche Literatur der Gegenwart repräsentieren nicht nur ein beachtliches Zeitkontinuum, sondern auch einen Abschnitt literarischer Entwicklung, der es verdient festgehalten zu werden. Freilich ist es nicht einfach, die Perspektiven auszumachen, unter denen dieses Vierteljahrhundert deutscher Literatur überschaubar wird. Es fällt schwer, jene Linien aufzuzeigen, die sich, aus der Situation der Gegenwart heraus betrachtet, als besonders wichtig erweisen: literarische Strömungen und Entwicklungstendenzen, die das Gesicht der deutschen Literatur in den ersten Nachkriegsjahren bestimmt haben und die aus der Sicht von 1971 zu wichtigen Stationen einer sich neu profilierenden literarischen Tradition im Deutschland nach 1945 werden.
Von der aktuellen literarischen Situation läßt sich dabei nur schwer abstrahieren. Einen archimedischen Punkt außerhalb der literarischen Szene zu finden und von dort aus Maßstäbe der Wertung anzulegen, erweist sich als illusorisches Unterfangen. Die Optik bleibt der eigenen Situation verpflichtet, und was in der Ausgangssituation der jungen deutschen Literatur retrospektiv als entscheidend erkannt wird, reflektiert zugleich die Einstellung, die man zur aktuellen literarischen Szenerie einnimmt. Aber dieser aktuelle Standort ist selbst der zeitlichen Relativierung unterworfen. Und das, was sich im Augenblick an literarischen Formen, Moden, Tendenzen präsentiert, als Optimum der literarischen Entwicklung anzusehen und als Voraussetzung einer retrospektiven Wertung zu benutzen, verabsolutierte nicht nur den eigenen Standpunkt ungebührlich, sondern unterstellte der literarischen Entwicklung zugleich eine Kausalität, die schon ein einfacher historischer Überblick widerlegt.
Ohne Frage: dieser Abschnitt deutscher Literatur, der bei der politischen Zäsur des Jahres 1945 einsetzt, ist nicht nur ein Spiegel eines mitunter hektisch bewegten literarischen Lebens, in dem die verschiedenen Richtungen und Autorengruppen einander ablösen und das zwischen den Polen produktiver Euphorie wie Ende der fünfziger Jahre und endzeitlicher Melancholie wie am Ausgang der sechziger Jahre eigentümlich irisiert – dieser Abschnitt deutscher Gegenwartsliteratur ist auch ein Zeugnis versandeter Möglichkeiten, versickerter literarischer Moden, verstummter Autoren. Die Vogelperspektive, unter der man diesen Zeitraum literarischer Entwicklung erblickt, gibt keine Topographie frei, in der die Linien schon mit Sicherheit gezogen wären. Es präsentiert sich vielmehr ein verwirrendes Liniengeflecht. Das Muster, das darunter zum Vorschein kommt und sich als eigentliche literarische Physiognomie zu erkennen gibt, ist keineswegs bereits mit Sicherheit auszumachen.
Würde man literarhistorisch inventarisieren, so käme ein buntscheckiger Katalog von literarischen Moden, Richtungen und Gruppen zustande. Schlagwörter wie »Literatur des Kahlschlags«, »Trümmerliteratur«, »Literatur der Wohlstandsgesellschaft«, »existentialistische« und »absurde Literatur«, »Literatur des politischen Engagements«, »Beschreibungsliteratur«, »Literatur des Dokumentarischen«, »Lite-

ratur der verabsolutierten Sprache«, »Literatur, die sich als Literatur aufzuheben versucht« – und was der Bezeichnungen mehr sind – würden aneinandergereiht. Der Eindruck eines literarischen Vexierspiels würde wachgerufen. Die Irritation, die diese 25 Jahre deutsche Literatur in der Nahsicht ausstrahlen, würde vielleicht noch nicht einmal unpassend dokumentiert. Die Möglichkeit eines ordnenden Überblicks würde jedoch ad absurdum geführt.

Sicherlich wäre es auch kein befriedigender Ausweg, sich auf jene Konstanten der jungen deutschen Literatur zu konzentrieren, die das Karussell literarischer Moden überstanden haben. Gemeint sind jene deutschen Gegenwartsautoren, bei denen der literarische Ruhm und die zeitliche Ausdehnung ihrer Werkgeschichte den Zeitraum von 25 Jahren umfassen. Das wäre dann in der Tat eine Kontinuität, die von der Einheit der Werkgeschichte und der Person getragen würde. Doch welche Autoren kämen hier in Frage, auf die diese beiden vorher erwähnten Momente nicht nur zutreffen, sondern die auch im Bewußtsein der literarischen Öffentlichkeit mit stets gleichbleibender Intensität gegenwärtig blieben? Die Zahl der möglichen Namen ist äußerst begrenzt.

Von den Autoren der ersten Stunde hat eigentlich nur einer kontinuierlich seine Position gehalten: Heinrich Böll. In seinen realistisch intendierten Romanen erweist er sich als ein beharrlicher Chronist der bundesrepublikanischen Geschichte in diesen zweieinhalb Jahrzehnten. Aber selbst Bölls literarischer Nimbus ist in der augenblicklichen Situation kaum als gesichert anzusehen. Den Mittelpunkt der literarischen Diskussion hat er eigentlich bereits vor einigen Jahren verlassen. Eine Literatur, die momentan bereit ist, sich entweder zugunsten revolutionärer Aktivität selbst aufzuheben (Enzensberger) oder die realitätsbezogenen Antriebe des Schreibens zugunsten einer Sensibilisierung und Verabsolutierung der Sprache aufzugeben (Heißenbüttel), vermag mit der am Gesellschaftlichen und Humanen orientierten Attitüde des Romanciers Böll wenig anzufangen.

Auf der andern Seite sind Autoren wie Günter Grass oder Uwe Johnson, denen eine ähnliche und heute noch größere Breitenwirkung zukommt, relativ zu spät ins literarische Leben getreten, um jene zeitliche Kontinuität verbürgen zu können. Romanciers wiederum wie Hans Erich Nossack und Wolfgang Koeppen, die mit ihrem Werk und ihrer Präsenz als Autoren durchaus dieses Vierteljahrhundert deutscher Gegenwartsliteratur begleitet haben, spielen – ob freiwillig, ob unfreiwillig – die Rolle von Einzelgängern. Ähnliches gilt für Arno Schmidt, obwohl sein Werk überraschenderweise in den letzten Jahren an Resonanz gewonnen hat. Aber als Galionsfigur der deutschen Literatur seit 1945 käme auch er sicherlich nicht in Frage.

Wie ist also angesichts einer so komplexen Situation die Gliederung und der Aufbau eines Bandes zu begründen, der es sich ja zur Aufgabe gesetzt hat, jene 25 Jahre deutsche Literatur der Gegenwart in ihren Aspekten und Entwicklungstendenzen zu erfassen? Die Prämissen dieses Vorhabens sind also in aller Kürze zu erläutern. Zwei methodische Voraussetzungen leuchten auf dem gerade skizzierten Hintergrund unmittelbar ein. Zum ersten: der Verzicht auf ein bloßes literarhistorisches Inventarisieren und damit auf eine lediglich lexikalische Akkumulation des Faktenmaterials in seiner ganzen Fülle. Zum zweiten: der Verzicht auf die biographische Hilfskonstruktion des Autorenporträts, das die Literatur in eine Galerie von Persönlichkeiten umfunktioniert, als ergäbe sich das literarische Leben gleichsam als »prästabilierte Harmonie« von Autoren-Monaden, die zwar fensterlos und voneinander isoliert sind, die aber dennoch gemeinsam am Gesamtzweck der »Nationalliteratur« wirken.

Die dritte Voraussetzung trägt der bereits erwähnten perspektivischen Besonderheit Rechnung, die ein solcher Versuch einer Bestandsaufnahme nicht überspringen, sondern höchstens einkalkulieren kann. Das Spektrum dessen, was erfaßt wird, weiß sich der Perspektive der Gegenwart verpflichtet und leugnet diese Perspektive nicht. Obwohl also die literarische Entwicklung von 1945 an dargestellt wird, liegt jedoch der Schwerpunkt auf jenen Formen und Strömungen, die in den letzten Jahren besondere Bedeutung gewannen. Freilich ist damit nicht vorweg ein bestimmtes Werturteil verbunden. Und auch dort, wo die literarische Entwicklung gleichsam in der Totalen eingefangen wird, nämlich in den Beiträgen von Vormweg und Hans Mayer, geschieht das – was besonders auf den Literaturkritiker Vormweg zutrifft – aus der Perspektive eines vom literarischen Leben unmittelbar Betroffenen. Sowohl Vormweg, der die literarische Entwicklung in der Bundesrepublik von 1945 bis Anfang der sechziger Jahre Revue passieren läßt, als auch Hans Mayer, der ein Gesamtbild der augenblicklichen literarischen Szene skizziert, verleugnen nicht das Temperament dessen, der sich wertend engagiert und der die Diffusion des Gesamteindrucks im Filter der eigenen kritischen Sensibilität zu klären versucht. Anstatt also lediglich historische Details aneinanderzureihen, wird hier aus der subjektiven Sicht des kritisch Beteiligten das Gesamtbild eines literarischen Entwicklungsabschnittes verdeutlicht.

Eine methodische und perspektivische Ergänzung dazu stellt der dritte Einführungsbeitrag dar, der Aufsatz Lehnerts über die Anfänge der Gruppe 47. Hier dominiert durchaus der Versuch einer sachbezogenen Erfassung des historischen Materials, das von den Umrissen einer mittlerweile zur Institution gewordenen Autorengemeinschaft begrenzt wird, die sich für die Geschichte der jungen bundesrepublikanischen Literatur als folgenreich erwies. Aus dem Blickwinkel des Literarhistorikers wird nicht nur ein charakteristisches Segment deutscher Literatur in den ersten Nachkriegsjahren analysiert und dargestellt, sondern zugleich ein Beitrag zur Beschreibung eines Phänomens geleistet, das den Literaturbetrieb in der Bundesrepublik zweifelsohne geprägt hat.

Die Variationsbreite des methodischen Ansatzes, die bereits die drei einführenden Beiträge verdeutlichen, ist auch für die andern Beiträge kennzeichnend. Das Methodenspektrum, das sich dabei entfaltet, reicht vom Essay bis zur literaturwissenschaftlichen Textanalyse. Aber in allen Fällen wird zugleich versucht, mit dem Blick auf tradierte literarische Gattungen und ihre aktuellen Modifikationen auch ein gewisses Quantum an literarischem Informationsstoff zu bewältigen. Wie dabei im einzelnen die Akzente gesetzt werden, ist durchaus unterschiedlich. Das verdeutlichen die beiden Beiträge, die sich mit dem zeitgenössischen Drama beschäftigen, ebenso wie die beiden Aufsätze über Formen des zeitgenössischen lyrischen Gedichts. In beiden Fällen wird eine spezifisch aktuelle Entwicklung in diesen Gattungen berücksichtigt: die Formen des »dokumentarischen Theaters« beim Drama und die mannigfachen und nur sehr schwer auf einen Nenner zu bringenden Texte, die unter

dem Stichwort »politische Lyrik« behandelt werden. Und so wie der Beitrag »Das deutsche Drama seit Ende des Zweiten Weltkriegs«, am historischen Leitfaden orientiert, eine möglichst umfassende entwicklungsgeschichtliche Analyse unternimmt, konzentriert sich die Untersuchung über die »Spätphase des hermetischen Gedichts« auf das Werk einiger exponierter Lyriker. Auch hier zeigt sich also eine Variabilität der Methode. Neben den auf extensive Erfassung des literarischen Stoffes zielenden Gattungsquerschnitt tritt die intensive Konzentration auf exemplarische Texte.
Ein ähnlich aufgefächertes Bild ergibt sich bei den drei Aufsätzen, die sich um eine Bestandsaufnahme der epischen Formen bemühen. In einem Falle dient ein historischer Formtypus des Romans (pikareske Tradition) als methodischer Einstieg, im andern die Dominanz von zwei Strukturmerkmalen (Zitat und Montage), während der Beitrag über »experimentelle Prosa« den Versuch unternimmt, die formal diffusen und oft widersprüchlichen Tendenzen neuester epischer Texte zu analysieren.
Ebenso bewußt wurde jedoch auch das traditionelle Gattungsschema erweitert, indem in zwei Aufsätzen jene literarischen Strömungen berücksichtigt werden, die im letzten Jahrzehnt zunehmend an Resonanz gewonnen haben: Konkrete Literatur und alles das, was sich im Begriff Pop-Literatur zusammenfassen läßt, erweisen sich dabei als zwei polare literarische Erscheinungsformen. Im ersten Falle eine auch heute noch von der Aura des Esoterischen umgebene Form literarischer Objektivation, die aus ihrer Hinneigung zur Theorie kein Hehl macht, im andern Falle sprachliche Rituale einer neuen, rebellisch auftretenden Ursprünglichkeit, die nicht mehr als Literatur verstanden sein und die Trennung zwischen Kulturbetrieb und Leben aufheben wollen.
Einen wichtigen Sonderbereich behandelt schließlich auch die Untersuchung über das Hörspiel und seine zeitgenössische Weiterentfaltung im Sprechspiel. Die an sich naheliegende Ergänzung durch eine Analyse dessen, was sich inzwischen als Fernsehspiel etabliert hat, erwies sich als schwer durchführbar. Das liegt einmal an der Überschneidung mit dem filmischen Medium, zum andern jedoch auch daran, daß die wenigsten Texte bisher in gedruckter Form vorliegen.
Die Skala der behandelten Aspekte wurde in einem Punkt auf vielleicht überraschende Weise erweitert: Auch Formen der rezeptiven Literatur wurden berücksichtigt. Gemeint ist die Behandlung der Literaturkritik und Germanistik. Im Falle der Literaturkritik leuchtet eine solche Erweiterung eher ein. Trotz der häufig beklagten Misere der deutschen Literaturkritik besteht dennoch kein Zweifel daran, daß einzelne Kritiker das Bild der zeitgenössischen deutschen Literatur mitbestimmt haben. Indem Maßstäbe postuliert, Wirkung kanalisiert, literarische Leistung der Öffentlichkeit vermittelt wurde, ist – so schwer das im einzelnen konkret zu belegen sein mag – die Vorstellung von dieser Literatur mitgeprägt worden. Diese Wirkung läßt sich gleichsam am Modell studieren, wenn man den Blick auf die Tagungen der Gruppe 47 richtet, wo das Wort einzelner exponierter Kritiker eine nicht zu unterschätzende Bedeutung hat.
Weniger leuchtet auf den ersten Blick die Berücksichtigung der Germanistik ein. Aber auch hier handelt es sich zum Teil um eine Form von rezeptiver Literatur, auch wenn die Germanistik noch bis vor einigen Jahren in den institutionellen Elfenbeinturm der Universitäten flüchtete. Dieser Elfenbeinturm ist inzwischen abbruchreif.

Zudem scheint die Zeit, in der sich die Germanistik auf einen Literaturkanon der Vergangenheit, auf historische Distanz und werkimmanente Reflexion zurückziehen konnte, vorbei. Die Situation an den Universitäten ist symptomatisch. Das Interesse wendet sich zunehmend der Literatur zu, die die eigene Epoche produktiv verarbeitet. An die Stelle der archivarischen Attitüde der Literatur gegenüber, die als Kulturprodukt katalogisiert wird, tritt die Auffassung der Literatur als eines gesellschaftlichen Prozesses, der, sich im literarischen Zeugnis dokumentierend, zum Gegenstand der Reflexion gemacht wird. Die Position einer distanzierten Überlegenheit wird durch die wertende Stellungnahme ergänzt. In dieser Weise läßt sich heute auch die Germanistik als ein »Aspekt« der deutschen Literatur der Gegenwart auffassen, auch wenn die Analyse von Peter Demetz eher zu elegisch stimmenden Resultaten gelangt.
Deutsche Literatur der Gegenwart ist sicherlich auch als deutschsprachige Literatur zu verstehen. Die Eingrenzung auf den politischen Raum der Bundesrepublik ließ sich zwar als Editionsprämisse eines solchen Bandes nicht umgehen. Dennoch wird am Beispiel von zwei Beiträgen zumindest postuliert, daß hier Ergänzung und Erweiterung am Platze ist. Das gilt einmal in bezug auf die DDR. Die Besonderheiten der literarischen Entwicklung werden hier auf zweifache Weise dargestellt: einmal in der breitangelegten Studie von Raddatz, die von konkreten literarischen Beispielen her diese separate Entwicklung im Überblick charakterisiert, und zum andern in dem Beitrag über die Germanistik in der DDR, der in der Analyse der theoretischen Maximen, die Germanistik und Literaturkritik in der DDR bestimmen, zugleich auch indirekt die theoretische Basis bezeichnet, die der Literatur insgesamt zugrunde liegt.
Dieser Blick über die politischen Grenzen der Bundesrepublik wird in zwei andern Beiträgen fortgeführt: Die literarische Entwicklung in den letzten Jahrzehnten in Österreich und in der deutschsprachigen Schweiz wird ebenfalls zusammenfassend dargestellt.
Überraschen mag es auf den ersten Blick auch, daß sich im Schlußteil dieses Bandes vier Aufsätze mit der Rezeption der jungen deutschen Literatur im Ausland beschäftigen. Aber so wie es von der Sache her begründet ist, deutsche Literatur der Gegenwart als deutschsprachige Literatur zu verstehen, schien es eine reizvolle Ergänzung, diese Literatur nicht nur von innen, sondern auch einmal von außen her zu betrachten. Indem nach der Wirkung dieser Literatur im Ausland gefragt wird, ergeben sich zum Teil überraschende Übereinstimmungen und Differenzen. Die Frage nach dem Rang der deutschen Literatur nach 1945, nach ihrer Provinzialität oder überragenden Bedeutung, läßt sich auf diesem Hintergrund sicherlich präziser beantworten als bisher.
Natürlich beschränken sich diese vier Beiträge auf Übersichtsskizzen. Wenn in der Titelgebung jeweils von der »deutschen Literatur nach 1945« gesprochen wird, so ist die Zeitangabe nicht so zu verstehen, als werde angestrebt, alles das an deutscher Literatur in seiner Wirkung quantitativ zu erfassen, was seit 1945 tatsächlich die deutschen Grenzen überquerte. Der Schwerpunkt liegt in diesen Beiträgen, mehr oder weniger variiert, auf dem letzten literarischen Jahrzehnt. Der Herausgeber, der sich genötigt sah, kurzfristig für einen amerikanischen Kollegen (der den Auf-

satz über die Rezeption in den USA übernommen hatte) einzuspringen, kann hier aus eigener Erfahrung sprechen.
Sicherlich läßt sich auch angesichts einer solchen Skala von behandelten Themen auf Möglichkeiten zur Ergänzung und Erweiterung hinweisen. So ließe sich beispielsweise fragen: Wo bleiben die verschiedenen Formen der sogenannten Medien-Literatur (Illustrierten-Roman, Trivialliteratur, Feuilleton, Funk-Feature usw.)? Wo bleiben literarische Sondergruppierungen wie etwa die »Gruppe 61«? Aber hier waren von der Anlage des Bandes her faktische Grenzen gesetzt.
Mag auch die Absicht, die der Edition dieses Bandes zugrunde liegt, wie stets bei einem solchen Unternehmen nicht ohne Kompromisse zu realisieren gewesen sein, sie hat dennoch nie ihr Ziel aus den Augen verloren: Die Skala der behandelten Aspekte und die auf thematische Querschnitte, systematische Überblicke und exemplarische Interpretation angelegte Darstellungsweise dieses Bandes wollen der Vielschichtigkeit eines literarischen Entwicklungsabschnittes gerecht werden, der bisher in der Regel nur in Sammlungen aneinandergereihter Autorenporträts erfaßt wurde. Sollte die angestrebte Verbindung von breit aufgefächerter Informationsvermittlung und kritisch sondierender Analyse verwirklicht worden sein, dann wären in der Tat die Erwartungen erfüllt, die Herausgeber und Verlag mit diesem Band verbinden: über übliche lexikalische Information und Autoren-Kurzmonographie hinaus ein aus Analyse und Kritik bestehendes Instrument geschaffen zu haben, das die verwirrende Vielfalt der zeitgenössischen deutschen Literatur in ihren Voraussetzungen, aktuellen Erscheinungen und Entwicklungstendenzen überschaubar macht.

HEINRICH VORMWEG

Deutsche Literatur 1945–1960: Keine Stunde Null

Samuel Beckett hat gesagt, er schreibe, um eine Spur zu hinterlassen. Viele schreiben mit weit höherem Ziel und hinterlassen nicht einmal Spuren. Manche Spur ist tief eingekerbt, doch wer sie zog, bleibt vergessen. Erinnerung und Überlieferung sind selten Medien der Wahrheit, sie hängen ab von konkreteren Interessen. Geschichtsschreibung ist eine Häufung von Akten der Ungerechtigkeit. Niemand ist imstande, auch nur Bruchteile des Perspektivennetzes zu erfassen, das in einer vergangenen Gegenwart die Motive setzte. Eine Perspektive auf Vergangenes, die sich heute aufdrängt, ist morgen belanglos. Es gibt den Standort nicht, der Einblick ermöglicht, ohne Vorgänge, Bezüge und Gegensätze zu verzerren. Das Gefühl, objektiv zu sein, erzeugt die brutalsten aller Entstellungen.
Dennoch besteht die Erwartung fort, eine Spur zu hinterlassen, und wird Geschichtsschreibung fortgesetzt. Beides hat unverwüstliche Rechtfertigungen: den Trieb zu Artikulation und Mitteilung und den Erinnerungstrieb, die ausgehen vom Sprach- und Erinnerungsvermögen. Auch ein Versuch, die deutsche Literatur der Jahre 1945 bis 1960 zu skizzieren, ist durch nichts anderes legitimiert. Er berührt oder verändert im übrigen die Vergangenheit selbst nicht, sondern höchstens die Vorstellung, das Bild von ihr, und das ist eine Sache der Gegenwart. Gründe genug, die Auseinandersetzung mit der Geschichte nicht länger allein den Historikern zu überlassen. Das Bewußtsein, Objektivität sei dabei bestenfalls etwas Vorgetäuschtes, ist bei dem hier in Frage stehenden Versuch allerdings intensiviert dadurch, daß über jüngste, von der Mehrzahl der Mitlebenden noch miterlebte Vergangenheit zu berichten ist. Das Material ist noch nicht ausgekühlt. Wer immer hier zu sortieren, zu vergleichen, zu unterscheiden sucht, sieht sich selbst noch unmittelbar betroffen. Ich habe die Mehrzahl der Gedichte, Erzählungen, Romane und Theaterstücke, die zu erinnern sind, etwa zu der Zeit gelesen, da sie erstmals publiziert wurden, und sie haben meine Vorstellung von Literatur beeinflußt, beeinflussen sie bis heute auch dann noch, wenn ich sie inzwischen für inaktuelle historische Dokumente halte. Ebenso die Moden, die Phasen allgemeiner Bewunderung für einzelne Autoren und ihre Verschiebungen. Die verschiedenen Stadien des Kennenlernens der zwölf Jahre lang ausgesperrten neueren englischen, amerikanischen und französischen Literatur und die Stadien der Neuentdeckung der zwölf Jahre lang verbotenen deutschen Literatur vor 1933, die teilweise im Exil fortgeschrieben worden war, sie waren für mich aktuelle Lernprozesse. Die Fiktion, nur von den vorliegenden Texten auszugehen, könnte ich – wie noch immer die meisten – nicht durchhalten; von der Erinnerung an die erste, unmittelbare Rezeption läßt sich nicht abstrahieren. Auch das ist Voraussetzung dieses Rekapitulationsversuchs. Er kann also bestenfalls anregen, die Literatur der ersten fünfzehn Jahre nach dem Zweiten Weltkrieg neu zu diskutieren. Er ist kein Kondensat, das den Gegenstand ersetzen will.

Die allgemeine Schlußfolgerung nach erneuter Durchsicht der literarischen Produktion jener fünfzehn Jahre sei als These vorangestellt: sie ist die sprachliche Objektivierung einer großen Diffusion, und diese Diffusion ist es, was derzeit an ihr vor allem anderen noch wichtig erscheint. Trotz des in den späteren vierziger Jahren immer wieder artikulierten Vorsatzes, ganz neu anzufangen, zeigen sich – von Ausnahmen abgesehen – Symptome einer neu gewonnenen Selbständigkeit, eines Bewußtseins, das Literatur wieder in Beziehung setzt zu den tatsächlichen Abläufen, den Realitäten der Epoche, erst gegen Ende der fünfziger Jahre. Dem widerspricht nicht die Erinnerung an das oft euphorische Interesse für Literatur, an die Wachheit, die große Erwartung, die erregte Offenheit, die vor allem für die früheren Jahre der Zeitspanne bezeichnend sind; das war ein moralisches, auch politisches, kein literarisches Phänomen, signalisierte Hunger, Leere, Hoffnung, nicht Produktivität. Es läßt sich anders, zugespitzt, auch so sagen: Die Literaturvorstellungen und Literaturerzeugnisse dieser Phase haben in der Mehrzahl historisch geringeren Belang als die Etablierung der Gruppe 47. Jedenfalls wenn man von Literatur erwartet, daß sie Bewußtsein der Weltverhältnisse realisiert.
Gerade das aber war unmöglich zu erwarten. Der Blick war verstellt von Elend, physischem und ideologischem Elend. Aufschlußreich die Enttäuschung über die leeren Schubladen der Dichter mit und ohne Namen, die in der frühen Nachkriegszeit gelegentlich geäußert wurde: daß sie empfunden wurde, beweist eine pseudo-idealistische, für die gesellschaftlichen Bedingungen von Literatur und das Ausmaß der überstandenen Katastrophe blinde Beschränktheit, die erschreckend bleibt, auch wenn sie verständlich ist, wenn es die besten psychologischen Erklärungen für sie gibt. 1946 veröffentlichte andererseits Kasimir Edschmid, berühmt als Autor früher expressionistischer Prosa, einen Roman *Das gute Recht*, geschrieben, um sich heftig darüber zu beschweren, daß der Krieg und seine Folgen seine schriftstellerische Arbeit beeinträchtigt hatten und weiter beeinträchtigten, daß er belästigt wurde durch die Not anderer, durch Flüchtlinge z. B., für die er sich nicht verantwortlich fühlte. Er klagte dagegen sein vermeintliches Recht ein, in Ruhe gelassen zu werden. Falls der Roman 1946 irgendwelche Reaktionen hervorgerufen hat, so dürften sie weit weniger kritisch ausgefallen sein als nach einem Neudruck Anfang der sechziger Jahre. Er forderte Proteste gegen einen naiven Privilegierten-Egoismus heraus, der 1946 noch als natürliches Vorrecht des ›geistigen Menschen‹ ohne weiteres bejaht wurde. War dieser es doch, von dem die Mehrheit jetzt Wiedergeburt erhoffte.
Es dauerte Jahre, bis das historische Ausmaß dessen, was mit diesem Krieg geschehen war, tatsächlich bewußt wurde. *Die Ermittlung*, das Auschwitz-Oratorium von Peter Weiss, machte nicht etwa 1948 oder 1950 Aufsehen, sondern im Jahr 1965. Unmittelbar nach Kriegsende dominierten vage Schuldgefühle, die Berufung auf die Ideale des Eigentlichen und Höheren, das je eigene Elend und das Gefühl, noch einmal davongekommen zu sein. Die bereits 1946 unter dem Titel *Lemuria* als Buch erschienenen »Aufzeichnungen und Meditationen« des rheinischen Dichters Emil Barth (*Das Lorbeerufer*, 1943; *Xantener Hymnen*, 1948) aus den Jahren 1943 bis 1945 illustrieren drastisch das Verhältnis von Ideal und Wirklichkeit, wie es sich dem ›geistigen Deutschland‹ jener Jahre darstellte. Sein Signum ist eine Innerlichkeit, zu deren Kennzeichen weiterhin die politische Neutralität, das Sich-Heraushalten aus den niederen alltäglichen Umtrieben, die Versenkung ins vermeintlich

Wesentliche zählen. Wenige Tage vor Kriegsende schrieb Barth: »Wohin wir blicken, sehen wir den deutschen Menschen in der grausamsten Schule für die Zukunft zubereitet werden, die entweder in seiner Innerlichkeit oder nirgends gelegen sein wird.« Und einige Wochen später heißt es im Anschluß an einige Notizen zu Informationen über KZ-Greuel: »Das eigentlich Wichtige, das Wesentliche, worum es jetzt geht, ist doch dieses: daß jeder in sein Purgatorium hinabsteige und sich dem klärenden Feuer der Gewissenserforschung aussetze. Alles, was gelitten worden ist, wird umsonst gewesen sein, alles, was noch gelitten werden muß, vom Fluch der Vergeblichkeit gezeichnet sein, ja, vom selben Geist des Bösen zu seinem Triumph ausgeschlachtet werden, wenn nicht die ganze abendländische Zeitgenossenschaft die grauenhaften Erfahrungen dieser Jahre in unermüdlicher geistiger und seelischer Arbeit zum Grundstoff ihrer Selbstprüfung und Erneuerung macht.« Die Selbstverständlichkeit, mit der sich Barth der konkreten Konfrontation in ein unverbindliches Höheres entzieht, ist ebenso symptomatisch wie die Tendenz, unabhängig von Deutschland eine allgemeine menschliche Haftung für das Geschehene anzustrengen. Die Innerlichkeit, weiterhin Fluchtort des ›geistigen Menschen‹ und der Literatur, soll nicht nur Deutschland retten, sie wird der ganzen Welt anempfohlen.

Es geht hier nicht um subjektive Ehrlichkeit, um die Glaubwürdigkeit von Gefühlen und Überzeugungen, sondern darum, daß zwischen ihr und den objektiven Verhältnissen kaum noch eine Verbindung war. Der Titel *Dies Irae*, unter dem Werner Bergengruen gleich 1945 Gedichte veröffentlichte, entsprach wie der Titel *De profundis*, den Gunter Groll 1946 einer Anthologie »Deutscher Lyrik in dieser Zeit« gab, intensiven Empfindungen. Zugleich aber ist festzuhalten, daß die ersten literarischen Reaktionen auf den Zusammenbruch – Sonette erbrachten, und dies ist bezeichnender: *Venezianisches Credo*, Sonette von Rudolf Hagelstange, außerdem die *Moabiter Sonette* des von der Gestapo ermordeten Albrecht Haushofer gehörten zu den frühesten Nachkriegsveröffentlichungen. Und wenn nicht das Sonett, so verwendeten die Dichter jedenfalls ähnlich konventionelle, zeitferne Formen. Bezeichnender als alle Trauer, alle Bereitschaft zur Gewissenserforschung, alle Offenheit des Fühlens ist, daß Rainer Maria Rilke und nach dem Erscheinen seiner *Statischen Gedichte* 1948 auch Gottfried Benn die Idole fast all jener wurden, die versuchten, ihre Empfindungen in Gedichte zu bringen. Neoromantik, mit Surrogaten des Expressionismus versetzt, Legendenton, Bildersprache und eine Metaphorik, die kompliziert und reizstark das Hintergründige zu evozieren suchte, Weltinnenraum und immanente Transzendenz, Rauschwert, Melancholie und Apokalypse, Mythos und Ausdruckswelt – der Verdacht, dies alles, mit Eifer in der frühen Nachkriegszeit umworben, übrigens auch in Erzählungen und Romanen, stehe zuletzt ein für eine unbewußte, oft höchst kunstvolle Kostümierung einer elementaren Sprachlosigkeit, erscheint nur allzu begründet.

›Kahlschlag‹ und ›Auszug aus dem Elfenbeinturm‹ wurden erst 1949 proklamiert. Diese herausfordernden Prägungen von Wolfgang Weyrauch[1] und Wolfdietrich Schnurre[2], diese für die Literatur der ersten fünfzehn Nachkriegsjahre so wichtigen Schlagwörter hatten unmittelbar Resonanz, denn sie bezeichneten Erwartungen und Ansätze, die schon vorher in den Vordergrund gedrängt hatten. Doch sie kamen erst 1949 unter die Leute, vier Jahre nach Kriegsende, und das wird im Rückblick leicht übersehen. Außerdem stieß das Literaturkonzept, das sie spiegeln, sofort auf heftigen Widerstand. Der Versuch, die Stunde Null, den Neubeginn nach der großen Zerstörung, mit mehrjähriger Verspätung doch noch nicht nur individuell, sondern auch gesellschaftlich, auch für das allgemeine Literaturbewußtsein nutzbar zu machen, kam zu spät. Im übrigen ist zu bezweifeln, daß es eine Stunde Null im mit dieser Bezeichnung intendierten Sinn überhaupt gegeben hat. Das war eine absurde Hoffnung. Es war nur die Stunde äußersten physischen und ideologischen Elends, die Stunde der Unfähigkeit zu kritischem Denken, die Stunde der Anfälligkeit für die geringsten Tröstungen. Es konnte sich in ihr weder eine neue Gesellschaft noch eine neue Literatur konstituieren.

Den altbewährten Dichtern und Schriftstellern machte zunächst einmal niemand das Wort streitig. Gerhart Hauptmann lebte noch, unangefochten als Dichterfürst – seine zweifelhafte Rolle unter Hitler wurde bis heute mit zweifelhaftem Takt im öffentlichen Bewußtsein verdrängt. Zwar wurde schon in den ersten Nachkriegsjahren eine recht große Anzahl Erstlingsarbeiten junger Autoren veröffentlicht, die von ihrem Umbruchserlebnis zum Schreiben stimuliert worden waren; darüber ist zu berichten. Doch abgesehen selbst davon, daß die meisten von ihnen zu schreiben aufhörten, sobald das Erlebnis verblaßte, wogen sie das Angebot literarischer Arbeiten von Autoren auch nur der ›inneren Emigration‹ keineswegs auf. Etliche der von den Nationalsozialisten – aus welchen Gründen auch immer – geduldeten oder gar protegierten Autoren publizierten ohne von heute aus noch deutlich erkennbaren Einschnitt weiter. Reiht man die Publikationsdaten um 1945 hintereinander, so ergeben sich verblüffende Kontinuierlichkeiten. Ernst Jünger publizierte neue Titel in den Jahren 42, 43, 47, 48; Friedrich Georg Jünger 42, 44, 46, 47; Werner Bergengruen 43, 44, 45, 46; Bernt von Heiseler 42, 43, 45, 47; Gertrud von Le Fort 40, 43, 46, 47; Hermann Claudius 40, 42, 44, 46, 47, 48. Das sind nur wenige Beispiele. Hans Bender hat für den Anhang seiner Anthologie *Widerspiel – Deutsche Lyrik seit 1945*, die 1961 herauskam, einen Katalog der »Lyrikbände seit 1945« zusammengestellt, der drastisch das Übergewicht einer Tradition belegt, die längst aller Zweifel würdig war, statt dessen jedoch hingegeben adoriert und interpretiert wurde. Schon 1949 veröffentlichte auch Agnes Miegel wieder, *Flüchtlingsgedichte*.

Das blieb nicht ganz und gar unbemerkt. Horst Lange erinnerte im mit dem Erscheinungsdatum 1. Januar 1947 versehenen Heft 10 der von Alfred Andersch und Hans Werner Richter herausgegebenen, im April 1947 von der amerikanischen Militärregierung verbotenen Zeitschrift *Der Ruf* unter dem Titel *Bücher nach dem Kriege* an die Zeit, da edle, feinsinnige und kunstvolle Bücher »bereits als bedeutsames Element der Opposition« galten. Dann fährt er fort: »Die offiziellen Wächter, welche das geistige Leben bei uns unter ihrer Kontrolle hielten, duldeten und förderten diese Idylliker – während das äußere Reich immer stärker und ausschließlicher der Barbarei verfiel, sollten sie das innere Reich kultivieren helfen – so lange, bis an die Stelle der Hexameter Marschbefehle, an die Stelle der Oden der Wehrmachtsbericht und an die Stelle der Sonette Volksgerichtshof-Urteile zu treten hatten. Selbst bis in die äußersten Bezirke der Geistigkeit reichte die politische Spekulation. Wir haben nicht ohne Erstaunen jene Wendung wahrgenommen, in der sich, als es an der Zeit war, das ›innere Reich‹ als ›innere Emigration‹ deklarierte. Und wir waren mit Recht darauf neugierig, was diese innere Emigration nun vorweisen würde, wenn sie nach außen und in die Öffentlichkeit heimkehrte. Es ist das alte Lied, das wir zu hören bekommen, und wir sind noch nicht einmal davon überrascht, daß man keine neue Tonart fand, um es noch einmal zu Gehör zu bringen. Erfindungsreichtum gehört nicht zu den Vorzügen der Idylliker, denn sie vertrauen auf die Harmlosigkeit der leisen Melodien und auf die Schnellebigkeit und Vergeßlichkeit ihrer Zeitgenossen.«

Es besteht kein Zweifel, daß der Begriff ›innere Emigration‹ schillert. Mitläufer und Angepaßte verwendeten ihn geschickt als Alibi, naivere Gemüter waren fest überzeugt, die innere Emigration echt gelebt zu haben, mit knapper Not dem Terror des Hitler-Regimes Entkommene hatten zu dulden, daß auch sie dem Begriff, zu seiner Aufwertung, subsumiert wurden. In den Jahren nach 1945 erschienen außerdem von Autoren, die schon früher bekannt geworden waren und Hitler in Deutschland überlebt hatten, eine Reihe von lyrischen und Prosadichtungen, deren Faszination sich bis heute jedenfalls diejenigen nicht entziehen können, die sie zur Zeit der Erstveröffentlichung kennengelernt haben. Es seien nur genannt die Romane *Die Stadt hinter dem Strom* von Hermann Kasack oder Elisabeth Langgässers *Das unauslöschliche Siegel.* Oder die Gedichte von Oskar Loerke, Marie Luise Kaschnitz, Wilhelm Lehmann. Auch diese Werke aber widerlegen zuletzt den Ruf nach dem ›Kahlschlag‹ nicht. Es genügt, sie etwa mit dem packenden *Memorial* des Widerstandskämpfers und Zuchthäuslers Günther Weisenborn zu vergleichen, um das zu begreifen.

Eine radikal neue Literatur, auch wenn sie nicht nur Wunschbild gewesen wäre, wenn es sie gegeben hätte, konnte unter den gegebenen Voraussetzungen, angesichts der fortbestehenden Gewohnheiten des Empfindens, Denkens und Vorstellens, damit auch des Lesens und des Schreibens, nur sehr langfristig auf Erfolge hoffen. Und es gab diese Literatur bestenfalls in Ansätzen. Dafür ist das andere, weit stärkere Glied der Zange, in die alle Hoffnungen, ganz neu anzufangen, gerieten, noch gar nicht beschrieben: die Literatur jener Schriftsteller, die tatsächlich vor Hitler hatten fliehen, die hatten emigrieren müssen. Es kehrten zurück, wo nicht in Person, so mit ihren Werken, den in der Emigration abgeschlossenen und den jetzt zügig neu entstehenden: Bertolt Brecht, Heinrich Mann, Hermann Broch, Thomas Mann, Alfred Döblin, Arnold Zweig, Anna Seghers und Leonhard Frank, Robert Neumann und Hermann Kesten, Johannes R. Becher und Friedrich Wolf. Dazu eine große Anzahl weiterer emigrierter Autoren, die entweder nicht so berühmt waren oder deren Arbeiten die höchsten literarischen Ansprüche nicht so ganz erfüllten. Inzwischen sind wohl nur noch wenige im Zweifel über die Bedeutung von Carl Zuckmayers Stück *Des Teufels General* – ab 1946 aber beherrschte es, neben Thornton Wilders *Wir sind noch einmal davongekommen*, auf Jahre die provisorisch wieder zusammengeflickten deutschen Bühnen. Thomas Mann erfuhr eine Renaissance, die ihn zu einem bald nahezu unumstrittenen Präzeptor des verwüsteten, dann sich emsig wieder aufbauenden Deutschland machte, insbesondere in dessen westlichen Zonen. Ganz ähnlich Hermann Hesse. Das Werk Robert Musils, der 1942 im Genfer Exil gestorben war, war zu rezipieren und fand überraschend breite Resonanz. Franz Werfel hatte bis zu seinem Tode 1945 in Beverly Hills Buch um Buch verfaßt, ähnlich Georg Kaiser, der völlig vereinsamt 1945 in der Schweiz gestorben war.

Die Literatur der zuvor ›Verbrannten und Verbannten‹, hier nur roh andeutend in Erinnerung gebracht, hat bis hoch in die fünfziger Jahre und länger die Vorstellungen von literarischer Qualität in Deutschland bestimmt, teilweise in Parallele ganz allgemein zur Wiederentdeckung der Literatur des Expressionismus, mit dem sich viele der Emigranten in Beziehung bringen ließen. Wie groß das Übergewicht war, zeigt besonders deutlich das Alterswerk Thomas Manns. Fast alle seine neu erscheinenden Bücher wurden akzeptiert als Setzungen neuer Maßstäbe: der *Doktor Faustus* im Jahr 1947, 1949 *Die Entstehung des Doktor Faustus*, 1951 *Der Erwählte*, 1953 *Die Betrogene*, 1954 die Neufassung des *Felix Krull*. Die im Exil entstandenen, die von den zurückkehrenden Autoren verfaßten Werke drängten auch die Produktion der inneren Emigration schließlich in die zweite Reihe. Und wie konnten da Wolfdietrich Schnurres vergleichsweise schlichte Erzählung *Das Begräbnis*, die er auf der ersten Tagung der Gruppe 47 am 10. September 1947 am Bannwaldsee bei Füssen im Allgäu vorlas, und selbst Wolfgang Borcherts 1947 uraufgeführtes Schauspiel *Draußen vor der Tür* allein nur vor dem *Doktor Faustus* bestehen. In Karl August Horsts Abriß *Die deutsche Literatur der Gegenwart*, 1957 erschienen und 274 Seiten stark, kommt Schnurre gar nicht vor und wird Borcherts Heimkehrer-Stück gerade noch im Zusammenhang mit anderem und in wenigen Zeilen nebenbei eingeordnet. Das ist sogar begreiflich. Ein ganzer literarischer Kosmos war wieder sichtbar geworden, und er glühte aufs neue in starken Farben auf. Verhieß er nicht Überwindung und Kontinuität, war nicht er die wirkliche Gegenwart? Was die sozial und sozialistisch engagierte Literatur betraf, so führten auch die radikaleren Entwürfe doch stets wieder zurück zu Bertolt Brecht, der ihnen immer schon und noch weit voraus war. Sogar nach seinem Tode 1956 noch.

Es ist im übrigen so verwunderlich gar nicht, daß viele der zwölf Jahre lang Verbannten sich mit den politisch-moralisch rehabilitierten Autoren der inneren Emigration leichter verständigen konnten als mit den wenigen jüngeren, offensichtlich ratlosen, mühevoll werkelnden, von der Nazizeit deformierten und aus all diesen Gründen völlig einflußlosen jungen Autoren, die von einem völligen Neubeginn träumten. Es ist bekannt, welche Abneigung Thomas Mann gegen die Gruppe 47 empfand, die auch Robert Neumann bis hin zu ihrer letzten Tagung immer wieder attackiert hat. Und was deren Vorläufer betrifft, die ›junge Generation‹ der frühesten Nachkriegszeit, immer wieder apostrophiert von der Zeitschrift *Der Ruf*, deren Redakteure und Mitarbeiter schließlich die Gruppe 47 auf den Weg brachten, so schien für sie zunächst überhaupt nur charakteristisch zu sein, daß sie schwieg. In Heft 2 des *Ruf*, herausgekommen am 1. September 1946, untersuchte Hans Werner Richter die Frage »Warum schweigt die junge Generation?«. Er schrieb: »In Deutschland redet eine Generation, und in Deutschland schweigt eine Generation. Und während die eine sich immer mehr in das öffentliche Gespräch hineinflüchtet, während sie, gleichsam in eine Wolke von bußfertigem Weihrauch gehüllt, in die beruhigenden Schatten der Vergangenheit flieht, versinkt die andere immer mehr für das öffentliche Leben in ein düsteres, nebelhaftes Schweigen. Spricht die eine, die ältere Generation, der anderen, ihr nachfolgenden, jede geistige und sittliche Fähigkeit mit professoraler Selbstverständlichkeit ab, so sieht die jüngere nur mit erstaunter Gleichgültigkeit diesem seltsamen Gebaren zu und schweigt ... Ist diese Generation noch mit Gedankengängen belastet, die ›denazifiziert‹ werden müssen, oder hält sie noch immer die Handgranate geistig in der Hand, die sie gestern zu entsichern gezwungen wurde?« Richter schildert die Erfahrungen dieser Generation, ihr Bewußtsein der Existenzbedrohung, das stark genug ist, die »unendliche Flut von wohlgemeinten Reden« völlig gleichgültig abrinnen zu lassen. Dann nennt er die Gründe für ihr Verhalten. Diese junge Generation, sagt er, »schweigt aus dem sicheren Gefühl heraus, daß die Diskrepanz zwischen der bedrohten menschlichen Existenz und der geruhsamen Problematik jener älteren Generation, die aus ihrem olympischen Schweigen nach zwölf Jahren heraustrat, zu groß ist, um überbrückbar zu sein. Sie weiß, daß jenes Bild des Menschen, das die ältere Generation von ihren Vorvätern ererbt hat und das sie nun wieder errichten möchte, nicht mehr aufgebaut werden kann. Sie weiß, daß dieses Bild endgültig zerstört ist. Sie weiß es vielleicht nur intuitiv, aber sie weiß es.«

Auch Hans Werner Richters Schlußfolgerung sei noch zitiert: »Aus der Perspektive dieses intuitiven Wissens heraus gewinnen die Dinge des menschlichen Lebens ein anderes Gesicht, werden sie dem äußeren Bild jener Landschaft adäquat, deren Profil von den Ruinen und Trümmern der großen Städte gezeichnet ist. Der moralische, geistige und sittliche Trümmerhaufen, den ihr eine wahrhaft ›verlorene‹ Generation zurückgelassen hat, wächst ins Unermeßliche und erscheint größer als jeder real sichtbare. Vor dem rauchgeschwärzten Bild dieser abendländischen Ruinenlandschaft, in der der Mensch taumelnd und gelöst aus allen überkommenen Bindungen irrt, verblassen alle Wertmaßstäbe der Vergangenheit. Jede Anknüpfungsmöglichkeit nach hinten, jeder Versuch, dort wieder zu beginnen, wo 1933 eine ältere Generation ihre kontinuierliche Entwicklungslaufbahn verließ, um vor einem irrationalen Abenteuer zu kapitulieren, wirkt angesichts dieses Bildes wie eine Paradoxie. Aus der Verschiebung des Lebensgefühls, aus der Gewalt der Erlebnisse, die der jungen Generation zuteil wurden und die sie erschütterten, erscheint ihr heute die einzige Ausgangsmöglichkeit einer geistigen Wiedergeburt in dem absoluten und radikalen Beginn von vorn zu liegen.«

So eindeutig und einfach aber, wie Hans Werner Richter sie im ersten Nachkriegsjahr geschildert hat, war, wie schon angedeutet, für die junge Generation die Situation keineswegs. Richter hat damals – in provokatorischer Absicht, doch zugleich auch in Abhängigkeit von gewohnten Denkweisen – die aktuelle Problematik leicht mythisiert und idealisiert. Der »absolute und radikale Beginn von vorn« war keine reale Hoffnung, sondern eine Idee, nichts anderes, vielleicht sogar eine Illusion. Die sehr konkreten Abhängigkeiten gerade der jungen Generation jener Jahre wurden unterschätzt. In einer sehr informativen Studie, die Urs Widmer 1966 unter dem Titel *1945 oder die ›Neue Sprache‹* veröffentlicht hat und die sich mit der Prosa jener jungen Generation auseinandersetzt, wird nicht zuletzt auch die Sprache des *Ruf* als Untersuchungsmaterial zugrunde gelegt. Die Ergebnisse sind nicht besonders erfreulich. Tatsächlich hätte eine sprachliche ›Denazifizierung‹ nicht nur der Prosa der jungen Leute, die zwischen 1945 und 1948 zu schreiben begannen, ganz allgemein, sie hätte auch dem *Ruf* selbst genützt. Widmer konstatiert: »Zwölf Jahre Klischeesprache scheinen schwer auf den jungen Journalisten zu lasten. Sie können sich von den vernebelten Begriffen, die das ›Dritte Reich‹ geschaffen hat, nicht lösen. Im gleichen diffusen Stil wird weitergeschrieben – nur die Vorzeichen haben sich geändert. Es ist ein Symptom, wenn inzwischen ausgezeichnete Stilisten gewordene Autoren wie Alfred Andersch sich so hilflos ausdrücken, wie dies im *Ruf* der Fall ist. Eine Gefahr besteht bei der Betrachtung dieser Sprache [der Nazi-Sprache]: man legt moralische Maßstäbe an sie an, spielt vor einzelnen Wörtern den Staatsanwalt. Aber

man kann nicht einzelne Wörter aufspießen und glauben, mit ihnen allen Nazi-Einfluß auf die Sprache ausmerzen zu können. Der *Ruf* zeigt, daß 1945 die Sprache in weit größerem Maße angegriffen war.«
Die kritische Verwendung von Wörtern wie etwa ›Held‹, ›Gefolgschaftstreue‹, ›fanatisch‹, ›Volk‹, ›Blut‹ genügte in der Tat wohl kaum, sich den tief eingebrannten sprachlichen Zwängen zu entziehen. Widmers breit angelegte und sorgfältige Analyse der Sprache der damaligen jungen Generation demonstriert unmißverständlich, daß aller gute Wille das konkrete Versagen vor der Sprache nicht aufwiegen konnte. Es gibt zahlreiche nationalsozialistische Relikte, eine unbewußte Fortschreibung in zwölf Jahren eintrainierter Sprachregelungen. Bester Teil der Versuche ist, daß verschiedene Autoren sich ihres Versagens vor der Sprache bewußt blieben und daß sie dieses Bewußtsein zum Ansatzpunkt ihrer Schreibversuche machten.
In den Prosaarbeiten der jungen Generation von 1945 herrschen vor: vage Traditionalismen, daneben Wendungen popularisierter Neoromantik und eines popularisierten Expressionismus. Einzig der radikale Rückzug auf die Umgangssprache, wie Wolfgang Borchert und Wolfdietrich Schnurre ihn zum Programm machten[3], erlaubte einzelnen Autoren, ihre Sprache aus den Zwängen zu lösen. Als Beispiel der Anfang der 1946 entstandenen, bereits erwähnten Erzählung *Das Begräbnis* von Wolfdietrich Schnurre:
»Steh ich in der Küche auf m Stuhl. Klopft's.
Steig ich runter, leg den Hammer weg und den Nagel; mach auf:
Nacht; Regen.
Nanu, denk ich, hat doch geklopft.
›Ptsch‹, macht die Dachrinne.
›Ja –?‹ sag ich.
Ruft's hinter mir: ›Hallo!‹
Geh ich zurück wieder. Liegt n Brief auf m Tisch. Nehm ihn.
Klappt die Tür unten. Leg ich den Brief hin, geh runter, mach auf:
Nichts.
Ulkig, denk ich.
Geh rauf wieder.
Liegt der Brief da; weiß mit schwarzem Rand.
Muß einer gestorben sein, denk ich.
Seh mich um.
›Riecht nach Weihrauch‹, sagt meine Nase.
›Hast recht‹, sag ich; ›war doch vorher nich. Komisch.‹
Reiß den Brief auf, setz mich, putz mir die Brille.
So.
Richtig, ne Traueranzeige. Ich buchstabiere:
VON KEINEM GELIEBT, VON KEINEM GEHASST, STARB HEUTE NACH LANGEM, MIT HIMMLISCHER GEDULD ERTRAGENEM LEIDEN: GOTT.
Klein, darunter:
Die Beisetzung findet heute nacht in aller Stille auf dem St.-Zebedäus-Friedhof statt.
Siehste, denk ich, hat's ihn auch geschnappt, den Alten; nu ja. Steck die Brille ins Futteral und steh auf.«

Daß diese Prosa keine simple Reproduktion der Umgangssprache ist, daß sie vielmehr eine Kunstsprache intendiert, die sich bestimmter Kürzel, Lakonismen, auch Floskeln der Umgangssprache bedient, um mit ihnen den gewohnten Sprachfluß zu brechen, liegt auf der Hand. Es ist eine Sprache, um sich nicht länger dumm machen zu lassen – von der Sprache. Dem entspricht das Thema der Erzählung: die alltagsnahe Variation des Motivs »Gott ist tot«. Die Form der Erzählung ist beibehalten, was hier jedoch nicht wichtig ist. Es kommt an auf den Versuch, etwas so zu erzählen, daß es nicht sofort von gewohnten Bedeutungen der Sprache entstellt und verschüttet, daß es in seinen aktuellen Umrissen erkennbar wird. Allein darin liegt die Qualität der Erzählung, die im übrigen keineswegs sonderlich neu oder originell ist.

Das Zitat läßt merken, wieviel Anstrengung es die jungen Autoren, die nicht auf die Schreibweisen der Zeit vor 1933 zurückgreifen wollten und konnten, unmittelbar nach dem Krieg kostete, das zu sagen, was sie zu sagen hatten, ohne es von ihrer eigenen gewohnten Sprache entstellt zu sehen. Es gelang nur durch Aussparungen, es gelang selten genug, und viel Bewunderung ließ sich dieserart nicht finden. Zudem war die Bemühung um die harte, nüchterne neue Sprache immer wieder Rückfällen ausgesetzt. Vor allem, wenn vom Krieg die Rede ist, doch nicht nur dann, unterliegt die erstrebte Nüchternheit meist einer dubiosen Metaphorik. Urs Widmer hat herausgearbeitet, daß er mit Vorliebe als furchterregendes Tier oder als Naturkatastrophe objektiviert wurde. Heinrich Böll sieht in der 1948 entstandenen Erzählung *Wiedersehen in der Allee* »seine zähnefletschende Fratze«, erinnert seinen »grauenhaften Atem«, und für Ilse Aichinger ist er in dem 1948 zuerst erschienenen Roman *Die größere Hoffnung* die »Sintflut«. Auch sonst schlägt ständig Metaphorik durch, bemüht und verworren meist. Selbst Wolfgang Borchert behält bei allem Mißtrauen eine Schwäche für unbestimmte, teils Rilke-nahe Bilder, die seiner Kontrolle immer wieder entkommen. Schnurre hat sich am entschiedensten um ein Schreiben abgemüht, das allen Ballast hinter sich ließ. Er stellt das im Rückblick so dar: »Es war kein einfaches Schreiben. Es gab keinen ethischen Rückhalt. Es gab keine Tradition. Es gab nur die Wahrheit. Nicht einmal die Sprache war mehr zu gebrauchen; die Nazijahre und die Kriegsjahre hatten sie unrein gemacht. Sie mußte erst mühsam wieder Wort für Wort abgeklopft werden. Jedem Und, jedem Adjektiv gegenüber war Vorsicht geboten. Die neue Sprache, die so entstand, war nicht schön. Sie wirkte keuchend und kahl.«[4]

Für die Wahrheit, das einzige, was Schnurre – und mit ihm eine ganze Reihe anderer – fest zu besitzen glaubte, gab es noch keine Sprache. Das Medium dieser Wahrheit, einer Wahrheit des Gefühls, war allein das Mißtrauen gegenüber der Sprache. Es war moralisch motiviert, und schon deshalb reicht es nicht sehr weit – selten weit genug. Kein Zweifel aber besteht, daß es ein notwendiges Mißtrauen war. Die Texte, die ihm zu verdanken sind, waren nicht sehr zahlreich, und sie blieben anfällig für die überkommene, bald immer breiter in den Vordergrund drängende Sprache jener symbolischen Darstellungsweise, die noch aus der Zeit vor 1933 legitimiert schien und deren zum Teil komplizierte, stets aufs Ganze zielende Weltentwürfe und Weltdeutungen all den Ergebnissen des Mißtrauens gegenüber der Sprache weit überlegen erscheinen mußten.

1961 faßte Walter Jens in seinem Buch *Deutsche Literatur der Gegenwart – Themen, Stile, Tendenzen* die Phase um 1950 folgendermaßen zusammen: »Die Fronten begannen sich langsam zu klären; der Neorealismus verschwand so schnell wie er kam, auch Weyrauch sagte dem ›Kahlschlag‹ valet. Man sah wieder auf Stil und Verwandlung, Manier und akkurate Imagination: die Manen Kafkas wurden beschworen, und allmählich fand man dann doch den eigenen Ton.« Obwohl inzwischen Zweifel erlaubt sind auch an dem, was Jens hier den ›eigenen Ton‹ nennt – er ist längst ebenso dahin wie der ›Kahlschlag‹ –, so trifft doch zu, daß der Versuch der jungen Nachkriegsautoren, eine ›neue Sprache‹ zu erarbeiten, nur zu sehr kurzatmigem Erfolg führt. Kaum richtig an die Öffentlichkeit gebracht, war es vorbei mit dem so mühsam durchgesetzten Kahlschlag, mit der neuen Sprache, und eine Rückkehr in den Elfenbeinturm unter neuem Vorzeichen setzte ein.
1949 also proklamierte Wolfgang Weyrauch im Begleitwort zu seiner Anthologie *Tausend Gramm*: »Wir achten die fremden Wegweiser. Aber – ich bin davon überzeugt, daß es so ist – die Literaturen der anderen können uns erst dann achten, wenn wir uns mit ihnen auseinandersetzen, wenn wir sie nicht, direkt oder indirekt, nachahmen, wenn wir vor den Kopien, die sich zeigen, warnen und wenn wir versuchen, eine Literatur, in diesem Zusammenhang also eine Prosa, zu gründen und zu entwickeln, welche die unsre ist. Eine deutsche Literatur, die nimmt – aber auch gibt! Und immerhin – sie gibt schon etwas. Was aber gibt sie? Sie gibt einen Kahlschlag in unserem Dickicht. In der gegenwärtigen deutschen Prosa sind mehrere Schriftsteller erschienen, die versuchen, unsre blinden Augen sehend, unsre tauben Ohren hörend und unsre schreienden Münder artikuliert zu machen.«
Das vielzitierte Gedicht *Inventur* von Günter Eich zeigt, weniger drastisch als *Latrine*, doch ebenso eindringlich, was man unter ›Kahlschlag‹ verstand. Hans Werner Richter zitiert es in einem Rückblick, der den 1962 zu ihrem fünfzehnjährigen Bestehen erschienenen *Almanach der Gruppe 47* einleitet, als Exempel für die Kahlschlag-Literatur. Neben der Prosa von Wolfdietrich Schnurre seien wenigstens die beiden ersten Strophen des Gedichts in Erinnerung gebracht:

»Dies ist meine Mütze
dies ist mein Mantel,
hier mein Rasierzeug
im Beutel aus Leinen.

Konservenbüchse:
mein Teller, mein Becher,
ich hab in das Weißblech
den Namen geritzt . . .«

1950 erhielt Günter Eich den Preis der Gruppe 47, aber nicht mehr für ein Kahlschlag-Gedicht. In seinem Kommentar zu einer »Auswahl der Lesungen auf den Tagungen der Gruppe 47« im bereits erwähnten Almanach schreibt vielmehr Fritz J. Raddatz: »Mit der ersten Verleihung des Preises der Gruppe 47 an Günter Eich 1950 ist die Bindung ans Thema endgültig vorbei. Es gibt keine ›poetischen Themen‹, Flamingo oder Gaslaterne können gleich geeignetes poetisches Material sein.« Raddatz verweist dann auf das Gedicht *Fränkisch-tibetanischer Kirschgarten*, für das unter anderem Eich den Preis erhielt. Er nennt es ein »großartiges, ›reines‹ Gedicht«, und es erscheint sinnvoll, es gerade an dieser Stelle zu zitieren:

»Gebet im Ohr der Stare
aus den Zellen der Klosterstadt,
über den Kirschenhängen
die Aderung im Blatt,

mit Rost- und Regenzeichen
geschrieben auf flatterndes Gras,
was von zerfransten Bändern
zornig der Paßwind las,

von einem Wolkenschatten
ist die Kirschhaut geprägt,
ein Rauschen, das die Schnecke
in ihrem Hause trägt,

das vom Boden des Kessels
aufsteigt, eine Welle im Tee,
über den Pilgerzelten
gehißt als Fahne von Schnee.«

An diesem Punkt, 1950, schien der Kahlschlag, kaum proklamiert und nur im Ansatz versucht, auch schon überwunden. Die Frage lautet: War in den fünf Jahren seit Kriegsende tatsächlich die Sprache so weit überprüft, erneuert, zu sich selbst gebracht, in ihrer Struktur wie in ihren Bedeutungen neuerlich so im Einklang mit der individuellen und sozialen Realität, so identisch der Wahrnehmung, daß ein ›reines Gedicht‹ wieder möglich war? Oder hatte man den mühsam und ohne große Ergebnisse eingeleiteten Prozeß eines mißtrauischen Umgehens mit Sprache, ohne sich das bewußt zu machen, nur einfach abgebrochen, unterdrückt, um sich zunächst einmal, schon erschöpft von der Konfrontation mit der Wirklichkeit, schreibend der Angebote der Tradition zu vergewissern, die zu dieser Zeit schon in ihren besten Beispielen wieder zugänglich waren, und sie weiter zu modifizieren? Wie immer das in den fünfziger Jahren ausgesehen haben mag, von heute aus gesehen, trifft diese zweite Frage den Zustand. Gerade das Œuvre Günter Eichs ist ein aufschlußreicher Beleg für diese Hypothese. Eich ist in den fünfziger Jahren, grob gesagt, in eine moderne Innerlichkeit ausgewichen, in seinen Gedichten und – vor allem – im Hörspiel, dem nicht zuletzt er auf diese Weise zu außerordentlichen Erfolgen verhalf. Er erzeugte einen Innenraum der Läuterung und Erlösung, mit Hilfe von Gelenkstücken der großen Religionen. In seinen jüngsten Arbeiten, den *Maulwürfen*, bezieht Eich jedoch – plötzlich wieder sarkastisch, böse, aggressiv, auf dem widersprüchlichen Erfahrenen bestehend – eine Gegenposition zu dieser seiner eigenen Dichtung, die bei aller Originalität doch primär Ansätze einer neoromantischen Mystik und neoromantische Vorstellungen von der Autonomie der Dichtung fortsetzte, und diese Gegenposition ist seiner Haltung in den Kahlschlag-Gedichten überraschend ähnlich. Wiederum sondiert Eich, was bleibt, wenn die Bilder, die Illusionen und schönen Fügungen verblassen, und es geschieht in einer Nähe zur Sprache, zum Fragen in der

Sprache, die seine poetischeren Werke nicht haben. Es setzt im übrigen erstaunlich heftige Aggressionen gegen alles Poetische frei.
Um 1950 wurde die radikale Forderung nach einer neuen Sprache, obwohl sie sich kaum in ersten Versuchen umgesetzt hatte, wenn nicht kassiert, so doch an den Rand gedrängt. Der ›Kahlschlag‹ versandete in einem Neorealismus, der ihn in der Tat desavouierte. Dabei bleibt jedoch zu unterscheiden zwischen der Intention, die mit der radikalen Forderung, ganz neu anzufangen, verknüpft war, und dem, was sie hervorgebracht hatte: nicht viel mehr als Ansätze zu einem für die Gegenwart glaubwürdigeren Realismus. Steckte aber nicht in der Intention, die ja vor allem auch Befragung der Sprache gefordert hatte, weit mehr? Etwas, das auch ihre Verfechter nur vage empfunden hatten, ohne es konkretisieren zu können? Vieles spricht dafür. Es blieb virulent, wenn es häufig auch gänzlich verschüttet schien. Von ihm aus erzeugten sich Spannungen, die bis in diese Gegenwart reichen.
In den fünfziger Jahren zeigte sich eine große Anzahl jüngerer Schriftsteller, die nach dem Krieg zu schreiben begonnen hatten, zunehmend konkurrenzfähig, auch im Vergleich mit dem internationalen literarischen Angebot. Dabei erinnerte die Literatur der fünfziger Jahre immer wieder an die dunkle und böse Vergangenheit, von der die Gesellschaft in der Bundesrepublik bald glaubte, sie bewältigt zu haben. Aber sie ging ihr nicht auf den Grund. Sie war pluralistisch, auf eine eklektisch-poetische Weise, vielfarbig und vielseitig zwischen vagem Engagement, ernsthafter Objektivierung von subjektiven Erinnerungen, Gefühlen, Vorstellungen und schön eingefärbten Stimmungsspielen. Eine Literatur der Bilder, Gefühle, Aussagen, Reminiszenzen mehr als eine Literatur der Wahrnehmung, der Artikulation des Realen.
Für die Literatur dieser Jahre war bezeichnend, was Fritz J. Raddatz 1962 in seiner Einführung zu der *Almanach*-Auswahl der Lesungen auf den Tagungen der Gruppe 47 so beschrieb: ». . . wir erleben bei der Lektüre dieser Textsammlung etwas Unerwartetes, fast Nimbus-Zerstörendes: die ›öffentlichen Dinge‹ erscheinen nicht in der Schrift. Das hier Dargebotene weist die Gruppe 47 durchaus nicht als politisches Instrument aus, als Fortsetzung des *Ruf* etwa, wie Hans Werner Richter es beabsichtigte; nicht einmal die Notierungen eines empfindlichen Seismographen können festgestellt werden. In dem ganzen Band kommen die Worte Hitler, KZ, Atombombe, SS, Nazi, Sibirien nicht vor – kommen die Themen nicht vor . . . Die wichtigen Autoren Nachkriegsdeutschlands haben sich allenfalls mit dem Alp der Knobelbecher und Spieße beschäftigt; die Säle voll Haar und Zähnen in Auschwitz oder die Pelztiermentalität des tagebuchführenden SS-Professors Kremer . . . wurden nicht zu Gedicht und Prosa. Gewiß, man hätte einen anderen Band zusammenstellen können und es wäre dann manchmal Hiroshima genannt oder Budapest erinnert worden. Aber gar so anders hätte es nicht werden können – viel mehr ist da nicht drin. Das Abenteuer Sowjetunion ist hier offensichtlich keines . . . Die französische Nachkriegsliteratur – bis hinunter zur Unterhaltungskonfektion à la Jean Cau – wäre nicht denkbar ohne den Disput über Marxismus; das blieb nicht theoretische Gebärde zwischen Sartre – Camus – Merleau-Ponty, sondern drang tief ein bis in die Gestaltungsprinzipien. Hier weder Disput noch Gebärde noch Prinzip . . .«
Es war für die Literatur der fünfziger Jahre bezeichnend, was Walter Jens 1961 in *Deutsche Literatur der Gegenwart* so zusammengefaßt hat: »Nach 1950 erst ent-

faltete sich eine Poesie, deren Sprache deutsch und deren Erbe europäisch war: die in tausend Schulen erzogenen Kinder, Gide- und Lorca-Enkel, Brecht- und Pavese-Erben, die Schüler Majakowskis und Kafkas betraten die Bühne, fanden ihre eigene Sprache, eigene Themen und Topen und verwandelten ein Erbe, das sie – den Kaiserzeit-Griechen vergleichbar – oft genug von den ausgewanderten Söhnen ihrer Großväter, als Fremde, kennenlernten: so kehrten Freud und Strindberg heim, so gab der Beschenkte das Empfangene verwandelt wieder her, so wirkte europäischer Geist, wie ein ›Traumtoxin‹ in Amerika gespeichert, auf den Mutterkontinent zurück; so kam es, wie einst zwischen Griechen und Römern, zum wechselseitigen Austausch: die ›lost generation‹ versammelte sich in Paris; die Poesie Europas lernte in New York und Kansas City. Die National-Dichtung war für immer gestorben. Lebend im Angesicht des dritten Jahrtausends, herangewachsen im Schatten der Bombe, unterrichtet zu Füßen des Babylonischen Turms gingen die Autoren ans Werk. Niemand bisher konnte die Welt, den Raum und die Zeit, so weithin überschauen wie sie ...«
Insbesondere der etwas fatale Optimismus dieser Eloge ist bezeichnend für die deutsche Literatur fünf bis fünfzehn Jahre nach dem Zweiten Weltkrieg, in jener Zeit, da sich unwiderruflich zwei deutsche Literaturen etablierten: eine in der ›Zone‹, wie es damals hieß, eine in der Bundesrepublik.

Aus der Entfernung zwischen zehn und zwanzig Jahren angesehen, und aus der Totalen, verblassen bereits die Farben. Das Bild wird durchsichtig. Wo die Vergangenheit Originale sah, werden überall Imitationen, Anpassungen, Wiederholungen erkennbar. Bei strikter Forderung mag, mit vereinzelten Ausnahmen, diese ganze Phase schon jetzt nur noch ihre Bedeutung haben als Lernprozeß, als Prozeß einer notwendigen, zeitweise stagnierenden Reproduktion all dessen in anderen Literaturen und in der eigenen Vergangenheit, von dem die Gesellschaft zwölf Jahre lang ausgeschlossen gewesen war, ein Prozeß, der direkt und indirekt auch ihre literarische Produktion einfärbte. Wer heute dreißig und jünger ist, mag schon gar nicht mehr fähig sein, etwas anderes auszumachen.
Das Bild verändert sich, wenn die Œuvres einzelner Autoren in den Vordergrund geholt werden, wobei allerdings bestehenbleibt, daß eine sozusagen modernistisch variierte Abhängigkeit von den Traditionen, die erst wieder eingeübt werden mußten, überwiegt. Von heute aus gesehen vielleicht nur mit einer Ausnahme: Arno Schmidt; den dafür Karl August Horst[5] seinerzeit, 1957, ohne weitere Erläuterung in die Rubrik »bemühtes experimentelles Kunstgewerbe« einordnen durfte, Widerspruch mußte er nicht befürchten. Arno Schmidt zeigte von seinen ersten Arbeiten an – *Leviathan* erschien 1949 – ein differenziertes Bewußtsein der rationalistischen und aufklärerischen Tradition, das ihre aktuellen Möglichkeiten entwarf, das unmittelbar und radikal auch die Sprache reflektierte und Intentionen vorwegnahm, die erst nach 1960 auch von anderen deutlicher erkannt wurden. Seine Methode, mit ›Momentaufnahmen‹ den imaginären, irrealen Strom des Erzählens zu brechen, seine Theorie des längeren Gedankenspiels, sein Erzählen in nebeneinander ablaufenden Strängen sind konsequente formale Entwürfe, die bis heute weder überholt noch eingeholt sind.
Auch Wolfgang Koeppen und Hans Erich Nossack haben Sonderrollen. Koeppen

hatte nach zwei Romanen, die 1934 und 1935 – er war 28, 29 Jahre alt – erschienen, bis 1951 geschwiegen. Dann erschienen rasch hintereinander die Romane *Tauben im Gras* (1951), *Das Treibhaus* (1953) und *Tod ins Rom* (1954), rabiate und hoffnungslose Analysen der psychischen und sozialen Verhältnisse in der Phase sich verstärkender Restauration nach dem Kriege, deren Scharfblick und formaler Zuschnitt die selbstverständliche Kenntnis von James Joyce und Gertrude Stein spüren ließen. Aber Koeppen hatte nur wenig Erfolg. Die Situation war einer mehr gefühlsbetonten Selbstbespiegelung günstig, stieß die rationale Analyse ab. Außerordentliches Ansehen dagegen gewann Hans Erich Nossack. Schon als Person stand er auf eine Weise zwischen den Fronten, die Legendenbildung begünstigte. Er hatte unter dem Naziregime konsequent als Außenseiter gelebt.

Nossack war 46 Jahre, als – 1947 – Gedichte von ihm und die Erzählung *Nekyia* erschienen, in der Heimkehrergeschick und Muttermythologie ineinander verwoben sind. Schon 1948 folgte *Interview mit dem Tode*. Nossack hatte schon vor 33 zu schreiben begonnen, doch nicht veröffentlicht. In seinem Fall hätte sich möglicherweise die Erwartung auf volle Schubladen bei jenen, die zu völligem Schweigen gezwungen gewesen waren, erfüllt – doch kurz vor Kriegsende verbrannten, bei der Zerstörung Hamburgs, seine Manuskripte. Im Medium einer Konfrontation von Wirklichkeitserfahrung und mythischen Bildern, von Protokoll und Vision, die sich mit dem ›zweiten Gesicht‹ vergleichen ließe, näherte sich Nossack mit seiner Ideologie eines »Aufbruchs ins Nicht-Versicherbare«, der alles bürgerliche Treiben hinter sich läßt, dem Existentialismus – mehr dem Albert Camus' freilich als dem Sartres. In Nossacks Erzählungen und Romanen erkannten die gebildeten Neubürger der fünfziger Jahre ihre Verdrängungen, ihre Widersprüche.

Menschliche Wirklichkeit aufzuspüren, durchaus ›eigentliche‹ und ›höhere‹ Wirklichkeit, die jedoch der erfahrbaren Wirklichkeit nicht länger widersprechen sollte, blieb primäre Intention des Schreibens. In ihr trafen sich die unterschiedlichen – und im Rückblick doch gar nicht so verschiedenen – Ansätze. Realistische Schreibweisen, wie bei Schnurre, Hans Werner Richter, Walter Kolbenhoff, fanden Bestätigungen und Anregungen in Roman und Kurzgeschichte amerikanischer Herkunft, behaupteten sich neben zunehmender neuer Verinnerlichung, wurden – bis hin zu Martin Walser – immer wieder aufgenommen. Die dingnahen Gedichte und Erzählungen von Hans Bender sind hier zu nennen. Auch die allerdings ganz in der Konvention zurückbleibende Prosa von Siegfried Lenz. Oder die Romane von Paul Schallück. Der außerordentliche Erfolg des Erzählers Heinrich Böll in jenem Jahrzehnt verweist dabei besonders deutlich auf die Erwartungen der Leser: wie in Bölls Romanen, durchaus nach Absicht des traditionellen Realismus, die Erfahrung klein- und großbürgerlicher Alltagsrealität in der sich beschleunigenden Restauration sich koppelt mit einem Gefühl für das, was Schnurre zuvor mit »Es gab nur die Wahrheit« umschrieben hatte, mit einer Forderung nach höherer oder tieferer, nur bildlich zu vergegenwärtigender Wahrheit – darin wohl zeigt sich die Basis für die Wirkung dieses Autors. Die Koppelung ist eine Hinterlassenschaft der Kriegs- und Nachkriegserlebnisse, des Bedürfnisses nach Wahrheit, wie es die Grenzsituation hervorbringt. Böll hat es dadurch aktualisiert, daß er sich am Katholizismus als einer institutionalisierten konventionellen Erscheinungsform von Wahrheit rieb.

Bleibt nachzuholen die Erwähnung des Romans *Stalingrad* von Theodor Plievier

(1945), dessen an der neuen Sachlichkeit orientierter, von Augenzeugenberichten, Dokumenten wie vom eigenen Erlebnis gestützter Tatsachenaufriß eine Literatur intendierte, die allen Mythos durch Sachorientierung zu ersetzen versuchte. So groß aber der Erfolg des Buches war – es wurde nicht als ›Literatur‹ rezipiert. (Erst in den sechziger Jahren kam es zu einer Welle dokumentarischer Literatur, die sich inzwischen weniger leicht als ehedem zur Nicht-Literatur erklären läßt.) Gert Ledigs *Stalinorgel* (1955) nahm die dokumentarische Methode bis zu einem gewissen Grade noch einmal auf. Mit uneingeschränkterem Beifall konnte allerdings noch Gerd Gaisers Heldenlied *Die sterbende Jagd* (1953) rechnen, eine Mythe vom Untergang einer soldatischen Elite. Alfred Andersch beschrieb in *Die Kirschen der Freiheit* (1952) seine Entscheidung zur Desertion. Zu nennen ist hier auch *Wunschkost* von Hans Bender (1959), ein knapper, integrer, dennoch gefühlsstarker Bericht aus der Gefangenschaft in der Sowjetunion. Im übrigen gilt für die Mehrzahl der Romane mit dem Stoff des Kriegserlebens, was Bender als Motiv dafür angibt, daß er *Wunschkost* geschrieben hat: »Zum Buch über die Gefangenschaft stachelte mich die unbefriedigende Literatur, die zehn Jahre später darüber vorlag; eine geschönte, selbstbemitleidende Literatur. Da waren wieder die kernigen Helden, die liebenden Dolmetscherinnen und Ärztinnen: Roman-Klischee-Figuren, die aus den strapaziösen und blutigen Vorgängen des Krieges und Nachkriegs Unterhaltungslektüre machten.«

Während die dramatische Literatur stagnierte – von Bertolt Brecht abgesehen, kamen die wichtigeren Stücke, von Dürrenmatt und Max Frisch, aus der Schweiz –, brachten die fünfziger Jahre einen wahren Boom lyrischer Arbeiten, in dem allerdings die spröde Realitätsnähe der ›Inventur‹ sich nur noch sehr selten artikulierte. Rilke und T. S. Eliot, später Benn und Wystan Hugh Auden waren die Vorbilder nicht nur für Hans Egon Holthusen, der schon 1947 mit dem Band *Klage um den Bruder* eine elegisch-pathetische Variante zwischen überkommenem Tonfall und Zeiterlebnis fand, die auf Jahre hinaus bewundert wurde. Karl Krolow, Ingeborg Bachmann, Paul Celan, Wolfgang Bächler, Peter Härtling, Walter Höllerer, Günter Eich, Peter Rühmkorf und eine ganze Reihe weiterer Lyriker fanden neue Tonarten, die all die weiterhin vorausgesetzten Traditionen gleichsam transzendierten, um neue Eigenwelten aus Bildern und Symbolen zu erfinden. Gedankenlyrik, Naturlyrik, Erlebnislyrik organisierten sich in stets anderen Variationen zum Gedicht. Die Gedichte von Günter Grass holten kräftigere Farben, komplexere Erfahrungen ein. Nur Hans Magnus Enzensberger brachte dabei, orientiert vor allem am frühen Brecht, Politik in die Lyrik. 1957 erschien sein Band *Verteidigung der Wölfe*, fürs erste in seiner zeitkritischen Aggressivität eine Einzelerscheinung, deren Tendenzen jedoch in den sechziger Jahren breit umgesetzt wurden. Als hätten alle Jüngeren gelesen, was Enzensberger *Ins Lesebuch der Oberstufe* zu schreiben vorschlug:

»lies keine oden, mein sohn, lies die fahrpläne:
sie sind genauer, roll die seekarten auf,
eh es zu spät ist. sei wachsam, sing nicht.
der tag kommt, wo sie wieder listen ans tor
schlagen und malen den neinsagern auf die brust
zinken. lern unerkannt gehen, lern mehr als ich . . .«

Noch ist nicht zu unterscheiden, welche Gedichte von welchen Autoren dieses sehr lyrisch gestimmten Jahrzehnts haltbarer sein werden als die anderen. Manche zur Zeit ihrer Entstehung vielbewunderten Gebilde erscheinen inzwischen besonders durchsichtig, manche Namen sind schon vergessen. Festzustehen scheint inzwischen auch, daß Eugen Gomringer, Franz Mon, Helmut Heißenbüttel, die damals ebenfalls schon zu publizieren begonnen hatten – jedoch als Außenseiter, weit geringer eingeschätzt als viele inzwischen verstummte Lyriker –, mehr Folgen gehabt haben als sämtliche anderen Autoren. Wie auch die Wiener Gruppe, die in den fünfziger Jahren nahezu unbekannt geblieben war. Von dem Sprachbewußtsein, das zuerst die ›konkrete Lyrik‹ signalisierte, ein Bewußtsein, das Sprache nicht mehr als Medium für Bilder, Symbole und Kombinationen aus ihnen ansieht, sondern selbst als konkretes Material, ist bei den in den fünfziger Jahren bewunderten Dichtern kaum etwas zu merken. Es artikulierte sich bereits, doch es schien den meisten nicht erforderlich zu sein, es auch nur ernst zu nehmen.

Wie groß die Entfernung zur Literatur der fünfziger Jahre inzwischen schon ist, verdeutlicht sich gerade beim Wiederlesen jener beiden Romane, die bei ihrem Erscheinen 1959 als Höhepunkte und Beginn einer neuen literarischen Epoche empfunden wurden: beim Wiederlesen der *Blechtrommel* von Günter Grass und der *Mutmaßungen über Jakob* von Uwe Johnson. Dabei erscheint vor allem *Die Blechtrommel* überraschend rückwärtsgewandt. Indem dieser Roman des Helden als Kretin die Tradition des Romans konterkarierte, gab er ihr zugleich einen letzten Höhepunkt. Johnsons Roman, der menschliche und soziale Realität nicht mehr für ohne weiteres durchschaubar hält, der nicht vorgibt, etwas anderes und mehr als Mutmaßungen über ein Geschick mitteilen zu können, zeigt solche Haltung auch in seiner Sprache, läßt sie die Syntax angreifen, ihre gewohnte Ordnung stören. Darin ist Johnson dem Roman jener Zeit voraus, nimmt er – andeutungsweise – Anstrengungen vorweg, die inzwischen fast selbstverständliches Element des Schreibens sind. Dennoch bleibt die Bindung an die Konvention.

Um die Literatur des folgenden Jahrzehnts und dieser Gegenwart verstehen zu können, ist es gewiß unerläßlich, die Literatur der ersten fünfzehn Jahre nach dem Zusammenbruch des Hitler-Regimes zu kennen. Auch die Ansätze dessen, was sich heute als neue Literatur bezeichnen läßt, die Ansätze zur Erkundung der Sprache nicht nur und nicht primär als Medium, sondern als Material, finden sich in dieser Phase, treten ihrem Ende zu schon deutlicher hervor, so wenig sie beachtet wurden. Möglicherweise aber begründet etwas anderes die Unerläßlichkeit des Rückblicks besser.

Ein ungemein heftiger, existentiell und moralisch motivierter Impuls steht am Anfang jener Phase: der Impuls, das Wahre, die Wahrheit auszusprechen, und er führte unmittelbar zur Frage nach den Möglichkeiten der Sprache, diese Wahrheit auszusprechen. Es war die verquollene, entstellte, lügnerische Sprache des Naziregimes, die hier Zweifel weckte, und es war verhältnismäßig leicht, die Schwierigkeiten beim Schreiben der Wahrheit auf diese Nazisprache zurückzuführen. Dabei mußte der Schluß, daß es ja eine bessere Sprache gebe, daß die wirkliche Sprache, die nicht mißbrauchte, zur Wahrheit führen werde, zunächst überzeugend klingen. Die Bereitschaft, diese nicht mißbrauchte, gute, wirkliche Sprache zu erlernen, sie nachzuholen, die gestörte Kontinuität wiederherzustellen, war groß. Insbesondere die Literatur der fünfziger Jahre ist in ihren zentralen Zügen von dieser Bereitschaft her interpretierbar. Vielleicht bezeichnet dies – historisch gesehen, im Ablauf der Veränderungen in dieser zweiten Jahrhunderthälfte, nicht ›ästhetisch‹ im gewohnten Sinn – am deutlichsten ihren Zustand. Dann war sie eine Literatur der aktiven Adaptation einer inzwischen gealterten Sprache und ihrer Literatur, die als Literatur der Innerlichkeit und in der Emigration fortgesetzt worden war. Diese Adaptation brauchte ihre Zeit. Und sie führte über zahllose Entwürfe in Lyrik und Prosa schließlich aufs neue zur Konfrontation mit der Sprache: zur Einsicht in ihre Historizität, zur Erfahrung, daß die Schwierigkeiten beim Schreiben der Wahrheit nicht Sache nur schlechter Sprache, sondern grundsätzlich gegeben sind. Daß sie für die Literatur die geschichtliche Realität dieser zweiten Jahrhunderthälfte repräsentieren.

Dieses Schauspiel breitet sich in der Literatur der fünfziger Jahre aus. So angesehen, ist es erklärlich, wenn selbst viele von jenen Schriftstellern, die für diese Literatur einstehen, inzwischen sozusagen mit ihr gebrochen haben – indem sie verstummten oder sich gegen sie wendeten und sie angriffen. Günter Eich, der bewunderte Dichter der fünfziger Jahre, beschimpft in den *Maulwürfen* auch seine eigene Vergangenheit: »Da kommen sie an, die neun Musen des Stumpfsinns, – laßt mich meinen ohnmächtigen Zorn ausschreien – die Dichter und Dichterinnen mit ihren wohlriechenden Strophen, das ganze mit Namen und Ländereien belohnte Gezücht – ja, wenn man Messer und Stricke genug hat, ist alles Harmonie.« Die Blütezeit, die die Literatur in der Bundesrepublik gegen Ende des Zeitraums zu erleben schien, war ein geborgter Reichtum. Er hob die Fragen, die an seinem Anfang gestellt wurden, nicht auf. Doch er sorgte, sei hier behauptet, auch für die Möglichkeit, diese Fragen jetzt genauer und radikaler zu stellen. Er sorgte dafür, daß niemand einwenden kann, man habe die besten Möglichkeiten versäumt – nämlich all die Möglichkeiten der literarischen Tradition.

Es hat auch für die deutsche Literatur keine ›Stunde Null‹ gegeben. Das Neue, Wirklichere einer jeden Epoche kann nur aus dem Bewußtsein ihrer Realitäten und aller ihrer Möglichkeiten entstehen. Die vermeintliche Stunde Null war eine Stunde der größten Entfernung von solchem Bewußtsein, Stunde eines unterdrückten, verstörten, belasteten Bewußtseins. Fünfzehn Jahre später war die Literatur in Deutschland noch immer dabei, die Angebote durchzuprobieren, die eine mit Verspätung rezipierte Tradition ihr in großer Vielfalt gemacht hatte. Doch sie hatte sich schon Offenheit erarbeitet. Sie war offen für Veränderung wie kaum jemals zuvor.

Anmerkungen

1. Von »Kahlschlag« und einem Neubeginn »in der Sprache, Substanz und Konzeption« als Intention der damals neuen Literatur spricht Weyrauch erstmals im Begleitwort zu seiner Geschichtenanthologie *Tausend Gramm*, Hamburg u. Stuttgart 1949.
2. *Auszug aus dem Elfenbeinturm* war der Titel einer Polemik Schnurres in: Ja – Zeitschrift der jungen Generation, Berlin 1949. Sie ist nachgedruckt in: Wolfdietrich Schnurre: Schreibtisch unter freiem Himmel. Polemik und Bekenntnis. Olten u. Freiburg i. Br. 1964.
3. Schnurre: *Auszug aus dem Elfenbeinturm.* Weitere Hinweise in den einleitenden Aufsätzen zum »Almanach der Gruppe 47«, Reinbek bei Hamburg 1962.
4. Zitiert laut dem Nachwort von Klaus Wagenbach zu der von ihm herausgegebenen Anthologie *Das Atelier*, Frankfurt 1962.
5. Karl August Horst: *Die deutsche Literatur der Gegenwart.* München 1957.

Literaturhinweise

Almanach der Gruppe 47. Hrsg. von Hans Werner Richter u. Walter Mannzen. Reinbek bei Hamburg 1962.

Karl August Horst: *Die deutsche Literatur der Gegenwart*. München 1957.

Walter Jens: *Deutsche Literatur der Gegenwart*. München 1961.

Der Ruf. Eine deutsche Nachkriegszeitschrift. Hrsg. von Hans Schwab-Felisch. München 1962.

Urs Widmer: *1945 oder die ›Neue Sprache‹. Studien zur Prosa der ›Jungen Generation‹*. Düsseldorf 1966.

HERBERT LEHNERT

Die Gruppe 47. Ihre Anfänge und ihre Gründungsmitglieder[1]

Im September 1947 lud Hans Werner Richter, der zusammen mit Alfred Andersch in München die Zeitschrift *Der Ruf* geleitet hatte, zu einem Treffen des ehemaligen Redaktionsstabes in ein Privathaus am Bannwaldsee bei Füssen ein. Die Neugründung einer satirischen Zeitschrift *Der Skorpion* war zu beraten; denn die amerikanische Militärregierung für Bayern hatte verlangt, daß die leitenden Redakteure Andersch und Richter aus dem *Ruf* ausschieden. Die übrigen Redakteure hatten sich solidarisch erklärt und dem Verleger gekündigt. Für die geplante Ersatzgründung sollten Manuskripte mitgebracht werden. Einige wurden vorgelesen, darunter Wolfdietrich Schnurres komisch-melancholische Erzählung von der Bestattung Gottes im Regen. Noch die zweite Tagung, die schon im November in Herrlingen bei Ulm stattfand, sollte der geplanten Gründung dienen.

Der Name ›Gruppe 47‹ stammt von Hans Georg Brenner[2], einem Schriftsteller, der 1903 geboren war und während der dreißiger Jahre publiziert hatte. Er hatte die ganze Literatur der zwanziger und dreißiger Jahre miterlebt, und man kann annehmen, daß er von der ›Gruppe 1925‹[3] gehört hatte, zu der unter anderen Döblin, Loerke, Brecht, Johannes R. Becher, Musil, Georg Kaiser und Hermann Kasack gerechnet wurden. Das Vorbild dieser – übrigens losen – Gruppierung dürfte sich kaum weiter als auf die Namengebung erstreckt haben. Die Bezeichnung ›Gruppe 47‹ wurde von der zweiten Tagung an benutzt.

Sehr bald stellte sich heraus, daß Hans Werner Richter keine Lizenz für seine satirische Zeitschrift von der amerikanischen Militärbehörde bekommen konnte. Wollten diese jungen Schriftsteller weiter auf die Öffentlichkeit wirken, so hatten sie das auf eigene Verantwortung zu tun. Freiwillig-unfreiwillig waren sie von der offiziellen Politik der Umerziehung des deutschen Volkes emanzipiert worden.

Wollen wir die anfängliche Richtung der Gruppe 47 verstehen, so können wir uns nicht auf ein Manifest oder Programm stützen, denn Richter als einladender Leiter der Tagung lehnte jede festgelegte Programmatik ab. Die Geschichte des *Ruf* bietet jedoch eine gute Grundlage des Verständnisses. Sein Verleger, Curt Vinz, wollte eine Zeitschrift, die sich an die Heimkehrer aus Krieg und Gefangenschaft richtete. Er wollte die Arbeit einer Kriegsgefangenenzeitschrift fortsetzen, die in den USA gedruckt worden und an deren Herstellung er beteiligt gewesen war. Von dieser Zeitschrift leitet sich der Name *Der Ruf* her. Der schnelle Erfolg des Münchener *Ruf* ist aus dieser Herkunft zu erklären, vor allem deswegen, weil die großen Verständnisschwierigkeiten für eine demokratische Zeitung der jungen Generation von den aus der Gefangenschaft kommenden Redakteuren und Mitarbeitern des *Ruf* erkannt wurden. Denn der Kriegsgefangenen-*Ruf* hatte zu kämpfen gehabt, um die Wahrheit bekannt zu machen. Er hatte sich durchsetzen müssen gegen einen soldatischen und nationalsozialistischen Gesinnungsterror, der auch noch während der Schlußphasen des Krieges in den amerikanischen Lagern vorkam.

Die Umerziehungsaufgabe dieser Kriegsgefangenenzeitschrift begann sehr zögernd und vorsichtig, einfach mit Mitteilungen über die Wahrheit der Kriegslage, gegen die sich viele der Soldaten sperrten. Der Gesinnungsterror läßt sich aus ihren Spalten belegen. In einer Zuschrift (veröffentlicht 15. Juni 1945) des Juristen Walter Mannzen (der später in die Redaktion eintrat und sich dann auch am Münchener *Ruf* beteiligte) wird die Angst vieler Kriegsgefangener beschrieben. Es sei einmal die Angst, daß einer später in Deutschland seiner politischen Ansicht wegen doch noch verfolgt werden könne. »Aber unmittelbarer ist die Angst vor den zu allem bereiten Nazis in den Lagern, die es – von den Drahtziehern ganz abgesehen – gewohnt sind, mangels Argumenten die Faust sprechen zu lassen (und, wie die Erfahrung zeigte, auch hier in den Lagern vor Mord nicht zurückschrecken), die auf Grund jahrelanger Dressur sich gar nicht vorstellen können, daß Andersdenkende keine Verbrecher sind, für die Anschauungen nicht richtig oder falsch, sondern entweder nationalsozialistisch oder schurkisch sind.« In einem anderen Bericht (veröffentlicht am 1. Dezember 1945) werden die »Rollkommandos, aus kräftigen Rowdies zusammengesetzt«, und die »Femegerichte« genannt. Hier findet sich die erstaunliche Feststellung: »In fast allen amerikanischen Gefangenenlagern gelang es solchen Gruppen, über die vernünftig denkenden Kräfte die Oberhand zu bewahren.« Die amerikanischen Offiziere, die mit der Bewachung betraut waren, mischten sich möglichst wenig in das innere Leben der Lager ein, das von deutschen Lagerführern geleitet wurde, die oft mit den Terroristen zusammenarbeiteten. Auch noch im Münchener *Ruf* erwähnt Alfred Andersch den Gesinnungsterror in den Gefangenenlagern (Nr. 5, 15. Oktober 1946, S. 6). Die Aufklärungsarbeit des Kriegsgefangenen-*Ruf* war also nicht nur notwendig, sie war anfangs sogar mit einem gewissen persönlichen Risiko verbunden.

Das Ethos der Wahrhaftigkeit, mit dem *Der Ruf* seine verblendeten Mitgefangenen zu gewinnen suchen mußte, formulierte Hans Werner Richter in einer Zuschrift:

»Von der Illusion zur Wirklichkeit, aus der Welt der schönen Täuschungen in die Welt der nüchternen Realität, das ist der Weg, den auch wir gehen müssen, unabhängig von unseren Wünschen und unabhängig von unseren Hoffnungen.

Wir werden in den sich neuentwickelnden Kräften im großen Geschehen der Welt den klaren Blick so bitter nötig haben.«

Die Wendung von den »schönen Täuschungen« bezieht sich auf den Titel eines Teils der Autobiographie von Hans Carossa, der 1941 erschienen war, *Das Jahr der schönen Täuschungen*. Offenbar beabsichtigte Richter schon damals eine Distanzierung sowohl von dem unpolitischen Ästhetizismus Carossas und der später so genannten ›inneren Emigration‹ wie von dem Jugendstil der Jahrhundertwende. Der Kriegsgefangenen-*Ruf* war jedoch nicht so entschieden. Er wurde von Gustav René Hocke geleitet, dem solche ästhetischen Tendenzen selbst durchaus noch eigen waren. Anfangs wurde an die ›inneren Mächte‹ appelliert. Weinheber und Wiechert erschienen in Zitaten. Die erste Nummer des Kriegsgefangenen-*Ruf* erschien noch im Kriege, am 1. März 1945. Sehr schnell nach Kriegsende änderte sich sein Charakter, die Umerziehungsaufgabe wurde deutlicher, und wir finden mehr Zitate von Thomas Mann, Hermann Hesse, auch Erich Kästner. Einmal kommt ein Zitat aus Bert Brechts *Furcht und Elend des Dritten Reiches* vor.

Aber auch unter den entschiedener politischen Mitarbeitern wie Alfred Andersch und Hans Werner Richter finden sich ästhetische Züge. Ein Gedicht von Hans Werner Richter, das in der Nummer vom 15. April 1945 erscheint, trägt deutliche Spuren des Jugendstils:

»Das Leben
Geht an uns vorbei
Als ob es nicht in uns bestände
Es gleicht in dieser Zeitenwende
Dem Körnchen Sand
Das in des Schöpfers Hand geweht
Nun wartet
Daß es sich vollende.

Doch was im Warten vor der Zeit besteht
Ist fast vollendet
Es wächst nur mit den Jahresringen
Die sich um jedes Leben ziehen
Und will sich in sich selbst vollbringen
Bevor es seinen Weg beendet.«

Die wachsenden Jahresringe, die Berufung auf die Zeitenwende, auch die Benutzung Gottes als lyrisches Bild, lassen den Einfluß von Rilkes *Stundenbuch* deutlich erkennen. Rilke-Einfluß ist auch in einem anderen, rein beschaulichen Gedicht *Sommer* erkennbar (1. September 1945). Alfred Andersch, der, wie er selbst bekennt, nach seiner zweiten Verhaftung 1933 sich einer Periode der Introversion verschrieben hatte (*Die Kirschen der Freiheit*, 1952), berichtet von einer Fahrt durch Rom nach seiner Gefangennahme, auf der er eine geliebte Kirche wiedersieht (15. Mai 1945): »In solchen Schreinen liegt die Seele Europas verschlossen. Die Bogen der Vorhalle und der schlanke, verwitterte Glockenturm, die damals in mein Gefühl eingegangen waren, sie wurden mir zur klaren Tröstung meiner Gedanken, und ich opferte in Gedanken dem Wunder, das sie mir unversehrt aus dem Chaos überliefert hatte. Ich begriff ihre Unzerstörbarkeit und nahm sie hin, als Gruß und geheimes Zeichen jener Erde, von der ich nun geschieden war.«

Das ist ein Text, der eine unsentimentale nüchterne Haltung ausdrücken möchte, aber sich dennoch in ästhetischer Sprechweise bewegt. Diese Belege sind Randerscheinungen, sie zeigen aber deutlich genug, daß Richter und Andersch den ästhetischen Maßstab der Jugendstilepoche in sich hatten, daß der Entschluß zur ›nüchternen Realität‹ ein Entschluß nicht nur gegen die berühmten Schriftsteller der ›inneren Emigration‹, sondern auch gegen eigene Neigungen war, Neigungen überdies, die einem Gefangenen naheliegen.

Sogar im Münchener *Ruf* finden sich noch Reste ästhetischer Gesinnung. Eine lyrische private Untergrundzeitschrift *Tag und Traum* wird da beschrieben, deren Verfasser und Leser während des Hitler-Krieges Religion, Kunst und Wissenschaft heilighielten und sich von Rudolf Binding ›das Maß‹ vorschreiben ließen. Aber das waren Ausnahmen. In der gleichen Nummer 1 vom 15. August 1946 des Münchener *Ruf* findet sich auch der Abdruck einer Wiechert-Parodie.

Sicher ist jedoch, daß der Wunsch nach politischer Unabhängigkeit, nach realistischer Unbefangenheit, Offenheit, einem ästhetischen Erneuerungsprogramm voran-

geht. Ein sehr deutlicher Vorklang der späteren politischen Tendenz des Münchener *Ruf* findet sich schon in einem Beitrag Hans Werner Richters, der aus seiner Lagerzeitung in Camp Ellis unter dem Titel *Ost und West* am 1. September 1945 im Kriegsgefangenen-*Ruf* abgedruckt wurde. Richter warnt darin vor einer einseitigen Stellungnahme der Deutschen gegen westliche oder östliche Ideen, besonders gegen die Verblendung durch das Wort ›Bolschewismus‹. Aus einer friedliebenden, objektiven, realistischen Haltung heraus sollten die Deutschen »jede Frontstellung gegen die eine oder andere Form des gesellschaftlichen Lebens von vornherein vermeiden ...«. Vielmehr sollten sie das dem westlichen Liberalismus und dem Sozialismus Gemeinsame suchen. *Sozialer Humanismus*, die Verbindung zwischen Tradition und revolutionärem Fortschritt, ist das Programm eines ungezeichneten Artikels vom 15. Januar 1946, der dem Programmartikel in der ersten Nummer des Münchener *Ruf* nahesteht, obwohl dessen Verfasser Alfred Andersch damals schon entlassen war und daher den ungezeichneten Artikel nicht geschrieben haben kann.
Die Redakteure des Münchener *Ruf*, angeführt von Alfred Andersch, der zuerst allein, von Nummer vier an zusammen mit Hans Werner Richter als Herausgeber zeichnet (Richter war von Anfang an Mitarbeiter), auch der schon genannte Walter Mannzen, ein Jurist mit marxistischen Überzeugungen, der Arbeiterdichter Walter Kolbenhoff und mehrere andere waren mit dem Kriegsgefangenen-*Ruf* verbunden gewesen. Sie glaubten, die junge Generation für einen Aufbau im Sinne eines freiheitlichen und humanen Sozialismus gewinnen zu können, ohne daß sie sich Illusionen über die Schwierigkeit dieser Aufgabe machten. Sie waren militante Demokraten, die sich nicht als Beauftragte der Militärregierung fühlten. Die Absicht von Verlag und Redaktion ist ausgedrückt in dem Untertitel der Zeitschrift: »Unabhängige Blätter der jungen Generation«. Das erste Heft erschien am 15. August 1946.
Anderschs erster Leitartikel, *Das junge Europa formt sein Gesicht* (Nr. 1, 15. August 1946), vertritt denselben freiheitlichen Sozialismus, der schon in den Spalten des Kriegsgefangenen-*Ruf* empfohlen worden war. Europas Jugend sei bereit, »das Lager des Sozialismus zu verlassen, wenn sie darin die Freiheit des Menschen aufgegeben sähe zugunsten jenes alten orthodoxen Marxismus, der die Determiniertheit des Menschen von seiner Wirtschaft postuliert und die menschliche Willensfreiheit leugnet. Fanatismus für das Recht des Menschen auf seine Freiheit ist kein Widerspruch in sich selbst, sondern die große Lehre, welche die Jugend Europas aus der Erfahrung der Diktatur zieht.« Obwohl das Wort ›Fanatismus‹, mit positiver Wertsetzung gebraucht, an die Sprache der Nationalsozialisten erinnert, ist klar, daß die Position des *Ruf* in der Tat ›unabhängig‹ war, gegen den Kapitalismus, vertreten durch die Schutz- und Besatzungsmacht USA, gegen den Stalinismus, vertreten durch die östliche Besatzungsmacht, gegen die deutschen restaurativen Kräfte, die sich zu sammeln begannen. Die Hoffnung des *Ruf* war, daß die junge Generation der Deutschen, die für eine falsche Sache gekämpft hatte, sich an das junge Europa anschlösse, das Andersch und seine Kollegen im Sinne eines humanistischen Sozialismus konzipierten. Dem religiösen Erlebnis der Kriegsgeneration, sagt Andersch ausdrücklich, solle der neue Sozialismus offen sein. Jedoch ist wirklich Sozialismus gemeint. Den privaten Besitz der Produktionsmittel erklärt Andersch für veraltet, Planwirtschaft für notwendig.[4]
Die *Entfremdung des Menschen*, ausgehend von Marx, behandelt Walter Mann-

zen im zweiten Heft (1. September 1946).[5] Auch volkswirtschaftliche Beiträge halten einen künftigen freiheitlichen Sozialismus für notwendig zur Befestigung der Demokratie. Die Initiative des einzelnen solle freilich erhalten werden und privates Eigentum in Klein- und Mittelbetrieben bestehenbleiben.[6] Die Hoffnung auf einen neuen Sozialismus, gleich weit entfernt von machiavellistischem Pragmatismus wie von der totalitären Praxis der Sowjetunion, spricht Andersch noch in Heft 15, kurz vor dem Ende des ursprünglichen *Ruf*, aus (15. März 1947). Die Unabhängigkeit dieses Sozialismus von dem russischen Vorbild demonstriert die Sympathie, die der *Ruf* für Arthur Koestler hat, der mehrfach genannt wird und von dem ein Artikel und ein Romanausschnitt nachgedruckt werden. Dieser erzählende Beitrag behandelt das Verhör eines alten russischen Revolutionärs durch einen Funktionär; er illustriert das stalinistische System.[7] *Warum schweigt die junge Generation?* fragt Hans Werner Richter in der zweiten Nummer (1. September 1946) und antwortet: »Sie schweigt aus dem sicheren Gefühl heraus, daß die Diskrepanz zwischen der bedrohten menschlichen Existenz und der geruhsamen Problematik jener älteren Generation, die aus ihrem olympischen Schweigen nach zwölf Jahren heraustrat, zu groß ist, um überbrückbar zu sein.« Richter als Sprecher der Generation, wie er sie sieht, sehen möchte, betrachtet das »rauchgeschwärzte Bild dieser abendländischen Ruinenlandschaft« als Zeichen für den »moralischen, geistigen und sittlichen Trümmerhaufen«, den die »verlorene« Generation zurückgelassen habe. Das Adjektiv ›verloren‹ wurde damals gern auf die jüngere Generation angewandt, in Analogie zum Selbstbewußtsein der amerikanischen ›lost generation‹, die nach dem Ersten Weltkrieg sich in Paris zusammengefunden hatte. Richter wirft das Adjektiv gleichsam zurück auf die Generation, die »vor einem irrationalen Abenteuer« kapituliert hat. Eine Restauration der Verhältnisse von vor 1933 hält Richter für eine Paradoxie.[8] In einem späteren Artikel (Nr. 6, 1. November 1946), *Die Wandlung des Sozialismus – und die junge Generation*, spricht Richter von dem notwendigen Neuaufbau, von dem er sich eine Chance für einen erneuerten Sozialismus erhofft. »Vor der Klarheit dieser Aufgaben zerrinnen alle Utopien einer vergangenen Zeit und behauptet sich nur noch der Realismus einer Generation, deren eigene Träume mit den Orgien dieses Krieges aus der Welt der schönen Täuschungen bis in die nüchterne Konstatierung der realen Gegebenheiten getrommelt worden sind.«[9]

Es ist also deutlich genug, daß ein Generationsgegensatz das Selbstbewußtsein des *Ruf* bestimmt und daher in die Gruppe 47 hinüberwirkt. Der Gegensatz ist definierbar als Mißtrauen gegenüber Orientierungen, die versagt haben. Die »schönen Täuschungen«, von denen schon im Kriegsgefangenen-*Ruf* die Rede war, sind die Orientierungen der älteren »verlorenen« Generation, die sich dem irrationalen Abenteuer ergeben hatte. Diese Orientierungen waren (wie die Erfahrungen der Gefangenenlager zeigten) von der jungen Generation zunächst übernommen worden, konnten aber nicht bestehen vor der Realität der Trümmerlandschaft. Diese Sicht erstreckt sich, was ja schon in der Carossa-Wendung angedeutet ist, auch auf die Literatur.

In einer Besprechung der Münchener Aufführung der *Antigone* von Jean Anouilh (Nr. 2, 1. September 1946) identifiziert Alfred Andersch die Titelfigur mit der Jugend, die »unbedingtes Streben nach Wahrheit, Gerechtigkeit, Ehre« bedeute. Kreon, der den Kompromiß verteidigt, läßt Andersch Gerechtigkeit widerfahren. Er sei kein Tyrann. Aber aus wohlmeinenden Kompromissen können sehr leicht falsche

Kompromisse werden, wenn es nicht die Antigonen mit ihrer Unbedingtheit gäbe. »Ohne die Bereitschaft der Jugend zur Tragik, zum gefährlichen Leben, gibt es keinen Aufschwung.«

Der gegen die Dichter in der Jugendstilnachfolge gerichtete Artikel *Deutsche Kalligraphie oder Glanz und Elend der modernen Literatur* ist von dem ersten Chefredakteur des Kriegsgefangenen-*Ruf*, Gustav René Hocke, geschrieben. Hocke hat sich überwiegend als Verfasser von Büchern über bildende Kunst einen Namen gemacht, auch als geistiger Vermittler zwischen Italien und Deutschland. 1948 veröffentlichte er einen während des Krieges geschriebenen Roman *Der tanzende Gott*, der im Griechenland des sechsten vorchristlichen Jahrhunderts spielt. Mit der Gruppe 47 hat er wenig zu tun. Der genannte Artikel wurde auf ausdrücklichen Wunsch Alfred Anderschs geschrieben[10] und im *Ruf* als redaktionelle Meinung gedruckt.[11] Hocke warnt vor stilistischer Nachahmung von Schriftstellern der ›inneren Emigration‹ (das Wort fällt nicht), die aus Tarnungsgründen ihren Stil verklausuliert hätten. Die »symbolistische, pastoral idyllische, elegisch-egozentrische essayistische Form« sei vielleicht in guter Absicht gewählt worden, um der Propagandaphrase zu entgehen, sie verführe aber zum Inhaltlosen. Die Bezeichnung ›Kalligraphen‹ verwendete Hocke nach dem Vorbild einer ähnlichen italienischen Polemik. Einen neuen Stil will Hocke in Zeitschriften der Zeit finden, und zwar in Reportagen über Deutschlandfahrten. Hier werde, »noch ganz impressionistisch, Tupfen um Tupfen, Bewegung um Bewegung, die Wirklichkeit zurückgewonnen«.[12] Diese Rückgewinnung vermittle das Gefühl der wiedergewonnenen geistigen Freiheit.

Solche Reportagen gibt es auch im *Ruf*. In der ersten Nummer schon (fortgesetzt in der zweiten) berichtet Hans Werner Richter von einer illegalen Reise nach Berlin und Vorpommern. Die schon beginnenden Restaurationsbestrebungen im Westen setzt er in deutlich beschriebenen Szenen von den proletarischen Erneuerungsversuchen im Osten ab.[13] Die Vision von einem neuen demokratischen und sozialistischen Deutschland wird im *Ruf* immer wieder durch Reportagen korrigiert, die von der abstumpfenden Wirkung der Trümmer und des Hungers, von der trotzigen, gleichgültigen oder feindseligen Haltung der Bevölkerung gegen die demokratische Umerziehung berichten. Sehr eindrucksvoll ist eine Elendsreportage von einer Reise Alfred Anderschs durchs Ruhrgebiet (Nr. 11, 15. Januar 1947), die bitter-ironisch überschrieben ist: *Der richtige Nährboden für die Demokratie*.

Es gibt auch einige, wenn auch schwache Spuren einer Verbindung des *Ruf* mit der linken Literatur der zwanziger und frühen dreißiger Jahre. Im ersten Heft wird anläßlich der deutschen Erstaufführung von Brechts *Mutter Courage und ihre Kinder* in Konstanz »eine ausführliche Darstellung von Werk und Persönlichkeit Bert Brechts« versprochen, zu der es aber nicht kommt. Immerhin wird Brechts Gedicht *An die Nachgeborenen* in Heft 8 (1. Dezember 1946) mehr als eine halbe Seite eingeräumt. In Nummer 3 (15. September 1946) widmet Alfred Andersch Erich Kästner einen kleinen Artikel *Fabian wird positiv*. Gedichte von Kästner mit ihrem »zündenden Realismus« habe es in Abschriften in der Hand von Frontsoldaten gegeben. Kästners *Fabian* biete sich als Vergleich für die gegenwärtige Generation an. Andersch bedauert, daß die damalige »hohe« Literaturwissenschaft sich mit dem Mythischen bei Hölderlin oder den *Duineser Elegien* befasse, aber nicht mit Kästners Romankunst, »die keine andere Form kennt als die Form der Wahrheit«. Andersch hatte damals persönliche Beziehungen zu Kästner, er war sein Assistent in der Feuilletonredaktion der amerikanischen *Neuen Zeitung* gewesen, die wie *Der Ruf* in München erschien.

Die älteren Mitglieder der Redaktion des *Ruf* hatten die Literatur der zwanziger Jahre bis 1933 miterlebt. Hans Werner Richter und Walter Kolbenhoff, von dem gleich noch weiter die Rede sein wird, gehören dem Geburtsjahrgang 1908 an, wie übrigens auch Gustav René Hocke. Alfred Andersch, geboren 1914, ist etwas jünger. Die Reportage als Stilmittel, die Auflehnung gegen einen ästhetischen Illusionismus, die sozialistische Orientierung und auch die Frage, was Deutschland eigentlich bedeute, diese Tendenzen aus der nachexpressionistischen Literatur bis 1933 setzten sich in der Gruppe 47 fort.

Der Eingriff der Militärregierung in die Leitung des *Ruf* hat als Ursache natürlich zuerst die Unabhängigkeit des politischen Urteils, die zur Kritik an den Besatzungsmächten führen mußte, auch zur Kritik an der sich abzeichnenden Zerstückelung Deutschlands. So stand am Beginn der Gruppe 47 eine doppelte Emanzipation, verbunden mit einer Frustration. Die Mitarbeiter des *Ruf*, die Zelle, aus der die Gruppe entstand, hatten sich von den Orientierungen der älteren Generation gelöst, sie wollten politisch den freiheitlichen Sozialismus, ästhetisch die Desillusionierung als Neuanfang. Sie hatten sich aber auch von der offiziellen Umerziehungsdoktrin gelöst. Sie waren und blieben zwar immer entschiedene Antinationalsozialisten und Kritiker allen Nationalismus, fühlten sich aber dem geschlagenen und gedemütigten Deutschland zuerst verpflichtet. Sie glaubten nicht an moralische Simplifikationen, insbesondere nicht an die Kollektivschuld. Aber ihre Vision von einem sozialistischen Neuaufbau wurde frustriert. Die Besatzungsmächte waren eher bereit, mit den restaurativen Kräften der älteren Generation zu arbeiten als mit ihnen.

Unter dem frühen Kern der Gruppe spielte Walter Kolbenhoff deshalb eine besondere Rolle, weil er schon in der Emigration ein Buch veröffentlicht hatte. Walter Kolbenhoff (eigentlich Hoffmann) war ein Arbeiterdichter, der das Berliner Proletariat, die Fabrikarbeit eines Vierzehnjährigen, die Arbeiterjugendbewegung und Europa von Trampwanderungen her aus eigener Anschauung kannte. Er war dann in der sozialistischen Presse tätig. 1933 floh er nach Dänemark. Dort veröffentlichte er seinen ersten Roman *Untermenschen* (1933). Das Buch hat viele Schwächen, auch sprachlicher Art, dennoch ist es wirkungsvoll, weil es den Zorn eines jungen Menschen über die Teilung der Welt in Satte und Hungernde erkennen läßt, seine stolze Weigerung, sich für die Gewährung des Existenzminimums ausbeuten zu lassen. Der Zusammenhang mit der Literatur der ›Neuen Sachlichkeit‹ wird schon aus dem Motto deutlich: ein Zitat aus der *Ballade von den Abenteurern (Hauspostille)* von Bert Brecht.[14] Einer der Schauplätze liegt nahe beim Alexanderplatz in Berlin und bezieht diesen ein. Ist schon das ein Echo auf Döblins berühmtes Werk, so weist das anklagende Thema auf die Literatur dieser Zeit überhaupt zurück. Der Ich-Erzähler hat seinen Weg verloren, ist Landstreicher geworden, weil ihm seine Jugend ermordet wurde: durch den Ersten Weltkrieg (man muß sich den Erzähler etwa gleich alt mit dem 1908 geborenen Autor denken), durch die Prügelschule, durch das Elend des Proletarierdaseins in einem Berliner Mietshaus, dem Halt nur durch die Mitgliedschaft in einer jugendlichen Bande gegeben wurde. Als Landstreicher hat er sich auf sich gestellt und glaubt an nichts. Er führt eine Auseinandersetzung mit einer bür-

gerlichen Pfarrersfamilie herbei. »Sie sind vielleicht reicher als ich, denn Sie sind gut und glauben an etwas. Ich bin nicht gut und glaube an nichts als den Hunger. Alles andere ist Lüge. Ich beneide Sie manchmal um Ihre Illusion. Es lebt sich angenehmer mit Illusionen.« Infolgedessen lehnt der Erzähler ästhetischen Trost ab und verwirft die Pseudosehnsucht der lügenhaften Dichter. Er zitiert Rilkes »Armut ist ein großer Glanz von innen«. Ein Glaube scheint möglich: der Kommunismus. Aber sein Freund, der ihm mit seiner tapferen Entschlossenheit imponiert hat, wird beim Flugblätterverteilen in Berlin von SA-Männern zusammengeschlagen und abgeführt, sein Überleben für unmöglich gehalten. Obwohl außerhalb geschrieben, soll das Buch die Zustände während der Anfänge der Naziherrschaft darstellen.
Nach der Besetzung Dänemarks geriet Kolbenhoff unter deutsche Gewalt und wurde Soldat. Sein zweites Buch *Von unserem Fleisch und Blut* wurde in der Kriegsgefangenschaft geschrieben, und Kolbenhoff hatte für das Manuskript in einem Literaturwettbewerb den Preis des Kriegsgefangenen-*Ruf* gewonnen. Es wurde 1947 veröffentlicht. Der Roman spielt in Deutschland in einer Nacht zur Zeit des Kriegsendes. Die Ereignisse sind also nicht aus Erlebnissen gespeist, sondern imaginiert. Ein siebzehnjähriger Werwolf-Kämpfer steht im Mittelpunkt, er spricht oft im inneren Monolog. Sein nationalsozialistisches Bewußtsein, sein Stolz auf seine mitleidlose Härte, mit der er einen Kameraden erschießt, der keinen Sinn mehr im Weiterkämpfen sah, die Jungvolk- und Hitlerjugendlieder, die ihm trotz völliger Verlassenheit ein Rauschgefühl gewähren, während Furcht, Einsamkeit, Müdigkeit und Schwäche ihn dennoch bedrohen und er sehr schnell nur noch seine eigenen Landsleute haßt, die sich ergeben haben, das ist eindrucksvoll dargestellt, obwohl es Werwolf-Kämpfer ja nicht gegeben hat. Kolbenhoff hielt aber immerhin Wunschgedanken einiger seiner jüngeren Mitgefangenen fest. Diese Bewußtseinsdarstellung ist zusammenkomponiert mit den nächtlichen Gesprächen anderer Deutscher, die die Möglichkeit des Weiterlebens diskutieren. In der dunklen Verzweiflung läßt Kolbenhoff eine schwache Hoffnung sichtbar werden: ein Rückkehrer, der erkennt, daß der Rückzug auf das Interesse der eigenen Familie das Unglück möglich gemacht hat. Im Morgengrauen entfernt er die Trümmer, die den Eingang seiner Notwohnung versperren.
Der nächste Roman von Kolbenhoff reflektiert seine *Heimkehr in die Fremde*, so der Titel des 1948 veröffentlichten Romans, der, wie die beiden früheren und überhaupt ein großer Teil der Literatur der Gruppe 47, sich wieder um das Problem bekümmert, was Deutschland sei und wie man in diesem Lande leben könne. Gegen Anfang findet sich eine melancholische, aber dennoch scharfe Ablehnung von schöngeistigen Schuld- und Trostbekenntnissen. Der Erzähler liest einen Artikel von Ernst Wiechert, der namentlich genannt wird, und kann ». . . das Schicksal der in gefärbte Uniformen gekleideten Gestalten, die gleich mir durch die Straßen wanderten, nicht entdecken«. Bald darauf formuliert der Ich-Erzähler sein Programm. Seine Leser »werden sich vielleicht in mir wiedererkennen, und ich muß ihnen sagen, daß sie nicht verzweifeln sollen, daß sie wieder von vorn anfangen müssen«. Und später: »Ehrlich sein, dachte ich, als ich anfing zu schreiben, nicht sich bestechen lassen durch schöne Worte«. Kolbenhoff versucht die hoffnungslose Zeit des Hungerns und des Schwarzmarktes imaginativ zu registrieren. Dies geschieht in reportagehaften Szenen mit viel Dialog. Manche sind gelungen, andere nicht, besonders dann nicht, wenn

Kolbenhoff zu klischeehaften Sentimentalitäten greift wie: »Ich wollte die Einsamkeit, die mich zu erwürgen drohte, erschlagen.« Vorgänge in einer Proletarierwohnung sind in Szenen naturalistisch bis zur Banalität dargestellt. Dies sollte Böll später kürzer und prägnanter gelingen. Erwähnenswert sind autobiographische Erinnerungen an die autodidaktische Bildung des Verfassers gegen den Widerstand seiner Umgebung und eine Szene, die von der Vergangenheit der Arbeiterbewegung handelt. Der Erzähler betont die Notwendigkeit eines Neuanfangs. Er will zum Sozialismus gelangen, glaubt aber nicht mehr an die alten Rezepte. Ebenso erklärt er die Restauration des Bürgerlichen für unsinnig, obwohl er sie für möglich hält. Was der Autor offensichtlich als vorbildlich hinstellen möchte, ist das Bemühen seines Ich-Erzählers, zu helfen, freundlich zu sein, an der Überwindung der bürgerlichen Vereinzelung zu arbeiten. Trotz mancher, manchmal geradezu peinlicher Schwächen haben wir hier ein Zeitdokument vor uns, das manches von der trostlosen deutschen Wirklichkeit der Jahre 1946 und 1947 festhält, und zwar kunstloser, auch, der Romanform entsprechend, umfassender, weniger pointiert als in den (künstlerisch sehr viel besseren) frühen Kurzgeschichten Bölls, weniger manieriert als in Gerd Gaisers *Eine Stimme hebt an* (1950). Bölls und Koeppens erste Nachkriegsromane spielen nach der Währungsreform, als die Hoffnungslosigkeit weniger allgemein war, vielmehr einzelne betraf, die sich gerade deshalb von der sie umgebenden Gesellschaft unterschieden, während Kolbenhoff es umgekehrt zu zeigen sucht.

Auf der Tagung in Marktbreit, im April 1949, las Walter Kolbenhoff eine bedrängend dichte Erzählung, die den Leser zum Zeugen einer Hinrichtung macht, und zwar so, daß er sich augenblicksweise mit dem Verurteilten identifizieren muß. Diese Erzählung zeigt, daß Kolbenhoff in seine künstlerische Reife erst damals eingetreten ist. In den Tagungsberichten ist von einem Schelmen- und Gangsterroman, einmal von einer dramatischen Ballade, dann von einem Bühnenstück die Rede. Kolbenhoff war ein führendes und aktives Mitglied der Gruppe in ihrer Frühzeit und las sehr häufig vor. Buchveröffentlichungen blieben aber lange aus. 1960 erschien ein kleiner Band, *Die Kopfjäger*, als Kriminalroman bezeichnet. Leider stören auch hier gelegentliche Klischees, wie »gurgelndes Wasser« oder ein »von Haß verzerrtes Gesicht«, die Absicht, das von der amerikanischen Macht beschützte deutsche Wirtschaftswunder kritisch zu beleuchten. Ein deutscher Erpresser und ein amerikanischer Architekt bereichern sich gemeinsam. Ein Nebenmotiv ist der früher betriebene Menschenhandel für die französische Fremdenlegion und ihre Kolonialkriege. Der Held, der aus bürgerlichen Kreisen stammt, erlegt den Erpresser, das verkörperte Böse, am Ende, aber ihm bleibt nur die Rückkehr in die Legion. Das Wertvolle, ja Dokumentarische des Romans geht über das Interesse des Lesers an dem kriminalistischen Inhalt hinaus und transzendiert die Schwächen des Werkes: es ist die Melancholie über das Deutschland der fünfziger Jahre, das nur am Verdienen interessiert ist. Die Hoffnung, die in der Liebe des einsamen Helden und einer ebenfalls einsamen Kellnerin entsteht, wird sehr schnell zerstört. Die Tötung des Bösen (die in dem im gleichen Jahre erschienenen Roman *Die Rote* von Alfred Andersch eine Parallele hat) bleibt folgenlos, geht in Gleichgültigkeit unter. 1970 veröffentlichte Kolbenhoff *Das Wochenende: Ein Report*, eine fiktive Reportage über das Ende der Arbeiterbewegung in der Pseudobürgerlichkeit.

Hans Werner Richters frühe Romane sind in einem ebenso anspruchslosen Reportage- und Dialogstil abgefaßt, für die als Vorbild die Reportageromane der deutschen Neuen Sachlichkeit in Frage kommen, aber auch die Werke, die von seinen amerikanischen Generationsgenossen stammen, wie Dos Passos und Hemingway. Diese wurden damals in Deutschland viel gelesen und diskutiert, zumeist in deutschen Übersetzungen.

Richter, 1908 geboren, wuchs in Bansin, Pommern, auf und kam zur Literatur über eine Buchhändlerlehre. Seit 1940 Soldat, begann er in der Kriegsgefangenschaft zu schreiben. Über seine Rolle im Münchener *Ruf* ist schon berichtet worden.

Die Geschlagenen (1949) ist in der dritten Person, jedoch aus der Perspektive der Hauptperson erzählt, eines deutschen Soldaten, der den Rückzug in Italien, die Schlacht von Monte Cassino und die amerikanische Kriegsgefangenschaft als Gegner des Nationalsozialismus erlebt. Der Roman ist offensichtlich weitgehend autobiographisch. Meistens gelingt es Richter, den Reportagestil durch Sparsamkeit erträglich zu machen. Der zweite Teil des Buches vergegenwärtigt den Terror in den Kriegsgefangenenlagern, von dem schon die Rede war. Richter zeigt, wie fest die nationalsozialistische Ideologie auch dann noch in den Köpfen saß, als sie schon vollständig absurd geworden war, im Gefangenenlager des Siegers durch einen Ozean von der Heimat getrennt. Diese Absurdität zeigt sich besonders daran, wie die künstliche Siegesgewißheit in sich zusammenfällt, wie Terror und Ideologie vor der Wahrheit der Niederlage ins Nichts verpuffen. Für das Buch erhielt Richter den Fontane-Preis der Stadt Berlin.

Sie fielen aus Gottes Hand (1951) beruht auf Interviews mit ausländischen Flüchtlingen, die nach dem Kriege in einem Lager in Deutschland lebten. Der Roman ist eine Komposition von Szenen, in denen dreizehn Personen immer wieder vorkommen. »Wir wählen immer das kleinere Übel und enden im Großen«, sagt einer von ihnen. Der Zweite Weltkrieg und die ersten Nachkriegsjahre, sogar der französische Indochinakrieg, werden in den Dialogen gespiegelt. Auch die Geschichte eines Lagers wird wiedererzählt, aus dem 1939 der Arbeitsdienst ausrückt, das danach Konzentrationslager ist, nach dem Krieg SS-Leute als Gefangene aufnimmt und schließlich als Flüchtlingslager für Menschen dient, die nicht in ihre Heimat zurückkehren können. Die Diskrepanz zwischen den Anstrengungen, den Leiden, den Morden, der ungeheuren Aufregung und der Sinnlosigkeit des Krieges ist das durchgehende Thema. Ordnungen, die noch gestern gegolten hatten, Versprechen, Verträge, Loyalitäten sind unzuverlässig. Hoffnungslose Situationen entstehen: ein Partisan in Jugoslawien, der kein Genosse ist; ein Junge im Endkampf des Warschauer Ghettos, von allen verlassen; Polen im Warschauer Aufstand, während die Russen zögern; die Wlassow-Armee; ein Este, der auf beiden Seiten gekämpft hat, und Liebes- und Eheverhältnisse zwischen Deutschen und Angehörigen anderer Völker. Das hatte auch einen pädagogischen Aufklärungszweck, denn ausländische Flüchtlinge waren im Deutschland jener Jahre sehr unbeliebt. Wie Kolbenhoff sucht auch Richter die Idee des Sozialismus von den stalinistischen Methoden zu trennen. Einen europäischen Sozialismus werde es geben, läßt er eine Polin sagen, einen europäischen Bolschewismus nicht. Auch ernüchterte Kommunisten führt er vor. Richter treibt die Aufklärung keineswegs einseitig. Szenen grausamer Rache der Sieger an den Besiegten, in denen der Haß sich fortsetzt, fehlen nicht. Die aufklärende Absicht, aber auch formale und thematische Mittel, lose Verklammerungen, Hinweise auf ähn-

liche Schicksale und das Thema des Lagers, in dem am Ende alle Hauptpersonen zusammenkommen, integrieren die Szenen. Diese integrierenden Kräfte bleiben relativ gering. Auch stören gelegentlich Klischees. Betten sind zerwühlt, Unruhe läuft durch ein Lager, es gibt unergründliche Tieraugen. Dennoch sind das Ethos und an vielen Stellen auch die Kraft der Vergegenwärtigung eindrucksvoll, besonders im letzten Kapitel, das an die Schlußszene von Hauptmanns *Webern* erinnert.
Hermann Kesten, Thomas Mann und Robert Neumann erkannten Hans Werner Richter den René-Schickele-Preis für *Sie fielen aus Gottes Hand* zu, Thomas Mann erst nach langem Bedenken. Der Roman war ihm künstlerisch nicht genug durchgebildet. Ebenso störte ihn Richters »Gleichmacherei«, wenn er schwere moralische Fehler auch bei den Gegnern Deutschlands fand.[15] Kunstlosigkeit wurde Richters Roman auch von der Kritik vorgeworfen.
Der offenbar im wesentlichen autobiographische »Roman einer Jugend« *Spuren im Sand* (1953) vergegenwärtigt mit fiktionalen Mitteln das Leben eines pommerschen Jungen kleinbürgerlich-proletarischer Herkunft. Das Buch ist mehr noch als die vorhergehenden in der Nachfolge Erich Kästners geschrieben. Es ist die Geschichte einer deutschen Erziehung mit Schlägen und Ohrfeigen bei jeder Gelegenheit: wenn der Junge die falschen Fragen stellt, wenn er die falschen Bibelstellen liest oder seekrank wird. Aber es ist auch ein humorvolles Buch. Der Stil ist schlichter und gefeilter geworden. Was den Leser aufklären soll, wird gezeigt, gelegentlich im Dialog ausgesprochen, aber es wird kaum räsoniert. Die Prügel und die Angeberei, die sexuellen Tabus, die Angst vor der Sexualität, die die Jugendliebe des Heranwachsenden belebt und stört, die Roheit der Freunde in sexuellen Dingen, die Schule, in der Schlachtennamen eingeprügelt werden, aber von der Republik nie die Rede ist, der provinzielle Buchhändler mit dem Bildungsstolz auf Wilhelm Herzog und Felix Dahn, das alles wird szenisch lebendig. Die Bildung, die der Junge am Ende erreicht, besteht darin, den falschen Bildungsstolz zu verachten.
Spuren im Sand ist ein aufrichtiges, aber auch ein liebevolles Buch. In der Gestalt der skeptisch-nüchternen Mutter, die ihre sozialdemokratische Familie regiert, aber auch nicht von der Liebe zu ihrem arroganten deutschnationalen Bruder lassen kann, ist Liebe zu Deutschland verkörpert. Dieser Patriotismus bestimmte die Romane Kolbenhoffs genauso wie seine sozialistische Tendenz, er ist in Hans Werner Richters Romanen wirksam, in den Werken von Böll, Grass und Siegfried Lenz. Patriotismus, sei er in nüchtern-direkter Form vorgetragen, sei er skurril verfremdet oder zum frustrierten Ärger geworden, gehört seit dem *Ruf* zur Tendenz der Gruppe 47, soweit und solange man eine solche Tendenz überhaupt beschreiben kann. Daß diese zarte Liebe von den rückwärts-orientierten Nationalisten aus Angst nicht wahrgenommen wurde, versteht sich.
1970 ließ Richter einige Nachträge zu seinem autobiographischen Roman folgen, *Blinder Alarm: Bansiner Geschichten*. Hier steht der Vater im Mittelpunkt, kaum weniger die Mutter, in ihrem Streben, aus der Armut herauszukommen, wobei ihr Mann ihr eher hinderlich war. Diese Geschichten geben zusammen mit *Spuren im Sand* ein außerordentlich anschauliches Bild des deutschen Kleinbürgertums mit seinen Widersprüchen: sozialdemokratisch und militärisch, besitzgierig und klassenbewußt, strebend und genügsam, hart zu den Kindern, aber ihnen doch eine lebenswerte Heimat gewährend.

Richters dritter Kriegsroman *Du sollst nicht töten* (1955) beginnt und endet in der pommerschen Heimat. Er benutzt das gleiche Geflecht aus Episoden, wie in *Sie fielen aus Gottes Hand*, jedoch ist diesmal die Auflösung einer pommerschen Familie durch den Krieg das Thema. Falsche Sentimentalitäten und billige Klischees sind vermieden. Dieser Roman muß zu den besten fiktiven Darstellungen des Zweiten Weltkrieges von der deutschen Seite gerechnet werden. Das Rückgrat der Darstellung bildet eine schwierige Liebesgeschichte, die, statt gelöst zu werden, vom Chaos des Krieges verschlungen wird. Ebenso wie die erotischen Probleme, die aus den bürgerlichen Tabu-Vorstellungen entspringen, gegenstandslos werden, so wird der politische Zwiespalt, der sich anfangs durch die Familie zog, durch die physische Vernichtung der feindlichen Brüder nicht gelöst, sondern hinfällig. Ansätze zur politischen Einsicht finden sich bei mehreren Figuren, aber gnadenlos läßt Richter sie untergehen. Darin zeigt sich die Resignation der fünfziger Jahre. Das Bedürfnis, Hoffnung aus dem Chaos steigen zu lassen, hat der Sorge Platz gemacht, die absolute Sinnlosigkeit des Krieges könnte vergessen werden. So ist ein harter und melancholischer Reportageroman zustande gekommen, dessen Szenen das Interesse des Lesers halten, weil er mit den Figuren sich immer wieder gegen die Sinnlosigkeit des Kriegsgeschehens auflehnt, ohne daß er dazu vom Erzähler ermahnt werden müßte.

Die Enttäuschung der Hoffnungen des *Ruf* findet satirische Darstellung in Richters fünftem Roman *Linus Fleck oder Der Verlust der Würde* (1959). Der satirische Angriff richtet sich gegen den Kulturbetrieb der Nachkriegszeit, in den ein dummer und fauler junger Mann durch Protektion der Amerikaner gerät, seine Versuche, auf den Wogen des beginnenden Wirtschaftswunders zu schwimmen, schlagen am Ende fehl. Wie weit er immerhin durch nicht einmal geschickte Anwendung weniger angelernter Phrasen gelangen kann, ist der satirische Spaß des Romans. Richters eigene Erlebnisse mit dem *Ruf* werden karikiert im Roman reflektiert. Die Amerikaner regen eine Jugendzeitschrift an, die zurückgepfiffen wird, als sie zu kritisch wird. Der Vorwurf des ›Nihilismus‹, der im Buch von amerikanischen Kulturoffizieren erhoben wird, ist gegen die *Ruf*-Redaktion wirklich erhoben worden. Im Roman wird die Redaktion der Zeitschrift jedoch nicht gewechselt, so daß Richter seine fiktiven Kulturoffiziere in die peinliche Lage versetzen kann, den Kurswechsel zum Antikommunismus und zur beginnenden Wiederaufrüstung plausibel machen zu müssen. Der Redakteur Waschbottel, dessen Ansichten denen Richters nahestehen, zieht sich am Ende aus dem politischen und journalistischen Leben zurück, um Dozent an einer kleinen Universität zu werden. Diese idyllische Lösung paßt in die Komik des satirischen Romans, ist aber auch ein Ausdruck für die Resignation Richters, ähnlich der, die in dem ein Jahr später erschienenen Roman *Die Kopfjäger* von Kolbenhoff deutlich wird. Die Restauration der Bundesrepublik frustrierte die politischen Vorstellungen, mit denen der *Ruf* und die Gruppe 47 begonnen hatten.

Menschen in freundlicher Umgebung ist der Titel einer Sammlung von sechs kurzen Satiren Richters, die 1965 erschien. Die erste davon, *Das Ende der I Periode*, zielt auf die experimentelle Textherstellung. Am Ende schweigen sich Autor und Publikum ehrfurchtsvoll an. Die übrigen Satiren beziehen sich auf die politischen Verhältnisse Deutschlands oder auch eines Phantasielandes.

Von Anfang an wurden die Tagungen der Gruppe von Hans Werner Richter einberufen. Er bestimmte, wer eingeladen wurde und wer vorlas. Von Anfang an vertrat Richter auch das Prinzip der Offenheit. Er zwang seinen Stil niemandem auf. Der Reportagestil wurde also nicht zum Vorbild. Bedingung der Teilnahme war freilich, daß der Autor sich eindeutig getrennt hatte von der nationalsozialistischen Vergangenheit Deutschlands, auch von konservativen Blut-und-Boden-Tendenzen. Obwohl ältere Emigranten mehrfach eingeladen wurden, erwies sich, daß sie sich im allgemeinen schlecht in die Gruppe integrierten. Erich Fried (geboren 1916) und Wolfgang Hildesheimer (geboren 1921) hatten zwar auch emigrieren müssen, stehen aber altersmäßig den ursprünglichen Mitgliedern nahe. Vor allem beginnt bei diesen und jenen die literarische Laufbahn erst in den vierziger Jahren (bei Hildesheimer später).

Das Verbindende in der Gruppe war also das Generationserlebnis eines sinnlosen Krieges, der Versuch, mit literarischen Mitteln aufzuklären, die Liebe zu einem Deutschland, dessen Erneuerung im Geiste eines freiheitlichen Sozialismus erhofft wurde, und das Mißtrauen gegen die bürgerlichen Kräfte, die Hitler möglich gemacht hatten, und schließlich die Abneigung gegen ein bloß ästhetisches Verfahren, das sich mit der Geschlossenheit des schönen Werkes begnügte. Der Reportagestil war zwar eine Möglichkeit aufzuklären, aber diese Möglichkeit war nicht bindend. Hätten Richter und Kolbenhoff versucht, eine stilistische Diktatur aufzurichten, also die äußeren Formen der Gruppe zu einer vermeintlich heilsamen Diktatur des Stils auszunutzen, wäre vermutlich nichts aus dem Unternehmen geworden. Die anarchischen Tendenzen der Schriftsteller hätten aufbegehrt, und die Gruppe 47 wäre niemals aus ihrem privaten Charakter herausgetreten.

Richters Offenheit ist aber wohl nicht allein die Ursache für die weiter reichende Wirkung der Gruppe 47, sondern auch die Teilnahme von Kritikern an den Tagungen. Im Anfang war Walter Maria Guggenheimer der führende Kritiker, später Walter Jens (der auch Autor ist) und Marcel Reich-Ranicki. Auch andere, später noch hinzukommende Star-Kritiker haben den ursprünglichen Charakter einer Gruppe von Autoren im Laufe der Zeit stark verändert, was man bedauern kann. Die Teilnahme von Kritikern von Anfang an (bedingt durch den Zeitschriftenplan) hat aber daran mitgewirkt, den Pluralismus der stilistischen Möglichkeiten offenzuhalten, denn Autoren neigen naturgemäß dazu, ihre eigenen stilistischen Mittel für die maßgebenden zu halten.

Wolfdietrich Schnurres Erzählung *Das Begräbnis* (geschrieben 1946) war der erste Text, der auf der ersten Tagung am Bannwaldsee verlesen wurde. Wolfdietrich Schnurre ist zwölf Jahre jünger als Kolbenhoff und Richter. Er ist 1920 in Frankfurt am Main geboren, wuchs seit 1928 in Berlin inmitten von Proletariern auf. Schnurres Vater war Bibliothekar und Biologe. Sonntags wanderte er mit seinem Sohn. Eine intime Naturkenntnis schlägt sich oft in Schnurres Erzählungen nieder. Sozialistisch und humanistisch erzogen, vereinsamte der heranwachsende Junge inmitten seiner Uniform tragenden Umgebung. Sechseinhalb Jahre wurde Schnurre gezwungen, Soldat zu sein. Nach Berlin zurückgekehrt, begann er seine Geschichten zu schreiben. Er wohnte zunächst im Ostsektor. Von einem russischen Offizier ermahnt, nicht im Westen zu veröffentlichen (was sich unter anderem auf seine Mitarbeit am Münchener *Ruf* bezog), zog er in den Westen Berlins um.

Schnurre hat sich mehrfach auf seine Anfänge berufen. Die Erlebnisse des Krieges, mehr noch die Angst vor einer Wiederholung, brachten ihn zum Schreiben. Sein literarisches Programm ist der Gegensatz zu der ästhetischen Literatur des Jugendstils, und zwar so, daß er diesen Gegensatz in sich auskämpfen mußte. Das entspricht den Rilke-Anklängen, die wir bei Hans Werner Richter gefunden haben. Ganz ähnlich hat Alfred Andersch die Entwicklung seines Stils beschrieben. Schnurre nennt (wie Andersch) ausdrücklich Rilke; außerdem habe Hermann Hesses *Narziß und Goldmund* ihm lange Zeit eine Offenbarung bedeutet. Das war während seines Kriegsdienstes in Rußland. Die Überbewertung des Geistig-Ästhetischen half ihm, sich von seiner Umgebung zu lösen. »Und ich ging nun, mit Hesse, soweit, meine Auffassung von der Kunst endgültig von allem Menschlichen zu abstrahieren und sie ganz ins nebulos Ästhetische zu verlagern.« Dieses Ästhetische empfand Schnurre nach dem Krieg als menschenfeindlich. »Ich habe mir lange eingeredet, die Ziele des Künstlers – irgendwelche fiktive unwandelbare Gesetze – lägen *hinter* dem Menschen, außerhalb seiner Leidenssphäre. Nein; sie liegen mitten darin.«[16]

Schnurres anti-ästhetisches Programm kann man schon an der Erzählung *Der Fremde* ablesen, die er in Nummer 14 des *Ruf* (1. März 1947) veröffentlichte. Der Fremde ist »Gottvater«, der auf der Erde nachsehen will, ob die Menschen »glücklich seien bei ihrer Arbeit«. Meistens wird er aus Höflichkeit belogen, bis ein Bauer ihm ein Schlachtfeld zeigt und ihn zur Verantwortung ziehen will. Gottvater sucht Ausflüchte unter Hinweis auf die Schönheit der Schädelnaht eines Toten. Aber der Bauer will wissen, wo Gott gewesen sei während des Krieges. Gottvater, der den Krieg schon vergessen hat, antwortet: »... hab' ich doch die Zeit verbracht, ein neues Blau für die Kornblume zu mischen. Hier – schau.« Wir haben also eine Legende vor uns, die sich gegen den Gott der ästhetischen Anbetung richtet. Diese satirische Benutzung der Legendenform ist schon im Ansatz artistischer als der Reportagestil.

Das Begräbnis hat diesen satirischen Charakter. Die Erzählung benutzt die Stilmittel der naturalistischen Kurzgeschichte, um Tod und Begräbnis Gottes darzustellen sowie die völlige Sinnlosigkeit geistlichen Trostes. Diese Erzählung ist, wie alle Erzählungen Schnurres, streng strukturiert. Sie ist aus zwei Orientierungen zusammengesetzt: die eine ist die alltägliche. Sie ist durch naturalistischen Stil ausgedrückt, der noch dadurch übertrieben wird, daß Jargon nicht nur im Dialog, sondern auch vom Ich-Erzähler gebraucht wird.[17] Diese ›alltägliche‹ Orientierung wird nun von einer pseudometaphysischen durchsetzt, die die romantischen Erinnerungen des Lesers benutzt. So legt eine unsichtbare Hand eine Traueranzeige auf den Tisch, die aber, halb in die alltägliche Orientierung zurückfallend, in einem Stil abgefaßt ist, der eine intentional wichtige Aussage mit den üblichen Klischees verbindet: »Von keinem geliebt, von keinem gehaßt, starb heute nach langem, mit himmlischer Geduld ertragenem Leben: Gott.« »Von keinem geliebt, von keinem gehaßt« ist natürlich keine soziologische Feststellung, keine statistisch beweisbare Aussage, sondern Fiktion, entstanden durch Verabsolutierung von spürbaren Tendenzen in der Religiosität der Deutschen. Die fiktive Welt verallgemeinert die Gleichgültigkeit, an der Gott gestorben ist, schafft ein Modell, das einerseits plakathaft deutlich, andererseits unwirklich, ›surrealistisch‹ ist. Die penible Beschreibung der Totengräberverrichtungen wird vermischt mit Unerklärtem. Deutlich wird, daß es sich um die deutsche Nachkriegszeit handelt: Heimkehrer in abgerissenen Uniformen zeigen es an. Die Banalität der Totengräber hindert den Pastor an seiner Rede: Trost wird nicht gespendet.

Aber der Pastor wird auch nicht beschimpft. Er darf den Sarg mittragen. Auch der irdische Vertreter Gottes wird weder geliebt noch gehaßt. Daß in Grabreden freigebig gespendeter religiöser Trost »Opium fürs Volk« sein kann, wird eindringlich gemacht. Zugleich bringt die Romantik-Satire etwas Komisches in die Erzählung.
Andere frühe Erzählungen Schnurres sind nicht weniger eindringlich. *Der Ausmarsch* (1946) beschreibt naturalistisch, als ob es sich um ein historisches Faktum handele, den Abmarsch Vierjähriger an die Front. Diesmal kommt der Pfarrer zu seiner trostreichen Ansprache. Die Kinder halten Teddybären und Gewehre, die Mütter schweigen. Schnurre hat diese Geschichte später als Beispiel für eine menschenfreundliche Satire verwandt, womit er sich von der haßerfüllten Schreibart Jonathan Swifts distanzieren wollte.[18] *Man sollte dagegen sein* (1947) beschreibt einen Traum, in dem alle Einwohner einer Stadt der Remilitarisierung zujubeln (die zur Zeit der Abfassung der Erzählung noch keine Wirklichkeit war) und den einzigen Kriegsdienstverweigerer hetzen. Auch eine Vereinfachung, aber eine, die ans Licht hebt, wie tief die Lust am Soldatenspielen im deutschen Leser steckt, auch wenn er sagt: »Man sollte dagegen sein«.
Die späteren Erzählungen Schnurres verzichten manchmal auf die grotesken und satirischen Mittel. Sie verzichten aber auch oft genug auf realistische Genauigkeit. So verkürzt die Geschichte *Freundschaft mit Adam* (aus: *Eine Rechnung, die nicht aufgeht,* 1958) eine »in Wirklichkeit« Jahre dauernde Entwicklung der Bedingungen, unter denen Juden im nationalsozialistischen Deutschland leben konnten, in den Zeitraum von Wochen, erreicht aber damit eine eindrucksvolle Wirkung. Die Erzählung scheint zunächst einfach das Böse der Verfolger dem Guten des Jungen entgegenzusetzen, der dem schwachsinnigen Juden verstehende Freundschaft entgegenbringt. Aber dann merkt der Leser, daß das Böse, der Haß, auch in die jüdischen Pfleger eingedrungen ist. Der Vater des Schwachsinnigen, selber zum Tragen des Judensterns gezwungen, will noch, während die Verfolgung näherrückt, seinen kindlich gebliebenen Sohn zwingen, Uhrmacher zu werden. Der Mensch wird als Objekt der Manipulation gezeigt, sei es durch Liebe oder Haß, aber nicht innerhalb einer eindeutigen moralistischen Struktur. Die Moral entzieht sich eindeutiger Bestimmung selbst dort, wo es sich einfach um Verfolger und Verfolgte zu handeln schien. Dies ist übrigens eine Tendenz, die sich außerordentlich häufig in der Literatur der Gruppe zeigt. So deutlich das soziale Interesse auch ist, so bedeutet das nicht, daß diese Geschichten mit Hilfe einer simplifizierenden Moral ›parteiisch‹ werden. Obwohl Schnurre sich der Technik der fiktionalen Vereinfachung bedient, er tut es zur Verdeutlichung des Hervorzuhebenden, nicht um seine Welt moralistisch zu verfälschen.
Eine vereinfachende Zusammenziehung ist auch Schnurres Verwendung von Tieren. *Die Aufzeichnungen des Pudels Ali*, zuerst 1951 unter dem Titel *Sternstaub und Sänfte* erschienen, verspotten liebevoll das Ästhetische, besonders ästhetische Tagebuchschreiber wie Ernst Jünger. Tiere sind oft Akteure in Schnurres Erzählungen. Eine Rohrdommel, die jeden Tag ruft und so das Kriegsgeschehen relativiert (*Das Haus am See*, 1947), ist keine ungewöhnliche Verwendung des Tiermotivs, so eindrucksvoll Schnurre es auch verwendet. Aber ein Kranich, der eine Eifersuchtstat an einem Menschen begeht und sich dann umbringt, manifestiert das Phantasieleben eines Jungen (*Der Selbstmord* in: *Eine Rechnung, die nicht aufgeht*). Wenn Tiere beinahe

menschliche Rollen in sonst realistisch erzählten Geschichten spielen, so ist hier der Stil der Tierfabel mit dem der realistischen Erzählung zusammenkomponiert. Damit betont Schnurre das Beispielhafte. Er will den Leser zur Besinnung zwingen. In einer Erzählung, deren Vorform schon im *Ruf* abgedruckt war (Nr. 9, 15. Dezember 1946), *Die Tat* (endgültige Fassung in: *Eine Rechnung, die nicht aufgeht*), ist eine Katze zur Materialisation der Schuld geworden. Einer der Erzähler in dieser Geschichte (die vielfach verschachtelt ist, vielleicht zu sehr) spricht eine Erkenntnis aus, auf die es Schnurre ankommt: »Ich begriff, daß auch im Grauen, auch in der Angst eine Forderung steckt; die Forderung etwas zu tun. Etwas, das das Grauen beschämt, das die Angst auslöscht.« Diese erlösende Tat, die Rettung einer Katze, wird in der Geschichte aber durch die Kriegsjustiz bestraft, die Erlösung also frustriert. Was dem Leser gezeigt werden soll, ist, daß die individuelle Lösung allein nicht genügt, wenn die Gesellschaft sie frustrieren kann. In der zweiten Version finden wir darum einen offenen Ausgang. Zwar hat die Katze auch den Kriegsgerichtsrat ereilt, er hat ihretwegen einen schweren Verkehrsunfall erlitten und ein Bein verloren. Aber er hat überlebt. Er muß die Geschichte erzählen, aber er wehrt sich noch, sie für sich anzunehmen. Die Erlösung wäre der Verzicht auf Krieg und Gewalt, die alle angeht.

Daß das Programm in *Die Tat* so deutlich wird, mag damit zusammenhängen, daß gerade diese Erzählung künstlerisch etwas weniger überzeugt als andere. Das ändert aber nichts daran, daß in Schnurres Erzählungen die Auseinandersetzung mit der deutschen Vergangenheit auf eine außergewöhnlich suggestive und dennoch durchdachte Weise demonstriert wird. Die meisten Erzählungen Schnurres sind exemplarisch durchgebildete Kunstwerke.

Auf eine mehr indirekte Art legt Schnurre dem Leser die Auseinandersetzung mit deutscher Geschichte nahe in dem »Roman in Geschichten« *Als Vaters Bart noch rot war* (1958). Zwar dürfte der Begriff ›Roman‹ mehr aus Verkaufswünschen zu erklären sein, aber die Geschichten haben einen inneren Zusammenhang. Es sind Geschichten eines Jungen, der mit seinem zumeist arbeitslosen Vater sich während der großen Depression (die Geschichten spielen ungefähr zwischen 1929 und 1933) in Berlin ein lebenswertes Leben zu erhalten sucht. Dabei handelt es sich um die kleinen Dinge und Ereignisse, die im Leben eines etwa Zehnjährigen eine Rolle spielen: Freunde, Tiere, Geburtstage, Weihnachten, sehr oft die Freunde und Bekannten des Vaters, der, kindlich und erwachsen zugleich, die Welten vermittelt. Das ist natürlich auch die Aufgabe des Lesers, dem der Zeithintergrund mehr sagen muß, als der Erzähler andeutet. Juden, Zigeuner und Kommunisten werden als Freunde des Jungen vorgestellt. Einmal wird scheinbar beiläufig von der Vergasung von Ratten erzählt. Die Erzählungen sind realistisch, insofern sie sich auf die Welt der Leser und auf historische und soziologische Fakten beziehen, auch haben sie einen autobiographischen Hintergrund, wobei Schnurre mit dem Alter des ›Ich‹ etwas willkürlich umgeht. Sie sind jedoch mit einem Erwachsenenbewußtsein geschrieben, auch reden die erwachsenen fiktiven Figuren eine Erwachsenensprache, die der Ich-Erzähler niemals hätte aus seiner Jugend behalten können. Überdies sind die meisten Geschichten als erfundene kenntlich, obwohl keine ganz unmöglich ist. Ihre Wirkung beruht also auf dem Ineinander von Kinderwelt und Erwachsenenbewußtsein, wie auch Günter Grass' Roman *Die Blechtrommel*, der ein Jahr später erschien.

Die zwar nicht auffällige, aber deutliche politische Tendenz ist noch dieselbe wie in der Frühzeit der Gruppe. Die Sympathien des Lesers werden für Proletarier und Kleinbürger in Anspruch genommen. Aber sozialistische Tendenzen werden doch auch dadurch eingeschränkt, daß der abstrakte Glaube an ein papiernes Parteiprogramm zumindest belächelt wird.
»›Willst du ...‹, fragte Frieda finster, ›etwa behaupten, daß die Partei keine Anteilnahme [sic; lies: Anteil] am Geschick der Werktätigen nimmt?‹
›Willi ist ein Mensch‹, sagte Vater; ›und für Menschen kann sich nur ein Mensch interessieren.‹«
Dieses Interesse manifestiert sich freilich nicht weiter als darin, daß der Vater dem verwitweten und traurigen Willi eine Stelle als Toilettenwärter verschafft. Aber Willi ist glücklich, während das Parteiprogramm ihn kalt ließ. Andererseits muß sich der Leser seine Gedanken machen, wenn er erfährt, daß dieser sonst so prächtige Vater allzuoft zu faul war, am Wahlsonntag für seine Partei (die SPD) zu stimmen, und so passiv mithalf, die Nazis zur Macht zu bringen.
Die politische Absicht ist zugleich realistisch und parabolisch in der letzten Erzählung des Bandes gestaltet: *Kalünz ist keine Insel*. Die skurrilen Einschläge hindern nicht, daß auch diese Geschichte prinzipiell realistisch ist. Es geht um den Versuch, die historischen Vorgänge des Jahres 1938 auszuschließen, ohne sie zu leben. Dabei entsteht eine Satire auf die innere Emigration. Ein befürchteter Angriff von Wölfen (eine Anspielung auf Ernst Jüngers *Auf den Marmorklippen*) wird gegenstandslos: es sind nur streunende Hunde. Am Ende steht eine Heirat des gastgebenden Barons mit seiner Schweinemeisterin, ein Zug, der trotz einer gewissen Skurrilität den Wunschtraum einer Vereinigung der alten Oberschicht mit der Unterschicht aus Proletariern und Kleinbürgern ausdrückt, wie wir ihn auch bei anderen Autoren der Gruppe finden.
Das Buch *Das Los unserer Stadt* (1959) ist eine Gruppe von Parabeln. In der ersten Geschichte wird die Zeit exekutiert, nachdem »der Rat« sie gezwungen hatte, der Vergangenheit entgegenzugehen, weshalb die Geschichte *Die Hinrichtung* im Mittelalter spielt. Aber die Zeit, ein großer Hahn, erhebt sich und fliegt kopflos davon. Kopflosigkeit, das Fehlen eines, der Richtung gibt, wert ist, angebetet zu werden, ist der Gegenstand einiger der anderen Geschichten. In *Das Kloster* heißt der Gott »Der Lesende«. Ein Mönch, der gegen strenges Verbot dessen Zimmer betritt, findet es leer und verstaubt. Die Blätter des »Buches der Botschaft«, an dem die Schriftstellermönche arbeiten, liegen am Boden und verderben. Der Lesende ist kein existierender Gott. Die Namengebung verweist auf den Leser. Er ist in Wahrheit der fehlende Mittelpunkt, auf ihn kommt es an.
Die Sammlung *Funke im Reisig* (1963) enthält realistisch erzählte Geschichten. Auch in ihnen spiegelt sich die Vergangenheit der Deutschen. Die Protagonisten sind Anti-Helden, einige quälen sich mit ihrer Niederlage vor der eigenen imaginierten Forderung. In der Titelerzählung erhebt eine Frau den heroischen Anspruch: ihr Mann hätte, 1945 heimgekehrt, sie vor der Vergewaltigung auch unter Einsatz seines Lebens schützen sollen. Der Mann erlegt vor seiner Frau einen Mörderhirsch als Ersatz-Heldentat. Die Erinnerung an die schlimme Szene damals im Keller und die gegenwärtige Jagd wird motivisch kombiniert. Der Funke im Reisig der Vergangenheit glimmt. Der Leser wird gehindert, sich mit Mann oder Frau zu identifizieren.

Sie sind beide gleich unsympathisch und doch Opfer ihrer und der deutschen Vergangenheit.
Ausschließlich behauptet sich das Vergangenheitsthema freilich nicht mehr: *Der Zwiespalt* (auch in *Funke im Reisig*) hat die Fluchtwünsche von Ostberlinern zum Thema. Auch gibt es viele verspielte, heitere oder melancholische Geschichten von Schnurre. Diese Art nimmt in den sechziger Jahren zu: man kann nicht immer wieder das gleiche Thema bewältigen, so traumatisch es auch gewesen ist. Der sozial engagierte Autor Schnurre ist aber selbst in den zumeist heiteren Berliner Proletarier- und Kleinbürgergeschichten in *Ohne Einsatz kein Spiel* (1964) erkennbar, so wenn er einer Gruppe von Berliner Anglern verdächtigen Charakters ungestraft eine Spazierfahrt im gestohlenen Polizeiboot gönnt *(Man muß auch mal Ferien machen)*, offenbar um für den Leser den üblichen Ausgang solcher Geschichten umzukehren, oder wenn in *Die Weihnachtsmannaffäre* (1967; zuerst unter dem Titel: *Eine schöne Bescherung*) die Ordnung zwischen zwei verfeindeten Arbeitslosencliquen (die Geschichte spielt in Berlin etwa 1932) mit Hilfe der Heilig-Abend-Stimmung und einer kommunistischen Platzanweiserin der »Universum Lichtspiele« ohne Einmischung der Polizei hergestellt wird. Diese Geschichte ist übrigens ihres Stiles, Schauplatzes und einiger fiktiver Personen wegen ein Nachtrag zu dem Band *Als Vaters Bart noch rot war*. Die Sammlung *Rapport des Verschonten* (1968) enthält skurrile Geschichten, die man als Parabel-Parodien ansprechen könnte. Eine frühere Kirche grüßt als Backsteinmann, sich verabschiedend, melancholisch vom Horizont. Menschliche Erzähler berichten von ihrer Liebe zu einer Forelle, einer Ratte, ja einer Welle. Dies sind Phantasiespiele, in die auch ernsthafte Absichten sich mischen. So ist die Titelgeschichte in verschrobenem Behördendeutsch abgefaßt, der Bericht des Mißerfolgs einer Expedition, die Raketenbasen vermessen soll und von Tieren vernichtet wird. In anderen Geschichten herrscht eine poetische Ordnung, gegen die der Leser sich auflehnen soll, wie so oft in Schnurres realistischen Erzählungen. Dennoch wird in diesen Geschichten deutlich, daß die ästhetisch-verspielte Neigung Schnurres mindestens ebenso stark ist wie seine erzieherisch-exemplarischen Absichten. Dies kann man auch an Schnurres Gedichten zeigen, die unter dem Titel *Kassiber* (1956) veröffentlicht wurden.
Lyrik wurde auf den Tagungen von Anfang an vorgelesen, jedoch hat die Gruppe keine prägende Kraft auf ihre Lyriker ausgeübt. Gedichte von Wolfgang Bächler, die auf den beiden ersten Tagungen 1947 vorgetragen und 1962 im *Almanach der Gruppe 47* wieder abgedruckt wurden, zeigen Unsicherheit der lyrischen Sprache. In einem Gedicht erscheint der Vers:

»Da rauscht es dumpf, als ob der Urgrund riefe«.

In einem anderen finden wir diese Strophe:

»Mit schmerzender Hand
am Buge des Monds
häng ich befreit
schräg durch das Nichts.«

Das erste Beispiel steht dem Jugendstil nahe, das zweite imitiert die symbolistisch-expressionistische Tradition, die 1947 schon bedeutend älter als der 1925 geborene

Autor war. Versuche, sich lyrisch an die Trümmer-Thematik der Prosaisten anzupassen, sind wenig überzeugend:

»In der erlöschenden Flamme der Zeit
rieselt der Kalk von den Mauern ...«

Ilse Schneider-Lengyel, die Gastgeberin des ersten Treffens der Gruppe am Bannwaldsee, hauptsächlich als Kunstkritikerin tätig, las dort und 1949 in Marktbreit aus ihrer Lyriksammlung *Septemberphase* (erschienen 1952). Ihre Gedichte, reifer als die Bächlers, gehören zu dem von Trakl, Heym und seinen Freunden in Deutschland eingeführten expressionistisch-symbolistischen Stil. Dessen Rätselcharakter ist ästhetischer als die gleichzeitige Prosa, obwohl er fähig ist, Zeitkritik zu enthalten. Er ist weniger aggressiv. Ein Beispiel:

gefahr

eine methode ist fackeln zu tragen
aber die fackeln kippen   gleichmäßig
zugeschnitten sind die nächtlichen wege
ins freie so gefährlich beginnen
die heimlichen häuser zu leuchten
du drehst die scheibe

Gedichte von Günter Eich waren im *Ruf* abgedruckt worden. Auch Hans Werner Richters Sammlung von Gedichten deutscher Kriegsgefangener *Deine Söhne Europa* (1947) enthält einige. Richters Bestreben, den deutschen Lyriker zu finden, der das Erlebnis der Zeit in die Gedichtsprache übertrug, schien mit Günter Eich Erfolg zu haben. Jedoch hat Eich seine Gedichte aus dieser Zeit verworfen. Nur ungern gestattete er 1968 einen Nachdruck der Sammlung *Abgelegene Gehöfte* (1948).
Die Entwicklung der Lyrik Günter Eichs mit den weiteren Sammlungen *Untergrundbahn* (1949), *Botschaften des Regens* (1955), *Zu den Akten* (1964) und *Anlässe und Steingärten* (1966) zeigt deutlich, wie die ästhetische deutsche (und außerdeutsche) Tradition sich durch die Absicht eines Neuanfangs hindurch behauptet. Obwohl seine Erlebnisse in Krieg und Gefangenschaft denen der anderen Begründer der Gruppe ähnlich waren, obwohl er von 1947 an zur Gruppe gehörte, 1948 zuerst vorlas und 1950 als erster den Preis der Gruppe 47 erhielt, behauptete sich Eichs ästhetischer Individualismus gegenüber dem sozialen und politischen Engagement führender Mitglieder. Eichs Lyrik zeigt zwar den Einfluß der Gruppe, indem er sich einer ästhetischen Ersatzreligion, zu der er neigte, entzieht, ja ihr allmählich immer stärker sprachlich entgegentritt (eine Spätwirkung dieses Einflusses!), aber er ist immer Individualist und bleibt ästhetischen Sprachspielen sowie melancholischem Selbstgenuß zugeneigt.
Wolfdietrich Schnurres Gedichte, zuerst in *Kassiber* (1956) gesammelt, spiegeln in ihren Intentionen die Kriegsgegnerschaft ihres Autors, sein enges Verhältnis zur Natur und seinen Widerstand gegen bequeme Sinndeutungen. Ein skeptisches Spiel mit religiösen Motiven, das einen Rest von Glaubensbereitschaft pantheistischer Art verrät, findet sich in dem Gedicht *Hinnahme*. Jedoch wendet sich das folgende Gedicht gegen eine bequeme Naturgöttlichkeit, wie sie in traditioneller deutscher Lyrik seit der Goethezeit dem Leser vertraut ist:

Strophe

Als der Falke
der Taube
die Fänge ins Fleisch schlug,
sank eine Feder
der Welt auf den Mund.
Reglos hing sie
an den dörrenden Lippen
und harrte des Atems.
Er kam nicht; es
war der Abendwind,
der sie fortnahm.

Das Gedicht ist zugleich eine symbolische Klage darüber, daß die Gewalttaten des Krieges schnell vergessen wurden, daß der Dichter sich mit seinem militanten Pazifismus allein findet. So auch in dem folgenden Gedicht, dessen Titel sich verzweifelt-symbolisch auf das eigene Land bezieht:

Aschenland

Und wieder branden grau und gelb
die Wolken auf befehlsdurchbellten Staubs;

die Marmorgeier haben sich von ihrem Sturz erholt
und recken sich auf den Podesten.

Die tausend Schwalbenmorde bleiben ungesühnt;
der Herbstwind, der die Reue suchte, kam umsonst.

Schnurres Naturmotive gehören offensichtlich in den Bereich der Naturlyrik der Lehmann und Eich. Aber es finden sich auch Anklänge an den Frühexpressionismus, der in den fünfziger Jahren von Literaturwissenschaft und Kritik wiederentdeckt wurde. Einige Gedichte haben apokalyptischen Ton:

Kassiber

Eine Staubwolke kam,
eine rote;
lastend
ein Dunstleib,
sank sie herab.
Die U-Bahn blieb stecken,
der Bus drückte die Wand ein,
es war Mittag, und war
eine rötliche Nacht.
Und roch nach Leder,
nach Steppe und Tierschweiß.
Frauen fielen in Krämpfe der Wollust;
Kinder erstarrten im Spiel;
und es regnete Sand.

Schnurre bedient sich auch der symbolistischen Rätselsprache, am liebsten mit Tiermotiven:

»Die Vogelfische atmen
schon durch schwarze
Schattenkiemen, denn
die Nachtflut steigt«
(aus *Herbstalb*)

In den 1964 erschienenen *Neuen Gedichten* gibt es diese assoziative Bildertechnik neben einer neuen Art von langen Gedichten, die sich schlicht und direkt an den Leser wenden können. So erzählt das Gedicht *Im Streckhang* von einer folterähnlichen Methode, bei Kindern die Stellung der Wirbelsäule zu verbessern. Der Sprecher des Gedichtes hat diese Behandlung neben einem jüdischen Kind erlitten in einer Turnhalle. Er spricht die eigene Fähigkeit zu vergessen an und bittet, diese Erinnerung behalten zu können.

». . . Nimm alle meine Schätze; nur,
Vergessen, laß dies kurze Bündnis mir, da Abel noch
mein Bruder war am Galgen.«

Wie oft in den Erzählungen ist hier der Leser zur Mitarbeit aufgefordert. Er hat sich mit dem leidenden Kind identifiziert und soll einsehen, daß dieses Kind als inzwischen erwachsener deutscher Sprecher des Gedichtes zu Kain geworden ist. Diese Einsicht, daß man schuldig ist an den Morden, die von der Gesellschaft, zu der man gehört, begangen wurden, ist wohl nicht zufällig so direkt ausgesagt, nicht in assoziativ gereihten Bildern verschlüsselt. Es ist dies eine Einsicht einer Minderheit in der Kriegsgeneration des Zweiten Weltkrieges, die von den Älteren kaum, von den Jüngeren nicht mehr geteilt wird. Deshalb ist Eindringlichkeit nötig, Werbung um Verständnis.
Andere lange Gedichte wie *Der Aasvogel spricht* oder *Elegie* lassen Verhältnisse, die zwischen Leben und Tod vorgestellt werden sollen, bildhaft deutlich werden. Eindrucksvoll ist auch *Befragung des Kalks*, in dem die Unschuld naturhaften Werdens mit den Judenmorden konfrontiert wird. Zwar ist es Paul Celan in *Todesfuge* gelungen, das Thema der Judenmorde mit symbolistischen Mitteln eindrucksvoll zu gestalten, aber diese Mittel sind in diesem Gedicht leichter zu entschlüsseln als sonst in Celans Lyrik. Daß Schnurre den Leser noch um einen Grad direkter anspricht, wirft Licht auf die einfache Tatsache, daß das symbolistisch verschlüsselte Gedicht der ästhetischen Epoche angehört, daß es eine Elite von ästhetisch Empfänglichen ansprechen will, die sich Bildung und Muße leisten können, und sich selbst von diesen noch abschließt, indem es einen Kult des Geheimnisses zelebriert. Das politische Gedicht, das Wirkung haben will, kann die symbolistische Sprache nur sparsam benutzen. Schnurres verschlüsseltes pazifistisches Gedicht *Toter Soldat*, dessen assoziative Naturbilder Schnurre selbst erklärt hat,[19] kann als Beispiel für die Wirkungshemmung in solchen Gedichten dienen. Die Einsicht in dieses einfache Wirkungsgesetz mußte überdies durch die Rezeption von Bert Brechts politischen Gedichten unterstützt werden. Andererseits galt (und gilt) aber die symbolistisch verschlüsselnde Methode als d i e moderne, eine Ansicht, die durch das sehr verbreitete Buch

EDINBURGH UNIVERSITY LIBRARY CANCELLED

von Hugo Friedrich, *Struktur der modernen Lyrik* (1956), wissenschaftliche Autorität beanspruchte. Friedrich beschrieb die Entwicklung des französischen Symbolismus von Baudelaire zu Mallarmé und Rimbaud in negativen Begriffen als inadäquat sowohl der klassischen als auch der realistischen Tradition. Die symbolistische Lyrik ist für ihn die einzig gültige Norm für das ›moderne‹ Gedicht.

Es zeigt sich also besonders in der Lyrik, daß die in der Gruppe 47 vorhandenen Antriebe, die ästhetische Epoche der bürgerlichen Literatur zu verlassen, durch das Bedürfnis gehemmt wurden, deren stilistische Mittel zu verwenden. Man kann gerade in den späteren Gedichten Schnurres und Eichs beobachten, wie beide Tendenzen, die auf den Leser gerichtete politische und die ästhetische, nebeneinander spielen.

Ähnliches ließe sich von den Gedichten Wolfgang Weyrauchs sagen. 1946 erschien sein erster Gedichtband *Von des Glückes Barmherzigkeit*. Weyrauch, 1907 in Königsberg geboren, war damals 39 Jahre alt. In Frankfurt, wo er aufwuchs, hatte er, wie er selbst berichtet,[20] expressionistische Dichter gelesen. 1934 erschien eine Erzählung, genannt »Legende«, *Der Main*, mit Zeichnungen von Alfred Kubin. Sie ist in einem Stil geschrieben, der so etwas wie magischer Realismus sein will, nicht ohne falsche Urwüchsigkeit. Auch ein Roman *Strudel und Quell* (1938) sowie weitere Erzählungen wurden vor 1945 publiziert.

Von fünf Jahren Kriegsdienst zurückgekehrt, begann Weyrauch von neuem. Er wollte, »daß niemals geschehe, was gestern geschah«. So überschrieb er das erste Kapitel der genannten Gedichtsammlung. Die Verse sind voll guten Willens, jedoch allzuoft von peinlicher Naivität:

»Und die Kinder treten mit den holden Füßen
tausend Panzerwagen jubelnd in den Schlund,
wo die Mörder enden und die Morde büßen:
›Friede!‹ fährt es aus dem allerreinsten Mund.«
(letzte Strophe von *Friede*)

Weyrauchs späterer Anschluß an die moderne Gedichtsprache hilft ihm, solche Banalitäten zu vermeiden.

»Atom und Aloe,
im letzten Areal
des schwarzen Ninive,
der Hauch floh vor der Zahl.«
(aus: *Atom und Aloe*, in *Gesang um nicht zu sterben*, 1956)

Weyrauch hat diesen Text unter dem Titel *Mein Gedicht ist mein Messer* selbst kommentiert.[21] Gerade dieser Kommentar enthüllt, wie unverbindlich die Kombination heterogener Bilder ist, ein Spiel, mit tödlichem Ernst zelebriert.

Weyrauchs Geschichten haben eine entfernte Ähnlichkeit mit denen Schnurres. Auch sie wollen den Leser als Partner zur Mitarbeit zwingen. Weyrauchs Erzählungen sind aber einsträngiger und wortreicher. Oft bestehen sie aus einem inneren Monolog. Die Wendung an den Leser ist schockierender als bei Schnurre. Auch hat Weyrauch eine Neigung zum Absurden, zum Rätselhaften. Bei einigen Geschichten ist es unwahrscheinlich, daß sie den Leser erreichen. So berichtet *Ein unerklärliches Doku-*

CANCELLED ... ITY LIBR

ment in sich selbst aufhebenden Fragen von der Landung eines »X«, einer Art von außerirdischem Flugkörper. Seit dessen Landung beherrschen geheimnisvolle zirpende Stimmen das Bewußtsein der Menschen einschließlich des Schreibers. Auch *Das Ende von Frankfurt am Main*, obwohl begreiflicher, gehört in den Bereich von ›Science Fiction‹. Das Mittel der Vernichtung ergreift die Zerstörer selbst. Einige der inneren Monologe schockieren den Leser durch die wie selbstverständlich vorgebrachte Bosheit des Sprechers zum Beispiel in *Beginn einer Rache* (wie die beiden vorhergenannten und die folgenden aus *Mein Schiff das heißt Taifun*, 1959), wo eine solche Bosheit als Produkt von Eifersucht, sexuellen Tabus und bürgerlichen Ordnungsidealen verstanden wird. In *Vor der Hinrichtung* nimmt der Leser an Gesprächen Neugieriger teil, moderner Menschen, die auf die Hinrichtung eines Heiligen warten. Religion ist in der fiktiven Welt dieser Erzählung verboten. Solange der Heilige noch predigen konnte, hat er drei Eigenschaften genannt, die den Menschen zum Menschen machen, »erstens, die Geduld, zweitens, die Vernunft, und drittens, die Liebe zu den Feinden«. Da der Heilige nicht aufhörte zu segnen, hat die Staatsgewalt ihm die Zunge herausgeschnitten, Arme und Beine abgeschnitten und die Augen ausgestochen. Der so reduzierte Rest wird auf einem Mistwagen zur Hinrichtung gefahren und segnet noch mit den Augenlidern, ein Motiv, das Weyrauch übrigens mehrfach verwendet. Zwar kann kein Zweifel darüber bestehen, was gemeint ist, dennoch dürfte die grelle, expressive Deutlichkeit ihren Zweck verfehlen.

Weyrauch hat mehrmals versucht, moderne Stilexperimente (die sich ihrer Natur nach an den Artisten wenden, an Schriftsteller, Kritiker, Dilettanten) mit seinem Engagement (das sich naturgemäß an Leser richtet, die in ihrer Welt angesprochen werden wollen) zu verbinden. In *Etwas geschieht* (1966) wird das Entstehen einer Revolution modellhaft dargestellt, die Kommunikation mit dem Leser aber behindert durch Worttrunkenheit und modernistische Undeutlichkeit in den Details, die hauptsächlich dadurch zustande kommt, daß die Gedanken von Personen oder typischen Personen zur Sprache kommen, deren Lebensumstände und augenblickliche Situation aber nicht, oder nur unvollkommen, gezeichnet werden. Außerdem ist das Revolutionsmodell naiv. Das gilt nicht nur für die Verherrlichung des grundsätzlich konservativen John F. Kennedy, den Weyrauch für fortschrittlicher hält, als er war, was aus der Entstehungszeit der Arbeit erklärlich ist. Ein Verfassungsentwurf enthält den Satz: »Was von der Obrigkeit angeordnet wird, muß gleichzeitig im Volk, bei diesem oder jenem freiwillig entstehen.« Dieser Entwurf überspringt das Problem, wünschbare Freiheit und notwendige Ordnung in einen erträglichen Kompromiß zu bringen. Er ist auch weder logisch angeordnet, noch sucht er ein Gleichgewicht zwischen den Rechten aller und des einzelnen als System zu fassen, sondern ist als Abc geordnet, will eine Grundlehre der politischen Wörter sein. Auch an diesem experimentellen Text kann man sehen, wie das Artistisch-Spielerische sich gleichsam von hinten einschleicht, vor allem aber, daß experimentelle Sprachspiele die dichterische Vision nicht ersetzen können.

Alfred Anderschs erste Buchveröffentlichung war eine kleine essayistische Schrift, *Deutsche Literatur in der Entscheidung* (1948), in der er im wesentlichen die literarische Position des *Ruf* zusammenfaßt, vor allem ein Ende des Stils der ›inneren Emigration‹ verlangt. Die äußere, meint er anläßlich Thomas Manns, sei nicht eine

Frage der Geographie. Andersch ist als Verfasser eines dichterischen Textes 1949 auf der Tagung der Gruppe 47 in Marktbreit hervorgetreten. Er las eine Erzählung *Weltreise auf deutsche Art*, die später in die Sammlung *Geister und Leute* (1958) aufgenommen wurde. Sie erzählt die Geschichte eines deutschen Küfergesellen, der sieben Jahre lang in Kolonialkriege verwickelt wurde, in China und Afrika. Der Erzähler hält die Perspektive des schlichten und geraden Mannes durch. Trotz der zurückhaltenden Sparsamkeit der Mittel wird der Leser gezwungen, der Geschichte weitere Bedeutsamkeit abzugewinnen. Daß der Held Johann Benedikt Zimmermann zugleich seine badische Braut Barbara und Angélique, die Frau seines französischen Chefs im türkischen Mazedonien, liebt, daß er zuerst auf einem deutschen Schiff namens »Loreley« Dienst tut, daß der Truppentransport nach China vom athenischen Hafen Piräus abgeht, daß Johann Benedikt später auf dem Kreuzer »Habicht« nach Südwestafrika transportiert wird, daß der berühmte Befehl »the Germans to the front« während der Boxeraufstand-Operationen aus einer Schlägerei um Teehaus-Mädchen abgeleitet wird, daß Eifersüchteleien zwischen den in China eindringenden Nationen eine alberne Wichtigkeit beigemessen wird, alles dies wird hintergründig, ein Gleichnis für Europa im guten und im bösen und für Deutschland als Teil dieses Europa. Als Europas eigentliches Verschulden tritt der gewaltsame Imperialismus hervor, gefaßt in das Bild einer riesigen chinesischen Partisanin, die Johann Benedikt in Notwehr tötete, als sie mit ihrem Schwert zum Schlag ausholte. Am Ende wird Johann Benedikt einige Jahre Familienidyll erlaubt, bis zu dem Moment, »als ihn im August 1914 der zweite Gestellungsbefehl seines Lebens erreichte«. Dies ist der Schlußsatz der Erzählung. Mit einem Minimum an Kommentar gelingt Andersch ein Maximum an Wirkung. Als Beispiel mögen hier zwei beschreibende Passagen stehen, die am Schluß der Erzählung erscheinen, durch etwa eine Seite Text getrennt, deren Bildlichkeit imperialistische Gewaltsamkeit und friedliche europäische Kulturlandschaft wirkungsvoll nebeneinanderstellen:

»Wenn er durch eines der völlig verlassenen Dörfer ging, befiel ihn ein Grauen vor der Stille der halbkugeligen Pontoks, die den leeren Viehkraal umschlossen. Und mit dem gleichen Gefühl, mit dem er vor Jahren in China die alte Partisanin betrachtet hatte, blickte er jetzt auf die Leichen der erschlagenen Hereros, die im Tode zwischen auseinandergerissenen Lippen die zugefeilten Zähne sehen ließen, indes das sandfarbene Abendlicht ihre ledernen Gewänder und ihren Eisenschmuck überspülte.«

»An den Sonntagen machten sie manchmal mit den Kindern Ausflüge. Sie besichtigten das Straßburger und das Freiburger Münster und blickten von der Breisacher Höhe aus über das Elsaß und den Oberrhein. Unendlich klar und scharf gezeichnet stand die Nähe aus Weinlaub, Pappeln und hellen, südlichen Häusern vor dem zarten Dunst der Vogesenferne.«

Anderschs Erzählungen zeichnen sich durch eine geradezu klassische Überlegenheit des Erzählers aus. Davon ist sogar etwas zu spüren, wenn er, wie die meisten anderen Erzähler der Gruppe, das Absurde des Krieges deutlich machen will. *Die Letzten vom ›Schwarzen Mann‹* sind Tote des Krieges, ein Amerikaner und ein Deutscher, die als Geister leben und Kaffee schmuggeln. *Cadenza Finale* ist in der ersten Person erzählt. Der Erzähler, ein Soldat auf Dienstreise, versucht vergeblich eine Pianistin zu besuchen: Kunst ist ihm Zuflucht und Trost. Er erinnert sich an ein George-

Gedicht, das er als Widerspruch in eine Gesellschaft geworfen hatte, in der »politisch alles klar« war: »Man sollte nie völlig in den Kategorien der Gesellschaft aufgehen, in der man sich befindet. Auch wenn sie einem noch so sympathisch ist. Widerspruch ist alles. George-Zitat war Einbruch aus einer fremden Welt. Wollte das. Wollte Ärgernis erregen. Nichts langweiliger als Übereinstimmung.« Kritisierbare Kunst also auch als lebendiger Widerspruch in der Umwelt des Todes. Oft läßt Andersch seinem Erzähler einen gewissen Abstand, so daß der Leser die Figuren aus der Nähe, aber doch kritisch beobachten kann, nicht in das Bewußtsein des Sprechers hineingezogen wird wie in monologischen Erzählungen, wie sie bei Weyrauch vorherrschen. Jede von Anderschs Geschichten hat eine ausgeprägte und vor allem anschaulich gemachte Eigenart, wobei sie von einem Leitgedanken, einer Idee beherrscht sind: Der Leser nimmt teil an dem Freiheitsbedürfnis einer schleswig-holsteinischen Gräfin, das sie gegen ihre nationalsozialistische Umwelt und Familie aufrechterhält und mit dem Verzicht auf Liebe und Gesellschaft bezahlt, wobei sie von Erinnerungen an Italien, an etruskische Gräber lebt. Ein abgeschossener englischer Flieger findet eine jahrhundertealte Okarina, die im Rungholt-Watt freigespült wird: *Diana mit Flötenspieler*. Der Leser zweifelt mit einem Priester an seinem Glauben. Dieser zelebriert dic Messe lateinisch, während er erschüttert ist von der Beichte eines Vaters, der sein Kind geschlagen hatte. Der Vater fühlt sich von dem Lebenskampf der ersten Nachkriegsjahre aufgerieben. Er ist untröstlich, während der Leser das Kind beim Spielen beobachtet und weiß, daß es den Vorfall vergessen hat und den Vater liebt: *Vollkommene Reue*. In *Mit dem Chef nach Chenonceaux* nimmt der Leser Anteil an einem überraschend sympathischen Industriellen, der einen etwas zweifelhaften Intellektuellen seiner Werbeabteilung auf eine Wochenendreise nach Frankreich mitnimmt, wobei eine halbverschämte Liebe zur europäischen Vergangenheit sich verbindet mit einem Rückblick auf den wirtschaftlichen Aufbau Deutschlands, der einmal nicht bitter ist. In *Opferung eines Widders* (1963; geschrieben 1962) wirbt ein alternder Industrieller als Ich-Erzähler um das Verständnis des kritischen Lesers. In dieser wie in der Erzählung *Tochter* (1970) deutet Andersch mit sparsamen, aber deutlichen Mitteln an, wie dünn der Firnis der bürgerlichen Kultur ist, so sehr dieser Überzug auch das Verhalten und Denken der Figuren bestimmt. In diesen Erzählungen wird Geistig-Kulturelles auf eigenartige, manchmal schockierende Weise mit dem Gegenwärtigen des Autors und Lesers konfrontiert. Als anachronistischer Scherz geschieht das in *Ein Auftrag für Lord Glouster*. So findet der Titel der Sammlung *Geister und Leute* seine Berechtigung, nicht nur für die zehn Geschichten dieser Sammlung.

Anderschs Kompositionskunst ist zwei seiner Erzählungen besonders zugute gekommen. *In der Nacht der Giraffe* (in *Geister und Leute*, 1958) kontrastiert Charles de Gaulles Machtergreifung 1958 mit der politischen Abdankung eines jungen bürgerlichen Kritikers, weil es ihm nicht gelang, eine wichtige Information in einer Zeitung unterzubringen, die den Mythos de Gaulles zerstört hätte. Dieser Handlungsstrang führt zu Diskussionen über die Rolle des überzeugten bürgerlichen Demokraten. »Demokratie ist eine Technik des Kompromisses, natürlich nicht des faulen, sondern des schöpferischen Kompromisses«, sagt ein Gesprächspartner, einen Gedanken des Kritikers Andersch wiederholend, als er im *Ruf* Anouilhs *Antigone* besprach. Ob mit de Gaulle zu paktieren ein schöpferischer Kompromiß sein kann, bleibt offen. Sowohl de Gaulles Entschluß, die Republik nicht zu zerstören, wie sein reaktionärer Hang, König zu spielen, kommt in inneren Monologen zum Ausdruck. Dazu kommen Handlungen: ein Mordversuch an jenem bürgerlichen Kritiker, ein Polizeieinsatz und eingeblendete lyrische Episoden in Prosa (zum Teil surrealistischer Natur), die den Zauber der Stadt Paris einzufangen bestimmt sind.

Ein Liebhaber des Halbschattens (1963; geschrieben 1962) ist eine Novelle, die dem Thema Erinnerung gewidmet ist. Westberlin, die DDR sind der Vordergrund für Fontanes Mark Brandenburg und Preußen. Der negative Held, Lothar Witte, ist ein Privatdozent der Geschichte, der den Halbschatten liebt, ausgefallene Themen bearbeitet und deren Einzigartigkeit, Unwiederholbarkeit zu beweisen sucht, soweit wie möglich zurückgezogen lebt und doch teilnimmt, der sich den Nationalsozialisten entzogen hatte und doch sich durch sein Mitwissen auf dem Drückebergerposten im Kriegsarchiv besonders schuldig gemacht hatte. Ambivalent war auch sein Privatleben. Im Einverständnis mit dem legalen Ehemann führte er während der Nazijahre eine Ehe zu dritt und empfand diese Abweichung von der bürgerlichen Norm als eine Art von Auflehnung und Widerstand. Aber Melanie, die Frau in diesem freien Bund, hat ihre Männer und Kinder im Jahre 1947 verlassen, um ein neues Leben zu beginnen. »Nach dem Krieg wird eine andere Zeit kommen. Wenn die andere Zeit kommt, werde ich euch verlassen.« An diese Worte erinnert Lothar sich. Er selbst ist seitdem immer mehr dem Alkohol verfallen. Während der Erzählung trinkt er sich in den Zustand einer falschen Freiheit. Es ist bedeutsam, daß Melanie sich im Herbst 1947 ihre Freiheit nahm. Sie ist geradezu die Verkörperung der deutschen Möglichkeiten, die von der Restauration übergangen wurden. Das Freiheitsmotiv kehrt bei Andersch immer wieder. Hier ist es gebrochen, klingt, wenn auch bestimmend, aus der Erinnerung auf, ist kein Teil des erzählten Vordergrunds. – Lothars Mutter dagegen, die Witwe eines Offiziers, verkörpert Preußen, einen einfachen, geraden, aber vornehmen Moralismus, offensichtlich nicht mehr geeignet, um die Welt, in der sie jetzt lebt, zu verstehen, aber Respekt fordernd und hinreichend, um ihren Sohn, den Liebhaber des Halbschattens, zu verurteilen. Aber nicht er, sondern sie ist das Opfer, als sie in dem stählernen Sarg des Autos ihres Sohnes von einer kleinen Fähre in die Tiefe eines märkischen Sees rollt. Dieses Ende ist durch mythische Anspielungen angereichert. Ein Mann, der unbestimmt kalt und unheimlich wirkt, sich als Gegner des DDR-Systems herausstellt und helfen will, weist Lothar und seiner Mutter den Weg zu der verhängnisvollen Fähre. Er hat etwas Teuflisches. Der Fährmann erinnert durch seine graue Kleidung an einen alten Wenden. Er betreibt die Fähre schon seit über fünfzig Jahren und hat am Ersten Weltkrieg teilgenommen. Er verkörpert die Mark, aber ist auch Todesbote. Wegen ihrer Vielschichtigkeit und motivischen Komposition gehört diese Novelle, die an der Oberfläche schlicht erzählt wird, zum höchsten Rang.

Die Erzählung *Alte Peripherie* (1963) ist die erste einer Reihe von autobiographischen Geschichten[22], die aus der Perspektive eines jungen Mannes in der Zeit der Krise der Weimarer Republik und der ersten Hitler-Jahre erzählt sind. Franz Kien steht dem jungen Mann, aus dem Alfred Andersch wurde, sehr nahe. Autobiographisch sind auch gelegentliche Erzählerkommentare aus der Perspektive der Gegenwart des Autors. Was oberflächlich eine psychologische Studie ist, stellt die Lösung von der bürgerlichen Schicht der zweckfreien Bildung dar.

Anderschs erstes Prosawerk von Buchlänge war der autobiographische Bericht seines Lebens bis zur Desertion in Italien *Die Kirschen der Freiheit* (1952). Eindrucksvolle Szenen wechseln mit Reflexionen, die ungeduldig machen können. Auch ein forcierter Stil trägt zu dem Eindruck des Ungleichen, Unausgereiften bei. Der Bericht ist dennoch unentbehrlich als Dokument. Er beginnt mit dem Zug der zum Erschießen bestimmten Arbeiter nach der Einnahme Münchens durch Truppen der Reichswehr. Die Schilderung des nationalistischen Vaters, dessen politische Verbohrtheit und standhaft ertragenes Leiden bis zum Tode verschiedene Arten von Mitleid erregen, Anderschs politisches Engagement im kommunistischen Jugendverband, sein Aufenthalt im Konzentrationslager, sein Entschluß zur politischen Abstinenz, der Ästhetizismus als Zuflucht und schließlich die Desertion aus der Hitler-Armee als ein Augenblick der Freiheit zwischen zwei Gefangenschaften, alle diese Szenen sind zwar ganz persönliche Erlebnisse, sie sind aber dennoch auch stellvertretend für eine Generation, und sie werfen Licht auf die Antriebe, die nicht nur hinter Anderschs Schreiben wirken. Zwei Szenen aus diesem autobiographischen Bericht montierte Andersch in der Erzählung *Drei Phasen* mit einer dritten zusammen: das Sterben der KPD 1932/33, die Erschießung von Juden im Konzentrationslager Dachau 1933, die Beerdigung von Toten der Schlacht bei Nettuno durch Gefangene 1944. Die Absicht ist deutlich, ihr künstlerisches Gelingen muß bezweifelt werden.

In Anderschs erstem Roman *Sansibar oder der letzte Grund* (1957) dagegen sind die Grundmotive von Anderschs Selbstverständnis in ein überzeugendes Kunstwerk integriert. Der Roman ist übersichtlich und leicht verständlich und hat dennoch eine neue und eigenartige Komposition, weil er das Phänomen des Perspektivenwechsels dem Leser bewußt macht und es zur Komposition ausnutzt. Die Stimmen der handelnden Romanfiguren klingen isoliert auf, stimmen dann für einen Augenblick zusammen (was nicht ohne starke Dissonanzen abgeht) und trennen sich wieder. Die »Stimmen« stammen von Figuren, die sozial nicht füreinander bestimmt sind: ein kommunistischer Funktionär, ein kommunistischer Fischer, der den Funktionär haßt, ein lutherischer Pastor der Bekennenden Kirche, ein schönes Mädchen aus reichem Hamburger Hause, das, obwohl eigentlich glaubenslos, den Stempel »Jude« im Paß hat und fliehen muß, und ein Schiffsjunge und Fischerlehrling, Sohn eines Trinkers und einer immer »nölenden« Mutter, der aus seinen Büchern nur einen Wunsch gewonnen hat: fortgehen. Bis auf den Jungen, der ganz unpolitisch ist, haben die Figuren die Furcht vor und den Haß für das nationalsozialistische Regime gemeinsam, das stets nur durch das blasse Wort »die anderen« umschrieben wird.

Der Junge gibt dem Werk jedoch den Titel. Er hat drei Gründe fortzugehen: Langeweile, das Gefühl, verachtet zu sein seines Vaters wegen, und den »letzten Grund«, daß es die Ferne gibt, das Außergewöhnliche, Unberechenbare, das er Sansibar nennt. Es ist das Freiheitsverlangen aus dem autobiographischen Bericht, das Figur geworden ist. Auch sonst finden wir autobiographische Züge: der Pfarrer Helander hat die Todeskrankheit von Anderschs Vater, der kommunistische Funktionär Gregor will die Partei verlassen und fühlt sich als Deserteur, auch der Begriff »Fahnenflucht« wird gebraucht. Der Fischer Knudsen will sich von der Partei ins Privatleben zurückziehen, wie es Andersch tat. Da Andersch während der Zeit seiner politischen Abstinenz in Hamburg lebte, dürfte das Hamburger Haus am Alsterkanal ebenfalls auf Erinnerungen zurückgehen. Autobiographisch ist natürlich auch

das Thema des Verhältnisses zwischen bürgerlicher Intelligenz und proletarischem Bewußtsein. Vermittelt wird die Kluft durch ein Kunstwerk, den lesenden Klosterschüler, eine Holzplastik von Barlach (der nicht genannt wird). Sie ist zugleich ein Zeichen für den kritischen Leser, denn kritisches Lesen ist, was sie darstellt. Der Sansibar-Freiheit des Jungen tritt die kritische Freiheit zur Seite, die aus Nachdenken entsteht. Die Flucht gelang, weil, wenigstens augenblicksweise, die Figuren aufeinander hörten, ihre Neigungen zur Vereinzelung, zum Alleinsein beschränkten. Der Funktionär hörte auf den Pfarrer und auf die Tochter aus reichem Hause, der Fischer, wenn auch widerwillig, auf den Funktionär, und der Junge nimmt am Ende seine Freiheit doch nicht in Anspruch, weil die flüchtende Jüdin ihm klargemacht hat, daß er den Fischer in tödliche Gefahr brächte. Und dennoch ist auch die Gemeinschaft verdächtig, weil sie von Zwang nicht frei sein kann: Der Funktionär Gregor muß den Fischer erst niederschlagen und ihm Angst um sein Boot machen, bevor die Flucht endgültig gelingen kann. Pfarrer Helander endet allein, erschossen, nachdem er sich gegen die Verhaftung gewehrt hat. Dies ist ein stummer Vorgang der Gewalt. Kurz vorher hatte Helander die Sprachlosigkeit der verhaftenden SS noch kommentiert: ». . . sie waren so frech wie feige, sie kamen im Morgengrauen, auf leisen Limousinensohlen, sie scheuten die Auseinandersetzung und den Tag, sie kamen leise und wollten leise und wortlos verhaften, sie selbst besaßen keine Sprache und sie haßten nichts mehr als die Sprache derer, die sie verhafteten. Ihr Haß auf die Sprache war der Grund, warum sie ihre eigene Stummheit nicht anders erlösen konnten als in den Schreien der Gefolterten. Zwischen Limousinen und Folterbänken vegetierte das stumme Gesindel schwarz dahin.«
Das ist kaum wörtlich und historisch wahr, aber doch im Sinne der Sprache des kritischen Lesens, die in diesem Buch gemeint ist. Dieser Sprache, die auch die deutsche Sprache ist – so deutsch wie Barlach und das nationale Bewußtsein der *Ruf*-Mitarbeiter –, widmet der Autor durch seine Figur ein Bekenntnis, das sie sauber von den Nationalsozialisten, »den anderen«, trennen soll. An die Hoffnung des *Ruf* erinnern die Sätze, mit denen der Leser Gregors Perspektive verläßt: »Das graue Morgenlicht erfüllte die Welt, das nüchterne, farblose Morgenlicht zeigte die Gegenstände ohne Schatten und Farben, es zeigte sie beinahe so, wie sie wirklich waren, rein und zur Prüfung bereit. Alles muß neu geprüft werden, überlegte Gregor. Als er mit den Füßen ins Wasser tastete, fand er es eisig.«
Sansibar oder der letzte Grund ist in Wahrheit nicht der kindliche Traum des Jungen, obwohl dieser Traum gleichsam die Nahrung der Freiheit bleibt. Der letzte Grund des Buches ist die Hoffnung, die der *Ruf* verbreiten sollte und die in die Gruppe 47 übertragen wurde, die Hoffnung, aus dem kritischen Lesen der Art, wie »die anderen« Deutschland sich entfremden ließen und es verdarben, könne ein sozialer und humaner Neuaufbau entstehen, der die künstlerische Sensibilität der bürgerlichen Intelligenz hinüberrettet, ohne die Klassen wiederaufzurichten.
Diese Hoffnung wurde enttäuscht, und diese Frustration wird zum Thema der späteren Werke der Gruppenmitglieder. Anderschs Gerechtigkeitsgefühl veranlaßt ihn, wie wir sahen, in einigen seiner Erzählungen einzelne Industrielle und wohlhabende Bürger sympathisch darzustellen. Er verurteilt den wirtschaftlichen Wiederaufbau nicht in Bausch und Bogen. Das hindert ihn natürlich nicht, die Restauration des Bürgertums in der Bundesrepublik und ihre Korruption auch kritisch zu sehen.

Anderschs zweiter Roman, *Die Rote* (1960), hat eine Flucht vor dem Korrupten und Falschen dieser Restauration zum Gegenstand.
Den Namen Franziska hatte Andersch schon einmal in *Sansibar* verwendet. Es war die Geliebte Gregors, während er auf der Lenin-Akademie studierte. »Ihr schlanker Körper hatte eine befreiende, souveräne, kühne Zärtlichkeit besessen, ihr Fleisch war gesalbt gewesen vom Duft des Bewußtseins.« Diese Franziska war frei gewesen, kein Objekt, bis sie von der Tscheka verhaftet wurde und verschwand. Die Franziska des späteren Romans befreit sich von der bürgerlichen Objektivierung. Sie hatte ihren Chef geliebt, war von ihm aber nur beherrscht und sexuell ausgenutzt worden. Sie hat einen seiner Untergebenen geheiratet, einen geschäftstüchtigen Firmenvertreter, der auch ein Ästhet ist, Baudenkmäler nach dem Reiseführer betrachtet und geschmackvoll zu beurteilen weiß. Diese Ästhetik ist ihm Selbstzweck, eine Scheinüberlegenheit. Heimlich läse er noch Rilke, nimmt Franziska an. Sie schläft mit beiden, denn ihr Mann ist von seinem Chef abhängig. Aus diesem Dreieck mechanischer Sexualbeziehungen bricht sie aus. Es ist die Lösung aus dem ästhetischen und gebildeten Wohlstand (nicht Reichtum), unter dessen schillernder und ästhetisch verbrämter Decke Korruption, Ausnutzung und Langeweile verborgen werden. Franziskas Flucht unterliegt Schwankungen, sie gewinnt ihre Freiheit erst nach der Flucht. Dies ist der Gegenstand des Romans.
Das Seitenmotiv zu Franziskas Flucht ist die resignierte Existenz des führenden Revolutionärs, Bataillonskommandeurs im spanischen Bürgerkrieg und italienischen Partisanenführers, Fabio Crepaz, der jetzt als Geiger in Venedig einen bescheidenen Unterhalt hat. Er liebt klares Denken, und das sagt ihm, daß seine revolutionären Unternehmen nicht sinnlos, aber vergeblich waren. Seine Resignation ist keineswegs stumpf, im Gegenteil, die einzige Möglichkeit, sein Leben wahrhaftig zu leben, ohne sich dem kommunistischen Parteiapparat auszuliefern oder zum Verräter zu werden. Seine Resignation ist also auch Freiheit zum Leben. Daß er und Franziska am Ende im proletarischen Hause seiner Eltern zusammenkommen, ist gewiß eine private Lösung, aber auch der Ausdruck einer Hoffnung auf eine klassenlose Gesellschaft der Wenigen, auf das Offensein anderer Möglichkeiten als der, den Kalten Krieg hinzunehmen und sich zur Wahl zwischen Restauration und Apparat zwingen zu lassen. Es ist die Hoffnung des *Ruf*, spürbar reduziert, skeptischer beurteilt, ins Private und Literarische abgedrängt. Dieses Ende will auch die Erkenntnis bestätigen, daß die Freiheit nur im Entschluß liegt, eine Bindung gegen andere zu vertauschen.
Eine zweite Seitenhandlung ist die eines Anglo-Iren, der, von der Gestapo gefoltert, sein Leben durch einen Verrat erkauft hat und »seinen« Gestapobeamten zur Strecke bringt. Dieses Thema führt zu anderen (und bedenklichen) Variationen des Freiheitsthemas, übrigens auch zu spannenden Momenten in der Art von Kriminalromanen. Der Mord an dem ehemaligen Gestapobeamten, der jetzt in einer antisemitischen mafiaartigen Organisation in einer Symbiose mit dem italienischen bürgerlichen Staat lebt, wird zum Mord an dem Bösen überhaupt, zur Vernichtung des Teufels. Dieser Zug hat etwas Märchenhaftes, das übrigens auch das Motiv der plötzlichen Flucht hat. Dieses Märchenhafte paßt nicht immer zu der Absicht des harten Realismus, was, freilich ganz selten, an stilistischen Ausrutschern erkennbar wird, so etwa wenn eine Tasse Kaffee beschrieben wird: »Es schmeckte heiß und süß

und wie das Leben selbst. Wie das Leben, wenn es heiß und süß ist.« Gelungen sind jedoch die lyrischen Prosastücke, in denen das Sterben eines alten Fischers in der Lagune als dunkler Kontrapunkt gefaßt wird.
Resignation und Neuanfang finden sich auch in der Thematik von *Efraim* (1967). Der Ich-Erzähler ist ein bürgerlich-liberaler Journalist, der »flau« geworden ist, sein Neuanfang ist der Beginn seiner Laufbahn als deutscher Schriftsteller, der einzige Ausweg zur Freiheit, der sich ihm öffnet. Das Bürgertum des Erzählers Georg Efraim ist freilich kompliziert durch seine Emigration nach England, die Tötung seiner zurückgebliebenen jüdischen Eltern und seine zeitweise Verwandlung zum britischen Journalisten. Er ist liberal gesonnen, schreibt aber für eine konservative Zeitung. Der Leser wird Zeuge, wie diese seine zweite Existenz zerbricht, er erfährt, warum dieser Prozeß schon weit fortgeschritten war, als der Roman beginnt. Efraims Ehe mit einer englischen Photographin proletarischer Herkunft löst sich auf, teils wegen der bürgerlichen Tabus und Moralbegriffe, mit denen Efraim aufwuchs, teils, weil die Engländerin einen besessenen Aufstiegsehrgeiz entfaltet. Während eines Auftrags in Berlin wird Efraim mit einer Schauspielerin bekannt, die am Theater am Schiffbauerdamm gelernt hat, an den Sozialismus glaubt, aber durch die Mauer und ihren in Neukölln ansässigen Vater von ihrem Theater getrennt ist. Anna Krystek repräsentiert ein achtenswertes Deutschland, gerade weil sie zwischen seinen Fronten steht und nirgends Anschluß hat, außer an ihren Vater, den resignierten ehemaligen Kommunisten. Efraim mißlingt der Versuch, Anna mit sich nach Rom, wo er lebt, zu ziehen. In einer sehr intensiven Szene bittet ihr Vater sie: »Bleib nich zu lange wech, Anna, wenn de wirklich wechjehst. Alleene jraul' ick mir.« So bleibt Efraim allein, isoliert. Er entdeckt sich als Ewiger Jude zugleich mit der Erkenntnis, daß er ein deutscher Schriftsteller geworden ist. Dies ist offenbar der Sinn des Buches, so sehr die Figur Efraim auch jede Art von Sinngebung ablehnt und mit geradezu verzweifeltem Eifer an den Zufall zu glauben vorgibt: Der deutsche Schriftsteller als der Ewige Jude, als einer, der allein mit sich und seinem Schreiben ist.
Das Buch handelt nicht nur von Efraim selbst, sondern auch von seinem Chefredakteur und Freund Keir Horne, einem Junggesellen, versessen auf seine Unabhängigkeit. Im Kriege leitete er ein effektives Propagandateam mit einer neuartigen Methode: nur die Wahrheit zu sagen (das erinnert an die Bemühungen des Kriegsgefangenen-*Ruf*). Aber zugleich quälte ihn sein Gewissen. Er hatte, um seine Unabhängigkeit nicht zu gefährden, es abgelehnt, seine uneheliche Tochter von einer Berliner Jüdin zu sich zu nehmen, und das Kind ist und bleibt verschwunden. Dieser Fall demonstriert aufs deutlichste die bürgerliche Individualmoral: es ehrt Keir, daß sein Gewissen ihn quält, aber seine Unterlassungssünde war durch seinen Individualismus hervorgerufen worden. Keir, Efraim und seine Frau Meg hatten ein Dreiecksverhältnis gebildet, aus dem Efraim ausgebrochen ist, wie Franziska und Melanie *(Ein Liebhaber des Halbschattens)*. Andersch liebt es, an diesem alten Motiv halbe und falsche Abhängigkeiten zu exemplifizieren. Wie jeder der drei Romane von Andersch läßt auch dieses Buch dem Leser eine durch Skepsis temperierte Hoffnung. Efraim spricht ausdrücklich von dem »grauen und blonden Licht der Hoffnung, das Anna für einen Augenblick in mein Leben geworfen hat«. Die Vereinigung des entbürgerlichten Bürgers und der unabhängigen Proletarierin mit dem sicheren

Gefühl wird als schlechte Romanlösung ausdrücklich verworfen. Anna wird jedoch ebenso ausdrücklich zum eigentlichen Anlaß der Aufzeichnungen Efraims erklärt. Sie ist die Muse des Buches, das ihretwegen ein deutsches Buch ist.

Die andere Hoffnung ist verborgener: Sie liegt darin, daß Efraims Glaube an den Zufall und an die Sinnlosigkeit widerlegt wird. Das Buch selbst widerlegt ihn. Zwar ist es vordergründig eine lose Folge von subjektiven Aufzeichnungen Efraims. Aber in Wahrheit ist es genau geplant und jeder Zug sorgfältig komponiert, was dem Leser freilich erst beim Wiederlesen deutlich werden kann. Efraims Individualismus wird in seiner Vereinzelung exemplarisch. Sein Buch läßt ihm zwar keinen Ausweg, sondern führt nur zur Klarheit über ihn selbst, eine Klarheit, an der der bürgerliche Leser teilnehmen kann. Es läßt aber in der Figur Annas (und ihres Freundes, eines jungen Komponisten) andere Lebensmöglichkeiten offen. Efraim ist eine Gegenfigur zu Fabio Crepaz aus *Die Rote*. Crepaz hat den partei-revolutionären Weg verlassen, weil er die Klarheit liebt. Efraim ist seinen individualistischen Weg zu Ende gegangen. Es ist ihm wenigstens gelungen, aus seinen Halbheiten sich zu befreien.

Literatur ist Sprache und Phantasie. Sie ist Information in der Sprache des Lesers, informiert aber nicht über das, was ist. Die Literatur der Gründungsmitglieder der Gruppe 47 hat die Vision eines human-sozialistischen Deutschland aus der Hoffnung des Neuaufbaus, die sie journalistisch vertraten, verwandelt in die Kritik des Vergangenen und seiner Restauration auf der fiktiven Ebene. Die Erwartung eines anderen Deutschland wurde im Politischen frustriert: von der Restauration der CDU-regierten Bundesrepublik, vom Mauerbau des Funktionär-Staates bis zu der Unterdrückung des tschechoslowakischen Frühlings durch eine Militärmacht, die den Sozialismus für sich beansprucht. Als Vision blieb die Hoffnung erhalten. In Schnurres und Anderschs Werk ist sie in Form verwandelt.

Die Redakteure des *Ruf* mußten, als sie in die Literatur eintraten, sich mit dem Ästhetizismus in sich und außer sich auseinandersetzen. Die symbolistische Verführung einer elitären Antibürgerlichkeit mußte verlocken und den stilistischen Ausgangspunkt der deutschen Neuen Sachlichkeit und entsprechender ausländischer, besonders amerikanischer Vorbilder variieren. Bei Andersch kommt noch der filmische Stil des italienischen Verismo hinzu, der ihn stark beeindruckte. Diese Literatur ist weltoffen, aber spezifisch deutsch, da sie ja von der Hoffnung, von der skeptisch temperierten Hoffnung, des anderen Deutschland lebt.

Alfred Anderschs Romane und Erzählungen sind nicht zuletzt mitbestimmt von dem bewußten Erfassen der kulturbürgerlichen Tradition: die Stellen über Monteverdi und Brahms, die zugleich nüchterne und enthusiastische Gestaltung Venedigs (in *Die Rote*), Roms und Londons (in *Efraim*) beweisen das. Diese Kultur, soll der bürgerliche Leser verstehen, ist es wert, weitergeführt zu werden in eine neue Zeit, die sich erst zu dem Neuen in sich entschließen muß. Diese Möglichkeit in einer oft genug zwingenden Form weitergetragen zu haben ist das Verdienst dieser Literatur.

Anmerkungen

1. Dieser Aufsatz stellt einen Vorabdruck dar aus der *Geschichte der deutschen Literatur. Band IV: Von der Jahrhundertwende bis zur Gegenwart*, die im Verlag Philipp Reclam jun. erscheint. Er wurde 1970 mit der Hilfe der Widener Library der Harvard University geschrieben. Die Entwicklung des Hörspiels ist ausgespart, weil sie in einem anderen Kapitel des vorliegenden Sammelbandes erörtert wird. Aus dem gleichen Grunde wurde ein Abschnitt über Günter Eich ausgelassen.
2. Heinz Friedrich: *Das Jahr 47*. In: *Almanach der Gruppe 47*. Hrsg. von Hans W. Richter und Walter Mannzen. Reinbek bei Hamburg 1962. S. 19 u. 21. – Brenner, Übersetzer J. P. Sartres, las auf der Tagung der Gruppe in Utting am Ammersee 1949 eine Erzählung vor. 1961, nach seinem Tode, wurden die Verse *Versuch einer Flurbereinigung* auf der Tagung in Göhrde verlesen, eine Warnung vor neu-ästhetischen Tendenzen in der Gruppe. Almanach S. 442–446.
3. Die Information über die ›Gruppe 1925‹ verdanke ich Leroy Hopkins, Harvard University, der anläßlich einer Arbeit über Döblin auf diese Gruppenbezeichnung stieß. Eine wesentliche Bedeutung scheint sie nicht erlangt zu haben.
4. Der Artikel ist wiederabgedruckt in der Sammlung: *Der Ruf: Eine deutsche Nachkriegszeitschrift*. Hrsg. von Hans Schwab-Felisch. München 1962, S. 21–26. Diese Ausgabe wird zitiert als *Ruf*, 1962.
5. *Ruf*, 1962. S. 37–42.
6. Henry Ehrmann: *Im Vorraum des Sozialismus* Nr. 3 und 4, 15. September u. 1. Oktober 1946. Nicht in *Ruf*, 1962.
7. Der Artikel *Die Gemeinschaft der Pessimisten* in Nr. 2 wurde von der Emigrantenzeitschrift *Deutsche Blätter*, die in Santiago de Chile erschien, übernommen. Der Auszug aus *Darkness at Noon* in deutscher Übersetzung erschien in Nr. 10, 1. Januar 1947.
8. *Ruf*, 1962, S. 31 f.
9. *Ruf*, 1962, S. 72.
10. Diese und andere Mitteilungen über die Zeit der beiden *Ruf*-Zeitschriften verdanke ich einem Gespräch mit Alfred Andersch.
11. Der Verfasser geht aus *Ruf*, 1962, hervor, S. 203–208.
12. *Ruf*, 1962, S. 207.
13. *Ruf*, 1962, S. 237–252.
14. Strophe 3 u. 4.
15. Thomas Manns Brief an Hermann Kesten vom 13. Dezember 1951. In: *Briefe 1948–1955*. Frankfurt 1965. S. 235 f. Vgl. auch Martin Walser in: *Die Gruppe 47*. Hrsg. von Reinhard Lettau. Neuwied 1967. S. 279 f.
16. *Auszug aus dem Elfenbeinturm*. In: *Schreibtisch unter freiem Himmel*. Olten 1964. S. 18 u. 20.
17. Ein charakteristischer Abschnitt der Erzählung ist im vorliegenden Sammelband S. 20 zitiert.
18. *Das verzerrte Gesicht*. In: *Was ich für mein Leben gern tue*. Neuwied 1967. S. 162–185.
19. In dem 1964 erschienenen Bändchen *Kassiber – Neue Gedichte – Formel und Dechiffrierung* (= edition suhrkamp 94).
20. *Autobiographisches Nachwort*. In: W. W.: *Das grüne Zelt – Die japanischen Fischer*. Zwei Hörspiele. Stuttgart 1966 (= Reclams Universal-Bibliothek 8256).
21. *Mein Gedicht ist mein Messer*. Hrsg. von Hans Bender. Heidelberg 1955. S. 22–30. Weyrauchs Beitrag gab der Sammlung von Selbstinterpretationen den Titel.
22. Eine weitere, die etwa 1934 spielt, ist mir durch eine Vorlesung Alfred Anderschs in Boston bekannt geworden.

HANS MAYER

Zur aktuellen literarischen Situation

»Hinter einer Vordergrundliteratur, die auch in der jetzt beginnenden Saison allen zum Trotz den Markt, das Geschäft, die Zeitungen und die Gesellschaft beherrschen wird, spielt sich ein echter literarischer und weltanschaulicher Kampf ab, steht eine Problematik, die namentlich die junge Literatur stark beschäftigt, die ernsthafte junge Literatur, und sie zweifellos auch im kommenden Winter in Anbetracht der Zeitlage noch mehr beschäftigen wird. Bringen wir dieses Problem auf eine kurze Formulierung, so ist sein Inhalt der Gegensatz zwischen der kollektivistischen und der artistischen Kunst. Die Frage, die diskutiert wird, lautet: hat der Mensch bei unserer heutigen sozialen und gesellschaftlichen Lage überhaupt noch das Recht, eigne individuelle Probleme zu empfinden und darzustellen oder hat es nur noch kollektive Probleme zu geben?«
Vor ziemlich genau vierzig Jahren wurden diese Sätze formuliert und vorgetragen. Unter dem Titel *Die neue literarische Saison* hielt Gottfried Benn in Berlin einen Rundfunkvortrag. Sinnigerweise am 28. August, an Goethes Geburtstag also. Bereits der Titel war schnöde und schnoddrig formuliert. Nicht von Ewigkeiten gedachte Gottfried Benn zu sprechen, sondern von einer höchst reduzierten Jahreszeit der Literatur. Nicht Goethes ›ewige Gefühle‹: dafür der Hinweis auf den Ausspruch eines der Mitglieder der damals in Berlin einflußreichen ›Gruppe revolutionärer Schriftsteller‹, der so gelautet hatte: »Das Ewig-Menschliche widert uns an«. Konkretheit also und unmittelbare Aktion. Oder aber: eine Artistik, welche sich dem sozialen Auftrag ausdrücklich verweigert.
Welche Entscheidung damals Gottfried Benn für sich traf, wohl auch treffen mußte nach allem, was sich als lyrische Manifestation mit seinem Namen verbunden hatte, ist bekannt. Mit einer literarischen Saison, überhaupt einer auf das Zeitliche getrimmten Literatur, hatte er nichts vor. Allein seine Äonen waren nicht goetheanisch – was er ein Jahr später (1932) in der Rede über *Goethe und die Naturwissenschaften* demonstrieren sollte –, sondern nietzscheanisch. Um Benn abermals zu zitieren: »der Mensch nicht mehr der dicke hochgekämpfte Affe der Darwinschen Ära, sondern ursprünglich und primär in seinen Elementen als metaphysisches Wesen angelegt, nicht der Zuchtstier, nicht der Sieghafte, sondern der von Anfang an Seiende, der tragisch Seiende, dabei immer der Mächtige über den Tieren und der Bebauer der Natur.« Wohin diese neue Metaphysik und Artistik bald darauf führen sollte, ist gleichfalls bekannt. Drei Jahre nach dem Berliner Rundfunkvortrag beginnt Gottfried Benn (1934) das Vorwort zu seinem neuen Buch über *Kunst und Macht* wie folgt: »Der Nationalsozialismus ist heute eine feststehende geschichtliche Erscheinung; seine Fundamente sind eingelassen in den glanz- und opferdurchtränkten Boden Europas. Er wächst, er richtet sich aus. Er wird Europa geben, und er wird aus Europa nehmen. Er wird die Fluten seiner ahnenschweren Vitalität durch abgelebte europäische Flächen ergießen, aber er wird sich auch einspinnen in dieses Erdteils alte Gesichte, denn seine Kraft ist sowohl treibend wie sammelnd,

geschichtsgebunden wie revolutionär, und seine Tendenz im ganzen ungemein synthetisch.«
Dies alles wird erinnert am Beginn einer abermals neuen literarischen Saison. Gottfried Benns Rede klang aus, indem sie das Unwiederbringliche einer Goethezeit am Beispiel damaliger Ansichten vom Mond demonstrierte: »Luna, die Busch und Tal füllte, ist der vierte Mond, in den wir sehen!« Benn folgerte aus dieser Erkenntnis nicht bloß Unwiederbringlichkeit, also elegische Dichtung, sondern ›Unaufhörlichkeit‹, immer noch die futurische Expression sogenannter Ausdruckskunst.
Wir sehen Luna wiederum anders als Gottfried Benn: weder elegisch und antiker Form uns nähernd, noch expressionistisch und metaphysisch. Daß heutige Lyriker in den Vereinigten Staaten die Astronauten besingen werden, ist kaum anzunehmen. In der Sowjetunion wurden die Sputniks und Mondsonden mitsamt Gagarin und seinen Nachfolgern nur Anlaß zu schlechter, subjektiv oder gar objektiv verordneter Literatur. Das literarische Mißlingen war so offensichtlich, daß man sich fragen mußte, ob hier nicht Inkongruenz vorlag zwischen menschlicher Aktion und technischer Perfektion einerseits, der Unzulänglichkeit von Sprache und literarischer Form auf der anderen Seite.
»Zu Hitler fällt mir nichts ein«, hatte Karl Kraus im Jahre 1933 erklärt. Man nahm es damals für Drückebergerei und Eskapismus. Kraus verstand es anders. Das Wort entschlief, als jene Welt erwachte. Gemeint war, wie sich herausstellen sollte, nicht bloß die Hitler-Welt im weitesten Verstande, sondern auch die scheinbare Friedenswelt der Kulturindustrien und Kulturrevolutionen. Das Wort entschlief nicht nur vor Hitler und Auschwitz, sondern auch während der Wortmanipulationen moderner Bewußtseins- und Konsumindustrien. Der lyrische Herzenston erklang von nun an in den Werbeprospekten. Das heroische Pathos – von Pindar bis Hölderlin – erwies sich, nach Hitler, als unzumutbar für Schriftsteller. Wer die Mondlandung im amerikanischen Fernsehen mitverfolgte, konnte sich freuen über den entschlossenen Verzicht auf Literarisierung und Heroisierung. Man mißtraute – mit Recht – in Texas und bei den amerikanischen Nachrichtenzentralen der Unfähigkeit und Verlogenheit von Derivaten einer ehemals intakten Literatursprache und Gattungslehre. Als daher wirklich so etwas beobachtet werden konnte wie menschliche Größe, hatte die Literatur zu verstummen. Bei Pindar gab es noch Kongruenz zwischen Tat und Gesang. Hölderlins Gesang verstand sich als Ersatz für das Fehlen großer Taten. Wir Heutigen erleben die bisher schärfste Antinomie von Leben und Literatur.
Dies schließt nicht aus, die alten Antithesen Gottfried Benns vom Jahre 1931 weiter zu bereden. Natürlich gibt es auch jetzt noch das artistische und das kollektivistische Lager im Literaturbereich. Allein auch hier hat sich seit Ausgang des Expressionismus und der Neuen Sachlichkeit eine sonderbare Veränderung vollzogen. Damals die Entgegensetzung von Elfenbeinturm und literarischem Volkstribunat. Mit beidem ist heute vor der jungen Generation nicht viel Eindruck zu machen. Alle rein artistischen Raffinements wurden erprobt, alle Blumen des Bösen gepflückt. Die lyrischen Destillate einer erlesenen Schönheit oder exorbitanten Scheußlichkeit munden nicht mehr so recht. Andererseits haben sich seit den Tagen des jungen Brecht auch im Bereich der proletarisch-revolutionären Schriftsteller einige Veränderungen ergeben. »Sterne, unendliches Glühen«: so besang Johannes R. Becher die roten

Sterne der Sowjetunion. In Bertolt Brechts Gedicht *Die Literatur wird durchforscht werden* vom Jahre 1939 trennen sich die apologetischen von den revolutionären Literaten:

»Aber in jener Zeit werden gepriesen werden
Die auf dem nackten Boden saßen, zu schreiben
Die unter den Niedrigen saßen
Die bei den Kämpfern saßen.

Die von den Leiden der Niedrigen berichteten
Die von den Taten der Kämpfer berichteten
Kunstvoll. In der edlen Sprache
Vordem reserviert
Der Verherrlichung der Könige.«

Wir vermögen heute die Erzeugnisse dieses politisch-literarischen Engagements nicht von den Realitäten zu trennen, für welche man sich engagiert hatte: es gibt Utopismen mit Namen ›Sowjetunion‹ und ›revolutionäres Proletariat‹ – und es gibt deren politische und gesellschaftliche Realitäten.

Noch in den fünfziger Jahren setzte in Frankreich, nach den großen Debatten zwischen den Pariser ›Mandarinen‹ Sartre und Camus, ein neuer und heftiger Streit um die Antithese von ›reiner‹ oder ›engagierter‹ Literatur ein. Wie anachronistisch er jedoch seit jener Diagnose Gottfried Benns von 1931 geworden war, erwies sich während der Pariser Ereignisse im Mai 1968. Das politische Engagement kommunistischer Schriftsteller wie Aragon wurde damals mit der konkreten Strategie und Taktik des kommunistischen Zentralkomitees konfrontiert. Die etablierte Literatur spielte während der Revolte kaum eine Rolle: selbst nicht die Literatur und Person eines Jean-Paul Sartre. Vielleicht entstand aber damals, in Wandsprüchen, Schimpfversen, improvisierten Szenen eines Straßentheaters, eine neue Literatur, die es dadurch werden konnte, daß sie es nicht zu sein gedachte.

Immer mehr freilich stellt sich für engagierte Schriftsteller die Frage, ob diese ihre auch personal zu führende Aktion überhaupt durch literarische Mittel bewirkt, sogar bloß noch ergänzt werden könnte. Scheint alle bisherige Literatur nicht umgekehrt der Aktion zu schaden? Man sollte derartige Positionen, wie sie in der letzten Zeit neben anderen vor allem Hans Magnus Enzensberger vertrat, nicht bloß als literarisches Spiel mit dem Aktivismus verstehen, überhaupt weniger als politische denn als literarische Entscheidung interpretieren. Der Verzicht auf Literatur zugunsten der Aktion entspringt einer Einsicht in die Irrelevanz und Inkongruenz bisheriger Literatur. Was sich bei unserer Analyse des Astronautenfluges erwies, wiederholt sich im Bereich menschlicher Aktionen der Veränderung. Das Wort entschlief auch hier.

Nicht besser steht es mit den heutigen Nachfahren der Symbolisten, der Neuromantiker, auch der Lyriker einer vom Menschen sorgfältig abgeschiedenen Natur in Oskar Loerkes Nachfolge. Will es nicht scheinen, als habe gerade der bewußt artistische und dezidiert nicht-engagierte Schriftsteller von heute sein Pensum dadurch erschwert, daß er bei jeder Zeile, die er schreiben möchte, innerlich genötigt ist, zur Seite zu schielen: hinüber zu dem Buch, das stets dort zu liegen hat. Es ist ein Band Hofmannsthal, aufgeschlagen an der Stelle, wo der *Brief* des Lord Chandos abgedruckt ist. Die Worte zerfallen im Mund wie modrige Pilze. Alle Eigenschaftswörter sind fragwürdig geworden, weil uns die ethischen wie ästhetischen Kategorien unheimlich wurden, die sich in der Sprache als Adjektive kristallisiert hatten. Es sei daran erinnert, daß keiner von uns naiv genug wäre, sich selbst oder seinen Schülern und Studenten die Eigenschaftswörter heldisch, kämpferisch, entartet, volksverbunden, entwurzelt, sieghaft und viele andere zu gestatten. Nicht einstiger Mißbrauch nötigte zur Vorsicht, sondern die Erkenntnis, daß hinter alledem kategoriale Systeme und einstige – scheinbare – Lebensgewißheiten standen, die wir als ungültig, nicht einmal mehr als fragwürdig empfinden. Was ist ein guter Beamter, ein sparsamer Hausvater, ein gutes Weib? Deutsche Gesetzbücher arbeiten immer noch mit Formeln der bürgerlichen Sekurität, und damit im Bereich äußerster Phantastik: Treu und Glauben, mündelsichere Anlagen, die anzuwendende Sorgfalt eines guten Hausvaters, selbst Wendungen wie ehewidriges Verhalten oder Vorspiegelung falscher Tatsachen.

Der Jurist wird versuchen, die Sprachformeln von einst mit den neuen technischen und gesellschaftlichen Fakten zum Kompromiß zu bringen. Literatur jedoch, die mit Sprachkompromissen arbeiten möchte, wird notwendig scheitern. Es scheinen sich nur zwei Möglichkeiten zu offenbaren. Einmal das Schweigen. Dann entschläft das Wort. Viele genuine Dichtung von heute, nicht nur in deutscher Sprache, hat sich an der Grenze des Redens und des Schweigens angesiedelt. Ein Name sei zur Verdeutlichung genannt: die letzte Dichtung Paul Celans.

Die andere Möglichkeit heißt: Ernst machen mit dem Brief des Lord Chandos, totales Mißtrauen gegenüber einer dem gesellschaftlichen Imperfekt verhafteten und in der Gegenwart unablässig manipulierten Sprache. Dann bleibt nichts, als die Sprache und die scheinbare Sache voneinander zu trennen. Dann hört die Sprache auf, um Peter Handkes Formel zu gebrauchen, bloße Außenwelt irgendeiner – dichterischen wie nicht-dichterischen – Innenwelt zu sein. Dann zählt nur noch ihre eigene – sprachliche – Realität. Sein und Bedeuten werden bloß noch als sprachliche Bereiche verstanden. Als Innenwelt der Außenwelt der Innenwelt. So kommt es zwar nicht mehr zum Entschlafen des Wortes, wohl aber zu einer Arbeit des Schriftstellers an der Sprache und mit der Sprache, die nichts anderes mehr zu sein gedenkt als eben dies.

Das Geschehen und das Schweigen: zwei Endstationen bei Anbruch der neuen literarischen Saison. Die wortlose, ausdrücklich nicht mehr in Literatur und als Literatur sich vollziehende Aktion hier, dort die Wortlosigkeit als dezidierte Nichtaktion.

Diesen Vorgängen im literarischen Bereich entspricht ein Komplementärprozeß in der geistigen Sinngebung unserer Gegenwart. Mit der Fragwürdigkeit aller Literatur hängt die moderne Diskussion über die Fragwürdigkeit aller bisherigen Geschichte eng zusammen. Das geschichtliche Denken wird ebenso nach seiner Relevanz befragt wie das heutige oder jüngst vergangene literarische Schaffen. Auch hier verbinden sich die erkenntnistheoretischen mit den politischen Positionen. In dem neuen Roman von Günter Grass *örtlich betäubt* (1969) bezeichnet die Hauptgestalt Starusch sich selbst immer wieder als »Studienrat für Deutsch, und also für Geschichte«. Nicht bloß Addition also zweier Fächer, sondern Bekenntnis zu einem Kausalzusammenhang. Der jedoch ist fragwürdig geworden, was Starusch ebenso weiß wie sein Autor Günter Grass. Die ironische Brechung beruht sogar darauf, daß der

Autor Grass diese Entscheidung für Literaturgeschichte einer Romanfigur zulegt, die sich unablässig als Versager darstellt. Gehört es demnach zu einem solchen Versager, daß er immer noch entschlossen ist, Zusammenhänge zu etablieren zwischen geschichtlicher Situation und literarischer Produktion?

Was heute für alle geistigen Phänomene gilt: daß sie sich, jeweils modifiziert, in allen Fachbereichen zu präsentieren pflegen, gilt auch für das aktuelle Phänomen der Geschichtsfeindschaft. Wir begegnen ihm in der modernen Philosophie (es sei an Poppers Kritik des ›Historizismus‹ erinnert) ebenso wie bei den Strukturalisten im Gefolge von Claude Lévi-Strauß, nicht zuletzt als Phänomen der modernen Literatur. Auch hier beschränken sich die Aspekte nicht auf Literatur deutscher Sprache. Sie sind, wie alle literarischen Konflikte und Gegebenheiten, international geworden, womit sie, auf ungewohnte Weise freilich, Goethes Postulat einer ›Weltliteratur‹ erfüllen.

Eine der letzten Untersuchungen des schweizerischen Essayisten Max Rychner galt dem Kampf moderner Dichter gegen geschichtliches Denken und alle Art der Geschichtsphilosophie. Rychner demonstrierte den Konflikt am Beispiel zweier Autoren, mit denen er, persönlich wie sachlich, nahen Umgang gepflogen hatte: Paul Valéry und Gottfried Benn. Vielleicht charakteristischer für die literarische Situation von heute ist der Fall Albert Camus. Auch bei Camus, wie vorher bei Benn, protestiert ein Nietzscheaner gegen Hegel und das Hegelianertum im Marxismus. Wäre es nicht bereits dem Gesamtwerk von Camus abzulesen, man besäße heute das Zeugnis seiner Tagebücher und Notizhefte. Schon im Herbst 1946 bemerkte Camus: »Der Existentialismus hat vom Hegelianismus den Grundirrtum übernommen, den Menschen auf die Geschichte zu beschränken. Aber er hat die entsprechende Konsequenz nicht übernommen, dem Menschen tatsächlich jegliche Freiheit abzuerkennen.«

Im Juni 1947 notierte er: »Da ich es ablehne, das ›sittliche Selbstbewußtsein‹, wie Hegel es nennt, kurz und bündig zu leugnen (Nihilismus oder historischer Materialismus), muß ich einen Mittelweg finden. Ist es möglich und gerechtfertigt, in der Geschichte zu stehen und sich auf Werte zu beziehen, die über der Geschichte stehen? Birgt der Wert der Unwissenheit nicht an sich eine bequeme Ausflucht? Nichts ist rein, nichts ist rein – das ist der Schrei, der unser Jahrhundert vergiftet hat. – Die Versuchung, zu denen überzugehen, die leugnen und handeln! Es gibt Menschen, die in die Lüge eintreten wie andere in einen Orden. Und aus den gleichen bewundernswerten Beweggründen natürlich. Aber was ist ein Beweggrund? Wonach, wie, weshalb werden wir urteilen? – Wenn dies wirklich der Lauf der Geschichte ist, wenn es keine Befriedigung gibt, sondern nur Einigung, gehöre ich dann nicht zu denen, die die Geschichte hemmen?« Freilich endet dieser Gedankengang mit den Worten: »Ach, das sind die Stunden des Zweifels! Und wer kann ganz allein den Zweifel einer ganzen Welt auf sich nehmen.«

Damals war gerade die *Pest* erschienen, Camus arbeitete an den *Gerechten*, einem Theaterstück also über zaristische Terroristen. Später dann Polemik gegen Koestlers ›historische‹ Gedankenführung. Das Wort ›Geschichtlichkeit‹ wird immer nahezu pejorativ gebraucht. Man spürt, daß Sartre gemeint war, wenn davon die Rede ist. Camus notierte sich bald zu Anfang des Tagebuches, während noch Krieg im Lande war, voller Zustimmung einige Formulierungen aus den Briefen Flauberts. Sartre hat eben diesen Flaubert keineswegs ›einfühlsam‹ gelesen, sondern als Kritiker

und künftiger Richter. Sartre hatte die Philosophie Nietzsches und den Typ des Nietzscheaners niemals sonderlich ernst genommen. Der Mann lag ihm nicht, der weit mehr über den Nachteil als den Nutzen der Historie ›für das Leben‹ geschrieben hatte. Camus dagegen entwirft im Januar 1950 für das Revolte-Buch ein Kapitel mit der Überschrift »Wir Nietzsche-Anhänger«. Bald darauf, im Februar 1950, lautet die Notiz im Arbeitsbuch höchst lakonisch: »Wagner, Sklavenmusik«. Genauso könnte es irgendwo beim späten Nietzsche stehen. Dennoch arbeitet, der dies notiert, nicht an irgendeinem Buch über den ›Willen zur Macht‹, sondern über den Menschen in der Revolte. Hier entsteht jene tiefe Paradoxie in der Lebens- und Denkhaltung von Camus, die er selbst, abermals nicht ohne Dilettantismus formulierend, als »Absurdität« zu philosophischen Ehren bringen wollte.
Damit aber landete der Schriftsteller Albert Camus bei jenen anderen Dichtern ohne Geschichte, bei Paul Valéry und Gottfried Benn. Er gehört zu ihnen. Auch in der Sehnsucht nach der Mittelmeerwelt, der ›dorischen Welt‹, mit Benn zu sprechen, nach der geschichtlichen (und literarischen) Statik.
Sartre war anders. Für ihn war Kafka ein literarisches Thema, kein existentielles wie für Camus. Was ihn am Marxismus immer wieder faszinierte, war das geschichtliche Denken, die Permanenz einer dialektischen Anstrengung, den Ablauf des Geschehens zu deuten, ohne beide erstarren zu lassen: das Geschehen und das Denken. So gelangte Sartre zu politischem ›Verständnis‹ von Vorgängen, vor denen Camus nur die Attitüde der Empörung kannte, die Revolte. In einem denkwürdigen Gespräch vom 29. Oktober 1946 hatte André Malraux, der spätere Kultusminister de Gaulles, gefragt, ob denn das Proletariat den ›höchsten historischen Wert‹ darstelle. Eine höchst bemerkenswerte Frage im Munde des einstigen Kommunisten Malraux. Camus replizierte: »Die Utopie. Heute kostet eine Utopie Sie weniger als ein Krieg. Das Gegenteil der Utopie ist der Krieg. Einerseits. Und andererseits: ›Finden Sie nicht auch, daß wir alle für den Mangel an Werten verantwortlich sind. Und wenn wir alle, die wir von Nietzsche, Nihilismus oder vom historischen Realismus herkommen, öffentlich verkünden wollten, daß wir uns getäuscht haben, daß es moralische Werte gibt und daß wir in Zukunft alles tun werden, um sie zu begründen und veranschaulichen, glauben Sie nicht, daß dies der Anfang einer Hoffnung wäre?‹«
Sartre hatte, wie Camus notiert, sehr schneidend geantwortet: »Ich kann meine moralischen Werte nicht ausschließlich gegen die UdSSR kehren. Denn es stimmt zwar, daß es schlimmer ist, mehrere Millionen Menschen zu deportieren, als einen Neger zu lynchen. Aber das Lynchen eines Negers ist das Ergebnis einer Situation, die seit über hundert Jahren andauert und die schließlich im Verlauf der Zeit ebenso viele Neger ins Unglück gestürzt hat, wie Tscherkessen deportiert worden sind.« Es war eine Antwort aus dem geschichtlichen Denken, nicht aus jenem der revoltierenden Ungeschichtlichkeit.
Genau diese Antithese von geschichtsphilosophischer Bemühung um die Einordnung unserer Gegenwart in Zusammenhänge – und entschiedener Leugnung nicht bloß des Begriffs Fortschritt, sondern überhaupt der Möglichkeit, irgendeine punktuelle menschliche Situation, sei es individueller oder überpersönlicher Art, als Gewordensein und als Möglichkeit zu verstehen, trennt auch die Schriftsteller von heute schroff voneinander: oftmals nach den berüchtigten Kategorien des Freund-Feind-

Denkens. Auf der einen Seite die marxistische Interpretation der Gegenwart, die sich leidenschaftlich dagegen wehrt, nach dem einst vollzogenen Schritt vom utopischen zum marxistischen Sozialismus nun einen Rückfall in den Utopismus zuzulassen. Ihre Thesen und auch ihre literarischen Schöpfungen sind geschichtsdialektisch konzipiert: selbst dort, wo über Einzelheiten heftig gestritten wird. Das gilt für Brecht, seine Nachfahren, aber auch für Peter Weiss, für Sartre und Aragon, in wesentlichen Aspekten sogar für die nicht-marxistische Dramatik und Dramaturgie eines Friedrich Dürrenmatt.

Die Gegenposition der offenen und geheimen Nietzscheaner ist gleichfalls evident. Geschichtshaß führte hier zu merkwürdigen geistigen Kopulationen: von Benn und Valéry über die Verbindung von Nietzscheanismus und Revolte bei Albert Camus bis zu den anarchistischen Enkeln von Max Stirner und Michael Bakunin. Mancher chiliastischen Heilserwartung im orthodoxen Marxismus antwortete die ungestüme Forderung nach dem totalen Gegenwartsglück. Hier hält man alle Hinweise auf Zukunftsperspektiven der Gesellschaft und auf die Zusammenhänge zwischen subjektiven und objektiven Faktoren beim revolutionären Prozeß für apologetischen Schwindel von ideologischen Gehilfen der Ausbeuter-Klasse. Gefordert wird die direkte Aktion der Revolte. Ihr Ziel lautet, wie im Titel jener berühmten und umstrittenen Produktion des Living theatre: *Paradise now.*

Die marxistische Gegenposition erblickt in diesen neuen Nietzscheanern und Schwarmgeistern ihrerseits bloßes Apologetentum. Dergleichen festige nur die Macht der Herrschenden. Schon vor zehn Jahren hatte Enzensberger behauptet, noch die krassesten Formalexperimente der künstlerischen Avantgarde würden deshalb vom Establishment so bereitwillig unterstützt, weil man sie für überaus harmlos halte. Dergleichen gebärde sich revoltierend und bleibe reaktionär. Genau diese Auseinandersetzung wird gegenwärtig in der jüngsten deutschen Literatur geführt als Kritik der marxistischen Analytiker an Peter Handkes ästhetischen wie politischen Positionen, wobei der Kärntner seinen Widersachern in der Replik nichts schuldig bleibt.

Es ist nicht zu leugnen: alle aktuellen Betrachtungen zur literarischen Situation sind methodologisch genötigt, den eigentlichen Bereich der Literatur sehr rasch zu transzendieren. Auch hier hat seit langem eingesetzt, was die Naturwissenschaft als Grundlagenforschung zu bezeichnen pflegt. Wenn das Phänomen Literatur in sich selbst fragwürdig wurde und, frei nach Nietzsche, untersucht wird, worin heute ›Nutzen und Nachteil der Literatur für das Leben‹ bestehen möchten, kann man sich nicht mehr darauf einlassen, bloße Wandlungen der literarischen Stile zu konstatieren. Vor fünfzehn Jahren stellte Friedrich Dürrenmatt in seinen *Theaterproblemen* (1956) die Frage, ob die Tragödie noch möglich sei. Er antwortete verneinend. Uns komme nur noch die Komödie bei. Heute wird kühl analysierend, gar nicht mehr todessüchtig wie beim jungen Hofmannsthal, vor Theaterspielen aller Art gefragt: »Was frommt uns alles dies ...« In der Tat. Hier geht es um weit mehr als bloße Übergänge von einer literarischen Form zur anderen.

Das moderne Gedicht zeigt sich fasziniert vom Schweigen und nahezu angewidert von aller Aussage, die mehr sein möchte als Komposition von Lauten und Wörtern. Mit seltsamer Hartnäckigkeit behandeln die modernen Romanschreiber in ihren Erzählwerken fast nur noch ein einziges Thema: die heutige Unmöglichkeit des Erzählens. Daher die vielen Schriftsteller als Ich-Erzähler in den modernen Büchern. Zuletzt noch, nun auch als literarisches Phänomen in Ostberlin auftretend, bei Christa Wolf in ihrem Roman *Nachdenken über Christa T.* (1968/69).

Im Bereich des Theaters haben sich die jungen Stückeschreiber weit von der Theaterdialektik Brechts entfernt. Die Sprechstücke Peter Handkes verstehen sich als Absage nicht nur an das kulinarische, sondern auch an das sogenannte epische Theater. Das geheime Thema in dem Stück *Magic Afternoon* (1969) von Wolfgang Bauer aus Graz ist der Versuch, ein durchaus statisches Dasein ohne Perspektive agieren zu lassen. Weit entfernt von aller Glückserfüllung, wobei auch hier wieder die beiden Männer des Vier-Personen-Stücks als Schriftsteller vorgestellt werden, die über die Sinnlosigkeit allen Schreibens meditieren.

In dieser literarischen Konstellation, wo die bisherigen Gattungen obsolet wurden, die Literatur entweder durch Schweigen eliminiert wird oder durch die unliterarische, gar antiliterarische Aktion, wo Sprache und Aussage auseinanderklaffen, wird allenthalben von Schriftstellern und in den verschiedensten Muttersprachen der Versuch unternommen, die Literatur mit Hilfe der Subkultur zu retten. Die Schriftsteller flüchten aus dem Scheinwerferlicht des Establishments, um das – vielleicht noch – produktive Dunkel aufzusuchen: die Randgestalten einer Gesellschaft, und vor allem deren sprachliche Möglichkeiten.

Man sollte sich hüten, dies literarische Bestreben als altvertrautes zu registrieren, indem man auf zahllose Autoren hinweist, die das Vokabular der Gaunersprache und Dialektfärbungen für eine Literatur der Hochsprache fruchtbar zu machen gedachten. Eine solche Genealogie wäre leicht zu etablieren, beweist aber nichts. Dennoch hilft uns weder die Genealogie noch die Analogie. Wenn Günter Grass in Oskar Matzerath ein Monstrum ganz eigner Art, eine totale Kunstfigur, als Romanhelden vorstellt, so erweist sich ein Versuch des herkömmlichen Positivismus als unwesentlich, motivgeschichtliche Beziehungen herzustellen zwischen dem buckligen Glöckner von Notre-Dame bei Victor Hugo und dem von Grass kreierten kleinen Blechtrommler.

Auch die Konstatierung, in der heutigen Literatur nicht bloß deutscher Sprache sei eine Hypertrophie der Abseitigkeit zu finden, hervorgerufen durch Neurotiker, Gauner, Kriegsverbrecher, Versager, Clowns, durch Monstren aller Art, von Dürrenmatts ›Alter Dame‹ bis zu dem Feldmarschall Krings oder Schörner im letzten Roman von Günter Grass: auch diese – statistisch zu erhärtende – Feststellung läßt sich dadurch nicht verdaulicher machen, daß man auf Präzedenzfälle der Literaturgeschichte hinweist. Gewiß, es gab um die letzte Jahrhundertwende bereits den Literaturkult der Schwächlinge und Dirnen. Thomas Mann und Wedekind waren mit ihren Vorlieben darin der Zeit und Gesellschaft verhaftet. Dabei war die sentimentalische Zubereitung des Versagerschicksals eines Hanno Buddenbrook oder Tonio Kröger bloßes Komplement zum damaligen Renaissancekult der starken Verbrecher und Immoralisten nach dem Herzen von Stefan George, Heinrich Mann oder André Gide. Ihren Nietzsche hatten sie alle gelesen: die Produkte wie die Produzenten einer Literatur der Herrenmoral und der Sklavenmoral. Beides gehörte zum damaligen Aspekt einer imperialistischen Gesellschaft.

Wedekinds Hochstapler Keith war ebenso eine Komplementärfigur zu Heinrich Manns Untertan Diederich Hessling, wie Lulus Dirnenleben als integrierender Bestandteil der bürgerlichen Normalexistenz verstanden werden mußte. Wenn sich Literaten liebevoll den Außenseitern der Gesellschaft zuwandten, wobei die Künstler weitgehend zum unbürgerlichen Bereich der Unterwelt gezählt wurden, so ahnte man dahinter die Träne einer scheuen Sehnsucht nach den Wonnen bürgerlicher Gewöhnlichkeit. Noch Bettlerkönig und Gangsterchef in Brechts *Dreigroschenoper* gründen ihre literarische Laufbahn auf dieses Interesse von Publikum und Autor an den – scheinbar exotischen – Randgebieten einer etablierten Bürgerwelt.

Die zahlreichen Monstren indessen, Unmenschen, Clowns, Narren und erfolglosen Artisten in unserer Literatur der Gegenwart und jüngsten Vergangenheit sind alles andere als Nachfahren der einstigen Dekadenzliteratur und einer Ästhetik der dezidierten Häßlichkeit, die man sich als Magenbitter verschrieben hatte für einen durch allzu viel Genuß von Schönheitlichkeit verdorbenen Magen. Die Diebe, Wasserleichen und Krebskranken bei Georg Heym oder beim frühen Benn waren Reaktionen auf die römischen Knabenkaiser und Amethysten Stefan Georges wie auf Rilkes literarische Kollektion der kaum bekannten Heiligen. Das entsprach den Darstellungen menschlicher Defiguration auf Bildern von Emil Nolde und Georges Rouault: Gegenposition zu den Odalisken und Epheben.

Nachfahren dieser Ästhetik findet man kaum noch in der heutigen Kunst und Literatur, wenn man vom baren Epigonentum absieht. All jene Kreationen bemühten sich um Abbildungen von Menschlichkeit. Die Kunst hatte lediglich bei der Nachahmung von Natur die Grenzen weiter geöffnet. Die heutige Literatur dagegen ist menschenlos geworden, sie ist nicht unmenschlich, denn damit wäre sie immer noch menschlich. Menschenlose Literatur führt ein artistisches Spiel mit Kunstfiguren auf. Ihre Clowns und Verbrecher und Narren haben alle Kommunikation mit irgendeiner Wirklichkeit aufgekündigt. Sie wollen nichts mehr erreichen und bewirken. Der Clown Hans Schnier bei Heinrich Böll kann deshalb so gut alle Situationen der Wirklichkeit nachmachen, weil er zu keiner von ihnen irgendeine Beziehung besitzt: nicht einmal mehr eine solche des Hasses. Keine Sehnsucht mehr nach Wonnen der Gewöhnlichkeit wie der Ungewöhnlichkeit. Reine Literatur, was heißt: strenge Trennung von Lebenswelt und Kunstsphäre. Eben diese Grundhaltung verbindet insgeheim so divergierende Schöpfungen wie die *Blechtrommel*, die letzten Erzählungen Heinrich Bölls, den Roman *Tynset* (1965) von Wolfgang Hildesheimer, den *Gantenbein*-Roman von Max Frisch oder die Erzählung *Ungenach* (1968) von Thomas Bernhard.

Nur von diesen erkenntnistheoretischen und ästhetischen Prämissen her ist die heutige Beschäftigung der Literatur mit Stoffen und Sprachformen der Subkultur zu verstehen. Fragwürdig wurden, von der Literatur und auch der Literaturwissenschaft her gesehen, die liebgewordenen Unterscheidungen zwischen Hochsprache, Umgangssprache und Dialekt. In einer so stark fixierten Hochsprache wie dem Französischen haben Schriftsteller, die an beidem teilhatten: am gesellschaftlichen Untergrund wie an der literarischen Hochkultur (der bedeutendste Fall ist Jean Genet), eine Verschmelzung der verschiedenen Schichten des Argots mit der etablierten lyrischen Hochsprache versucht. So entstand eine reizvolle, aber rasch abgenutzte neue Sprachromantik. Der Fall wiederholte sich beim Rückgriff der modernen Amerikaner auf die Sprache der jungen Generation (bei J. R. Salinger), der Neger, der farbigen Einwanderer, der verschiedenen Gangs. Die englische Literatur geht diesen Weg ebenfalls: hier bedeutet es sowohl Destruktion der viktorianischen Gesellschaftsformen wie Brechung des sprachlichen Monopols aus Eton und Oxford. Die Konfrontierung dieser verschiedenen Verhaltensweisen in Form von Sprechweisen bildet den wichtigsten künstlerischen Reiz einer dramatischen Schöpfung wie der *Heimkehr* (1965) von Harold Pinter.

In der Literatur deutscher Sprache hatte Brecht schon in seinen Anfängen sehr bewußt die Erneuerung des Sprachmaterials angestrebt. Er bekämpfte den Zwang der literarischen Modelle deutscher Klassik und Nachklassik und ihrer Sprachhaltung in doppelter Weise. Einmal, indem er die Klassik parodierte, montierte, zitierte, immer also verfremdete. Das war die destruierende Seite sprachlicher Erneuerung. Die positiven Modelle suchte sich Brecht einmal in der Vorklassik: Luther, Barockdichtung, Sturm und Drang; zum anderen im plebejischen Sprechen. Der bayrische Dialekt vor allem erwies sich als literarisch fruchtbar. Davon profitiert heute noch immer ein Dramatiker wie Martin Sperr.

Wesentlich erfolgreicher erwies sich der Rückgriff auf das Sprechen der Mittelschichten, der Bauern, verbürgerlichten Arbeiter, der nicht minder verbürgerlichten Unterwelt bei Ödön von Horváth. Auch hier erschlossen sich Sprachquellen, die immer noch fließen: getränkt von ihr sind die Übertragungen Villons in eine Wiener Pülchersprache bei H. C. Artmann, viele Texte von Konrad Bayer und Gerhard Rühm. Noch Ernst Jandl hat manche seiner Lautgedichte damit genetzt.

Abermals jedoch läßt sich absehen, daß diese sprachliche Erneuerung durch Dialekt, Umgangssprache und Subkultur nicht beliebig fortgesetzt werden kann. Die Hauptursache für das Versiegen liegt in einer gesellschaftlichen Entwicklung, welche die Dialekte immer mehr aufzehrt, um ein modernes und verstädtertes Amalgam herzustellen aus sogenannt feinem, sogenannt vulgärem und ehemals regional gebundenem Sprechen. Rechnet man die Auswirkungen einer Sprachmanipulation durch Massenmedien, Fachsprachen, Werbefunk und Sport hinzu, so sind die Grenzen einer sprachlichen Erneuerung aus literarisch noch unverschmutzten Bereichen jetzt bereits sichtbar.

Aus dieser künstlerischen Not, deren Ernsthaftigkeit sehr oft mißverstanden wurde, entsprang jene Gegenbewegung, die bewußt alle Grabungsversuche nach reinen Sprachquellen ebenso aufgab wie alles Suchen nach einer durch Literatur noch nicht weggedichteten Wirklichkeit. Sie versuchte, den umgekehrten Weg zu gehen. Wenn ehemals romantische Dichtung zum Werbeslogan entartete, keine Schönheit oder Häßlichkeit der Realität mehr eine nahrhafte Mahlzeit für den schaffenden Künstler zu garantieren vermag, wenn sich Oberschicht und Unterschicht, Bürger und Proletarier, Aristokrat und Bauernknecht scheinbar im Einerlei einer Konsumentengemeinschaft zusammenfinden, wodurch der Blick von den real weiterbestehenden Klassengegensätzen immer wieder abgelenkt wird, dann wird sich moderne Literatur am besten auf diesen Sachverhalt einstellen, statt immer noch auf die Suche zu gehen nach einer verlorenen Zeit auch der Literatur.

Die Bewegung des Pop Art ist so entstanden. Ähnlich erklären sich auch die modernen schriftstellerischen Versuche, Floskeln des Werbefunks, der Boulevardpresse, des Fußballplatzes einzumontieren in literarische Schöpfungen. Man ist inzwischen weitergegangen. In manchen neuen Texten Helmut Heißenbüttels findet sich kein Satz, den der Autor selbst formuliert hätte. Jede Zeile ist Zitat. Heißenbüttels Text

Deutschland 1944 komponiert die im Titel genannte Welt aus Ort (Hamburg) und Zeit bloß durch Zitate von damals: Goebbelsreden, Niederschriften von Ernst Jünger, Leitartikel, Schwatzen der Durchhalter und der Meckerer. Auch vieles in den ersten Texten Peter Handkes wurde in solcher Absicht konzipiert. Leben und Arbeiten also mit dem Material, das gesellschaftlich geliefert und nachgeliefert wird, da Originales nicht mehr auf Lager ist oder neu hereinkommen könnte.
Nur: die amerikanische Bewegung des Pop Art versucht, eine neue Schönheit mit Hilfe der Werbeprodukte zu demonstrieren. Daher sind ihre Schöpfungen politisch ambivalent: was vielleicht als Gesellschaftskritik vom Künstler konzipiert werden sollte, wird schnell zur Festigung der kritisierten Kultur genutzt.
Die konvergierenden Bestrebungen in der neueren Literatur sind gegen diese Ambivalenz von der Sache her besser gefeit. Ein literarisches Gebilde, das aus lauter Denk- und Sprachverkommenheit geschaffen wurde, gleichsam als monumentale Schöpfung der Denk- und Sprachverblödung, ist kaum in Gefahr, zu neuen Animierzwecken mißbraucht zu werden.
Damit aber stellt sich eine letzte Frage an die neue literarische Saison. Ist nämlich jede Art einer gesprochenen und geschriebenen Äußerung von heute virtuell bereits ein möglicher Bestandteil von Literatur, weil keine Grenze mehr zu bestehen scheint zwischen der originalen schriftstellerischen Formulierung von einst und der sprachlich abgegriffenen Alltagsbanalität: dann vollzieht sich eine höchst paradoxe Umstülpung. Einerseits gingen die Schriftsteller von heute davon aus, Natur und Literatur weit schärfer voneinander zu trennen, als es selbst Friedrich Schiller je in den Sinn gekommen wäre. Andererseits werden wir Zeugen eines Literaturprozesses, worin sich alle Aussage über Wirklichkeit – der Möglichkeit nach – bereits als potentielle Literatur geriert. In einem literarischen Briefwechsel, den Helmut Heißenbüttel vor einiger Zeit mit dem Kritiker Heinrich Vormweg führte, untersucht er, als Schriftsteller und als Theoretiker der Literatur, eben diesen neuen Sachverhalt: »Peter Bichsel hat in seinem letzten Buch, *Die Jahreszeiten*, gesagt: ›Wenn einer Pfeife raucht, ist das eine Geschichte. Wenn sich einer einen Hund hält, ist das eine Geschichte.‹ Was sagt man, wenn man das sagt? Führt das nicht wieder ins Ununterscheidbare?
Ich habe mir einmal zwei Überschriften der Bildzeitung notiert und gefragt, ob in solchen Sätzen bereits der Keim einer Erzählung liegt. Die erste lautete: ›Hochzeitsreise nach Spanien endet im Gefängnis.‹ Die zweite: ›Zöllner schoß auf seine Frau. Stunden später gebar sie ein Kind.‹ Diese Überschrift hatte noch eine kleiner gesetzte Vorzeile: ›Einsamkeit im Moor machte ihn verrückt.‹ Was ist es, das mich bei solchen Sätzen an Erzählung, an Geschichten denken läßt? Sind nicht einfach die Wortbedeutungen dieser Sätze so zusammengesetzt, daß ich gereizt werde, mir etwas auszudenken? . . . Welche Rolle spielt dann das simple Nachreden solchen Zusammenschlusses zur Geschichte? Machen erst bestimmte Kunstmittel das Nachreden zu Literatur? Oder ist es das Bedeutende, der begrifflich herauszuinterpretierende Bezug auf Allgemeines, der Literatur macht?«[1]
Trotzdem kommt es Heißenbüttel nicht in den Sinn, eine Literatur der auf sich gestellten Sprache zu postulieren und den Schriftsteller von heute als neuen Max Stirner zu deuten, der sich und seine Sprache interpretiert als *Der Einzige und sein Eigentum*. Umgekehrt mißtraut er eben dieser heutigen Sprache und ihrer total

vergesellschafteten Substanz. Mögliche Erneuerungen von Literatur erwartet er sich von Veränderungen der Wirklichkeit, vom Außersprachlichen. Daher führt er seinen Briefwechsel mit Vormweg zur folgenden neuen Fragestellung: »Ich will die Position einmal umkehren und sagen, ohne Bezug auf Außersprachliches ist natürlich keine Literatur möglich. Die Frage besteht darin, wie deutlich dies Außersprachliche ohne Sprache erfaßt werden kann. Oder wie weit sich dies Außersprachliche, nenne man es nun Leben, Wirklichkeit, Gesellschaft, Materie usw., nur als sprachlich Vermitteltes vorstellen läßt. Wie weit es als sprachlich Vermitteltes aber wiederum bedingt wird vom Gesamtaspekt der Vermittlung, oder, im Gegenteil, von der Verwirrung des gestörten Gesamtaspekts.«[2]
Allein dies ergibt bloß ein neues Fragezeichen. Jetzt wäre von der Veränderung der Wirklichkeit als einer Voraussetzung für Veränderungen der Sprache zu handeln. Womit allerdings das Thema dieses literarischen Briefwechsels transzendiert würde.
Ein bemerkenswertes Buch, das im Frühjahr 1969 erschien, postuliert den umgekehrten Weg: Veränderung der Sprache als Voraussetzung für alle anderen Arten der Veränderung, erst recht der ›Verbesserung‹. Das Buch Oswald Wieners trägt den Titel *die verbesserung von mitteleuropa* und wird vom Autor ausdrücklich als ›Roman‹ bezeichnet. Wiener hat zwar sehr ausführliche und anerkennende Kritiker gefunden, ob man freilich die Bedeutung seines Textes bisher richtig erkannt hat, steht dahin. Hier hat man zunächst einmal, neben vielem anderen, einen philosophisch zu Ende gedachten Karl Kraus. Nicht zufällig setzt Wiener zwei Verse von Kraus aus der *Chinesischen Mauer* als Motto über ein Kapitel: »Und das Chaos sei willkommen, / denn die Ordnung hat versagt.« Wenn Karl Kraus postuliert hatte: im Anfang war die Presse, dann erst sei die Welt zur Welt gekommen, so versteht Wiener den Titel seines Buches ganz wörtlich. Die Verbesserung von Mitteleuropa habe von der Sprache auszugehen; Mitteleuropa deshalb, weil hier ein Bereich der deutschen Sprache gegeben ist, dessen Veränderung der Verfasser als deutschsprechender Schriftsteller und Wissenschaftler zu beurteilen vermag. Das Buch ist trotzdem ein ›Roman‹, weil es geistiger Entwurf sein möchte, Konjektur. Auch bei Wiener natürlich die schroffe Ablehnung der Geschichte und Geschichtswissenschaft: »Mit der Geschichte lehne ich auch die mit ihr kompromittierte Sprache ab.« Darum kann Oswald Wiener ein Kapitel seines Buches konzipieren als »kernstücke zu einer experimentellen vergangenheit«. Wenn das geschichtliche Denken von diesem Naturwissenschaftler, Technologen und Schriftsteller abgelehnt wird, Veränderung von Wirklichkeit aber von der Sprache her betrieben werden soll, ergibt sich folgende These: »Da die private Wirklichkeit der Wissenschaft nicht taugt, bleibt übrig: die Wirklichkeit ordentlich definieren oder die Sprache szientifizieren: das ist das selbe. Die Schwierigkeit daran ist, daß die derzeit gültige von rechts wegen anerkannte Wirklichkeit das ethische Motiv der Wissenschaft ist, aber die neue Wirklichkeit wird man mit der neuen Grammatik einschmuggeln!«
Verheißungsvoll debütiert sie also nicht, die neue literarische Saison. Natürlich läuft alles nach wie vor weiter, wie der Markt es befahl. Neue Gedichtbücher, Romane, Theaterstücke, Konventionelles und Experimentelles, Sachbücher über Napoleon und Picasso, die alten Etrusker und die neuen Astrobiologen. Ein ›Inventar von Geschöpfen einer Endzeit‹ hatte Thomas Mann im Roman *Doktor Faustus* errichten

wollen. Endzeiten können sehr lange dauern. Die heutige Literatur aber offenbart, wenn man sich mit den Strukturen beschäftigt, ein Endzeitbewußtsein, für das es in aller bisherigen Literaturgeschichte weder eine Genealogie gibt noch eine Analogie. Immer wieder schlägt das durch, bei Schriftstellern, die sonst miteinander nicht besonders eng kommunizieren. Oswald Wiener, um ihn noch einmal zu nennen, zitiert einen Satz von Giambattista Vico, der so lautet: »Nur die geschichtliche Welt kann erkannt werden.« Wiener kommentiert kurz und schnöde: »Wohl! Aber wie? Wozu?«

In einem Gedichtband *Andere Augen*, den Ernst Jandl vor fünfzehn Jahren erscheinen ließ (1956), steht folgender Text:

Wer fragt schon
Klar, daß sie etwas suchten
zu ihrer Zeit.
Wer fragt schon, was.

Sie wurden vom Regen verregnet
sie wurden vom Schnee beschneit.
Wer fragt schon, wozu.

Sie hatten ihren Spaß.
Sie hatten ihr Leid.
Wer fragt schon, wodurch.

Sie konnten fluchen.
Sie konnten lachen.
Wer fragt schon, warum.

Man wird nicht sagen können, daß der spätere Weg des Lyrikers Ernst Jandl als Absage an diese, damals noch konventionell vorgetragene Position bezeichnet werden könnte.

Selbstverständlich läßt sich dergleichen als ›Nihilismus‹ abtun, man muß sich dann aber gefallen lassen, daß die also bezichtigten Literaten mit einem Wort Friedrich Dürrenmatts antworten: solcher Vorwurf des Nihilismus künde bloß vom Nihilismus solcher Vorwürfe. Aber das ist keine Antwort. Sie kann auch nicht gefunden werden durch bloße Reflexion über die heutige literarische Jahreszeit. Ohne Bezug auf Außersprachliches, hatte Heißenbüttel gesagt, sei keine Literatur möglich. Erst recht nicht ohne Bezug auf Außerliterarisches. Alle Betrachtungen über die Literatur deutscher Sprache lenken uns in der Tat zurück zum Problem ›Verbesserung von Mitteleuropa‹. Vielleicht auch im Sinne Oswald Wieners verstanden. Ganz gewiß noch in einem anderen Sinne.

Anmerkungen

Als Vortrag am 27. August 1969 an der Universität Wien gehalten. In Auszügen veröffentlicht in: Die Zeit. Nr. 41 (10. 10. 1969) S. LIT 9.

1. Helmut Heißenbüttel / Heinrich Vormweg: *Briefwechsel über den Roman*. In: Akzente. 1969, H. 3, S. 207.
2. Heißenbüttel / Vormweg: *Briefwechsel*, a. a. O., S. 230.

MARIANNE KESTING

Das deutsche Drama seit Ende des Zweiten Weltkriegs

Parabeldrama in der Nachfolge Brechts

Für einen großen Teil der deutschen Nachkriegsdramatik blieb das Drama Brechts, seine Dramaturgie und Theorie, bestimmend. Dies ist aus der Situation des Zusammenbruchs zu verstehen. Eine junge Dramatikergeneration suchte nach einer neuen Orientierung. Brecht, dessen Stücke im Zürcher Schauspielhaus während des Krieges gespielt worden waren und die Schweizer Dramatiker nachhaltig beeinflußten, errichtete 1949 mit seinem Berliner Ensemble eine Bühne, die gedacht war, ein Beispiel zu geben. Er brachte nicht nur sein geschlossenes dramatisches Werk aus dem Ausland mit, eine ausgebaute Theatertheorie und Dramaturgie, sondern setzte in Musterinszenierungen seine Intentionen auf der Bühne um. Kein Wunder also, daß die deutschsprachige Dramatik in eine besondere Abhängigkeit von seinem Drama und seiner Theorie geriet.

Dabei ist zu berücksichtigen, daß Brechts Werk mehrere Entwicklungsstadien durchlief, die zwar untereinander in ein Mischverhältnis geraten können, aber, aus methodischen Gründen, gegeneinander abgegrenzt seien.

Grundsätzlich eignet dem Brechtschen Drama der Charakter der Parabel mit politischem Lehrgehalt, die sich jedoch verschiedener stilistischer Komponenten annehmen kann und formal großen Variationsreichtum aufweist.

Es gibt:

1. das realistische Lehrstück *(Trommeln in der Nacht, Die Gewehre der Frau Carrar, Furcht und Elend des Dritten Reiches, Die Tage der Commune)*
2. die Parabel mit grotesken Zügen *(Im Dickicht der Städte, Mann ist Mann, Die Dreigroschenoper, Mahagonny)*
3. die Parabel oratorienhaften Charakters *(Das Badener Lehrstück vom Einverständnis, Der Jasager und der Neinsager, Die Maßnahme, Die Ausnahme und die Regel, Die Horatier und die Kuriatier)*
4. die parabolischen Lebensläufe *(Baal, Die Mutter, Die heilige Johanna der Schlachthöfe, Mutter Courage und ihre Kinder, Das Leben des Galilei, Die Gesichte der Simone Machard, Schweyk im zweiten Weltkrieg, Puntila und sein Knecht Matti)*
5. freie Parabeln, die sich eines geschichtlichen, märchenhaften oder mythischen Exempels annehmen *(Der gute Mensch von Sezuan, Die Rundköpfe und die Spitzköpfe, Der aufhaltsame Aufstieg des Arturo Ui, Das Verhör des Lukullus, Der kaukasische Kreidekreis, Turandot oder der Kongreß der Weißwäscher)*.

Bei seinen Nachfolgern verflüchtigte sich größtenteils der ästhetisch revolutionäre Charakter von Brechts ›epischer‹ Dramaturgie, daß nämlich das gesamte Drama epischen Reflexionsvorgängen unterstellt oder von ihnen durchzogen war.[1] Auch die drei Voraussetzungen der Brechtschen Parabel wurden bald, besonders von den Schweizer Dramatikern Frisch und Dürrenmatt, in Zweifel gezogen.

Walter Hinck[2] formulierte diese Voraussetzungen folgendermaßen:
1. das Vertrauen in die Belehrbarkeit des Zuschauers
2. die Überzeugung von der Durchschaubarkeit der Welt
3. das Vertrauen in die Veränderbarkeit der Welt.
Dennoch tauchten die stilistischen Grundentscheidungen in der Brechtschen Dramatik innerhalb der deutschen Nachkriegsdramatik immer wieder auf, also die des realistischen Stücks, des Parabelstücks mit grotesken oder volkstümlichen Zügen.

Einen direkten Nachfolger seiner mit Songs durchzogenen Parabelform mit grotesken Zügen fand Brecht in Friedrich Dürrenmatt, der zunächst mit barock aufgezäumten historischen Dramen begann (*Es steht geschrieben*, 1946; *Der Blinde*, 1947), die sich mit theologischen Themen auseinandersetzten, der Frage des Glaubens und der nach Gottes Gerechtigkeit. Er projizierte sie in die Zeiten der Reformationskriege und des Dreißigjährigen Krieges, weil er versuchte, sich historisierend mit dem eigenen Erlebnis des Zweiten Weltkrieges und seines Chaos auseinanderzusetzen. Führend in diesen beiden Dramen ist noch eine an Claudel geschulte, ins Expressionistische tendierende Rhetorik, die Dürrenmatt ganz abstreifte, sobald er unter den Einfluß Brechts geriet. Bereits *Romulus der Große* (1948) ist ein Parabelstück in Brechts Sinne und stellt die Frage nicht mehr nach Gott, sondern nach einem klugen, nicht dem Machtdenken gehorchenden Verhalten des letzten römischen Kaisers, der sich unheroisch gebärdet, sich mit dem germanischen Eroberer gütlich einigt, um sein Volk vor der endgültigen Vernichtung zu bewahren. Romulus ist ein unheroischer Held, der sich aufs Land zurückzieht, auf Macht und Machtkämpfe verzichtet und sich – mit Hühnerzucht beschäftigt. »Dies sei«, schrieb Dürrenmatt in seiner Anmerkung II zu *Romulus*[3], »gelegentlich zur Nachahmung empfohlen.« Das Exempel hatte also Lehrcharakter.
Mit *Romulus* hatte Dürrenmatt seine eigentliche Theaterform erreicht: die mit grotesken Zügen und kabarettistischen Komponenten durchsetzte Komödie, die am geschichtlichen, mythischen oder auch frei erfundenen Modell versuchte, zeitgenössische Fragen zu behandeln. An die Stelle der barocken expressiven Rhetorik der frühen Stücke war der knappe, schlagkräftige, stark pointierte Dialog getreten, der in einigen Stücken (*Ein Engel kommt nach Babylon*, 1953; *Frank V.*, 1958) durch Songs unterbrochen werden konnte, aber die eigentlich ›episierenden‹ Momente vermied, wie das Heraustreten der Figuren aus ihrer Rolle, die direkten Adressen an das Publikum, den Auftritt eines Erzählers, die das Drama übergreifende Reflexion. Insgesamt tendiert Dürrenmatt eher zur geschlossenen Form mit den beibehaltenen aristotelischen Einheiten (*Besuch der alten Dame*, 1955; *Die Physiker*, 1960/61; *Der Meteor*, 1963/64) als zur offenen Szenenreihung (*Ein Engel kommt nach Babylon*).
Weitergeführtes Brecht-Thema bei Dürrenmatt ist die Pervertierung der öffentlichen Ordnung und ihrer Moral, wobei er die sozialkritische Komponente Brechts übernimmt, sich aber von dessen revolutionärer Gläubigkeit distanziert. An die Stelle des Klassenkampfmodells ist für Dürrenmatt das Modell einer anonymen gesellschaftlichen Maschinerie getreten, die die öffentliche Moral und Ordnung korrumpiert, bei den einzelnen Individuen ein schizoides Verhalten zwischen bürgerlicher Heuchelei und amoralischem Geschäftsgebaren hervorruft. Diese Komponen-

ten begründen sein Abrücken von der Tragödie und dem Geschichtsdrama, seine Tendenz zur Parodie, zur Komödie mit grotesken und absurden Zügen: »Die heutige Welt, wie sie uns erscheint, läßt sich [...] schwerlich in der Form des geschichtlichen Dramas Schillers bewältigen, allein aus dem Grunde, weil wir keine tragischen Helden, sondern nur Tragödien vorfinden, die von Weltmetzgern inszeniert und von Hackmaschinen ausgeführt werden [...]. Der heutige Staat ist [...] unüberschaubar, anonym, bürokratisch geworden, und dies nicht etwa nur in Moskau oder Washington, sondern auch schon in Bern. Die echten Repräsentanten fehlen, und die tragischen Helden sind ohne Namen. Mit einem kleinen Schieber, mit einem Kanzlisten, mit einem Polizisten läßt sich die heutige Welt besser wiedergeben als mit einem Bundesrat, als mit einem Bundeskanzler. Die Kunst dringt nur noch bis zu den Opfern vor, dringt sie überhaupt zu den Menschen, die Mächtigen erreicht sie nicht mehr. Kreons Sekretäre erledigen den Fall Antigone.«[4]
Für Dürrenmatt sind göttliche wie gesellschaftliche Kausalitäten verwischt, teilweise aufgehoben. An Stelle des antiken Fatums lenkt der Zufall das Geschehen, der sich oft zum komischen Unfall verkleinert: »Das Schicksal hat die Bühne verlassen, auf der gespielt wird, um hinter den Kulissen zu lauern, außerhalb der gültigen Dramaturgie. Im Vordergrund wird alles zum Unfall, die Krankheiten, die Krisen.«[5]
Deswegen hat Gerhard Neumann[6] zu Recht von einer ›Dramaturgie der Panne‹ gesprochen. Seinen Anschauungen gemäß müßte Dürrenmatt zur absurden Parabel à la Ionesco tendieren, aber gerade sie lehnt er ab: »Das Absurde umschließt nichts.«[7]
Einerseits also verzichtet Dürrenmatt, wie Walter Hinck[8] feststellte, auf Analyse und betont das Absurde und Grotesk-Komische der Handlung, andererseits behandelt er gerade dies Absurde innerhalb seiner Komödien als kausal, läßt es also die Handlung nicht bis ins Innerste regieren. Und zwar hilft sich Dürrenmatt aus dieser Inkonsequenz, indem er durch einen Zufall die Handlung in Gang setzt, sie dann aber konsequent und kausal weiterlaufen läßt. Im *Besuch der alten Dame* beispielsweise bricht in die verarmte und verlotterte Kleinstadt Güllen der Zufall in Gestalt der Milliardärin Claire Zachanassian ein, die als alte Frau in ihr Städtchen zurückkommt, um sich an einem einstigen Liebhaber zu rächen, dessen Auslieferung sie fordert. Mit dieser scheinbaren Wiederherstellung der Moral aber setzt sie eine ökonomische Pervertierung der Moral in Gang: die Stadt macht im Hinblick auf die versprochenen Millionen der Claire Schulden, bis ihr gar nichts mehr übrigbleibt, als Ill der Claire auszuliefern. Die Folgen des Zufalls also sind streng kausal und konsequent. Die Gesetze der Prosperität bewirken eine allgemeine Pervertierung der Moral.
Das gleiche ist in *Frank V.* der Fall, der »Oper einer Privatbank«, die sich an Brechts *Dreigroschenoper* anlehnt. Auch hier bewirkt kommerzielles Reglement eine allgemeine Pervertierung der Moral. Das Gesetz des Zufalls, das sich aber logisch konsequent entfaltet, ist hier das ökonomische Gesetz, das vom Staat zum Schluß noch sanktioniert wird, welche Verbrechen es auch immer bemänteln möge.
Gemäß der ursprünglich im Religiösen verankerten Frage nach der Gerechtigkeit bei Dürrenmatt aber kann der Zufall, der die Handlung regiert, auch durch ein Wunder herbeigeführt werden. Gern imaginiert Dürrenmatt, was auf Erden geschähe, wenn beispielsweise ein Engel »nach Babylon« käme und dort nach dem Rechten sähe. In *Ein Engel kommt nach Babylon*, einer Handlung, die weitgehend nach dem Vorbild

von Brechts *Gutem Menschen von Sezuan* konstruiert ist, ist der Engel von komischer Hilflosigkeit gegenüber den massiven irdischen Machtkämpfen und zieht sich, wie Brechts Götter, wieder in den Himmel zurück, gibt vor, nichts zu sehen und zu bemerken, und überläßt seinen Schützling Kurrubi einer moralisch unlösbaren Situation. Das himmlische Wunder bewirkt auf der Erde nichts.

In einem anderen Falle, dem ständig wiederauferstehenden Lazarus in Gestalt des Nobelpreisträgers Schwitters *(Der Meteor)* bewirkt gerade dieses irdisch-himmlische Wunder lauter abstruse Katastrophen. Während Schwitters nicht sterben kann, häufen sich um ihn die Selbstmorde, Herzinfarkte, die Leichen. Die Welt rechnet nicht mehr mit dem Wunder und kann es nur noch mit Hilfe der Heilsarmee übertönen. Im übrigen ist das Wunder ein veritabler ›Unfall‹ – und nicht eingeplanter Zufall, der mit eiserner Konsequenz alles durcheinanderbringt.

Als Wunder und Zufall erscheint auch in Dürrenmatts *Physikern* die Tatsache, daß drei Wissenschaftler moralisch denken und, die sozialen Konsequenzen ihrer Wissenschaft fürchtend, sich in ein Irrenhaus zurückziehen, um dort verrückt zu spielen. Wie Romulus die Tarnkappe der Narrheit, so ziehen sie sich die Tarnkappe des Irrsinns über, aber sie sehen sich überrascht durch einen zweiten Zufall: die Leiterin der Irrenanstalt ist selbst irre und pervertiert wiederum das Irresein der Physiker zu den normalen Konsequenzen, die aber natürlich, in Dürrenmatts Sicht, ebenfalls nicht normal sind. Kurzum, der exakte Plan mißlingt – durch Zufall.

Während in Brechts Parabeln präzise gesellschaftliche Diagnosen enthalten sind, erlaubt der Zufall in diesem Falle bei Dürrenmatt nur noch die Feststellung, daß die Vorgänge um die Atomphysik irrsinnig und abstrus sind – im engeren Sinne für Dürrenmatt Anlaß für eine theaterwirksame Gruselkomödie. Die Undurchschaubarkeit der göttlichen und sozialen Gesetze, die die Welt regieren, sind für Dürrenmatt ein Freibrief für die Phantasie des reinen grotesken Spiels.

Anders als Dürrenmatt suchte Max Frisch immer private Themen mit politischen zu verbinden. Das erlaubte ihm, über Brechts politische Haltung hinaus Fragen zu stellen, verwirrte aber zugleich sein Verhältnis zum Parabeltheater Brechts, das er durch seine Zweifel unterminierte, von dem er sich aber lange Zeit nicht lösen konnte: »Die Parabel strapaziert den Sinn, das Spiel tendiert zum quod erat demonstrandum. Es hilft dann wenig, wenn ich mich durch Untertitel verwahre: ›Lehrstück ohne Lehre‹. Die Parabel impliziert die Lehre – auch wenn es mir nicht um eine Lehre geht. Vielleicht ist es mir nie in erster Linie darum gegangen. Daher das Unbehagen an der Parabel.«[9] Parabeln sind allerdings *Die chinesische Mauer* (1947), *Biedermann und die Brandstifter* (1958), *Andorra* (1961) nur insofern, als sie reguläre politische Modelle entwerfen, an denen politisch-moralische Fragen expliziert werden sollen. In der *Chinesischen Mauer* ließ sich Frisch wohl von Brechts Gedicht *Fragen eines lesenden Arbeiters* inspirieren, anhand des Exempels des chinesischen Mauerbaus durch einen ›Heutigen‹ das Problem des Mißbrauchs politischer Macht unter revolutionärem Blickpunkt zu durchleuchten, nicht ohne zugleich die Ohnmacht des Intellektuellen gegenüber den Machtverhältnissen zu apostrophieren. Und dies bedeutet eine entscheidende Zurücknahme gegenüber Brecht, denn sie impliziert nicht nur den Zweifel an den bestehenden Verhältnissen, sondern auch an der Chance ihrer Änderung. Doch die sozialkritische Beleuchtung behielt er, wie Dürrenmatt, bei.

Biedermann und die Brandstifter, eine Parabel mit parodierten Chor-Résumés, stellt das anpassungswütige Verhalten von Kleinbürgern unter totalitärem Terror dar. Hier ist es ein Verbrecher, der in die Wohnung einbricht und Herrn Biedermann erfolgreich unter Druck setzt; aus Furcht um sein Eigentum wird Biedermann zum Handlanger, um sich später, in einem »Nachspiel in der Hölle«, als bejammernswürdiges Opfer zu beklagen.

Andorra diskutiert die psychisch-politischen Hintergründe der Anpassung. Frisch hat sich vorgestellt, was geschehen wäre, wenn die nationalsozialistischen Truppen die Schweiz besetzt hätten. Sein Modell gewinnt Konkretheit, obwohl dies nun geschichtlich nicht geschehen ist, weil er versucht, Anpassungsvorgänge, bei denen der Druck der manipulierten Massen und die Entindividualisierung eine Rolle spielen, ausgerechnet an einem kleinen Dorf zu exemplifizieren. Die terroristische Ideologie, der sich die Bürger Andorras anpassen, ist der staatlich verordnete Antisemitismus. Die Fabel entbehrt nicht der Abstrusität: ein junger Mann wird verdächtigt, Jude zu sein, entwickelt zwangsläufig die Eigenschaften, die seine Umgebung von ihm als Jude erwartet, und wird auf Grund dieser Eigenschaften geächtet; schließlich stellt sich heraus, daß er gar kein Jude war. Hier verbindet sich das politische Thema mit dem für Frisch von Anfang an wichtigen Pirandello-Thema der Festlegung der Person durch die soziale Umwelt. Schon sein Don Juan in *Don Juan oder die Liebe zur Geometrie* (1952) suchte sich ihr zu entziehen; sein Rechtsanwalt in *Graf Oederland* (1951) erlebte die durch seine Umgebung initiierte Entfremdung seiner selbst. Während *Graf Oederland* und *Andorra* noch dieses Pirandello-Problem mit dem politischen und gesellschaftlichen zu verbinden trachteten, glitt Frisch mit *Biografie* (1968) ganz in eine private Frage ab, nämlich die, ob man nicht nur dem sozialen Vorurteil der anderen über die eigene Person, sondern auch dem eigenen Schicksal, seiner eigenen Biographie entgehen könne. Wie wenig realistisch diese Frage auch ist, ob man sein Leben wiederholen kann, Frisch blieb stilistisch dem Realismus verhaftet. Das Stück ist in jeder Hinsicht ein Circulus vitiosus: Frisch demonstriert mit Hilfe der Wahl, sein Leben noch einmal leben zu können, die Zwangsläufigkeit biographischen Verhaltens. Er möchte das ästhetische Problem der bewußt hergestellten Fiktion biographisch realistisch lösen, was nicht möglich ist; er möchte sich vom Realismus der Abschilderung trennen, durchbricht ihn aber nur durch einige Unwahrscheinlichkeiten, nämlich die, daß der Verhaltensforscher Kürmann sein Leben noch einmal vor sich selbst auf dem Theater wiederholt und diskutiert, was, streng genommen, nur der Schriftsteller kann. Die Möglichkeit, seine Biographie noch einmal zu entwerfen, ist, wie Walter Hinck diagnostizierte[10], ein »Variantenspiel der Kunstwelt, das keine Analogie in der historischen oder empirischen Wirklichkeit hat«. Frischs Kürmann gelingt es nicht einmal in der Kunstwelt.

In gewisser Hinsicht ähnelte die Position Martin Walsers der Dürrenmatts und Frischs. Auch er vermied die dramaturgisch revolutionäre Komponente Brechts und verlegte sich mehr auf die volkstümliche Parabelform, auch er betrieb eine Art nachrevolutionäres Lehrtheater, Gesellschaftskritik ohne utopisches Gegenbild. Auch er wich schließlich nach einigen Ausflügen in die Parabel, wie Frisch, in private Probleme aus. Auch er konnte sich, wie Frisch, stilistisch nie ganz von der realistischen Darstellung lösen, die er nicht goutierte.[11] Auch für ihn wurde die Aufbereitung totalitärer Vergangenheit, die Frage nach der Gerechtigkeit zum Problem, und er kämpfte, gleich Frisch und Dürrenmatt, mit seinen moralischen, an Brecht geschulten gesellschaftlichen Ansprüchen und seiner Einsicht in das schäbige politische und private Arrangement. Sein erstes Stück, *Der Abstecher* (1961), ist noch ein quasi realistisches Stück, das parallel gleich zwei schäbige Arrangements behandelt: das ›unter Männern‹ über eine Frau und das zwischen ›Herr und Knecht‹, d. h. einem florierenden Geschäftsmann und seinem Chauffeur Berthold, der, aufgefordert, sich etwas Pikantes über seines Herrn Liebesabenteuer zu denken, sich gar nichts denkt und diesen Zustand wohl auch politisch als den bequemsten erachtet – eine kleine Persiflage auf Brechts Puntila, Veränderungen im Denken des ›kleinen Mannes‹ anzeigend.

Ebenso stellt *Eiche und Angora* (1962) eine Aufweichung von Brechts Position dar, die er noch in seinem *Schweyk* für gültig hielt, nämlich, daß der kleine Mann sich nur scheinbar anpasse und seinen Oberen insgeheim ein Schnippchen schlage. Walser zeichnet in seinem nicht sehr intelligenten ›kleinen Mann‹ Alois einen Typus, der sich immer zu spät anpaßt, d. h., er wird zum Nazi, nachdem sich das Blatt der Geschichte gewendet hat, und muß sich von seinen neu-alten Oberen, die sich rechtzeitig umgestellt haben, belehren lassen – ein halb realistisches, halb parabolisches Spiel mit leicht absurden Komponenten. Das Nachspiel zu diesem Erlöschen revolutionärer Alternativen im Volk ist *Überlebensgroß Herr Krott* (1963), ein Stück, in dem Walser einen Schritt ins Phantastische und damit zugleich auf das ›Theater des Absurden‹ zu tat, ohne dessen surreale Mittel konsequent zu verwenden. Phantastisch ist die Situation, daß ein erfolgreicher Geschäftsmann, dem alles, aber auch alles gelingt und zu Geld wird, von der widerstandslosen Gesellschaft seine Absetzung erfleht. Aber niemand ist auch nur bereit zum Protest, und das ›große Gericht‹, von dem noch Brechts Fewcoombey im *Dreigroschenroman* träumte, bleibt völlig aus. Krotts ›schlechte Unendlichkeit‹ ist unabsehbar. In der satten Wohlstandsgesellschaft verschwimmen die Antagonismen, heben sich die Klassengegensätze im billigen Arrangement auf. An der Einförmigkeit der von ihm geprägten Landschaft aber geht Krott fast zugrunde. Er fleht Widerstand herbei – umsonst. Auch Walsers *Schwarzer Schwan* (1964), worin ein junger Hamlet, Rudi Goothein, um moralische Bewältigung der Nazivergangenheit ringt, ist phantastisch schon im Grundeinfall: kein alter Nazi wird, wie Walsers Professor Liberé, als Bußübung Sahnebesen basteln, und keine Nervenheilanstalt wäre denkbar, in der wie in Walsers Karwang Nazis mit Hilfe von Psychodramen zu politischen Schuldgeständnissen gebracht werden. Phantastisch ist hier der politische Wunschtraum Walsers, nicht indes die dramaturgischen Mittel. Die bleiben konventionell.

Mit der *Zimmerschlacht* (1967) endlich, die wohl durch Edward Albees *Wer hat Angst vor Virginia Woolfe* angeregt wurde, persifliert Walser einen schäbigen Ehekampf nebst schäbigem Arrangement und landet damit im realistischen Milieustück – und im Unterhaltungstheater.

Während im Drama von Frisch, Dürrenmatt und Walser Brechts Parabelstück teils ins Realistisch-Private abgewandelt wurde, teils ins Groteske tendierte, nahm es bei Peter Hacks auf Grund der als Glaube übernommenen marxistischen Utopie romantisch märchenhaften Charakter an. Es ist nicht zu verkennen, daß Brecht in einigen seiner Stücke der prallen, saftigen und buntstilisierten Volkstümlichkeit der Hacksschen Figuren Vorschub geleistet hat.

Hacks, der 1951 über das *Volksstück des Biedermeier* promovierte, verrät, auf welche Weise er die naiv-romantische Stilisierung marxistisch zu untermauern sucht: »Die plebejische Tradition ist eine kleinbürgerlich-romantische Tradition; bemüht um Progress, stöbert sie in alten Kalendern. Ihr dramaturgisches Leitbild ist das Volksstück. Was sind Volksstücke? Der Puppenfaust, das Wiener Taubertheater, Pocci, die Altberliner Posse, Valentins Raubritter, jene schönen, einfältigen, derben und naiven Gesamtkunstwerke mit ihrer epischen Montagetechnik, ihrer noch nicht von der Resignation des Familiendramas ausgezehrten Personenfülle.«[12]
Hacks ließ außer acht, daß bereits im Volksstück des Biedermeier das Volkstümliche epigonal war, eine historische Konstruktion, die nicht zuletzt mit der von Marx angegriffenen bürgerlichen Restauration in Deutschland zusammenhing. Das progressive Moment dieser Stücke war die romantische Ironie, die Parodie, die Illusionsdurchbrechung – Elemente, die Hacks ignoriert und infolgedessen auch nicht weiter ausbaut. Selbst die Naivität war schon im Biedermeier-Stück eine bewußte Stilisierung. Es befremdet, daß Hacks sie fortführen und sogar dem modernen Industriearbeiter, auf den Marx reflektierte, aufkleben möchte.
Formal bemächtigte sich Hacks von Anfang an der durch Songs unterbrochenen Szenenreihung Brechts, wie Dürrenmatt, ohne den übergeordneten Reflexionsmodus des Brechtschen Dramas. In seinen Songs wußte er bis auf Tonfall und Syntax Brecht zu imitieren. Fast jedes Stück geht auf einen Einfall Brechts zurück. In seiner *Eröffnung des Indischen Zeitalters* (1954) ist sein Columbus ein kleinerer Galilei, der das neue wissenschaftliche Zeitalter ankündigt: »Wenn meine Zeit kommt, ohne Folterkammern und Marterbänke, ohne Rad und Galgen, wird keiner mehr euren Himmel ersehnen.« Alsdann widmete sich Hacks der von Brecht gewünschten Revision der preußischen Legende in der *Schlacht von Lobositz* (1954) (nach den Memoiren des Ulrich Bräker), im *Müller von Sanssouci* (1955) führte er die Ideen Brechts aus, wonach der Alte Fritz selbst die Anekdote mit dem Müller inszenierte, um Preußens Rechtsstaatlichkeit nach außen hin zu demonstrieren. Hacks schrieb sogar eine Fortsetzung der *Dreigroschenoper* in *Polly oder Die Bataille am Bluewater Creek* (1963, nach John Gay).
Engeres Vorbild für das Hackssche Drama waren Brechts Bearbeitungen älterer Stücke (*Der Hofmeister*, 1950 nach Lenz; *Pauken und Trompeten*, 1954 nach Farquhar), seine kritische Sorge galt vor allem der Korruptheit von Adel und Kirche in der Historie (*Das Volksbuch von Herzog Ernst*, 1953; *Margarete in Aix*, 1965 und 1966) und, wo er sich der industriellen Gegenwart zuwandte (*Die Sorgen und die Macht*, 1960), einer volkstümlich emotionalisierten Plansollerfüllung. Den Umbruch von 1945 zum sozialistischen Staat schilderte er in *Moritz Tassow* (1964) als kurze Verwirklichung eines anarchisch-poetischen Wunschtraums, der durch die nüchternen Funktionäre in die Schranken verwiesen wird. Die erfüllte marxistische Utopie wäre, nach Hacks, eine Art romantischer Sommernachtstraum.
Auch Hartmut Lange führte die volkstümliche Komponente der Brechtschen Dramen fort und schrieb einen neuen *Puntila* in seinem *Marski* (1962/63), indem er zeigte, wie ein Gutsbesitzer auf amüsante Weise von den Dorfbewohnern klassengerecht umfunktioniert wird. Danach widmete er sich im *Hundsprozeß* (1964) einer Stalin-Parabel in Form eines gruseligen Grand Guignol. Diese Parabeln nehmen manieristische Züge an, ebenso wie Heiner Müllers Bearbeitung antiker Dramen,

für die wiederum Brechts *Antigone*-Bearbeitung das Vorbild war. Müller rauhte die antiken Verse durch eine manierierte Syntax auf und erhob zum Problem die Frage des Widerstandes gegen die Götter *(Prometheus)*. Sein *Herakles* (1964/66) reinigt den Augiasstall ohne göttliche Hilfe. In *Philoktet* (1958/66) demonstriert Müller die barbarische Amoral des Krieges, nicht ohne Hinweis auf jene fernen Zeiten, »als noch der Mensch des Menschen Todfeind« war.

Dramatiker wie Tankred Dorst und Wolfgang Hildesheimer traten nur zeitweilig die Nachfolge von Brechts Parabeldramatik an, auch hier ohne Brechts Formdurchbrüche, Wolfgang Hildesheimer z. B. in seinem Turandot-Stück *Der Drachenthron* (1956), das in ähnlicher Weise wie Frischs *Chinesische Mauer* das Verhältnis des Intellektuellen zur Macht diskutierte. Bei Hildesheimer verzichtet der im Rätselspiel Turandots siegreiche Intellektuelle auf die Machtübernahme und begibt sich ins Private. Dorsts *Große Schmährede an der Stadtmauer* (1961) ist eine Parabel in chinesischer Stilisierung, ein radikal pazifistisches Stück, die vitale Klage einer Frau um ihren zum Soldaten ›umgebauten‹ Mann. Auch seine Bearbeitung von Thomas Dekkers *Shoemakers' Holiday* (*Der Richter von London*, 1964) betont im Sinne von Brecht den gesellschaftskritischen Aspekt, die Auseinandersetzung zwischen Adel und Bürgertum. Aber sowohl bei Hildesheimer wie bei Dorst ist die Anlehnung an Brecht ephemer. Sie gehören mit ihren übrigen Werken in einen anderen Zusammenhang. Als einziger unter den deutschen Nachkriegsdramatikern führte Peter Weiss Prämissen der Brechtschen Dramatik zu einer originellen und einzigartigen Konzeption.

Gerade das strukturelle Moment, das Brecht in das deutsche Drama einführte und das von seinen wie immer gearteten Nachfolgern mißachtet und beiseite geschoben wurde, baute Peter Weiss in seinem großen *Marat/Sade*-Stück vielschichtig aus: das Moment der ›epischen‹ Reflexion über die Handlung. In *Die Verfolgung und Ermordung Jean Paul Marats, dargestellt durch die Schauspielgruppe des Hospizes zu Charenton unter Anleitung des Herrn de Sade* (1964) teilt sich das Drama strikt in eine vielschichtige Pantomime und Kommentar, in Aktion und Reflexion.

Als äußerer Rahmen fungiert das Irrenhaus von Charenton mit seinem Anstaltsleiter Coulmier, Vertreter der bürgerlichen Restauration unter Napoleon, und seinen Helfershelfern, den Folterknechten der Irren. Im Irrenhaus hat der Marquis de Sade ein Theaterstück über die Ermordung Marats geschrieben, das unter seiner Regie aufgeführt wird. Dieses Theaterstück hat keine kausale Handlung, es stellt den Zustand der Revolution dar, den der in seiner Wanne fiebernde Marat kurz vor seinem Tode imaginiert. Marats Fieberphantasien werden durch die Besuche der Charlotte Corday unterbrochen, die dreimal vor der Türe erscheint und ihn schließlich, am Ende des Stücks, ermordet. Der Kulminationspunkt der Revolution fällt zusammen mit dem Sterben Marats, das eigentlich schon zu Beginn des Stückes einsetzt, immer wieder hinausgezögert wird und das Stück schließlich beendet. Das ganze Drama vollzieht sich also in einer ›kontinuierlichen Gegenwart‹, im ›Bewußtseinsstrom‹ Marats, der im Geiste seine – szenisch realisierten – Erinnerungen, seine Reden, seine Zukunftsvisionen sich vergegenwärtigen kann und in der Imagination über Ort und Zeit ebenso verfügt wie der Verfasser des Stücks, de Sade, der als Autor und Regisseur immer auf der Bühne ist. Das Ganze wird überwölbt durch den imaginären Disput zwischen de Sade und Marat, den das szenische Geschehen lediglich illustriert. Die Revolution aber wird weiterhin noch kommentiert durch den Anstaltsleiter Coulmier, durch den Ansager des Stücks, der listig noch einmal auf volkstümliche Weise die Ansichten des Marquis de Sade erklärt, dann durch den fanatischen Revolutionär Roux, schließlich durch die Sänger des Proletariats in Songs. Nicht genug all dieser reflektierenden Illusionsdurchbrechungen, ist die Identität der Figuren selbst auch noch in sich geteilt: Die Rollen werden durch Irre dargestellt, die mit bestimmten Leiden behaftet sind. Zu der Verfremdung der gesamten Handlung als ›Theater auf dem Theater‹ tritt die Verfremdung der einzelnen Rollen durch das Auseinanderbrechen in kranke Person und Rolle. Außerdem gibt es noch die Montage verschiedener sprachlicher Mittel: den parodierenden Knittelvers, die Diskussion in freien Versen, die feierlichen Aufrufe und Reden Marats, dazu noch Songs und Chöre. Das vielschichtige Geschehen ist mehreren Perspektiven unterworfen. Formal bietet es sich als Totaltheater aller erdenklichen Bühnenmittel dar wie Musik, Tanz, Pantomime, Debatte.

Während im Theater Brechts die Bühnenmittel durchrationalisiert und exakt voneinander getrennt sind, sind sie bei Weiss' *Marat/Sade* fusioniert, so daß jenseits der rationalen Durchleuchtung durch die Dispute Marat – de Sade, durch die Vielzahl der Aktionen, Bühnen- und Sprachmittel der Eindruck einer Phantasmagorie entsteht, wiederum legitimiert sowohl als Phantasie de Sades wie als Traum Marats.

Während sich Weiss in seinem *Marat/Sade*-Stück von vornherein auf die phantastische Ebene begab, schon durch die Entscheidung, es als ›Theater auf dem Theater‹ zu bringen, geriet er mit seiner Darstellung des Auschwitz-Prozesses, *Die Ermittlung* (1964/65), einem »Oratorium in 11 Gesängen«, in ein Dilemma zwischen dem dokumentarischen Realismus der Darstellung und seiner artifiziellen, oratorischen Form. Auch hier ergeben sich zwei Aktionsebenen: die Gerichtsverhandlung selbst und die Darstellung des Konzentrationslagers Auschwitz und seiner verschiedenen Stationen, die sich als ›Erinnerung‹ der Verhörten, da aber nur verbal, vergegenwärtigen. Die ›kontinuierliche Gegenwart‹ der Gerichtsverhandlung überlagert also die stationenartig ablaufende Handlung der Vergangenheit. Weiss zog sich auf die blanke Darstellung zurück und versagte sich die Zwischenkommentare und die reflektierende Analyse. Es gibt Berichte vor allem über den Aufbau der Tötungsmaschinerie, über das aus der Nahperspektive der Zeugen gesehene Verhältnis zwischen Schinder und Opfer, eine monotone Aufzählung der Greuel in Weiss' makelloser Sprache.

Weiss' *Gesang vom Lusitanischen Popanz* (1966) ist sowohl als Rückgriff auf das oratorische Lehrtheater Brechts wie als Vorgriff auf das Laien-Straßentheater der Studentenrevolte anzusehen. Auf der Bühne agieren Kollektive, aus denen einzelne Protagonisten hervortreten. Im mobilen Ensemble, dessen Schauspieler mehrere Rollen übernehmen können, sind die Figuren austauschbare Sprachrohre für bestimmte Anschauungen der Kollektive. Der Chor kommentiert das Geschehen, das ebenso wie im *Marat/Sade*-Drama sich nicht als geschlossene Handlung darstellt, sondern einen Zustand, den der kolonialen Unterdrückung, vielschichtig illustriert mit allen Bühnenmitteln: Pantomime und Kommentar, epischem Bericht und Chor-Résumés, eingeschalteten Dokumenten. Das Ganze ist bewußt als ›Theater auf dem Theater‹, als Laienspiel, aufgezogen, ist auch gedacht, durch Laien interpretiert zu werden und sie so zu einem revolutionären Agitationstheater zu führen. Während im *Marat/*

Sade die komplizierte Form dazu diente, das Geschehen der Revolution vielschichtigen Perspektiven zu unterwerfen, unterwirft sich die komplizierte Form des *Lusitanischen Popanz* einer eindeutigen politischen Interpretation. Obgleich dokumentarisch beglaubigte Verhältnisse in den portugiesischen Kolonien dargestellt werden, tendiert das Ganze doch in der theatralischen Formulierung zum Phantastischen.
Anders im *Viet Nam Diskurs* (1966/68), der in trockener Stationen-Reihung und Chor-Résumés einen Anschauungsunterricht über die Geschichte Vietnams bis zur Gegenwart gibt. Die Anlehnung an Brechts Lehrstücke der zwanziger Jahre ist hier deutlich. Die Geschichte Vietnams ist in der Sicht von Peter Weiss ganz eindeutig eine von Klassenkämpfen. Dies illustriert die Szene. Auch hier bedient er sich eines mobilen Ensembles, in dem der Schauspieler zur Demonstrationsfigur wird.
Seit der *Ermittlung* ist Weiss' Tendenz zum Dokumentarischen offenbar, das aber immer in den Widerstreit zu den rituellen und komplizierten Theaterformen geriet. Erst in *Trotzki im Exil* (1968) entschied er sich eindeutig für eine realistische Formulierung, um den Preis, daß das Drama in die Nähe eines Theaterlehrgangs über die Russische Revolution geriet. Als einziges formales Element seines *Marat/Sade*-Dramas behielt Weiss bei, daß sich die Handlung als ›Erinnerung‹ Leo Trotzkis abspielt, der während der Vergegenwärtigung der einzelnen Szenen an seinem Schreibtisch sitzt.

Gesellschaftskritischer Realismus und politisches Dokumentartheater

Das deutsche Nachkriegstheater erlebte und erlebt noch heute verschiedene Spielarten des realistischen Stücks. Seinen bereits bei Strindberg durchbrochenen Formenkanon versuchte man durch teils inhaltliche, teils formale Komponenten zu aktualisieren.
Zwei Dramatiker, Herbert Asmodi und Hans Günther Michelsen, traten dabei auf verschiedene Weise das Erbe der Jahrhundertwende an. Asmodi belebte, um die pseudobürgerliche bundesrepublikanische Restauration zu karikieren, die pièce bien faite als bewußte Kolportage und zeigte, daß die gesellig-gesellschaftlichen Inhalte der Jahrhundertwende bei den heutigen Imitatoren der großbürgerlichen und feudalen Milieus zur Kolportage heruntergekommen seien. Asmodi ist, als Münchner, durch die Schule Wedekinds gegangen, bei dem die pièce bien faite bereits seinen Umschlag in die bewußte Kolportage erlebte *(Musik)*.
Bemächtigte sich Wedekind der die Großbourgeoisie imitierenden Milieus, der Künstler-Bohème, der Halbwelt, der Hochstapler, so Asmodi der überlebten, nun korrupten österreichischen Feudalen (*Nachsaison*, 1969) und endlich der bundesrepublikanischen Neureichen (*Mohrenwäsche*, 1963; *Stirb und Werde*, 1965/66), deren Zeichnung zum kalt karikierenden Klamauk geriet. Asmodi konfrontierte neudeutsche Familiengemütlichkeit mit eiskalten Intrigen, noble Sprüche und skrupelloses Arrivieren, Erotik und Geschäft. Seine Gauner aus den besseren Kreisen sind auf bürgerliche Umgangsformen eingestellt, lesen Klassiker, hausen in den feinsten Antiquitäten und pflegen – äußerlich – ein gemütliches Familienleben, das sich allerdings nach innen hin ungemütlich entfaltet. Die Form des spätbürgerlichen Gesellschaftsstücks wird hier zur Persiflage seiner selbst, und zuweilen liefert Asmodi,

um die Publikumswünsche gleich mit zu befriedigen, noch als Parodie ein Happy-End in Knittelversen hinterdrein. Asmodis bürgerlich geordnete Verhältnisse gedeihen auf Grund von allseitiger Korruption. Seine Stücke fällen die Diagnose, bürgerliches Gebaren sei selbst zu Klamotte und Klamauk heruntergekommen.
Hans Günther Michelsen greift die Ibsensche Frage nach der Gewalt der Vergangenheit und ihrer Gespenster, die das Leben der Gegenwart erdrosseln, politisch auf. Seine Überlebenden des letzten Krieges – in *Stienz* (1963) ist es ein in symbolischer Trümmerstätte hausender Offizier, der seine Memoiren zu Papier bringen möchte – versuchen, mit ihrer teils privaten, teils politischen Vergangenheit ins reine zu kommen, aber sie ersticken an den Revenants, in *Stienz* verkörpert durch den ehemaligen Burschen des Hauptmanns, in *Lappschiess* (1964) durch einen alten Mann, in *Helm* (1965) durch einen Krüppel, der als ›Revenant‹ der Vergangenheit rächend wiederkehrt. Die Gegenwart wird gelähmt durch die Vergangenheit, deren Relikte und Trümmer über die Lebenden triumphieren. Von der politischen Thematik glitt Michelsen sehr schnell in die private (*Frau L.*, 1967), und nun wurde es die Erinnerung schlechthin, die das Leben in der Gegenwart überwältigte. Aus dem Circulus vitiosus dieser Erinnerung wissen die Figuren Michelsens nicht zu entfliehen. Formal tendiert Michelsens symbolisch aufgeladener Realismus zur Kreislaufform, die den Zirkel der Wiederholung demonstriert, in seinen Dialogen zu einer düsteren Sentimentalität.
Martin Sperr nahm gesellschaftliche Verhältnisse in der Provinz Bayern in Augenschein und maß am Lokalen das Allgemeine. In seinen *Jagdszenen aus Niederbayern* (1966) schildert er im Realismus der Nahsicht, wie in einem bayerischen Dorf eine reguläre Menschenjagd auf einen Homosexuellen veranstaltet wird im Namen einer heuchlerischen Moral. Auch dies ein Versuch gesellschaftskritischen Realismus, der sich allerdings in der Diagnose der rückständigen Verhältnisse in bayerischen Dörfern erschöpft. Seine *Landshuter Erzählungen* (1966) berichten in schlagkräftigen Kurzszenen über den harten Konkurrenzkampf zweier Bauunternehmer, dem sich alles unterwirft: politisches, familiäres, erotisches Verhalten. Das Stück ist abhängig von Brechts *Furcht und Elend des Dritten Reiches*, indem es wie dort die Auswirkungen hoher Politik in der Mentalität derer zeigt, die durch sie bestimmt werden.
Auch der junge Österreicher Wolfgang Bauer bedient sich der konventionellen Struktur des psychologisch realistischen Stücks, wendet sie lediglich zur Schilderung neuer Milieus an, der heutigen Jugendlichen in der vollkommenen Umklammerung durch die Zivilisation. Gerade dies bewirkt eine Diskrepanz zwischen der realistischen Formulierung und den höchst unkonventionellen Dingen, die sich auf der Bühne abspielen. Erstickten die Bürger der Jahrhundertwende in Ibsens Stücken an der Konvention, so wird bei den Jugendlichen in Bauers Stücken diese durch den Gruppenzwang ersetzt. Denn hier wird die Gruppe zur neuen Konvention, zum neurotischen Zwang des Aufeinanderangewiesenseins. Auch sie sitzen, späte Enkel der Bürger der Jahrhundertwende, in ihren Zimmern herum, tun nichts und beschäftigen sich mit ihren Neurosen. Das Arbeiten überlassen sie den Erwachsenen. Sie leben ein parasitäres Dasein, das sie mit zivilisatorisch-modischen Relikten ausschmücken. Sie vegetieren im Zustand einer absoluten Lähmung dahin, der nur noch den Ausbruch in die gegenseitige Aggression oder in eine Art Happening erlaubt. Sie ›spielen mit dem Leben‹, d. h., sie treffen Arrangements, eine ›Manipuläschn‹,

untereinander, die es darauf absehen, einen anderen zu vernichten (*Change*, 1969). Partys sind die Hintergrundsfolie für diese inszenierten Happenings, die tragisch enden können, mit Mord (*Magic afternoon*, 1968) oder Selbstmord *(Change)*. Die Bewegungsverläufe der Bauerschen Dramen werden geprägt durch die einander übertrumpfenden actes gratuites; gerade ihre sich beschleunigende Wiederholung ist Zeichen ihrer leeren Willkür. Bauers durchaus realistische Milieustücke rufen einen quasi surrealen Eindruck hervor durch das ›Unglaubliche‹, was in ihnen geschieht. Die Schocks, die im surrealistischen Theater durch die Stilmittel erreicht wurden, sind hier auf die Aktionen selbst übergegangen. Sogar der österreichische Dialekt der Dialoge wirkt surreal, da er, wenn er auch durch Jargon und Anglizismen angereichert ist, dennoch immer Assoziationen an das gemütvolle Idiom weckt, in dem Hofmannsthals Wiener Aristokraten und Schnitzlers Großbürger, oder auch das einfache, unverbildete Volk redeten. Wie das realistisch psychologische Stück meidet Wolfgang Bauer die auch wie immer tendenziöse oder gesellschaftskritische Analyse, er klagt in keiner Weise an, er registriert und schildert.

Eine spezielle Art der Wiederbelebung erfuhr der Realismus durch das politische Dokumentarstück, das Heinar Kipphardt und Rolf Hochhuth zeitweilig zu triumphalen Publikumserfolgen führten. Heinar Kipphardt mit der Dramatisierung des Oppenheimer-Prozesses *In der Sache J. Robert Oppenheimer* (1964), Rolf Hochhuth mit seiner politischen Anklage gegen des Papstes Pius XII. Verhalten in der Judenfrage (*Der Stellvertreter*, 1963).

Heinar Kipphardt, der zunächst mit *Der Hund des Generals* (1961/62) seinen Beitrag zur Bewältigung deutscher Vergangenheit lieferte, bemächtigte sich im Falle des *J. Robert Oppenheimer* einfach des Prozeßmaterials um den Atomphysiker, das er in schlichtem Verfahren dramatisierte. Das Verfahren war so schlicht, daß der Regisseur Jean Vilar aus dem gleichen Material ein ähnlich wirksames Stück zusammenstellte.

Kipphardt verstand sich als ›Chronist‹, der das Protokoll und die ihm zugänglichen Dokumente benutzte. »Er [der Autor] ist gehalten, ein abgekürztes Bild des Verfahrens zu liefern, das die Wahrheit nicht beschädigt.«[13] Das Dilemma, daß innerhalb eines Theaterstücks ›die Wahrheit‹ immer arrangiert und formuliert ist und also nicht mehr als dokumentarisch gelten kann, war ihm nicht bewußt. So geriet das Dokumentarstück in die Gefahr, brisante politisch-soziale Fragen in Form eines Reißers zu kolportieren.

Rolf Hochhuths Bemühungen stehen unter keinem geringeren Anspruch als dem, das Schillersche Geschichtsstück noch einmal zu beleben, indem er Papst Pius XII., den er im Schillerschen Sinne als Protagonisten der Geschichte mißverstand, vor das Gericht der Bühne zitierte. In seinen langen Anmerkungen zum Stück freilich meditierte er inhaltliche Momente der Politik, die seine Form eigentlich widerlegten: nämlich die Rolle der abstrakten, anonymen und schwer durchschaubaren Administration, die durch die Apparatur erzwungene Distanz zwischen politischen Entschlüssen und ihrer Wirkung. Die Überlegungen, die Friedrich Dürrenmatt zur Geschichtstragödie kamen, verwies Hochhuth in die Anmerkungen zu seinen Stücken; sie schlugen sich nicht formal nieder. »Die heutige Welt«, schrieb Dürrenmatt[14], »läßt sich schwerlich in der Form des geschichtlichen Dramas Schillers bewältigen [...] Aus Hitler und Stalin lassen sich keine Wallensteine mehr machen [...] Die Macht Wallensteins ist eine noch sichtbare Macht, die heutige Macht ist nur zum kleinsten Teile sichtbar, wie bei einem Eisberg ist der größte Teil im Geschichtslosen, Abstrakten versunken.« Bei Hochhuth indes erschienen noch die Protagonisten der Geschichte, sie sprechen in Jamben oder freien Versen, und damit spielen sich Vorgänge, die des klassisch Erhabenen durchaus entbehren, in klassischer Erhabenheit ab. Die politischen Konsequenzen der modernen Massengesellschaft, die Manipulierung des Individuums, die Eingeschränktheit des Handelns auch auf den sozialen ›Kommandohöhen‹, die Demoralisierung durch Propaganda, die Schizoidität öffentlichen und privaten Verhaltens erklärte Hochhuth für dramaturgisch nicht existent. Bei ihm ist, wie sein Regisseur Erwin Piscator es ausdrückte, »der Mensch frei in der Erfüllung dieser Idee, frei in der Einsicht in die Notwendigkeit ›kategorischen‹, das heißt sittlichen, menschenwürdigen Handelns«.[15]

Als Konsequenz dieser Sicht gibt es bei Hochhuth Gute und Böse, es gibt klassische Gespräche über Moral und Macht, so zwischen dem Papst und dem Pater Riccardo Fontana im *Stellvertreter* und zwischen Churchill und dem Bischof von Chichester in *Soldaten* (1967). In den Anmerkungen zu seinen Stücken hingegen bedenkt Hochhuth die Arbeitsteilung des Tötens, das Erlöschen der frei handelnden Persönlichkeit, die Entindividualisierung im »Zeitalter des Neutrums«, die Abstraktheit und Undurchschaubarkeit der technisch-bürokratischen Maschinerie, die Auswechselbarkeit zwischen Schinder und Opfer, sogar die Surrealität, den »Eindruck des Unwirklichen«, den das Konzentrationslager und seine Welt selbst hervorrufe.[16] Ästhetisch hat Hochhuth aus seinen Überlegungen keine Konsequenzen gezogen. Seinem Realismus der äußeren Abschilderung sucht er durch klassizistische Überhöhung der Fakten beizukommen: durch Verse oder gar durch Lyrik, in die die Opfer angesichts der Gaskammern ausbrechen.

Auch in *Soldaten* griff Hochhuth ein aktuelles moralisches Thema auf: die Unzulänglichkeiten der Genfer Konvention, die Amoral des technischen Massenmords, in diesem Fall des von Churchill befohlenen Flächenbombardements. Auch hier gibt er einen Blick hinter die Kulissen, wo die hohe Politik gemacht wird. »Darsteller auf der Bühne ist ohnehin nur der grüne Tisch.«[17] Es erhebt sich nur die Frage, welche Perspektiven der ›grüne Tisch‹ hergibt. Das Dokumentardrama sieht sich gezwungen, um seine Prämissen nicht selbst zu diskutieren, höchst unwahrscheinliche Fälle zu konstruieren, die sich nie so abgespielt haben, nämlich, daß Churchill mit dem Bischof Chichester über die Moral des Flächenbombardements diskutiert und daß ein Flieger bei der Bombardierung Dresdens abstürzt und selbst sieht, was er angerichtet hat. Auch darf man bezweifeln, daß Churchill, mit der Zigarre im Bett liegend, seiner Umgebung so viel schlechtes Theater vorgespielt habe wie bei Hochhuth.

Durch den stilistisch beibehaltenen Realismus der Nahsicht aber wird suggeriert, der Dramatiker wisse genau, was sich hinter den Kulissen abgespielt habe. Aber auch dieser Realismus ist ein Arrangement, im Falle Hochhuths ist das Schillersche Geschichtsdrama zum blanken politischen Reißer heruntergekommen, der die entsetzlichsten Fakten des letzten Krieges zum Theatereffekt degradiert, aus dem Hochhuth naiv genug ist noch Pathos schlagen zu wollen. Es erhebt sich die von Brecht schon aufgeworfene Frage, wieweit der Realismus der Abschilderung an die politisch-gesellschaftliche Realität noch heranreiche: »Die eigentliche Realität ist in die Funktionale gerutscht. Die Verdinglichung der menschlichen Beziehungen [...] gibt die letzteren nicht mehr heraus. Es ist also tatsächlich ›etwas aufzubauen‹, etwas ›Künstliches‹. Es ist also ebenso tatsächlich Kunst nötig.«[18]

Auch Hochhuth setzt sich in den Anmerkungen zu *Soldaten*[19] mit dem Dokumentar-Optimismus auseinander, er möchte betonen, »daß wir im Theater sind«[20], er versteigt sich sogar zu der Behauptung, dieses Stück Geschichte, das er darzustellen versuche, sei ›absurdes Theater‹; zugleich aber polemisiert er gegen das ›absurde Theater‹ und meint, es sei nur gegenstandslos[21]. Der Gedanke liegt ihm fern, daß neue Inhalte zu ihrer Darstellung neue Formen erfordern.

Schon Lessing billigte im 19. Stück seiner *Hamburgischen Dramaturgie* dem Dichter Souveränität über die Geschichte zu: »Er braucht eine Geschichte nicht darum, weil sie geschehen ist, sondern darum, weil sie so geschehen ist, daß er sie schwerlich zu seinem gegenwärtigen Zwecke besser erdichten könnte.« Bei Kipphardt und Hochhuth überwiegt bezeichnenderweise der Stoff selbst die Formulierung, und ihre Dramen leben, wie die Kolportage, von der Sensation des geschichtlichen Ereignisses, nicht von seiner Durchdringung.

In das Dilemma der politischen Dokumentarstücke geriet auch Günter Grass mit seinem »deutschen Trauerspiel« *Die Plebejer proben den Aufstand* (1966), worin er, indem er sich mancher Fakten aus Brechts Leben und seiner Theaterarbeit bemächtigte, schildern wollte, wie ein sozialistischer Dichter eine Arbeiterrevolte, die ihn politisch anging und der er sich hätte anschließen müssen, lediglich zur ästhetischen Formulierung mißbrauchte. Der Chef, der viele Züge Brechts hat, probt mit seiner Theatertruppe den Volksaufstand in Shakespeares *Coriolan*, als er vom regulären Aufstand der Arbeiter am 17. Juni 1953 überrascht wird, der in sein Theater vordringt. Während Grass Brecht in diesem Stück indirekt vorwarf, sich in einer politischen Situation ästhetisch verhalten zu haben, warf man Grass vor, Brechts Verhalten und die Situation der Arbeiterrevolte des 17. Juni nicht richtig dargestellt zu haben. Grass wehrte sich, indem er behauptete, er habe gar nicht Brecht darstellen wollen, sondern ihn nur als Beispiel, wie es sich besser gar nicht erfinden ließe, zitiert. Dichterische Freiheit in der Handhabung geschichtlicher Details aber existiert nicht gegenüber Fakten, deren Augenzeugen noch leben, zumal wenn Grass durch seinen teilweise realistischen Angang der Szene suggeriert, so genau habe sich das mit Brecht und seinem Ensemble abgespielt. Grass hätte über das Thema allenfalls eine Parabel schreiben können.

Tankred Dorst griff mit seinem *Toller* (1968) glücklicher ein verwandtes Thema auf, ohne durch realistischen Stil den Anspruch zu erheben, er stelle politische Fakten dokumentarisch genau dar. Dorst behandelte das höchst aktuelle Thema, daß ein Dichter, nämlich Ernst Toller, eine Revolution als expressionistisches Theaterstück mißverstanden habe. Dorst griff auf Tollers eigene Darstellung der Bayerischen Räterepublik zurück, die er aber nicht als Dokument ansah: »Das war dramatisch arrangiert, die revolutionären Vorgänge hatten sich in Theaterszenen verwandelt. Toller dramatisiert sich selbst, er sieht sich im spotlight einer expressionistischen Menschheitsbühne als Leidender und als Held.«[22] Bezeichnenderweise wollte Dorst kein politisches Dokumentarstück schreiben, aber sein *Toller* wurde im Jahre 1968/69 als politisches Dokumentartheater allenthalben im Stile der Piscator-Bühne gespielt. Dabei sagte Dorst, deutlich genug, er habe kein Dokumentardrama geschrieben, sondern Dokumente seien allenfalls als »Partikel der Wirklichkeit« eingesetzt.[23] Es war also ein Stück über einen Literaten, der Politik mit Theater verwechselte; die expressionistische Szenenflucht auf der Brucknerschen Simultanbühne war zugleich als Parodie auf die theatralische Vorstellung Tollers gedacht.

Das Dokumentartheater erfuhr eine Aktualisierung durch die Emotionalisierung und Neubelebung sozialistischer Theoreme innerhalb der deutschen und französischen Studentenrevolte 1968. Einerseits versuchte man wieder ein Arbeitertheater zu aktualisieren (Max von der Grün, *Notstand oder Das Straßentheater kommt*, 1968) und Arbeiter selbst zur Darstellung ihrer eigenen Probleme zu animieren[24]; zugleich griff man auf das Straßentheater der Russischen Oktoberrevolution, die Theaterrevuen der ›lebenden Zeitung‹ zurück. Dessen Sinn war damals wie heute Aufklärung über aktuelle politische Probleme in verständlicher Form, politische Agitation: »Die Straße ist nach wie vor die einzige zensurfreie Tageszeitung der Opposition und bietet Raum für Kundgebungen und Demonstrationen aller Art, für Plakate, Wandzeitungen und Mauerinschriften, für improvisierte Szenen, Dokumentarfilme und Agitprop.«[25]

Dieses politische Agitationstheater, das stilistisch alle Mittel zum Zwecke der aktuellen Propaganda und Diskussion mischte, betont weniger seinen künstlerischen als seinen politischen Anspruch. Dennoch ergab sich eine neue Verwischung zwischen Realität und Theater, und zwar durch die Happening-Bewegung[26], die, Anfang der sechziger Jahre von Amerika ausgehend, auf die bildenden Künstler Europas übergriff. Hierin versuchten die Künstler, die sie umgebende Wirklichkeit selbst zum Kunstakt zu erklären. Innerhalb der Mai-Unruhen 1968 in Paris schwenkten nicht wenige bildende Künstler, die zunächst ganz unpolitische Happenings inszeniert hatten, auf die Politik über und erblickten in politischer Opposition eine Legitimation ihrer Kunstvorstellungen. Zum politischen Straßentheater der Studenten gesellte sich beispielsweise ein Pop-Artist wie Jean-Jacques Lebel, der nicht nur politisches Agitations- und Straßentheater und Happenings miteinander vermählte, sondern auch die Revolte selbst mit einem Happening verwechselte: »Die Mai-Revolte sprengte die Grenzen von ›Kunst‹ und ›Kultur‹ sowie alle anderen gesellschaftlichen und politischen Schranken. Der alte Avantgardisten-Traum, ›Leben‹ in ›Kunst‹ zu verwandeln, in eine kollektive schöpferische Erfahrung, hatte sich endlich erfüllt [. . .] Die Mai-Erhebung war theaterhaft insofern sie eine gigantische Fiesta war, eine sinnliche und sinnfällige Explosion jenseits der ›normalen‹ politischen Spielregeln.«[27]

Insofern freilich die Kunst gegen die formulierte Kunst rebellierte und, um sie aufzuheben, sich darin erschöpfte, auf die Realität selbst hinzuweisen, konnte sie jedes Ereignis, welcher Art auch immer, zum Kunstakt rein durch Hinweis erheben und also auch eine politische Revolte als Happening erleben.

Damit aber ist nicht, wie die Verkünder der Happenings meinen, die Kunst aufgehoben in der Realität oder die Realität zum Kunstwerk geworden, sondern der Akt der künstlerischen Formulierung wird selbst überflüssig.

Surreale Parabel und Sprechtheater

Versuche, die sich vom Parabeltheater Brechtscher Observanz und vom realistischen Stück abheben, traten in Deutschland nur vereinzelt auf. Der Begriff des Parabeltheaters ist sehr weiträumig, beschränkt sich selbst beim frühen Brecht nicht auf die eindeutig ablesbare politische Parabel. Auch Eugène Ionesco, Samuel Beckett schreiben vielschichtig verrätselte Parabeln, für die innerhalb der modernen Literatur die Parabeln Franz Kafkas und Strindbergs und Maeterlincks Traumspiele das Vorbild sein dürften. Sie pochen auf das Recht zu einer dichterischen Sondersprache, die sich nicht in einem gleichnishaften Äquivalent für Fakten erschöpft, die sich auch anders ausdrücken lassen. Schon Kafkas Prosastück *Von den Gleichnissen* meditierte das Auseinanderbrechen zwischen der dichterischen Gleichnissprache und dem Alltäglichen und gab damit einen Hinweis auf die eigene verrätselte Parabel, die nicht mehr ein übertragener Ausdruck eines alltäglichen Verstehenszusammenhanges, sondern vieldeutig oder überhaupt Ausdruck für den verlorenen Sinnzusammenhang transzendentaler oder gesellschaftlicher Vorgänge wird. Die Bildersprache dieser Parabel wirkt traumhaft oder surreal, ja, sie ist, nicht zuletzt von Strindberg, zunächst als ›Traumspiel‹ legitimiert worden.
In diesen Zusammenhang gehören die nach dem Kriege erst bekannt gewordenen lyrischen Dramen der Nelly Sachs, die man durchaus als ›dreidimensionale Lyrik‹ bezeichnen könnte, denn die lyrischen Metaphern ihrer Gedichte scheinen hier in den Raum gewachsen zu sein, sie haben angefangen sich zu bewegen, sie sind szenische Bilder geworden. So entstanden szenische Aktionen, die weniger einen Handlungsverlauf zeichnen als Zustände, die sich in traumhaften Bildern entfalten. Dabei ergibt sich bei Nelly Sachs eine Fusion aller Bühnenmittel, ein Totaltheater aus Tanz, Film, Musik, Pantomime und gesprochenem Wort. Diese ›szenischen Dichtungen‹ versuchen, lyrische Metapher und chassidischen Mythos miteinander zu verschmelzen, in beiden das jüdische Schicksal zu deuten und zugleich aufzuheben im Wort. Die Hauptfiguren in den szenischen Dichtungen der Nelly Sachs sind Träumer, Tänzer und Entrückte, chassidische Gottesknechte, Seher, die sich in die Magie des Wortes retten (*Beryll sieht in der Nacht*, 1961; *Abraham im Salz*, 1944). Sie sind von Gott Gezeichnete, die nur zum Schein in dieser Welt herumwandern. Dem visionären Grundcharakter der Dramen entsprechend kann auch das Bühnenbild im Zusammenhang mit der Choreographie der Figuren zur Phantasmagorie expressionistischer Prägung verschmelzen: »Rauch beginnt aufzusteigen und sich in durchsichtige Gestalten zu verwandeln. Sterne und Mond strahlen ein schwarzes Licht aus. Die Baumwurzeln sind Leichen mit verrenkten Gliedern.« Oder: »Der Horizont öffnet sich als größter Kreis. Ein blutender Mund wie eine niedergehende Sonne erscheint.« (*Eli*, 1943.)
Die Figuren sind entpsychologisiert, sie sind Tänzer, Schattenbilder, Marionetten oder blockartig archaische Gestalten, zu deren Charakterisierung »Der Mann«, »Der Jäger«, »Die Frau« genügt.
Gleichwertig neben den Figuren agieren Stimmen und Gegenstände, die nicht mehr illustrierende Requisiten sind, sondern metaphorisches Eigenleben bekunden.
Wenn auch die szenische Bildwelt bei Nelly Sachs durchaus expressionistische Züge hat, so ist doch gerade der Triumph einer nicht mehr ins Realistische aufgelösten,

sondern in gewisser Weise verselbständigten Metaphorik das, was sie mit dem sogenannten ›Theater des Absurden‹ (Esslin) in Frankreich gemein hat. In Deutschland versuchten zeitweilig Günter Grass und Wolfgang Hildesheimer sich in dieser Art von Theater, bezeichnenderweise beides Dichter, die sich auch als Maler betätigen. Dabei lehnte sich in seinen einzelnen Einfällen besonders Wolfgang Hildesheimer in *Spiele, in denen es dunkel wird* (1958) an die Metaphorik und die Einfälle Eugène Ionescos an und gab in seiner *Erlanger Rede über das absurde Theater* diese ins Surreale tendierenden Parabeln als Parabeln über die »Aussagelosigkeit der Welt« aus, aber es läßt sich nachweisen, daß sie aus reinen Bildwirkungen und Bildeinfällen bestehen, die zum Teil gesellschaftliche, zum Teil politisch-bundesrepublikanische Gepflogenheiten persiflieren und nicht ohne modischen Aufputz sind. Als sein wirksamstes Stück muß *Die Verspätung* (1961) gelten, worin er sich dem Problem der nicht mehr faßbaren Realität der Sprache und der Identität der Person widmet und für diese Thematik eine sehr einleuchtende, ins Kafkaeske tendierende Parabel findet. Weitaus weniger zu rätseln gibt es an den surrealen Parabeln des Günter Grass, die sich vor allem als nicht immer einer gedanklichen Konzeption entsprungene amüsante Bildvorstellungen entpuppen, worin sich die Figuren als etwas anderes enthüllen, als sie erscheinen; in *Onkel, Onkel* (1958) z. B. enthüllt sich der Gewohnheitsverbrecher Bollin als harmloser Mitmensch, in den *Bösen Köchen* (1956) sind die Köche, die sich auf der Bühne tummeln, Trompete blasen und zuckrige Bildvorstellungen hervorrufen, skrupellose Verbrecher.
Der Trend zur reinen Bildwirkung wird bei Grass durchkreuzt durch breit ausgewalzte realistische Details. Es ist denn auch nicht von ungefähr, daß Günter Grass' dramatische Arbeiten schließlich in das realistische Stück *Davor* (1969) einmündeten, das biographische Details aus seinem Leben und politisches Denken ohne große Verbrämung auf die Bühne brachte. Das Groteske und Surreale blieb bei ihm Einsprengsel, verließ sich auf Bildvorstellungen, gehorchte einer gewissen Assoziationsautomatik, es ist nicht, wie die Kafkasche oder Ionescosche Parabel, vieldeutig interpretierbar, sondern hat zuweilen keinen Sinn, keine genaue Konzeption.
Zeitweilig in der Nachfolge des ›absurden Theaters‹ bewegten sich Tankred Dorst, Konrad Wünsche und Paul Pörtner, und zwar Tankred Dorst mit seinem Stück *Die Kurve* (1960), worin zwei clowneske Brüder eine blümchengeschmückte Idylle an einer Autostraße errichten, die sich als ein makabres Unternehmen entpuppt: sie verdienen an Autounfällen, die sich an der Kurve, in deren Nähe sie sich etabliert haben, mit pünktlicher Regelmäßigkeit ereignen – ein idyllisch ausgeschmücktes Gewohnheitsverbrechen also.
Konrad Wünsche, der zunächst mit kleinen Stücken mehr lyrischen Genres hervortrat (*Über den Gartenzaun*, *Vor der Klagemauer*, 1962), versuchte in seinem Stück *Der Unbelehrbare* (1963) einen Bürgersalon um die Jahrhundertwende selbst als stickige Theaterkulissenwelt zu charakterisieren, dessen gespenstisches Figurenarsenal wie von Zwängen regiert wird, ein ehemaliges Theaterstück zu wiederholen. Nur der Sohn Paul möchte dieses Theaterstück vermeiden und ›unbelehrbar‹ bleiben, aber er nimmt Gift in einer Teetasse und wird doch endlich gezwungen, seinen Theatertod zu sterben.
Paul Pörtner formulierte, indem er sich an das expressionistische Drama, wie Georg Kaisers *Von morgens bis mitternachts* (1912), anlehnte, eine Parabel über den ab-

strusen Tages-Lebenslauf eines unscheinbaren Jedermann in *Mensch Meier oder Das Glücksrad* (1959). Darin wird die gewöhnliche Welt zum Ungewöhnlichen, zu einer surrealen, bedrückenden Apparatur menschlicher Selbstentfremdung und sozialer Manipulation, in deren Räderwerk der kleine Mann gerät.

Der wichtigste Dramatiker einer solchen, ins Surreale tendierenden dramatischen Parabelsprache war in jeder Hinsicht Peter Weiss in seinen frühen Stücken, die erst nach dem Erfolg seines *Marat/Sade*-Dramas bekannt wurden. Weiss verfaßte zunächst surrealistische Grotesken. Die szenische Moritat *Nacht mit Gästen* (1962) zieht ihre Schocks aus dem Kontrast zwischen der scheinbar naiven Formulierung in Knittel- und Kinderversen und der selbstverständlichen Ungerührtheit, mit der hier das Unwahrscheinliche in die Tat umgesetzt wird: Die Familienmutter bietet dem Einbrecher Kaspar Rosenrot ein trauliches Heim an und legt sich mit ihm ins Bett; der Nachbar, der die Familie angeblich vor dem Einbrecher warnen will, erschlägt en passant den Vater; nachdem Kaspar noch die Mutter ermordet hat, steigen die Kinder über die Leichen ihrer Eltern weg zu unheimlichem Kindersingsang unbekümmert ins Freie.

In der Surrealgroteske *Die Versicherung* (1952), Weiss' erstem Stück, das mit ganz ähnlichen Mitteln arbeitet, erweitert sich der Gruseldramenhorizont auf die gutbürgerliche Gesellschaft, in der alles drunter und drüber geht. Da hilft die Versicherung, die der Polizeipräsident Alfons eingehen will, nicht mehr. Schon seine Festgäste bei der Abendgesellschaft zeigen befremdendes Benehmen. Sie werden durch einen Dr. Kübel in eine Privatklinik gebracht, die sich als eine Art Irrenanstalt entpuppt, wo die Kranken gefoltert und in Käfige gesperrt werden. Das ganze Stück besteht aus einer Aneinanderreihung von Grausamkeiten und komischen erotischen Schocks. Da läßt eine Frau ihren Mann, der, an den Füßen aufgehängt, am Fensterrahmen sich festhält, ungerührt in die Tiefe fallen, da vergewaltigt ein Herr Grudek die zufällig vorbeikommende Hulda hinter einem Kohlenhaufen, da vereinigt sich der Verbrecher Leo mit der Frau des Polizeipräsidenten im Mülleimer, da begräbt die Kinderschar des Polizeipräsidenten hocherfreut den von Leo erwürgten Hund Pluto, da entfaltet sich in Dr. Kübels Privathaushalt eine schaurig-komische Idylle – kurzum: das Chaos ist ausgebrochen, und der Polizeipräsident, der sich versichern lassen wollte, wird zuallererst unter ihm begraben. Schließlich herrschen Anarchie und Revolution auch draußen: »Die Ziegel fallen von den Dächern. Das ist noch gar nichts. Das ist nur der Anfang. Ihr werdet sehen, was noch kommt.« Chaos, Unrecht und Gewalt, die unter dem Deckmantel der Bürgerlichkeit sich nicht mehr verbergen können, dringen auf die Straße. Die vom Verbrecher Leo angeführte Revolution ist nur ihre folgerichtige Fortsetzung, nicht etwa ihr Ende. Und Peter Weiss scheint ihr in der *Versicherung* mit eben jenem grimmigen Sarkasmus zuzustimmen, der einst Brecht in der *Hauspostille* bewog, die bolschewistische Armee grinsend in des ›Bürgers Paradeis‹ zu führen, Chaos von Anarchie verschlingen zu lassen, und ein Sodom und Gomorrha, das den Untergang verdient, auch dem Untergang zu überantworten.

Peter Handke trat auf originelle Weise das späte Erbe der Gertrude Stein und – Pirandellos an. Gertrude Stein hatte in ihren *Operas and Plays* alle Bühnenvorgänge zum Gegenstand verbaler Exerzitien gemacht.[28] Das gleiche tat Peter Handke in seinen ›Sprechstücken‹, worin zunächst verbale Redeweisen wie die Beichte (*Selbst-*

bezichtigung, 1966), die Prophetie (*Weissagung*, 1966), die des Rufs (*Hilferufe*, 1967) als verbale Musik in Rhythmus, Tempo und auf vier Sprecher verteilt, durchexerziert werden; in der *Publikumsbeschimpfung* (1966) aber hob er das Theater auf und machte dessen Mittel und Mode zum Gegenstand einer Sprachrecherche. Dadurch radikalisierte er die Pirandellosche Illusionsdurchbrechung. Er verzichtete in diesem Stück, auf der Bühne eine ›andere‹ und sei es parabolische Realität zu errichten, er verzichtete auf Rollen, Handlung, Kulissen. Das Theater selbst, seine Wirkung, der Zuschauerraum wurden zum Gegenstand einer Sprachrecherche, was zu einer völligen Umkehrung der theatralischen Situation führte. Suchten in Pirandellos *Sei Personaggi* sechs Personen einen Autor, um Drama werden zu können, so wurden bei Handke die Zuschauer zu ›Personen ohne Autor‹ erklärt, die das Theater brauchen, um auf die Welt zu kommen. »Das Theater«, schrieb Handke, »bildet [...] nicht die Welt ab, die Welt zeigt sich als Nachbild des Theaters.«[29] Und er äußerte ohne Scheu den provokanten Satz, daß man so lange spielen möge, »bis die Wirklichkeit ein einziger Spielraum geworden ist«.

Das Theater ist bei Handke eben nicht Transportmittel fremder Bedeutungen, sondern ist selbst Wirklichkeit. »Das Theater als Bedeutungsraum ist dermaßen bestimmt, daß alles, was außerhalb des Theaters Ernsthaftigkeit, Anliegen, Eindeutigkeit, Finalität ist, S p i e l wird [...].« Man hat nicht bemerkt, daß Handke damit die äußersten Prämissen einer L'art pour l'art übernahm in der ironisch geäußerten Hoffnung, die ganze Welt werde dereinst – Theater und damit Kunstraum werden, womit er freilich nicht, wie die Pop-Artisten, behauptete, daß sie schon Kunstraum sei.

Handkes Stücke sind Parabeln über diese seine Wirklichkeit des Theaters. Sein Kaspar (*Kaspar*, 1968) beispielsweise ist – eine Bühnenfigur. Er wird auf der Szene geboren, dringt durch den Vorhang, lernt sich bewegen, reden – und wird zur Rolle. Er ordnet die zunächst ungeordneten Kulissen, lernt mit den Gegenständen umgehen – und er hat seine Regisseure oder Einsager, die ihm suggerieren, was er zu tun habe. Das ist eine klare Parabel – zunächst über das Theater. Aber der Bedeutungsraum der Bühne erzwingt nicht nur, wie Handke meint, das Spiel, sondern erzwingt auch, wie schon Goethe anmerkte, die Bedeutung, zumindest die Assoziation einer Bedeutung, die Handke eigentlich vermeiden wollte. Indem Handke einen theatralischen Vorgang abbildet und damit zeigt, daß die Bühne nur sich selbst spielt, zeigt sich zugleich, daß der Bedeutungsraum der Bühne sich weitet und zur Welt wird. Und schon hatte Handke eine Parabel formuliert zugleich über die Anpassungsvorgänge, die Beraubung der Individualität durch die vorgeprägten Floskeln der Sprache, die ihm die Einsager beibringen. Als Kaspar die Bühne betritt, ist er noch Person. Später ist er nur mehr eine Rolle, ein Kaspar unter vielen.

Ebenso ging es Handke mit seinen weiteren Stücken, der ebenfalls einen Theatervorgang bewußt erstellenden Pantomime *Das Mündel will Vormund sein* (1969), die zur Zeit der Studentenrevolten flugs in eine Parabel über die Aufsässigkeit Jugendlicher gegen die ›autoritären‹ Erwachsenen interpretiert wurde – und diese Interpretation durchaus erlaubt –, und seinem losen Handlungsentwurf *Quodlibet* (1969), der überhaupt erst auf der Bühne vom Regisseur zur Theateraktion ausgedeutet werden muß, denn was dort geschieht, ist nur Meditation dessen, was auf der Bühne geschieht: Personen in verschiedenen Kostümen treten auf und lassen Redensarten von sich. Sie spielen damit ihre Rolle als Theaterfigur, aber natürlich stellt sich damit, wie bei Becketts *Spiel* und *Endspiel*, eine ganze Skala von Bedeutungsmöglichkeiten ein, die die Assoziationskraft des Publikums und der Kritik durchaus aktivieren. Deshalb machte Handke in seinem bisher letzten Stück *Der Ritt über den Bodensee* (1970) einen fast schon verzweifelten Versuch, den vorgeprägten Gesten, Bedeutungen, den Sprachklischees, aber auch der Assoziation parabolischer Bedeutung zu entrinnen, indem er sie auf der Bühne von einer Reihe von Schauspielern, die nichts spielen als sich selbst, also unter ihrem Privatnamen auftreten, gegenseitig einander austreiben läßt. Die Bühne bedeutet nichts als die Bühne. Die Möbel und Bilder unter den Schonbezügen enthüllen nichts als Möbel und Bilder. Hinter der Theaterfigur verbirgt sich nicht eine Person, sondern die Person ist eben der Schauspieler. Eine schwarzgeschminkte Frau tritt auf mit einem Staubsauger und bedeutet nichts anderes als eine schwarzgeschminkte Frau mit einem Staubsauger. Die Schauspieler auf der Bühne treiben sich und den Zuschauern in Exerzitien die Erwartungen an Gesten und Repliken aus, indem sie aus diesen Gesten zitieren oder sich völlig unerwartet benehmen. Das Stück ist ein einziger anarchischer Protest gegen die eingebürgerten Gewohnheiten der Bühne wie des Alltags. In seiner zornigen Tirade gegen die »Naturgesetze« der Gewohnheit, die der Gewohnheit des Gehorchens sowohl der Sprache wie der Gebärde entspricht, sagt der Schauspieler, der hier provisorisch Jannings genannt wird: »Man hat angefangen miteinander zu verkehren, und es hat sich eingespielt ... eine Ordnung ergab sich, und um weiter miteinander verkehren zu können, machte man diese Ordnung ausdrücklich: man formulierte sie. Und als man sie formuliert hatte, mußte man sich daran halten, weil man sie schließlich formuliert hatte!«

Dieser Protest, der wild mißachtet, daß sowohl im täglichen Leben wie auf der Bühne Gewohnheiten reguläre ›Entlastungsmomente‹ darstellen, auf deren Folie sich durchaus das Unerwartete, die neue Reizbarkeit und Sensibilität, die Handke anstrebt, aufzeichnen kann, geht letztlich auf Wittgenstein zurück, der der Sprache die Bedeutung austreiben wollte. Handke betreibt dasselbe auf der Bühne, und damit gerät er in die Nähe einer Tautologie des theatralischen Ausdrucks. Gelänge ihm, was er wollte, die Bühne wäre überflüssig. Darum nannte er sein Stück *Der Ritt über den Bodensee*.

Anmerkungen

1. Marianne Kesting: *Das epische Theater*. Stuttgart [4]1968.
2. Walter Hinck: *Von der Parabel zum Straßentheater*. In: Gestaltungsgeschichte und Gesellschaftsgeschichte. Hrsg. von Helmut Kreuzer. Stuttgart 1969. S. 585.
3. *Theaterschriften und Reden*. Zürich 1966. S. 177.
4. *Theaterschriften*, a. a. O., S. 119.
5. *Die Panne*. Zürich. 2/1966, S. 10 f.
6. Friedrich Dürrenmatt: *Dramaturgie der Panne*. In: Dürrenmatt. Frisch. Weiss. (Hrsg. von Gerhart Baumann.) München 1969. S. 27 ff.
7. Dürrenmatt: *Dramaturgie der Panne*, a. a. O., S. 186.
8. Hinck: *Von der Parabel ...*, a. a. O., S. 593.
9. Interview mit Dieter E. Zimmer. In: Die Zeit (22. 12. 67).
10. Hinck: *Von der Parabel ...*, a. a. O., S. 591.
11. Martin Walser: *Tagtraum vom Theater*. In: Theater heute. 11/1967, S. 20.
12. Vorwort zum *Volksbuch vom Herzog Ernst*. Bühnenmanuskript des Dreimasken Verlags, München.
13. Vorwort zu *In der Sache J. Robert Oppenheimer*. Frankfurt a. M. 1964.

14. Dürrenmatt: *Dramaturgie der Panne*, a. a. O., S. 119.
15. Rolf Hochhuth: *Der Stellvertreter*. Reinbek bei Hamburg 1963. S. 7. Vorwort Erwin Piscators.
16. Hochhuth: *Stellvertreter*, a. a. O., S. 179.
17. Rolf Hochhuth: *Soldaten*. Reinbek bei Hamburg 1967. S. 132.
18. Bertolt Brecht: *Gesammelte Werke*. Frankfurt a. M., 17. Bd. S. 162 ff.
19. Hochhuth: *Soldaten*, a. a. O., S. 94.
20. Hochhuth: *Soldaten*, a. a. O., S. 97.
21. Hochhuth: *Soldaten*, a. a. O., S. 100.
22. Tankred Dorst: *Arbeit an einem Stück*. In: Spectaculum XI. Suhrkamp Verlag. Frankfurt a. M. 1968. S. 329.
23. Dorst: *Arbeit . . .*, a. a. O., S. 333.
24. In diesen Zusammenhang gehören Stücke aus dem »Verlag der Autoren«, Frankfurt a. M., wie Heinrich Henkel: *Eisenwichser*; Gerhard Kelling: *Die Auseinandersetzung, Arbeitgeber*; Gerlind Reinshagen: *Doppelkopf*; s. Bibliographie unter 2.
25. Peter Schütt: *Kulturpolitische Aktionen und Aufgaben der demokratischen Opposition*. In: Blätter für deutsche und internationale Politik. 8/1968, S. 10.
26. Jürgen Becker / Wolf Vostell: *Happenings*. Reinbek bei Hamburg 1965. – Marianne Kesting: *Happenings, Analyse eines Symptoms*. In Melos. Juli/Aug. 1969.
27. Wolf Vostell: *Aktionen*. Reinbek bei Hamburg 1970 (Kapitel über Jean-Jacques Lebel).
28. Marianne Kesting: *Gertrude Stein*. In: Panorama des zeitgenössischen Theaters. München. 2/1969, S. 45 ff.
29. Peter Handke: *Straßentheater und Theatertheater*. In: Theater heute. 4/1968, S. 7 ff.

Literaturhinweise

Es werden folgende Abkürzungen verwendet:

Th. h. = Theater heute. Zeitschrift des Friedrich Verlags, Velber bei Hannover.
ed. s. = edition suhrkamp. Reihe des Suhrkamp Verlags, Frankfurt a. M.
Sp. = Spectaculum. Alljährlich im Suhrkamp Verlag, Frankfurt a. M., erscheinende Dramensammelbände.

1. Sammelbände deutscher Gegenwartsdramatik

Deutsches Theater der Gegenwart. Hrsg. von Karlheinz Braun. 2 Bde., Frankfurt a. M.
Junges deutsches Theater von heute. Hrsg. von Joachim Schondorff. München o. J.
Modernes deutsches Theater. Hrsg. von Paul Pörtner. Neuwied, Berlin 1961.
Spiele in einem Akt. Hrsg. von Walter Höllerer. Frankfurt a. M. 1961.
Straßentheater. Hrsg. von Agnes Hüfer (= ed. s. 424).

2. Werke der einzelnen Dramatiker

Hans Carl Artmann: *Die Fahrt zur Insel Nantucket*. Neuwied, Berlin 1969.
Wolfgang Bauer: *Drei Stücke*. Köln 1969.
Heinrich Böll: *Aussatz*. Th. h. Jahreschronik 1969.
Thomas Bernhard: *Ein Fest für Boris*. Th. h. 1/1970.
Tankred Dorst: *Die Mohrin*. Köln 1964.
– *Die große Schmährede an der Stadtmauer*. Th. h. 12/1961.
– *Toller*. ed. s. Nr. 294.
Friedrich Dürrenmatt: *Komödien*. 2 Bde., Zürich 1957 u. 1963.
– *Die Physiker*. Zürich 1962.
– *Der Meteor*. Zürich 1966.
Rainer Werner Fassbinder: *Antitheater*. ed. s. Nr. 443.
Max Frisch: *Stücke*. 2 Bde., Frankfurt a. M. 1962.
– *Biografie*. Frankfurt a. M. 1967.
Günter Grass: *Theaterspiele*. Neuwied, Berlin 1970.
Peter Hacks: *Fünf Stücke*. Frankfurt a. M. 1965.
– *Vier Komödien*. Frankfurt a. M. 1971.
– *Zwei Bearbeitungen*. ed. s. Nr. 47.

Peter Hacks: *Stücke nach Stücken*. ed. s. Nr. 122.
– *Moritz Tassow*. Th. h. 2/1965.
– *Margarete in Aix*. Th. h. 2/1967.
– *Amphitryon*. Th. h. 3/1968.
– *Omphale*. Th. h. 5/1970.
Peter Handke: *Publikumsbeschimpfung und andere Sprechstücke*. ed. s. Nr. 177.
– *Kaspar*. ed. s. Nr. 322.
– *Das Mündel will Vormund sein*. Th. h. 2/1969.
– *Quodlibet*. Th. h. 3/1970.
– *Der Ritt über den Bodensee*. Th. h. 10/1970.
Michel Harty: *Notstandsübung*. Th. h. 5/1968.
Heinrich Henkel: *Eisenwichser*. Th. h. 9/1970.
Wolfgang Hildesheimer: *Spiele in denen es dunkel wird*. Pfullingen 1958.
– *Der Drachenthron*. München 1955.
– *Die Verspätung*. ed. s. Nr. 13.
– *Nachtstück*. ed. s. Nr. 23.
– *Herrn Walsers Raben*. ed. s. Nr. 77.
– *Mary Stuart*. Sp. XIV.
Rolf Hochhuth: *Der Stellvertreter*. Reinbek bei Hamburg 1963.
– *Soldaten*. Reinbek bei Hamburg 1967.
– *Guerillas*. Reinbek bei Hamburg 1970.
Gerhard Kelling: *Arbeitgeber*. Th. h. 12/1969.
Heinar Kipphardt: *Der Hund des Generals*. ed. s. Nr. 14.
– *In der Sache J. Robert Oppenheimer*. ed. s. Nr. 64.
– *Joel Brand*. ed. s. Nr. 139.
– *Die Soldaten* (nach Lenz). ed. s. Nr. 273.
Hartmut Lange: *Marski*. ed. s. Nr. 107.
– *Der Hundsprozeß. Herakles*. ed. s. Nr. 260.
– *Die Gräfin von Rathenow*. ed. s. Nr. 360.
Siegfried Lenz: *Die Zeit der Schuldlosen*. Köln 1962.
Hans Günther Michelsen: *Stiens, Lappschiess*. ed. s. Nr. 39.
– *Drei Akte, Helm*. ed. s. Nr. 140.
– *Feierabend 1 und 2*. Sp. VI.
– *Planspiel*. Sp. XIII.
Heiner Müller: *Philoktet, Herakles*. ed. s. Nr. 163.
– *Prometheus*. Sp. XI.
Paul Pörtner: *Scherenschnitt*. Köln 1964.
Gerlind Reinshagen: *Doppelkopf*. Th. h. 4/1968.
Nelly Sachs: *Zeichen im Sand. Die szenischen Dichtungen*. Frankfurt a. M. 1962.
Harald Sommer: *Ein unheimlich starker Abgang*. Th. h. 12/1970.
Martin Sperr: *Jagdszenen in Niederbayern*. Sp. IX.
– *Landshuter Erzählungen*. Th. h. Jahreschronik 1967.
Martin Walser: *Eiche und Angora*. ed. s. Nr. 16.
– *Überlebensgroß Herr Krott*. ed. s. Nr. 55.
– *Der schwarze Schwan*. ed. s. Nr. 90.
– *Der Abstecher, Die Zimmerschlacht*. ed. s. Nr. 205.
Peter Weiss: *Dramen in zwei Bänden*. Frankfurt a. M. 1968.
– *Trotzki im Exil*. Frankfurt a. M. 1970.
Konrad Wünsche: *Der Unbelehrbare und andere Stücke*. ed. s. Nr. 56.
– *Jerusalem, Jerusalem*. ed. s. Nr. 183.
Jochen Ziem: *Die Einladung*. Th. h. 7/1967.
– *Nachrichten aus der Provinz*. Th. h. 1/1968.

3. Theoretische Äußerungen der einzelnen Dramatiker über ihr Werk finden sich in den Zeitschriften *Theater heute, Neue deutsche Literatur, Theater der Gegenwart*.

Von Wolfgang Hildesheimer: ed. s. Nr. 190, Nr. 297.
Im übrigen s. unter Bibliographien.

4. Bibliographien

Friedrich Dürrenmatt: *A Bibliography of Four Contemporary German-Swiss Authors*, von Elly Wilbert-Collins. Bern 1967

Max Frisch: In: *Über Max Frisch*. ed. s. Nr. 404.

Martin Walser: In: *Über Martin Walser*. ed. s. Nr. 407.

Peter Weiss: In: *Über Peter Weiss*. ed. s. Nr. 408.

5. Sekundärliteratur

a) Essays und Kritiken zu einzelnen Dramen

s. die Zeitschriften *Theater heute, Neue deutsche Literatur, Theater der Gegenwart.*

b) Zu einzelnen Autoren

s. unter Bibliographien; ferner

Peter Handke: In: Text + Kritik. Stuttgart 1969.

Siegfried Melchinger: *Rolf Hochhuth*. Velber bei Hannover 1967 (= Friedrichs Dramatiker des Welttheaters, Bd. 44).

Susan Sontag: *Gedanken zu Hochhuths »Stellvertreter«*. In: Kunst und Antikunst. Reinbek bei Hamburg 1969.

c) Allgemeine Darstellungen

Gerhard Baumann: *Über das neuere Drama*. In: Dürrenmatt. Frisch. Weiss. Hrsg. von G. Baumann. München 1969.

Margret Dietrich: *Das moderne Drama*. Stuttgart 1961.

Arnold Heidsieck: *Das Groteske und Absurde im modernen Drama*. Stuttgart 1961.

Walter Hinck: *Von Brecht zu Handke*. In: Universitas. 24. Jg., Heft 7 (Juli 1969).

– *Von der Parabel zum Straßentheater*. In: Gestaltungsgeschichte und Gesellschaftsgeschichte. Hrsg. von Helmut Kreuzer. Stuttgart 1969.

Marianne Kesting: *Panorama des zeitgenössischen Theaters*. München 1969.

– *Das deutsche Drama nach 1945*. In: Almanach der Nymphenburger Verlagshandlung. München 1966.

– *Le Théâtre allemand après 1945, les hommes et les tendances*. In: Le Théâtre moderne depuis la deuxième guerre mondiale. Hrsg. von Jean Jaquot. Paris 1967.

Hans Mayer: *Ansichten*. Reinbek bei Hamburg 1962.

Henning Rischbieter: *Friedrichs Theater-Lexikon*. Velber bei Hannover 1969.

ROLF-PETER CARL

Dokumentarisches Theater

Zwei Ziele setzt sich der folgende Aufsatz: Er will einmal die grundsätzliche Problematik erörtern, in der sich das ›dokumentarische Theater‹ befindet, und er will eine Reihe von Stücken vorstellen und die Lösungsversuche betrachten, die darin unternommen werden, um die Ansprüche des Theaterstücks und die der Dokumentation zu vereinen. Ein Konsensus über die Theaterstücke, die unter diesem umstrittenen Sammelterminus begriffen werden, besteht nicht: Ich habe hier die Werke von Rolf Hochhuth, Peter Weiss und Heinar Kipphardt, dazu je ein Stück von Tankred Dorst und Hans Magnus Enzensberger herangezogen. Warum zwar Weiss' Schauspiel *Marat/Sade*, nicht aber Grass' *Die Plebejer proben den Aufstand* berücksichtigt wurde, läßt sich unter dem Gesichtspunkt des ›Dokumentarischen‹ kaum begründen, doch schien es mir notwendig, das Weiss-Stück im Blick auf die spätere Entwicklung des Autors mit in den Kreis der Betrachtung einzubeziehen. Grass' *Plebejer* ließen sich in diesem Zusammenhang sowohl in Gegenüberstellung zum *Marat/Sade* wie auch zu Dorsts *Toller* behandeln. Der Begriff des dokumentarischen Theaters erweist sich jedoch ohnehin als Vereinigung von so Disparatem, daß ein Streit um die Zuordnung des einen oder anderen Stückes fruchtlos bliebe.

Wesentliche Fragen der Dokumentarliteratur im allgemeinen können hier freilich nur am Rande berührt werden, sie erforderten eine Untersuchung größeren Umfangs. Immerhin seien einige vorweg umrissen. Bietet die dokumentarische Literatur eine wirkliche Alternative zur ›Fiktionsliteratur‹? Erlaubt der grundsätzliche Fiktionscharakter aller Literatur diesen Ausweg in den vermeintlich gesicherten Bereich des Faktisch-Authentischen?[1] Diese Frage ist selbst wieder mit der Problematik der Wiedergabe von Realität überhaupt verknüpft. Bedeutet nicht jede Oberflächenabschilderung und jede Beschränkung auf einen Teilausschnitt – und scheine er noch so durch- und überschaubar – eine unzulässige Verkürzung und Verfälschung des ›Wirklichen‹, das nicht einmal mehr total erlebbar, geschweige denn rekonstruierbar ist?

Weiter wäre dem Verhältnis von Dokumentarliteratur und Parabel intensiver nachzuspüren, die Frage nach dem ›erwarteten‹ Publikum und seiner Ansprechbarkeit wäre aufzuwerfen, mit der die andere zusammenhängt, ob und wie es zu verhindern sei, daß ein Literaturprodukt trotz entgegengesetzter Absicht in den ›kulinarischen‹ Konsumprozeß gerät, in dem der revolutionäre Aufruf kaum einen anderen Beifall erhält als das ›Volksstück‹.

Das dokumentarische Theater wurde von seinem schnellen und plötzlichen Wiederaufleben Anfang der sechziger Jahre an mit Skepsis betrachtet, und die unterschiedlichsten Prognosen über seine Möglichkeiten und Grenzen begleiten es bis in die jüngste Zeit. Ungeachtet dieser kontroversen Zukunftsperspektiven steigt die Flut der neuen Titel auf dem Sektor der Dokumentarliteratur – nennen sie sich nun »Protokolle«, »Reportagen«, »Dokumentation« oder »Bericht« – weiter kräftig

an. Mit schöner Regelmäßigkeit (und offenbar hohen Zuschauerfrequenzen) senden die Fernsehanstalten ihre »Dokumentarspiele«, unbelastet von der Problematik, die schon diese Bezeichnung aufwirft[2].
Auch auf dem engeren Gebiet des ›dokumentarischen Theaters‹ gaben 1970 bereits drei Neuerscheinungen und ihre Inszenierungen Anlaß zu heftiger Debatte: Peter Weiss' *Trotzki im Exil* (Uraufführung unter der Regie von Harry Buckwitz im Düsseldorfer Schauspielhaus am 20. Januar 1970), Rolf Hochhuths *Guerillas* (Urauff.: Württembergisches Staatstheater Stuttgart, 15. Mai 1970, Regie: Peter Palitzsch) und Hans Magnus Enzensbergers erstes Stück *Das Verhör von Habana* (Urauff.: Städtische Bühnen Essen, 8. Juni 1970, Regie: Hagen Mueller-Stahl). Keines der drei Stücke allerdings trägt das Etikett ›dokumentarisches Theater‹: Weiss' *Trotzki* ist als »Stück in 2 Akten« gekennzeichnet, Enzensberger verzichtet auf eine ausdrückliche Klassifizierung, während Hochhuth wie bei seinen früheren Dramen den Untertitel »Tragödie« wählt. Das gleiche war auch schon an den früheren Stükken zu beobachten, die gemeinhin zum dokumentarischen Theater gerechnet werden: keines wendet dieses Etikett auf sich selbst an. Unabhängig von der auffälligen Vermeidung dieses Begriffs in den Titeln der Stücke kann erst nach einer Sichtung des derzeitigen Anwendungsbereichs und nach der Analyse der programmatischen Bemerkungen der Autoren die Frage beantwortet werden, wieweit mit diesem Terminus überhaupt noch eine sinnvolle Charakterisierung erreicht werden kann.
Unter dem Firmenzeichen des ›Dokumentarischen‹ bieten sich inzwischen Publikationen ganz unterschiedlicher Anlage und Zielsetzung an: Romane mit mehr oder weniger großem Tatsachengehalt, historische Recherchen, wissenschaftliche Feldstudien und Enqueten, Nachschriften von Tonbandinterviews, Reportagen, Montagen von Nachrichten und Dokumenten, Bühnenrekonstruktionen von historischen Vorfällen, politische Revuen[3]. Selbst unter der einen Bezeichnung des (Fernseh-)»Dokumentarspiels« verbergen sich ›dokumentarische‹ Biographien historischer Persönlichkeiten ebenso wie Darstellungen vergangener Sensationsfälle oder Reportagen über Ereignisse der jüngsten Geschichte. Nahezu 80 von über 90 erfaßten Fernsehspielen dieses Genres geben eine Spielhandlung, bei der dokumentarisches Material verwendet wurde; nicht einmal die dargestellten Personen sind in jedem Fall authentisch. Dabei erscheinen Benennungen wie »Dokumentarspiel« (die bei weitem überwiegt), »Kriminalspiel«, »Fernsehfilm«, »Szenischer Bericht (Dokumentation)« als durchaus austauschbar; weder im Sujet noch in der Darbietung gibt es Spezifika, die eine definitorische Abgrenzung dieser Bezeichnungen erlaubten[4]. Der Begriff des ›Dokuments‹ wird auf diese Weise arg strapaziert; nicht um die Funktion des Dokuments als Baustein, als Beleg in einer wissenschaftlichen Untersuchung, geht es, vielmehr soll der Hinweis auf die benutzten Dokumente oft genug dem Produkt nur die nachträgliche Weihe des Authentischen verleihen – als ob damit der Beweis für Qualität oder ernsthaftes Bemühen zugleich erbracht wäre. Als konstitutives Merkmal einer eigenen literarischen Gattung – der ›Dokumentarliteratur‹ – ist das Faktum der Verwendung von Dokumenten untauglich, da dieser Terminus zuviel Heterogenes in sich begreift.
Es ist daher zu fragen, ob so etwas wie eine gemeinsame Intention erkennbar wird, die eine Zusammenfassung derart vielfältiger Erscheinungen rechtfertigt. Aus

welcher Perspektive kann ein Theaterstück dem ›dokumentarischen Theater‹ zugeordnet werden? Aufschlußreich sind die Vorschläge für einen neuen Sammelbegriff, die aus dem sich immer mehr verstärkenden Unbehagen gegenüber der alten Bezeichnung resultieren: Günther Rühle spricht 1967 – im Blick auf das gegenwärtige deutsche Zeitstück etwas unglücklich – von »Erinnerungsstücke[n] (die die Überdrüssigen schon ›Bewältigungsdramatik‹ nennen)«[5], als bloße »Erinnerungsstücke« bezeichnet sie auch Joachim Kaiser und gesteht ihnen wohl eine gewisse »mahnende Funktion« zu, nicht aber den Charakter von Schauspielen[6]. Treffender – zumindest für die jüngsten Stücke – ist das Etikett »politisches Bekenntnisdrama«[7]. Gemeinsam ist diesen Termini, daß sie sich auf die Intention des Autors konzentrieren, auf sein politisches Ziel. Dieses gemeinsame Ziel nämlich – mit unterschiedlich deutlichem Engagement für eine politische Seite – läßt eine vergleichende Betrachtung der Theaterstücke von Hochhuth, Kipphardt, Weiss, von Dorst, Enzensberger u. a. zu. Für sie alle stellt sich außerdem die Frage nach der jeweiligen ›Verarbeitung‹ des Faktenmaterials, die unten noch aufzuwerfen sein wird. Als Arbeitsterminus meint das dokumentarische Theater einen bloßen Sammelbegriff für verschiedene ›politische‹ Theaterstücke auf der Bühne der sechziger Jahre.

Unter dem Aspekt eines publizistisch-politischen Interesses wird auch der Traditionsstrang deutlich, der das dokumentarische Theater der sechziger Jahre bestimmt. Weder die Beschäftigung mit politischen Ereignissen der Gegenwart oder jüngsten Vergangenheit im Rahmen eines Bühnenstücks noch die Verwendung authentischen Materials sind ja neu. Wesentlich ist die Verbindung dieser beiden Momente mit einer entschiedenen politischen Haltung und Zielsetzung. Und diese Verbindung ist im politischen Theater der zwanziger Jahre – vor allem in den Inszenierungen der Piscator-Bühne – bereits voll ausgebildet. In seiner Kritik von Erwin Piscators *Räuber*-Inszenierung im Staatstheater Berlin (September 1926) schreibt Herbert Jhering: »Man hat hier im Grunde nicht die Inszenierung eines Klassikers, kein Regieproblem vor sich, sondern die Aufführung eines neuen Revolutionsschauspiels nach den ›Räubern‹, weil moderne Revolutionsstücke fehlen ... Sie weist nicht Wege der Schiller-Regie, sondern Wege einer möglichen Dramengattung: des dokumentarischen Zeitstücks. Sie ... zeigt ..., wie das politische Drama in einer Zeit aussehen müßte, die zur k ü n s t l e r i s c h e n Bewältigung gegenwärtig-politischer Ideen noch nicht die Distanz hat ...«[8].

Dieser ›revolutionären‹ Aufführung eines Klassikers waren andere Versuche Piscators vorausgegangen, seine Vorstellungen von einem »politischen Theater« zu entwickeln und zu konkretisieren. Es begann mit der Inszenierung von Alfons Paquets *Fahnen*, die Piscator als Gastregisseur an der Berliner Volksbühne im Frühjahr 1924 übernahm. Das Stück behandelt »den Fall einer Reihe von chicagoer Arbeiterführern im Jahre 1880, die das todeswürdige Verbrechen begangen hatten, die Arbeiterschaft zum Kampf um den Achtstundentag aufzurufen«[9]; und Piscator sah in dieser Aufführung eine reizvolle Aufgabe: »In ihr trafen zwei Begriffe aufeinander, Dokument und Kunst, die man bisher nicht nur nicht getrennt, sondern zugunsten der letzteren ineinander aufgelöst hatte. *Fahnen* versuchte die Synthese dieser beiden Begriffe«[10]. Durch die »Fortführung des Stückes über den Rahmen des nur Dramatischen hinaus« wurde unter seiner Regie »aus dem Schau-Spiel ... das Lehrstück«[11]. Die hier verwendeten technischen Hilfsmittel – Text- und Lichtbildprojek-

tionen – dienten der Kommentierung des Bühnengeschehens und verhinderten so die Illusion der Zuschauer, einem bloßen Bühnenereignis beizuwohnen[12]. Eine aktivierende Wirkung, ja die »Möglichkeit zu einer direkten Aktion im Theater«, versprach sich Piscator von seiner »politisch-proletarischen Revue«[13] (*Revue Roter Rummel*, 1924), einer szenischen Agitation, deren offene Form jederzeit die erforderliche Aktualisierung erlaubte.
Die Inszenierung von *Trotz alledem! Historische Revue aus den Jahren 1914–1919* (1925) bedeutete einen weiteren Schritt der Entwicklung: Piscator berichtet von der Arbeit an diesem Stück unter der Überschrift »Das dokumentarische Drama« und betont: »zum erstenmal (bildet) das politische Dokument textlich und szenisch die alleinige Grundlage«[14]. Die »wissenschaftliche Durchdringung des Stoffes« sollte den Beweis der Richtigkeit und Allgemeingültigkeit seiner (marxistischen) Weltanschauung führen. Das verlangte einmal die Überwindung des »privaten Szenenausschnitts«, des »Nur-Individuellen der Personen« und des »zufälligen Charakters des Schicksals« zugunsten der aufzudeckenden »Wechselwirkung zwischen den großen menschlich-übermenschlichen Faktoren und dem Individuum oder der Klasse«[15], zum andern die Beschränkung auf »dokumentarisches« Material: »Die ganze Aufführung war eine einzige Montage von authentischen Reden, Aufsätzen, Zeitungsausschnitten, Aufrufen, Flugblättern, Fotografien und Filmen des Krieges und der Revolution, von historischen Personen und Szenen«[16].
Das »dokumentarische« Drama war für Piscator ersichtlich eine von verschiedenen Erscheinungsformen des »politischen Theaters«, und er benutzte dieses Etikett ohne Bedenken, wenn der Stoff eines Stückes aus »authentischem« Material montiert war. Dabei galten ihm die oben genannten Mittel ohne Unterschied als authentisch; die Problematik dieser Authentizität, die Frage der Manipulation gerade mittels ›authentischen‹ Materials stellte er sich nicht, denn er wollte Propaganda für eine bestimmte Weltsicht und für die Veränderung der bestehenden Zustände betreiben. Als Theaterpraktiker war sich Piscator der Gefahr bewußt, daß die reine Faktenmontage ledern und trocken wirken könnte. Bei der Bearbeitung des Materials kam es ihm also darauf an, die Emotionen des Zuschauers anzusprechen, jedoch so, daß sie nicht auf ›private‹ Abwege ausweichen konnten. Als Gegengewicht gegen das »Emotionelle« (das er mit dem »Lyrischen« einfach gleichsetzt) sollte das »Dokumentarische« dienen, wobei auch die kalkulierte Gefühlswirkung ganz dem »Beweis unserer Weltanschauung« zu dienen hatte[17].
In drei entscheidenden Punkten ist eine Gemeinsamkeit zwischen dem dokumentarischen Theater der zwanziger und der sechziger Jahre zu erkennen: in der Wahl eines politisch brisanten Stoffes, in der Verwendung »dokumentarischen« Materials in dem von Piscator umschriebenen weitesten Sinn und in der Propaganda für die offen eingestandene politische Überzeugung. Es wird zu untersuchen sein, wo die Unterschiede liegen[18].
Eine solche Gegenüberstellung darf allerdings nicht übersehen, daß auch das dokumentarische Theater der sechziger Jahre in sich keineswegs gleichartig ist. Von den zehn Stücken deutscher Autoren, die über einen längeren Zeitraum die Diskussion im In- und Ausland beschäftigten, erlebten vier ihre Uraufführung in der ersten Phase 1963–65 (Hochhuths *Stellvertreter*, Kipphardts *Oppenheimer*, Weiss' *Marat/Sade* und *Die Ermittlung*), 1970 traten Weiss und Hochhuth mit neuen Stücken

(Trotzki im Exil, Guerillas), Enzensberger mit seinem ersten Bühnenwerk *(Das Verhör von Habana)* an die Öffentlichkeit, während es in den Jahren 1966–69 um das dokumentarische Theater verhältnismäßig still wurde. 1967 regte Hochhuth mit seinen *Soldaten* eine neue Grundsatzdebatte über die Möglichkeiten und Grenzen dieses Genres an, ein ähnliches Echo – wenn auch mit verlagertem Schwerpunkt – folgte dem *Viet Nam Diskurs* von Peter Weiss im Frühjahr 1968. Tankred Dorsts Szenenfolge *Toller* (November 1968), die – besonders in ihrer Fernsehfassung *Rotmord oder I was a German* (bearbeitet von Dorst, Peter Zadek und Hartmut Gehrke)[19] – in vielen Punkten eine direkte Anknüpfung an die Bestrebungen der Piscator-Bühne zu sein scheint, galt manchen bereits als Abgesang[20]. Die vorliegenden Stücke bieten jedenfalls eine ausreichende Materialbasis für einen Überblick, zumal bei zwei Autoren (Hochhuth, Weiss) inzwischen mehrere ›Bewährungsproben‹ vorliegen, die die Beurteilung eines Entwicklungsganges ermöglichen.

Die Problematik des ›dokumentarischen Theaters‹ ist mittlerweile vielfach erörtert worden, und die Autoren selbst waren an dieser Diskussion intensiv beteiligt. Keiner von ihnen stellt allerdings heute noch das benutzte Material derart unbefangen und unreflektiert in den Dienst der szenischen Agitation, wie dies bei den Inszenierungen der Piscator-Bühne zu beobachten war. In kommentierenden Vorworten oder Regiebemerkungen äußern sie sich über das Verhältnis von Kunstwerk und Dokument. Die schon von Piscator angestrebte »Synthese« zwischen beiden soll jetzt so aussehen, daß das Dokument in das Kunstwerk integriert wird, das fertige Produkt will jedenfalls als Kunstwerk verstanden werden. Am weitesten von Piscators illusionärer Hoffnung auf eine »direkte Aktion« im Theater hat sich wohl Peter Weiss entfernt, wenn er feststellt: »Das dokumentarische Theater ... kann sich nicht messen mit dem Wirklichkeitsgehalt einer authentischen politischen Manifestation ... Selbst wenn es versucht, sich von dem Rahmen zu befreien, der es als künstlerisches Medium festlegt, ... so wird es doch zu einem Kunstprodukt, und es muß zum Kunstprodukt werden, wenn es Berechtigung haben will. ... ein dokumentarisches Theater, das in erster Hand ein politisches Forum sein will und auf künstlerische Leistung verzichtet, stellt sich selbst in Frage. In einem solchen Fall wäre die praktische politische Handlung in der Außenwelt effektiver«[21].

Immerhin bleibt die Überzeugung, daß ein Bühnenstück a u c h ein politisches Forum sein kann, daß politische Wirkungen von ihm ausgehen können. Peter Handke dagegen, der praktisch eine Gegenposition zu den Autoren des Dokumentartheaters einnimmt, bestreitet diese Möglichkeiten entschieden: »... das Theater als Bedeutungsraum ist dermaßen bestimmt, daß alles, was außerhalb des Theaters Ernsthaftigkeit, Anliegen, Eindeutigkeit, Finalität ist, S p i e l wird – daß also Eindeutigkeit, Engagement etc. auf dem Theater eben durch den fatalen Spiel- und Bedeutungsraum rettungslos verspielt werden – wann wird man es endlich merken? ... Das Theater als gesellschaftliche Einrichtung scheint mir unbrauchbar für eine Änderung gesellschaftlicher Einrichtungen. Das Theater formalisiert jede Bewegung, jede Bedeutungslosigkeit, jedes Wort, jedes Schweigen: es taugt nichts zu Lösungsvorschlägen, höchstens für ein Spiel mit Widersprüchen«[22]. (Folglich zeigt Peter Handke – in seinem *Kaspar* (1968) – »nicht wie ES WIRKLICH IST oder WIRKLICH WAR mit Kaspar Hauser. Es [das Stück] zeigt, was MÖGLICH IST mit jemandem«[23].) Der Bereich des tatsächlich Geschehenen ist der Bühne verschlossen, auf ihr können

jedoch – in einem »theatralischen Vorgang« – bestimmte Prozesse und Mechanismen der Wirklichkeit transparent gemacht werden, die dann »draußen« wiedererkannt werden können: »Natur [ist] als Dramaturgie zu durchschauen, als Dramaturgie des herrschenden Systems, nicht nur im Theater, auch in der Außenwelt«[24].
Bei Hochhuth manifestiert sich die Bindung an den traditionellen Kunstcharakter des Theaters bereits in der Bezeichnung seiner Stücke als »Tragödien«[25]; im übrigen ist bei ihm eine bestimmte Tendenz erkennbar, die auf eine größere Freiheit des Arrangements abzielt. Das dokumentarische Material, dessen Anteil am Ganzen eher noch zunimmt, wird in zahllose Partikel aufgesplittert, eingesprengt in die immer mehr anschwellenden Regiebemerkungen und die Äußerungen der Figuren. Zugleich wird die Integration dieser Faktenpartikel in die Spielhandlung immer lockerer und geht teilweise ganz verloren. In den »Historischen Streiflichtern«, dem Anhang zu seinem *Stellvertreter,* hieß es noch: »... der Verfasser [hat] sich die freie Entfaltung der Phantasie nur so weit erlaubt ..., als es nötig war, um das vorliegende historische Rohmaterial überhaupt zu einem Bühnenstück gestalten zu können« (S. 229). Skepsis gegenüber dem »Dokumentierungs-Optimismus« der Historiker äußert Hochhuth in der Vorbemerkung zum 2. Akt seiner *Soldaten*; er betont, die Bühne könne »in ihrem eigenen Organismus nie mehr als nur bescheidene Transplantate« der Wirklichkeit »verarbeiten«: »Hier ist nicht Wissenschaft, hier ist Theater« (S. 94, 97). Und im Vorwort zu den *Guerillas* wendet er sich gegen die »neuerlichen Todesanzeigen« des politischen Dramas, das allerdings nicht länger »der Versuch, die Realität abzubilden und einzuholen«, sein könne (wenn es das überhaupt jemals gewesen sei): »Politisches Theater kann nicht die Aufgabe haben, die Wirklichkeit – die ja stets politisch ist – zu r e p r o d u z i e r e n, sondern hat ihr entgegenzutreten durch P r o j e k t i o n einer neuen. Und nur dort, wo es moralisch anstatt politisch agitiert, trifft es den Zuschauer und bewahrt es seinen eigenen Raum, der nicht jener des Wahlredners ist ...« (S. 19 f.). Damit ist zugleich dieses Stück selbst charakterisiert: Hochhuth verzichtet hier auf die Rekonstruktion eines vergangenen Geschehens und stellt eine vorweggenommene politische Utopie auf die Bühne, jedoch weiterhin – und verstärkt – mit dem Anspruch, dadurch eine Analyse gegenwärtiger Verhältnisse und Entwicklungstendenzen zu liefern.
Peter Weiss veröffentlichte seine Reflexionen über das Verhältnis von Faktenmaterial und künstlerischer Verarbeitung 1968 gesondert in Form von 14 Thesen (»Notizen zum dokumentarischen Theater«[26]), die das Beste darstellen, was von seiten der Autoren bisher zu diesem Thema geäußert wurde. Entscheidend ist für ihn der Prozeß der Umformung, die »künstlerische Leistung«: »Die Stärke des dokumentarischen Theaters liegt darin, daß es aus den Fragmenten der Wirklichkeit ein verwendbares Muster, ein Modell der aktuellen Vorgänge, zusammenzustellen vermag«[27]. Auf seine Überlegungen – gerade auch hinsichtlich der möglichen Modellfunktion des Dokumentarstücks – wird im Zusammenhang der Betrachtung seiner Stücke zurückzukommen sein.
Selbst ein Stück wie Kipphardts *In der Sache J. Robert Oppenheimer* (1964), das scheinbar nur eine geraffte Wiedergabe von Prozeßakten ist, kann nicht ohne diese Umsetzung auskommen; der Autor kennzeichnet sein Werk als »Theaterstück, keine Montage von dokumentarischem Material«[28]. Allein Enzensberger weist jeden künstlerischen Anspruch zurück: »*Das Verhör von Habana* ist weder ein Drehbuch

noch ein Theaterstück. Dennoch kann es auf der Bühne oder vor der Fernsehkamera dargestellt werden« (S. 54). Wieweit das eine bloße verbale Absicherung ist, ein Versuch, sich dagegen zu wehren, in einen Bereich des Ästhetisch-Unverbindlichen abgeschoben zu werden, muß sich zeigen; für die Diskussion des Verhältnisses von Kunstwerk und Dokument und die sich daraus ergebenden Fragen nimmt jedoch auch Enzensbergers Stück keine Sonderstellung ein. Grundsätzlich gilt, daß die Verbindung beider Bereiche nicht ohne Rückwirkung auf die Möglichkeiten jedes einzelnen bleibt. Die Integration von Teilen des Dokumentenmaterials in ein literarisches (und damit immer auch fiktives) Werk bedeutet in jedem Fall einen Eingriff in den Aussagegehalt dieses Materials[29], unabhängig davon, ob es sich um ein ›Faktenkonzentrat‹ handelt wie in den Fällen der szenisch arrangierten Prozeßakten *(Oppenheimer, Die Ermittlung, Das Verhör von Habana)*, um historisch-biographische Stücke *(Toller, Trotzki im Exil)*, Chroniken *(Gesang vom Lusitanischen Popanz, Viet Nam Diskurs)* oder Schauspiele mit freier Benutzung dokumentarischer Quellen (Weiss' *Marat/Sade* und die Hochhuth-Dramen). Bereits die Auswahl, die Kürzung oder Konzentration, beeinträchtigt den Dokumentationswert der Fakten in bestimmter Weise. Der »Illusion der Authentizität«[30] erliegen denn auch stärker die Zuschauer und Leser, denen außer dem Bühnenwerk nicht selten noch ein dokumentarischer Anhang oder doch wenigstens ein Verzeichnis der herangezogenen Literatur geboten wird, ohne daß sie überschauen können, unter welchen Kriterien der Wust des Materials eingegrenzt worden ist; die Autoren selbst (und ein Teil der Kritiker) sind sich über den fragwürdigen Wert solcher Beweise und über die Möglichkeit (oder Chance) manipulativer Steuerung im klaren. Tankred Dorst lehnt die Bezeichnung »Dokumentarstück« deshalb ab – wegen des damit verbundenen, aber unerfüllbaren Anspruchs. In einem Antwortbrief an Rosa Leviné, die Bedenken gegenüber der Darstellung ihres Mannes in *Toller* bzw. *Rotmord* geltend gemacht hatte, schreibt er: »*Toller*, um es noch einmal zu sagen, ist kein Dokumentarstück, ist also auch nicht an den Dokumenten, die es bestätigen oder widerlegen könnten, zu messen. Wahr im dokumentarischen Sinn wären ja ohnehin nur Dokumente selbst. Ein Theaterstück, das vorgibt, dokumentarisch zu sein, baut seine Wahrheit auf dem Schwindel auf, daß Theaterszenen etwas anderes sein könnten als arrangierte Fiktionen«[31].

Die Faszination durch die gedruckten Belege reicht aber immerhin so weit, daß mancher Autor die ›Wahrheit‹ und ›Objektivität‹ seiner Darstellung mit dem Hinweis darauf beteuert. Kipphardts »Nachbemerkung« zum *Oppenheimer* (»Es ist die Absicht des Verfassers, ein abgekürztes Bild des Verfahrens zu liefern, das szenisch darstellbar ist und das die Wahrheit nicht beschädigt« [S. 127]) steht Weiss' klares Bekenntnis gegenüber: »Das dokumentarische Theater ist parteilich ... Für ein solches Theater ist Objektivität unter Umständen ein Begriff, der einer Machtgruppe zur Entschuldigung ihrer Taten dient«[32]. ›Objektivität‹ ist hier – zugunsten der ›richtigen‹ Perspektive – als leitender Gesichtspunkt aufgegeben, e r r e i c h b a r ist sie ohnehin nicht. Selbst die Gesamtheit des Materials bedarf noch der Erläuterung und Kommentierung, bevor daraus abzulesen sein kann, »wie es wirklich gewesen ist«. Nicht allein der Umstand der Auswahl jedoch schränkt Objektivität und Authentizität der Aussage ein, schwerwiegender ist der Einwand, daß das Theater überhaupt nicht der geeignete Raum ist für derartige Ambitionen. Max Frisch distanzierte sich schon 1966 von dieser Richtung des modernen Theaters: »Auch der Versuch, die theatralische Vision zu ersetzen durch Dokumente, die eben dadurch, daß sie von einem Darsteller gespielt werden, ihre Authentizität und damit ihren einzigen Wert verspielen, ... kann eine Wohltat sein: er wird uns zeigen, was das Theater nicht vermag«[33].

Es ist zwar ebenso fraglich, ob man mittels ausgebreiteter Faktensammlungen in anderer Form – also nicht von der Bühne herab – dem anvisierten Ziel der Wirklichkeitsbewältigung näherrückt, im Blick auf das Theater kommt aber noch das Bedenken hinzu – das gilt vor allem für die Hochhuthschen Versuche einer individuell-dramatischen Handlung –, daß die komplizierten Zusammenhänge unserer heutigen Welt die Komprimierung und Simplifizierung in eine Bühnenhandlung nicht vertragen. In einem *Offenen Brief an Rolf Hochhuth* (1967) gibt Theodor W. Adorno dem Ausdruck: »Überall wird personalisiert, um anonyme Zusammenhänge, die dem theoretisch nicht Gewitzigten nicht länger durchschaubar sind und deren Höllenkälte das verängstigte Bewußtsein nicht mehr ertragen kann, lebendigen Menschen zuzurechnen und dadurch etwas von spontaner Erfahrung zu erretten; auch Sie sind nicht anders verfahren ... Das von Ihnen geforderte realistische Theater und die Absurdität mögen tatsächlich, wie es bei Ihnen durchscheint, konvergieren. Daß das allerdings gelinge, dazu bedarf es wirklich schon des *Guernica*bildes oder des Schönbergschen *Überlebenden von Warschau.* Keine traditionelle Dramaturgie von Hauptakteuren leistet es mehr. Die Absurdität des Realen drängt auf eine Form, welche die realistische Fassade zerschlägt«[34]. Gerade mit den Mitteln der traditionellen Dramaturgie aber sucht Hochhuth sich der Wirklichkeit zu bemächtigen. Schon vor über 30 Jahren hatte Brecht vor diesem von vornherein vergeblichen Versuch gewarnt und zugleich den anderen Ansatz – die wochenschauartige Reportage – als Irrweg erkannt: »Die Lage wird dadurch so kompliziert, daß weniger denn je eine einfache ›Wiedergabe der Realität‹ etwas über die Realität aussagt. Eine Photographie der Kruppwerke oder der AEG ergibt beinahe nichts über diese Institute. Die eigentliche Realität ist in die Funktionale gerutscht. Die Verdinglichung der menschlichen Beziehungen, also etwa die Fabrik, gibt die letzteren nicht mehr heraus. Es ist also tatsächlich ›etwas aufzubauen‹, etwas ›Künstliches‹, ›Gestelltes‹. Es ist also ebenso tatsächlich Kunst nötig. Aber der alte Begriff der Kunst, vom Erlebnis her, fällt eben aus. Denn auch wer von der Realität nur das von ihr Erlebbare gibt, gibt sie selbst nicht wieder. Sie ist längst nicht mehr im Totalen erlebbar«[35]. Durch die vermeintlich objektive – photographische – Wiedergabe ist die »eigentliche Realität« nicht erfaßbar, die Umsetzung verwickelter ökonomischer und sozialer Zusammenhänge in scheinindividuelle Eigenschaften und Konflikte aber tut der Wirklichkeit Gewalt an, ohne daß der auf Aufklärung und Veränderung gerichtete Impuls dadurch ernstlich gefördert würde[36].

Die Diskussion um die Dokumentarliteratur ist in manchen Punkten eine Neuauflage der in den dreißiger Jahren geführten Realismus-Debatte innerhalb der literarischen Linken[37]. Im »Bund Proletarisch-Revolutionärer Schriftsteller« (BPRS) vertrat Lukács mit seiner Forderung nach »typischer« Gestaltung (»In der Gestaltung muß das Individuum, das individuelle Schicksal als solches typisch erscheinen, d. h. die klassenmäßigen Züge als individuelle enthalten«[38]) bei voller Aufrechterhaltung des Illusionscharakters von Literatur die schroffe Gegenposition zu Brecht

(dessen Beiträge zu dieser Debatte größtenteils allerdings erst viel später veröffentlicht wurden[39]). Lukács lehnte die Reportage »als schöpferische Methode der Literatur« ab, er sah in ihr eine heillose Verbindung künstlerischer und wissenschaftlicher Ambitionen, die zwangsläufig beide verletzen müsse[40]. Der von ihm gewiesene Weg jedoch – vor allem durch die immer wieder genannten literarischen Vorbilder aus dem 19. Jahrhundert – erwies sich als Weg zurück.
Eine andere Lösung versuchten Brecht (und in seiner Nachfolge Frisch und andere): Die Parabel verzichtet auf den Anspruch der beglaubigten Faktizität, ohne das aufklärerisch-anklägerische Ziel deshalb aufzugeben. Das dokumentarische Theater ist jedoch nur scheinbar eine Alternative zur Parabel. Zwar hoffen seine Autoren eben durch die Betonung der nachprüfbaren Authentizität des Dargestellten der vermeintlichen Unverbindlichkeit der Parabel zu entgehen, die mit ihrer größeren Allgemeinverbindlichkeit zwangsläufig gegeben sei[41], doch sind hier grundsätzliche Bedenken anzumelden: Bedeutet denn die fiktive Situation der Parabel (die immerhin vom Zuschauer/Leser die geistige Arbeit der Übersetzung, des Vergleichs, fordert) wirklich ein geringeres Engagement des Autors? Und andererseits: Garantiert das angeblich nicht-fiktive Tatsachenkonglomerat (das diese Leistung nicht fordert, vielleicht sogar eher verhindert) tatsächlich die stärkere Wirkung? Ist nicht der Oppenheimer-Konflikt in gleicher Weise modellhaft gemeint wie der des Galilei, des Physikers Möbius, des »Chefs« in Grass' *Plebejern* oder Tollers? Will sich das politische Theater nicht von vornherein auf die reine Agitationsfunktion beschränken, so soll der dargestellte Fall ja gerade nicht in seiner historisch-konkreten Einmaligkeit vorgeführt werden, sondern in seiner ›Bedeutung‹ Typisches, Modellhaftes, herausstellen. Der Beweis steht bisher aus, daß dieser Absicht mit der als wissenschaftlich-exakt ausgegebenen Absicherung durch Fakten besser gedient ist als mit der parabolischen Situation. Damit ist aber auch eine grundlegende Verschiedenheit der dokumentarischen von aller Fiktionsliteratur nicht länger aufrechtzuerhalten. Und dazu kommt ein weiteres: eine Dokumentarliteratur, die sich weitgehend als Bestandsaufnahme und Rekonstruktion verstünde (oder die so aufgenommen würde), wäre in der Gefahr, um jeden zukunftsweisenden Zug verkürzt und damit der ›utopischen Dimension‹ beraubt zu werden, auf die es einer auf Veränderung abzielenden Literatur vordringlich ankommen müßte. Was dem Zuschauer/Leser den notwendigen »›utopischen‹ Spielraum der Realisation« beläßt oder eröffnet[42], ist in den Stükken des dokumentarischen Theaters gerade das über die reproduzierte Faktizität Hinausweisende, eben das Modellhafte. Auch in diesem Konflikt der Ansprüche scheint keine Lösung möglich, und in der Tat lassen sich in fast allen Stücken Kompromisse, Zugeständnisse an die eine oder andere Forderung, feststellen. (Wie groß die Affinität der Dokumentarstücke zur Form der Parabel ist, zeigte neuerlich wieder die Inszenierung von Enzensbergers *Verhör* durch Manfred Wekwerth am Deutschen Theater [Ost-]Berlin.[43])

Angesichts der Stücke von Hochhuth ist auch die Frage nach der unterschiedlichen Wirkung des Lese- und Bühnendramas wieder aufzuwerfen. Die immer weniger überschaubare Fülle ganz heterogener ›Fakten‹ – statistische Zahlen, Zitate aus Reden und Zeitungsartikeln, abwegige historische Analogien –, die Hochhuth vor allem in seinen Vorbemerkungen und Regieanweisungen unterbringt, ist in einer

Bühnenaufführung überhaupt nicht wiederzugeben. Sie wirkt aber auch im (Lese-) Stück äußerlich aufgesetzt. Daß die von Hochhuth mit großer Akribie gesammelten Fakten durchaus ihren Informationswert besitzen, zeigt die leidenschaftliche Diskussion, die sich vor allem an seinen beiden ersten Stücken entzündete – die Freigabe und Veröffentlichung von Archivakten war die erfreuliche Folge. Doch wird dieser Informationswert eingeschränkt durch die sprunghaft-willkürliche Art, in der die Fakten aneinandergereiht werden, ein Prozeß, der sich bis zu dem bisher jüngsten Hochhuth-Stück fortgesetzt und verstärkt hat. Soweit sie mit der Hauptthese der Stücke nicht im Zusammenhang stehen – und das gilt für einen erheblichen Teil von ihnen –, regen sie nicht zu geistiger Bewältigung an, sie gehen unter oder sind zumindest nicht geeignet, die Bereitschaft zum Eingreifen und Ändern tatsächlich auszulösen, um die es dem Autor ja erkennbar zu tun ist. Gerade sein letztes Stück, dem er eine der Konzentration proportionale Wirkung prophezeit und das sich – wie Hochhuth nicht ohne Koketterie anmerkt – »die Aufgabe stellt, durch Szenen anzuregen, die das Delikt der Aufruhrhetze erfüllen, das seit 1968 in den USA mit Zuchthaus bestraft wird« (S. 14), wird aller Voraussicht nach dieser Intention noch weniger genügen können als seine beiden Vorgänger.

Die Abwendung von der historischen ›Rekonstruktion‹ in weitgehend fiktiver Bühnenhandlung *(Stellvertreter, Soldaten)* zum dargestellten Entwurf einer denkbaren Entwicklung in den *Guerillas* hatte auch zur Folge, daß sich die Kritik stärker auf ästhetische und dramaturgische Fragen konzentrierte, während die heftige Diskussion der politischen These bei den beiden früheren Stücken eine ästhetische Kritik nur spät und am Rande hatte aufkommen lassen. Politische ›Ehrenrettungen‹, Widerlegung einzelner dokumentarischer Fakten oder gar emotionale Entrüstung über die bloße These liegen aber auf einem ganz anderen Gebiet als die Frage, ob der Hochhuthsche Ansatz zur Vermittlung von Kunstwerk und Dokument in der Lage sein kann, aus dem Dilemma der dokumentarischen Literatur hinauszuführen. Mir scheint schon der *Stellvertreter* den Beweis dafür zu liefern, daß dieser Weg – Sammlung von Material, Aufstellen einer politisch-historischen These, (teilweise) ›Übersetzung‹ dieser These in ein zwischenmenschliches Geschehen traditioneller Art und wahlloses Verteilen der Tatsachenpartikel auf Vor-, Zwischen- oder Nachbemerkungen und gesprochene Äußerungen der Figuren – nicht zu einer befriedigenden Lösung führen kann. Die Ästhetisierung und Theatralisierung der Information, die der Autor vermitteln will, schränkt diese sowohl in ihrem Geltungsbereich wie in ihrer möglichen Wirkung ein. Die ›theatralische‹ Absicht des Autors, nämlich ein Bühnenstück zu schreiben und zu diesem Zweck durch die Handlung eine Fiktionswelt aufzubauen, und die informatorische Absicht stehen sich gegenseitig im Wege: Hochhuth ist zu sehr Historiker, als daß er die Ergebnisse seiner Recherchen nicht ausbreiten möchte, andererseits aber versteht er sich als Dramatiker, der diese Information in ästhetisierter Form vorbringen will – dem einen so wenig wie dem andern Bemühen mag er den Vorrang geben. Auf die Frage nach der Möglichkeit einer Ästhetizität der Information als solcher, einer nicht durch überholte Mittel ästhetisierten Information also, ist hier keine Antwort zu bekommen.

Hochhuths Schwächen, vor allem seine Unfähigkeit zur Selbstkontrolle, haben sich seitdem eher noch verstärkt: es gelingt ihm weder die Konzentration auf e i n e Handlung noch die Beschränkung auf e i n Angriffsziel, ohne daß man den Eindruck gewinnen könnte, dieser Verzicht sei ästhetisches Programm. Bedenkenlos legt er zum dritten Mal ein Werk vor, das so – abgesehen von seinen großenteils unspielbaren Kommentaren – eine Aufführungszeit von fünf bis sechs Stunden erforderte. Offenbar fallen ihm während der Niederschrift seiner Stücke zahllose Themen für weitere, eigene Stücke ein, und er erspart dem Leser nicht eine Glosse, nicht einen Seitenhieb: bei der Einführung einer Nebenfigur – eines Catchers – in den *Guerillas* reagiert Hochhuth seinen Unmut einer bestimmten Richtung der bildenden Kunst gegenüber ab (»Der Mann hat die geistige Ausdruckskraft der tonnenschweren Statuen des Henry Moore, die man in den sechziger Jahren des 20. Jahrhunderts, ohne Instinkt dafür, wie sehr das ihre Epoche denunzierte, zu den höchstbezahlten des Säkulums emporfeuilletonisiert hat« – S. 32 f.), bei einer ähnlichen Gelegenheit kann er sich den Kommentar zu einem politischen Ereignis der jüngsten Vergangenheit nicht versagen (»Die zwei erinnern ebenso an U Thant ..., der den Geist seiner Weltfriedensorganisation enthüllte, als er anläßlich der russischen Okkupation Prags – statt sofort an den Tatort zu eilen – einen für die Tage der Besetzung zugesagten Staatsbesuch in der CSSR absagte« – S. 48). Nicht die Ehrlichkeit seines moralischen Engagements soll hier angezweifelt werden, sondern die Funktion all dieser Ausfälle, moralischen Kommentare, Lesefrüchte. Mindestens zwei Haupthandlungen laufen in den beiden ersten Stücken nebeneinanderher, ohne daß sich der Autor für eine entscheiden könnte: im *Stellvertreter* die persönliche Tragödie des fiktiven ›Helden‹ Riccardo (und seines authentischen Doubles Gerstein) und die ›Staatsaktion‹ des ausbleibenden päpstlichen Protests gegen die Judenvernichtung[44], in den *Soldaten* die Sikorski-Affäre und der Beschluß über die Ausweitung des Bombenkriegs, am Rande spielt jeweils noch eine Liebesbeziehung mit hinein. Das Stereotyp des ›reinen Helden‹ (Riccardo/Gerstein, Hauptmann Kocjan, Senator Nicolson) ist für Hochhuth anscheinend unverzichtbar, andererseits stellt er ihm aber – gewollt oder ungewollt – nicht den dramaturgisch oder moralisch adäquaten Gegenspieler an die Seite, den dieses Modell klassischer Dramaturgie erforderte. Zudem hat dieser Held – in zuweilen aufdringlicher Form – die Aufgabe, Hochhuths Kommentare und Maximen zu verkünden, was seine Sonderstellung noch unterstreicht. Schillersche Dramaturgie mit ihrem Postulat der Handlungsfreiheit und Entscheidungsmöglichkeit des Individuums – und damit auch seiner Verantwortlichkeit – und der Anspruch auf ›objektive‹ Rekonstruktion von Entscheidungsprozessen des 20. Jahrhunderts sind nicht miteinander vereinbar. Rücksicht auf das faktisch Geschehene und Theaternotwendigkeit dürfen jedoch nicht die Entschuldigungsgründe füreinander bilden, wenn beide Ansprüche nicht erfüllt werden konnten[45].

Mit den *Guerillas* löst Hochhuth sich verbal vom dokumentarischen Theater, praktisch hat sich hinsichtlich der Intention und der Dramaturgie aber nichts geändert. Es ist erstaunlich, daß ausgerechnet Piscator, der mit seinem politischen Theater in der Weimarer Zeit gerade nach neuen Wegen der Darbietung und der Vermittlung von Kunst und Dokument gesucht hatte, die Buchausgabe des *Stellvertreters* – dieses formal ausgesprochen rückschrittlichen Stückes – mit einem so euphorischen Vorwort begleitet (S. 7–10). Die Unbefangenheit, mit der Hochhuth gegen ein politisches Tabu angeht, mag ihm imponiert haben, aber die von ihm angestrebte »Synthese« von Kunst und Dokument war auf dem Weg über die *Revue Roter Rummel* wohl noch eher erreichbar als mit einem »Geschichts-Drama im Schillerschen Sinne« – aus dem 20. Jahrhundert (S. 7).

Der produktivste der hier berücksichtigten Autoren ist Peter Weiss, dessen *Marat/Sade* – 1964 uraufgeführt – in ganz anderer Form die Verbindung von historischer Einkleidung, politischer Tendenz und authentischem Material zu erreichen sucht. Nach Weiss' eigener – sehr viel späterer – Definition ist *Marat/Sade* nur sehr bedingt dem dokumentarischen Theater zuzurechnen. Das Stück »enthält sich« keineswegs »jeder Erfindung« und übernimmt auch nicht nur »authentisches Material«, es stellt allerdings – wie später der *Gesang vom Lusitanischen Popanz* (1966) und der *Viet Nam Diskurs* – »eine Reaktion dar auf gegenwärtige Zustände, mit der Forderung, diese zu klären«[46]. Es ging dem Autor auch bei diesem Stoff darum, »ihn zu aktualisieren, in meine Gegenwart zu versetzen und vielleicht auch zu revidieren«[47]. In der ausgesprochenen Absicht, »die Gesellschaft zu beeinflussen oder zu ändern«[48], ist Weiss mit den Verfassern des *Stellvertreters* und des *Oppenheimer* durchaus verwandt. Die Handlung seines Stückes ist jedoch rein fiktiv, wenn auch die entscheidenden Einfälle zur Form aus dem Quellenstudium stammen: Der Gedanke, Marat und de Sade in ihren Ansichten über die Revolution zu konfrontieren, kam Weiss, als er auf die Gedenkrede des Marquis zum Tode Marats (1793) stieß. Die Einkleidung in eine »Spiel im Spiel-Handlung« leitete Weiss daraus ab, daß de Sade in den letzten Jahren seines Lebens in der Heilanstalt Charenton gelebt und dort zuweilen mit den Patienten Stücke eingeübt hatte[49]. Zwar hat es »in Wirklichkeit« keine Auseinandersetzung zwischen Marat und de Sade gegeben, so daß die Darstellung insoweit in der Tat »völlig imaginär« ist[50], Weiss hat die Standpunkte beider Kontrahenten jedoch sinngemäß ihren Schriften entnommen. Gleichwohl ist das Stück keine Montage, kein Arrangement vorgefundenen Materials, und will nicht so verstanden werden. Man könnte es eher als Diskussionstheater bezeichnen, in dem sich die Vertreter von These und Antithese – der Revolutionär und der extreme Individualist – dramaturgisch und im Gewicht ihrer Argumentation in etwa gleichwertig gegenüberstehen[51]. Der Rahmen läßt das ganze Stück – also auch b e i d e gegensätzlichen Standpunkte – als Werk de Sades erscheinen, der damit beide Positionen unversöhnt in sich selbst trägt – eine genaue Spiegelung der Situation des Autors Weiss, der diese Parallele zunächst auch zugibt[52]. Diese innere Auseinandersetzung ist objektiviert in zwei getrennten Thesenträgern. Zu Schwierigkeiten mußte diese Konstellation in dem Moment führen, da eine Position als die eindeutig überlegene herausgestellt werden sollte, zumal wenn es die – der Einkleidung entsprechend doppelt ›abgeleitete‹ – Haltung Marats war. Nach der Rostocker Inszenierung des *Marat/Sade* durch Hanns Anselm Perten (26. März 1965) war dieser Zeitpunkt für Weiss gekommen: Er hielt zwar weiter an der intendierten Gegensätzlichkeit beider Standpunkte fest, sah aber nun »das Prinzip Marats als das richtige und überlegene an«: »Eine Inszenierung meines Stückes, in der am Ende nicht Marat als der moralische Sieger erscheint, wäre verfehlt«[53]. Diese nachträgliche Festlegung des Akzents beeinträchtigt jedoch nicht die gelungene Form, in der Weiss hier Bühnenstück und politische Aussage, Erinnerung und Aufruf verbindet.

Daß das Stück einen Wendepunkt in der persönlichen Entwicklung seines Verfassers markiert, bezeugt auch die mehrfache Umarbeitung (besonders des Schlusses), die

jeweils mit einer schärferen Akzentuierung einhergeht. Es liegen inzwischen fünf Textfassungen vor, davon drei im Druck der edition suhrkamp[54]. Die dritte und fünfte Fassung (1.–32. Tsd., 1964, bzw. ab 53. Tsd., 1965) lassen deutlich den Einfluß der jeweils vorangegangenen Inszenierung erkennen (Urauff. durch Konrad Swinarski am Schiller-Theater Berlin, 29. April 1964, bzw. Rostocker Inszenierung) und unterscheiden sich merklich im Epilog: die letzte Fassung gibt am Ende noch einmal Jacques Roux – dem »alter ego« Marats[55] – das Wort zu seiner beschwörenden Mahnung »Wann werdet ihr sehen lernen / Wann werdet ihr endlich verstehen« (S. 136), so daß der Appell zur Weiterführung der Revolution (letzte Äußerung Marats – S. 131 f.) und nicht das rhythmisch-verwirrte Geheul der Patienten von Charenton den Schlußakzent setzt.
Die folgenden Stücke von Weiss – *Die Ermittlung* (1965), *Gesang vom Lusitanischen Popanz* (1966) und *Viet Nam Diskurs* (1968) – sind bei aller Verschiedenheit in Stoffwahl und Gestaltung doch insofern verwandt, als sie zeigen, daß Weiss die ›Mitte‹, den ›dritten Standpunkt‹, verlassen und sich für eine Seite entschieden hat. Vorausgegangen ist die Einsicht, »daß alles, was ich schreibe, in diesem Konflikt [= dem politisch-weltanschaulichen Ost-West-Konflikt] eine Stellung ergreift«[56], und das Bekenntnis zur Parteilichkeit des dokumentarischen Theaters: »Viele seiner Themen können zu nichts anderem als zu einer Verurteilung geführt werden«[57]. Dagegen scheint sich mit dem *Trotzki* ein neues Bemühen um Differenzierung anzukündigen, das auf die Erkenntnis zurückzuführen sein könnte, daß zumindest innerhalb jeder der beiden Positionen noch Möglichkeiten zu undogmatischen Entscheidungen bestehen, und das wohl auch im Zusammenhang mit den politischen Ereignissen seit dem Frühjahr 1968 zu sehen ist[58]. Weiss hat über diesen seinen ›dritten Standpunkt‹ und seine allmähliche Lösung von der ›mittleren Position‹ vor sich und vor anderen immer wieder Rechenschaft abzulegen gesucht, und doch ist zu fragen, ob sich nicht hinter beiden – unstreitig sehr ernstgenommenen – Gewissensentscheidungen die allenfalls modifizierte, aber nicht grundsätzlich geänderte (und wohl auch nicht veränderbare) Position des Intellektuellen verbirgt, der bei allem politisch-eindeutigen Engagement sich doch der Begrenztheit seiner objektiven und subjektiven Möglichkeiten bewußt bleibt. (Die Auseinandersetzung zwischen Enzensberger und Weiss relativiert sich vor diesem Hintergrund weitgehend zu einem ›akademischen‹ Disput über das Selbstverständnis dieser ›dritten Position‹, aus der beide nicht ausbrechen können[59].)

Formal bezeichnet *Die Ermittlung* einen Gegenpol zum *Marat/Sade*: der virtuosen Nutzung aller technischen Mittel der Bühne und der gesamten Ausdrucksbreite der Akteure dort steht hier die strenge Reduzierung aller Darstellungsmittel gegenüber. Weiss selbst betont den »statischen« Charakter und erläutert: »Dieses Stück baut nur auf der Dimension der Sprache auf, mit ganz geringen Bewegungen ...«[60]. Damit steht es zugleich in krasser Opposition zu Hochhuths Versuch, das Auschwitz-Thema im 5. Akt des *Stellvertreters* in Form (melo-)dramatischer Aktion auf die Bühne zu bringen. Auch Hochhuth hat sich Gedanken gemacht, wie ein die menschliche Vorstellungskraft überforderndes Geschehen wie das in den Vernichtungslagern sichtbar gemacht werden könnte. Vor der – selbstgestellten – Alternative eines »dokumentarischen Naturalismus« oder einer »Übersetzung« in reine Metaphorik (wie in Paul Celans Gedicht *Todesfuge*), von der er den Effekt einer Verdrängung der gewesenen Realität befürchtet, entscheidet sich Hochhuth für eine (durch Monologe und versifizierte Sprache) nur wenig verfremdende Darstellung – in der Hoffnung, daß »Sprache, Bild und Geschehen auf der Bühne schon durchaus surrealistisch« seien, so daß der Eindruck einer nachgeahmten Wirklichkeit gar nicht erst entstehen könne (vgl. Vorbemerkung zum 5. Akt). Hochhuth bleibt damit jedoch in einer mißlichen Mittellage zwischen unmittelbarer Benennung und Verfremdung, zwischen realistischer Darstellung und stilisierender Überhöhung stecken. Weiss dagegen sieht sich dieser Alternative gar nicht ausgesetzt: für eine Darstellung »mit traditionellen Mitteln«, ja für eine »authentische« Darstellung des Lagers überhaupt (vgl. die »Anmerkung« vor Beginn des Stückes), sei ihm »keine Lösung ... eingefallen«[60]. Die Konsequenz war: Verzicht auf Vorführung, Beschränkung auf den reinen Bericht mit sparsamster Gestik und Mimik. In einem Interview vom August 1965 weist der Fragende (Ernst Schumacher) zu Recht darauf hin, daß sich »gerade im Dokumentarischen ... ganz neue Möglichkeiten des Emotionalen, des Berührtseins dessen, der unten sitzt«, offenbaren[61]. Durch die Überführung der Prozeßsituation von Frankfurt – ohne die Übernahme aller unerfreulichen Begleiterscheinungen – auf die Bühne, durch die Verdichtung der Gerichtsakten in eine lakonisch-monotone, leise rhythmisierte Sprache ist eine Distanz entstanden, die eine ungleich stärkere Wirkung auf den Zuhörer ausüben dürfte als auf den Prozeßbeobachter selbst. Sein Prinzip der Auswahl und Anordnung ermöglicht es Weiss sogar, eine gewisse Individualisierung (und damit Repräsentanz) zu schaffen, ohne zu den Mitteln der traditionellen Dramaturgie – dem Helden in individueller Konfliktsituation – zu greifen und ohne in den Fehler der Simplifizierung zu verfallen; es gelingt hier eine Typisierung ohne Zwang und Schablone (»Gesang vom Ende der Lili Tofler«).

Einen stärker aktuell-politischen Akzent erhält Weiss' kompromißloses Modell der zwei Lager – Unterdrücker und Unterdrückte – in seinem nächsten Stück, dem *Gesang vom Lusitanischen Popanz*. »Parteilichkeit« in der Darstellung der portugiesischen Kolonialpolitik in Angola und Mozambique scheint ihm unbedingt notwendig: »Bei der Schilderung von Raubzug und Völkermord ist die Technik der Schwarz/Weiß-Zeichnung berechtigt, ohne jegliche versöhnliche Züge auf seiten der Gewalttäter, mit jeder nur möglichen Solidarität für die Seite der Ausgeplünderten«[62]. Der *Popanz* ist ein Agitprop-Stück im Stil der politischen Revue; wieder werden die verschiedenen Spielmöglichkeiten des Theaters voll ausgenutzt: Musik, Chöre, Pantomime, Schattenspiel, Masken. Gleichzeitig gibt es aber auch Ansätze zu strenger Choreographie mit sparsamen, genau bemessenen Bewegungen. Den ›dokumentarischen Kern‹ bilden hier statistisches Material sowie Bruchstücke aus tatsächlichen Reden Salazars, die in den Äußerungen des Popanz neu montiert sind und – in ihrem Wechsel von der Verkündung hohler Phrasen (die von stereotypem »Gähnen« begleitet werden) und haßerfüllten Ausbrüchen – ganz im Dienst der agitatorischen Intention stehen. Der Kommentar zum Geschehen und damit die Aufforderung, die entsprechenden Konsequenzen zu ziehen, werden im Stück selbst mitgeliefert, zum Teil in der Form chorischer Befragungen, die an einem Punkt abbrechen, der nur noch eine Folgerung verlangt und erlaubt. Der moralisch-politische Wertakzent ist eindeutig, es gibt keine ›mittlere‹ Position mehr und keine Möglichkeit der Distanzierung von der einen Seite, ohne damit gleichzeitig zur anderen überzutreten. Der Assimilado gehört auf Grund eigener Entscheidung (wenn auch kaum aus eigener Schuld) ins Lager der Kolonialherren (Popanz, General, Priester, Vertreter internationaler Banken, Wirtschafts- und Rüstungsbetriebe), die weißen Arbeiter bilden objektiv – auch wenn sie selbst es noch nicht erkannt haben – zusammen mit den einheimischen den »gemeinsamen Stand« der Ausgebeuteten. Die Tendenz des Stückes zielt darauf ab, durch das Bewußtmachen der moralischen und zahlenmäßigen Überlegenheit der eigenen Partei die Macht der gegnerischen zu verharmlosen und als überlebt erscheinen zu lassen. Nicht zufällig wird der Sturz des Popanz am Schluß dargestellt wie ein Kinderspiel. Dieser Szene folgt noch eine Art Epilog, der den Aufruf zur Solidarität mit der Verkündigung der »nahen Befreiung« verbindet. Der informatorische Wert des Stückes ist nicht bedeutend, die erzielte Wirkung ist eher emotional begründet. Die begrenzten Möglichkeiten dieser Spielart des politisch-dokumentarischen Theaters sind offenkundig: Ihr Versuch, zur Abänderung eines gegenwärtigen Mißstandes eine Bewußtseinsschärfung zu erreichen, gibt ihr zugleich einen »transitorischen Charakter«, eine bloße »Situationsfunktion«[63]. Dieser eingeschränkte Funktionsbereich gehört jedoch zum Programm dieser Form.

Handelte es sich beim *Lusitanischen Popanz* um eine gegenwärtige Konstellation, von der aus nur einmal in einem längeren Exkurs ein Blick auf die Geschichte geworfen wurde, so spielt der *Viet Nam Diskurs*[64] den flüchtigen Hinweis im *Popanz* (»Beim Studium der Geschichte können wir erfahren / wie es Aufstände gab in allen Jahren«) in einer den Zeitraum von mehr als 2000 Jahren umfassenden Chronik voll aus. Die Geschichte als eine Folge von Klassenkämpfen – diese These bestimmt die Anlage des Stückes bis hin zur Benennung der Szenen als »Stadien« (zweimal elf in den beiden Teilen); in der »Vorbemerkung« heißt es: »Wir schildern Figuren in einer Einheit mit dem historischen Prozeß, auch dann, wenn es sich um Entwicklungsstufen handelt, in denen die Betroffenen selbst diese Einheit nicht sehen konnten. Wir versuchen, die Folge der gesellschaftlichen Stadien und ihre wesentlichen Merkmale und Widersprüche so herauszustellen, daß sie die heutige Auseinandersetzung erklären.« Folgerichtig wird bei den auftretenden Personen von allen individuellen Eigenschaften und Regungen abstrahiert: sie sind nur mehr Sprecher eines Kollektivs, »Träger wichtiger Tendenzen und Interessen«. Der Eindruck des Abstrakten und Immobilen soll dadurch vermieden werden, daß »die Schauspieler sich bemühen, sie [= die Figuren] als solche zu zeigen, die als Handelnde, mit lebendigem und faßbarem Ausdruck, die Veränderungen in der Geschichte bewirken«. Dennoch wirkt der Ablauf des Stückes eher monoton als dynamisch und unaufhaltsam einem von der Geschichte selbst gesetzten Ziel zutreibend. Diese Wirkung ist offenbar beabsichtigt; der Verzicht auf jede Bühnenausstattung, die Beschränkung auf sparsamste Requisiten, die geradezu zeremonielle Choreographie der Auftritte und Gruppenbilder mit ihren minuziösen Anweisungen bezeugen es: »Äußerste Genauigkeit wird gefordert bei der Befolgung der vorgeschriebenen Wege, beim Einnehmen und Verlassen der Standorte, beim Herstellen der Beziehungen untereinander, beim Aufbau der Gruppen und bei der Einhaltung der variierenden Tempi in den Handlungsabläufen . . . Die Präzision in den Bewegungen ist notwendig, weil eine eindringliche Präsentation der Kräfteverhältnisse zwischen Gruppen, Parteien und Staaten, auch in den geographischen Beziehungen, erbracht werden soll.« Die »Stadien« reihen eine Zustandsschilderung an die andere, das Grundschema wandelt sich nicht. Auch die Bühnenaufführung dieses »Lehrstücks mit immer gleicher Lehre« ändert nichts an diesem statischen Charakter, der in einem gewissen Widerspruch steht zu der Dynamik des Prozesses. Walter Jens schreibt nach der Frankfurter Uraufführung: »Das Spiel läuft ab, Parallelismus und Kontrast – streng bis zum Schematismus gehandhabt – sind die Strukturformen des Schauspiels. Resultate werden gezeigt, aber keine Prozesse; der Theaterbesucher sieht sich über Zustände, aber nicht über Entwicklungen unterrichtet«[65]. Von dem Aufklärerisch-Belehrenden des Diskussionstheaters mit der Herausforderung des Zuschauers/Lesers zum eigenen Mit- und Weiterdenken ist fast nichts übriggeblieben, ebensowenig von dem – noch in der Drohung – Unterhaltend-Spielerischen der politischen Revue. Der Anteil des dokumentarischen Materials ist größer als im *Popanz*; zu jedem Zeitabschnitt – vom 11. Stadium des 1. Teils an wird die jüngste Geschichte Viet Nams seit 1945 behandelt – wird im Anhang eine »Chronologie« mitgegeben, die das Gerüst der Ereignisse zur Verifizierung bzw. zum Verständnis der Thesen liefert. Im Text selbst wird das Faktenmaterial dargeboten wie in einer Wochenschaureportage, als Verbindung von Meldung und Kommentar, wobei die Verteilung auf mehrere Sprecher unter rein choreographischem Gesichtspunkt erfolgt. Immer häufiger werden Zukunftsvoraussagen als Parolen oder Spruchbandweisheiten eingeblendet. Aber es bleibt beim Bereden, die Schwarz-Weiß-Argumentation stützt die beabsichtigte Agitation nicht, sie schadet ihr eher; nur vereinzelt gibt es so etwas wie Ideologiekritik, werden Schlagwörter nicht mit Schlagwörtern erwidert, sondern als Manipulationen und Euphemismen entlarvt (II, 10). Der Schluß ist ähnlich dem im *Popanz*; die Verheißung (»Wir zeigten / den Anfang / Der Kampf geht weiter«) hat jedoch – am Ende dieser überlangen trockenen Abhandlung zum Thema Klassenkampf – keine zündende Kraft mehr. Das Mehr an Material gegenüber dem *Popanz* führt hier nicht zu einem Mehr an Information, es überfordert vielmehr die Aufmerksamkeit des Zuschauers, indem es ihn zum Konsumenten degradiert, dem keine Hilfestellung für die eigene geistige Leistung geboten wird. Die dokumentarisch unterlegte Chronik in dieser Form – soviel scheint voraussehbar – wird nicht die Ausprägung des politischen Theaters sein, die die gesuchte Verbindung von Theater und Politik schafft. Ihre Funktion wäre mit dem politischen Essay, dem Pamphlet, dem Flugblatt oder der Rede besser zu erfüllen. Eine Zweigleisigkeit (und damit Unvereinbarkeit) von informatorischer und theatralischer Absicht wie bei Hochhuth liegt hier nicht mehr vor: »die formalen Mittel (stehen) hier ganz im Dienst des informierenden Zwecks ...: der Dokumentation«. Allerdings erweist es sich als ungerechtfertigter Optimismus zu meinen, man müsse »die Realität nur folgerichtig formalisieren ..., um politische Kunst ... machen zu können ...«[66].

Weiss' bisher letztes Stück *Trotzki im Exil* bedeutet thematisch und formal eine gewisse Wende. Die Vorstellung von einer in zwei grundsätzlich unversöhnliche Lager geteilten Welt ist nicht aufgegeben, im Gegenteil, sie wird im Stück selbst noch einmal ausdrücklich bekräftigt – »Dem Sozialismus gegenüber steht immer noch die andere Ordnung. Die Ordnung der absoluten Gemeinheit, der absoluten Habgier, des absoluten Eigennutzes. Diese Ordnung ist unveränderlich. Sie kann ihrem

Wesen nach nur noch räuberischer, nur noch destruktiver werden« –, es geht jedoch nicht in erster Linie um diesen nur durch den Sieg des einen – des sozialistischen – Prinzips überwindbaren Gegensatz, sondern um die Auseinandersetzungen innerhalb des einen Lagers. Die einheitliche Front nach außen bewirkt innen durchaus keine Einigkeit über den einzuschlagenden Weg; auch in der historischen Entwicklung gibt es Irrwege, Fehler, verschüttete Ansätze, die wieder freigelegt werden können und sollten. Der Stalinismus – allgemein der nach Lenins Tod verfolgte Kurs der sowjetischen Politik und ihrer parteitheoretischen Grundlegung – war ein »riesiger historischer Schock« für den Sozialismus als internationale Bewegung, jedoch: »Was geschehen ist, beweist nicht die Falschheit des Sozialismus, sondern die Gebrechlichkeit, die Unerfahrenheit in unsern revolutionären Handlungen.« Ziel des Stückes ist einmal die Revision des durch das Stalinsche Anathema verzerrten Trotzki-Bildes und die Wiederaufnahme der Diskussion um seine Theorie der »permanenten Revolution«. In einem *Offenen Brief an die ›Literaturnaja Gaseta‹, Moskau* – an Lew Ginsburg, der diesen Versuch scharf kritisiert hatte – benennt der Autor diese Funktion: »Dieses Stück ist mein Beitrag zum Lenin-Jahr 1970«.[67] Ein »Lehrstück« ist auch dieses neue Schauspiel, es nähert sich jedoch wieder mehr dem Diskussionstheater des *Marat/Sade* und entfernt sich von der plakativen Darstellung des *Popanz* und des *Viet Nam Diskurses.* Die auftretenden Figuren demonstrieren nicht nur, sie sind zwar Thesenträger, aber doch auch individuelle Gestalten. Weiss versucht, ihre historische Rolle als Vertreter bestimmter politischer Richtungen, ihre typische Prägung durch die Zugehörigkeit zu einer Klasse und ihre Individualität zugleich zu erfassen[68]. Dabei zeigt sich erneut ein Dilemma, das sich aus der Verwendung ›dokumentarischen‹ Materials herleitet: das Problem der Übersetzung von Akten, Statistiken, theoretischen Abhandlungen in gesprochene Sprache im Rahmen einer Spielhandlung. Schon die Debatten eines Parteitages bestehen nicht nur aus der Verkündung von Parolen und Leitsätzen, aus aneinandergereihten Spruchbandweisheiten, viel weniger ›private‹ Diskussionen. Fakten, die den Trägern der Handlung bekannt sind, müssen in der Fiktion der Bühnenhandlung zur Unterrichtung des Zuschauers nachgetragen werden. Das politische Theater gerät dadurch in die Nähe der trockenen Abhandlung, des Grundsatzreferats (vgl. hier die Szenen I, 4 »Brüssel«, I, 7 »Zürich«, II, 12 »Weltrevolution«).

Weiss hat sich bemüht, diesen Eindruck durch den Einsatz dramaturgischer Mittel zu verhindern: der Zerstörung der Illusion, man wohne einer gegenwärtig ablaufenden Debatte bei, dient die ständige Durchbrechung des chronologisch-tatsächlichen Ablaufs der Ereignisse. Die leitmotivisch wiederkehrende Ausgangssituation – der »theoretische Revolutionär« Trotzki am Schreibtisch – und die mit dem Hinweis auf die schnelle und überraschende Folge der Auftritte auch unter Berücksichtigung des Prinzips der wechselnden Aspekte nicht immer befriedigend motivierten Zeitsprünge im Handlungsablauf zeigen die Abkehr von dem im *Viet Nam Diskurs* konsequent durchgehaltenen Chronikstil. »Stadien« werden auch hier vorgeführt, aber nicht mehr linear und in sich statisch, sondern in dynamischer Spannung. Mit diesem dramaturgischen Verfahren vermeidet Weiss die gleichförmige Konstellation der Stadien, er bewirkt eine Spannung des Zuschauers, die aber ständig in Gefahr ist, zur Überforderung zu werden. Der Theaterbesucher, der die Zusammenhänge nicht kennt, sieht sich der Fülle der Informationen und Argumente hilflos ausgesetzt, wenn er dem sprunghaften Geschehen auf der Bühne nicht folgen kann[69]. Die erwünschte Wirkung – der kritische Vergleich des sozialistischen Programms mit seiner späteren tatsächlichen Realisation und die Bereitschaft zur Verwirklichung der bisher ungenutzten Möglichkeiten – kann dann nicht mehr erreicht werden. Außerdem erscheint es fraglich, ob diese ›verfremdende‹ Darbietung des Materials ausreicht, um die Diskussionen im Stück a l s a k t u e l l e ins Bewußtsein zu heben. Trotz der Aktualisierung der Trotzkischen Position durch den ›prophetischen‹ Vorgriff auf die jüngsten Studentenunruhen[70] wird die Thematik des Stückes in ihrer Relevanz für die gegenwärtige Situation kaum deutlich; der Gegenwartsbezug des rein fiktiven *Marat/Sade* ist wohl greifbarer und wirkungsvoller als der dieses dokumentarischen Bilderbogens[71]. Im Unterschied zu seinen anderen Stücken seit dem *Marat/Sade* setzt sich Weiss mit dem *Trotzki* das Ziel, »gerechte historische Proportionen wiederherzustellen«. Dazu war die provokative Technik der Schwarz-Weiß-Zeichnung unbrauchbar; von seiner neuen Position aus – in der fortgesetzten Absicht, den »verschärften ideologischen Kampf gegen den Imperialismus« weiterzuführen – bestreitet er die Notwendigkeit, »propagandistisch auszuwertende Vereinfachungen« beizubehalten[72]. Diese Differenzierung der eigenen Haltung bedeutet durchaus nicht den Rückzug auf einen neuen ›dritten Standpunkt‹ zwischen den Lagern (auf den ihn die maßgebliche sowjetische Literaturzeitschrift *Literaturnaja Gaseta* nach dem *Trotzki* abzuschieben versucht[73]), ihr liegt jedoch die Erkenntnis zugrunde, daß das Modell der zwei Lager zu einfach war, zu idealistisch und zu abstrakt. Die Zeit der reinen ›Bekenntnisse‹ ist für Weiss offenbar vorüber; der Vorwurf Enzensbergers, es sei ihm »vor allem um ein unbeschädigtes Weltbild zu tun, einen Glauben ohne Wenn und Aber«[74], trifft ihn nicht mehr.

Mit anderer Zielsetzung behandelt Tankred Dorst in seinem *Toller* (1968) ein ähnliches Thema: Die Gestalt Tollers, seine Rolle in der Revolution in Bayern und die Münchner Räterepublik von 1919 sind als geschichtliche Ereignisse in der Bundesrepublik ebenso vergessen wie die Bedeutung Trotzkis für die Sowjetunion und die KPdSU dort, sie sind allerdings nicht offiziell tabuisiert. Dorst liegt jedoch weniger an den »gerechten Proportionen«; über seine Intentionen äußert er sich im Brief an Rosa Leviné: »Die Ereignisse der Münchner Räterepublik waren für mich ein Modell. Ich habe das Stück nicht geschrieben, um das Geschichtsbild von dieser Zeit zu korrigieren. Daß damit nun Vergangenes, halb Vergessenes und Verdrängtes wieder heraufgeholt und lebendig wird, ist eine nützliche Nebenwirkung des Stückes«[75]. Diesem zweiten, aufklärerischen Ziel diente der von Dorst bereits früher herausgegebene Band »Die Münchner Räterepublik. Zeugnisse und Kommentare« (Frankfurt a. M. 1967; edition suhrkamp, Bd. 178). Im Stück dagegen geht es um grundsätzliche Fragen wie das Verhältnis des Intellektuellen, speziell des Schriftstellers, zur praktischen Politik, zur Revolution, um das Problem der Gewaltanwendung, um die Konfrontation Masse : Individuum – Fragen, die den Schriftsteller und Politiker Toller lange beschäftigten, zu denen er aber weder in der Phase seiner revolutionären Aktivität noch in der späteren Reflexion eine befriedigende Antwort fand[76], so daß sich seine Person und sein Verhalten Dorst als »Modell« anboten[77].

Das Bühnenstück will und kann nicht Faktizität geben, der Verfasser ist sich bewußt, daß dieses Medium immer mit »arrangierten Fiktionen« arbeitet. Dorst nimmt nun aber die Modellsituation auch nicht – wie Hochhuth – zur Grundlage eines »Handlungsdramas alten Stils«[78], er konstruiert keine Parabel und bietet keine demonstrative Chronik (beide Wege hätten sich angeboten). Gerade sein Stück offenbart wieder, wie eng benachbart die verschiedenen Möglichkeiten des politischen Theaters sind und wie wenig sich das ›Dokumentarische‹ als Basis einer besonderen Gattung eignet. Die dokumentarisch unterlegte Revue, die Zeitverhältnisse durchsichtig machen und in ihrer Veränderbarkeit enthüllen will, die demonstrative Chronik, die Geschichtsabläufe einem geschichtstheoretisch vorgegebenen Entwicklungskonzept anpaßt, um damit die Unvermeidbarkeit des Geschichtsziels zu beweisen, und die Modellsituation, vorgeführt in authentischer Einkleidung mit verifizierbaren Personen und Ereignissen, oder als konstruierte Parabel – gemeinsam ist ihnen diese Tendenz zum Typischen, Repräsentativen, Modellhaften, die ganz wesentlich der politischen Absicht dient. Dennoch ist nicht einfach eine Mischung dieser verschiedenen Formen das Patentrezept, vielmehr beeinträchtigt eine solche Vermischung gerade die mögliche Wirkung – auch dafür gibt Dorsts Stück ein deutliches Beispiel ab. Er benutzt äußerlich wieder die Form der politischen Revue, die ihm großen dramaturgischen Spielraum läßt. Die authentischen Texte – Zitate aus Reden und Schriften, Dokumente – fungieren »nicht, wie im Dokumentarstück, als Belege für historische Wahrheit, sondern, wie alle diese Szenen und Dialoge, als Partikel der Wirklichkeit«[79]. (Damit allerdings wird Dorsts Argumentation tautologisch; mit dieser Scheinalternative widerspricht er in jedem Fall seiner Erkenntnis von dem grundsätzlich fiktiven Charakter des Bühnenspiels.) Der historische Vorgang wird nicht rekonstruiert, sondern in verschiedene, nicht kausallogisch verknüpfte Szenen, in »Brechungen und Spiegelungen«, aufgefächert, die in einem »rhythmischen Ablauf«[80] aufeinanderfolgen. Ineinander übergehende oder simultan auf mehreren Flächen gespielte Szenen – akzentuiert jeweils durch spotlights wie im Zirkus (Vorbemerkung) – variieren das Thema ›Revolution‹ von verschiedenen Standpunkten – eine Collage aus kabarettistischen Intermezzi, ernstgemeinten Diskussionen innerhalb der Räteregierung, ›naturalistischer‹ Aktion, Kommentaren, Glossen, Songs, programmatischen Reden. ›Realistische‹ Schilderung ist nicht beabsichtigt, wird jedoch teilweise vorgeführt, ohne daß eine Distanzierung erkennbar wird.

Die Wirkung des Spieltextes auf der Bühne ist schwer abzuschätzen, sie ist in hohem Maß abhängig von der Inszenierung. Das Stück ist nicht frei von der Gefahr, in die Revolutionsklamotte abzugleiten und als solche wirkungslos konsumiert zu werden. Dazu trägt besonders die Zeichnung der Toller-Gestalt bei, die nicht den Anspruch erheben kann, auf die Frage nach der tatsächlichen Rolle Tollers Antwort zu geben. Dorst sieht Toller nur als den Schauspieler, als »jemand, der Revolution machen wollte, aber Literatur gemacht hat«, ihn interessiert an Toller vornehmlich »der Vorgang der Selbstdramatisierung eines Menschen in einer bestimmten – hier in einer politischen, nicht privaten – Situation«, er will daher mit seinem Stück »nicht den Dramatisierungen Tollers folgen, sondern sie denunzieren«[81]. Der Toller dieser Szenenfolge erfährt daher auch durch das Erlebnis der Revolution keinen Lernprozeß: sein Schlußwort vor Gericht ist von derselben Pathetik, demselben Zwang zur Selbstdarstellung getragen wie sein exaltierter Auftritt im Wittelsbach-Palais zu Anfang. Er kokettiert mit seiner politischen Ahnungslosigkeit und ist kein adäqua-

ter Partner für Leviné, den Pragmatiker und Praktiker. Als Politiker wird er nicht ernst genommen, sein Auftreten erscheint wie seine Äußerungen als Gehabe.
Wie leicht das Stück jedoch als ernstgemeinte, ›realistische‹ Darstellung mißverstanden werden kann, zeigt die scharfe Polemik Handkes, der hierin die völlig unreflektierte Übernahme der »kapitalistischen Dramaturgie« angreift: die Sprechweise der »offiziellen«, historischen Personen werde ernst genommen, die der »kleinen« Leute dagegen karikiert. Mir scheint, daß die »erbärmlichen« Dialoge der »Offiziellen« durchaus »als erbärmlich klargemacht« werden (mit Ausnahme der Beiträge Levinés), daß hier gerade kein »verkommenes Realismusmodell bewußt nachvollzogen« wird[82]. Die Absicht Dorsts jedenfalls geht genau dahin, die Dramaturgie in dem vorgeblichen Realismus transparent zu machen. Das ist ihm nicht durchgängig gelungen; einzelne Bilder spiegeln Authentizität vor und werden dadurch nicht mehr als ›arrangierte Fiktionen‹ durchschaubar. Die politisch-aufklärerische Komponente des – dokumentarisch unterlegten – Diskussionstheaters, der Verweisungscharakter der Parabel und die Agitation der politischen Revue sind zu disparat, als daß sie sich in einem Stück verbinden ließen, es bleibt eine Diskrepanz zwischen der – trotz aller tragikomischen Begleitumstände unbestreitbaren – Bedeutung des Geschehens und der revuehaften Darbietung.

Das »Dilemma des dokumentarischen Theaters«, seine Ansiedlung im Bereich zwischen der »selbstvergessenen, pedantischen Rekonstruktion des historischen Faktums« (gibt es die tatsächlich?) und dem »eigenen Gedankenwerk«[83], offenbarte sich schon an einem der ersten Erfolgsstücke dieses Genres: Kipphardts *In der Sache J. Robert Oppenheimer*. Ausdrücklich »keine Montage von dokumentarischem Material«, stützt es sich doch auf die Protokolle des Untersuchungsverfahrens und sieht sich »an die Tatsachen gebunden«[84]. Gegenstand der Erörterung ist der amerikanische Atomphysiker – und zugleich der ›Fall‹ des Wissenschaftlers in seinem Verhältnis zu Politik und Staatsführung. Rekonstruktion und Parabel, historische Authentizität und sinngebende Interpretation zeigen sich auch hier in problematischer Verbindung: es werden zwar Tatsachen berichtet, aber nur bestimmte, es wird untersucht, aber nur das, was den Autor interessiert[85]. Kipphardt stellt eine individuelle Situation dar, akzentuiert sie zum Konflikt (den es so gar nicht gegeben hat) und sucht diesen zu objektivieren. Der Betroffene selbst, Oppenheimer, protestierte in einem Brief vom 12. Oktober 1964 an den Autor und die Intendanten einiger Theater gegen die Position, die Kipphardt ihn in seinem Stück einnehmen läßt. Die in dem – tatsächlich nicht gehaltenen – Schlußwort bekundete Wendung Oppenheimers, die Erkenntnis einer ganz anderen Schuld als der ihm vorgeworfenen, nämlich Verrat am »Geist der Wissenschaft« aus »ungeprüfter Loyalität« gegenüber der Regierung statt Verrat an dieser Regierung durch Verzögerung des Wasserstoffbombenbaues – das ist die Interpretation Kipphardts, s e i n e Sicht dieses Problems. Deutlicher als in seinem Kommentar zum Stück können die sich ausschließenden Ansprüche an das historische Dokument und das literarische Werk kaum konfrontiert werden – ohne daß es dem Verfasser bewußt wäre. Im gleichen Atemzug beruft er sich auf die »historische Wirklichkeit« – und gibt »Freiheiten« zu »in der Auswahl, in der Anordnung, in der Formulierung und in der Konzentration des Stoffes«[86]. Auf diese Eingriffe konnte Kipphardt auch gar nicht verzichten, da es ihm eben nicht um den Einzelfall zu tun war, sondern um das Exemplarische, Grundsätzliche daran. Daß das auch auf anderem Weg zu gestalten ist, beweisen Brechts Parabelstück *Das Leben des Galilei* und Dürrenmatts »Komödie« *Die Physiker*, die die »Wirklichkeit« »im Paradoxen« durchscheinen läßt[87]. Die Aktualität eines szenisch erörterten Problems – und das Bewußtsein seiner Relevanz – ist nicht an die ›Absicherung‹ durch Fakten gebunden; der Versuch, Wirklichkeit im Ausschnitt zu erfassen, setzt sich vielmehr der Gefahr aus, mit vordergründigen Argumenten, nämlich dem Nachweis von Unrichtigkeiten im Detail, abgetan zu werden. Der »Verzicht auf die realen Namen«, den Reich-Ranicki empfiehlt[88], hätte möglicherweise diese Gefahr schon vermieden, er hätte die Trennung von Faktenrichtigkeit und Kunstrichtigkeit vollzogen und eine Beurteilung des »szenischen Berichts« (so der Untertitel der ursprünglichen – für das Fernsehen geschriebenen – Fassung) als Theaterstück erleichtert. Dem deutschen Zuschauer, dem das Hearing des Untersuchungsausschusses von 1954 und die antikommunistische Hysterie des McCarthyismus, vor deren Hintergrund auch das Oppenheimer-Verfahren zu sehen ist, nicht vertraut sind, mag das ohnehin leichter fallen als einem Teil des amerikanischen Publikums, dem der Vergleich mit dem tatsächlichen Ablauf viel näher liegt. Das Stück gewinnt, wenn man von der eher verwirrenden Beteuerung seiner Authentizität absieht und es als engagiertes Diskussionstheater nimmt. Kipphardt hat sich bemüht, die Identifizierung des Zuschauers mit dem Verfahrensbeobachter von 1954 zu verhindern, dabei geht die zweite – als »Schauspiel« bezeichnete – Fassung erheblich weiter als die erste. Dieser Illusionsdurchbrechung dienen u. a. Filmprojektionen zu Beginn des ersten und zweiten Teils, Textprojektionen vor jeder Szene, die das Folgende provozierend glossieren und sich als Kommentar direkt an das Publikum richten, unmittelbares Ansprechen der Zuschauer von der Rampe aus jeweils am Ende der Szenen, das zur Stellungnahme herausfordert, sowie Lautsprecherdurchsagen, Einblendungen von Fotos, Film- und Tonbandaufnahmen[89]. Der Schluß ist in doppelter Weise offen: Die Entscheidung des Ausschusses gegen eine erneute Sicherheitsgarantie wird neun Jahre später durch die Verleihung des Enrico-Fermi-Preises für »Verdienste um das Atomenergieprogramm während kritischer Jahre« durch den Präsidenten der USA praktisch zurückgenommen, Oppenheimers ›Lösung‹ aber – der Rückzug auf die ›reine Forschung‹ – ist keine Lösung des aufgeworfenen Problems: Die Verantwortung des Wissenschaftlers endet nicht bei seinen Forschungsergebnissen; sie erstreckt sich auch auf den Bereich der praktischen Anwendung; er hat jedoch nicht die Macht, einen Mißbrauch zu verhindern (selbst die groteske Lösung Dürrenmatts – die freiwillige Einschließung im Irrenhaus – war dazu ja nicht in der Lage).

Die Dramatisierung von Prozessen und Verhören ist nur scheinbar eine dramaturgisch ›einfache‹ Form des dokumentarischen Theaters, sie erfordert gleichfalls einen künstlerischen Umsetzungsprozeß, wenn sie zu einer eigenen Aussage kommen will. Bei Kipphardt ist das weitgehend gelungen, wenn auch die Scheidung von Material und Bühnenwerk theoretisch nicht vollzogen und praktisch nicht voll verwirklicht ist.

Das zweite auf historischen Quellen beruhende Stück Kipphardts – *Joel Brand* (1965) – ist der Versuch, in einer Szenenfolge mit fortlaufender Handlung (und unter Verzicht auf jede zusätzliche ›Verfremdung‹ neben dem Makabren des Geschehens selbst) die »Geschichte eines Geschäfts« (so der Untertitel) zu rekonstruieren. Der Kommentar zum Verhältnis von historischem Material und Drama liest sich ähnlich wie im *Oppenheimer*: »der Verfasser (nahm sich) die Freiheit, die Handlung auf diejenigen Hauptzüge zu konzentrieren, die ihm bedeutend schienen«; allenfalls ist daraus ein deutlicheres Bewußtsein von der subjektiven Prägung eines fiktiven (= Bühnen-)Geschehens gegenüber der unwiederholbaren Realität abzulesen. Das Stück will erinnern und mahnen, es appelliert auch durchaus an Emotionen – der Verweisungscharakter, der aktuelle Bezug zur Gegenwart, ist zwar durch den Hinweis auf die Inhumanität kapitalistischer Geschäftspraktiken und die Degradierung des Menschen zum Tauschobjekt, zur Ware, sichtlich intendiert, die genau umrissene historische Konstellation steht seiner Realisation jedoch im Wege (obwohl ein ähnliches, aber tatsächlich zustande gekommenes Geschäft – nach der gescheiterten Invasion vom amerikanischen CIA unterstützter Exilkubaner in der ›Schweinebucht‹ 1961 – die Brücke dazu bilden könnte).

Mit eben dieser Situation befaßt sich das bisher jüngste Stück ›dokumentarischen Theaters‹, das sich schon im Vorwort ausdrücklich dagegen verwahrt, dem Bereich des Theaters und damit der Kunst zugeordnet zu werden: Enzensbergers *Verhör von Habana* kann zwar »auf der Bühne oder vor der Fernsehkamera dargestellt werden«, ist aber gleichwohl »weder ein Drehbuch noch ein Theaterstück«, ja der Autor sucht den Eindruck zu vermeiden, als habe er überhaupt ein Stück Literatur geschrieben. Doch trotz des von einer Zeltbahn in Tarnfarben geschmückten Einbands liegt es in normaler Buchform vor, »alle Rechte, einschließlich der Aufführungen, vorbehalten...«. Das Ereignis, die Befragung gefangener Invasoren des Schweinebucht-Unternehmens im April 1961 in einem öffentlichen – und live übertragenen – Hearing, schien Enzensberger ein »exemplarischer Vorgang«, den »zu studieren, ja sogar... zu wiederholen« er vorschlägt. Sein Ziel ist eine »Rekonstruktion« dessen, was er für ein »Selbstbildnis der Konterrevolution« hält. Das tatsächliche Verhör, dem die »revolutionäre Situation« aller Beteiligten die Bedeutung eines »heuristischen Glücksfalls« verleiht, offenbarte – nach Enzensberger – »das Verhalten eines Kollektivs«, »den Charakter einer Klasse«, es legte deren »kollektives Unbewußtes« bloß: ihre »Verdrängungen, Abwehrmechanismen und Projektionen«.
Wenn der Autor diese gleiche Leistung auch von seiner »Bearbeitung«, seiner »Auswahl«, »politischen Interpretation«, »Auslegung«, »Einrichtung« (sämtlich von Enzensberger selbst benutzte Bezeichnungen) erwartet, so stellt sich wiederum die grundsätzliche Frage der Wiederholbarkeit eines vergangenen Ereignisses, auch wenn es noch so minuziös szenisch rekonstruiert wird[90]. Die Emotionen und Improvisationen des vergangenen Geschehens sind nicht noch einmal zu erzeugen; totales Illusionstheater ist gerade bei »dokumentarischen Stücken« gänzlich unbrauchbar. Wenn die »Rekonstruktion« nicht zu emotionaler Identifizierung führen soll, sich aber andererseits nicht auf die bloße Auffrischung der Erinnerung beschränken will, so muß sie das Exemplarische des einmaligen Falles deutlich werden lassen; die Absicht eines solchen Stückes kann also nicht in der Rekonstruktion als solcher bestehen. Und genau das ist auch Enzensbergers Ziel; am Ende seiner »Einleitung« wird er klarer: »Eine solche Rekonstruktion wäre aber sinnlos, wenn sie sich damit zufrie-

den gäbe, eine zeitlich und räumlich entfernte Situation abzubilden«. Der Agitprop-Charakter des Stückes ist viel entscheidender als die Dimension der bloßen Erinnerung, dazu aber ist die »Vermittlung zwischen dem historischen Vorgang und der Realität des Zuschauers« erforderlich, nicht auf dem Weg oberflächlicher Aktualisierung (Enzensberger verbittet sich ausdrücklich Projektionen, Zwischenansagen und »visuelle Gags«), sondern indem dem Zuschauer die freigelegten Strukturen als bekannte und wiederzuerkennende gezeigt werden. »Die Verhältnisse, die das Verhör erörtert, bestehen in vielen Teilen der Welt nach wie vor fort« – und müssen entlarvt und verändert werden, diese Lehre des Stückes formuliert der vorangestellte Essay. Damit steht Enzensbergers Stück von seinen Intentionen her Weiss' *Lusitanischem Popanz* und seinem *Viet Nam Diskurs* nicht so fern. Es geht darüber hinaus, indem es eine zusätzliche Stufe in den dialektischen Prozeß einbaut: Der westliche Zuschauer der beiden Weiss-Schauspiele wird sich in den Figuren der ›Unterdrücker‹-Seite kaum wiedererkennen, dem Zuschauer der Enzensberger-Lehrvorführung werden »Möglichkeiten der Identifikation« angeboten, die dann der weitere Verlauf zerstören soll.

Die beiden nahezu gleichzeitigen Erstaufführungen in Recklinghausen und Ost-Berlin versuchen auf verschiedene Weise, die Einmaligkeit des historischen Vorgangs hinter seiner exemplarischen Bedeutung zurücktreten zu lassen, seine Strukturen freizulegen. Hagen Mueller-Stahl führt die behauptete Parallelität der Verhältnisse unmittelbar vor: Jedem der acht Verhöre (das Stück wurde um zwei gekürzt) läßt er das Interview mit einem in seiner soziologischen Position vergleichbaren bundesdeutschen ›Double‹ folgen: drei Söhne eines ostpreußischen Gutsbesitzers nach den Söhnen kubanischer Großgrundbesitzer, ein Jesuitenpater der Führungsakademie der Bundeswehr nach dem »Söldnerpriester« Ismael de Lugo. Dadurch erhält die Aufführung neben dem Charakter der Reproduktion etwas Spontanes, Improvisiertes, und die anschließende Diskussion erörterte die Gemeinsamkeiten. Dieser Einfall weist das politisch-dokumentarische Theater zugleich in eine neue Richtung: Stück und Lehre, Muster und Parallelfall können unmittelbar verglichen und kritisiert werden, die Bühne regt nicht nur zur Diskussion an, sie bezieht sie gleich in die Veranstaltung mit ein[91].

Manfred Wekwerth inszeniert das *Verhör* als Parabel; die Anwendbarkeit auf die eigenen Verhältnisse allerdings entfällt, die Rollen sind vielmehr so verteilt, daß das rekonstruierte Geschehen sich zugleich als Vorwegnahme geheimer (bundesdeutscher) Aggressionsabsichten geriert: »Habana liegt einen Abend lang in der DDR«[92]. »Möglichkeiten der Identifikation« m i t dem Konzept und den Argumenten der Verhörten werden dem Publikum hier nicht geboten, wohl aber Möglichkeiten der Identifizierung d e s Konzepts: Die Konterrevolutionäre sitzen in Westdeutschland, im eigenen Lager gab es sie »vor nicht langer Zeit in der unmittelbaren Nähe unseres Landes«[93]. Die Inszenierung versucht zwar einer billigen Einfühlung der Zuschauer (und Schauspieler) entgegenzuarbeiten, da aber das Muster nur für ›die anderen‹ paßt, fehlt dem Stück das, was erst wirksam über die Reproduktion hinausführt[94].

Es zeigt sich auch hier wieder, daß die Stücke des ›dokumentarischen Theaters‹ in ihrer Wirkung im besonderen Maß von der Inszenierung abhängig sind. Die Kluft zwischen Bühne und Wirklichkeit bleibt in jedem Fall, der Sprung von der szenischen Agitation (und dem Beifall ›auf offener Szene‹) zum praktisch-politischen Aufstand ist zu weit. Die Distanzierung von der ›literarischen‹ oder ›theatralischen‹ Gestalt des eigenen Werkes kann doch nicht verhindern, daß das Produkt wie ein Buch oder Drama in den Konsumprozeß gerät.

Anmerkungen

1. Vgl. dazu Reinhard Baumgart: *Aussichten des Romans oder Hat Literatur Zukunft?* Frankfurter Vorlesungen (1968). München 1970 (= sonderreihe dtv, Bd. 89). Daraus besonders: *Was leisten Fiktionen* (S. 9–37), *Theorie einer dokumentarischen Literatur* (S. 55–76); dazu die Rezension von Wilhelm Voßkamp: Neue Rundschau 79 (1968) S. 519–523.
2. Vgl. die (ungezeichnete) Besprechung eines dieser Stücke in der FAZ vom 3. 8. 1970 *(Hölzernes Eisen)*.
3. Nach Dieter E. Zimmer. In: Die Zeit, 28. 11. 1969.
4. Diese Beobachtungen stützen sich auf das *Fernsehspiel-Archiv* der Presse-Agentur Günter Zeutzschel, Karlsruhe (Bibliothek des WDR Köln. Stand: Januar 1970).
5. Günther Rühle: *Das dokumentarische Theater und die deutsche Gesellschaft*. In: Jahrbuch 1966 der Deutschen Akademie für Sprache und Dichtung. Darmstadt 1967. S. 66.
6. Joachim Kaiser: *Eine kleine Zukunft*. In: Dokumentartheater – und die Folgen. Akzente 13 (1966) S. 215 f.
7. »Momos« (Walter Jens). In: Die Zeit, 19. 6. 1970.
8. Herbert Jhering: *Von Reinhardt bis Brecht. Vier Jahrzehnte Theater und Film*. Bd. 2. Berlin 1961. S. 223.
9. Erwin Piscator: *Das Politische Theater* [1929]. Neu bearbeitet von Felix Gasbarra. Mit einem Vorwort von Wolfgang Drews. Reinbek 1963. S. 61.
10. Piscator: *Das Politische Theater*, a. a. O., S. 60.
11. Piscator: *Das Politische Theater*, a. a. O., S. 62.
12. Vgl. Klaus Kändler: *Drama und Klassenkampf*. Berlin 1970. S. 195.
13. Piscator: *Das Politische Theater*, a. a. O., S. 65.
14. Piscator: *Das Politische Theater*, a. a. O., S. 70.
15. Piscator: *Das Politische Theater*, a. a. O., S. 132: »Der Mensch auf der Bühne hat für uns die Bedeutung einer gesellschaftlichen Funktion. Nicht sein Verhältnis zu sich, nicht sein Verhältnis zu Gott, sondern sein Verhältnis zur Gesellschaft steht im Mittelpunkt. Wenn er auftritt, dann tritt mit ihm zugleich seine Klasse oder seine Schicht auf. Seine Konflikte, moralisch, seelisch oder triebhaft, sind Konflikte mit der Gesellschaft ...«
16. Piscator: *Das Politische Theater*, a. a. O., S. 71 ff.
17. Piscator: *Das Politische Theater*, a. a. O., S. 146 f. (über die Inszenierung von Tollers »Komödie« *Hoppla, wir leben!*).
18. Die marxistische Literaturwissenschaft sieht das »politische Theater« Piscators gerade wegen dieses letzten Moments als Vorläufer für die angestrebte »proletarisch-revolutionäre Kunst«. Das westdeutsche dokumentarische Theater der sechziger Jahre gilt demgegenüber als Rückschritt: »Ideologisch und damit in ihrer gesamtkünstlerischen Bedeutung bleibt die heutige kritisch-realistische Dokumentardramatik allerdings hinter ihrer revolutionären Vorgängerin ganz entschieden zurück« (Joachim Fiebach: *Die Herausbildung von E. Piscators »politischem Theater« 1924/25*. In: Weimarer Beiträge 13 [1967] S. 193). Stärker die ideologisch noch unzureichende Rolle Piscators betont Kändler (*Drama und Klassenkampf*. S. 183, 187).
19. Dorst/Zadek/Gehrke: *Rotmord oder I was a German*. München 1969 (= sonderreihe dtv, Bd. 72).
20. Karl Otto Conrady: *Bemerkungen zu neuen deutschen Theaterstücken*. In: Unsere kulturellen Beziehungen zu Nordeuropa (1969). Lübeck 1970. S. 83: »... umstrittenes Stück nach-dokumentarischen Theaters«.
21. Peter Weiss: *Das Material und die Modelle*. In: Dramen 2. Frankfurt a. M. 1968. S. 467.

22. Peter Handke: *Straßentheater und Theatertheater* (1968). In: P. H.: Prosa Gedichte Theaterstücke Hörspiele Aufsätze. Frankfurt a. M. 1969. S. 303–307.
23. Peter Handke: *Kaspar.* In: Spectaculum 12. Frankfurt a. M. 1969. S. 115.
24. Peter Handke: *Natur ist Dramaturgie.* In: Die Zeit, 30. 5. 1969. Allerdings ist nicht recht erkennbar, in welche Richtung Handkes »politisches Theater« zielt und welche Wirkungen er sich davon verspricht. Vgl. dazu Rainer Taëni: *Handke und das politische Theater.* In: Neue Rundschau 81 (1970) S. 158–169.
25. *Der Stellvertreter* trägt den Untertitel »Ein christliches Trauerspiel«.
26. Jetzt wieder abgedruckt in: Dramen 2 (1968) S. 464–472.
27. In: Dramen 2 (1968) S. 468. Mißverständlich dagegen ist der Definitionsversuch, den Weiss in der ersten These unternimmt: »Das dokumentarische Theater ist ein Theater der Berichterstattung. ... [Es] enthält sich jeder Erfindung, es übernimmt authentisches Material und gibt dies im Inhalt unverändert, in der Form bearbeitet, von der Bühne aus wieder« (ebd. S. 465), denn eben diese Bearbeitung »in der Form« wirkt auf den Inhalt zurück und beeinträchtigt die Authentizität des Materials.
28. Heinar Kipphardt: *Kern und Sinn aus Dokumenten.* In: Theater heute. 1964, H. 11, S. 63.
29. Das gilt ebenso für die Publikationen, die sich – als Aufzeichnungen von Tonbandinterviews oder stenographische Protokolle – scheinbar jedes Eingriffs seitens eines Autors enthalten. Nur wird hier die Fiktion eben von einem ›naiven‹ Nicht-Autor aufgebaut, die wortgetreue Wiedergabe kann die – großenteils unbewußten – Manipulationen und Konstruktionen nicht mehr korrigieren, sie ist darum aber in keiner Weise ›realistischer‹ (vgl. dazu jetzt Reinhard Baumgart: *Die Literatur der Nicht-Autoren.* In: Merkur 24 [1970] S. 736–747).
30. H[enning] R[ischbieter]: *Auferstehungsengel der Geschichte?* In: Theater heute. 1965, H. 12, S. 11.
31. In: Die Zeit, 25. 4. 1969.
32. Peter Weiss: *Dramen 2.* S. 469.
33. Max Frisch: *Schillerpreis-Rede 1965.* In: M. F.: Öffentlichkeit als Partner. Frankfurt a. M. 1967. S. 95.
34. FAZ, 10. 6. 1967.
35. Bertolt Brecht: *Der Dreigroschenprozeß. Ein soziologisches Experiment* [1931]. In: Gesammelte Werke 18. Frankfurt a. M. 1967. S. 161 f.
36. Vgl. Reinhard Baumgart: *Theorie einer dokumentarischen Literatur.* In: Aussichten des Romans ... München 1970. S. 69 f.
37. Vgl. dazu und zum folgenden Helga Gallas: *Ausarbeitung einer marxistischen Literaturtheorie im BPRS und die Rolle von Georg Lukács.* In: Alternative. H. 67/68 (1969) S. 148–173.
38. Georg Lukács: *Reportage oder Gestaltung? Kritische Bemerkungen anläßlich des Romans von Ottwalt.* In: Zur Tradition der sozialistischen Literatur in Deutschland. Eine Auswahl von Dokumenten. Berlin u. Weimar [2]1967. S. 436–462. Zitat S. 443 f. Vgl. Gallas: *Ausarbeitung* .., a. a. O., S. 158.
39. Vgl. dazu Viktor Žmegač: *›Es geht um den Realismus‹. Kunst und Mimesis bei Brecht und Lukács.* In: V. Ž.: Kunst und Wirklichkeit. Zur Literaturtheorie bei Brecht, Lukács und Broch. Bad Homburg v. d. H. 1969. S. 14 ff.
40. Vgl. Lukács: *Reportage.* S. 444 f.
41. So Hellmuth Karasek, zitiert nach H[enning] R[ischbieter]: *Auferstehungsengel*, a. a. O., S. 11.
42. Vgl. dazu W. Voßkamp: *Rezension zu R. Baumgart, Aussichten des Romans* ... In: Neue Rundschau 79 (1968) S. 521 f.
43. Vgl. die Besprechung von Karoll Stein. In: Die Zeit, 19. 6. 1970.
44. Vgl. Rainer Taëni: *›Der Stellvertreter‹: Episches Theater Oder Christliche Tragödie?* In: Seminar 2 (1966) S. 34.
45. Vgl. J. Kaiser: *Eine kleine Zukunft.* In: Akzente 13 (1966) S. 216.
46. Peter Weiss: *Dramen 2.* S. 465 f.
47. *Gespräch mit Peter Weiss, August 1965.* In: Materialien zu Peter Weiss' »Marat/Sade«, Frankfurt a. M. 1967. S. 103.
48. *Gespräch mit Peter Weiss*, 1965, a. a. O., S. 97. Gegen dieses Interview erhob Weiss anläßlich eines Wiederabdrucks in *Theater 1965* Einspruch mit der Bemerkung, er habe inzwischen seine Ansichten in vielen Punkten revidiert. Das betrifft besonders die eigene Charakterisierung seiner Position als die eines »dritten Standpunkts«; die hier zitierte Äußerung fällt nicht unter das nachträgliche Verdikt.

49. Vgl. Peter Weiss: *Anmerkungen zum geschichtlichen Hintergrund unseres Stückes.* In: Materialien . . ., a. a. O., S. 7–11. Vgl. auch: *Gespräch mit Peter Weiss, Frühjahr 1964.* In: Materialien . . ., a. a. O., S. 92–94.
50. In: Materialien . . ., a. a. O., S. 8.
51. In: Materialien . . ., a. a. O., S. 93 f.
52. Vgl. *Gespräch . . ., 1964,* a. a. O., S. 94: »Sade als Vorkämpfer der absolut freien Menschen befürwortet auf der einen Seite die soziale Änderung (die Marat fordert), doch sieht er auf der anderen Seite die Gefahren, die bei einem entarteten Sozialismus in einem totalitären Staat entstehen können . . . Wie ein moderner Vertreter des dritten Standpunkts befindet er sich zwischen dem sozialistischen und individualistischen Lager«.
53. *Gespräch . . ., Frühjahr 1965,* a. a. O., S. 101; vgl. dazu *Peter Weiss über die Inszenierung des »Marat/Sade«,* ebd. S. 112 f.
54. Dazu vgl. Materialien . . ., a. a. O., S. 29 ff.
55. Weiss: *Anmerkungen zum geschichtlichen Hintergrund . . .,* a. a. O., S. 10.
56. *Gespräch . . ., August 1965,* a. a. O., S. 109.
57. Weiss: *Dramen 2,* S. 469.
58. Bis zu *Trotzki im Exil* gilt die kategorische Entgegensetzung »kapitalistische« oder »sozialistische Welt«; Peter Weiss' Eingeständnis, »daß innerhalb dieser beiden Begriffe außerordentlich komplizierte Gliederungen herrschen« (*Enzensbergers Illusionen.* In: Kursbuch 6 [1966] S. 166), bleibt rein verbal und ohne Konsequenz für seine Stücke in dieser Phase.
59. Vgl. Peter Weiss: *Enzensbergers Illusionen,* a. a. O., S. 165–170. Dazu Hans Magnus Enzensberger: *Peter Weiss und andere.* In: Kursbuch 6 (1966) S. 171–176.
60. *Gespräch . . ., August 1965,* a. a. O., S. 108.
61. *Gespräch . . ., August 1965,* a. a. O., S. 105, 106.
62. Weiss: *Dramen 2.* S. 469.
63. Vgl. Günther Rühle: *Das dokumentarische Drama . . .,* a. a. O., S. 54.
64. Eine exakte Analyse des elfzeiligen Originaltitels gibt Walter Jens in seiner Besprechung der Uraufführung (*Fünf Minuten großes politisches Theater.* In: Die Zeit, 29. 4. 1968).
65. Jens: *Fünf Minuten . . .,* a. a. O.
66. Karl Heinz Bohrer: *Die Tortur. Peter Weiss' Weg ins Engagement – Die Geschichte des Individualisten.* In: K. H. B.: Die gefährdete Phantasie, oder Surrealismus und Terror. München 1970. S. 70 f. (= Reihe Hanser 40).
67. In: *Über Peter Weiss.* Hrsg. von Volker Canaris. Frankfurt a. M. 1970. S. 150.
68. Vgl. Ernest Mandel: *Trotzki im Exil.* In: Über Peter Weiss, a. a. O., S. 134 f.
69. Vgl. die Uraufführungsrezensionen von Hans Schwab-Felisch (FAZ, 22. 1. 1970), Marcel Reich-Ranicki (Die Zeit, 30. 1. 1970) und Wolfgang Ignée (Christ und Welt, 23. 1. 1970).
70. Vgl. dazu Weiss: *Offener Brief . . .* In: Über Peter Weiss, a. a. O., S. 144 f.
71. Vgl. Reich-Ranicki über die Reaktion des Düsseldorfer Publikums.
72. Weiss: *Offener Brief . . .,* a. a. O., S. 141.
73. Vgl. Lew Ginsburg: *›Selbstdarstellung‹ und Selbstentlarvung des Peter Weiss.* In: Über Peter Weiss, a. a. O., S. 136–140.
74. Hans Magnus Enzensberger: *Peter Weiss und andere.* In: Kursbuch 6 (1966) S. 174.
75. In: Die Zeit, 25. 4. 1969.
76. Vgl. sein Stück *Masse Mensch* (1921), die autobiographische Schrift *Eine Jugend in Deutschland* (1933) und den Aufsatzband *Quer durch* (1930).
77. Vgl. Tankred Dorst: *Arbeit an einem Stück.* In: Spectaculum 11. Frankfurt a. M. 1968. S. 329.
78. Dorst: *Arbeit . . .,* a. a. O., S. 332.
79. Dorst: *Arbeit . . .,* a. a. O., S. 333.
80. Dorst: *Arbeit . . .,* a. a. O., S. 332.
81. Dorst: *Arbeit . . .,* a. a. O., S. 329.
82. Peter Handke: *Natur ist Dramaturgie.* In: Die Zeit, 30. 5. 1969.
83. Dieter E. Zimmer: *Der Vater der Atombombe und das Theater.* In: Die Zeit, 1. 1. 1965.
84. Heinar Kipphardt: *Kern und Sinn aus Dokumenten.* In: Theater heute. 1964, H. 11, S. 63.
85. Vgl. Jack D. Zipes: *Documentary Drama in Germany: Mending the Circuit.* In: The Germanic Review 42 (1967) H. 1, S. 50.
86. Kipphardt: *Kern und Sinn.* In: Theater heute. 1964, H. 11, S. 63.

87. Vgl. Friedrich Dürrenmatt: *21 Punkte zu den Physikern.* In: Spectaculum 7. Frankfurt a. M. 1964. S. 359.
88. Marcel Reich-Ranicki: *Namen sind nicht Schall und Rauch.* In: Die Zeit, 20. 11. 1964.
89. Auch in dieser zweiten Fassung vermißt Urs Jenny noch den »eindringlichen Zeit-Hintergrund«, der zum Verständnis und zur Erkenntnis des »Exemplarischen des Falles Oppenheimer« unerläßlich sei (*In der Sache Oppenheimer.* In: Theater heute. 1964, H. 11, S. 25).
90. Vgl. die Besprechung der Uraufführung in Essen durch Werner Dolph (*Die Szene – kein Tribunal.* In: Die Zeit, 12. 6. 1970) und der Ostberliner Inszenierung durch Rolf Michaelis (*Liegt Habana in der DDR?* In: FAZ, 16. 6. 1970).
91. Vgl. dazu die Besprechung von Jochen Schmidt: *Cuba libre beim WDR.* In: Christ und Welt, 19. 6. 1970.
92. Rolf Michaelis, in: FAZ, 16. 6. 1970; vgl. auch Karoll Stein: *Verhör in Ostberlin.* In: Die Zeit, 19. 6. 1970.
93. Diese Äußerung des Intendanten Wekwerth in der Ostberliner Zeitung »Der Morgen« zitiert Michaelis in seiner Besprechung.
94. Vgl. die Rezensionen von Michaelis und K. Stein.

Literaturhinweise

1. Benutzte Textausgaben

Tankred Dorst: *Toller.* In: Spectaculum 11. Moderne Theaterstücke. Frankfurt a. M. 1968. S. 187 bis 243.

Tankred Dorst / Peter Zadek / Hartmut Gehrke: *Rotmord oder I was a German.* München 1969 (= sonderreihe dtv, Bd. 72).

Hans Magnus Enzensberger: *Das Verhör von Habana.* Frankfurt a. M. 1970.

Peter Handke, *Kaspar.* In: Spectaculum 12. Frankfurt a. M. 1969. S. 113–181.

Rolf Hochhuth: *Der Stellvertreter. Ein christliches Trauerspiel.* Reinbek 1967 (= rororo theater, Bd. 997–998).

– *Soldaten. Nekrolog auf Genf. Tragödie.* Reinbek 1967 (= Rowohlt Paperback 59).

– *Guerillas. Tragödie.* Reinbek 1970.

Heinar Kipphardt: (1) *In der Sache J. Robert Oppenheimer. Ein szenischer Bericht.* Frankfurt a. M. 1964 (= edition suhrkamp Nr. 64). (2) dto. *Schauspiel.* In: Spectaculum 7. Frankfurt a. M. 1964. S. 197–280.

– *Joel Brand. Die Geschichte eines Geschäfts. Schauspiel.* Frankfurt a. M. 1965 (= edition suhrkamp Nr. 139).

Peter Weiss: (1) *Die Verfolgung und Ermordung / Jean Paul Marats dargestellt / durch die Schauspielgruppe des / Hospizes zu Charenton unter / Anleitung des Herrn de Sade. Drama in zwei Akten.* Frankfurt a. M. 13.–22. Tsd., 1964. (2) dto. 10. Aufl., 140.–159. Tsd. 1969 (beide edition suhrkamp Nr. 68).

– *Die Ermittlung. Oratorium in 11 Gesängen.* Reinbek 1969 (= rororo theater, Bd. 1192).

– *Gesang vom Lusitanischen Popanz. Stück mit Musik in 2 Akten.* München 1969 (= sonderreihe dtv, Bd. 78).

– *Diskurs / über die Vorgeschichte und den Verlauf / des lang andauernden Befreiungskrieges / in Viet Nam / als Beispiel für die Notwendigkeit / des bewaffneten Kampfes / der Unterdrückten gegen ihre Unterdrücker / sowie über die Versuche / der Vereinigten Staaten von Amerika / die Grundlagen der Revolution / zu vernichten.* Frankfurt a. M. 1968.

– *Trotzki im Exil. Stück in 2 Akten.* Frankfurt a. M. 1970 (= Bibliothek Suhrkamp, Bd. 255).

2. Sekundärliteratur

In den Anmerkungen genannte Artikel aus Tages- und Wochenzeitungen sind nicht noch einmal aufgenommen worden.

Hannah Arendt: *›Der Stellvertreter‹ in USA.* In: Neue deutsche Hefte 11 (1964) H. 1, S. 111–123.

Karl Otmar von Aretin: *Unbewältigtes Schweigen. Zu Rolf Hochhuths ›Stellvertreter‹.* In: Merkur 17 (1963) S. 807–820.

Claus-Henning Bachmann: *Theater als Gegenbild.* In: Literatur und Kritik 39 (1969) S. 530–551.

Reinhard Baumgart: *Aussichten des Romans oder Hat Literatur Zukunft? Frankfurter Vorlesungen* (1968). München 1970 (= sonderreihe dtv, Bd. 89). Dazu Rez. von Wilhelm Voßkamp in: Neue Rundschau 79 (1968) S. 519–523.

– *Die Literatur der Nicht-Autoren.* In: Merkur 24 (1970) S. 736–747.

Hans-Joachim Bernhard: *Vom Anspruch der Geschichte. Bemerkungen zu Hochhuths ›Der Stellvertreter‹ und Bölls ›Ansichten eines Clowns‹.* In: Neue deutsche Literatur 12 (1964) H. 6, S. 100 bis 114.

– *›Marat‹ auf der Bühne.* In: Neue deutsche Literatur 13 (1965) H. 9, S. 169–182.

Karl Heinz Bohrer: *Die gefährdete Phantasie, oder Surrealismus und Terror.* München 1970 (= Reihe Hanser 40).

Bertolt Brecht: *Der Dreigroschenprozeß. Ein soziologisches Experiment* [1931]. In: Gesammelte Werke in 20 Bänden. Bd. 18. Frankfurt a. M. 1967. S. 139–209.

Karl Otto Conrady: *Bemerkungen zu neuen deutschen Theaterstücken.* In: Unsere kulturellen Beziehungen zu Nordeuropa (1969). Deutsche Auslandsgesellschaft 20 Jahre. Ansprachen – Vorträge – Diskussionen und kulturelle Veranstaltungen vom 5. bis 12. Oktober 1969 in Lübeck und Kiel. Lübeck 1970. S. 80–85.

Dokumentartheater – und die Folgen (Beiträge von Hellmuth Karasek, Joachim Kaiser, Urs Jenny und Ernst Wendt). In: Akzente 13 (1966) S. 208–229.

Tankred Dorst: *Arbeit an einem Stück.* In: Spectaculum 11. Frankfurt a. M. 1968. S. 328–333.

Friedrich Dürrenmatt: *21 Punkte zu den Physikern.* In: Spectaculum 7. Frankfurt a. M. 1964. S. 359.

Hans Magnus Enzensberger: *Peter Weiss und andere.* In: Kursbuch 6 (1966) S. 171–176.

Joachim Fiebach: *Die Herausbildung von Erwin Piscators ›politischem Theater‹ 1924/25.* In: Weimarer Beiträge 13 (1967) S. 179–227.

Max Frisch: *Schillerpreis-Rede 1965.* In: M. F.: Öffentlichkeit als Partner. Frankfurt a. M. 1967. S. 90–99 (= edition suhrkamp Nr. 209).

Helga Gallas: *Ausarbeitung einer marxistischen Literaturtheorie im BPRS und die Rolle von Georg Lukács.* In: Alternative H. 67/68 (1969) S. 148–173.

A. Germay: *Deutsches Theater der Gegenwart. Eine Übersicht.* In: Revue des langues vivantes 35 (1969) S. 23–51.

Franz P. Haberl: *Peter Weiss's Documentary Theater.* In: Books abroad 43 (1969) S. 359–362.

Wolfgang Hädecke: *Zu Rolf Hochhuths Soldaten.* In: Neue Rundschau 78 (1967) S. 715–718.

Manfred Haiduk: *Peter Weiss' Drama ›Die Verfolgung und Ermordung Jean Paul Marats . . .‹.* In: Weimarer Beiträge 12 (1966) S. 81–104 und 186–209.

Peter Handke: *Straßentheater und Theatertheater* (1968). In: P. H.: Prosa Gedichte Theaterstücke Hörspiele Aufsätze. Frankfurt a. M. 1969. S. 303–307.

Ian Hilton: *The Theatre of Fact in Germany.* In: Forum for modern language studies 4 (1968) S. 260–268.

Walter Hinck: *Von Brecht zu Handke – Deutsche Dramatik der sechziger Jahre.* In: Universitas 24 (1969) S. 689–701.

Paul Hübner: *Dichterisches, exaktes und dokumentarisches Theater.* In: Wirkendes Wort 15 (1965) S. 206–213.

Urs Jenny: *In der Sache Oppenheimer. Uraufführung von Heinar Kipphardts Stück in Berlin und München.* In: Theater heute. 1964, H. 11, S. 22–25.

Herbert Jhering: *Von Reinhardt bis Brecht. Vier Jahrzehnte Theater und Film.* Bd. 2. Berlin 1961.

Klaus Kändler: *Drama und Klassenkampf. Beziehungen zwischen Epochenproblematik und dramatischem Konflikt in der sozialistischen Dramatik der Weimarer Republik.* Berlin und Weimar 1970.

Joachim Kaiser: *Bewährungsproben. Die zweiten Stücke von Hochhuth und Sperr.* In: Der Monat 20 (1968) H. 232, S. 52–57.

Marianne Kesting: *Völkermord und Ästhetik. Zur Frage der sog. Dokumentarstücke.* In: Neue deutsche Hefte 14 (1967) H. 1, S. 88–97.

Heinar Kipphardt: *Kern und Sinn aus Dokumenten.* In: Theater heute. 1964 (H. 11) S. 63.

Michael Kowal: *Kipphardt and the Documentary Theater.* In: American-German Review 33 (1967) H. 5, S. 20 f.

Rainer Lübbren: *Verflüchtigte Wirklichkeit. Über die deutsche Gegenwartsdramatik.* In: Neue Rundschau 76 (1965) S. 472–492.

Georg Lukács: *Reportage oder Gestaltung? Kritische Bemerkungen anläßlich des Romans von Ottwalt* [1933]. In: Zur Tradition der sozialistischen Literatur in Deutschland. Eine Auswahl von Dokumenten. Berlin und Weimar [2]1967. S. 436–462.

Materialien zu Peter Weiss' ›Marat/Sade‹. Hrsg. von Karlheinz Braun. Frankfurt a. M. 1967 (= edition suhrkamp Nr. 232).

Siegfried Melchinger: *Revolutionäres Theater. – Zu seiner Theorie.* In: Universitas 25 (1970) S. 249 bis 258.

R. C. Perry: *Historical Authenticity and Dramatic Form: Hochhuth's ›Der Stellvertreter‹ and Weiss's ›Die Ermittlung‹*. In: Modern Language Review 64 (1969) S. 828–839.

Erwin Piscator: *Das Politische Theater* [1929]. Neu bearbeitet von Felix Gasbarra. Mit einem Vorwort von Wolfgang Drews. Reinbek 1963 (= Rowohlt Paperback 11).

Fritz J. Raddatz (Hrsg.): *Summa iniuria oder Durfte der Papst schweigen? Hochhuths ›Stellvertreter‹ in der öffentlichen Kritik.* Reinbek 1963 (= rororo aktuell, Bd. 591).

H[enning] R[ischbieter]: *Auferstehungsengel der Geschichte?* In: Theater heute. 1965, H. 12, S. 11.

– *Der Fall Hochhuth. Über sein neues Stück ›Guerillas‹ und die Stuttgarter Aufführung.* In: Theater heute. 1970, H. 6, S. 14 f.

H. Roubiczek: *›Der Stellvertreter‹ and its Critics.* In: German Life and Letters 17 (1963/64) S. 193 bis 199.

Günther Rühle: *Das dokumentarische Drama und die deutsche Gesellschaft.* In: Jahrbuch 1966 der Deutschen Akademie für Sprache und Dichtung. Darmstadt 1967. S. 39–73.

Erasmus Schöfer: *Hinweise zu einer notwendigen ›Ermittlung‹*. In: Wirkendes Wort 16 (1966) S. 57–62.

Egon Schwarz: *Rolf Hochhuth's ›The Representative‹*. In: The Germanic Review 39 (1964) S. 211 bis 230.

Susan Sontag: *Gedanken zu Hochhuths ›Der Stellvertreter‹*.

– *Marat/Sade/Artaud.*

Beides in: S. S.: Kunst und Antikunst. 24 literarische Analysen, Reinbek 1968. S. 153–160 und 167–176 (= Rowohlt Paperback 69).

Rainer Taëni: *›Der Stellvertreter‹: Episches Theater Oder Christliche Tragödie?* In: Seminar 2 (1966) S. 15–35.

– *Handke und das politische Theater.* In: Neue Rundschau 81 (1970) S. 158–169.

Kurt Lothar Tank: *Von Fall zu Fall. Politik im Drama unserer Zeit.* In: Eckart-Jahrbuch 1966/67. S. 210–218.

Theater und Politik (Beiträge von Siegfried Melchinger, Henning Rischbieter u. a.). In: Theater 1965. Velber bei Hannover 1965, S. 41–89.

Über Peter Weiss. Hrsg. von Volker Canaris. Frankfurt a. M. 1970 (= edition suhrkamp Nr. 408).

Michel Vanhelleputte: *Réflexions sur le courant documentaire du théâtre Allemand d'aujourd'hui.* In: Etudes germaniques 22 (1967) S. 538–554.

Hans-Albert Walter: *Hochhuths moralischer Appell.* In: Frankfurter Hefte 19 (1964) S. 345–349 (Antwort von Walter Dirks, ebd. S. 349–352).

Peter Weiss: *Enzensbergers Illusionen.* In: Kursbuch 6 (1966) S. 165–170.

– *Das Material und die Modelle. Notizen zum dokumentarischen Theater.* In: P. W.: Dramen 2. Frankfurt a. M. 1968. S. 464–472.

Jack D. Zipes: *Documentary Drama in Germany: Mending the Circuit.* In: The Germanic Review 42 (1967) S. 49–62.

Victor Žmegač: *›Es geht um den Realismus‹. Kunst und Mimesis bei Brecht und Lukács.* In: V. Ž.: Kunst und Wirklichkeit. Zur Literaturtheorie bei Brecht, Lukács und Broch. Bad Homburg v. d. H 1969. S. 9–41.

BURGHARD DEDNER

Das Hörspiel der fünfziger Jahre und die Entwicklung des Sprechspiels seit 1965

Selbstverständnis und Wirkungsabsichten der deutschen Hörspieldichtung in den fünfziger Jahren haben nirgends einen so deutlichen Ausdruck gefunden wie in Günter Eichs *Träumen*. Daher läßt es sich auch rechtfertigen, daß man dieses Werk, das im Jahre 1951 urgesendet wurde, als den eigentlichen Auftakt des Nachkriegshörspiels aufzufassen pflegt. Zwar geht ihm Wolfgang Borcherts *Draußen vor der Tür* um vier Jahre voraus, und schon 1950 war das Hörspiel wieder so weit etabliert, daß man an die Edition jährlicher Sammelbände als Grundlage für die Weiterentwicklung der Gattung denken konnte. Eichs *Träume* aber ist nicht nur das erste große Werk des bedeutendsten deutschen Hörspieldichters der fünfziger Jahre, es ist vor allem das erste Hörspiel, in dem ausdrücklich die wichtigsten sozialen Charakteristika dieser und der folgenden Zeit ins Blickfeld gerückt werden. War Borcherts Blick noch auf die Erfahrungen des Krieges und des Zusammenbruchs fixiert, so reflektiert Eich schon über die Folgen der Währungsreform und der damit eintretenden ökonomischen, politischen und moralischen Saturierung, über Phänomene also, welche die fünfziger Jahre als Epoche charakterisieren.
Der Hörer, den Eich vor Augen hat und von dem er in den Eingangsversen seines Hörspiels spricht, ist bereits wieder auf dem Wege, sich im kleinen Glück des Wirtschaftswunders einzurichten und über »Nordseebad« und »Gehaltsempfang« die Erfahrungen der Hitlerzeit wie das noch immer fortbestehende Elend zu vergessen.

»Ich beneide sie alle, die vergessen können,
die sich beruhigt schlafen legen und keine Träume haben.
Ich beneide mich selbst um die Augenblicke blinder Zufriedenheit:
erreichtes Urlaubsziel, Nordseebad, Notre Dame,
roter Burgunder im Glas und der Tag des Gehaltsempfangs.
Im Grunde aber meine ich, daß auch das gute Gewissen nicht ausreicht,
und ich zweifle an der Güte des Schlafes, in dem wir uns alle wiegen.«

Diesen Hörer aus seiner blinden Zufriedenheit aufzuschrecken, wird zur selbstgestellten Aufgabe des Dichters. Dichtung versteht sich als Auftrag; sie wird, vor allem da der Dichter selbst gegen die Versuchungen des kleinen Glücks nicht immun ist, zum Appell von Mensch zu Mensch.

»Sieh, was es gibt: Gefängnis und Folterung,
Blindheit und Lähmung, Tod in vieler Gestalt,
den körperlosen Schmerz und die Angst, die das Leben meint.«

Der Dichter präsentiert sich in der Haltung des Zeigenden. Was er zeigt, sind freilich nicht wie bei Brecht Modelle, an denen Verhaltensweisen studiert und aus denen kritische Schlüsse gezogen werden können. Absicht des Zeigens ist vielmehr, den Zuhörer emotional zu erschüttern, genauer: ihn zu erschrecken.

»Dichter, die niemanden erschrecken«, so heißt es an beiläufiger Stelle in Eichs Hörspiel *Die Brandung vor Setúbal* (1957), »sind zu nichts anderem gut, als daß man sich über sie unterhält.« Zwar sei auch richtig, daß man von den Dichtern »die Zwischentöne« lernen könne, aber das gelte nur für »die gute Gesellschaft«, nicht aber offenbar für die Gegenwart. Intentionen, die der antiken oder der barocken Tragödie zu eigen waren, klingen hier an. An durchschnittlichen und exemplarischen Fällen wird vorgeführt, wie brüchig die Sicherheit ist, in der »wir uns alle wiegen«. Was der Tag verdeckt, soll im Traum ans Licht kommen. Dem Zuhörer wird dabei nahegelegt, sich mit den Personen des Spiels zu identifizieren. ›Jedermann‹ träumt. Im ersten Traum ist es der »Schlossermeister Wilhelm Schulz aus Rügenwalde, Hinterpommern, jetzt Gütersloh in Westfalen«, im dritten der »Automechaniker Lewis Stone in Freetown, Queensland, Australien«. Ist mit solchen Personenangaben die Identifikation mit dem Dargestellten einmal ermöglicht, so kann die folgende Angsttraumsituation um so erschreckender ausfallen. Für Wilhelm Schulz etwa ist die Flucht zum Dauerzustand geworden. Die Leute, von denen er träumt, sind schon seit dreißig Jahren im rollenden Güterwagen unterwegs. Dementsprechend ist ihre Erinnerung an ein normales Leben schwach und fragmentarisch. Für die Jüngeren, die im Güterwagen aufgewachsen sind, ist sie ohnehin ein Traum ohne Realität. Die Wirklichkeit aber, die sich ihnen zufällig durch ein Loch im Wagen zeigt, ist so gestaltet, daß sie sie nicht mehr ertragen können. In anderen Partien arbeitet Eich stärker mit dem hörspielspezifischen Mittel, durch schwer identifizierbare Geräusche, quasi aus der Dunkelheit heraus, Schrecken zu erregen. Im Zentrum des fünften Traums steht ein Schabgeräusch. Wie sich herausstellt, rührt es von Termiten her, die die Welt hohlfressen. In einem anderen Traum erklingt das »tapsende Geräusch« eines unförmigen und nicht näher definierten »Feindes«, der die Menschen aus ihren Wohnungen vertreibt.

Mit den so weit angedeuteten Merkmalen ist der Hörspieltyp, den Eichs *Träume* repräsentieren, von einer bemerkenswerten Geschlossenheit. Stimmig ist der Einsatz aller jener Mittel, die die emotionale Erschütterung des Zuhörers fördern. Hierzu gehören vor allem die Identifikationsmöglichkeit mit den leidenden Personen und die Suggestionskraft, die vom Akustischen, optisch nicht Verifizierbaren, ausgeht. Die Handlungsbögen sind kurz genug, um müheloses Verständnis zu erlauben; die Situationen werden durch Worte und Geräusche so ausgemalt, daß der Zuhörer auf Wirklichkeitsillusion nicht zu verzichten braucht, und schließlich helfen Prologe und Epiloge mit, Distanz zu überwinden und den Hörer als Mitbetroffenen in das Hörspiel einzubeziehen. »Alles, was geschieht«, so endet der Prolog, »geht dich an.«

Mit dieser abstrakten, emotionalen Betroffenheit ist zugleich auch die Grenze bezeichnet, die das Hörspiel dieses Typs kaum überschreiten kann. Eich freilich versucht mehr zu erreichen. Am Ende seines Spiels steht ein Aufruf zu politischer Wachsamkeit.

> »Nein, schlaft nicht, während die Ordner der Welt geschäftig sind!
> Seid mißtrauisch gegen ihre Macht, die sie vorgeben für euch erwerben zu müssen!«

Und:

> »Seid unbequem, seid Sand, nicht das Öl im Getriebe der Welt!«

Dieser Aufruf aber steht nicht nur im Gegensatz zu der emotionalen Darbietung des Vorangegangenen, er widerspricht vor allem auch dem Charakter der dargestellten Angstsituationen selbst. Bei diesen nämlich handelt es sich nur zum geringeren Teil um historisch oder politisch vermittelte Phänomene, auf die sich mit politischer Wachsamkeit reagieren ließe. Viel eher spiegelt sich in ihnen eine existentielle, quasi-ontologische Qualität menschlichen Daseins, die dementsprechend nicht weiter aufgeklärt werden kann.

Deutlicher noch als bei Eich treten ähnliche Widersprüche in einem anderen Hörspiel jener Zeit, in Heinz Hubers *Früher Schnee am Fluß* (1953), zutage. Bei Huber werden die Adressaten der dichterischen Botschaft nicht nur angesprochen wie bei Eich, sondern sie treten selbst als handelnde Personen auf. Die Durchschnittsfamilie Schneider hört sich am Abendbrottisch den Bericht eines Reporters über die Greuel des Koreakrieges an. Die erwünschte Reaktion, das Erschrecken, bleibt allerdings hier aus. Der Vater der Familie will sich von der unappetitlichen Reportage nicht das Essen verderben lassen. Nur scheinbar aber wird damit Eichs Grundvoraussetzung, daß nämlich das Hörspiel zu heilsamem Erschrecken führen könne, in Frage gestellt. In Wahrheit versteht Huber sein Hörspiel als Appell an jenes Durchschnittsbewußtsein, dessen Gleichgültigkeit er gerade dargestellt hatte. Der Schlußkommentar des Erzählers lautet: »Wenn die Welt zugrunde geht, so geht sie zugrunde nur durch die grenzenlose Gleichgültigkeit der Menschen.«

In der Gegenüberstellung mit dem Reporterdichter wird Hubers Darstellung der Durchschnittsfamilie zur Karikatur, und zugleich klingt der Schlußsatz seines Hörspiels mit seinem ehrenwerten idealistischen Pathos merkwürdig hohl und den realen historischen Bedingungen des Krieges gegenüber inadäquat. Indem Huber mit dem Koreakrieg einen realen Vorfall wählt, verschärft er nur die Widersprüche zwischen abstraktem Appell und konkret historisch Aufzuklärendem.

Von diesem Punkte aus kann es nur als konsequent gelten, daß Eich wie die meisten Hörspieldichter dieser Jahre die Darstellung historisch oder zeitgeschichtlich konkreter Ereignisse eher vermeiden, daß sie ihre realen Erfahrungen lieber in Bildern als direkt darstellen und daß sie statt aggressiver Töne die Haltung betroffener Trauer vorziehen. Menschlich-Privates steht im Vordergrund auch dort, wo es um allgemeine historische oder soziale Phänomene geht. So geben etwa in Wolfgang Weyrauchs *Die japanischen Fischer* (1955) die Folgen der Atomverseuchung einen Anlaß, über die Notwendigkeit des Selbstopfers zu reflektieren; so rückt in Hubers Kriegsdarstellung der Bericht über eine Massenhinrichtung in den Vordergrund, wobei zu den Exekutierten vor allem eine Mutter gehört, die ihren Säugling auf dem Rücken trägt; so nimmt schließlich Günter Eich in *Die Mädchen aus Viterbo* (1953) das Schicksal zweier auf die SS wartender Juden zum Vorwand, um über die rechte Haltung dem Tode gegenüber Betrachtungen anzustellen.

Wo Ereignisse aus der Hitlerzeit dargestellt werden, überwiegt die private Perspektive der Lebensläufe. Einzelschicksale kommen zur Sprache. So vergleicht etwa der Erzähler von Erwin Wickerts Hörspiel *Der Klassenaufsatz* (1954) die Lebenspläne seiner Klassenkameraden mit deren tatsächlichem Schicksal. Dabei fällt aus der Erinnerung heraus ein ›versöhnlicher Schimmer‹ auch auf jene, die als Mitläufer oder Mitwirkende an den Ereignissen der Hitlerzeit mitschuldig geworden sind. Die meisten aus der Klasse sind ohnehin tot, und den Toten gegenüber schickt sich kein Haß.

In einem anderen Hörspiel, in Peter Hirches *Nähe des Todes* (1958), reflektiert ein Erzähler zu Beginn des Spiels ausdrücklich über die Haltung, die den Kriegsschicksalen gegenüber angemessen ist. Sein Hörspiel bringt Szenen aus dem Leben in einem Waisenhaus vor dem Ausbruch des Krieges. Der Glanz der Kindheit leuchtet hier auf vor dem düsteren politischen Hintergrund und im Angesicht des ausbrechenden Krieges. Die Kinder werden sterben, und der Erzähler fragt sich, ob er angesichts dieses Endes ihre Kindheitsidylle überhaupt erzählen dürfe. »Sie sind nicht tot, ich habe nicht gesehen, wie sie starben, darum leben sie in ewiger Jugend. Und ich beneide sie. Denn wenn ich sie nicht beneidete, dann müßte ich mich aufraffen und ihren Tod rächen. Und ich dürfte mir die Rache nicht abkaufen lassen, sondern müßte alles tun, was in meiner Macht steht, sie zu rächen.« Das Brechtsche Diktum, daß ein Gespräch über Bäume zuzeiten ein Verbrechen sein könne, klingt in dieser Überlegung an. Die Heraufbeschwörung des vergangenen Glücks kann nur durch einen Balanceakt gerechtfertigt werden, in dem das spätere Schicksal der Kinder stets zugleich berufen und vergessen wird.

Auf eine ähnliche Weise ›eingestimmt‹ wird der Hörer in Walter Jens' Hörspiel *Ahasver* (1956), in dem das Schicksal eines jüdischen Arztes nachgezeichnet wird, der immer dann vor der SS fliehen muß, wenn er gerade glaubt, eine neue Heimat gefunden zu haben. Erzählt wird dieses Schicksal aus der Erinnerung eines Freundes am Grabe des gerade Verstorbenen. Das Hörspiel setzt ein mit den Worten der Totenliturgie: »So ruhe denn sanft, Albrecht Busch, Wanderer auf den Straßen der Erde.« Die Worte des Pfarrers legen hier die Stimmung fest, in der die folgende Geschichte aufgenommen werden soll. Wieder erscheint verhaltene Trauer adäquater als Zorn oder Empörung.

Die einleitende Begräbnisszene in Jens' Hörspiel leistet freilich noch mehr als nur das Festlegen einer Stimmung. »Wanderer auf den Straßen der Erde«: mit diesem Zitat aus dem Bereich christlicher Formeln verliert das Dargestellte seine nur private oder historisch-einmalige Qualität. Das Schicksal des jüdischen Arztes wird fast zum Sinnbild menschlicher Existenz; zumindest wird es eingeordnet und gedeutet. Der Titel des Stückes »Ahasver« hat eine ähnliche Funktion. Fraglich bleibt dabei freilich, ob die Symbolik zur Aufklärung des Themas beiträgt oder ob sie nicht vielmehr verdeckt und generalisiert, was sich der konkreten Aufklärung offenbar entzieht.

Jens' Vorgehen, durch Anklänge an christliche Formeln und mythische Namen dem Realen einen Sinn zu verleihen, ist die Komplementärform zu jenem anderen Verfahren, in dem umgekehrt poetische Irrealität auf eine faßbare und dem Hörer vertraute Wirklichkeit bezogen wird. So vermitteln in *Träume* die jeweiligen Angaben zur Person zwischen der Irrealität des Traums und der Wirklichkeit des Hörers; so wird in *Die Mädchen aus Viterbo* das fiktive Schicksal einer Mädchenklasse, die sich in den römischen Katakomben verlaufen hat, in Parallele gesetzt zu zwei deutschen Juden, die in ihrem Versteck auf die SS warten; so wird schließlich in einem weiteren Hörspiel Eichs, in *Die Andere und Ich* (1952), die Heldin zunächst als möglichst durchschnittliche amerikanische Touristin eingeführt, bevor sie sich im Traum in die arme Fischersfrau eines kleinen italienischen Dorfes verwandelt. Die Welt des Traums oder der Parabel steht hier nie autonom für sich. Sie wird vielmehr stets in Verbindung gebracht mit bekannter mehr oder minder alltäglicher Realität. Sie wird damit für den Zuhörer aktualisiert und in ihrer Bedeutung faßbar. So kann

das, wofür die Wirklichkeit als solche kein adäquates Beispiel liefert, im Irrealen dargestellt werden, ohne doch seine Beziehung zur Realität zu verlieren.
Deutlich wird dieses Verfahren vor allem in Ingeborg Bachmanns Hörspiel *Die Zikaden* (1955). Der Ort des Spiels, eine Insel, steht hier als Sinnbild für eine rein ästhetische Lebensform, die alle Verbindungen zur Umwelt abgebrochen hat. In der Sage von den Zikaden, die am Ende des Spiels erzählt wird, erfährt diese Flucht ins Ästhetische ihre abschließende Bewertung.
»Denn die Zikaden waren einmal Menschen. Sie hörten auf zu essen, zu trinken, zu lieben, um immerfort singen zu können. Auf der Flucht in den Gesang wurden sie dürrer und kleiner, und nun singen sie, an ihre Sehnsucht verloren – verzaubert, aber auch verdammt, weil ihre Stimmen unmenschlich geworden sind.«
In den Menschen schließlich, deren Schicksale im Laufe des Spiels erzählt werden, verkörpern sich in je verschiedener Art die Hoffnungen, Frustrationen und Motivationen, die zur Flucht ins Ästhetische führen. Die Dialoge, in denen diese Schicksale zur Sprache kommen, sind kaum noch, sicherlich aber nicht mehr psychologisch-realistisch, aufzuklären. Jeder dieser poetischen Verkörperungen geht eine Einführung voraus, die an die allgemeine Erfahrung des Hörers appelliert und ihn des alltäglichen Charakters der folgenden Fiktion versichert. Der Gesang der Zikaden, der das Spiel leitmotivisch durchzieht, ist eine »Musik, die wir schon einmal gehört haben. Aber das ist lange her. Ich weiß nicht, wann und wo es war«. Die Insel, der Ort der Handlung, wird als möglichst durchschnittliche und vertraute Mittelmeertouristeninsel eingeführt, und die Personen, deren Schicksale und Intentionen dargestellt werden, wirken wie altbekannte Gesichter aus deutschen Illustrierten. Es handelt sich unter anderem um ein amerikanisches Millionärsehepaar, beide mehrmals geschieden und derzeit mit Wasserskilaufen und Tiefseetauchen die Zeit sich vertreibend, um einen abgesetzten Prinzen, einen erfolgreichen Maler und eine Kosmetikexpertin. Von dieser vertrauten Basis aus kann Ingeborg Bachmann dann langsam zu ihrer schwer deutbaren Bilderwelt aufsteigen.
»Mr. Brown, der fünfte, aus Illinois, ist bald sechzig, und die Herzattacken stellen sich immer regelmäßiger ein. Er geht unters Wasser mit Flossen und Masken und ficht mit den schärfsten Harpunen gegen die andrängenden Bilder. Die nature morte – Seegras, Seestern und Seeigelnapf – kennt er gut, die Auswüchse enigmatischer Gebirge, die grünen Schluchten mit gespreizten Korallen und stehenden Fischen.«
Auch hier sind die letzten Sätze noch zweideutig, haben Realitäts- und Symbolwert zugleich. Sie entfernen sich aber immer mehr von einer unmittelbar faßbaren Realität, je weiter der dann folgende Dialog fortschreitet.
Ein solcher gradueller Wechsel von einer Ebene zur anderen, wie er sich hier bei Ingeborg Bachmann zeigt, ist insgesamt recht selten. Entsprechend selten, am ehesten noch in Günter Eichs *Der Tiger Jussuf* (1952), geschieht es, daß der Hörer über die Identität der sprechenden Personen im unklaren gelassen wird. Wie die Autoren, meist über einen Erzähler, Interpretationshilfen für den Hörer geben, so helfen sie ihm auch bei der möglichst schnellen Erfassung von Art, Ort und Zeit des Sprechens. Die verschiedenen Ebenen des Spiels werden in der Regel deutlich voneinander abgehoben. Wo ein Geschehen im Rückblick erscheint, wird die Trennung von Erzählergegenwart und erinnerter Vergangenheit fast stets gewahrt. Das gleiche gilt für die Unterscheidung von Realwelt und Parabel in *Die Mädchen aus Viterbo*, für

den Unterschied von äußerer und innerer Stimme wie in Walter Erich Schäfers *Spiel der Gedanken* (1951) oder in Otto Heinrich Kühners *Die Übungspatrone* (1951), schließlich auch für die Unterscheidung von äußerer und innerer Zeit wie in Schäfers *Die fünf Sekunden des Mahatma Gandhi* (1949). Aus der Rücksicht auf den Hörer und seine Schwierigkeiten beim Erfassen der nur akustischen Information sind weiterhin auch jene dramaturgischen Regeln zurückzuführen, in denen etwa eine Beschränkung in der Anzahl der sprechenden Stimmen und eine möglichst eindeutige Charakterisierung der Spielorte gefordert werden oder in denen es heißt, daß die Spannungsbögen der Hörspielhandlung kürzer und steiler sein müßten als im Drama.

Im Gegensatz zur übrigen modernen Dichtung habe das Hörspiel »den Willen nicht nur zu verstehen, sondern sich zu verständigen«, schreibt Heinz Schwitzke in seinem wichtigen Buch *Das Hörspiel – Dramaturgie und Geschichte.*[1] Dieser Wille zur Kommunikation mit dem Hörer, zur Übermittlung einer faßbaren Botschaft, erscheint in der Tat als eines der auffälligsten Merkmale der deutschen Hörspieldichtung in den fünfziger Jahren. Von ihm aus lassen sich nicht nur die meisten der hier genannten Charakteristika verstehen; er erklärt auch eine wichtige Übereinstimmung in der Handlungsführung der weitaus meisten Stücke.

Dichtung sei ein Prozeß der Wahrheitsfindung, so hat sich Günter Eich einmal geäußert. »Ich schreibe Gedichte, um mich an der Wirklichkeit zu orientieren. Ich betrachte sie als trigonometrische Punkte oder Bojen, die in einer unbekannten Fläche den Kurs markieren.«[2] Eichs Hörspiele zeigen in der Regel, wie diese Bojen als Wegweiser ihre Funktion erfüllen. In *Das Jahr Lazertis* (1954) wird ein Tiermaler aus der Banalität seiner Existenz durch ein Wort aufgeschreckt, das er nur halb verstanden und dann gleich wieder vergessen hat, das aber für einen Augenblick alle Daseinsrätsel für ihn löste. Das Wort führt ihn auf verschiedenen Wegen und Umwegen zu dem, was offenbar sein Ziel, seine Wahrheit, ist: in ein Leprösenheim, wo er, obwohl gesund, freiwillig bleibt, weil er sich den Kranken zugehörig fühlt. In *Die Brandung vor Setúbal* erwacht Katarina de Ataides, die Geliebte des portugiesischen Dichters Camoes, aus der scheinbaren Sicherheit ihres Lebens, als sie feststellt, daß die Tasse, aus der sie täglich ihre Schokolade zu trinken glaubte, schon seit Jahren zerbrochen ist. So banal das Ereignis ist, so sehr wird es für sie zum Zeichen für die Fragwürdigkeit alles scheinbar Sicheren. Ungewiß wird für sie vor allem der Tod ihres Geliebten, der vor Jahren an der Pest gestorben sein soll. Sie macht sich auf den Weg, um die Wahrheit ans Licht zu bringen, bis sie schließlich, selbst pestkrank, Gewißheit gefunden hat, d. h. in den Worten des Hörspiels: bis sie schließlich »dran glauben muß«. *Die Mädchen aus Viterbo, Der Tiger Jussuf* und *Die Andere und Ich* zeigen einen gleichen oder ähnlichen Handlungsaufbau. Aufgeschreckt aus ihrem normalen Leben finden Eichs Helden eine neue und höhere Sicherheit in der Konfrontation mit Armut, Krankheit und Tod, die sie zu akzeptieren lernen.

Für die Hörspiele der meisten anderen Autoren gilt Ähnliches. In Schäfers Hörspiel *Die fünf Sekunden des Mahatma Gandhi* (1949) wird die Himmelfahrt Gandhis, seine Lösung vom Irdischen, dargestellt, wobei der Wille zu leben als Versuchung überwunden werden muß. In *Spiel der Gedanken* des gleichen Autors finden zwei Liebende zueinander, die sich auf Grund von Kriegserlebnissen unfähig zur Liebe glaubten. Der Weg zum ›Happy-End‹ ist für sie ein Gang am Rande des Todes. In

Walter Bauers Hörspiel *Die Nacht, die dem Siege voranging* (1950) und in Fred von Hoerschelmanns *Die verschlossene Tür* (1952) kämpfen Menschen um die Kraft, den anderen, einen französischen Aufklärungsflieger im ersten, einen Juden im zweiten Falle, als Menschen zu akzeptieren. In Martin Walsers *Ein grenzenloser Nachmittag* (1955) finden Eheleute aus der Sterilität ihrer Existenz zum Leben zurück. In Heinrich Bölls frühem Hörspiel *Der Mönch und der Räuber* (1953) macht sich ein russischer Abt, der vom Volk als Heiliger verehrt wird, auf den Weg, um den Menschen zu finden, der ihm am ähnlichsten ist. Er findet ihn unter den Armen und Verachteten. In Marie Luise Kaschnitz' Hörspiel *Wer fürchtet sich vorm schwarzen Mann* (1958) schließlich wird dargestellt, wie ein aus dem Gefängnis entlassener Jugendlicher von den Bewohnern eines Mietshauses in den Tod getrieben wird. Ein erbarmungslos-bitteres Stück, so will es scheinen. Am Ende jedoch gelangt wenigstens einer der Hausbewohner zu Einsicht und Mitleid.
Mehr oder weniger stehen sich in allen diesen Hörspielen eine Welt der Unwahrheit, die »Augenblicke blinder Zufriedenheit«, und eine Welt bitterer Wahrheit gegenüber, einer Wahrheit, die in der Regel auf einem Paradox beruht und die durch Leiden erkauft werden muß. So haben, um zwei letzte Beispiele zu nennen, die Helden von Ilse Aichingers Hörspiel *Knöpfe* (1953) die Wahl zwischen beruflicher Sicherheit und Arbeitslosigkeit, der Wärme einer Fabrik und der Kälte auf der Straße, zwischen Geborgenheit und Not. Die Geborgenheit jedoch muß erkauft werden durch Aufgabe der eigenen Individualität, durch die Verwandlung des Menschen in jene Knöpfe, die in der Fabrik produziert werden. Ähnlich besteht in Ingeborg Bachmanns *Zikaden* die Alternative, in einer ästhetischen Existenz aufzugehen, die durch die Zikaden symbolisiert wird, und dem Leben in einem Sträflingslager für den einen, an der Seite einer ungeliebten Frau für den anderen Helden. In beiden Hörspielen wählen die Helden jene Unsicherheit, Not oder Banalität, die offenbar das Leben bedeutet.

Es kann keinem Zweifel unterliegen, daß alle der bisher genannten formalen und inhaltlichen Charakteristika sich durch die spezifischen Verhältnisse der fünfziger Jahre sowie durch ältere deutsche Kulturkonventionen erklären lassen. Die Erfahrungen der Kriegsjahre und der folgenden wirtschaftlichen Prosperität bestimmen weitgehend die Themenwahl der Stücke, und sie erklären wohl auch das gemäßigte Engagement der Autoren. Diese sind sich ihres dichterischen Auftrags gegenüber dem Publikum bewußt, und sie entsprechen damit zugleich den Erwartungen, mit denen der Hörer der Kulturinstitution Rundfunk gegenübertritt. Von den Hörererwartungen her erklären sich etwa die vielen Interpretations- und Einstimmungshilfen, die oft verblüffende Einfalt der Handlungsführung mit ihrer Geschlossenheit und ihrem meist positiven Ende, die emotionale Färbung und personale Darbietung auch des sozial Vermittelten und die Versuche schließlich, mit den Mitteln der Akustik die Illusionswirkungen des konventionellen Theaters nachzubilden. Als unzumutbar galten Provokationen und Schockwirkungen. Die äußerste Grenze in dieser Hinsicht bedeutet etwa ein Stück wie Eichs *Träume*, auf die das Publikum mit einer Flut meist empörter Briefe reagierte.[3] Ebenso verpönt aber waren offenbar dichterische Esoterik oder artistische Experimente mit neuen, dem Publikum nicht vertrauten Formen.

Daß das Hörspiel in den fünfziger Jahren eine außerordentliche Popularität genoß, kann angesichts dieser für die deutsche Literatur außergewöhnlichen Übereinstimmung von Angebot und Publikumserwartung kaum in Erstaunen versetzen. Ebensowenig überraschen freilich auch die damit einhergehenden negativen Merkmale der Anpassung. Neben den häufigen Verharmlosungstendenzen ist hier vor allem die weitgehende Stagnation in der Gattungsentwicklung zu nennen. Diese Stagnation erlaubt es vor allem, das Hörspiel der fünfziger Jahre als einen geschlossenen Typ aufzufassen, und sie erklärt zugleich, daß um 1960 der Eindruck vorherrschte, man stehe am Ende einer Entwicklungsphase, wenn nicht am Ende der Hörspielentwicklung überhaupt.

Wie meist in Zeiten des Übergangs setzen daher um 1960 theoretische Überlegungen in verstärktem Maße ein. Dem Hörspiel werden angesichts des vordringenden Fernsehens pessimistische, teilweise aber auch wegen des damit nachlassenden Konsumentendrucks gerade optimistische Prognosen gestellt. Eine Erschöpfung der bisherigen Form wird konstatiert. Die Gruppe 47 trifft sich in Ulm zu einer Hörspieltagung, Dissertationen entstehen, und schließlich werden einige umfangreiche Monographien veröffentlicht, unter denen Heinz Schwitzkes Buch *Das Hörspiel. Dramaturgie und Geschichte* und Friedrich Knillis *Das Hörspiel. Mittel und Möglichkeiten eines totalen Schallspiels*[4] von besonderem Interesse sind.

Schwitzke, der Leiter des Hamburger Hörspielstudios, glaubt bereits, die Hauptprinzipien der Gattung Hörspiel aus den Bedingungen des Mediums Rundfunk sowie aus den wichtigsten Werken seiner fünfunddreißigjährigen (deutschen!) Geschichte ablesen zu können. Das Hörspiel, so konstatiert er, habe eine durchgehende Tendenz zum Lyrischen, seine Sprache sei lyrisch-magisch, nicht dramatisch-proklamativ, die Figuren seien weder Aktions- noch Ideenträger, sondern »empfindende lyrische Individuen«, die während des Spiels »ihre inneren Erfahrungen« machen,[5] und die Bühne des Hörspiels sei die »empfangsbereite und reaktionsfähige Phantasie« des Hörers, der dem Spiel als »einzelne lauschende« Person[6] gegenübertrete. Mit diesen Merkmalen sind in der Tat wichtige Merkmale des Hörspiels der fünfziger Jahre erfaßt. Schwitzke orientiert sich offenbar an Eichs lyrisierendem Stil und an seinem lyrisch-magischen Sprachverständnis, ebenso auch an der »Erweckungshandlung« seiner und der meisten anderen Hörspiele, an der Intimität und Privatheit der Themen, denen wahrscheinlich eine ebenso private Hörersituation entsprach. Gemeinschaftsempfang – wie es scheinen will, ebenfalls eine legitime Form des Hörens – wird dagegen als hörspielfremd abgetan. Das gleiche gilt für sprachliche Phänomene wie öffentliche Proklamationen oder für Personentypen, die Ideen repräsentieren sollen. All dies verbannt Schwitzke entweder in den Bereich des Theaters oder in den totalitärer Staaten[7]. Das Hörspiel dagegen, so stellt er fest, sei nicht nur eine extrem moderne, sondern zugleich auch eine extrem westliche Kunstform.

Was Schwitzke als invariable Gattungsmerkmale absolut setzt, wird umgekehrt von Friedrich Knilli als Irrweg oder doch höchst einseitige Ausbildung einer viel variableren Form verworfen. Knilli geht vor allem von materialästhetischen Prinzipien aus, d. h., ihm geht es wie den Theoretikern konkreter Poesie und Musik um eine Ausschöpfung dessen, was sich mit den Materialien Sprache und Ton unter den besonderen Bedingungen des Mediums Rundfunk ästhetisch erreichen ließe. Die bisherigen Hörspiele, so argumentiert er, hätten versucht, mit den unvollkommenen Mitteln bloßer Akustik die Illusion einer räumlich, zeitlich und personal gegliederten Außenwelt aufzubauen. Statt also etwa in der Kategorie Raumschall zu denken, hätten sie reale Schallräume nachgebildet, und statt mit Stimmen als autonomen akustischen Werten zu arbeiten, hätten sie die Stimme als Ausdrucksträger personaler Eigenschaften eingesetzt.

Die Entwicklung der letzten fünf Jahre hat die nur begrenzte Gültigkeit von Schwitzkes Thesen erwiesen. Der Quantität nach dominiert zwar auch in der Gegenwart noch das konventionelle Illusionshörspiel, das dem Publikumsgeschmack anscheinend am ehesten entspricht; qualitativ hat dieser Typ jedoch seine Bedeutung eingebüßt. Was sich an seiner Stelle durchgesetzt hat, ist freilich auch nicht das »totale Schallspiel« Knillis, aber doch ein Hörspieltyp, der sich teilweise von materialästhetischen Prinzipien aus erklären läßt. Sprache, um zunächst das Wichtigste zu nennen, verweist in dieser Hörspielform nicht mehr auf eine außerhalb ihrer liegende Wirklichkeit; sie wird vielmehr, aus ihrer konventionellen grammatischen Ordnung gelöst, zum handelnden Subjekt selbst. Insgesamt läßt sich das neue Hörspiel, einem Wort Helmut Heißenbüttels folgend, am besten als »versuchsweises Sprechspiel« kennzeichnen, als ein Spiel, »in dem Möglichkeiten reproduziert werden, nicht um Illusion oder Poesie zu erzeugen, sondern um auszuprobieren, zu lernen und in neue Bedeutungszusammenhänge einzudringen«.[8]

Veränderungen des radiophonen Mediums haben die Entwicklung dieses neuen Hörspieltyps zweifellos mitbeeinflußt. Je adäquater nämlich mit der Einführung der Stereophonie reale Räume sich nachbilden ließen, um so störender mußte sich zugleich die prinzipielle Defizienz des Hörspiels, nämlich nur akustisch zu informieren, bemerkbar machen, und um so dringlicher mußten die Versuche werden, jenseits des Illusionshörspiels neue Wege für die Gattung zu erschließen.[9] Ebensowenig ist freilich zu übersehen, daß die neue Hörspielform auch eine Veränderung im geistigen Klima und in der Haltung der Autoren gegenüber ihrem Publikum anzeigt. Schreiben gilt den jüngeren Autoren weitgehend als sprachliches Experiment oder als Lernprozeß am sprachlichen Material. Damit aber verbietet sich die Darstellung einer in sich geschlossenen Handlung mit festem Anfang und Ende ebenso wie Anreden an den Zuhörer, die zwischen fiktiver und realer Welt vermitteln und überdies den Eindruck erwecken, hier werde ein sinnvolles Ganzes übermittelt. Experimente sind grundsätzlich offen, ihr Ausgang und ihre Bedeutung sind ungewiß. Ebenso können, wo das Sprachmaterial als Träger des Bewußtseins zum eigentlichen handelnden Subjekt wird, die Ordnungsfaktoren der Außenwelt, Raum und Zeit, Kausalität eines Geschehens, Individuum, innere und äußere Stimme, höchstens noch eine sekundäre Rolle spielen. So wird im neueren Hörspiel der Raum ubiquitär, und räumliche Wahrnehmungen, wie sie die Stereophonie liefert, sind damit von ihrer Abbildungsfunktion befreit, d. h., sie können der formalen Gliederung der Hörereignisse dienen. Im gleichen Sinne tritt der zeitliche Ablauf im wesentlichen nur noch als Gliederungsmittel des Spielvorgangs in Erscheinung. Im Sprechen manifestiert sich nicht ein psychisches Subjekt, das sich aussprechen oder mit anderen kommunizieren will, sondern es manifestieren sich sprachliche Zusammenhänge von bewußtseinsbildender Wirkung. Sprechen wird dabei weitgehend zum Spiel mit Zitaten. Die Personen des Hörspiels schließlich werden reduziert auf Rollenträger

– etwa Einsager, Frager und Gefragte in Handkes Hörspielen – oder auf Stimmen, die beliebig mit Buchstaben benannt werden können. »Diese Stimmen«, so schreibt Jürgen Becker zu seinem Hörspiel *Häuser* (1969), »sind anonym und verwechselbar in der Identität, aber sie werden gesprochen täglich und in der nächsten Nähe, im Hausflur und in der Nachbarschaft, im Gedächtnis, im Raum, in der eigenen Familie und auf der nächsten Party.«[10]

Auf das Gesamtbild der deutschen und internationalen Kunstentwicklung bezogen, kann die Ausbildung des »versuchsweisen Sprechspiels« kaum noch als avantgardistisch oder gar revolutionär gelten. Gegen eine solche Deutung spricht bereits, daß ein Teil der Hörspiele, die nach 1965 als repräsentativ für die neue Richtung gesendet wurden, schon in den fünfziger Jahren entstanden ist.[11] Eher läß sich daher sagen, daß der neue Typ den quasi-provinziellen Sondercharakter beseitigt hat, der das deutsche Hörspiel lange Zeit kennzeichnete.

Bezeichnend für diesen Sondercharakter ist es, daß bereits das Schweizer Hörspiel der fünfziger Jahre in einem entscheidenden Punkte von dem eingangs skizzierten Typ abweicht, ja daß es wie eine Parodie auf diesen Typ wirkt. Dürrenmatts Diktum, daß eine Geschichte dann zu ihrem Abschluß gelangt sei, wenn sie ihre schlimmstmögliche Wendung genommen habe, bezeichnet das Gegenteil der zuvor beschriebenen Handlungsformen, in denen ein Held auf dem Wege zu neuen Einsichten ist, in denen er »seine inneren Erfahrungen« macht. Auf den ersten Blick scheint es zwar auch in Max Frischs *Herr Biedermann und die Brandstifter* (1953) und in Friedrich Dürrenmatts *Die Panne* (1956), die hier als Beispiele genügen mögen, um solche Einsichten zu gehen. In beiden Spielen werden die Helden mit einer Wahrheit konfrontiert, die sie zuvor versucht hatten zu verdrängen. So kommt Herr Biedermann nicht um die Erkenntnis herum, daß die merkwürdigen Gäste auf seinem Dachboden, mit denen er sich in einer fröhlichen Stunde verbrüdert hatte, tatsächlich die Brandstifter waren, die sogleich danach die Stadt in Brand gesetzt haben. Ebenso muß bei Dürrenmatt der Generalvertreter Traps gestehen, daß er um beruflicher Vorteile willen seinen ehemaligen Vorgesetzten wissentlich und willentlich ums Leben gebracht hat. So weit entspricht die Handlungsführung dem gleichzeitigen deutschen Typ. Die Katharsis jedoch, die höhere Einsicht, die dem Lernprozeß folgen sollte, bleibt bei den Schweizern gerade aus. Zwar erzählt Biedermann seine Erlebnisse aus dem Rückblick; aber er macht dabei zugleich klar, daß er nichts hinzugelernt hat und daß er die Gäste auch ein zweites Mal beherbergen würde. Genauso ist Traps am Morgen nach der Erkenntnis wieder ganz der alte. Die erschütternde Einsicht in seine Schuld hat weniger Nachwirkungen hinterlassen als der während des Abends genossene Alkohol.

Zeigten die deutschen Hörspiele einen Weg, so verlaufen die beiden eben genannten im Kreis. Appellative Formen fehlen, und der Durchschnittscharakter, um dessen Erweckung es Eich ging, fungiert hier als Objekt einer sachlichen Analyse. Eine solche sachlich-analytische Haltung wird denn auch allgemein für das deutsche Hörspiel nach 1960 gefordert. So klagt etwa Dieter Wellershoff, daß die Autoren bisher stets zuviel gesagt und daß sie ihren Hörern fertige Ergebnisse noch vor dem Beginn einer eigentlichen Untersuchung vorgelegt hätten.[12] Eine ähnliche Aversion gegen die Übermittlung von Ergebnissen und die Suggerierung von Emotionen drückt sich auch in Peter Hirches Vorwort zu seinem Hörspiel *Miserere* (1965) aus:

»Das ganze Hörspiel, nicht nur der erste Satz, muß sehr schnell ablaufen. Nur Bruchteile von Pausen jeweils. Kein Ausspielen der Situationen. Kein Sentiment. Alles sachlich.« Und: »Vor allem: das Hörspiel enthält keine Aussage und keine Kritik. Das Hörspiel ist eine Darstellung; wenn man so will: in Form einer Collage. Die Stellungnahme des Autors liegt allein im Titel.«[13]
Dieses Vorwort ist als Zeichen eines allgemeinen Formenwandels besonders auch deshalb bemerkenswert, weil Hirche in seinen früheren Stücken auf Aussage und Sentiment keineswegs verzichtet hatte. Der Titel seines Hörspiels *Miserere* trägt denn auch von beidem noch eine Spur. Ähnlich im Zeichen des Übergangs steht auch die Form des Spiels selbst. Die Hauptereignisse der Handlung werden am Ende von Kindern spielend wiederholt, wobei Hirche Wert darauf legt, daß die Kinderstimmen nicht Natürlichkeit vortäuschen, sondern gerade den artifiziellen Charakter des Spiels durchschaubar machen. Mögliche Illusionswirkungen werden damit zerstört. Im Aufbau der Handlung orientiert sich Hirche wie andere Autoren der letzten Jahre an den Prinzipien musikalischer Komposition. Die Einzelszenen des Spiels sind untereinander gegliedert wie die Sätze einer Sonate. Das Gliederungsmittel des zeitlichen Ablaufs wird von ihm also nicht realistisch-kausal, sondern eher formalistisch-autonom eingesetzt. Trotzdem aber ist *Miserere* nicht frei von Zügen des an der Realwelt orientierten Illusionshörspiels. Ein realzeitlicher Verlauf ist unter der formalistischen Verkleidung deutlich zu erkennen; die Handlung ist räumlich fixiert und an personale Träger gebunden. Auch böte sie an manchen Stellen die Möglichkeit zu sentimentaler Interpretation, weshalb die Regie denn auch ausdrücklich aufgefordert werden muß, das Sentiment durch sachlich-schnelles Spiel auszumerzen.
Zeigt Hirches *Miserere* vor allem technisch-formale Änderungen, so ist Günter Eichs letztes Hörspiel *Man bittet zu läuten* (1964) eher durch bestimmte inhaltliche Verschiebungen interessant. Jenes Durchschnittsbewußtsein, das einst in *Träume* zur Wachsamkeit aufgerufen worden war, hat jetzt Gelegenheit, sich selbst auszusprechen. Seine Sprach- und Denkformen werden im Spiel reproduziert und zugleich kritisch analysiert. Dabei sind einige Ähnlichkeiten dieses Hörspiels mit *Träume* besonders bemerkenswert. Der Held hat noch immer seine kleinen Glücksgefühle und Aspirationen – »ein Grundstück in Florida« etwa oder ein »Raiffeisenkonto« –, und in seiner abendlichen Bilanz stehen auf der Habenseite einige erotische Chancen, eine Heiratsannonce und die Bewerbung um die Stelle des Henkers, da mit der Wiedereinführung dieses Amtes zu rechnen sei. Neben den Hoffnungen stehen, wiederum der Struktur von *Träume* entsprechend, die Augenblicke der Wahrheit. Sie sind allerdings hier reduziert auf das Gefühl, zu den Schlechtweggekommenen zu gehören. Um so besser aber funktionieren die Verdrängungsmechanismen. Da Optimismus zu den sittlichen Forderungen des Durchschnittsbewußtseins zählt, wird die momentane Unzufriedenheit als destruktive Verirrung, »deutbares Unterbewußtsein«, als »verdächtige Reden«, die »reif für Euthanasie« seien, denunziert und verdrängt.

Der Weg, den Eich in diesem Hörspiel geht, dürfte für die veränderte Bewußtseinslage der sechziger Jahre bezeichnend sein. Die Hoffnung, daß die Angstträume und Angsterfahrungen zu höheren Einsichten und zu verstärkter Wachsamkeit führen könnten, hat Eich offenbar aufgegeben. Statt den »Ordnern der Welt« in die Arme zu fallen, reihen sich die Verängstigten vielmehr selbst unter die Ordner der Welt ein. Der Held des Stückes jedenfalls kompensiert seine Angst und Unzufriedenheit durch Aggressivität, die sich sprachlich am ›Wörterbuch des Unmenschen‹ orientiert. Auch die Möglichkeit zur Korrektur ist dabei ausgeschlossen. Als Pförtner eines Taubstummenheims steht der Held selbst dann, wenn er mit anderen spricht, in einer fast durchweg monologischen Situation. Die Sprache des Hörspiels hat dementsprechend ihre einstige »lyrisch-magische« Qualität eingebüßt. Sie ist weitgehend Collage von Alltagsgerede, wobei durch Begriffsassoziationen und bestimmte zentrale Symbole der Ideenbrei nachfaschistischer Weltanschauung reproduziert werden soll.

Als Analyse des Durchschnittsbewußtseins, mit anderen stilistischen Mitteln zwar, aber doch mit den gleichen Ergebnissen, läßt sich auch Jakov Linds Hörspiel *Angst* (1967) auffassen. Linds Hörspiele zeichnen eine groteske Welt und lassen sich am besten in die Linie einordnen, die mit Eichs *Träumen* begonnen hatte. Stil und Situationen ähneln sich, wobei freilich die schon erwähnten Unterschiede der sechziger Jahre einzurechnen sind. Es fehlt die Anrede an den Zuhörer und damit der Versuch, den Alpträumen eine positive Funktion zuzuschreiben. Auch führt aus Linds Traumwelten kein Weg heraus; sie konstituieren die ganze Welt seiner Dichtung, sei es in der Wutorgie der vom Tode Geretteten gegen die Retterin (*Anna Laub*, 1964), sei es im Hunger, der durch nichts zu stillen (*Hunger*, 1966), sei es in der Angst, die durch nichts zu übertönen ist *(Angst)*.

Für den Helden dieses letzten Hörspiels werden die Stimmen der Angst zum beherrschenden Element des Lebens, und der Versuch, sie zu verdrängen, gelingt nur für kurze Zeit. Der Held wird dabei – dies ein Beispiel für Linds groteske Stilisierung – zum Virtuosen in der Kunst, Vogelstimmen nachzuahmen, und allgemein zum Virtuosen in der Äußerung von Glücksgefühlen.

»Barsch, Makrelen, Hering, einen Korb voll. (heiter) Wir machen eine Fischorgie. (lacht) Die Frau kocht gut, abends kommen die Freunde, dann pfeifen und trällern wir gemeinsam bis in die späte Nacht. Es geht heim, heim. Heim zu Weib und Kindern.«

An dieser Stelle aber, beim Gedanken ans »häusliche Glück«, bleibt der Held wieder am »Leim der Angst« kleben. Fortan führt er eine Doppelexistenz. In der realen Welt versucht man ihn durch fortgesetzte Amputationen gefühllos zu machen; in der Welt der Angst aber ist er dazu verurteilt, neun Millionen Jahre lang Bäume zu roden und neue zu pflanzen. Die Existenzform der Angst nähert sich hier der des Absurden. Sie ist aber zugleich gekoppelt mit einer Zerstörungswut von ähnlichem totalen Ausmaß wie die Angst selbst oder das Jauchzen und Trällern, das sie überdecken sollte.

»– Das Unheimliche verheimlichen wollen, wer will es nicht? Vom Unerhörten nichts hören wollen, wer hätt's nicht gern? Kein Mitleid mit den Bäumen sage ich. Dem langen Dasein wird kurz ein Ende gemacht. Die Bäume sind die sprachlosen Tiere, man muß sie vernichten; dem neuen Menschen Platz auf der Erde schaffen, heißt unser Werk. Sterben, sterben, sterben, sie sollen alle sterben! In jedes neue Loch ein neuer Baum. Ich habe den Tod mit eigenen Augen gesehen; jetzt weiß ich, was uns allen nützt.

– Sprichst du im Schlaf?

– Sind das Schlafgespräche? Vom Notwendigen rede ich. Wenn der Tod uns droht, müssen wir Tod *machen*. Notwendigkeit, Logik, Vernunft. Ich schlafe nicht; ich gehe und werde mit jedem Tag vernünftiger.«

Die Anklänge dieser Stelle an Grundgedanken von Eichs *Träumen* sind unverkennbar, obwohl vermutlich unbeabsichtigt. Schlafgespräche werden zu Augenblicken der Wahrheit; die Konfrontation mit dem Tod führt zu höherer Vernunft; das Unheimliche und Unerhörte lassen sich nicht verheimlichen. Um so bezeichnender sind die Veränderungen in Ton und Intention. Das Opfer der Angst wird zum Amokläufer, der mit »Notwendigkeit, Logik, Vernunft« auf Menschenvernichtung aus ist, um »dem neuen Menschen Platz zu schaffen«.

Die Analysen des Durchschnittsbewußtseins, wie sie Dürrenmatt und Frisch, Eich und Lind vorlegen, stehen unter dem Gesetz zeitlicher Permanenz. Das zeigt sich bei den Schweizer Autoren in der prinzipiellen Unbelehrbarkeit der Helden, bei Eich und Lind im Fortwirken psychischer Dispositionen aus der Hitlerzeit und dem Vokabular aus dem ›Wörterbuch des Unmenschen‹. Die Zeitdimensionen Vergangenheit und Gegenwart stehen sich nicht mehr in dem Sinne gegenüber, daß es von der einen zur anderen einen Weg gäbe oder daß die eine der anderen zur Orientierung dienen könnte. Vielmehr wiederholt sich die Vergangenheit entweder oder sie wird zum integralen Bestandteil der Gegenwart. Das beliebte Spiel mit den Zeitdimensionen, das Schwitzke noch zu den konstitutiven Merkmalen des Hörspiels rechnete, hat damit bereits seine eigentliche Funktion eingebüßt. Das gleiche gilt auch für den Wechsel von innerer und äußerer Realität oder innerer und äußerer Stimme. Die Fiktion, daß das Innere dem Äußeren an Wahrheit überlegen sei, wird in diesen Spielen widerlegt. Bei Lind etwa führt das Innere, die Stimme der Angst, nicht zu einer höheren Wahrheit, sondern wird gerade zum eigentlichen Auslöser der latenten Brutalität.

All dies bedeutet noch keineswegs eine Abkehr vom geläufigen Hörspieltyp der fünfziger Jahre, sondern eher eine gleitende Modifizierung konstitutiver Merkmale, die ebensoviel beibehält, wie sie ändert. Im wesentlichen halten die Hörspiele der frühen sechziger Jahre an fixierten Räumen und Situationen, d. h. prinzipiell am Illusionshörspiel, ebenso fest wie an einem realzeitlichen Verlauf der Handlung. Wo musikalisch-abstrakte Fügungsprinzipien auftauchen, überlagern sie diesen Verlauf eher, als daß sie ihn ersetzen. Nicht weniger bedeutsam für den Übergangscharakter dieser Hörspiele ist auch das Festhalten an personalen Medien selbst in jenen Werken, die sich bereits am Prinzip der sprachlichen Collage orientieren. So reproduziert z. B. Wolfgang Hildesheimers spätes Hörspiel *Monolog* (1964) die vorgeprägten Sprachformen, aus denen sich etwa der Wetterbericht, die Telefonseelsorge oder auch ein Versöhnungsgespräch zwischen Mann und Frau zusammensetzen. Diese vorgeprägte Sprachwelt wird jedoch von dem Intellekt des Helden transzendiert, d. h., dieser kann das Reproduzierte laufend auf seinen Realitätsgehalt hin untersuchen. Als Resultat dieses Verfahrens ergibt sich, daß nicht wie im Hörspiel der jüngeren Generation Sprache und Bewußtsein dargestellt werden, sondern nur falsche Sprache und falsches Bewußtsein, Korrigierbares also. Für Eichs Hörspiel *Man bittet zu läuten* gilt auf andere Weise Ähnliches. Explizite Sprachkritik fehlt zwar, implizit aber ergibt sie sich dadurch, daß der Held in Pointen spricht, die sich nicht von einem Durchschnittsbewußtsein oder dem sprachlichen System, sondern nur von den satirischen Absichten des Verfassers her erklären lassen. Die distanziert-sachliche

Haltung, die für Collagen typisch ist, fehlt hier also. Bezeichnend ist weiterhin, daß Eich sich für sein Spiel überhaupt eines personalen Sprechers bedient. Das nämlich erlaubt dem Zuhörer immer wieder emotional auf eine Person zu reagieren. Die Aufmerksamkeit wird damit von ihrem eigentlichen Ziel, dem sprachlichen oder ideologischen System, abgelenkt auf ein bloßes Opfer dieses Systems.

Für die Differenz zwischen personaler und apersonaler Hörspielform bietet das 1968 vom Westdeutschen Rundfunk herausgegebene Hörspielbuch ein besonders aufschlußreiches Beispiel. Das erste und letzte Stück dieser Sammlung behandeln jeweils den gleichen Gegenstand: sie zeigen, wie personale Identität durch Sprache zerstört wird.

Im ersten Falle, in Dieter Kühns *Präparation eines Opfers*, stehen sich ein Angeklagter und ein Untersuchungsrichter gegenüber. Ziel des Verhörs ist es, die Motive für den politischen Protest des Angeklagten vom politischen Bereich auf den sexueller Perversion hinüberzulenken und damit in ihrer Öffentlichkeitswirkung unschädlich zu machen. Reales Vorbild des Hörspiels ist ein Prozeß aus der Hitlerzeit, ein historisch einmaliger Vorfall also. Kühn versucht offenbar das Individuelle dieses Falles zu verdecken und statt dessen die bleibenden Züge herauszuarbeiten. Andererseits aber kann er doch nicht umhin, die politische Atmosphäre des Verhörs, die eines totalitären Staates, anzudeuten und den Angeklagten in seiner psychischen Disposition und seiner sozialen Herkunft näher zu charakterisieren. So gelingt es ihm zwar, den Prozeß der Gehirnwäsche psychologisch wahrscheinlich zu machen; zugleich aber lenkt er die Aufmerksamkeit auf die individuellen Züge des Vorfalls, und vor allem erlaubt er dem Hörer persönliche Teilnahme für das Opfer des Terrorsystems.

Peter Handkes Behandlung des gleichen Themas verzichtet auf solche Personalisierung. Sein *Hörspiel* (1968) versucht nicht einen psychischen Prozeß, den Verlust der Identität, psychologisch zu motivieren, sondern es versucht sprachliche Phänomene in ihrem Verlauf und in ihrer Wirkung transparent zu machen. Die Sprecher des Spiels treten dementsprechend nur als Rollenträger in Erscheinung: sie stehen sich gegenüber als Frager und Gefragter, Ausfrager und Ausgefragter. Alles individualisierend Konkrete wie soziale Herkunft und Charakter der Sprechenden oder der Anlaß des Sprechens selbst bleibt unerwähnt. Die Sequenz der Sätze folgt nicht den Prinzipien von Kommunikation und Information, vielmehr unterbrechen sich die Sprechenden gegenseitig, indem sie in der jeweiligen Situation mögliche Redewendungen reproduzieren. In dieser ständigen gegenseitigen Unterbrechung liegt denn auch, wie sich im Laufe des Hörspiels zeigt, die eigentliche Funktion der dargestellten Sprachvorgänge. Sprechen führt zum Verstummen auch dort, wo es gerade zum Sprechen auffordert. So sind in dem Hörspiel die Sätze: »Du mußt nichts erzählen, wenn du nicht willst. Es wäre verständlich, wenn du nichts erzählen wolltest. Es wäre IM GRUNDE verzeihlich, wenn du nichts erzählen wolltest« bereits in ihrer Intention zweideutig, außerdem aber wirkungsidentisch mit den folgenden, die gerade zum Sprechen auffordern: »Sprich dich nur aus ... Auch wenn es dir schwer fällt –, du mußt davon erzählen.« In beiden Fällen wird der Gesprächspartner gleichermaßen daran gehindert, »sich auszusprechen«. Das Hörspiel endet mit dem Verlust jeglicher Kommunikationsmöglichkeit: der Gefragte beginnt zunächst Sätze sinnlos nachzuplappern und endet schließlich im Schweigen.

Handke reproduziert in seinem Spiel mögliche Redewendungen aus zwei analogen sprachlichen Vorgängen, einem Gespräch und einem Verhör. Harmlos-Alltägliches und Außergewöhnliches werden also hier in Beziehung gesetzt, und es kann dabei als besonders konsequent gelten, daß das Ziel des Spiels nicht im Verhör, sondern gerade in der Unterhaltung erreicht wird. Offensichtlich steht im Mittelpunkt der Darstellung nicht der auffälligere sprachliche Vorgang, der in seiner Auffälligkeit auch ohne weiteres durchschaubar ist, sondern gerade das Harmlos-Alltägliche, das der Aufmerksamkeit normalerweise entgeht. Das Verhör dient dabei vor allem als Interpretationshinweis für den Hörer: in ihm kommt, was im Harmlosen ohnehin latent ist, besonders offenkundig zum Vorschein.

Scheinbar Harmloses sprachlich zu reproduzieren und in seinen Implikationen und Wirkungen transparent zu machen: das kann als eine der wesentlichen Intentionen des Hörspiels der letzten Jahre gelten. Dabei stehen die Autoren freilich vor einem doppelten Dilemma. Reproduktive Kunst läuft stets Gefahr, sich in bloßer Verdoppelung der Wirklichkeit zu erschöpfen. Versucht sie dieser Gefahr durch pointierte Auswahl des zu reproduzierenden Materials zu entgehen, so riskiert sie wiederum, die Wirklichkeit zu verzerren und dem Dargestellten seinen Alltäglichkeitscharakter zu nehmen. Als Ausweg aus diesem Dilemma bieten sich den Autoren anscheinend zwei Möglichkeiten an. Einerseits bemüht man sich um eine möglichst artifizielle Anordnung der reproduzierten Sprachformen, andererseits um den Einbau bestimmter interpretatorischer Hinweise, die durch ihr bloßes scheinbar unmotiviertes Dasein das Harmlose auffällig machen.

Als ein solcher interpretatorischer Hinweis fungiert etwa in Franz Mons Hörspiel *Das gras wies wächst* (1969) eine Liste von Namen, die sämtlich mit den Buchstaben ei- beginnen. Langsam und mit der Sachlichkeit eines Adreßbuches tastet sich Mon dabei an den Namen Eichmanns heran, auf den es ihm eigentlich ankommt. Der Hörer wird dadurch veranlaßt, im Rest des Spiels den Namen Eichmanns mit zu bedenken und die übrigen sprachlichen Äußerungen auf ihn zu beziehen. Eine ähnliche hinweisende Funktion hat in Jürgen Beckers Hörspiel *Häuser* eine Passage, in der ein Sprecher selbstgefällig über die Ausräucherung von Ghettos berichtet. Die übrigen Mitteilungen zum Thema Häuser, die Becker in seinem Hörspiel aneinanderreiht, verlieren durch diese Passage ihren meist harmlosen Charakter. Wo »täglich und in nächster Nähe« über Völkermord wie über eine Kaninchenjagd gesprochen werden kann, da beginnt auch das Harmloseste bedrohlich zu wirken. Dieser technische Kunstgriff, Erschreckendes mit scheinbar Banalem zu verschränken, bestimmt in Ludwig Harigs Hörspiel *Ein Blumenstück* (1968) die Gesamtstruktur des Werks. Harig reproduziert zunächst Volksliedstrophen und klischeehafte Kindheitserinnerungen, in die er dann aber Hinweise auf das Vernichtungslager Auschwitz hineinmontiert.

»da war eine rampe
ein altes abstellgleis
zwischen schwellen blühten im frühling
die blumen.«

Was hier das Wort Rampe zunächst noch unbestimmt andeutet, wird immer eindeutiger und unüberhörbarer, je weiter das Spiel fortschreitet. Teile aus Liedern und

Märchen wechseln mit Beschreibungen von Auschwitz und Zitaten des Auschwitzer Lagerkommandanten Höß. Idylle und Völkermord erscheinen hier als zwei Seiten einer größeren Einheit, oder sie gehen ineinander über wie in dem folgenden Beispiel:

»die blätter der blumen sind draht
du bist tot
die blüten der blumen
sind rote polen
sind braune zigeuner
sind gelbe juden«

Wird in solchen interpretatorischen Hinweisen meist auf etwas Konkretes – Ghettos, Auschwitz, Eichmann – hingewiesen, so zeichnen sich die übrigen Sprechteile der meisten neueren Hörspiele gerade durch den Verzicht auf konkrete Festlegungen aus. Der Akzent liegt hier deutlich auf dem, was »täglich und in nächster Nähe« gesprochen und durch Sprache bewußt wird. So montiert Handke in *Hörspiel II* (1969) weitgehend beliebige Sätze, die innerhalb einer Nacht im Hörfunk eines Taxiunternehmens ertönen könnten, Wolf Wondratschek bildet in *Paul oder die Zerstörung eines Hörbeispiels* (1969) nach, was ein Lastwagenfahrer auf seiner Fahrt hören, sagen oder denken könnte, oder Jürgen Becker reproduziert geläufige sprachliche Äußerungen zu bestimmten Themen, die in den Titeln seiner Hörspiele *Bilder, Häuser, Hausfreunde* (alle 1969) genannt werden.

Die Montagetechnik, die formelhafte Sprachelemente aus ihrem normalen Kontext löst und in einen neuen, oft zunächst chaotisch wirkenden Zusammenhang einbaut, erfaßt nicht nur die größeren sprachlichen Gebilde wie Liedstrophe, Satz oder Redewendung, sondern sie erstreckt sich teilweise auch auf die kleineren syntaktischen Einheiten. Auch hierbei treten wiederum die Inhaltsträger der Sprache, also Nomina, Verben und Adjektive, auffällig in den Hintergrund zugunsten dessen, was normalerweise als bloßes Fügungswort oder sprachliches Füllsel dient. Das gilt selbst in jenen Hörspielen, die auf eine rekonstruierbare Handlung nicht ganz verzichten. So verwendet etwa Ludwig Harig in seinem Hörspiel *das fußballspiel* (1966) sprachliche Inhaltsträger vor allem nur so lange, wie sie zur Kennzeichnung von Situationen unumgänglich sind. Sind diese primären Situationen einmal bezeichnet, so können isolierte Fügungswörter in den Vordergrund treten. Die letzten Worte des Helden lauten: »könnt ich ja – hast du denn – willst du nicht – wenn du nur – wenn du doch – hör doch mal.« Konkret fixierte Inhalte tauchen hier nicht mehr auf.

In ähnlicher Weise dominieren Sprachgestus und Füllwort in der folgenden Passage aus Jürgen Beckers Hörspiel *Häuser*.

»Ach wir sollten da doch einmal hinschreiben, oder zuerst einmal anrufen, damit wir vielleicht einmal hinfahren können, denn sieh mal, ich meine, das sind doch alles Angebote, die man sich wenigstens doch einmal ansehen sollte, ich meine, wenn wir uns schon entschlossen haben, dann müssen wir auch mal was tun und nicht immer bloß reden, wie schön es wäre wenn und daß alles anders käme wenn endlich ...«

Inhalt und Urheber der Angebote und der Grund für die Unzufriedenheit mit dem

bestehenden Zustand bleiben hier unerwähnt. Wo Konkretes auftauchen müßte, wird es durch die elliptische Satzkonstruktion verdeckt.
Läßt sich Becker in seinen Hörspielen vor allem von Ton und Gestus der Umgangssprache leiten, so isolieren andere Autoren bestimmte Wörter oder Funktionselemente aus ihrer normalen Satzposition und bringen sie in neue artifizielle Zusammenhänge. Als besonders charakteristisches Beispiel für dieses Verfahren kann neben Wolf Wondratscheks *Zufälle* (1968), Ludwig Harigs und Max Benses *Der Monolog der Terry Jo* (1968) vor allem Franz Mons Hörspiel *Das gras wies wächst* gelten.[14] In der folgenden Passage von Mon wird z. B. das logisch-syntaktische Fügungselement »entweder – oder« isoliert und zugleich auf seine Funktion hin befragt:

»entweder
entweder man hälts aus
oder
oder man hält sich raus
entweder
entweder man hält sich ran
oder
oder man hält sich warm
entweder
entweder es haut hin
oder
oder du haust hin«

Auf den ersten Blick scheint es, als sollten hier Alternativen zur Sprache kommen. In Wahrheit aber hält der Inhalt der Sätze nicht, was die Form verspricht. Aushalten, das Bestehende ertragen, und Sich-raus-Halten haben sich in bestimmten politischen Epochen als Varianten identischen Verhaltens erwiesen. Ebenso bietet der vorletzte Satz »entweder es haut hin« nur scheinbar eine günstige Möglichkeit an. Das folgende Wortspiel offeriert nämlich nicht eigentlich eine Alternative, sondern macht vielmehr den vorangegangenen Satz zweideutig. Etwas »haut hin«; das heißt: entweder du oder es, also etwas anderes.
Mon bildet hier im Wortspiel nach, was sich als Aussage seines Hörspiels insgesamt erschließen läßt. Die Alternativen und Gegensätze, welche Sprache und Wirklichkeit anzubieten scheinen, erweisen sich bei näherem Hinsehen als identisch oder zweideutig. Worte und Verhaltensweisen sind nach verschiedenen Seiten hin offen und lassen sich durch leichte Veränderungen in ihr Gegenteil verkehren. So wird der Titelsatz des Hörspiels durch verschiedene semantische Felder hindurchgespielt. Das Gras wachsen hören: Das kennzeichnet den Scharfsinnigen, kann aber auch die Beschäftigung der Toten sein. Weiches frisches Gras ruft idyllische Vorstellungen hervor, die folgende Assoziationskette vermag jedoch diesen Sinn völlig zu verändern:

»oder butterweich?
als könnte mans schmieren
du meinst wie Butter aufs Brot schmieren?
oder ins Gesicht.«

In ähnlich doppeldeutiger Weise gehören die Wendungen »im gras liegen« und »ins gras beißen« zusammen. Eindeutig ist schließlich der Ausdruck: da wächst kein Gras mehr.

Was hier das Spiel mit semantischen Feldern leistet, wird an anderer Stelle durch graduelle Ansetzung von Satzteilen erreicht. Am Anfang des Spiels steht ein klarer Kontrast. Einer Stimme, die das Wort »nein« wiederholt, steht eine andere gegenüber, die zum Nicken, zum Jasagen also, auffordert. An späterer Stelle wird dieser Kontrast jedoch durch die folgende Additionsreihe nivelliert: »nickst du noch ... nickst du immer noch ... nickst du immer noch so schön ... nickst du immer noch so schön wie damals, als du dagegen warst.«

In Mons Hörspielen wie in denen anderer jüngerer Autoren gibt es kein handelndes Subjekt mehr außer der Sprache selbst. »subjekte«, so schreibt der Autor, »sind die wörter, die wörteragglomerationen, die gestanzten redensarten, fragepartikel, überhaupt fragen aller art, wie sie *quick* und *twen* in populären tests, in interviews, in briefkastenecken bereithalten.«[15] Noch einmal wird hier deutlich, daß die Intention, Alltägliches zu reproduzieren, sich auch auf das verwendete Sprachmaterial selbst erstreckt. Bereits »gestanzte Redensarten« werden wie maschinelle Fertigteile verwendet. In ähnlicher Weise fügen die Autoren auch außersprachliche Geräusche als kompositorische Versatzstücke in ihre Werke ein, oder sie lassen sich schließlich beim Gesamtaufbau ihrer Spiele von vorgeprägten Formen wie dem Western oder dem Comic strip leiten.

Der Versuch der fünfziger Jahre, das Hörspiel zur Domäne subjektiver Innerlichkeit zu machen, ist damit in sein Gegenteil umgeschlagen. Was im neueren Hörspiel zur Sprache kommt, ist gerade nicht Individuelles, sondern das vom sozialen System Vermittelte, Vorgefertigte und stets Verfügbare. Die sprachlichen Manifestationen des Unbewußten oder Unterbewußten, einst durch größere Nähe zur Wahrheit ausgezeichnet, werden jetzt synthetisch von Computern hergestellt, da, wie Ludwig Harig und Max Bense schreiben, »gewisse Analogien« zwischen dem unbewußten Zustand eines Menschen und »der Unbewußtheit eines Computers bestehen«.[16] Wo anscheinend der Versuch gemacht wird, die Sprach- und Bewußtseinsinhalte eines einzelnen Menschen nachzuzeichnen, wie in Wolf Wondratscheks *Paul oder die Zerstörung eines Hörbeispiels*, da ertönen in Wirklichkeit Bruchstücke öffentlich vermittelter Verlautbarungen. Auch damit aber ist der einzelne nur annähernd zu fassen, denn, so heißt es am Ende von Wondratscheks Hörspiel: »Paul ist nicht die Summe der Sätze über Paul. Über Paul lassen sich Sätze sagen, die mit ihm nichts zu tun haben. Paul ist auch etwas anderes.«

Mit der Neigung zur Verwendung vorgefertigten Materials koinzidiert die gleichzeitige Ausweitung des Materialbereichs. Volksliedstrophen stehen neben Fragmenten von politischen Reden, die rhetorisch geformte Sprache der Reklame neben Alltagsgerede oder halbunbewußten Lautfetzen, Sprechchöre einer Straßendemonstration neben intimem Flüstern. Je stärker diese Ausweitungstendenz sich durchsetzt, um so mehr wird die formale Anordnung des Materials zum eigentlichen Problem des Hörspielschaffens. Das gilt einerseits für die bloße Sequenz der Teile, wie sie etwa im Druck erscheint, in stärkerem Maße aber noch für die übrigen Fügungsmittel, die das radiophone Medium bereitstellt. Die traditionelle und vom Theater her übernommene Arbeitsteilung zwischen Herstellung des Textes und seiner akustischen Verwirklichung kann dabei so wenig aufrechterhalten werden, wie es möglich wäre, die Zeileneinteilung eines Gedichtes dem Drucker zu überlassen. Insgesamt dürfte sich für das Hörspiel der letzten Jahre sagen lassen, daß die Experimente mit den technischen Möglichkeiten der Radiophonie und den neu entdeckten akustisch verwendbaren Materialien etwaige Bemühungen um formale oder auch nur informative Begrenzung weit überwiegen. Einen ›geschlossenen‹ Charakter weisen die wenigsten neueren Hörspiele auf. Dabei dürfte die Entwicklung auf dem Gebiet der akustischen Differenzierungsmittel mit der einfachen Stereophonie noch keineswegs abgeschlossen sein. Je weiter aber diese technische Entwicklung voranschreitet, um so mehr gilt vermutlich der Satz Franz Mons, daß die Möglichkeit zunehmender Differenzierung »mit zunehmender freiheit auch ein größeres maß an zufälligkeit und bruchstückhaftigkeit ins spiel« bringt. »sie entspricht damit den realen verhältnissen, in denen wir leben, mehr als das lückenlose band des stereophonen hörspiels. allerdings hat auch dies die möglichkeit, so stark zu differenzieren, daß das aufnahmevermögen des hörers überfordert wird und ganze stränge verlorengehen. das kann zur kompositionsabsicht gehören.«[17]

Anmerkungen

1. Heinz Schwitzke: *Das Hörspiel. Dramaturgie und Geschichte.* Köln und Berlin 1963. S. 368.
2. Günter Eich: *Einige Bemerkungen zum Thema »Literatur und Wirklichkeit«.* In: Akzente 3 (1956) S. 314.
3. Vgl. Schwitzke: *Hörspiel,* a. a. O., S. 103.
4. Friedrich Knilli: *Das Hörspiel. Mittel und Möglichkeiten eines totalen Schallspiels.* Stuttgart 1961.
5. Schwitzke: *Hörspiel,* a. a. O., S. 84.
6. Schwitzke: *Hörspiel,* a. a. O., S. 85.
7. Schwitzke: *Hörspiel,* a. a. O., S. 109.
8. Helmut Heißenbüttel: *Hörspielpraxis und Hörspielhypothese.* In: Akzente 16 (1969) S. 28.
9. Vgl. Johannes M. Kamps: *Beschreibung, Kritik und Chancen der Stereophonie.* In: Akzente 16 (1969) S. 66–76.
10. Jürgen Becker: In: wdr Hörspielbuch 1969. Köln 1969. S. 10.
11. Vgl. Klaus Schöning: *Anmerkungen zu: Neues Hörspiel. Texte Partituren.* Hrsg. von Klaus Schöning. Frankfurt a. M. 1969. S. 8.
12. Dieter Wellershoff: *Bemerkungen zum Hörspiel.* In: Akzente 8 (1961) S. 331–343.
13. Peter Hirche: In: wdr Hörspielbuch 1965. Köln 1965. S. 21–22.
14. Zitiert wird Franz Mons Hörspiel hier nach der Erstfassung in: Akzente 9 (1969) S. 42–66.
15. Franz Mon: *Bemerkungen zur Stereophonie.* In: Neues Hörspiel. Hrsg. von Klaus Schöning. Frankfurt 1970. S. 128.
16. Max Bense und Ludwig Harig: In: Neues Hörspiel. Texte Partituren. Hrsg. von Klaus Schöning. Frankfurt a. M. 1969. S. 58.
17. Franz Mon: *Bemerkungen zur Stereophonie.* S. 128.

Literaturhinweise

Eugen Kurt Fischer: *Das Hörspiel. Form und Funktion.* Stuttgart 1964.

Arnim Frank: *Das Hörspiel. Vergleichende Beschreibung und Analyse einer neuen Kunstform durchgeführt an amerikanischen, deutschen, englischen und französischen Texten.* Heidelberg 1963.

Dieter Hasselblatt: *Was ist das Hörspiel?* In: Germanisch-Romanische Monatsschrift NF 12 (1962) S. 404–413.

Friedrich Knilli: *Das Hörspiel. Mittel und Möglichkeiten eines totalen Schallspiels.* Stuttgart 1961.

– *Deutsche Lautsprecher. Versuche zu einer Semiotik des Radios.* Stuttgart 1970.

Neues Hörspiel. Essays, Analysen, Gespräche. Hrsg. von Klaus Schöning. Frankfurt 1970 (= edition suhrkamp Nr. 476).
Gerhard Prager: *Das Hörspiel in sieben Kapiteln.* In: Akzente 1 (1954) H. 6, S. 514–522.
Rolf Sauner: *Zur Struktur des literarischen Hörspiels.* In: Wirkendes Wort 17 (1967) S. 173–185.
Heinz Schwitzke: *Das Hörspiel. Dramaturgie und Geschichte.* Köln und Berlin 1963.
– *Reclams Hörspielführer.* Stuttgart 1969.
Erwin Wickert: *Die innere Bühne.* In: Akzente 1 (1954) H. 6, S. 505–513.

Über den neueren Stand der Diskussion unter Autoren, Regisseuren und Kritikern unterrichten weiterhin die Beiträge in der Zeitschrift Akzente 16 (1969) Heft 1.

HANS DIETER SCHÄFER

Zur Spätphase des hermetischen Gedichts

Der Franzose V. E. Michelet dürfte der erste gewesen sein, der den aus spätantiken Geheimlehren entlehnten Begriff ›Hermetismus‹ noch vor 1900 auf die Literatur übertrug. Um 1930 bezeichnete die italienische Literaturkritik die Dichtungen Ungarettis als ›poesia ermetica‹, ein Terminus, der sich rasch popularisierte und bald zur Umschreibung der modernen Dichtung schlechthin wurde. Hugo Friedrichs Definition »Moderne Lyrik ist seit Rimbaud und Mallarmé zunehmend Sprachmagie geworden« aus seinem Buch *Die Struktur der modernen Lyrik* (1956) scheint für unsere Zeit jedoch ihre Gültigkeit verloren zu haben. Nach der Stilkunst Georges, der magischen Dichtweise Loerkes und Benns sowie den okkulten Tendenzen, die sich nach 1945 unter dem Einfluß der Naturmagiker und des französischen Surrealismus entwickelten, muß man konstatieren, daß diese Art zu dichten heute an einem Endpunkt angelangt ist. Bobrowski und Celan sind tot, Eich hat zornig resigniert und Krolow – mit seiner ›porösen Lyrik‹ nie ganz zu den Hermetikern zählend – flüchtet sich in zunehmendem Maße in die Ornamente eines neuen Rokoko.
Gottfried Benn war einer der ersten, der unmittelbar nach dem Zweiten Weltkrieg die Situation des eingemauerten hermetischen Dichters beklagte. Während das verschlüsselte Gedicht noch einmal versuchte, durch seinen subjektiv-reinen Ausdruck dem industriellen Warenkosmos Widerstand zu leisten, vollzog sich ein immer stärkeres Auseinanderklaffen von Informationssprache und dichterischer Rede. Auf die Klagelieder Jeremiae 3,7 anspielend (»Er hat mich ummauert, daß ich nicht heraus kann, und mich in harte Fesseln gelegt.«) dichtete Benn:

»Die Gitter sind verkettet,
ja mehr: die Mauer ist zu – :
du hast dich zwar gerettet,
doch w e n rettetest du?«

(Die Gitter)

Das von Benn konstatierte Eingekerkertsein des Lyrikers ist der Negativbefund einer Entwicklung, die in der deutschen Literatur bei Stefan George einsetzte und sowohl im Ethischen wie im Ästhetischen einen positiven Protest gegen die Veräußerlichung der Welt darstellt. Die Schaffung einer eigenen, nur wenigen verständlichen Sprache vollzog sich auf dem Hintergrund des Sprach- und Wertzerfalls im ausgehenden 19. Jahrhundert. Entgegen der epigonalen Requisitenpoesie mit ihren verbrauchten Vokabeln setzte George eine eigene, schöpferische Sprache, die sich keineswegs nur als Kunstneuerung rechtfertigte, sondern die bemüht war, die Einheit der Wirklichkeit durch ein neues Versenken in die einzelnen Worte wiederzufinden. Von Anfang an erhält der hermetische Dichter eine heilige und königliche Aura, die ihn von der Gesellschaft trennt, ihn aber gleichzeitig mit besonderen magischen Kräften begabt erscheinen läßt. »Jeden wahren künstler hat einmal die sehnsucht befallen«, notierte George in seiner *Lobrede auf Mallarmé* (1892/93), »in einer sprache sich auszudrücken deren die unheilige menge sich nie bedienen würde oder seine worte so zu stellen dass nur der eingeweihte ihre hehre bestimmung erkenne.«[1] Erst allmählich wird sichtbar, welche zentrale Vermittlerrolle George für die deutsche Dichtung des 20. Jahrhunderts gespielt hatte. Er integrierte nicht nur den französischen Symbolismus in die lyrische Sprache, er schuf auch Verbindungen zu Novalis, Jean Paul, Hölderlin, Klopstock und Böhme und bereitete damit den Boden, auf dem sich das deutsche hermetische Gedicht der zweiten Phase durch Autoren wie Oskar Loerke und Wilhelm Lehmann in den zwanziger und dreißiger Jahren konstituieren konnte.

Während Georges priesterliche Magie jedoch die Beschwörung esoterischer und schöner Metaphern kultivierte, erneuerte Loerke diese Dichtweise durch Hereinnahme konkreter Natureinzelheiten und angeblich ›lyrikfeindlicher‹ Objekte wie Hinterhöfe, Automobile, Leuchtreklamen. Dennoch darf trotz der Unterschiede im Stoffbereich das Gemeinsame nicht übersehen werden.[2] Ziel Georges und Loerkes war es, eine Wirklichkeit zu gestalten, die hinter der empirischen liegt. Loerkes »bilderlose, dingegroße Welt« entzieht sich einer raschen Erfassung des Lesers ebenso wie die *Algabal*-Texte Georges. Erst durch zusätzliches Wissen können Loerkes Ding-Metaphern entschlüsselt werden, die alle auf ein allumfassendes ›Geisterreich‹ verweisen. Gemeinsam ist beiden Dichtern nicht zuletzt die Betonung der Form wie der zyklische Bau der Gedichtbücher und die Betonung des Reims als ›magisches Element‹.

Wilhelm Lehmann hat in den letzten zwei Jahrzehnten mit seiner stark auf die optische Wiedergabe der Naturwirklichkeit ausgerichteten Poetologie die symbolische Herkunft seiner und Loerkes Dichtung eher verdunkelt als erhellt. Sein Satz: »Von den Dingen zur Sprache, nicht umgekehrt, nicht mallarméisch«[3] wurde von vielen als Absage an den Hermetismus gewertet. Doch in Wirklichkeit sind Lehmanns Texte von der deskriptiven Poesie regionaler Naturlyrik weit entfernt. Wie bei George und Loerke erscheint der Dichter als Magier. Voraussetzung seiner Poesie ist das erfüllte Schweigen, dem sich das Gedicht als ›Antwort‹ schenkt. Lehmann erfand zwar nicht wie George »seltne reiche« und »eigne namen«, er besann sich jedoch auf die Natur mit ihrem uns unvertraut erscheinenden Wortschatz, der ebenfalls geeignet ist, in seiner Fremdheit für die »unheilige menge« eine magische Wirkung auszustrahlen. Lehmanns etymologisches Denken, nach dem sich der älteste Name mit dem Ding deckt, erscheint unter diesem Aspekt als Variante des Magiebegriffs Georges.

Nach 1945 vollzog sich noch einmal ein Aufblühen der hermetischen Dichtweise. Am Beispiel von drei Autoren sollen im folgenden die unterschiedlichen Anknüpfungspunkte, Erscheinungsweisen und Mutationen verdeutlicht werden. Die Verse Loerkes und Lehmanns waren es, die Günter Eich (* 1907) um 1930 in Kontakt mit der hermetischen Poesie brachten. Eich, der gemeinsam mit Martin Raschke 1929 die Dresdner Zeitschrift *Die Kolonne* gründete, stand von Anfang an im Gegensatz zur regionalen Heimatkunst, wie sie im Nachexpressionismus propagiert wurde. Seine frühen, 1930 beim Verleger der *Kolonne* Wolfgang Jeß zum ersten Male gesammelten Verse verraten einen starken Regressionsdrang in das reine Naturreich. Schon hier wird deutlich, daß Eichs Lyrik nicht Oberflächenreize abbilden will, sondern »daß es darauf ankommt, daß alles Geschriebene sich der Theologie nähert«.[4] Die Gedichtbücher *Abgelegene Gehöfte* (1948), *Untergrundbahn* (1949) und *Botschaften des Regens* (1955) dokumentieren eine selbständige Auseinandersetzung mit der magischen Dichtweise seiner Vorbilder. Wie bei ihnen sind im Gedicht Eichs Raum und Zeit aufgehoben. Hinter seinen Versen »Als ich das Fenster öffnete, / schwammen Fische ins Zimmer« *(Wo ich wohne)* steht Loerkes Gedicht *Das Regenkarussell* aus dem Buch *Die heimliche Stadt* (1921): »Der Regen schlägt den ganzen Tag / In meinen Hof den kühlen Schlag. / Es fahren Haie heimlich ein ...« Auch die Stadtwelt in der *Untergrundbahn* ist eine metaphorische Abwandlung von Loerkes *Gespiegelter Stadt*. Die erstarrten Dinge weisen mit ihren Reklamesegmenten auf das lyrische Ich: »In den Kacheln der Station / spiegelt manches grün sich wider. / Was dort schattenhaft erscheint, / damit bin ich selbst gemeint.« Die Zigarettenfrau, hinter einer Glasscheibe neben gemalten Sphinxen und Fächerpalmen wie in einem »Grabgewölbe« sitzend, präfiguriert das Eingesperrtsein des Menschen. Was hier noch als Fortsetzung der negativen Bewertung des Stadterlebnisses durch die regionale Landschaftspoesie erscheinen mag, weist auf ein verändertes Verhältnis zur Naturutopie. Das Ich fühlt sich ausgesperrt vom magischen Spiel der Dinge, dem Aufeinanderbezogensein von Wolkenflug, Blattwerk und Fruchtfärbung. Als Konstante erscheint in den Nachkriegsgedichten Eichs zumindest seit dem Band *Untergrundbahn* nicht mehr die sich immer neu schöpfende Naturwelt, sondern das »Klima des Verfalls, der Prozeß des Alterns«.[5] Folgerichtig wird bei Eich in zunehmendem Maße die Landschaft negativ akzentuiert. Auf dem Hintergrund des Zerfalls kann die Schönheit der Dinge zwar noch einmal sichtbar werden – »Im Kehricht vervielfacht die Rose / abblätternd / ihren geträumten Duft« *(Es ist gesorgt)* –, doch die Natur erscheint nicht mehr als heiles Gegenbild für das vom Bewußtsein zerrissene Subjekt. An die Stelle der Gewißheit Lehmanns ist tiefe Skepsis gerückt. »Wer möchte leben ohne den Trost der Bäume«, beginnt Eichs Gedicht *Ende eines Sommers* (1949), doch sofort folgt die Relativierung des Trostes: »Wie gut, daß sie am Sterben teilhaben.« Das Gedicht intensiviert am Ende das Todesmotiv und mündet in das Bild der Charonsmünze: »Bald wird die Vogelschrift entsiegelt, / unter der Zunge ist der Pfennig zu schmecken.« Die zu entziffernde Vogelschrift nimmt ein Bild auf, das im Symbolismus häufig auftritt. Baudelaire, George und Loerke, aber vor allem auch Lehmann haben zu dieser Metapher gegriffen, wobei sich Lehmann weniger an der antiken Vogelschau orientierte als an der Natursprachenlehre Jakob Böhmes. Nur der Eingeweihte hat Zugang zur hermetischen Welt, die sich in sichtbaren Zeichen und hörbaren Signalen offenbart. Lehmann formulierte diese Vorstellung am deutlichsten in seinem Gedicht *Die Signatur* aus seiner Sammlung *Der grüne Gott* (1942), wo Vogelspuren im Schnee auf das ›Geisterreich‹ weisen und damit auch auf das Ich, das hörend und lesend in diese Gemeinschaft mit einbezogen ist. »Die Vogelkreatur, / Kann ich sie hören, sehn, / Brauch ich nicht mehr zu flehn / Um meine Signatur.« Da bei Eich die Utopie des Überlebens im Naturkosmos angezweifelt wird, verliert der Schriftcharakter der Dinge die Kraft der ›weißen Magie‹. Die Naturhieroglyphe schlägt um in Belsazarschrift.

Schon in dem Gedicht *Weg durch die Dünen* aus Eichs Band *Abgelegene Gehöfte* geschieht die entscheidende metaphorische Umwertung vom Positiven zum Negativen, eine Verschiebung, die für das Naturgedicht nach 1945 typisch ist. Bei Huchel und auch in den Versen Krolows und Bachmanns aus den fünfziger Jahren finden sich ähnliche Tendenzen. Das dichterische Ich erbittet die Unausdeutbarkeit, denn die Vogelschrift schenkt nicht Trost, sondern eine tödliche Offenbarung: »Die Vogelschrift im Sand zerrinnt. / Ich möchte, daß sie nichts bedeute / als Flug und Wind.« Das Ich nimmt das Menetekel als Antwort voraus, »regungslos des Grauens harrend, / das ich lesen soll« *(Angst)*. Daß die Natur als »natürlichste Widerstandsbasis gegen die Absurdität der geschichtlichen Existenz« für Eich dem Zeitablauf unterworfen ist, zeigt sein Gedicht *Winterliche Miniatur* aus dem Band *Abgelegene Gehöfte*. Eichs *Miniatur* ist die Umkehrung der von Loerke und Lehmann propagierten Naturutopie. In seinem Gedicht stellte er den Krähen, die »mit trägem Flügel eine Schrift in den Himmel schreiben«, die keiner kennt, die »Alphabete der Bitternis« gegenüber, die wie der zerfallende Pilz und das verwesende Drosselnest dem Untergang preisgegeben sind. Der Dichter entziffert in den Dingen nicht mehr das erlösende und allumfassende Zauberwort, sondern die Vergänglichkeit. Von dieser bitteren Zeiterfahrung sind Eichs Verse bis zu den *Botschaften* geprägt.

Eichs Vergänglichkeitsschock, vermutlich durch die Kriegs- und Nachkriegszeit geprägt, führte zu einer Relativierung der hermetischen Dichterhaltung. 1953 formulierte er: »Jedes Wort bewahrt einen Abglanz des magischen Zustandes, wo es mit ... der Schöpfung identisch ist. Aus dieser Sprache, dieser niegehörten und unhörbaren, können wir gleichsam immer nur übersetzen, recht und schlecht und jedenfalls nie vollkommen.«[6] Wiederholt definierte Eich in seinen poetologischen Äußerungen den Dichter als »Übersetzer ohne Urtext«, der nur unvollkommen in der Lage sei, die hinter den Dingen liegende Wirklichkeit ins Wort zu ziehen. In dem Gedicht *Nicht geführte Gespräche*, aus der Sammlung *Zu den Akten* (1964), das er Peter Huchel widmete, grenzte er sich scharf von denjenigen Autoren ab, die vorgeben, in den Besitz des wahren Urtextes gelangt zu sein. Das Gedicht ist sowohl gegen die unerschütterliche Priesterhaltung der Naturmagiker wie vor allem auch gegen die ›sozialistischen Realisten‹ gerichtet, deren Poetologie in der möglichst naturgetreuen Abspiegelung gipfelt:

»Wir bescheidenen Übersetzer,
etwa von Fahrplänen,
Haarfarbe, Wolkenbildung,
was sollen wir denen sagen,
die einverstanden sind
und die Urtexte lesen?
(So las einer
aus Eulenspiegels Büchern
die Haferkörner)

Vor soviel Zuversicht
bleibt unsere Trauer windig,
mit Regen vermischt,
deckt die Dächer ab,
fällt über jedes Lächeln,
nicht heilbar.«

Das Gedicht nennt die Haltung des lyrischen Ich »bescheiden«, die Dinge können nur bruchstückhaft Auskunft geben, und auch die Bruchstücke – und das unterscheidet Eich von Loerke und Lehmann – konzentrieren sich nicht mehr um ein Sinnganzes. Das Gedicht bekommt durch den Hinweis auf Eulenspiegel einen ironischen Bezug. Eich spielt auf die Szene an, in der Eulenspiegel Haferkörner in eine Fibel streut, um zu beweisen, daß ein Esel lesen lernen kann. »Und als er kein Hafer mehr zwischen den Blättern fand, rief er I und A«, heißt es im Volksbuch. Vor diesen Nicht-Dichtern erscheint die skeptische Poesie Eichs destruktiv, weil sie das Unausdeutbare nicht durch Scheindefinitionen leugnet und sich ausdrücklich zum Nichtwissen bekennt. In seiner Büchner-Preis-Rede formulierte Eich 1959: »Was ferner sollte ein Autor mehr wissen als ein Nicht-Autor? Die Priestergebärde wird nicht mehr geübt...«[7]

Es wäre jedoch falsch, in Eichs Bekenntnis zum Nichtwissen lediglich Resignation zu sehen. Sein Verhältnis zu den Dingen ist von jeher ambivalent: Er sieht in ihnen das Gesetz der Vergänglichkeit ebenso abgespiegelt wie Trost und Orientierungshilfe im Chaos, freilich ohne daß es ihn drängt, den metaphysischen Hintersinn auszusprechen. Eichs Vorbild ist neben der Naturmagie vor allem die fernöstliche Kunst, in der alles Sehertum zugunsten der stillen Gelassenheit ausgespart ist. Er studierte Ende der zwanziger Jahre Sinologie und übertrug etliche Gedichte aus dem Chinesischen, die 1952 in die Anthologie *Lyrik des Ostens* aufgenommen wurden. In einem Vortrag, der im Winterhalbjahr 1949/50 vom Nordwestdeutschen Rundfunk ausgestrahlt wurde, charakterisierte er die chinesische Sprache mit folgenden Worten: »Unsere Sprache zerlegt – wir sind geneigt, die Welt zu analysieren, der östliche Mensch bewahrt die Einheit, ihm liegt alles Zergliedern fern; unsere Sprache zielt auf den wissenschaftlichen Menschen, die chinesische auf den weisen.«[8]

Mitte der fünfziger Jahre gab Eich den Reim auf und drängte Adjektive und Verben zurück, eine Entwicklung, die auch bei anderen Autoren zum gleichen Zeitpunkt zu beobachten ist. Doch bei Günter Eich entspricht das lakonische Gedicht keiner nur ästhetischen Forderung wie bei Karl Krolow. Eich wollte alles Beiwerk auslöschen, damit die einfachen Dinge in einem überschaubaren hermetischen Bezirk transzendieren. Die Kurzgedichte orientieren sich am Haiku, zuweilen auch am amerikanischen Imagismus (Pound, Williams). Kommentare und rhetorische Fragen nach den jenseitigen ›Botschaften‹ sind ausgespart. Vor allem in den letzten Bänden *Zu den Akten* (1964) und *Anlässe und Steingärten* (1966) trägt Eich seine Absage an das Abendland mit seinem Rationalismus unmißverständlich vor. In dem Text *Fußnote zu Rom* (1964) heißt es: »Zuviel Abendland, / verdächtig / / Zuviel Welt ausgespart. / Keine Möglichkeit / für Steingärten.« Der fernöstliche Steingarten als Refugium des Meditierens wird bei Eich der westlichen Zivilisation gegenübergestellt und gerinnt so zur Metapher, die Phänomene »unangetastet von Verstehn« zu lassen, um die Welt zu gewinnen. »Ich bin über das Dingwort noch nicht hinaus. Ich befinde mich in der Lage eines Kindes, das Baum, Mond und Berg sagt und sich so orientiert«, notierte er einmal,[9] und in dem Gedicht *Briefstelle* heißt es:

> »Keins von den Büchern werde ich lesen.
>
> Ich erinnere mich
> an die strohumflochtenen Stämme,

an die ungebrannten Ziegel in den Regalen.
Der Schmerz bleibt und die Bilder gehen.

Mein Alter will ich in der grünen Dämmerung
des Weins verbringen,
ohne Gespräch. Die Zinnteller knistern.

Beug dich über den Tisch! Im Schatten
vergilbt die Karte von Portugal.«

Der Blick des Kindes auf die strohumflochtenen Stämme, die ungebrannten Ziegel usw. wird zum Blick des Weisen, der sein Alter »in der grünen Dämmerung des Weins« verbringt, »ohne Gespräch«. In dieser hermetischen Abgeschlossenheit beginnen – wie im Märchen – die Dinge zu leben: Die Zinnteller knistern, während die Landkarte als Orientierungshilfe vergilbt und in ihrer Nutzlosigkeit ein magisches »Darüberhinaus« erzeugt. Eich nahm hier eine ähnliche Haltung ein wie Benn in seinen Essays und den *Statischen Gedichten* der dreißiger Jahre. »Nur nicht handeln! Wisse das und schweige ... Stelle dich geistig den Dingen«, heißt es in dem Prosastück *Weinhaus Wolf* (1937). Was in anderen Gedichten Eichs wie *Einsicht*, *Japanisches Holzpferd*, *Himbeerranken* u. a. zu einer ähnlich stillen Klarheit führte, gelang dem Autor in seinem letzten Band *Anlässe und Steingärten* nur noch selten. Ungefähr zehn Jahre nach der *Briefstelle* verliert sich die Addition von Dingwörtern ins Zufällige. Der fünfteilige Text *Ziegeleien zwischen 1900 und 1910* ist ein verzweifelter Versuch, die dingmagische Dichtweise weiterzutreiben. Unter der Patina der ›Belle Epoque‹ fügen sich die Assoziationsketten zu keinem einheitlichen poetischen Text mehr, auch wenn Eich bewußt an die *Briefstelle* anknüpfte und das Ziegelmotiv aufnahm.

»Dachshunde,
ein großer Schimmel,
der Ziegel, der klingend wird.

Rhabarber im Garten Eden,
Wutausbrüche der Pfauen,
Ringöfen.

Der Lehrer Bibup aus dem Nachbardorf,
krank sein,
ein Automobil.«

Doch die aus der Kindheitswelt hervorgehobenen und isoliert aneinandergereihten Dinge bleiben in der Vorform des Poetischen stecken: die Spannung zwischen den Zeilen fehlt. Eichs Poesie geriet zu diesem Zeitpunkt in ihre tiefste Krise, schon hier finden sich zynische Selbstkommentare (»Wutausbrüche der Pfauen«) neben der immer erneut vorgetragenen Absage an den abendländischen Rationalismus mit seinem »Gerede« (»Rhabarber im Garten Eden«). Walter Höllerer war einer der ersten, der den Erschlaffungsprozeß der Ausspartechnik – der keineswegs nur auf Eich beschränkt blieb – erkannte. 1965 attackierte er das lakonische Gedicht als »Chinoiserie« und konstatierte ein fruchtloses »Operieren mit leeren Flächen, eine sich selbst bemitleidende Tonart« und forderte demgegenüber eine »Entscheidung für lange Gedichte«.[10] Bei Eich fiel der Abnutzungsprozeß des Kurzgedichts mit seinem von Anfang an vorhandenen ethischen Engagement zusammen, das er nur für eine bestimmte Phase durch das Ding-Arrangement der Steingartenwelt beruhigen konnte. Nicht ohne bittere Selbstironie verkürzte er Mitte der sechziger Jahre seine Gedichte zu Formeln, die weder epigrammatischen Charakter haben noch die Haiku-Tendenz fortführen. Sie stehen auch nicht in Verbindung zu den rational auflösbaren Formeln der sprachkonkreten Dichter wie Heißenbüttel, Mon, Gomringer, sondern sind höchst subjektive Einfälle, die den ›inneren Bezirk‹ verspotten: »Fischbeinschwäche«, »Baumwollust«, »kandidierte Chinesen«, »Hortisilur«. Diesen Kalauerformeln und Phantasiewörtern ließ Eich 1968 und 1970 unter dem Titel *Maulwürfe* Prosastücke von durchschnittlich 15 bis 20 Zeilen Länge folgen, mit denen er durch die Anknüpfung an die Tradition des ›poème en prose‹ versuchte, die Poesie der »leeren Flächen« zu überwinden. Die Assoziationskreise, die wie in der *Ziegelei* zumeist von den Dingen ausgehen, werden ständig unterbrochen. Alogisches mischt sich ein, Wortwitze, Paradoxien, Zynismen erzeugen eine Welt aus Zorn und Spiel. Eich sperrt sich gegen jegliche Harmonisierungsversuche und attackiert die Scheinwelt der Berufsdichter und die von ihm selbst einst gepflegte Steingarten-Poesie. Durch Sprachgags zerbricht er die Gitter des hermetischen Gedichts, er findet ›Anlässe‹ zum Streit. An die Stelle einer beruhigten Alterspoesie ist »ohnmächtiger Zorn« getreten. »Viele meiner Gedichte hätte ich mir sparen können«, heißt es in dem Prosastück *In eigener Sache*. »... Das ewig nachgestammelte Naturgeheimnis ... Einmal genügt. Nachtigallen kann auf die Dauer nur ertragen, wer schwerhörig ist.«

Während Eich in seiner hermetischen Phase an die Naturmagie Loerkes und den Dingkult des Fernen Ostens anknüpfte, wurde Paul Celan von der Wortmagie der französischen Lyrik seit Baudelaire sowie vom Buchstabenzauber der jüdischen Mystik tief beeinflußt. 1920 in Czernowitz (Bukowina) als Sohn eines jüdischen Bautechnikers geboren, wuchs Celan zweisprachig auf. Deutsch wurde zu Hause gesprochen, rumänisch in der Schule. Während seines Romanistikstudiums kam er früh mit der französischen Moderne in Berührung, aber er hatte auch schon damals Gedichte der russischen ›Akmeisten‹ sowie Texte von Rilke und Trakl gelesen. In seiner Zeit als Verlagslektor in Bukarest (1945–47) brachte er etliche von ihm aus dem Russischen übersetzte Bücher zum Druck, u. a. Werke von Lermontow, Tschechow, Simonow.[11] 1948 nach Frankreich ausgewandert, erwarb er die Lizenz als Sprachlehrer und nahm seine übersetzerische Tätigkeit wieder auf. Er übertrug ins Deutsche u. a. Texte von Jessenin, Mandelstamm, Block, Jewtuschenko, Rimbaud, Valéry, Supervielle, Char, Michaux, Ungaretti, Emily Dickinson. Dieser Sprachenpluralismus ist für Celan kennzeichnend. Das Deutsche blieb für ihn zwar die Grundsprache, die anderen Sprachen lieferten ihm jedoch wichtige Gestaltungsmittel. »Sie, die Sprache, blieb unverloren, ja, trotz allem«, bekannte er 1958 in einer Rede.[12] Obgleich seine Familie während des Dritten Reiches in einem Vernichtungslager umkam, entschied er sich für das Deutsche als Dichtersprache, weil sie – wie er selbst einmal formulierte – seinem Streben nach Wahrheit am nächsten komme. In einer Umfrage grenzte er sie von der wohlklingenden französischen ab und definierte sie

als »grauere Sprache«, die »Düsteres im Gedächtnis« trägt und deshalb nicht verklärt und poetisiert.[13]
In seinen Anfängen freilich ist zuweilen noch der Schmelz des Französischen vorhanden. In den Bänden *Der Sand aus den Urnen* (1948) und *Mohn und Gedächtnis* (1952) evozierte Celan eine erträumte Gegenwelt durch kostbare Requisiten wie »seidner Teppich«, »schöne Flöte«, »demantner Sporn«. Mit der Genetiv-Kombinatorik (»Brünne der Nacht«, »Herzog der Stille«, »Dolche der Finsternis«) bewegte er sich um 1945 noch im Klima des Spätsurrealismus, das Krolow einige Jahre später in die deutsche Poesie einführen sollte. Doch schon die surrealen Metaphern haben zumeist einen elitären Klang, die Trauer spricht sich nicht unmittelbar aus, sondern wird von einem »Kordon von Sprödigkeit und Feierlichkeit« umgeben.[14]
Im Gegensatz zu Eich kultivierte Celan von Anfang an die Königsaura des hermetischen Dichters. »Ich bin du, wenn ich ich bin«, heißt es in dem Gedicht *Lob der Ferne.* Diese bewußte Selbstisolierung, die Benn für sich mit den Worten definierte: »Du willst ein Ich sein, gut, aber das heißt, du bist ummauert, eingemauert, die Gitter zu«,[15] ist bei Celan nicht allein aus der Tradition des Hermetismus zu erklären, sondern entspricht den Vorstellungen der jüdischen Kabbala, die ihm – wie die hebräische Sprache – seit seiner Kindheit vertraut waren. Das östliche Judentum beschäftigte sich noch intensiver als die christliche Mystik mit dem Problem der Gottbeziehung und Wortvermittlung. Das Zusammensetzen bestimmter Buchstaben, das magische Spiel mit neuen Worten usw. sind von zentraler Bedeutung, um durch das tiefste Nennen mit der Überwirklichkeit in Kontakt zu kommen.[16] Die sich fast leitmotivisch durch die Celan-Philologie ziehende nichtssagende Formel von der ›Dichtung am Rande des Schweigens‹ vernachlässigt allzuoft diese Beziehung, die für Celan ein wichtiger Inspirationsquell war. Während Mallarmé für seine ›absolute Poesie‹ die Metapher des Fächers wählte, »weil dieser sich zwischen Auge und Welt zu schieben vermag«,[17] gebrauchte Celan als Titel seines vierten Bandes (1959) das Bild des *Sprachgitters,* das keine profane, sondern eine ganz reale religiöse Bedeutung hat: Sprachgitter sind in den Nonnenklöstern kleine Fenster, durch welche die Nonne mit der Außenwelt sprechen kann. Diese Doppelfunktion – Behinderung und Ermöglichung der Kontaktaufnahme – hat Celan vermutlich gereizt, einmal weil er seine eigene poetische Sprache als ›Gitterung‹ verstand, zum anderen deshalb, weil er sich auch dem ›Göttlichen‹ gegenüber eingegittert fühlte. Diese mehrdeutige Kerkermetapher kehrt in zahlreichen Gedichten vielfach variiert wieder. Zwischen dem geheimen Erkennen durch das Wort und der daraus resultierenden verschränkten Aussage des Erkannten pendeln fast alle Gedichte Paul Celans.
Ähnlich wie bei Eich ist Mitte der fünfziger Jahre eine formale Neuorientierung zu beobachten. An die Stelle der Langverse mit ihrer üppig wuchernden Metaphorik trat eine Verknappung der lyrischen Sprache, wobei sich in Analogie zur syntaktischen Verkürzung Worterweiterungen auf kürzestem Raum vollziehen. Am häufigsten finden sich Neukombinationen von Substantiven, die vor allem in den letzten Bänden oft bis zur dreiteiligen Komposition fortschreiten (»Herzschattenseil«, »Schneewimperschatten«). Schließlich begann Celan, Wörter mit Elementen aus längst verschollenen und uns unvertraut erscheinenden Sprachschichten zu verbinden (»Tränentrumm«, »Tüllenäxte«, »Bakensammler«). Zu diesen Neukombinationen treten Wortzerlegungen in Partikel, die über Zeilen hinweg voneinander getrennt

sind, sowie aus verschiedenen Silben neu zusammengesetzte Wörter wie zum Beispiel »hühendiblüh«, das aus »hü«, »die« und »blühen« gefügt wurde. Das so zum Dichterwort umstrukturierte Normalwort besitzt im Kontext immer eine bestimmte Funktion, die freilich oft nur mit größter Mühe nachzuvollziehen ist. Das Hölderlingedicht *Tübingen, Jänner* zum Beispiel endet mit der Evokation des Lallens und der Wendung »Pallaksch. Pallaksch«. Das Wort »Pallaksch« ist von Christoph Theodor Schwab aus der Wahnsinnszeit Hölderlins überliefert und bedeutet Ja und Nein zugleich. Es steht mit zwingender Folgerichtigkeit am Ende des Hölderlingedichts und ist kein Nonsens-Zitat, wie manche Interpreten meinten.[18]
Die Neukombinationen von Wörtern oder Wortteilen, der Rückgriff auf alte Sprachschichten und die Integration unbekannter Zitate oder Zitatfragmente haben bei Celan sowohl einen ›innerlyrischen‹ wie auch einen ›außerlyrischen‹ Sinn: sie weisen auf die Beziehung des Ich zum »fließenden Licht der Gottheit«. In einem seiner letzten Texte, dem Gedicht *Du sei wie du* aus dem Band *Lichtzwang* (1970) montierte Celan Mittelhochdeutsches und Neuhochdeutsches mit dem Hebräischen.

Du sei wie du, immer.

Stant vp Jherosalem inde
erheyff dich

Auch wer das Band zerschnitt zu dir hin,

inde wirt
erluchtet

knüpfte es neu, in der Gehugnis,

Schlammbrocken schluckt ich, im Turm,

Sprache, Finster-Lisene,

kumi
ori.

Celan nahm das auch von Benn benutzte biblische Bild vom Eingemauertsein auf und konkretisierte es: Das lyrische Ich schluckt »Schlammbrocken«. Gegen diesen Wortanprall, das »bunte Gerede« der Menschen, setzte er das Reine: »Sprache, Finster-Lisene.« Lisene ist ein pfeilerartiger, wenig hervortretender Mauervorsprung. Im Gegensatz zur Dunkelheit im Turm steht eine überirdische, aber nur schwer erkennbare Sprache, die das Ich erleuchtet. Celan griff auf Meister Eckeharts Predigt »Surge, illuminare« zurück, der Jesaja 60,1 nach dem Text der Vulgata ins Mittelhochdeutsche übertrug: »Stant vp Jherosalem inde erheyff dich inde wirt erluchtet.« Die durch das Neuhochdeutsche getrennten Worte münden schließlich in ein Fragment der hebräischen Fassung: »Qumi ori ki ba orek ukebod jahwae alajk zarah« (Auf, werde licht, denn dein Licht kommt, und die Herrlichkeit Jehovas geht auf über dir).[19] Am Ende steht die älteste Fassung der Lichtverheißung: »Kumi ori«. Celans kabbalistisches Sprach-Gitter ist 1969 entstanden, im selben Jahr besuchte er zum erstenmal Israel. In einer Rede vor dem Hebräischen Schriftstellerverband in Tel Aviv bekannte er sich »zur jüdischen Einsamkeit« und zur Freude »über jedes neuerworbene, selbsterfühlte, erfüllte Wort ... in diesen Zeiten der allenthalben wachsenden Selbstentfremdung und Vermassung.«[20] Wie Celan kurz vor seinem im April 1970 gewählten Freitod das Band zu Israel neu knüpfte, so bedeutet seine Dichtung immer wieder die Aufnahme des »erfüllten Wortes«, das wie k u m i o r i ein Neues-Altes ist. In einem Gespräch erklärte er einmal, daß »tauchen« und »taufen« nicht nur etymologisch in enger Beziehung zueinander stünden.[21] Im Hinabtauchen zum Hebräischen glaubte Celan, sich dem Weltsinn zu nähern, doch erst durch die ›Gitterung‹ mit dem Neuhochdeutschen und Mittelhochdeutschen gewinnt das ›Grundwort‹ eine überzeitliche Aura. Das Band zur ältesten Sprache wird in der »Gehugnis« geknüpft, auch hier benutzte Celan wieder eine archaische Wendung. ›Gehugnisse‹ bedeutet im Mittelhochdeutschen ›Gedächtnis‹ und ›Erinnerung‹. Sprachgitter und Gedächtnis bezeichnen für Celan die »jüdische Einsamkeit«, um in ihr der Verheißung auf die Spur zu kommen. Ziel seiner Dichtung war es, schließlich in der mystischen Klausur auch die Trennwand des Hebräischen zu durchbrechen und zur ›lingua Adamica‹ zurückzufinden, von der die Mystiker träumten und die im Paradies vor dem Sündenfall von Gott und den Menschen gemeinsam gesprochen wurde.

Die Rückwärtsgesprochenen
Namen, alle,

der äußerste, zum
König gewiehert
vor Rauhreifspiegeln,
umlagert, umstellt
von Mehrlingsgeburten,

der Zinnenriß durch ihn,
der dich Vereinzelten
mitmeint.

Dieses poetologische Gedicht aus dem Band *Lichtzwang* ist nur im Zusammenhang mit anderen Texten verständlich, die alle um das zentrale Thema der neukombinierten Wörter und ihr Verhältnis zum »rückwärtsgesprochenen Namen« kreisen. Celan gebrauchte das tierische »wiehern« ähnlich wie »lallen« und »brabbeln« zur Umschreibung der adamischen Sprache. In einem Gedicht aus dem Band *Die Niemandsrose* (1963) ist die Rede vom dichterischen Ich, das mit Gott durch den Schnee in die Ferne reitet. Über die Menschen heißt es: »Sie / logen unser Gewieher / um in eine / ihrer bebilderten Sprachen.« Auch die Königsmetapher ist vielfach belegt und weist sowohl auf den erhöhten Dichter wie auf das Absolute. In dem oben genannten Text ist der ›himmlische König‹ gemeint, doch er ist nicht wie in mittelalterlichen Darstellungen von einer Mandorla, einem mandelförmigen Heiligenschein umgeben, er ist von Spiegeln umstellt, die von Rauhreif überzogen sind und in denen sich der König nicht erkennt. Die Menschensprachen (»Mehrlingsgeburten«) spiegeln ihn nicht wider. Doch der Dichter buchstabiert – getrennt von den Mitmenschen – alle Namen bis zum Urwort zurück. Durch den Wiederholungsakt der schöpferischen Namensgebung (»Zinnenriß«) kommen Gott und Ich gleichzeitig zu sich. »Gott ist so viel an mir, als mir an ihm gelegen«, bekannte schon Angelus Silesius in seinem

Cherubinischen Wandersmann. Auch bei Celan ist dieses Aufeinanderangewiesensein des dichterischen Ich und des göttlichen Du vorhanden: »Mir wächst / das Fell zu überm / gewittrigen / Mund, / du / kommst nicht / zu / dir«, heißt es in einem der letzten Texte.[22] Der Schock, das Überbegriffliche nicht ins Wort bannen zu können, ist sowohl in der christlichen Mystik wie in der Kabbala verbreitet und bezeichnet den Gegenpol zum plötzlich einsetzenden Sprachrausch. Sprachnot und Sprachmagie schließen einander nicht aus, sondern sind eine dialektische Bedingung. Es ist daher folgerichtig, daß in vielen Gedichten nach der Klage um den Verlust der Worte ihre Rückgewinnung beschworen wird: »Und die Mandelhode / gewittert / und blüht«.[23] Das Wort »Mandel« war für Celan ein Schlüsselwort. »Mache mich bitter. / Zähle mich zu den Mandeln«, heißt es schon in *Mohn und Gedächtnis.* Die Mandel steht entweder in Beziehung zum jüdischen »Mandelauge« oder zum Absoluten (»Mandorla«). Die Neukombination »Mandelhode« spielt auf die poetische Fruchtbarkeit des Volkes Israel an, zu dem sich Celan bis zu seinem Ende bekannte.
Celans extremer Hermetismus wird spätestens dann poetisch relevant, wenn es ihm gelingt, sein Dichten in eine möglichst präzise Deckungsgleichheit mit seiner jüdischen Herkunft zu bringen.[23a] Wenn Celan in der »Gehugnis«, in der Erinnerung, dem Schicksal seines Volkes nachsinnt, bekommt sein Ringen um eine neue Sprache einen eindrucksvollen Wirklichkeitsbezug. Schon Jean Paul hat das konkrete Bild des Nonnenfensters ins Poetische gewendet und mit dem Totengedächtnis in Verbindung gebracht, zum Beispiel im *Titan*, wo die Rede von einem Mann ist, der »hinter dem Sprachgitter des Schlafs mit Toten« spricht.[24] Die *Todesfuge* war 1945 nach Auschwitz ein politisches Gedicht, hinter der surrealen Bildverschränkung wurde das unmittelbar erlebte Leid deutlich: Verfolgung, Ghetto, Vernichtung. Diese Tradition des Totengedächtnisses hat Celan nie aufgegeben. Man denke an Texte wie *Espenbaum* (1945), *Schibboleth* (1955), *In Eins* (1959) und nicht zuletzt an folgende Verse aus dem Band *Die Niemandsrose*:

EINE GAUNER- UND GANOVENWEISE
GESUNGEN ZU PARIS EMPRÈS PONTOISE
VON PAUL CELAN
AUS CZERNOWITZ BEI SADAGORA

Manchmal nur, in dunkeln Zeiten,
Heinrich Heine, An Edom

Damals, als es noch Galgen gab,
da, nicht wahr, gab es
ein Oben.

Wo bleibt mein Bart, Wind, wo
mein Judenfleck, wo
mein Bart, den du raufst?

Krumm war der Weg, den ich ging,
krumm war er, ja,
denn, ja,
er war gerade.

Heia.

Krumm, so wird meine Nase.
Nase.

Und wir zogen auch nach *Friaul*.
Da hätten wir, da hätten wir.
Denn es blühte der Mandelbaum.
Mandelbaum, Bandelmaum.

Mandeltraum, Trandelmaum.

Und auch der Machandelbaum.
Chandelbaum.

Heia.
Aum.

Envoi.

Aber,
aber er bäumt sich, der Baum. Er,
auch er
steht gegen
die Pest.

Auch dieses musikalisch durchstrukturierte Gedicht steckt voller verschlüsselter Zitate. Syntax und Einzelworte sind zersplittert, doch hinter dem »Partikelgestöber« erscheinen die Konturen der geistigen Landschaft Celans in ungewöhnlicher Präzision. Der einfache an Villons Galgen-Moritaten erinnernde Titel gibt erste Hinweise. Seiner Geburtsstadt Czernowitz fügte Celan die benachbarte Ortschaft Sadagora jenseits des Pruth hinzu, die für die chassidische Tradition der Juden in der Bukowina von besonderer Bedeutung war.[25] Das Motto weist auf Heines Gelegenheitsgedicht *An Edom*, das wiederum auf Heines eigene Arbeit am *Rabbi von Bacherach* anspielt, in dem der »tausendjährige Schmerz« der Juden beschworen ist. Titel und Motto präfigurieren durch die chassidische Tradition Sadagoras und durch das weltliche Paris Heines die poetischen Stationen des Dichters Paul Celan aus Czernowitz. Darüber hinaus entsteht eine geistige Topographie: In der »Ganovenweise« soll der Judenverfolgung aller Zeiten gedacht werden. Nach der Evokation des Galgens erscheint das Gesicht des ›ewigen Juden‹ mit dem zerrauften Bart und der krummen Nase, dessen Weg über die Welt »krumm« war, aber im geistigen Sinne »gerade«. Ahasver erstarrt bei Celan nicht zum Stereotyp, sondern wird aufgelöst in ein heiteres Wortspiel. Die Wiegenliedanspielung »Heia«, das Zitatfragment des alten Landsknechtsliedes »Wir kamen vor Friaul« und die Buchstaben-Variationen mit dem Wort »Mandelbaum« signalisieren die Geistigkeit des jüdischen Volkes, das sich erfolgreich gegen die feindlichen »Edomiter« aufbäumt. Der unbeschwerte Vers »Denn es blühte der Mandelbaum« ist die Antithese zum Galgenbaum, darüber hinaus assoziierte Celan das niederdeutsche Märchen vom Machandelbaum, in dem von der Ermordung eines Kindes erzählt wird. Die weinende Schwester legt die Knochen unter einen Wacholderbusch, um plötzlich zu erleben, wie sie sich in einen Vogel verwandeln und aufschweben. Der Vogel setzt sich auf die Dächer der Stadt und singt von seinem Schicksal (»Min Moder de mi slacht't, / min Vader de mi att«). Durch seinen Gesang öffnet er den Menschen die Augen. So wie der Kiebitz im Märchen, offenbart der ›jüdische Galgenvogel‹ in seiner Poesie Verfolgung und Vernichtung. In dem Zusammenstoß der Partikel »Heia / Aum«, dem isoliert gesetzten Ausruf und der Endsilbe des Schlüsselwortes, wird der Dualismus von Freude und Schmerz, Lied und Tod in äußerster Reduktion noch einmal sichtbar. Das Wort ›envoi‹ (= Sendung) bedeutet im Französischen die Aufforderung, die Schlußstrophe zu singen. Celan nahm das »envoi« auf: Er fühlte sich als Dichter am Ende einer langen Tradition, in der das jüdische Volk kraft seiner Poesie Widerstand gegen die Verfolgung geleistet hat. Mit diesem komplizierten, nur mit zusätzlichem Wissen ausdeutbaren Text knüpfte er erfolgreich an die engagierte Esoterik der jüdischen Dichtung an. Gleichzeitig gelang ihm der Nachweis, daß sich im Hermetismus ›absolute Poesie‹ und ›politische Dichtung‹ nicht von vornherein ausschließen. Auch wenn die Aufklärung nicht direkt geschieht, kommt nach Celans Meinung der Augenblick, wo »die Wahrheit selbst / unter die Menschen« tritt »mitten ins Metapherngestöber«.[26]

Ähnlich wie bei Paul Celan war für Johannes Bobrowski (* 1917) das Unrecht des Zweiten Weltkrieges auslösendes Moment seiner Dichtung. In einer poetologischen Äußerung für Hans Benders Anthologie *Widerspiel* (1962) datierte er den Beginn seines Schaffens auf das Jahr 1941: »Zu schreiben habe ich begonnen am Ilmensee 1941, über russische Landschaft, aber als Fremder, als Deutscher. Daraus ist ein Thema geworden, ungefähr: die Deutschen und der europäische Osten. Weil ich um die Memel herum aufgewachsen bin, wo Polen, Litauer, Russen, Deutsche miteinander lebten, unter ihnen allen die Judenheit. Eine lange Geschichte aus Unglück und Verschuldung, seit den Tagen des deutschen Ordens, die meinem Volk zu Buch steht. Wohl nicht zu tilgen und zu sühnen, aber eine Hoffnung wert und einen redlichen Versuch in deutschen Gedichten. Zu Hilfe habe ich einen Zuchtmeister: Klopstock.«

1944 erfolgte durch die Vermittlung Ina Seidels Bobrowskis erste Veröffentlichung in Paul Alverdes' Zeitschrift *Das Innere Reich*. Das Märzheft brachte acht Gedichte, die alle unter dem Eindruck des Rußlandfeldzuges entstanden waren und in krassem Gegensatz zur Geschichtsblindheit der ›inneren Emigranten‹ stehen.[27] Zu dem Thema der östlichen Landschaft trat schon damals die Klage um die Zerstörung der russischen Kirchen und Klöster. Während sich Eich zeitweilig nach 1945 meditativ der Dingwelt seiner ›Steingärten‹ hingab und Celan die ›absolute Poesie‹ Mallarmés mit der jüdischen Mystik zu verbinden versuchte, ist bei Bobrowski bis zu seinem Tod (1965) ein starkes lutherisches Engagement zu spüren. Ein unmittelbares Eingehen auf aktuelle politische Ereignisse sucht man in den Bänden *Sarmatische Zeit* (1961), *Schattenland Ströme* (1962), *Wetterzeichen* (1967) und dem Nachlaßband *Im Windgesträuch* (1970) zwar vergeblich, doch Bobrowski selbst verstand sich immer als »Mahner«. Von diesem ethischen Ansatzpunkt her wird verständlich, warum sich der Lyriker zeitlebens zu Klopstock bekannte, dem es ebenfalls darum ging, die Menschen im Sinne eines christlichen Humanismus zu erziehen. In dem Gedicht *Anruf* aus dem Jahr 1944 heißt es angesichts des Chaos: »– und doch ist ein / Frieden bereitet in der Zerstörung. / Den aber nennen!« Das Gedicht ist – wie fast alle anderen aus der Frühphase – noch an dem von Klopstock eingedeutschten antiken Odenmaß orientiert; in den Texten der fünfziger und sechziger Jahre herrscht der stark skandierte freie Rhythmus vor. Die späteren verschlüsselten und durch Inversionen aufgerauhten Verse führen kontinuierlich die Ansätze von 1944 weiter wie in dem posthum edierten Poem *An Klopstock*, dessen letzte Zeilen lauten: »... – ich hab / aufgehoben, dran ich vorüberging, / Schattenfabel von den Verschuldungen / und der Sühnung: / so als den Taten / trau ich – du führtest sie – trau ich / der Vergeßlichen Sprache, / sag ich hinab in die Winter / ungeflügelt, aus Röhricht / ihr Wort.« Bobrowskis Überzeugung von der Wirksamkeit der Dichtersprache teilte er mit allen Hermetikern, doch im Gegensatz zu Celan zersplitterte er das Einzelwort nicht, lediglich die verschränkte Syntax, die Elision von Satzteilen und die Integration archaischer Wörter und versteckter Zitate bauen an der Beschwörungskraft seiner Verse.

Während sich Celans ›hermetische Etymologie‹ hinter ›Sprachgittern‹ vollzieht, ereignet sie sich bei Bobrowski im ›Schattenland‹ jenseits der Weichsel. Das Gedicht *Gestorbene Sprache* spielt auf das Pruzzische an, einen litauischen Dialekt, der im 18. Jahrhundert ausstarb. In der ersten Strophe erscheint ein vogelähnliches Wesen, das Einlaß begehrt: »Das ist dein Bruder, du hörst ihn. / *Laurio* sagt er, Wasser ...«. Am Ende des Gedichts, nach der vergeblichen Abwehr (»Sag ihm, du willst / ihn nicht hören«) dringt der ›Sprachgeist des Pruzzischen‹ durch das Moor und die Quellen in das Haus ein: »... *smordis* vernimmst du.« »Laurio« (= Wasser) und »smordis« (= Faulbaum) sind pruzzische Vokabeln, die im Text übersetzt werden, freilich im doppelten Sinne: Die tote Sprache lebt in der Natur weiter und fordert von den Menschen Aufmerksamkeit. Wer vor der Vergangenheit fliehen will, erfährt den Schuldspruch: »Dein Faulbaum wird welken, / morgen stirbt er am Zaun.« Mit der Kombinatorik von vergessener Sprache und Dingwelt durch das Mittel der Naturpersonifikation arbeitete Bobrowski zweifellos poetische Ergebnisse der Naturmagiker auf. In seinen Gedichten wird allerdings nicht mehr die allumfassende ›lingua Adamica‹ entziffert, sondern jeweils eine bestimmte historisch gewachsene Situation. In einem Interview bekannte er 1964: »Das reine Naturgedicht ... zum Beispiel bei Wilhelm Lehmann ... halte ich nicht mehr für so erheblich.« Dagegen forderte er die dichterische Beschwörung einer Landschaft, »in der Menschen gearbeitet haben, in der Menschen leben«.[28]

Neben den Naturgedichten verdeutlichen vor allem lyrische Porträts auf so unterschiedliche Personen wie Bach, Villon, Mozart, Hamann, Hölty, Eichendorff, Rosa Luxemburg, Jahnn u. a. die Neuorientierung Bobrowskis. In diesem Zusammenhang bietet sich ein aufschlußreicher Vergleich zwischen einem Gedicht von Celan und einem Text von Bobrowski an, die beide auf russische Schriftsteller jüdischer Herkunft geschrieben wurden. Celans Gedicht auf Mandelstamm *Es ist alles anders* aus dem Buch *Die Niemandsrose* entspricht Bobrowskis Poem auf Babel *Holunderblüte* aus der Sammlung *Schattenland Ströme* (1962). Ossip Mandelstamm und Isaak Babel hatten ein ähnliches Schicksal: Sie fanden beide um 1940 zur Zeit der ›stalinistischen

Säuberungen‹ den Tod. In Celans Text vollzieht sich bezeichnenderweise eine Begegnung des lyrischen Ich mit dem Namen des Toten (»Der Name Ossip kommt auf dich zu«). Der tote und der lebende Dichter werden im Gedicht eins. Bobrowski dagegen stellte das Erscheinen Isaak Babels sogleich in einen realen Raum (»Häuser in hölzerner Straße, / mit Zäunen, darüber Holunder«), das Unrecht wird artikuliert (»Damals, weißt du, / die Blutspur«), und die Verse münden schließlich in die Mahnung, die Blutspur der Pogrome nicht zu vergessen, denn: »Leute, es möcht der Holunder / sterben / an eurer Vergeßlichkeit«. Bobrowskis Gedicht ist nicht monologisch oder scheindialogisch angelegt, es wendet sich am Ende mit einer nahezu volkstümlichen Anrede direkt an den Leser.

Eine ähnliche didaktische Ausdeutung verschlüsselter Strophen ist in zahlreichen Texten Bobrowskis nachzuweisen. Man hat daher zu Recht seine Bildlichkeit mit der mittelalterlichen Typologie oder der barocken Emblematik verglichen.[29] Ähnlich wie dort werden Personen und Geschehnisse aus verschiedenen Zeitebenen auf Grund ihrer Analogie aufeinander bezogen, wobei die älteste Bildschicht die Funktion hat, auf das Gegenwärtige hinzuweisen. Ein gutes Beispiel für dieses Verfahren bietet das in dem Band *Im Windgesträuch* gedruckte Nachlaßgedicht *Die russische Birke* (1959). Es besteht aus einer Eingangsstrophe und drei deutlich voneinander getrennten Abschnitten, die in sprachlicher und inhaltlicher Steigerung Bilder aus der russischen Landschaft wiedergeben. Die erste Strophe lautet:

»Ein Streifen Bast,
mit drei Schnitten
gelöst von der Rinde: Zeichen –
Sergej aus Rjasan
hat sie gelesen, du wirst
eines entziffern«.

Bobrowski dachte an den symbolistischen Lyriker Sergej Jessenin, der im Gouvernement Rjasan aufwuchs und 1925 in Moskau Selbstmord beging. Birke, Mond und Apfelgarten sind bei ihm – ähnlich wie bei Bobrowski – zentrale Chiffren für das ›hölzerne Rußland‹. Die Analogie geht über das Thematische hinaus und bezieht sich vor allem auch auf die Dichterhaltung. Bobrowski dachte vermutlich an Jessenins Gedicht *Goldnes Gehölz*, das in der Celanschen Übersetzung mit den Versen beginnt: »Goldnes Gehölz wills aus dem Sinn mir reden: / mit leichter Birkenzunge sprichts.«[30] Nachdem sich das dichterische Ich in Parallele zu Jessenin gesetzt hat, beginnt es drei Bilder zu artikulieren, die wie ein Orakel verschlüsselt sind. In der letzten Strophe heißt es:

»– sie würgten,
Hauptmann und Bischof, die Räubrin
im Turm, Marjas Seele,
streicht, ein Rabe, um Oka
und Moskwa, ein großer Schatten
früh in den Nebeln –«

Der Schatten des Vogels weist auf Marja Mniszek, die als Frau des ersten falschen Demetrius 1613 in einem Turm an der Oka dem Hungertod preisgegeben wurde.

Der »große Schatten / früh in den Nebeln« hat jedoch noch einen zweiten Verweisungscharakter. Das Unrecht von einst wird zum Typus für die Mordtaten des Zweiten Weltkrieges, die sich an den Ufern von Oka und Moskwa zutrugen. Diese Bildschicht ist ausgespart, sie ist aber – wie in fast allen Rußland-Gedichten Bobrowskis – mitgemeint. Im Gegensatz zu Celan steht Bobrowski nicht hinter ›Sprachgittern‹ in einem Turm, er befindet sich außerhalb und weist auf das von ihm entzifferte Grauen mit der Bitte, aus dem Grauen zu lernen. Doch auch Bobrowskis Aufklärungsgebärde ist eine religiöse. Eines seiner letzten Gedichte *(Steh. Sprich. Die Stimme.)* endet mit den stammelnden Worten:

»Jona komm
wir reden und reden
sag Ninive
sag morgen morgen morgen«

Auch hier erscheint wieder eine typologische Beziehung. Das lyrische Ich spiegelt sich in der Gestalt des Propheten Jona wider, der von Gott den Auftrag bekam, in die reiche Stadt Ninive zu gehen und ihren Untergang zu predigen. »Da glaubten die Leute von Ninive an Gott«, heißt es in Jona 3,5. Die Menschen fasteten, auch der König. Er »legte seinen Purpur ab und hüllte sich in den Sack und setzte sich in die Asche« (Jona 3,6). Die Stadt blieb vom Untergang verschont. Bobrowski fühlte sich als ›zweiter Jona‹, der durch die kunstvolle Technik der Typologie die dunkle Vergangenheit in die Zukunft projizierte. In einer Zeit der Fortschrittsgläubigkeit zweifelte er das Morgenrot an. Schon 1953, in seinem Gauguingedicht, bekannte er: »Endzeit ist immer.«

Das Jahr 1945 bedeutet nicht – wie lange Zeit behauptet wurde – einen Neuansatz der deutschen Literatur. Man versuchte vielmehr, die Strukturen der Moderne weiterzuentwickeln, wie sie sich vor 1933 herausgebildet hatten. Es ist daher kein Zufall, daß sowohl Eich wie Celan und Bobrowski ihre dichterischen Impulse vor 1945 empfangen hatten. Die in der skizzierten Spätphase herangereifte Lyrik stand freilich von Anfang an unter dem Gewissensdruck, ob man angesichts des Grauens den Traum einer ›absoluten Sprache‹ noch fortführen könne. Obgleich George seine Dichtung als ethisches Korrelat verstand, schien seine Lösung nach den Ereignissen des Zweiten Weltkrieges fragwürdig. Alle drei hier vorgestellten Autoren versuchten daher, sich mit hermetischen Mitteln auch politisch zu äußern, wobei Bobrowski am ausgiebigsten die Erfahrungen des Krieges zu integrieren vermochte. In zahlreichen poetologischen Äußerungen versuchte er, die »heimliche Neigung zum Hermetismus« durch den Hinweis auf außerlyrische Bekenntnisse zu entschuldigen.[31] Daß es unter dieser Konstellation trotzdem noch einmal zu einem Aufblühen des hermetischen Gedichts kam, hängt vermutlich mit der ›politischen Windstille‹ zusammen,[32] die spätestens Mitte der sechziger Jahre durch das Engagement der ›neuen Linken‹ abgelöst wurde. Das lyrische Ich, weil es im Gegensatz zur NS-Zeit nach 1945 widerstandslos von der Gesellschaft toleriert wurde, begann sich in dem Maße zurückzuziehen, in dem der Abstand zur Kriegszeit wuchs. Die existentielle Utopie wurde von einer Fetischisierung der Ingenieursvernunft verdrängt. An die Stelle der kabbalistischen Semantik Celans rückte eine politische, welche bestimmte gesellschaftliche Fehlleistungen wie Manipulation der Medien, Nationalismus, Untertanengeist usw. freilegen will. Eichs ›Belsazarschrift‹ und Bobrowskis ›Mahnungen‹ sind für die jüngere Lyrikgeneration anachronistische Erscheinungsweisen des Spätbürgertums. Auch die experimentellen Texte der Heißenbüttel-Schule werden vielfach als sterile Montagen abgelehnt. Man fordert zwar wie Heißenbüttel das Zurückdrängen des subjektiv-kreativen Elements, doch stellt man dem gegenüber die einfache, allen verständliche Form sowie die unmittelbare Agitation oder das verfremdete Abbild der Ware wie in der Pop-Kunst, um sie – herausgelöst aus dem Konsumkontext – zu reinigen und dem ›anarchischen Ich‹ anzuverwandeln. Doch das Auslaufen von Stiltendenzen läßt sich mit der veränderten Bewußtseinshaltung einer Epoche nur zum Teil erklären. Zweifellos fällt die Neuorientierung in der deutschen Lyrik Mitte der sechziger Jahre auch mit einem ästhetischen Erstarrungsprozeß des hermetischen Gedichts zusammen. Der von Hause aus konservative Wortschatz aus dem Gefühls- und Naturbereich ließ sich durch Neukombinationen, versteckte Zitate, Ausspartendenzen und dergleichen zwar noch einmal aktivieren, doch auch diese Mittel mußten sich durch ihren extensiven Gebrauch mit der Zeit erschöpfen.

Dieser natürliche Abnutzungsprozeß der hermetischen Techniken diente vor allem den Pop-Theoretikern Ende der sechziger Jahre als Vorwand, die Nicht-Kunst zu proklamieren. »Wenn Lyrik überhaupt noch einen Neuansatz in Westdeutschland erreichen kann, dann nicht mit einer literarisch subjektiven Sprache, sondern mit der Sprache, die auf der Straße liegt«, notierte Hans-Jürgen Schmitt über Horst Bieneks *Vorgefundene Gedichte* in der Frankfurter Allgemeinen Zeitung vom 7. Oktober 1969. Rolf Dieter Brinkmann polemisierte im Nachwort zu seiner Pop-Anthologie *Acid* (Darmstadt 1969) gegen Eichs Gedicht *Fränkisch-tibetischer Kirschgarten* (1955), weil »die Literaturprodukte der BRD Ende der fünfziger Jahre nicht einmal Verweise auf aktuelle Gegenstände enthalten ...« (S. 386). Dem ist entgegenzuhalten, daß Lyrik ohne tradierte Grundwörter nicht auskommt. Sie wird in der historischen Distanz nicht nach ihrem aktuellen Wortschatz, sondern nach dem individuellen Kontext gemessen, doch gerade der wird – im Gegensatz zur progressiven, bewußt verinnerlichten DDR-Lyrik – in oft dogmatischer Verhärtung in Frage gestellt.[33] Von dem vielfach proklamierten Neuanfang der Literatur in den sechziger Jahren, der allerdings z. T. immer noch von den Ergebnissen der Jahrhundertwende zehrt und in vielem lediglich die Scheinfreiheiten des ›technischen Zeitalters‹ reproduziert, fühlt sich der Hermetiker aufs tiefste irritiert. Günter Eich hat 1964 mit einer seiner Formeln eine heroisch-resignative Widmung gegeben, die nicht nur für ihn, sondern für viele Dichter seiner Generation gilt: »Dir, Scott, der zu spät kam!« Doch die Zeit ist nicht fern, in der sich ein neuer lyrischer Untergrund konstituiert, nicht zuletzt als Widerstand gegen die Unterdrückung der Privatsphäre in der Konsumwelt und der sie ungewollt abspiegelnden Literatur.[34] Was mit dem hermetischen Gedicht als Spätphase auszuklingen scheint, kann den neuen Anfang schon in sich bergen.

Anmerkungen

1. Ausgabe in zwei Bänden. Bd. 1. München, Düsseldorf 1958. S. 506. Vgl. dazu Manfred Durzak: *Der junge Stefan George. Kunsttheorie und Dichtung.* München 1968. S. 81.
2. Loerke bekannte sich wiederholt zu George. Vgl. Oskar Loerke: *Literarische Aufsätze aus der Neuen Rundschau.* Darmstadt 1967. S. 382 (Anmerkungen).
3. Wilhelm Lehmann: *Dichtung errungene Gegenwart* (1959). In: Sämtliche Werke Bd. 3. Gütersloh 1962. S. 174. Zum Magie-Begriff bei Lehmann: Hans Dieter Schäfer: *Wilhelm Lehmann. Studien zu seinem Leben und Werk.* Bonn 1969. S. 191–196, über Ding-Magie S. 146–156, Bild-Magie S. 157–190, Sprach-Magie S. 197–211.
4. Günter Eich: *Rede vor den Kriegsblinden* (1953). In: Über Günter Eich. Hrsg. von Susanne Müller-Hanpft. Frankfurt 1970. S. 23 (= edition suhrkamp Nr. 402).
5. Hans-Jürgen Heise: *Neue Gedichte von Günter Eich. Ihr Stellenwert in seinem Werk.* In: Die Tat 192 (31. 7. 1964): Die literarische Tat.
6. Günter Eich: *Rede vor den Kriegsblinden* (1953), a. a. O., S. 24.
7. In: Über Günter Eich, S. 30. – Eine Interpretation des Gedichts *Nicht geführte Gespräche* aus der Sichtweise des ›sozialistischen Realismus‹ gibt Georg Maurer in *Sinn und Form* 23, 1 (1971) S. 24 bis 26.
8. Günter Eich: *Chinesisch.* In: Das Fünfminutenlexikon. Hrsg. von Gerhard Bahlsen. Frankfurt 1950. S. 68.
9. *Der Schriftsteller vor der Realität* (1956). In: Über Günter Eich. S. 20.
10. Nachwort. In: Theorie der modernen Lyrik. Dokumente für Poetik Bd. 1. Hrsg. von Walter Höllerer. Reinbek bei Hamburg 1965. S. 436–437 (= rowohlts deutsche enzyklopädie 231–233).
11. Diese Auskünfte verdanke ich Herrn Alfred Kittner (Bukarest), in dessen Besitz sich ca. 50 maschinenschriftliche Gedichte Celans aus der Zeit von 1938 bis 1945 befinden, die zu Lebzeiten des Dichters unpubliziert blieben. Fünf Texte veröffentlichte Kittner zusammen mit vier schon in dem Band *Der Sand aus den Urnen* enthaltenen Poemen in der Bukarester Zeitschrift *Neue Literatur* 21, 5 (1970) S. 97–101, drei weitere in der rumänischen Tageszeitung *Neuer Weg* vom 20. 11. 1970. Celan schrieb 1946/47 auch Gedichte in rumänischer Sprache, vier davon teilt Petre Solomon mit in *Viata Românească* 23, 7 (1970) S. 53–54.
12. Paul Celan: *Rede zur Verleihung des Bremer Literaturpreises* (1958). In: Ausgewählte Gedichte. Zwei Reden. Nachwort von Beda Allemann. Frankfurt 1968. S. 128 (= edition suhrkamp Nr. 262).
13. *Almanach der Librairie Flinker.* Paris 1958. S. 45. Vollständig zitiert in der Einleitung des Sammelbandes: Über Paul Celan. Hrsg. von Dietlind Meinecke. Frankfurt 1970. S. 23 (= edition suhrkamp Nr. 495). Celan war sich der Konfliktsituation bewußt, in der ›Sprache der Mörder‹ schreiben zu müssen. In dem frühen Gedicht *Nähe der Gräber* (In: Der Sand aus den Urnen. S. 14) heißt es: »Und duldest du, Mutter, wie einst, ach, daheim, / den leisen, den deutschen, den schmerzlichen Reim?«
14. Hans-Jürgen Heise: *Nach Paul Celans Tod.* In: Neue deutsche Hefte 127 (1970) S. 102. In diesem Zusammenhang sei – in Analogie zu den nachsymbolistischen Texten Loerkes und Lehmanns – auf die Rezeption des deutschen Mittelalters bei Celan hingewiesen. In dem von Kittner a. a. O., S. 100, edierten Gedicht *Russischer Frühling* (um 1945) nennt Celan am Schluß den videlære Volker von Alzey aus dem *Nibelungenlied*: »Hielt ich dem friesischen Strand, den rheinischen Fluren die Treue? / Schimmernd häng ich mein Herz ins Wappen, das ich euch weih. / Träumerisch hält meine Hand und singt in die wallende Bläue / für alle, die hier liegen, Herr Volker von Alzey.« Vom »enthaupteten Spielmann« ist ausdrücklich die Rede in dem Gedicht *Der Sand aus den Urnen* (In: Mohn und Gedächtnis. S. 18). Zur Rittermetaphorik vgl. ferner u. a. die Gedichte *Traumbesitz* (In: Der Sand aus den Urnen. S. 6), *Ein Lied in der Wüste* (In: Mohn und Gedächtnis. S. 7), *Ein Knirschen mit eisernen Schuhn* (In: Mohn und Gedächtnis. S. 20), *Harnischstriemen* (In: Atemwende. S. 24). In einem Brief vom 22. 1. 1971 schreibt Hermann Lenz, der seit 1954 mit Celan befreundet war: »Als junger Mensch habe ihn das Nibelungenlied fasziniert, und ohne die deutsche Dichtung des Mittelalters könne er sich seine Arbeit nicht denken. Er wünschte sich von uns Huizingas *Herbst des Mittelalters.*«
15. Gottfried Benn: *Gesammelte Werke.* Bd. 4. Wiesbaden 1961. S. 301.
16. Vgl. Gershom Scholem: *Die jüdische Mystik in ihren Hauptströmungen.* Frankfurt 1957. S. 163, 165, 179–184.

17. Gerhard Neumann: *Die ›absolute‹ Metapher. Ein Abgrenzungsversuch am Beispiel Stéphane Mallarmés und Paul Celans.* In: Poetica 3, 1–2 (1970) S. 203.
18. Friedhelm Kemp: *Dichtung als Sprache* (München 1965, S. 128) spricht von »illustrativem Lallen« und einer »künstlichen Dunkelheit, in der sich verstecken mag, was will«. Siegbert Prawer sieht in diesem Gedichtschluß ebenfalls lediglich »stotternde Wiederholung und bedeutungslose Onomatopöie« (Über Paul Celan. Hrsg. von Dietlind Meinecke. Frankfurt 1970. S. 156). Vgl. dagegen Bernhard Böschenstein: *Paul Celan.* In: Schweizer Monatshefte 45, 6 (1965) S. 605. Celan selbst wandte sich in einem Gespräch mit Hans Mayer gegen den Vorwurf der Dunkelheit (Merkur 272, Dezember 1970, S. 1150): »Celan wollte so klar und genau wie möglich sein im Gedicht. Für ihn war alles verständlich: nur wurde beim Verstehen viel vorausgesetzt« (S. 1150–1151).
19. Auf diese Zusammenhänge weist zum erstenmal Werner Weber in seinem Celan-Nachruf. In: Die Zeit 20 (17. 5. 1970) S. 17 (In: Über Paul Celan. S. 277–280 [erweitert], dort nennt Weber als Quelle ein Gespräch mit Celan: S. 279).
20. Die Stimme. Tel Aviv (August 1970). Nachdruck: Die Welt 271 (21. 11. 1970): Die geistige Welt. *Die Stimme* druckte in ihren Heften vom Juni bis August 1970 neben Nachrufen und Erinnerungen von Freunden einige Briefe Celans ab, die ein deutliches Bekenntnis zu Israel verraten. Vgl. vor allem den Brief vom 10. Oktober 1969: »Ich brauche Jerusalem, wie ich es gebraucht habe, ehe ich es fand . . .« (Die Stimme. August 1970).
21. Gespräch mit Dietlind Meinecke. In: Dietlind Meinecke: Wort und Name bei Paul Celan. Bad Homburg, Berlin, Zürich 1970. S. 189.
22. Paul Celan: *Lichtzwang.* Frankfurt 1970. S. 27.
23. Celan: *Lichtzwang,* a. a. O., S. 85.

23a. Auf bislang von der Philologie kaum anerkannte biographische Bezüge weisen die Aufsätze von Hans Mayer (Merkur 272, 1970), Gerhart Baumann (Etudes Germaniques 3, 1970) sowie Hans Dieter Schäfer (Die Welt der Literatur 8, 1971).

24. Vgl. Alfred Kelletat: *Accessus zu Celans ›Sprachgitter‹.* In: Der Deutschunterricht 18 (1966) S. 97.
25. Über die chassidische Tradition in Czernowitz und Sadagora berichtet Hugo Gold in seinem zweibändigen Werk *Die Geschichte der Juden in der Bukowina.* Tel Aviv 1968. Zum Gedicht vgl. Peter Horst Neumann: *Zur Lyrik Paul Celans.* Göttingen 1968. S. 34–37 (Kleine Vandenhoeck-Reihe 286/287). – Die folgenden Hinweise sind z. T. P. H. Neumann verpflichtet.
26. Paul Celan: *Ein Dröhnen.* In: Atemwende. Frankfurt 1967. S. 85.
27. Die Texte sind zum erstenmal wieder zugänglich in: Almanach für Literatur und Theologie. Bd. 4. Hrsg. von Dorothee Sölle u. a. Wuppertal 1970. Vgl. dort Hans Dieter Schäfer: Johannes Bobrowskis Anfänge im ›Inneren Reich‹. S. 66–69.
28. Interview des Berliner Rundfunks vom 15. 9. 1964. In: Johannes Bobrowski: Selbstzeugnisse und Beiträge über sein Werk. Berlin [Ost] [1967]. S. 49–50.
29. Renate von Heydebrand: *Engagierte Esoterik. Die Gedichte Johannes Bobrowskis.* In: Wissenschaft als Dialog [Rasch-Festschrift]. Stuttgart 1969. S. 397.
30. *Sergej Jessenin.* Ausgewählt und übertragen von Paul Celan. Frankfurt 1961. S. 47.
31. Vgl. Bobrowskis Vortrag in der Evangelischen Akademie Berlin-Brandenburg (1962). In: Bobrowski: Selbstzeugnisse. S. 32.
32. Vgl. dazu Renate Matthaeis Vorwort zu ihrem Sammelwerk: *Grenzverschiebung. Neue Tendenzen in der deutschen Literatur der 60er Jahre.* Köln 1970. S. 14: »Entnazifizierung, Entmilitarisierung und Entideologisierung waren nicht nur die proklamierten Stichworte der Regierungsautorität, sondern auch die der Literaten . . . Das Chaos erzeugte Solidarität, eine verinnerlichte bewahrende Beziehung zu dem, was geblieben war.« Über die »Re-Ideologisierung seit 1965« vgl. Hilde Domin in ihrem Nachwort zu der von ihr herausgegebenen Anthologie *Nachkrieg und Unfrieden. Gedichte als Index 1945–1970.* Neuwied 1970. S. 144–160 (= Sammlung Luchterhand 7).
33. Auf die entgegengesetzte Entwicklung in der Ostblock-Literatur auf Grund der Entindividualisierungsversuche des Staates weist Dieter Schlesak in seinem Essay-Band *Visa. Ost-West-Lektionen.* Frankfurt 1970.
34. Vgl. dazu Hans-Jürgen Heise: *Die Politisierung der Lyrik* (in: Die Tat, 17. 9. 1966), ferner *Weigerung als Engagement* (in: Die Tat, 19. 12. 1970): »In einer Zeit, in der das politische, zumindest aber das unpersönliche materialisierte Kunstwerk geradezu erpreßt wird, ist das Beharren auf einer personalen Position möglicherweise ein politischer Akt – und zwar im Sinne der Wei-

gerung, ebenso wie das Anfertigen bestimmter (gesinnungsmäßig genau vorgeschriebener) poetischer Verlautbarungen und ›entlarvender‹ Sprachexperimente nichts anderes zu sein braucht als angepaßtes Verhalten, Konformismus.«

Literaturhinweise

Zum Begriff ›Hermetismus‹:

Hugo Friedrich: *Die Struktur der modernen Lyrik. Von Baudelaire bis zur Gegenwart.* Reinbek bei Hamburg 1956. S. 102, 131–133 (= rowohlts deutsche enzyklopädie 25).

Gustav René Hocke: *Manierismus in der Literatur. Sprach-Alchimie und esoterische Kombinationskunst.* Reinbek bei Hamburg 1959. S. 123–124 (= rowohlts deutsche enzyklopädie 82/83).

Zu Günter Eich

Bibliographie in: *Über Günter Eich.* Hrsg. von Susanne Müller-Hanpft. Frankfurt 1970. S. 146 bis 158 (= edition suhrkamp Nr. 402) [Stand: Frühjahr 1970].

Reinhold Grimm: [Interpretation: »Tage mit Hähern«.] In: Heinz Otto Burger / Reinhold Grimm: Evokation und Montage. Göttingen 1961. S. 28–32.

Rudolf Hartung: *Günter Eich, Ende eines Sommers.* In: Doppelinterpretationen. Hrsg. von Hilde Domin. Frankfurt 1966. S. 90–94.

Hans-Jürgen Heise: *Neue Gedichte von Günter Eich. Ihr Stellenwert in seinem Werk.* [Zu den Akten.] In: Die Tat 192 (31. 7. 1964): Die literarische Tat.

Clemens Heselhaus: *Günter Eichs Natur-Metaphorik.* In: Deutsche Lyrik der Moderne von Nietzsche bis Ywan Goll. Düsseldorf [2]1962. S. 449–454.

Walter Höllerer: *Rede auf den Preisträger des Georg-Büchner-Preises 1959.* In: Jahrbuch der Deutschen Akademie für Sprache und Dichtung. Darmstadt 1959. S. 155–169 (In: Über Günter Eich. S. 25–37).

Eberhard Horst: *Günter Eich, Anlässe und Steingärten.* In: Neue Rundschau 78 (1967) S. 127–131.

Egbert Krispyn: *Günter Eichs Lyrik bis 1964.* In: The German Quarterly 40, 3 (1967) S. 320–338 (In: Über Günter Eich. S. 69–89).

Horst Ohde: *Günter Eich.* In: Deutsche Literatur seit 1945. Hrsg. von Dietrich Weber. Stuttgart 1968. S. 38–61.

Hans Dieter Schäfer: *Wilhelm Lehmann. Studien zu seinem Leben und Werk.* Bonn 1969. S. 244–252 [Zur Wirkung Wilhelm Lehmanns auf Günter Eich].

Eberhard Wilhelm Schulz: *Deutsche Lyrik nach 1945.* In: Wort und Zeit. Aufsätze und Vorträge zur Literaturgeschichte. Neumünster 1968. S. 190–191.

Wulf Segebrecht: *Satzgegenstände und Satzaussage.* [Günter Eich: *Zu den Akten.*] In: Merkur 19, 208 (1965) S. 695–698 (In: Über Günter Eich. S. 98–104).

Jürgen P. Wallmann: *Günter Eich und seine Dichtung – Hörspiel, Lyrik, Prosa.* In: Universitas 24, 11 (1969) S. 1177–1188.

Albrecht Zimmermann: *Das lyrische Werk Günter Eichs.* Phil. Diss. [Masch.] Erlangen 1965.

Zu Paul Celan

Bibliographie in: *Über Paul Celan.* Hrsg. von Dietlind Meinecke. Frankfurt 1970. S. 291–318 (= edition suhrkamp Nr. 495) [Stand: Sommer 1970].

Beda Allemann: *Paul Celan.* In: Schriftsteller der Gegenwart. Hrsg. von Klaus Nonnemann. Olten, Freiburg/Brsg. 1963. S. 70–74.

– *Paul Celan, Die Niemandsrose.* In: Neue Rundschau 75 (1964) S. 146–151.

– In: Paul Celan: Ausgewählte Gedichte. Zwei Reden. Frankfurt 1968 (= edition suhrkamp Nr. 262). S. 151–163 (Nachwort).

Gerhart Baumann: *»Durchgründet vom Nichts«.* In: Etudes Germaniques 25, 3 (1970) S. 277–290.

Bernhard Böschenstein: *Paul Celan.* In: Schweizer Monatshefte 45, 6 (1965) S. 602–605 (In: Über Paul Celan. S. 101–105).

– *»Lesestationen im Spätwort«. Zu zwei Gedichten [Treckschutenzeit, Sperrtonnensprache] des Bandes ›Lichtzwang‹.* In: Etudes Germaniques 25, 3 (1970) S. 292–298.

Renate Böschenstein-Schäfer: *Allegorische Züge in der Dichtung Paul Celans.* In: Etudes Germaniques 25, 3 (1970) S. 251–265.
Heinz Otto Burger: [Interpretation: »Ein Knirschen von eisernen Schuhn«]. In: Heinz Otto Burger/ Reinhold Grimm: Evokation und Montage. Göttingen 1961. S. 24–27.
Johann Firges: *Die Gestaltungsschichten in der Lyrik Paul Celans ausgehend vom Wortmaterial.* Phil. Diss. [Masch.] Köln 1959.
Leonhard Forster: *›Espenbaum‹. Zu einem Gedicht von Paul Celan.* In: Wissenschaft als Dialog [Rasch-Festschrift]. Stuttgart 1969. S. 380–385.
Ulrich Greiner: *Sind noch Lieder zu singen? Zur Lyrik Paul Celans.* In: FAZ 139 (20. 6. 1970) Literaturblatt.
Hans-Jürgen Heise: *Nach Paul Celans Tod.* In: Neue deutsche Hefte 127 (1970) S. 100–114.
– *Suche nach Paul Celans Grab.* In: Die Tat 167 (18. 7. 1970) S. 30.
Clemens Heselhaus: *Paul Celans ›Sprachgitter‹.* In: Deutsche Lyrik der Moderne von Nietzsche bis Ywan Goll. Düsseldorf [2]1962. S. 430–437.
Hans Egon Holthusen: *Das verzweifelte Gedicht.* In: Plädoyer für den Einzelnen. Kritische Beiträge zur literarischen Diskussion. München 1967. S. 167–171.
Philippe Jaccottet: *Aux Confins.* In: Etudes Germaniques 25, 3 (1970) S. 275–276.
Alfred Kelletat: *Accessus zu Celans ›Sprachgitter‹.* In: Der Deutschunterricht 18 (1966) S. 94–110 (In: Über Paul Celan. S. 133–137).
Dorothea Kim: *Paul Celan als Dichter der Bewahrung. Versuch einer Interpretation.* Phil. Diss. [Masch.] Zürich 1969.
Edgar Lohner: *Dem Verderben abgewonnen. Paul Celans lyrische Kunst.* In: Die Zeit 9 (26. 2. 1965) S. 26–27.
Hans Mayer: *Erinnerung an Paul Celan.* In: Merkur 272 (1970) S. 1150–1163.
Peter Mayer: *Paul Celan als jüdischer Dichter.* Phil. Diss. Heidelberg 1969.
Dietlind Meinecke: *Wort und Name bei Paul Celan.* Bad Homburg, Berlin, Zürich 1970.
Henri Michaux: *Sur le chemin de la vie, Paul Celan . . .* In: Etudes Germaniques 25, 3 (1970) S. 250.
Günter Müller: *Paul Celan und sein lyrisches Lebenswerk.* In: Universitas 25, 11 (1970) S. 1015–1030.
Gerhard Neumann: *Die ›absolute‹ Metapher. Ein Abgrenzungsversuch am Beispiel Stéphane Mallarmés und Paul Celans.* In: Poetica 3, 1–2 (1970) S. 188–225.
Peter Horst Neumann: *Wortnacht und Augennacht. Zu einem Gedicht Paul Celans.* In: Neue Rundschau 79 (1968) S. 88–99.
– *Zur Lyrik Paul Celans.* Göttingen 1968 (Kleine Vandenhoeck-Reihe 286/287).
– *Wort-Konkordanz zur Lyrik Paul Celans bis 1967.* München 1969.
– *Ich-Gestalt und Dichtungsbegriff bei Paul Celan.* In: Etudes Germaniques 25, 3 (1970) S. 299–310.
Clemens Podewils: *Namen. Ein Vermächtnis Paul Celans.* In: ensemble 2. Im Auftrag der Bayerischen Akademie der Schönen Künste. Hrsg. von Clemens Graf Podewils und Heinz Piontek. München 1971. S. 67–70.
Siegbert Prawer: *Paul Celan.* In: Essays on Contemporary German Literature. German Men of Letters. Vol. IV. Ed. by Brian Keith-Smith. London 1964. S. 161–184 (In: Über Paul Celan. S. 138 bis 160).
Hans Dieter Schäfer: *Paul Celan, Lichtzwang.* In: Die Welt der Literatur 7, 16 (6. 8. 1970) S. 15.
– *Paul Celans Gedichte aus dem Nachlaß.* In: Die Welt der Literatur 8, 8 (15. 4. 1971) S. 4.
Eberhard Wilhelm Schulz: *Deutsche Lyrik nach 1945.* In: Wort und Zeit. Aufsätze und Vorträge zur Literaturgeschichte. Neumünster 1968. S. 210–212.
Peter Paul Schwarz: *Totengedächtnis und dialogische Polarität in der Lyrik Paul Celans.* Beihefte zur Zeitschrift ›Wirkendes Wort‹ 18 (1966) (In: Über Paul Celan. S. 161–173 [Auszug]).
Petre Solomon: *Amintiri despre Paul Celan* [Erinnerungen an Paul Celan]. In: Viata Românească 23, 7 (1970) S. 47–52 (= Celan und Rumänien. In: Karpatenrundschau 47 (20. 11. 1970) S. 8–9 [deutschsprachige Kurzfassung]).
Jürgen P. Wallmann: *Paul Celan.* In: Argumente. Informationen und Meinungen zur deutschen Literatur der Gegenwart. Mühlacker 1968. S. 147–152.
– *Paul Celan – sein Weg und seine Dichtung.* In: Universitas 26, 1 (1971) S. 37–47.
Werner Weber: *Paul Celan* [Interpretationen der Gedichte ›Du sei wie du‹, ›Denk dir‹, ›Einkanter: Rembrandt‹]. In: Forderungen. Bemerkungen und Aufsätze zur Literatur. Stuttgart 1970. S. 193 bis 206.

Harald Weinrich: *Linguistische Bemerkungen zur modernen Lyrik.* In: Akzente 15 (1968) S. 29–47.
– *Kontraktionen. Paul Celans Lyrik und ihre Atemwende.* In: Neue Rundschau 79 (1968) S. 112–121 (In: Über Paul Celan. S. 214–225).
Klaus Weissenberger: *Die Elegie bei Paul Celan.* Bern, München 1969.

Zu Johannes Bobrowski

Bibliographie in: *Johannes Bobrowski: Selbstzeugnisse und Beiträge über sein Werk.* Berlin [Ost] [1967] S. 213–238 [Stand: Herbst 1966].
Bernhard Gajek: *Autor – Gedicht – Leser.* In: Literatur und Geistesgeschichte. Festgabe für Heinz Otto Burger. Hrsg. von Reinhold Grimm u. Conrad Wiedemann. Berlin 1968. S. 308–324.
Günter Hartung: *Analysen und Kommentare zu Gedichten Johannes Bobrowskis.* In: Wissenschaftliche Zeitschrift der Universität Halle-Wittenberg. Gesellschafts- und sprachwissenschaftliche Reihe 18 (1969) S. 197–212.
Renate von Heydebrand: *Engagierte Esoterik. Die Gedichte Johannes Bobrowskis.* In: Wissenschaft als Dialog [Rasch-Festschrift]. Stuttgart 1969. S. 386–450.
Sigfrid Hoefert: *Bobrowskis Widmungsgedichte.* In: Neue deutsche Hefte 103 (1965) S. 60–77.
– *West-Östliches in der Lyrik Johannes Bobrowskis.* München 1966.
Peter Jokostra: *Bobrowski & andere.* München 1967.
Brian Keith-Smith: *Johannes Bobrowski.* London 1970 (Modern German authors: texts and contexts. Vol. IV).
Helmut Kobligk: *Zeit und Geschichte im dichterischen Werk Johannes Bobrowskis.* In: Wirkendes Wort 19 (1969) S. 193–205.
Wolfram Mauser: *Beschwörung und Reflexion. Bobrowskis sarmatische Gedichte.* Frankfurt 1970 (Schriften zur Literatur 15).
Hans Dieter Schäfer: *Johannes Bobrowskis Anfänge im ›Inneren Reich‹.* In: Almanach für Literatur und Theologie. Bd. 4. Hrsg. von Dorothee Sölle u. a. Wuppertal 1970. S. 66–69.
Peter Paul Schwarz: *›Freund mit der leisen Rede‹. Zur Lyrik Johannes Bobrowskis.* In: Der Deutschunterricht 18 (1966) S. 48–65.
Manfred Seidler: *Bobrowski, Klopstock und der antike Vers.* In: Lebende Antike. Symposion für Rudolf Sühnel. Hrsg. von Horst Meller u. Hans Joachim Zimmermann. Berlin 1967. S. 542–554.
Britta Tittel: *Johannes Bobrowski.* In: Schriftsteller der Gegenwart. Hrsg. von Klaus Nonnemann. Olten, Freiburg/Brsg. 1963. S. 51–57 (In: Bobrowski: Selbstzeugnisse. S. 181–191).
Klaus Wagenbach: *Johannes Bobrowski.* In: Jahresring 1966/67. Stuttgart 1966. S. 310–313.
Gerhard Wolf: *Motive des Lyrikers Bobrowski.* In: Johannes Bobrowski: Selbstzeugnisse. S. 134–149.

ALEXANDER VON BORMANN

Politische Lyrik in den sechziger Jahren: Vom Protest zur Agitation

Der Streit darüber, was politische Lyrik sei und vermöge, wird zwar Anfang der sechziger Jahre von Hans Magnus Enzensberger noch einmal ernst genommen (51)*. Doch so anspruchsvoll er sein Verdikt auch formuliert, so wenig Neues bringt er gegen diese ungeliebte Textart vor. Er geht kaum über die Position Adornos hinaus, der 1957 das Gedicht als »geschichtsphilosophische Sonnenuhr« beschrieb und das Gelingen des Kunstwerks letztlich dem Takt des Subjekts zurechnete (45). Die poetische Praxis der Polit-Texter (Poeten wollen sie kaum mehr heißen) vor allem in der zweiten Hälfte dieses Jahrzehnts geht wie selbstverständlich über die Einwände ›der‹ Ästhetik hinweg. Ihnen ist längst deutlich geworden, daß das Plädoyer der bürgerlichen Ästhetik für die Autonomie des Kunstwerks selber politischen Bedingungen und Tendenzen gehorcht, die undurchschaut bleiben. So läßt sich der ständig wiederholte Vorwurf an die Tendenzdichtung, ideologisch zu funktionieren, mit gutem Recht an die ›reine‹ Kunst zurückgeben. Was schon Mehring festgestellt hat, ist nun als reflektierte Erfahrung Grundlage der engagierten Lyrikproduktion: »Natürlich ist die ›reine Kunst‹, indem sie angeblich parteilos sein will, erst recht parteiisch.« (67,137)

Die Rehabilitierung der Tendenz. Lukács hat (1932) auf die Herkunft des Begriffes ›Tendenz‹ aus der Regierungs- und Polizeisprache hingewiesen (64a,109 ff.). In Verbindung mit ›aufwieglerisch‹ taucht er regelmäßig in den Zensurinstruktionen und Bücherverboten der ersten Hälfte des 19. Jahrhunderts auf. Der Tendenz-Streit in den vierziger Jahren (Herwegh, Freiligrath, Heine u. a.) setzt die Bezeichnung endgültig durch. Danach meint Tendenzdichtung jede Literatur, die bewußt klassenmäßig nicht neutral ist. Jeder universalpoetischen Konzeption wird sie so zum Schimpfwort (etwa den Romantikern). Lukács' Polemik gegen den Begriff Tendenz korrespondiert seinem »Verzicht auf die Ausarbeitung einer nichtbürgerlichen Ästhetik«, den Helga Gallas ihm attestiert (56b,152 ff.). Tendenz ist nach ihm »eine Forderung, ein Sollen, ein Ideal, das der Schriftsteller der Wirklichkeit gegenüberstellt; sie ist keine vom Dichter (im Sinne von Marx) nur bewußtgemachte Tendenz der gesellschaftlichen Entwicklung selbst« (64a,113). Nun setzt Lukács' Ersatzvorschlag ›Parteilichkeit‹ voraus, daß solche Tendenzen, zu denen sich der Parteidichter affirmativ verhalten kann, in der gesellschaftlichen Entwicklung wahrnehmbar sind, und zwar als die »wahren, treibenden Kräfte« (64a,119). Für die westdeutsche Wirklichkeit trifft das kaum zu, so daß die (alte) ›Tendenz‹ ein neues Recht gewinnt.

Viele kleine Schriften, Vorträge, materialreiche Analysen zur Klassenstruktur in der BRD – die meisten erschienen als billige ›Agitationsausgaben‹ (60; 70; 81) – machen

* Bei Nachweisen bezeichnet die erste Zahl die Titelnummer in der Bibliographie, nach dem Komma steht die Seitenzahl.

den Standpunkt nachvollziehbar, den die politischen Poeten spätestens seit 1967 bezogen haben. Nicht nur im Produktionsprozeß, auch im Konsumbereich ist der Klassenantagonismus weiterhin von entscheidender Bedeutung. »Wir singen nicht für euch« – mit dieser in ausführlicher Beschreibung aufgefüllten Absage an den Bourgeois und seine Welt beginnt nicht nur Degenhardts Überlegung *Für wen wir singen* (8,7). Formal wirkt sie sich in einer Neubelebung der Agitprop-Techniken aus. Eine der gewichtigsten Anthologien politischer Lyrik heißt denn auch lakonisch *Agitprop* (1). Dieses Kunstwort enthält, folgt man Lenins Analysen (62b), zwei Grundüberzeugungen. Erstens daß dem Wissen, auf das als Wahrheit sich die ›Agitation‹ zurückbezieht, politische und gesellschaftliche Konsequenzen zugehören. Zweitens daß der bloße Appell, der (formelhafte) Hinweis auf ›die‹ Wahrheit nicht genügt, sondern eine langwierige Überzeugungsarbeit als ›Propaganda‹ notwendig ist.
In seinem Aufsatz *Agitprop als Aktion* bestimmt Hinrichsen als oberstes Kriterium sozialistischer Kampftexte ihre politische Wirksamkeit (1,193). Umgekehrt gehört zu der Einsicht des einen Dichters: »Wir sitzen bös in unsern Versen fest« (24,3) die Aufforderung des anderen: »Ich lad euch ein, den Leviathan zu schlachten«, was heißen soll: »Diese Welt zu bessern / ist alles, was uns bleibt zuletzt.« (24,9 u. 2) Christoph Meckel spricht am Schluß diesen schönen, mit Volker von Törne gewechselten Sonetten das Urteil:

»So haben wir nun hin und her gesprochen
und die Verhältnisse sind, wie sie sind.« (24,10)

Hinrichsen bemerkt übereinstimmend, daß die autonomen, an ein allgemeines Publikum adressierten Agitprop-Texte zur überwundenen Phase der abstrakten Protestbewegung gehören. Die zweite Hälfte der sechziger Jahre ist durch einen Lernprozeß der politischen Texter gekennzeichnet, dessen Bedingungen (weiter unten) noch genauer angegeben werden. Ihre Produktion konkretisiert sich nun in (z. T. organisatorischer) Verbindung mit den in Frage kommenden Zielgruppen. So findet Peter Schütt 1968: »Die bloß provokatorische Phase unserer Arbeit ist vorbei«; und er begründet eine langwierige Überzeugungsarbeit als Aufgabe, nämlich »um Vertrauen für die gesellschaftlichen Alternativen der demokratisch-sozialistischen Bewegung zu werben« (1,205 f.). Zwar begreift sich Schütt, Mitbegründer der Autorengruppe ›Hamburg linksliterarisch‹ und der ›Hamburger Gruppe schreibender Arbeiter‹, als »Veränderer des Ganzen von Grund auf«; er sieht aber, daß der radikale Alles-oder-Nichts-Standpunkt dabei nicht weiterhilft: »Um die Kultur der Zukunft aufzubauen, brauchen wir eine Grundlage: die vorhandene.« Programmatisch formuliert er die Tendenz der modernen Agitprop-Lyrik: »Unser Ziel ist nicht die Negation der spätkapitalistischen Literatur und Kultur, sondern ihre Transponierung in eine demokratische Kunst.« (1,206 f.)

Organisation. Auch Walter Benjamin meint: »Die Tendenz allein tut es nicht.« (48,110) In der summarischen Form, in der dieser Begriff meistens gebraucht wird, findet er ihn »ein vollkommen untaugliches Instrument der politischen Literaturkritik«. Dennoch verwirft er ihn nicht, sondern will zeigen, »daß die politisch richtige Tendenz eine literarische Tendenz einschließt«, welche die Qualität des Werks ausmache. Die Frage des Zusammenhangs von Tendenz und Qualität war stets eine der strittigsten in der Diskussion über die politische Lyrik gewesen. Benjamin beantwortet sie mit dem Hinweis auf die Funktion, die das Werk innerhalb der schriftstellerischen Produktionsverhältnisse einer Zeit hat. Danach kann die literarische Tendenz in einem Fortschritt oder in einem Rückschritt der literarischen Technik bestehen. Am Beispiel Tretjakows, des ›operierenden‹ Schriftstellers, zeigt Benjamin die »funktionale Abhängigkeit, in der die richtige politische Tendenz und die fortschrittliche literarische Technik immer und unter allen Umständen stehen« (48,98). Am Aktivismus und an der neuen Sachlichkeit demonstriert er hingegen, »daß die politische Tendenz, und mag sie noch so revolutionär scheinen, so lange gegenrevolutionär fungiert, als der Schriftsteller nur seiner Gesinnung nach, nicht aber als Produzent seine Solidarität mit dem Proletariat erfährt«. Für den Autor als Produzenten muß der technische Fortschritt die Grundlage seines politischen sein: »... seine Produkte müssen neben und vor ihrem Werkcharakter eine organisierende Funktion besitzen«; dafür ist die Tendenz die notwendige, niemals die hinreichende Bedingung.

Die ›Literaturproduzenten‹ der (späten) sechziger Jahre haben sich diese Einsichten zu eigen gemacht. Bredthauer z. B. beschreibt politische Lyrik als »eines der Kampfmittel der Unterdrückten«; ihr Ziel sei »das Gespräch der Beherrschten über den Kampf gegen die Herrschenden – die demokratische Mobilisierung« (1,183). Eleganter und etwas zurückhaltender formuliert Peter Rühmkorf (1963), »daß es dem Vers sehr gut anstehen würde, wenn er dort Laut gibt, wo stummes Einvernehmen waltet zwischen Führungskräften und Angeführten« (77a,328). Die organisierende Funktion ihrer Texte sichern die demokratischen Schriftsteller, indem sie der Sprache der Herrschaft absagen und die Sprache der Menschen lernen, »die die herrschende Literatur sprachlos hält oder verwirrt« (Bredthauer). Ihre Stellung im Klassenkampf wird klar umrissen: »Der Macht der Arbeitenden geht ihre Einigung voraus. Einigung erfordert Gespräch, Interessenbewußtheit, klare Meinung, Information. Agitexte, d. h. Gedichte, die dies Gespräch der Beherrschten anregen, die Argumente geben, weitertreiben wollen, müssen die Sprache der Arbeitenden sprechen.« (1,184) Hinrichsen reflektiert im gleichen Band die Sicherung der politischen Wirksamkeit von sozialistischen Kampftexten: sie erfordere »die Organisation einer politischen Handlung, die den politischen Gebrauchswert des Gedichts realisiert: Agitprop erreicht sein Ziel nur als Teil einer organisierten politischen Praxis« (1,193). Den Stellenwert dieses ›Teils‹ bestimmt Peter Schütt genauer. Er findet die Machtstrukturen im Kulturbereich verhältnismäßig dünn ausgeprägt und meint, es sollte der Linken über kurz oder lang gelingen, die Reproduktion im Überbau zu übernehmen. »Diese ›Kulturrevolution‹ verwechselt sie nicht mit der politischen und sozialen Revolution an der Basis des Systems, aber sie betrachtet sie als ein notwendiges Vorspiel, um die Menschen für den Sturm bereitzumachen.« (1,208)

Die Organisationsfrage, die bedeutet, daß der Autor als Produzent seine Solidarität mit dem Proletariat erfährt, verändert die Form der agitatorischen Produktion in mehrfacher Weise. Das »ästhetische Gedicht« gilt den Agitprop-Textern als »eine sublimierte Form der Ausbeutung« (Timm 1,210). Deren Gedichte hingegen verstehen sich als Gebrauchstexte (vgl. dazu 63), als »Entthronung der Kunst«. Erich Fried fordert von ihnen, daß sie verständlich sind und in einen Zusammenhang gebracht werden, in dem sie zum Denken, Formulieren und Handeln anregen (1,187).

So sind etwa die vom Hamburger Quer-Verlag jährlich herausgebrachten *garstigen weihnachtslieder* als Anregung und Hilfe für entsprechende Straßenagitationen gedacht. ›Die Conrads‹, eine Düsseldorfer Gruppe, setzten Süverkrüps und eigene Lieder dabei ein; Agnes Hüfner berichtet über eine gelungene Aktion in Hamburg (1968): die Texte kommen an, die Passanten machen (= singen) mit, weil sie sich mit der Kritik identifizieren können. – In der politischen Aktion begegnen sich Lyriker, Kabarettisten, Sänger, Musiker, Grafiker und Schauspieler. Rückwirkungen in Richtung einer fortschrittlichen Editionstätigkeit auf dem literarischen wie auf dem Schallplattenmarkt sind nur eine der Folgen (vgl. 58,137); die Wichtigkeit eines organisatorischen Zusammenhalts, wie ihn die Kampagne für Demokratie und Abrüstung Anfang der sechziger Jahre bot, erhellt auch für die Produktion selber. Die wie selbstverständlich vollzogene Zuordnung der politischen Lyrik zur oppositionellen Praxis der Neuen Linken macht ehrgeizige hohe Startauflagen sinnlos. Wie die ›Bewegung‹ in vielen kleinen beweglichen Zellen ihr Organisationsmuster hat, braucht die sich ihr zurechnende Literatur schnelle kleine Auflagen, wenn sie ihre ›organisierende Funktion‹ ernst nehmen will (vgl. Uwe Friesel 1,188 ff.). Nur so kann sie »die literarische Entfremdung durchbrechen, die den Autor als Produzenten und den Zuhörer als Konsumenten fixiert und dadurch die Möglichkeit einer Veränderung, die von der Literatur initiiert werden könnte, verhindert« (Timm 1,211).

Zumeist tritt das politische Gedicht heute als Song auf; sein (überwiegend jugendliches) Publikum erreicht es in Folksonglokalen, Klubs und Gesellschaften (Schallplatte). Fast alle Polit-Barden heben die Bedeutung der anschließenden Diskussion hervor: erst sie transportiere die politischen Inhalte und Erfahrungen. Zu Unrecht beschimpft Rolf-Ulrich Kaiser, der Song-Ideologe, den Sänger Dieter Süverkrüp als »verbal fixiert« und also »bürgerlich«, nur weil dieser der unmittelbaren Rezeption der Musik, in die der politische Text integriert ist, mißtraut. Kaisers Ideal, »ein mich als Hörer allgemein erfassendes Gesamterlebnis« (59b), bleibt hinter der Diskussion der möglichen Wirkung von politischer Lyrik zurück.

Der Ansatz, die Produktion von politischer Lyrik (Agitprop) als Teil einer organisierten politischen Praxis zu begreifen, führt notwendig auf die Kritik der individualistischen Produktionsweise: diese reproduziere die Defekte der bürgerlichen Literatur und wiederhole die Trennung von Ideologie und politischer Praxis; »Agitprop wird zum Praxisersatz des kleinbürgerlichen Literaten mit marxistischer Gesinnung« (Hinrichsen 1,195). Der aus dieser Kritik resultierende Vorschlag einer (sozialistischen) Literatur, »die in kollektiver politischer Praxis entsteht und sich ihr funktionell eingliedert«, hat immerhin einige entsprechende Versuche an seiner Seite, etwa in Hamburg, Gelsenkirchen, Dortmund, Köln; doch sind diese für die sechziger Jahre noch kaum relevant. Martin Jürgens machte 1968 auf der Werkwoche ›Literatur und Politik‹ auf Burg Rothenfels einen Vorschlag zum Thema Literatur und politische Aktion, der beider Verhältnis vorsichtig, aber doch aussichtsreich bestimmt. Den Aspekt »möglicher Initiierbarkeit von Aktionen durch Werke der Literatur« weist er zurück zugunsten »der Erzeugung einer kollektiven Individualität, die den Rahmen bürgerlicher Subjektivität in der Erkenntnis der gesellschaftlichen Bedingtheit der eigenen Lage sprengt« (1,197).

Umfunktionierung zum Beispiel. Walter Benjamin hebt Brechts Begriff der Umfunktionierung hervor, den dieser geprägt habe, um »die Veränderung von Produktionsformen und Produktionsinstrumenten im Sinne einer fortschrittlichen – daher an der Befreiung der Produktionsmittel interessierten, daher im Klassenkampf dienlichen – Intelligenz« zu bezeichnen (48,104). Mit Brecht schreibt Benjamin dem sozialistisch engagierten Intellektuellen, dessen Proletarisierung auf Grund des von der Bürgerklasse mitgegebenen Bildungsprivilegs kaum möglich erscheint, »eine vermittelnde Wirksamkeit« im Klassenkampf zu. Aus einem Belieferer des Produktionsapparates mag er zu einem Ingenieur werden, »der seine Aufgabe darin erblickt, diesen den Zwecken der proletarischen Revolution anzupassen«. (48,115) In diesem Sinne ist die Umfunktionierung zu einem Aktionsmodell der Protestbewegung geworden. Sie meint einen (provozierten) Umschlag der Perspektive, der nicht mehr rücknehmbar ist, weil er (das ist eine strategische Frage) das Interesse der meisten artikuliert und so spontan in Handlung übergeht.

Gedichte, die in dieser Weise (etwa durch die Form der Parodie) ein aktuelles Aktionsmodell aufnehmen und abbilden, lassen eine integrative Verwertung nicht zu. Die Parodie leistet zunächst ›nur‹ Erkenntnishilfe. Als ›Gegengesang‹ will sie vom Vorbild distanzieren, sie gibt keine Lehre. Doch indem sie »bestimmte gesellschaftliche Mißstände entlarvt und sie dadurch kritisierbar macht« (Timm 1,210), kann sie politisch wirken. Ihr Anschluß an vertraute Bilder, Formen, Gedanken macht die meist deutlich markierte oppositionelle Perspektive subversiv. Wer etwa Hildegard Wohlgemuths Choral *Lobet die Herren* (1,12) gelesen, gar gesungen hat, wird Ohr und Sinn kaum in gläubiger Unschuld halten können. Zeile um Zeile kehrt sie das Vorbild um und die ideologische Funktion der religiösen Moralanweisung hervor, bis der Schluß ausbricht: »Lobt nicht die Herren / Was in euch ist, wollen sie haben ...« Ähnlich funktioniert das bekannte *Kapitalunser* von Oberlercher (5b,72; 15,4). Solche Kontrafaktur, in der sich Provokation und Subversion verbinden, kann nicht als ästhetischer Reiz verbraucht werden: das Ärgernis ist aufklärend, ein neuer Perspektivpunkt ist fest markiert.

Die *Berliner Para-Phrasen* von Nicolas Born (1,24), von F. C. Delius in sein Quartheft 37 mit leichten Abwandlungen übernommen (10c,16), lassen sich nun kaum noch als Parodie bezeichnen. Sie beziehen sich nicht in komischer oder kritischer Distanzierung auf ein dichterisches Werk oder einen literarischen Stil. Vielmehr werden in diesem Text die polemischen Phrasen denen, die sie ohne Scham stets von neuem vorbringen, Wort um Wort zurückgegeben. Siehe da, es geht bestens:

> »Seht sie euch genau an diese Typen dann wißt ihr
> denen kommt es nur darauf an
> unsere freiheitliche Grundordnung zu zerstören.
> Wir haben es zu tun mit einer Handvoll Radikaler
> mit dem harten Kern der Reaktion
> der Gewalt predigt ...«

Das Umfunktionieren ist eine emanzipatorische Technik, die darauf aufmerksam zu machen sucht, daß die (vorgebliche) Rationalität von Abläufen, Argumenten, Institutionen usw. bloßer ideologischer Schein ist, diese nämlich der Verfügung und Kritik der betroffenen Subjekte zu entziehen sucht. Indem die eingeführten Spielregeln (bei einer Gerichtsverhandlung, Lehrveranstaltung, Demonstration o. ä.) durchbrochen werden, ermöglicht die so erreichte Verschiebung der Perspektiven dem Bewußtsein der betroffenen Zielgruppen neue Horizontlinien. Das Umfunktionieren ist deutlich sowohl als ein poetisches wie auch als Handlungsmodell der radikalen Opposition beschreibbar. So ist es Beispiel für e i n e mögliche Weise funktioneller Eingliederung der Literatur in eine kollektive politische Praxis.

Markt und Angebot. Nach ihrem Anspruch gehört die Agitprop-Literatur nicht auf den Markt, wird sie doch als Agitationsmittel für die Arbeit politischer Gruppen hergestellt. Doch Hinrichsen legt dar, weshalb sie auf den kapitalistischen Markt als »Medium der Kommunikation« nicht verzichten kann. Der Buch- und Zeitschriftenmarkt ist »für sie ein eigener Kampfplatz. Sie trifft dort auf ihren direkten ideologischen Gegner: die bürgerliche Literatur. Indem sie gegen diesen Gegner ihren Marktanteil vergrößert, verunsichert sie die Normen der bürgerlichen Literatur-Ideologie, verändert allmählich die literarischen Rezeptionsformen, verwandelt die literarischen Bedürfnisse, bekämpft sie die unpolitische Literatur als Surrogat gesellschaftlicher Praxis und Quelle bildungsbürgerlicher Indoktrination.« (1,194)
Es gibt einige vage Anzeichen, daß diese ›Sandkorn-These‹ nicht ganz unrecht hat. Roman Ritter behauptet: »Auch das, was man nur für lyrischen blütenstaub halten könnte, wird langfristig zum sandkorn im getriebe des kapitalismus.« Im Verlagswesen lasse sich das schon ablesen: »Aus kurzfristigem profitinteresse veröffentlichen kapitalistische verlage linke literatur, die langfristig die liquidierung solcher verlage mit betreibt. das gilt es auszunützen.« (1,201) Richtig ist, daß sich das Lektoren-Karussell in den letzten Jahren schneller drehte und daß mancherorts Mitbestimmungskampagnen der Mitarbeiter nicht ganz erfolglos waren. Nur: von Liquidierung kann keine Rede sein, auch nicht als Perspektive, eher von Programmabstützung durch marktgängige linke Titel.
Dabei zeigt sich, daß die großen Verlage die Anthologien ohne besonderes Risiko bevorzugen. Rowohlt bringt eine Auswahl von Degenhardt, Neuss, Hüsch, Süverkrüp, nachdem alle bekannt genug sind (8). Fischer bringt Protestlieder aus aller Welt, als dieses Genre aktuell wird (31). Verhältnismäßig früh erschien die Sammlung *Linke Lieder* von Klaus Budzinski im Scherz-Verlag (1966). Für die ›Sammlung Dieterich‹ des Schünemann-Verlags gab Helmut Lamprecht eine umfangreiche Dokumentation von Deutschland-Gedichten heraus (11). Hanser ist mit den Bänden *Frühes deutsches Arbeiter-Theater* (55) und der nicht durchweg soliden Mischung von Analyse und Anthologie *Noch ist Deutschland nicht verloren* (57) dabei. Anderes erschien bei Suhrkamp und Claassen; bei Melzer etwa die Übersetzung der amerikanischen Anthologie *Where is Vietnam?* Fast jeder der großen Verlage, läßt sich zeigen, stieg in das Geschäft ein.
Ermöglicht wird es durch die kleinen, meistens ›Ein-Mann-Verlage‹, die sich um die Autoren mühen, auch wenn sie noch nicht marktgängig sind. Entsprechend dem Selbstverständnis und Anspruch der jüngeren politischen Lyrik, in organisierender Funktion einen engen Zusammenhang mit der politischen Basisarbeit zu haben, muß den Autoren die kleine Auflage im kleinen Verlag nicht als bloße Notlösung erscheinen. Freilich läßt sich, der (klein)bürgerlichen Herkunft der meisten Autoren gemäß, der angestammte Geltungsdrang nicht unterdrücken. Anders ist es kaum

erklärlich, daß die bekannten, vom Bildungsbürgertum akzeptierten Reihen guten Zulauf haben (Wagenbachs Quarthefte etwa), während weniger werbewirksam gestartete Projekte (etwa die gut aufgemachten, billigen damokles-song-bücher) an Auszehrung leiden. So bunt wie die Texte ist letztlich ihr Markt: Tageszeitungen, Zeitschriften in großer Zahl, Flugblätter, Loseblatt-Sammlungen, Lyrik-Postkarten, Heftchen und Bücher.
Der Zusammenhang mit der politischen Arbeit tritt auch darin hervor, daß die Großstädte eine ungleich reichere Produktion haben; in den ›Linken Läden‹ ist sie zu besichtigen. Berlin zum Beispiel hat mindestens ein Dutzend sogenannter Ein-Mann- oder Kleinst-Verlage, von Wagenbach bis Fietkau, mini-press, P. P. Zahl oder D. Lenz; ähnlich ist die Situation in Frankfurt. In Hamburg übt der Quer-Verlag einen sammelnden Einfluß, in München etwa die Zeitschrift *kürbiskern* im Damnitz-Verlag (hrsg. von Hannes Stütz); das Kürbiskern-Songbuch ist eine der sorgsamsten Sammlungen von Protestliedern (1968).
Eine Art Zentralstelle für die politische Lyrik der sechziger (und wahrscheinlich auch der siebziger) Jahre ist mit zwei Namen anzugeben. 1. Der ›Arbeitskreis Progressive Kunst‹ hieß früher ›Arbeitskreis für Amateurkunst‹. Dieser ist Ende der fünfziger Jahre gegründet worden, im Zusammenhang mit den politischen Protestbewegungen gegen die atomare Bedrohung. Der 1970 erfolgte Namenswechsel signalisiert eine genauere politische Perspektive, eine (implizite) Absage an ein Selbstverständnis von Arbeiterdichtung, das sich vor allem, wie Rülcker nachgewiesen hat, auf die Integrationsideologie der SPD stützt. Die Gründung des ›Werkkreises für Literatur der Arbeitswelt‹ (1970), die eine Kritik an der Dortmunder ›Gruppe 61‹ bedeutet, steht in vergleichbarem Zusammenhang. Der ›Arbeitskreis Progressive Kunst‹ gibt die Zeitschrift *Neue Volkskunst* (früher *Deutsche Volkskunst*) heraus, dazu Werkhefte *(volkskunst in aktion)* und seit 1967 jährlich Hefte mit politischen Liedern. 2. Mit diesem Arbeitskreis in mehrfacher personeller Beziehung steht der pläne-Verlag Dortmund. Er wurde als ein autoreneigener Schallplatten-Verlag 1960 gegründet, im Zusammenhang mit der Ostermarschbewegung. Es hatte sich bald gezeigt, daß radikale, nicht modisch gestutzte Protestsongs keine verlegerische Chance hatten. Hier erschienen die Songs von Dieter Süverkrüp, Fasia, Perry Friedman, Hannes Stütz, den Conrads, Hanns Dieter Hüsch, Gerd Semmer; Dietrich Kittner, H. E. Jäger, der ›Floh de Cologne‹, E. Busch und andere kamen dazu. Eine wichtige Serie gilt den internationalen Widerstandsliedern. – Wagenbachs Plattenprogramm hingegen ist vergleichsweise schmal, es stützt sich vor allem auf Wolf Biermann.

Radikalisierung und Konkretisierung: Entwicklungen

Es widerspräche dem Selbstverständnis der neuen Protestlyrik, einzelne ihrer Sänger herauszuheben und traditionell-individuell zu charakterisieren. Auch die Texte der ›großen‹ Künstler stagnieren politisch und (!) ästhetisch, wenn die literarische Produktivität die Stelle der politischen Praxis und Diskussion besetzt, anstatt sich ihr zuzuordnen. Doch ist diese Solidarität des Sentiments und des politischen Handelns erst das Ergebnis der späten sechziger Jahre. Am Anfang dieses Jahrzehnts steht die politische Lyrik noch ganz im Zeichen der rebellierenden Individualisten, der ›Zeitgedichte‹.

Kunst für den Tag (Herkunft vom Kabarett). Im ›fast autobiografischen Lebenslauf eines westdeutschen Linken‹ von Franz Josef Degenhardt heißt es: »Die Pauke vom Neuss hat den Auftakt geschlagen zu den späten sechziger Jahren«. (96,70) Wolfgang Neuss (* 1924) zog in seinem Berliner ›Domizil am Lützowplatz‹ als einer der ersten die Konsequenzen aus der Erfahrung, wie wirkungslos das traditionelle politische Kabarett letztlich geblieben war. Er kehrte zur unvermischten, politisch scharfen Satire zurück und kann durch seine sich zunehmend radikalisierende Agitation als der Prototyp einer ganzen Reihe von ursprünglich kabarettistischen Sängern gelten. Hanns Dieter Hüsch (* 1925) etwa begann mit kritischen Chansons recht allgemeinen Inhalts, fand sich dann »immer ratloser« und motiviert, »für die Ratlosen« zu schreiben (17b,11). Ein weites Publikum erreichten seine *Carmina Urana*, Gesänge gegen die Bombe (1964), die den Schritt von der Satire (Kabarett) zur Agitation (Protestlied) deutlich markieren: »Wir lieben diese welke Welt. Wir hoffen, daß man uns wird hören.« Sie enden konsequent im Appell zur Solidarisierung und Organisation: »... den Menschen mit dem Menschen zu verbünden«. Sein *Marsch der Minderheit* wiederholt ihn noch konkreter. Das *Herbstlied* (1968) beschwört die Veränderung der Lieder, »denn Kunst tut nicht mehr not«:

»Komm heißer Herbst komm wieder
Die Herrschenden zittern schon
Verändre unsre Lieder
Und mache Revolution.« (17b,102 f.)

Als Radikalisierung läßt sich auch die Entwicklung weiterer solistischer Kabarettisten beschreiben. Dietrich Kittner (* 1936) gründete als Student die ›Leid-Artikler‹ (1960) und wirkt seit 1966 als Ein-Mann-Kabarettist (Club Voltaire) in Hannover. Seine Titel markieren die Perspektive seiner satirischen Songs: *Konzertierte Reaktion, Bornierte Gesellschaft* usw. Walter Mossmann (* 1941) und Rolf Schwendter (* 1939) sind ebenfalls studierte Liedermacher, doch weicht das anfangs stark individualistische Konzept immer mehr bewußter politischer Agitation; das Kulinarische tritt zurück. Auch Hannes Stütz (* 1936), Mitbegründer und Herausgeber der Zeitschrift *kürbiskern*, kommt vom Kabarett. Seine Ostermarschlieder *(Unser Marsch ist eine gute Sache, Ein Bomben ist gefallen)* von 1964 (43) machten ihn als Politsänger bekannt.

Dieter Süverkrüp (* 1934) verleugnet auch 1970 nicht seine kabarettistische Herkunft, etwa bei der *Verkürzten Darstellung eines neuerlichen Deutschland-Erwachens*, das Muster eines großen Teils seiner ›widerborstigen Gesänge‹ und seiner ›Hits‹ ist. Populärer (und darum geht es dem politischen Lied durchaus) wurden seine Lieder, die pläne zum Teil auf Single-Platten herausbrachte (in der Peng-Serie). Sie nehmen oftmals bekannte Melodien auf, das von Fasia 1964 gesungene *Gott hat die Bombe nicht gemacht* (43) z. B. ein Kirchenlied; diente die Melodie hier dazu, in einer Art von ›Einheitsfrontpolitik‹ die Gläubigen mit dem Protest gegen das atomare Wettrüsten zu solidarisieren (Semmers Text argumentiert fast theologisch), so sind die *garstigen weihnachtslieder* eher Gegenlieder, deren Kritik bis an

die Substanz der christlichen Heilslehre reicht, indem sie deren geschichtliche Auswirkungen denunziert. Sie kamen vor allem in Straßenagitationen (z. B. von ›Hamburg Linksliterarisch‹ oder von den Conrads, Düsseldorf) unter die Leute.
Lieder für ein Publikum zu machen, haben fast alle Protestsänger (z. B. auch F. J. Degenhardt) beim Kabarett gelernt. Die in den fünfziger Jahren diskutierte Krise des Kabaretts hat sich in den sechziger Jahren verschärft oder erledigt, wie man will. Die meisten »begannen die Wirkungslosigkeit ihrer durch den Zwang zur künstlerischen Form direkt politischer Einwirkung entfremdeten Aussagen immer frustrierender zu empfinden« (41,10). Die Verschärfung und Konkretisierung der Agitation sowie die Erschließung unbürgerlicher Publikumsschichten war der eine Ausweg (neben der Auflösung, die etwa das Heidelberger ›Bügelbrett‹ vorzog). Ihn gingen z. B. der ›Floh de Cologne‹, der in Beatkellern, Jugendheimen, Betrieben usw. zu gastieren und mit Polit-Rock sein jugendliches Publikum zu politisieren sucht, und das ›Münchner Rationaltheater‹ mit seinen Dokumentationen und seinem Programm »Knast – 1. deutsches Sing-Sing-Spiel«, das sowohl Publikum wie Direktbetroffene (die Häftlinge) auf neue Art und Weise aktiviert.
Meistens führte aber das verstärkte politische Engagement die Sänger vom Kabarett fort, das sich als gehobene Unterhaltungsstätte längst selbst diskreditiert hatte. Dieser Weg mußte um so leichter fallen, als sich im politischen Tageskampf auf Demonstrationen, im Straßentheater, auf Protest- und Streikversammlungen die Wirkung des politischen Liedes neu erfahren ließ. Die Erfahrungsberichte belegen das (1,214 bis 233). Die Sänger können sich darauf berufen, daß, was sie schreiben, ihnen abverlangt wird: »Offenbar besteht ein Bedürfnis nach singbaren Liedern mit einer klar formulierten Aussage« (Hannes Stütz, in 59a,104). Sie geben freimütig zu, daß man »mit Liedern nichts verändern« kann, doch mit der wesentlichen Einschränkung, die ein neues Programm (gezielte Agitation) ergibt: ». . . man kann sie aber dort einsetzen, wo der Wille zu einer Änderung vorhanden ist. Das bedeutet bei der Produktion Konzentration auf die Frage: Für wen?« (Ebd.)

Um 1960: Ratlosigkeit »für alle«. Hanns Dieter Hüsch ließ noch 1968 drucken, daß er »für die Ratlosen« schreibe. Das individualistische Konzept vieler seiner Gedichte, deren Entstehungszeit leider nicht angegeben ist, widerstreitet strikt einem sozialistischen Ansatz; heute hat er sich von diesen Texten weit entfernt. Doch kann sein (nun antiquarisches) *Lied eines Berufssatirikers* (17b,14 f.) die schale Gegenperspektive verdeutlichen:

> »So verändre ich mich nun, so gut ich kann:
> Ich montier mir jetzt die Nase auf mein linkes Schulterblatt
> Und mein Herz versteck ich hinterm Magen
> Meine Ohren finden jetzt am Brustbein statt
> Und mein Hals darf Handschuh tragen . . .«

Es ist, man staunt, die gute alte Natur, in deren Namen die Weltveränderungswünsche als absurd dargestellt werden.
Die Lyriker haben ihrer Frustration vielfältigen Ausdruck gegeben, etwa so: »Die öffentlich-unöffentlichen Zustände zeigen sich weitgehend stabil gegenüber Gedichten« (1,213). Diese Erfahrung wird schon vom Autor differenziert, wenn er formu-

liert: »Die Literatur der Literaten kann gar nichts«. Nun erwartet man, daß die Wirkung der Literatur nach der ihr immanenten Klassenperspektive, nach ihrer Stellung zum und im Produktions- und Konsumtionsprozeß usw. beurteilt wird, aber nichts davon: Vesper setzt auf »die unmittelbare von Vermittlern aller Art befreite Aktion« und hofft auf »spontane Solidarität«. Diese Haltung ist nicht weniger zukunftslos als der ratlos gewordene bürgerliche Individualismus. Sie ist nicht eigentlich ratlos zu nennen, sie enthält – wenn auch inkonsequent – Elemente der neueren Diskussion, die weiterführen könnten. Vespers Radikalität bleibt jedoch kurzatmig – aller Warnung vor Beziehungslosigkeit zum Trotz.
Er könnte ein Schüler Enzensbergers sein: sowohl die Allgemeinheit seiner Aussagen als auch seine sprachliche Phantasie erinnern an den Autor von *landessprache* und *blindenschrift*. Enzensberger beschreibt die BRD als »nette, zufriedene grube«, »wo es rückwärts aufwärts geht«, »wo wir uns finden wohl unter blinden, in den schau-, kauf- und zeughäusern« (13a,7 ff.). Ähnlich kritisiert Vesper den »Reststaat der Händler« als »verkehrte Welt in der ich schon hoffe / Daß es abwärts zu Boden zugrunde geht: / Hunger muß unter die Leute Elend.« (1,141) Die Ausweglosigkeit der pathetischen Negation ist letztlich antidemokratisch: »Hier wurde alles zu Schleim und Beschiß / Hier ist nichts mehr zu retten« (ebd.). Sie ist auch die Perspektive der meisten »öffentlichen Gedichte« Enzensbergers, denen es nur wenig hilft, daß der Autor sie z. T. denen widmet, »die gedichte nicht lesen«. Grundlage dieser Haltung ist die Tatsache, daß die kritisch-oppositionelle Intelligenz der BRD in den fünfziger Jahren noch keinen Anschluß an eine politische Bewegung gefunden hatte.
Die Entwicklung des deutschen Proletariats zum Kleinbürgertum und die entsprechende Minderung von dessen Klassenbewußtsein im Dritten Reich, die Restauration des westdeutschen Kapitalismus mit Hilfe der USA, die neuen Formen der Machtpolitik, das Fehlen einer starken öffentlichen sozialen und politischen Bewegung, die auf radikale Veränderungen drängt – so werden die Gründe angegeben, etwa von Jürgen Beckelmann (46) und Dieter Schlenstedt (52), die die politische Lyrik in Westdeutschland zunächst auf das entschiedene Nein festlegten. Die Allgemeinheit des poetischen Verdikts ist sowohl aus der Aussichtslosigkeit differenzierter Opposition in dieser politisch-ökonomischen Stabilisierungsphase abzuleiten wie auch als Ergebnis unscharfer Analyse zu beschreiben: die Poesie der progressiven Kritiker bürgerlichen Bewußtseins »rührt daher im Brei der Verhältnisse, ohne auf den Grund zu kommen« (52,123).
In Enzensbergers programmatischem Aufsatz *Poesie und Politik* (1962) wird als »politischer Auftrag« des Gedichts festgesetzt, »sich jedem politischen Auftrag zu verweigern und für alle zu sprechen« (51,353). Diese Position mag ein »öffentliches Gedicht« ergeben, wie Karl Krolow unterscheidet (61,84 ff.); auch Peter Rühmkorfs *Kunststücke* zählen weitgehend dazu; politische Lyrik hingegen setzt speziellere Parteinahme voraus. Sie ist das Signum der politischen Texte und Lieder in den sechziger Jahren. Ihre Voraussetzungen können hier nur sehr knapp angedeutet werden.

Entwicklung der politischen Perspektive. Die Tendenz zur politischen Organisation der bundesrepublikanischen Autoren, die als Grundlage einer neuen Qualität des politischen Gedichts in den sechziger Jahren beschrieben werden kann, hat innen- und außenpolitische Anstöße – eine Unterscheidung, die vor der ›Globalisierungstendenz‹ der zentralen politischen Probleme und ihrer Diskussion immer mehr verschwindet. Das Ende des Wirtschaftswunders Anfang der sechziger Jahre schärft den Blick für die ungleiche Einkommensverteilung, deren kumulative Effekte zu einer von Jahr zu Jahr ungleichmäßiger werdenden Vermögensstruktur führen: 1966 verfügen 1,7 Prozent aller Haushalte in der BRD über nicht weniger als 35 Prozent des gesamten privaten Vermögens (81,8). Die zunehmende Verbreitung monopolistischer Strukturen, die das marktwirtschaftliche System, das Prinzip Angebot – Nachfrage, untergräbt, machte die sich verschärfende Ungleichheit der Einkommensstruktur sichtbar; als schleichende Inflation wird diese Entwicklung vor allem den Lohnabhängigen fühlbar. Die Analyse der Wirtschaftspolitik unserer Regierungen erweist den »Staat als Stabilisierungsfaktor der Klassenantagonismen« (81,25).

Es ist vor allem dem Krieg der USA in Vietnam zuzuschreiben, daß sich das politische Denken über persönliche materielle und soziale Interessen hinaus immer mehr auf Grundfragen der gesellschaftlichen Entwicklung konzentrierte (vgl. 58,142). Zahlreiche Publikationen machten ihn als Produkt des überentwickelten Kapitalismus, als für die anderen Völker der ›Dritten Welt‹ stellvertretend geführten sozialen Befreiungskampf verständlich. Die in diesen Analysen freigelegten Perspektiven deckten sich zwar mit den konkreten historisch-emanzipatorischen Interessen der antiautoritären Bewegung, doch dauerte es noch eine Weile, bis sie auch deren Aktionen, bis sie ihren politischen Kampf entscheidend bestimmten. Das folgende ›Lied‹ Dieter Süverkrüps setzt die von der politischen Analyse aufgewiesenen Zusammenhänge in klar verständliche Bilder um (Morgen und Tag sind deutliche Zitate der sozialistischen Liedtradition); die Parteinahme steckt auch im temporalen, nicht bloß konditionalen Sinn des ›Wenn‹. Ein solches Lied war kaum vor 1968/69 möglich:

»Wenn dieser Morgen kommt und dieser Tag (2×),
da wird ein Lachen sein, ein großes Lachen sein,
jedoch viel Zorn noch übrig.

Wenn dieser Morgen kommt und dieser Sieg (2×),
wird große Arbeit sein im abgebrannten Land,
doch es gehört dem Volke.

Wenn dieser Morgen kommt in Vietnam (2×),
wird manches andre Volk nach seinen Herren sehn,
ist großer Zorn noch übrig.« (38c)

Vom Protestlied zum Politsong. Der 1. Februar 1960, der Tag des ersten studentischen Sit-In (in Greensboro / North Carolina), ist bedeutsam für das politische Lied: in den nun beginnenden Aktionen (Civil Rights Movement vor allem) gewinnt es eine neue Aktualität und Funktion; die Demonstrationen politisieren auch das Folksong-Revival, ablesbar etwa an den Erweiterungen des ursprünglich religiösen *We shall overcome*. Der Übergang zum Topical Song (1963), den man als persönlich gefärbtes Lied ›aus gegebenem Anlaß‹ umschreiben kann (vgl. 19b,7), markiert einen radikalen Protest gegen eine festgefügte, Individuen verachtende Gesellschaft

(59a,17). Der Film *Easy Rider* etwa verdeutlicht auch die romantischen Züge in diesem Ansatz.
Der amerikanische Protestsong wird in der BRD um die Mitte des Jahrzehnts bekannter. Die Bedingung seiner Rezeption ist politisch zu analysieren: der Protestsong begleitet, trägt und verbreitet die antiautoritäre Revolte der Studenten, Schüler und jungen Arbeiter, die als psychisch bedingtes Unbehagen der Jugend, als altersbedingte Aggression unzureichend gekennzeichnet ist. Diese Protestbewegung läßt sich beschreiben als »die Empörung gegen ein sinnlos erscheinendes Leben und gegen die zynische Bevormundung durch bornierte Autoritäten, die ihre selbstherrliche Regentschaft im Staatsapparat, in den Universitäts- und Schulhierarchien und in der betrieblichen Patronage ausüben« (73,154). Die Empörung drückt sich zunächst einigermaßen undifferenziert aus, zumal wenn sie sich mit der Ausbildung einer eigenen Jugendkultur (Pop, Beat, eigene Moden usw.) verbindet. Was in diesem Umkreis an Protestsongs entsteht (vgl. das Musical *Hair*), läßt sich leicht entpolitisieren, sperrt sich kaum dem modischen Konsum.
Später, von einem bewußt gewordenen Klassenstandpunkt aus, kann man auf diese Phase zurückgreifen. Die Lieder von Lerryn z. B. (so nennt sich der Frankfurter Schüler Dieter Dehm, * 1951) wenden sich durch eine aggressiv-mitreißende Beatmusik (der Pop-Gruppe ›dadazuzu‹ Frankfurt) an die eigene Altersgruppe. Doch eben nicht in abstrakt-antiautoritärem Gestus, sondern in klassenbewußter, gruppenspezifischer Agitation. Sein *Lehrlinks-Machtgebeat* beschreibt Degenhardt als »ein gekonntes Lehrstück über den Brauch der Unternehmen, Lehrlinge früh und schnell zu Unternommenen zu machen, und darüber, wie diese Mißbrauchten zur Gegenwehr kommen können und sollen« (Platten-Cover). In Lerryns Lied heißt es:

»Bildung ist sehr teuer,
und dein Boß denkt heute schon:
wenn du mal zuviel weißt,
willst du auch zuviel Lohn.
Zwar je mehr du kannst,
je mehr schaffst du für ihn mit,
doch je höher dein Lohn ist,
je kleiner sein Profit.«

Das klingt so, von der Musik getrennt, nicht sehr ›poetisch‹; gerade darin liegt die Widerstandskraft des Songs gegen eine integrative Verwertung, gegen ein diffuses Oppositionsgefühl, das er zur Artikulation anzuleiten sucht.
Klaus Budzinskis Anthologie *Linke Lieder* (1966) belegt, daß die Protestsongs um 1965 noch stärker von der Persönlichkeit ihrer Verfasser bestimmt waren: sie gliedert nach Autoren, was die späteren Sammlungen nicht mehr tun; das *Kürbiskern*-Songbuch, *Agitprop*, Budzinskis spätere Anthologien selber sind thematisch aufgebaut. Außerdem belegt *Linke Lieder* den amerikanischen Einfluß, den das Vorwort freilich klug einschränkt: die deutschen Protestsänger haben nicht so deutliche »Bedrohungen des Humanen« wie die Rassenkonflikte und den Vietnam-Krieg; so bleibt ihr Protest, auch wo er konkrete Themen findet, abstrakter: ein »Nein zum möglichen Absturz der Menschheit in Barbarei und Chaos, der Aufstand der Vernunft gegen Atomrüstung und Völkermord im großen wie gegen die Selbstentfrem-

dung des Menschen im kleinen« (23,6). Die Lieder der Ostermarschbewegung sind kennzeichnend für diese Phase, z. B. *Unser Marsch ist eine gute Sache* von Hannes Stütz (43); darin heißt es (Chorus):

> »Marschieren wir gegen den osten? – Nein!
> Marschieren wir gegen den westen? – Nein!
> Wir marschieren für die welt,
> die von waffen nichts mehr hält.
> Denn das ist für uns am besten.«

Der Unterschied der neueren Lieder zu dem, was man etwa in den fünfziger Jahren als Protestlied, vor allem im Umkreis des studentischen Kabaretts, hören konnte, ist entscheidend. Vor allem verdeutlichen ihn die Lieder Gerd Semmers (1919–67): gegen die zynisch anklagende Verachtung der Gesellschaft, die Bernd Rabehl zu Recht als »die alte Borniertheit des kleinbürgerlichen Intellektuellen, das Elitedenken in einer neuen Form« kritisiert (73,158), steht nun die Suche nach einer breiten Solidaritätsbasis. Das schon erwähnte choralmäßige Lied von Semmer (Text), Süverkrüp (Melodie) und Fasia (Gesang) ist ein gutes Beispiel für diese Perspektive:

> »Gott hat die Bombe nicht gemacht,
> er will nicht, daß die Welt einkracht.
> Atombomben zu Gottes Ruhm,
> was ist das für ein Christentum!«

Am Ostermarsch 1964, bei dem diese Lieder gesungen wurden, beteiligten sich 100 000 Menschen.
Es ist die Erfahrung von der Wirkungslosigkeit der demonstrativen Proteste, jene Erfahrung, die die außerparlamentarische Opposition als politische Bewegung konstituiert und zu den verschiedenartigsten Aktionsformen führt, die auch die Sänger vom allgemein (= privat) gehaltenen Protestlied Abstand nehmen läßt. Das sei an einigen grob skizzierten Entwicklungen verdeutlicht.
Franz Josef Degenhardt (* 1931) beginnt mit deutlichem antibürgerlichem Affekt, der zunächst recht allgemeine Züge trägt. Ein ›Deutscher Sonntag‹ (9a,51) in einer kleinen Stadt ist für ihn »die Zeit, da frier ich vor Gemütlichkeit«. Die zunehmende Polarisierung der politischen Tendenzen in der BRD: die Demaskierung der Reaktion in den Notstandsgesetzen, in der gewaltsamen Unterdrückung der studentischen Aktionen und die Entwicklung einer klar-fortschrittlichen Perspektive in der Organisation des außerparlamentarischen Widerstands lassen ihn deutlich Partei ergreifen. In seinem Lied *2. Juni 1967* (8,114), das das *Ostermarschlied 68* aufnimmt und verschärft (vgl. 9a,116), heißt es:

> »Jetzt schreiben wir die Kreuze an die Wände
> mit roter Farbe. Warum eure Wut?
> Das ist doch Farbe. Aber eure Hände
> sind seit Berliner Tagen voller Blut.
> Zerquetschte Schädel stellt ihr zum Vergleich
> geplatzten Eiern und Tomaten.
> Das ist nicht neu in diesem Land! Und euch,
> euch paar'n, die ihr mal anders wart, was soll man euch noch raten?«

Im Interview mit Rolf-Ulrich Kaiser (1967) skizziert Degenhardt die politische Qualität des neuen Liedes, das man mit Protestsong kaum noch angemessen bezeichnet: »Ein allgemeines Ansingen gegen die Brutalität z. B. reicht nicht mehr aus. Das Brutale sollte durchaus im heutigen Koordinatensystem fixiert, es sollte also gesagt werden, ›in Vietnam werden mit Napalm Menschen verbrannt, die nichts weiter wollen, als nach ihren Vorstellungen leben‹.« (59a,74) Hatte der Sänger früher schon immer »diese rote Wut«, so heißt es nun: »Die Wut wurde klarer und kalt, wurde Haß.« (9b,70)
Wolf Biermann (* 1936), der 1953 nach Ost-Berlin übersiedelte, scheint sich zunächst wie ein Topical Singer beschreiben zu lassen: »Der Sänger erfährt sich allein, ausgeliefert einer Gesellschaft und Politik, die er beide nicht akzeptiert. So singt er gegen das, was ihn persönlich bedrängt«, heißt es in solcher Beschreibung (59a,17). Biermanns *Ballade auf den Dichter François Villon* (1964) z. B. läßt sich so auslegen, wenn es vom Vorbild heißt: »Dann sang er unverschämt und schön / Wie Vögel frei im Wald.« (6a,33) Doch der doppelt ironische Schluß wie auch schon die *Rücksichtslose Schimpferei* (1962) zeigen, daß es ihm nicht auf eine (neu-romantische) Beschwörung einer klassenlosen Naturpoesie ankommt. Die Kulturpolitik der DDR-Funktionäre erfuhr Biermann, der Auftritts- und Publikationsverbot hat, am eigenen Leibe: »Ich bin der Einzelne / das Kollektiv hat sich von mir / isoliert.« (6a,69) Er ähnelt darin dem sowjetrussischen Sänger Bulat Okudshawa, dessen Lieder dazu beitragen wollen, »daß die menschliche Gesellschaft sich nicht in eine Kaserne verwandelt, daß jede menschliche Persönlichkeit die Chance zu einer einmaligen, individuellen Entwicklung erhält« (28,9). Gewiß ist das mißverständlich ausgedrückt, so könnte auch ein liberaler Bürger sprechen. Doch muß man unterscheiden: beide Sänger enthalten sich der unmittelbaren Parteinahme für ihren Staat, so erhält ihre unverkennbare sozialistische Parteilichkeit progressiv-reformerische Züge, die sich in Biermanns Lied *In Prag ist Pariser Kommune* unverhüllt aussprechen. Auch das *Große Gebet der alten Kommunistin Oma Meume in Hamburg* verbindet mit der Kritik am »Friedensstaat« und seinen Funktionären (vgl. 6a,70: »...ihr seid die Inquisition des Glücks«) das bemerkenswerte Gebet: »O Gott, laß Du den Kommunismus siegn!« *Der Bilanzballade im dreißigsten Jahr* mit ihrer Beinahe-Resignation:

»Ich hab mich also eingemischt
In Politik, das nützte nischt
Sie haben mich vom Tisch gewischt
Wie eine Mücke«

steht die Peter Huchel gewidmete *Ermutigung* gegenüber, eines der Lieder, die Biermann der westdeutschen Neuen Linken zuschrieb (6d):

»Das Grün bricht aus den Zweigen
Wir wolln das allen zeigen
Dann wissen sie Bescheid.« (6b,61)

Erich Fried (* 1921) soll nach einem wohl zutreffenden Diktum Helmut Maders die besten und die schlechtesten politischen Gedichte der sechziger Jahre verfaßt haben. Zwar äußert er schon in den *Warngedichten* (1964) die Einsicht in die Schwierigkeit,

mit dem Gedicht, das unter der Hand richtiger wird, die Welt, die falscher wird, zu erreichen: »Die Welt / macht mir Angst / Sie ist schwächer / als ein Gedicht« *(Gegengewicht)*. Aber er gibt diesen Versuch nicht auf (vgl. 14f,79), sammelt Agitprop-Erfahrungen (vgl. den Bericht in 1,214 ff.) und schreibt Songs mit z. T. großer Breitenwirkung. Etwa zur Großen Koalition: »Die große Kumpanei ist eine saubere Zunft«, nach dem Leineweber-Volkslied (30a,13; vgl. 21,160 ff.).
Frieds Vietnam-Gedichte (1966) machten ihn einem größeren Kreis bekannt. Sie lesen sich z. T. noch sehr ›poetisch‹, aber nur auf den ersten Blick; etwa die *Einbürgerung* (14e,36):

»Weiße Hände
rotes Haar
blaue Augen

Weiße Steine
rotes Blut
blaue Lippen

Weiße Knochen
roter Sand
blauer Himmel.«

Den Leser muß die Wörtlichkeit erschrecken, die den poetischen Bildern von der Wirklichkeit zuteil wird; als ›schön‹ lassen sie sich kaum aufnehmen: ästhetisch verbrauchen. Im Gedicht *Der Freiwillige* (14e,40 f.) geht eine wahre Flut von Bildern und assoziativen Einfällen in ein einfaches, der Ghaselform nachgebildetes Schluß-Schema ein, das traumhaft-unausweichlich endet:

»Als ich sah daß mein Wille gut war
wußte ich warum ich voll Blut war.«

Spätere Vietnam-Gedichte sind oft schärfer, aber sie halten diese Technik fest, die nach Karl Kraus das Ende aller Phrasen und auch der dichterischen Technik ist: den Zusammenfall von Bild und Wirklichkeit ohne Zutun zu konstatieren. So verfährt auch Peter Schütt in seinem Text *Vietnamesische Kinder*: »Um eures Glücks willen / nehmen sie euch Arme und Beine / um sie vor den Vietcongs in Sicherheit zu bringen.« Oder: »Eure Eltern stellen sie an die Wand / damit ihr eure Zukunft / ohne Beeinflussung von außen gestalten könnt.« (1,156)
Fried hat 1967 seine Mitarbeit bei der BBC London aufgegeben und sich unmißverständlich auf die Seite der Neuen Linken gestellt (vgl. 75,618). Seinen neueren Gedichten ist das als stärkere Differenzierung anzumerken, sie sind auf die Diskussionen der Genossen bezogen und, wie die Wirkung zeigt, ein Teil von ihnen. So rechnet die *Anleitung zur Erhaltung der Schlagkraft* (14i,44) die Notwendigkeit des Bündnisses mit allen progressiven Kräften sehr anschaulich am Gegenbeispiel vor. Rollengedichte und Insider-Auseinandersetzungen, sorgsame, stets politisch bestimmte Differenzierung kennzeichnen auch Frieds neuesten Band *Unter Nebenfeinden* (1970). Dem Vorwurf, diese Gedichte würden immer prosaischer, begegnet Thomas Rothschild sehr schön: »Zwei Fragen: Ist das noch Lyrik? und: Wozu heute noch Lyrik? – Sie machen einander irrelevant.« (76) Ein Hinweis dazu: Unter dem

Titel »Wir spielen ›Frieden‹« spielte das Wiener ›Theater am Börsenplatz‹, ein erfinderisches Kleinbühnenkollektiv, im Frühjahr 1971 mit großem Erfolg eine Politrevue, die es aus Texten von Erich Fried hergestellt hatte.
Nur als Entschuldigungen lassen sich die vielen ›Unterschlagungen‹ wenigstens z. T. erwähnen, deren sich eine so kurze Übersicht schuldig machen muß. Die hilflos-zynischen Absagen ans politische Gedicht von Günter Grass lassen sich übergehen, auch was er ab und zu in dieser Richtung versucht. Mit der Überschrift *Zorn Ärger Wut* reiht er sich in eine merkwürdige Front von Protestierenden ein; gegen die »ohnmächtigen Songs« richtet sich seine aufwendige Wut, die – als solche darf sie's – recht summarisch verfährt. Das macht sie nicht gerade überzeugender, und sie bleibt literarisch: vorsätzlich ohnmächtig angesichts der 1967 deutlich lesbaren Entwicklung des politischen Gedichts.
Die Wagenbach-Autoren, zum Beispiel F. C. Delius, Yaak Karsunke, Volker von Törne, erforderten eine abwägende Interpretation, die hier insofern fehlen kann, als Neuerungen kaum von ihnen ausgingen; die beschriebenen Tendenzen gelten auch für sie. Schade ist, daß die neubestimmte Bedeutung der Formen wenig hervorgehoben werden konnte. Auf Hildegard Wohlgemuth als Meisterin der subversiven Parodie wurde verwiesen. Die Politisierung der Gedichte aus der Arbeitswelt ist bei den Liedern von Fasia Jansen, den Texten von Richard Limpert, Artur Troppmann besonders bemerkbar. Auf Roman Ritter und Agnes Hüfner, auf Liselotte Rauner und Martin Jürgens läßt sich auch nur noch eben hinweisen. Ihre Texte haben sich von möglichen Vorbildern weitgehend emanzipiert und bedeuten eine neue Zeit für das politische Gedicht. Ein Beispiel zum Schluß:

Peter Schütt
DIE VERGANGENHEIT DES KANZLERS
für Beate Klarsfeld

Der Schlag ins Gesicht
trifft einen Kanzler, der längst sein Gesicht
verloren hat. Der Skandal soll des Kanzlers Vergangenheit
Deutschland gegenwärtig machen. Schlagartig schwindet
des Kanzlers Gedächtnisschwund. Seiner Vorkanzler-Vergangenheit
erinnert er sich in beschleunigten Verfahren.
Um zu verhindern, daß wie in der Vergangenheit
Gewalt zum Mittel der Auseinandersetzung wird,
sorgt er für einen Gewaltspruch im Stil seiner Vergangenheit.
Der Kanzler möchte durch ein abschreckendes Urteil
der Gegenwart klarmachen, daß seine Vergangenheit
in Deutschland noch Zukunft hat. Zu den Folgen
schweigt der Kanzler, so wie er in der Vergangenheit
schweigend alle Demütigungen seiner Opfer ertragen hat.
Zu erkennen gibt der Kanzler sein wahres Gesicht
erst nach dem Schlag ins Gesicht. (1,29; 35,45)

Dieses Gedicht gehört als Kommentar von einer politischen Aktion nur mittelbar dieser zu. Indem es auf seine bescheidenste mögliche Funktion sich zurückzieht, ge-

winnt es nicht nur eine äußerste Prägnanz, sondern es wird selber unmittelbar praktisch, weil sich nun die politische Aktion erst ›lesen‹ läßt; das gilt vor allem für politisch-oppositionelle Handlungen mit starkem Symbolcharakter (wie die Klarsfeld-Ohrfeige für Kiesinger), deren Perspektive und Reichweite nicht immer aus der Aktion allein verstanden werden kann. (Ähnlich, wenn auch unzureichend funktioniert Törnes *Lied vom Terroristen Karl Heinz Pawla.*)
Ein solches Beispiel zeigt deutlich den Unterschied zum ›öffentlichen‹ oder Zeit-Gedicht der fünfziger Jahre, das freilich noch weiterlebt: ein Weilchen z. B. bei Christoph Meckel, der Deutschland als »verliebt in den Tod« beschreibt (11,484), was an Celan anklingt, und der 1962 mit antikischem Schwung feststellt: »Ich sah aus Deutschlands Asche keinen Phönix steigen« (11,489). Die *Hymne* von F. C. Delius (10a) hält trotz ihrer entschiedenen Absage an das »Land der Liebe, Land des Schönen« (W. Pleyer) im Ausdruck der Angst noch die Totale als Perspektive fest: »du, zwischen den Zielen, verwest schon, / und noch nicht tot, Deutschland, / ich bitte dich, laß uns und geh.« In Biermanns Lied *Es senkt das deutsche Dunkel* ist diese Perspektive dialektisch verfremdet, doch nicht aufgehoben (6b u. d).
Sie entspricht in ihrer Abstraktheit der sozialen Lage der progressiven Intelligenz in jenen Jahren; oftmals ist sie rein rhetorisch vermittelt. Sie kennzeichnet noch den größten Teil der Protestlyrik der frühen sechziger Jahre. Erst als sich aktive politische Oppositionsbewegungen deutlicher formieren, auf die sich die Autoren nun beziehen können, gewinnt das politische Gedicht jene Konkretheit, analytische Schärfe und prägnante Kontur, die das neue Gedicht (und unser Beispiel) auszeichnen. Die hier neu erreichte Durchlässigkeit der Bilder – sie decken die zugehörige Aktion so genau, daß undeutlich wird, wo die Priorität liegt – vermag Poesie und Rhetorik wieder zu versöhnen, deren im 18. Jahrhundert vollzogene Trennung die politische Dichtung theoretisch heimatlos werden ließ (vgl. 49b). Der Bezug auf eine außerliterarische Wirklichkeit ist nicht mehr ein Widerspruch zur Konstituierung des poetischen Textes, sondern auch dessen Bedingung.

Literaturhinweise

Textausgaben (und Schallplatten)

1 *agitprop. Lyrik, Thesen, Berichte.* Kollektivausgabe. Hamburg: Quer-Verlag. 1. Aufl. o. J. [1969], 2. Aufl. 1970.
2 *Agitprop 1.* dutschke, mandel, hüsch, degenhardt, süverkrüp u. a. berlin 61: verlag p. p. zahl 1968.
3 *alternative 46: Protest Songs.* Berlin, Februar 1966.
4 *Anklage und Botschaft.* Die lyrische Aussage der Arbeiter seit 1900. Hrsg. u. eingel. von Friedrich G. Kürbisch. Hannover: Dietz Nachf. 1970.
5 *Arbeitskreis Progressive Kunst* (42 Oberhausen, Josefsplatz 3).
I Werkhefte
a) 24/25 *We shall overcome.*
b) 26/27 *agitation.*
c) 28/29 *Mitbestimmung, Neonazismus.*
d) 30/31 *Vietnam.*
II
e) *Neue Volkskunst.* Zeitschrift für eine politische und demokratische Kunst.
III Zahlreiche Sonderhefte.

6 Wolf Biermann:
a) *Die Drahtharfe. Balladen, Gedichte, Lieder.* Berlin: Wagenbach 1965 (Quarthefte 9).
b) *Mit Marx- und Engelszungen. Gedichte, Balladen, Lieder.* Berlin: Wagenbach 1968 (Quarthefte 31).
c) *W. B. (Ost) zu Gast bei Wolfgang Neuss (West).* LP, 30 cm. Philips twen-Serie 42. (843 742 PY).
d) *W. B. 4 neue Lieder.* Wagenbachs Quartplatte 3 (17 cm).
e) *W. B. Chausseestraße 131.* Wagenbachs Quartplatte 4 (30 cm).

7 *Chansons aus dem anderen Deutschland.* damokles songbuch 3. Ahrensburg 1968. (Übernahme der Anthologie aus dem Verlag Neues Leben: Berlin 1966. Hrsg. von Klaus-Dieter Sommer und Gerhard Wolf.)

8 *Da habt ihr es!* Stücke und Lieder für ein deutsches Quartett. Von Degenhardt, Neuss, Hüsch, Süverkrüp. Reinbek 1970 (= rororo 1260).

9 Franz Josef Degenhardt:
a) *Spiel nicht mit den Schmuddelkindern.* Balladen, Chansons, Grotesken, Lieder. Reinbek 1969 (= rororo 1168)
b) *Im Jahr der Schweine. 27 neue Lieder mit Noten.* Hamburg: Hoffmann & Campe 1970.
c) *Zwischen Null Uhr und Mitternacht. Bänkelsongs.* LP Polydor 46 593 (1963).
d) *Spiel nicht mit den Schmuddelkindern.* LP. Polydor 237 816 (1965).
e) *Väterchen Franz. Bänkelsongs.* LP. Polydor 237 829 (1967).
f) *Wenn der Senator erzählt. Bänkelsongs.* LP. Polydor 237 834.
g) *Degenhardt Live.* (Mitschnitt der Essener Song-Tage 1968.) Polydor 249 268.
h) *Im Jahr der Schweine.* Polydor 249 331.
i) *Portrait F. J. Degenhardt.* 20 Lieder aus 7 Jahren. Polydor-Kassette mit 2 LP.n und Textheft. (26 38 009)

10 F. C. Delius:
a) *Kerbholz. Gedichte.* Berlin: Wagenbach 1965 (Quarthefte 7).
b) *Wir Unternehmer. Über Arbeitgeber, Pinscher und das Volksganze. Eine Dokumentarpolemik.* Berlin: Wagenbach 1966 (Quarthefte 13).
c) *Wenn wir, bei Rot. Gedichte.* Berlin: Wagenbach 1969 (Quarthefte 37).

11 *Deutschland Deutschland.* Politische Gedichte vom Vormärz bis zur Gegenwart. Ausgewählt und hrsg. von Helmut Lamprecht (mit einem Vorwort). Bremen: Schünemann 1969.

12 *Die alten bösen Lieder. Lieder und Gedichte der Revolution von 1848.* Hrsg. von Klaus Kuhnke. damokles songbuch 6. Ahrensburg 1969.

13 Hans Magnus Enzensberger:
a) *landessprache.* Frankfurt: Suhrkamp 1960.
b) *blindenschrift.* Frankfurt: Suhrkamp 1964.
Vgl. 51.

14 Erich Fried:
a) *Deutschland. Gedichte.* London 1944.
b) *Reich der Steine. Zyklische Gedichte.* Hamburg: Claassen 1963.
c) *Warngedichte.* München: Hanser 1964.
d) *Überlegungen.* (Für Ernst Fischer.) München: Hanser 1964.
e) *und Vietnam und. Gedichte.* Berlin: Wagenbach 1966 (Quarthefte 14).
f) *Anfechtungen. Gedichte.* Berlin: Wagenbach 1967 (Quarthefte 22).
g) *Zeitfragen. Gedichte.* München: Hanser 1968.
h) *Befreiung von der Flucht. Gedichte und Gegengedichte.* Hamburg, Düsseldorf: Claassen 1968.
i) *Die Beine der größeren Lügen.* Berlin: Wagenbach 1969 (Quarthefte 35).
j) *Unter Nebenfeinden.* Fünfzig Gedichte. Berlin: Wagenbach 1970 (Quarthefte 44).

15 *garstige weihnachtslieder.* Hamburg: Quer-Verlag 1969, 2. Aufl. 1970.

16 Günter Grass: *Ausgefragt. Gedichte und Zeichnungen.* Neuwied: Luchterhand 1967.

17 Hanns Dieter Hüsch:
a) *Carmina Urana. Vier Gesänge gegen die Bombe.* Ahrensburg: Damokles 1964. EP: pläne 2202.
b) *Freunde, wir haben Arbeit bekommen! Die neuen Lieder des H. D. H.* damokles-songbuch 2. Ahrensburg 1968.
c) *Chansons, Gedichte, Geschichten.* LP, Polydor 47 814.
d) *Das Wort zum Montag.* LP, Polydor 249 262.
e) *Typisch Hüsch. Politische Lieder und Texte.* LP, pläne S 33 401.

18 *Deutsches Kabarett von 1945 bis heute.* (Bretter, die die Zeit bedeuten.) Hrsg. von H. Greul. Kassette = 2 LP.n Polydor 47 832/33.
Vgl. 41,42!

19 Yaak Karsunke:
a) *Kilroy & andere.* Berlin: Wagenbach 1967 (Quarthefte 17).
b) *reden & ausreden.* Berlin: Wagenbach 1969 (Quarthefte 38).
Vgl. 52 c.

20 Dietrich Kittner:
a) *Bornierte Gesellschaft.* damokles-songbuch 5. Ahrensburg 1969.
b) *Die Leidartikler.* LP. 5001 S SRJ.
c) *Schwarz-braun-rotes Liederbuch.* LP. 762 000 PV.
d) *Bornierte Gesellschaft.* LP. St 885 438 PY (Phonogram).
e) *Konzertierte Reaktion oder Zustände wie im neuen Athen. Songs–Satiren–Sarkasmen.* LP. pläne S 33 301.

21 *Kürbiskern Songbuch.* Hrsg. von Manfred Vosz. München: Damnitz 1968.

22 Lerryn + Dadazuzu: *Lehrlinks Machtgebeat / Gummiknüppelsong.* EP. pläne, Peng-Serie Nr. 8.

23 *Linke Lieder. Protest-Songs.* Hrsg. von Klaus Budzinski. München: Scherz 1966.

24 Christoph Meckel u. Volker von Törne: *Die Dummheit liefert uns ans Messer. Ein Zeitgespräch in 10 Sonetten.* Berlin 1967.

25 *Mit Gesang wird gekämpft. Lieder der Arbeiter-Bewegung.* Berlin [Ost]: Dietz 1967.

26 *Nachkrieg und Unfrieden. Gedichte als Index 1945–1970.* Hrsg. von Hilde Domin. Sammlung Luchterhand Bd. 7.
Vgl. 50.

27 Wolfgang Neuss:
a) *Das jüngste Gerücht – Satire über Trivialpolitik.* Reinbek 1963 (= rororo 841).
b) *Neuss Testament – Eine satirische Zeitbombe nach Texten von François Villon.* Reinbek 1965 (= rororo 891).
c) *Asyl im Domizil – Bunter Abend für Revolutionäre.* Reinbek 1967 (= rororo 1072).
Vgl. 6 c.

28 Bulat Okudshawa: *Lieder, Chansons, Balladen.* damokles-songbuch 4. Ahrensburg 1969.

29 *pinx.* (Zeitschrift mit polit. Lyrik als einem Schwergewicht.) Berlin: Ça Ira Presse 1966–68.

30 *Politische Lieder.* Hrsg. vom Arbeitskreis für Volkskunst (jetzt: Arbeitskreis Progressive Kunst) in Oberhausen. a) 1967. b) 1968. c) 1969. d) 1970.

31 *Protest. Lieder aus aller Welt.* Hrsg. von F. Hetmann. Frankfurt 1967 (Fischer Bücherei 830).

32 Arno K. Reinfrank: *Deutschlandlieder zum Leierkasten. Satirische Balladen.* Berlin: Total-Hirsch-Verlag 1968.

33 Reiner Rowald: *20 Balladen zum Vor- und Nachdenken samt einer Anleitung zum Protest.* Berlin: Ça Ira Presse 1967.

34 Peter Rühmkorf: *Kunststücke. 50 Gedichte nebst einer Anleitung zum Widerspruch.* Reinbek 1962.
Vgl. 77.

35 Peter Schütt: *Sicher in die siebziger Jahre. Straßentexte von P. S.* Hamburg: Quer-Verlag 1970.

36 Gerd Semmer: *Widerworte – Gedichte und Chansons.* Berlin u. Weimar: Aufbau-Verlag 1965.

37 *Song. Zeitschrift für progressive Subkultur.* Song-Selbstverlag 65 Mainz, Kirschgarten 1 (bis 1969 Verlag Filmkritik Frankfurt).

38 Dieter Süverkrüp:
Vgl. 8, 21, 30 u. a.
a) *Fröhlich ißt du Wiener Schnitzel. Zeitkritische Chansons.* LP. pläne S 22 301.
b) *Die widerborstigen Gesänge des D. S.* LP. pläne S 22 302.
c) *Süverkrüps Hitparade. D. S. singt neue Lieder und Chansons.* LP. pläne S 22 303.
d) *Vietnam.* (Mit dem Floh de Cologne). LP. pläne S 33 101.
e) *Stille Nacht, allerseits! D. S. singt garstige Weihnachtslieder.* EP. pläne: Peng-Serie Nr. 5.
f) *Der Baggerführer Willibald. D. S. singt Kinderlieder.* EP. pläne: Peng-Serie Nr. 6.

39 *texte texte.* Prosa und Gedichte der Gruppe 61. Recklinghausen: Bitter 1969.

40 Volker von Törne: *Wolfspelz. Gedichte, Lieder, Montagen.* Berlin: Wagenbach 1968 (Quarthefte 30).

41 *Vorsicht, die Mandoline ist geladen.* Deutsches Kabarett seit 1964. Hrsg. von K. Budzinski. Frankfurt: S. Fischer 1970.
42 *Was gibt's denn da zu lachen? Deutschsprachige Verssatire unseres Jahrhunderts.* Hrsg. von K. Budzinski. München, Bern, Wien: Scherz 1969.
43 *Wir wollen dazu was sagen.* Neue lieder gegen die bombe. (Stütz, Semmer, Süverkrüp) EP. pläne Nr. 3 102 (1964).
44 *Zeitgedichte.* Deutsche politische Gedichte seit 1945. Hrsg. von Horst Bingel. München 1963.

Darstellungen, Analysen

45 Theodor W. Adorno: *Rede über Lyrik und Gesellschaft.* In: Noten zur Literatur I. Frankfurt 1958. S. 73–104.
46 Jürgen Beckelmann: *Politische Lyrik in Westdeutschland und Westberlin. Einige Anmerkungen.* Vervielfältigtes Typoskript: Sekretariat für Erwachsenenbildung an der Freien Universität Berlin, 1 Berlin 45, Holbeinstr. 28.
47 Hans Bender: *Über politische Gedichte.* In: Jahresring 68/69. S. 224–244. Stuttgart 1968.
48 Walter Benjamin: *Der Autor als Produzent.* In: Versuche über Brecht. Frankfurt 1966 (= edition suhrkamp Nr. 172). S. 95–116. Abdruck auch in 72/II, S. 263–277.
49 Heinrich Bosse:
a) *Versuch, politische Gedichte zu lesen.* In: Neue Rundschau 1970. Heft III, S. 579–587.
b) *Politische Lyrik.* In: SDG, Faszikel IV–8a, S. 632–651.
50 Hilde Domin: *Das politische Gedicht und die Öffentlichkeit. Aktuelles und Grundsätzliches.* In: Schweizer Monatshefte 48. Zürich 1968/69. S. 626–635.
51 Hans Magnus Enzensberger: *Poesie und Politik.* In: Einzelheiten. Frankfurt 1962. S. 334–353.
52 *Über Hans Magnus Enzensberger.* Hrsg. von Joachim Schickel. Frankfurt 1970 (= edition suhrkamp Nr. 403). Darin besonders:
a) Madeleine Gustafsson: *Radikaler als seine Dichtung.* S. 110–114.
b) Dieter Schlenstedt: *Unentschiedener Streit? Zur Poesie und Politik H. M. E's.* S. 115–127.
c) Yaak Karsunke: *Vom Singen in finsteren Zeiten.* S. 263–270.
53 Ernst Fischer: *Kunst und Koexistenz. Beitrag zu einer modernen marxistischen Ästhetik.* Reinbek 1966.
54 Michael Franz: *Zur Geschichte der DDR-Lyrik.* In: Weimarer Beiträge 1969 (15. Jg.).
I *Theoretische Grundlagen.* Heft 3, S. 561–619.
II *Ästhetische Differenzierungen.* Heft 4, S. 763–810.
III *Wege zur poetischen Konkretheit.* Heft 6, S. 1166–1228.
55 *Frühes Deutsches Arbeitertheater 1847–1918.* Eine Dokumentation von Friedrich Knilli u. Ursula Münchow. München 1970. Darin besonders:
a) F. Knilli: *Niedere Literatur oder Literatur der Niederen?* S. 35–53.
b) R. Niemeyer / H. Gerth: *Kunst und Proletariat; der Bremer Streitfall.* S. 419–437.
56 Helga Gallas:
a) *Die Linkskurve (1929–32). Ausarbeitung einer proletarisch-revolutionären Literaturtheorie in Deutschland.* Phil. Diss. Berlin 1969 (Neuwied 1970).
b) *Ausarbeitung einer marxistischen Literaturtheorie im BPRS und die Rolle von Georg Lukács.* In: 66/I, S. 148–173.
57 Walter Grab / Uwe Friesel: *Noch ist Deutschland nicht verloren. Eine historisch-politische Analyse unterdrückter Lyrik von der Französischen Revolution bis zur Reichsgründung.* München 1970.
58 Peter Hausmann: *Ideologische Entwicklungen im politischen Lied und in den kulturellen Bedürfnissen der westdeutschen Werktätigen.* In: Weimarer Beiträge 16 (1970) Heft 7, S. 134–146.
59 Rolf-Ulrich Kaiser:
a) *Das Songbuch.* damokles-songbuch 1. Ahrensburg 1967.
b) *Roter Moralist – verbal fixiert.* (Rezension D. Süverkrüp.) Frankfurter Rundschau, 2. 1. 71, Feuilleton, S. VI.
60 *Klassen und Klassenkampf heute.* Marxistische Blätter. Sonderheft 2/1968 (Frankfurt).
61 Karl Krolow: *Das politische als das öffentliche Gedicht.* In: Aspekte zeitgenössischer deutscher Lyrik. Gütersloh 1961. S. 83–117.
62 W. I. Lenin:
a) *Parteiorganisation und Parteiliteratur* (1905). In: W. I. Lenin über Kultur und Kunst. Berlin [Ost]: Dietz 1960. S. 59–64. Auch in 72/I, S. 230–234.

b) *Agitation und Propaganda.* Ein Sammelband. Marxistische Bibliothek Bd. 8. Wien, Berlin 1929.

63 Ulla C. Lerg-Kill: *Dichterwort und Parteiparole. Propagandistische Gedichte und Lieder B. Brechts.* Bad Homburg 1968.

64 Georg Lukács:
a) *Schriften zur Literatursoziologie.* Hrsg. von P. Ludz. Neuwied 1961 (ST 9). Darin: Tendenz oder Parteilichkeit? (1932) S. 109–121. Auch in 72/II, S. 139–149.
b) *Marxismus und Stalinismus.* Politische Aufsätze. Ausgewählte Schriften IV. Reinbek 1970 (= rde 327–328). Darin:
IV *Parteidichtung.* S. 69–93.
V *Literatur und Demokratie.* S. 94–109.
VI *Freie oder gelenkte Kunst?* S. 110–134.
XI *Probleme der kulturellen Koexistenz.* S. 214–234.

65 Herbert Marcuse:
a) *Über den affirmativen Charakter der Kultur.* In: Kultur und Gesellschaft I. Frankfurt a. M. 1965. S. 56–101.
b) *Bemerkungen zu einer Neubestimmung der Kultur.* In: Kultur und Gesellschaft II. Frankfurt a. M. 1966. S. 147–171.
c) *Zur Lage der Kunst in der eindimensionalen Gesellschaft.* In: Aktionen. Hrsg. von Wolf Vostell. Reinbek 1970.

66 *Materialistische Literaturtheorie.* I alternative 67/68. Berlin: Oktober 1969. II alternative 69. Berlin: Dezember 1969.

67 Franz Mehring: *Kunst und Proletariat.* In: Gesammelte Schriften Bd. 11. Hrsg. von H. Koch. Berlin: Dietz 1961. S. 134–140. Nachdruck in 72/I, S. 200–205.

68 Werner Mittenzwei: *Marxismus und Realismus. Die Brecht-Lukács-Debatte.* In: Das Argument 46 (1968) S. 12–43.

69 Albrecht Müsel: *Das politische Massenlied in der DDR. Funktion, Pflege, Verbreitung und Wirkung.* In: Deutsche Studien 6 (1968) Heft 23, S. 264–278.

70 *Neue Aufsätze zum Problem des Spätkapitalismus.* (Sweezy, Dobb, Baran, Gillmann und Gruppe Arbeiterpolitik.) O. O., o. J. [1969].

71 POFO München [Politisches Forum]: *Zur politischen Phantasie der Neuen Linken. Ästhetik und Strategie.* 1969. In: Agnes Hüfner (Hrsg.): Straßentheater. Frankfurt 1970 (= edition suhrkamp Nr. 424). S. 258–284.

72 Fritz J. Raddatz: *Marxismus und Literatur.* Eine Dokumentation in 3 Bänden. Reinbek 1969.

73 *Rebellion der Studenten oder Die neue Opposition.* Reinbek 1968 (= rororo aktuell 1043). Darin u. a.:
a) Rudi Dutschke: *Die geschichtlichen Bedingungen für den internationalen Emanzipationskampf.* S. 85–93.
b) Bernd Rabehl: *Von der antiautoritären Bewegung zur sozialistischen Opposition.* S. 151–178.

74 *Replik 4/5.* Berlin: Gg. Eichinger Verlag 1970. Darin u. a.:
a) Harald Hartung: *Pop-Lyrik. Am Beispiel von Brinkmanns ›Piloten‹.* S. 57–62.
b) Alexander v. Bormann: *Agitprop und bürgerliche Lyrik.* S. 64–83.
c) Gerhard Voigt: *A. Schönes Kontroverse über politische Dichtung.* S. 84–87.

75 Hans Rochelt: *Erich Fried, Dichtung und Klassenkampf.* In: Literatur und Kritik. 3 (1968) S. 618 bis 621.

76 Thomas Rothschild: *Gegen das Obszöne der Ablenkung. Erich Frieds Auseinandersetzung mit den ›Nebenfeinden‹.* In: Frankfurter Rundschau, 25. 1. 71, S. 14.

77 Peter Rühmkorf:
a) *Einige Aussichten für Lyrik.* In: Zeugnisse. Th. W. Adorno zum 60. Geburtstag. Hrsg. von M. Horkheimer. Frankfurt 1963. S. 317–330.
b) *Lyrik und Politik.* In: Konkret 20/1963.
c) *Über das Volksvermögen. Exkurse in den literarischen Untergrund.* Reinbek 1967. (Tb.-Ausg. 1969: rororo 1180).

78 Peter Schneider:
a) *Die Phantasie im Spätkapitalismus und die Kulturrevolution.* In: Kursbuch 16/1969. Frankfurt 1968. S. 1–37.
b) *Ansprachen.* (Reden, Notizen, Gedichte.) Berlin 1970 (Quarthefte).

79 Albrecht Schöne: *Über Politische Lyrik im 20. Jahrhundert.* Kleine Vandenhoeck-Reihe 228/9. Göttingen 1965. 2. erweiterte Aufl. (Anhang) 1969.

80 *Schriftsteller und Politik.* In: Schweizer Monatshefte. 49 (1969/70) S. 344–416.

81 Wolfgang Sofsky / Peter van Spall: *Klassenstrukturen in der BRD. Zwei Aufsätze.* Verlag Neue Linke. o. J. [1969?].

82 Hans-Georg Werner: *Geschichte des politischen Gedichts in Deutschland von 1815–1840.* Berlin: Akademie Verlag 1969.

83 *Zur Tradition der sozialistischen Literatur in Deutschland. Eine Auswahl von Dokumenten.* Berlin u. Weimar: Aufbau-Verlag 1962. 2. erw. Aufl. 1967.

WALTER SEIFERT

Die pikareske Tradition im deutschen Roman der Gegenwart

In einem Interview hat Günter Grass 1959 erklärt, *Die Blechtrommel* sei »genauso wenig ein Schelmenroman« wie Charles de Costers *Till Ulenspiegel und Lamme Goedzak*. Gleichzeitig gab er zu, daß »sich die *Blechtrommel* auf den *abenteuerlichen Simplizissimus*« zurückführen lasse.[1] Einerseits lehnt Grass die Bezeichnung Schelmenroman ab, andrerseits steht der *Simplicissimus* in der Tradition des spanischen ›Schelmenromans‹. Vergleicht man die *Blechtrommel* mit Josef Wincklers *Der tolle Bomberg* (1922), Ernst Penzoldts *Die Powenzbande* (1930) und Martin Beheim-Schwarzbachs *Der Unheilige oder die diebischen Freuden des Herrn von Bißwange-Haschezeck* (zuerst 1948), die von ihren Autoren Schelmenromane genannt werden, dann erscheint eine terminologische Unterscheidung am Platz. Wir unterscheiden den pikaresken Roman, wozu die *Blechtrommel* zu rechnen ist, vom Schelmenroman.

Während die genannten Schelmenromane in der dritten Person geschrieben sind, dominiert in der *Blechtrommel*, gemischt mit der dritten Person, die Ich-Form. Wie in nahezu allen pikaresken Romanen blickt der Erzähler aus der Weltabgeschiedenheit auf seine früheren Verstrickungen in der chaotischen Welt zurück, Oskar Matzerath aus dem Anstaltsbett, Simplizissimus als Einsiedler, Lazarillo aus der Sicherheit einer fragwürdigen Existenz, Guzmán als Galeerensträfling und Felix Krull nach einem Zuchthausaufenthalt. Der pikareske Roman erhält seine besondere Struktur dadurch, daß der Erzähler sein früheres Handeln und das Verhalten der Welt einer kritischen, satirischen, aber auch schuldgequälten Abrechnung unterwirft. Eine Sonderstellung nimmt Paul Schallücks *Don Quichotte in Köln* (1967) ein. Schallück wählt die Ich-Form, gibt aber in der Hälfte des Romans zu erkennen, daß der Ich-Erzähler der Sohn des Don Quichotte ist.

Da den Verfassern der Schelmenromane die unmittelbare Authentizität fehlt, geben sie sich als Historiker und Spezialisten aus. Während Winckler seinen »ungeheuren Fleiß, seine verschlagene Findigkeit« bei der Stoffbeschaffung hervorhebt, betont Penzoldt, daß er »wissenschaftlich einwandfrei« nichts als die Wahrheit darstelle, und ebenso Beheim-Schwarzbach, daß er sich für den »unbedingt zuverlässigen authentischen Charakter des Buches« verbürgen könne. Beheim-Schwarzbach argumentiert, daß sein Buch ohne strengste Authentizität »ein Sammelsurium von Anekdoten, vielleicht gar ein fiktiver Roman« werden und zu einem Bestseller herabsinken könnte. Dieses Spiel mit Kunsttheorien und dem Marktgeschehen kann nicht darüber hinwegtäuschen, daß tatsächlich eine formale Enge und Ängstlichkeit bei der Darstellung von Kraftnaturen und Originalen auftritt, wie sie dem spanischen pikaresken Roman fremd ist. Die autobiographische Perspektive garantiert dort genügend Realitätsnähe, so daß mit der vollen Entfaltung der fiktiven Phantasie keine Minderung der epischen Glaubwürdigkeit befürchtet werden muß. Das gilt auch für den Reichtum der Einfälle bei Günter Grass. Schallücks von Grass beeinflußter Roman steht näher beim Schelmenroman, insofern der Ich-Erzähler gegen eine verzerrte Darstellung in einer Biographie und in den Massenmedien nach der Dokumentensammlung seines Archivs das wahre Bild des Don Quichotte herausarbeitet. Sein Ziel ist eine »knappe Sachbeschreibung, die sich ausschließlich an die entkleideten Tatsachen hält«.

In den Schelmenromanen tritt jeweils ein wilder Sonderling, ein knorriges Original, ein vitaler Außenseiter in eine erstarrte, unduldsame Umgebung ein. Der tolle Bomberg wird durch seinen »Blutüberschwang zu tausend Tollheiten getrieben«, und Powenz, ein vitaler Sonderling mit einem »Kinderherz«, führt mit seiner ganzen Familie einen hartnäckigen Kleinkrieg im Verborgenen um einen Platz in der beschränkten Bürgerwelt, in die er seinem Wesen nach nicht hineinpaßt. Wenn es dieser Familie gelingt, die »verblendeten Mösseler« so weit zu bringen, »den Schein der Wirklichkeit vorzuziehen«, dann entsteht eine pikareske Einzelepisode. Auch als Schelmenzunft steht die Powenzbande in der pikaresken Tradition. Eine Schelmenzunft taucht erstmals in Alemáns *Guzmán von Alfarache* (1599–1604) als römische Bettlerzunft auf; in Quevedos *Das Leben des Buscón* (1626) streunt der Protagonist mit fahrenden Schauspielern herum. Nach dem Vorbild von Cervantes' *Rinconete und Cortadillo* (1613) gestaltet Niclas Ulenhart in der *History von Isaak Winckelfelder und Jobst von der Schneid* (1617) eine Prager Schelmenzunft mit ihrem Meister Zuckerbastel. Während aber die Powenzbande das Ziel hat, in der Gesellschaft aufzugehen, stellen die Schelmenzünfte im pikaresken Roman Subkulturen und Durchgangsstadien der Zentralgestalten dar, häufig mit einer Schutzfunktion gegen die Gesellschaft. Der traditionellen Schelmenzunft entsprechen mehr die Jugendbanden in Grass' *Blechtrommel*, Gerhard Ludwigs *Tausendjahrfeier* (1965) oder Gerhard Zwerenz' *Casanova oder der kleine Herr in Krieg und Frieden* (1966).

Beheim-Schwarzbachs Meisterdieb Bißwange ist ein Original wegen seiner »eisernen Selbstzucht« und »Exzentrizität«. Die Perfektionierung seiner Techniken erinnert an das harte Training Felix Krulls, aber auch an die technischen Tricks Lazarillos. Während aber Lazarillo handelt, um sich vor dem Verhungern zu retten, geht es Bißwange um die »künstlerische Qualität dieser Taten« und in zweiter Linie um Sozialkritik. Beheim-Schwarzbach versucht seine »im Zeitlosen« entstandene Gestalt zur Realität zu machen, während Thomas Mann die Realität in künstlerische Fiktion verwandelt. Unter die Originale gehört auch Schallücks Don Quichotte, jener »Kommissär der Humanität«, indem er von der »Idee eines Narren« besessen ist und tatsächlich »realisieren« will, was er jahrelang als Rundfunkredakteur »verkünden« ließ.

Das Gemeinsame dieser Schelmenromane ist die auf Askese oder Vitalität beruhende Überlegenheit der Zentralgestalt über ihre Umwelt. Diese Umwelt lebt im Gegensatz zu der im *Lazarillo von Tormes* bewußtlos, ohne pikareske Qualität, im Extremfall den Schildbürgern vergleichbar, so daß der Schelm keinen ebenbürtigen Gegner hat, wenn man von den offiziellen Ordnungskräften wie Polizei oder Gerichten absieht. Fragt man nach der literarischen Tradition, so wird man in Wincklers Vorwort darauf verwiesen, daß der »geistige Vetter« dieser Originale »der Bodenwerder Münchhausen ist, und auch Till Eulenspiegel schelmisiert in ihrem Blut«. Zu einer Zeit, als Heinrich Mann, Rilke, Brecht, Döblin, Musil, Broch und andere die Bedrohtheit des Menschen unter dem Übergewicht einer äußeren Umwelt gestaltet haben, hält dieser auf der Eulenspiegeltradition beruhende Schelmentyp die Illusion aufrecht, als sei der einzelne noch zu einem überlegenen Handeln fähig, wenn er nur als unbeugsames Original mit besonderer Intelligenz auftritt. In dieser Tradition stehen Klabunds *Bracke* (1918) als märkischer Schelmenroman nach dem Eulenspiegelvorbild, Jakob Kneips *Hampit der Jäger* (1927), Gerhard Pohls *Der verrückte Ferdinand* (1937), Otto Rombachs *Adrian der Tulpendieb* (1936), Georg Schwarz' schwäbisches Schelmenbuch *Pfeffer von Stetten* (1938) und Lorenz Macks *Friedolin Schneck* (1954). Nach dem Vorbild des Schelmenpaares in Cervantes' *Rinconete und Cortadillo* oder nach Wilhelm Buschs *Max und Moritz* läßt Karl Setz in dem Roman *Umweg über die Narrenfahrt* (1966) ein Studentenpaar seine Eulenspiegeleien in Europa und Ägypten treiben. Die Qualität dieser Schelmenromane ist ungleich. Da sie entgegen den geschichtlichen Bedingungen des 20. Jahrhunderts den überlegenen Einzelmenschen herausstellen, geht ihnen leicht die Realitätsnähe verloren, und sie sinken auf die Ebene des illusionären Unterhaltungsromans herab. Die Querverbindungen zeigen jedoch, daß eine innere Verwandtschaft zwischen dem Schelmenroman und dem pikaresken Roman besteht, insofern der Schelmenroman einzelne Momente enthält, die auch dort vorkommen. Da ihm aber notwendige Momente fehlen, kann er bestimmte Strukturen nicht ausbilden.

Das Ursprungsland des pikaresken Romans ist Spanien, doch dieser Romantypus kann seinen Ursprung überall dort haben, wo gleiche oder ähnliche gesellschaftliche Bedingungen herrschen. Der spanische pikareske Roman beginnt mit *Lazarillo von Tormes* (1554). Nach der Jahrhundertwende folgen Mateo Alemáns *Guzmán de Alfarache*, Francisco de Quevedos *Leben des Buscón* und Vicente Espinels *Leben des Schildknappen Marcos von Obregón* (1618). In Deutschland[2] erscheint 1614 eine schlesische Übersetzung des *Lazarillo von Tormes*, ein Jahr später veröffentlicht Albertinus eine freie Bearbeitung des *Guzmán von Alfarache*, und 1617 hat Ulenhart mit der *History von Isaak Winckelfelder und Jobst von der Schneid* einen ersten selbständigen deutschen Roman nach dem Vorbild von Cervantes' *Rinconete und Cortadillo* geschrieben. Über diese ersten deutschen Zwischenstufen ist dann Grimmelshausens *Der abenteuerliche Simplicissimus teutsch* (1669) mit den Ergänzungsromanen *Die Landstörzerin Courage*, der *Seltsame Springinsfeld* und *Das wunderbarliche Vogelnest* entstanden. Von den deutschen Romanen seien noch Johann Beers *Der Simplicianische Welt-Kucker* (1677) und Christian Reuters *Schelmuffsky* (1696) genannt. Neben dem pikaresken Typ der spanischen Romane und neben Grimmelshausens Simplexgestalt ist für die Gegenwartsromane Cervantes' *Don Quijote* (1605–15) von Bedeutung.

Allen diesen und den gegenwärtigen Romanen ist ein Situations- und Handlungsreichtum zu eigen. Diese äußere Vielfalt ist zwar ein notwendiges, aber kein zureichendes Kriterium für die Bestimmung des pikaresken Romans, denn Vielfalt ist zugleich ein Merkmal des Artusromans oder Abenteuerromans, speziell des Liebesabenteuerromans nach dem Vorbild Casanovas. Fragt man nach den Einzelmomenten, die eine äußere Vielfalt begründen, so stößt man auf eine Fülle von Bestimmungsgrößen. Die Vielfalt kann nämlich ebenso auf die Disposition einer Zentralgestalt wie auf die Struktur gesellschaftlicher Verhältnisse zurückgehen. Die Umwelt ist für Lazarillo oder Guzmán verschlossen, und wenn sie einzudringen versuchen, stoßen sie auf brutale Gegenaktionen, wodurch sie auf ein Existenzminimum herabgedrückt und dort festgehalten werden. Die in einzelnen Standesvertretern repräsentierte Umwelt gewinnt ein solches Übergewicht über den einzelnen, daß dieser erdrückt zu werden droht. Wenn Lazarillo sich durch Betteln das Leben zu retten versucht, kommt er mit einem Gesetz in Konflikt, welches dafür die Todesstrafe androht.[3]

Im 20. Jahrhundert sind die gesellschaftlichen Bedingungen für das Auftreten des Pikaro dadurch charakterisiert, daß eine Kontinuität des Geschichtsablaufs fehlt und statt dessen im Extremfall totalitäre und pluralistische Gesellschaftsformen in schneller Folge wechseln. Auf die Wilhelminischen Militär- und Verwaltungsbürokratien folgen die Materialschlachten des Ersten Weltkriegs, dann die Widersprüche der Weimarer Republik, dann totalitäre Herrschaft und totaler Krieg und schließlich nach einer verworrenen Besatzungszeit die pluralistischen und zentralistischen Staatsformen in West und Ost. Während die totalen Situationen den Menschen unter Druck gleichzuschalten oder gar zu liquidieren versuchen, wird er in den Perioden pluralistischer Gesellschaftsformen durch eine Vielzahl von Denk- und Verhaltensmöglichkeiten bedroht und innerlich zersplittert. Die pikaresken Romane machen deutlich, daß diese Extreme gar nicht so weit voneinander entfernt sind, denn während etwa der totale Krieg eine Fülle von Einzelereignissen für das Individuum bringt, wirkt umgekehrt in der pluralistischen Vielfalt eine unterschwellige Manipulation auf die Menschen ein. Außerdem schlagen die gesellschaftlichen Zustände so oft und so schnell in ihr Gegenteil um, daß eine blinde Anpassung des einzelnen gar nicht so leicht möglich ist. Vielmehr muß dieser analog zu den Umschlägen der äußeren Bedingungen eine Diskontinuität seines Innern erleben und akzeptieren. Das Verhältnis zwischen Anpassung und Selbstbehauptung auszubalancieren ist so kompliziert und zeitweise so gefährlich, daß es eine pikareske Denk- und Handlungsweise erforderlich macht, denn jede Anpassung muß mit der möglichen Gleichschaltung rechnen, und jede unzeitgemäße Selbstbehauptung kann mit der Liquidation enden. In diesem gefährlichen Spannungsfeld muß sich der Pikaro bewähren. Das Übergewicht der Umwelt ist so stark, daß der einzelne außergewöhnliche Mittel zu seiner Rettung ergreifen muß. Während im spanischen Roman das Übergewicht sich weitgehend aus einer bestimmten Herr-Knecht-Beziehung ergibt, kann es im 20. Jahrhundert in der Form überpersönlicher, anonymer Mächte oder Massenveranstaltungen auftreten. Obwohl bereits zu Beginn unseres Jahrhunderts die Bedingungen vorhanden sind, hat sich, abgesehen von Vorläufern, das moderne radikale Pikareske in England, Frankreich, Amerika und Deutschland erst nach 1950 voll ausgebildet.[4] Das äußere Übergewicht über den einzelnen ist eine unabdingbare Voraussetzung für das Pikareske, doch für sich betrachtet, ergibt es noch keine hinreichende Bestimmung.

Ebenso unabdingbar sind bestimmte innere Dispositionen der Einzelgestalten, speziell der Zentralgestalt. Der Pikaro ist nicht in ein Sozialsystem integriert, sondern er führt als Außenseiter sein Eigenleben. Da er an rapide wechselnde, seine Existenz bedrohende Situationen ausgeliefert und dabei zu handeln gezwungen ist, steht er immer in der Unsicherheit, ob er die Kriterien für sein Handeln aus der Situation oder aus sich selbst nehmen soll. Es ist also zu unterscheiden, ob er situationsbestimmt oder innenbestimmt handelt. Die Freiheit des Pikaro gründet auf der Paradoxie, ganz das Produkt der Umwelt zu sein und doch auf Grund seines Intellekts und seiner Vitalität seinen eigenen Weg zu riskieren. Wegen der Bindung an Situation und Augenblick kann der Pikaro keine Erfahrungen speichern und sich auf keine traditionellen Verhaltensmuster und Normen verlassen. Ausschließlich sein situationsbezogenes rationales Kalkül steht ihm zur Verfügung, obwohl er oft einen großen Überblick und übergreifendes Bewußtsein vonnöten hätte. Die Unabhängigkeit von gesellschaftlichen Normen und Tabugrenzen erklärt, warum in den pikaresken Romanen so viele tabuierte und gegen die Moral verstoßende Stoffe einbezogen sind. Häufig kann der Pikaro sich aus dem Dilemma seiner beschränkten Einsicht retten, da die Umwelt auf Grund ihres fixierten und genormten Bewußtseins uniform reagiert und damit berechenbar ist. Bindungslosigkeit und Einsicht in Bindungen seiner Mitmenschen ermöglichen es dem Pikaro, das Übergewicht der Umwelt zu brechen, indem er diese Umwelt mit deren eigenen Mitteln schlägt. Im Gegenwartsroman bedient sich der Pikaro häufig als »Rollenspieler«[5] traditioneller oder zeitgenössischer Rollen, um sich zu tarnen. Wenn aber das Kalkül an einer Stelle fehlgeht, dann schlägt die Umwelt brutal zurück. Der Protagonist, der ja als rückblickender Ich-Erzähler alles überstanden hat, zeigt zwar häufig eine gattungsbedingte nachtwandlerische Sicherheit, was ihm scheinbar ein Übergewicht verleiht, doch in vielen Romanen treten pikareske Nebengestalten auf, die trotz ihrer Fähigkeiten auf der Strecke bleiben. Dazu gehört in Ludwigs *Tausendjahrfeier* Lothar, den die Nationalsozialisten im letzten Augenblick liquidieren, oder in Zwerenz' *Casanova* jener Ritterkreuzträger, dessen Schwindel auffliegt, während Casanova mit gefälschten Papieren durchkommt.

Das Pikareske steckt im Detail, da es auf Grund einer direkten Wechselwirkung zwischen dem Pikaro und seiner Umwelt in einer konkreten Situation entsteht. Diese Wechselwirkung ist im Spätmittelalter seit etwa 1250 als Beziehung zwischen »Schelm und Dümmling«[6] nachweisbar, bis im 15. Jahrhundert der Schelm in einer »Parade aller Narren« aufgeht. Während der spätmittelalterliche Schelm auf Grund seiner Einsicht in die Unterschiede zwischen Realität und Schein, seiner Verkleidungen oder füchsischen Reden fast ausschließlich über Dümmlinge triumphiert, kann sich im spanischen pikaresken Roman das Verhältnis umkehren, und der Pikaro wird gegenüber einem stärkeren Schelm zum Tor. Soweit Lazarillo seine Gegner durchschauen und seine Mittel perfektionieren kann, vermag er als überlegener Schelm sein Leben zu fristen. Sobald ihm aber ein Versehen passiert, wird er zum Opfer. Im Laufe der Zeit unterliegt sein Äußeres immer mehr einer Deformation, insofern ihm die Zähne eingeschlagen und Narben zugefügt werden. Bei Guzmán hat sich die Fallhöhe vergrößert, da er höher steigt; infolge der immer steileren Aufstiege und tieferen Abstürze ergeben sich permanent Peripetien. Schleußner hat nachgewiesen, daß die grundsätzliche Polarität der Pikarogestalt auf dem Wechsel zwischen Sieger und Opfer, Schelm und Tor beruht.[7] In der Gestalt des Pikaro sind die literarischen Typen Schelm und Tor zu einer dialektischen Einheit zusammengefügt. Betrachtet man den Pikaro nicht nur von seiner Beziehung zur Umwelt, sondern von seiner Genese her, dann läßt sich die Initiationsszene herausheben. Als Lazarillo gegen die Brückenfigur geschlagen wird, erwacht er »in dem Augenblick aus der Einfalt«, darin er »als Kind hingeschlummert« hat. Indem er sein bisheriges Weltverständnis als falsch erkennt, sind ihm »die Augen helle gemacht«, und er

vermag Einsicht zu gewinnen. Zur elementaren Erfahrung der Initiation gehört, daß alle bisherigen Bewußtseinsmuster sich in einer besonderen Situation als falsch erweisen, was zur Folge hat, daß der Pikaro sich fortan auf Situationen einstellt. Auge um Auge kopiert Lazarillo sein Erfahrungsmodell, indem er aus Rache den Blinden gegen den Brückenpfeiler springen läßt. Nach der Initiation bleibt der Pikaro »statisch und verändert sich innerhalb der Schwankungen zwischen Schelm und Tor«.[8] Der Schelm-Tor-Umschlag ist von der Übermacht der Umwelt abhängig. Ist die Umwelt weniger drückend, dann kann der Schelm so überlegen werden, daß er kaum noch zum Tor wird. Je mehr der Pikaro einseitig zum Schelm wird, desto stärker ist er innenbestimmt wie die Originale im Schelmenroman.
Neben den grundsätzlichen Bestimmungsmomenten gibt es noch andere wie die Askese, die sexuelle Potenz oder die Froschperspektive. Ein isoliertes Moment wie die Froschperspektive liegt in Gisela Elsners *Die Riesenzwerge* (1964) vor, doch da zur Perspektive nicht das aktive Handeln tritt, entsteht kein Pikaro. Das Moment der Askese hat van der Will so stark hervorgehoben, daß er den zeitgenössischen Pikaro einen »weltlichen Heiligen«[9] nennen konnte, doch hier gilt, daß »weltliche Heilige« nicht unbedingt Schelme sein müssen. Die Tatsache, daß das Pikareske im Detail liegt, bringt es mit sich, daß pikareske Szenen in allen möglichen Romanen auftreten können. So verbindet sich in Heinrich Bölls *Ansichten eines Clowns* (1963) Pikareskes mit der Gestalt des Clowns oder in Zwerenz' *Casanova* mit der Casanovagestalt. Von einem pikaresken Roman kann man dann sprechen, wenn eine bestimmte Quantität von pikaresken Einzelepisoden in eine neue Qualität umschlägt. Diese Grenzlinie wird sich nie scharf ziehen lassen.

Neue Schelmentypen[10] entwickeln sich im 20. Jahrhundert zuerst als historische Gestalten, woraufhin bald eine Übertragung ins Poetisch-Fiktive stattfindet. 1906 erbringt Wilhelm Voigt den Beweis, daß der Teufelskreis der Bürokratie – ohne amtliches Papier keine Arbeit und ohne Arbeit kein amtliches Papier – so lange ein absurdes Übergewicht über den einzelnen hat, bis dieser den Apparat mattzusetzen vermag, indem er Einsicht in dessen Mechanik gewinnt. Wilhelm Schäfer hat in *Der Hauptmann von Köpenick* (1930) gezeigt, daß die gesetzwidrige Gegenwehr des Schwachen sich steigernde drakonische Maßnahmen heraufbeschwört, während der »Schalk« sich mit einem Schelmenstreich durchsetzt. Im gleichen Jahr erschien Carl Zuckmayers Drama *Der Hauptmann von Köpenick*.
Einen zweiten zeitlosen Typ hat Jaroslav Hašek in *Die Abenteuer des braven Soldaten Schwejk* (1921–23) geschaffen.[11] Schwejk ist ein so großer Tor, daß seine Dummheit in eine neue Qualität umschlägt und ihn überlegen und unbesiegbar macht. Er hat nicht die intellektuelle Kraft eines Pikaro, aber er besitzt genügend Schlauheit, um die Wirkung seiner Dummheit zu durchschauen und die Simplexrolle zur Tarnung zu benutzen. Er macht seine Schwäche zur Stärke und die Stärke seiner Gegner zur Schwäche, indem er sich völlig anpaßt und unterwirft, die Machthaber beim Wort nimmt und ihre Anordnungen durch wörtliches Befolgen ad absurdum führt. Als Brecht in seinem Drama *Schweyk im zweiten Weltkrieg* (1941–45) diese Gestalt in die brutalere Welt des Zweiten Weltkriegs überträgt, muß er wegen der verschärften Umweltbedingungen das Moment der individuellen Bewußtheit verstärken, was seine Gestalt mehr dem Pikaro annähert. In der DDR wirkt die

Schwejktradition in dem Roman von Helmut Putz *Die Abenteuer des braven Kommunisten Schwejk* (1965) weiter. Der Schwejktypus erscheint im Kriegsroman immer dann in verschiedenen Ausprägungen, wenn der Autor das Kriegsgeschehen nicht als totale Katastrophe begreift. Hans Hellmut Kirsts Romane *Wir nannten ihn Galgenstrick* (1950) und *08/15* (1954) zeigen den pfiffigen Pikaro in der Bewährung gegen immer größere Tyrannen in Uniform. In diesen Zusammenhang gehört auch Rudolf Krämer-Badonis *In der großen Drift* (1948), denn die Zentralgestalt ist sich ihrer »Tölpelhaftigkeit« bewußt, doch sie trachtet danach, daß der Gegner »letzten Endes der größere Tölpel« wird. Beispiele für die Kalkulationssicherheit dieses Pikaro sind der Streich gegen die Offiziere, aus dem er »wegen höchster Geistesgegenwart in unvorhergesehener Lage« befördert herauskommt, und das Kanonenabenteuer mitten im Feindesheer, wo er durch einen Kanonenschuß eine Selbstvernichtung des Feindes und damit seine Befreiung inszeniert. In dem Roman *Mein Freund Hippolyt* (1951) hat Krämer-Badoni das Moment der Aktivität abgeschwächt und mehr einen genialen Narren gestaltet, der sich rettet, indem er scheinbar nachgibt.

Als Thomas Mann 1910–13 den ersten Teil der *Bekenntnisse des Hochstaplers Felix Krull* schrieb, war deutlich, daß damit der bedeutendste deutsche pikareske Roman im Entstehen war, doch er konnte ihn erst 1951–54 in der heutigen Gestalt abschließen. Krull wird in der Musterungsszene mit dem Militärapparat konfrontiert. Diese Episode nimmt eine Sonderstellung ein, denn an dieser Stelle ist die Übermacht der Umwelt besonders stark, was eine pikareske Selbstbehauptung erzwingt. Krull entlarvt durch seinen Auftritt die reale Macht des Apparates als Schein, indem es ihm gelingt, seine vorgetäuschte Untauglichkeit als Realität auszugeben. Der Triumph über die Machthaber gelingt ihm, weil er es versteht, deren Erkenntnisvorgang zu durchschauen und von vornherein so zu steuern, daß die Täuschung den Betroffenen als eigene Scharfsicht erscheint. Zuletzt wird die im Genuß des Triumphes befangene Behörde als Geprellte dem Gelächter preisgegeben.
Oskar Seidlin hat nachgewiesen, daß zahlreiche Parallelen zwischen dem *Felix Krull* und dem *Lazarillo von Tormes* vorliegen, obwohl Thomas Mann den spanischen Roman nicht gekannt und sich erst später mit dem Schelmenroman beschäftigt hat.[12] Die gleichen Strukturen entstehen auf Grund gleicher gesellschaftlicher Bedingungen. Tatsächlich ist Felix Krull keine reine Erfindung, sondern er geht auf die Memoiren des Hochstaplers und Hoteldiebes Georges Manolescu zurück, die 1905 unter dem Titel *Ein Fürst der Diebe. Memoiren und danach Gescheitert. Aus dem Seelenleben eines Verbrechers* bei Langenscheidt erschienen sind. Thomas Mann hat das »Wirklichkeitsdokument in Fiktion verwandelt«[13] und dabei das pikareske Motiv mit seiner Künstler-Bürger-Problematik verbunden. Später hat er weiteres Material über Hochstapler und ähnliche Verbrecher für die Fortsetzung gesammelt.[14] Felix Krulls aristokratisches Selbstwertgefühl und sein sicheres Handeln entsprechen den Charaktermerkmalen im Schelmenroman. Abgesehen von dem Absturz ins Zuchthaus, der nur leitmotivisch erwähnt wird, fehlen die im pikaresken Roman von der Überlegenheit der Umwelt abhängigen Peripetien. Trotz zunehmender Beschäftigung mit spanischen Romanen entfernt sich Thomas Mann immer mehr von der spanischen Tradition.

In *Joseph und seine Brüder*, woran er von 1925 bis 1942 arbeitet, tritt ein ganzes Geschlecht von Schelmen auf, nur daß diese trotz aller Tricks, Schelmenstreiche und Peripetien keineswegs dem spanischen Pikaro und seiner Situationsabhängigkeit entsprechen, sondern als göttliche Schelme den Heilsplan Gottes in dieser Welt erfüllen. Ihre Listen fallen mit der List der menschheitsgeschichtlichen Vernunft zusammen, so daß Joseph als religiöser Hochstapler im Gegensatz zur beschränkten Intellektualität des Pikaro eine souveräne »mythische Scharlatanerie«[15] betreiben und dabei den Mythos zu einem Mittel der Manipulation machen kann. Thomas Mann geht aber noch über den biblischen Mythos hinaus, indem er das Archaische und Moderne ohne Rücksicht auf Anachronismen mischt und Joseph als »griechischen Hermes« vor dem Pharao auftreten läßt. Er hat seinen Schelmentyp auf den griechischen Mythos zurückgeführt, aber dann hat ihn seine Bewunderung für Roosevelts New Deal bewogen, Joseph als »amerikanischen Hermes«[16] zu bezeichnen.

Als Thomas Mann 1951 zu dem Krull-Fragment zurückkehrt, hat sich seine Auffassung vom Schelm so stark gewandelt, daß ihm aus der neuen Perspektive Krull als eine nach dem fernen Vorbild des *Simplicius Simplicissimus* konzipierte Gestalt erscheinen kann[17], und er macht diesen Konzeptionswandel in der Weise deutlich, daß er den gegenüber der Musterungsbehörde so scharfsichtigen Krull gegenüber Madame Houflé mit beschränktem Bewußtsein darstellt. Der Schelm Krull erscheint Madame Houflé als Hermes, aber er kennt noch nicht einmal den Namen dieses Gottes. Krull wird entkriminalisiert, indem er jetzt die Diebstähle an Madame Houflé und den Rollentausch mit dem Marquis de Venosta nicht als Übertölpelung einer bewußtlosen Umwelt, sondern mit deren vollem Einverständnis durchführt. Auf dem Umweg über den *Joseph*-Roman hat Thomas Mann auch den *Felix Krull* in die griechische Tradition gestellt.

Im Gegensatz zu Thomas Mann schließt Albert Vigoleis Thelen mit der *Insel des zweiten Gesichts* (1953) an die spanische Tradition an. Vigoleis sieht sich auf dem Schauplatz Mallorca einer doppelbödigen Realität gegenüber, wo er sich auf eindeutige Bestimmungen des Bestehenden nicht mehr verlassen kann. Die von Vitalität und Verschlagenheit beherrschten »Kobolde der Insel« gehören neben der Gesellschaft auch den Subkulturen der Unterwelt an, und die Vertauschbarkeit von oben und unten, von Armut und Reichtum macht die Menschen doppeldeutig: Sie haben ein »zweites Gesicht«. Angesichts der »quijotesken Unberechenbarkeit« der Menschen und der Gesellschaft ist Vigoleis »Don Quijote und Sancho Panza zugleich«. Während er zu Beginn ein ahnungsloser Tor in einer pikaresken Umwelt ist und, durch den überlegenen Schelm Zwingli geprellt, auf das Existenzminimum hinabsinkt, wo er ebenfalls ein »zweites Gesicht« ausbildet, gewinnt er mit der Einsicht in die Bedingungen dieser Welt bald die Freiheit, sich die Doppelbödigkeit zunutze zu machen und durch Manipulation anderer zu behaupten. Zwar bleibt er im spanischen Milieu ein Tor, doch, besessen vom Abscheu gegen den geistlosen Besichtigungsrummel der Fremden, steigt er zum besten Fremdenführer auf, indem er dem Publikum gibt, was es will, nämlich Lug und Trug, Nährung der Vorurteile durch platte Lügen, Manipulation durch triumphale Besserwisserei und geistiges Hochstaplertum. Gegenüber den Vertretern des Faschismus steigert er sich in die Rolle eines Helden hinein, doch da er seine Gegenposition gering einschätzt, begreift er sich als Held im

Sinne Don Quijotes. Der ethische Vorbehalt und seine eigene Integrität bringen ihn dazu, sein Spiel mit dem sexuell besessenen Juden Silberstern zu treiben, indem er durch einen Bluff auf hoher diplomatischer Ebene dessen Geld aus Deutschland freibekommt, dann aber dafür sorgt, daß mit diesem Geld anderen Juden die Flucht ermöglicht wird. Dabei agiert er aus einem Herrn-Knecht-Verhältnis heraus mit überlegener Manipulation. Je größer das Bürgerkriegschaos und der totalitäre Druck werden, desto mehr bewährt sich eine nachtwandlerische Sicherheit dieses Pikaro, dem sogar der Zufall in die Hände spielt. Kalkulierend, »daß in einem Terrorstaat niemand niemandem traut«, tarnt er sich hinter schonungsloser Offenheit, und er trifft das Richtige, denn so viel Offenheit traut man nur einem Spitzel zu. Dabei bleibt Vigoleis bis zum Schluß ein Tor, insofern er von sich selbst nur das Leben rettet, dafür aber mit überlegener Eleganz fremde Briefe durch die Sperren schmuggelt, obwohl er damit sein Leben riskiert. In diesem Roman hat Thelen sowohl den Dualismus von Schelm und Tor in der Pikarogestalt als auch die im 20. Jahrhundert auf den einzelnen einwirkenden extremen Umweltbedingungen eines totalitären Regimes und einer gesellschaftlichen Anarchie voll erfaßt. In dem folgenden Roman Thelens *Der schwarze Herr Bahßetup* (1956) fehlt dieses Übergewicht der Umwelt, so daß eine Fülle kurioser Schelmenstreiche und Abenteuer, Mißverständnisse und Widersprüche zwischen Realität und Schein an die Stelle pikaresker Selbstbehauptung tritt.

Günter Grass leitet 1959 mit dem Roman *Die Blechtrommel* ein neues Kapitel in der pikaresken Tradition ein, indem er vielfältige Einflüsse zu einem neuen produktiven Ganzen zusammenfaßt und indem er dadurch den Neubeginn einer Traditionskette schafft. Die Vielfalt der *Blechtrommel* fächert sich in Nachfolgeromanen in verschiedene Richtungen auf. Zu diesen Romanen gehören Paul Pörtners *Tobias Immergrün* (1962), Manfred Bielers *Bonifaz oder der Matrose in der Flasche* (1963), Heinz Küppers *Simplicius 45* (1963), Gerhard Ludwigs *Tausendjahrfeier* (1965), Gerhard Zwerenz' *Casanova* (1966), Günter Kunerts *Im Namen der Hüte* (1967) und Paul Schallücks *Don Quichotte in Köln* (1967). Da das Pikareske sich im Detail befindet, sollen im Folgenden einige pikareske Motive der *Blechtrommel* wie die Initiationsszene, die Tarnung in einer Simplexrolle und die Entlarvung von Massenversammlungen untersucht und jeweils auf die Wirkung in den Nachfolgeromanen befragt werden.

Die *Blechtrommel*[18] enthält das Problem, daß sie von ihrer Gesamtanlage her ein Entwicklungsroman ist und daß zugleich mit einer Initiation die Bewußtseinsstruktur Oskars festgelegt ist, was Entwicklung ausschließt. Oskar führt deshalb zwei »Leben«. Ähnlich wie Parzival, der wiederholt erwähnt wird, hat er entscheidende Begegnungen, etwa mit dem Musikalclown Bebra, und Bildungserlebnisse, wobei er neue Bewußtseinsebenen erreicht. So hat sein »Doppelgriff« nach Goethe und Rasputin »jenes Leben« festgelegt und beeinflußt, »welches abseits meiner Trommel zu führen ich mir anmaßte«. Im Gegensatz dazu beruht seine Trommlerexistenz auf einer Initiation. Anders als Lazarillo macht Oskar seine Initiation vor seiner ersten Begegnung mit der Umwelt durch, sie ist also kein Produkt einer äußeren Einwirkung, sondern freier »Beschluß« eines Säuglings, dessen »Entwicklung schon bei der Geburt abgeschlossen ist und sich fortan nur noch bestätigen muß«. Oskar ist wie der Pikaro »einsam und unverstanden«, »unbeeinflußbar« und »kritisch«. Der intellektuelle Vorbehalt gegen eine falsche Welt und die Immunität gegenüber Ideologien und Wertsystemen bedingen seine Außenseiterstellung. Auch diese Merkmale beruhen auf Willensentscheidungen. Seine Außenseiterstellung verkörpert sich in der Gestalt eines »Gnoms«, und diese Gestalt hat er selbst »herbeigeführt«. Während der Pikaro ein Opfer der Umwelt ist, weiß Oskar, daß ihm »ein Opfer abverlangt wird«, und er bringt es, indem er sich die Treppe hinabstürzt, freiwillig, bevor er zum Opfer anderer wird wie beim Einflößen der Suppe auf dem Dachboden. Aus Protest gegen die Anpassung an eine falsche Erwachsenenwelt bleibt er »der Dreijährige, aber auch Dreimalkluge, den die Erwachsenen alle überragten, der den Erwachsenen so überlegen sein sollte, ... der innerlich und äußerlich vollkommen fertig war, während jene noch bis ins Greisenalter von Entwicklung faseln mußten«. Die Überlegenheit des Kleinen über die Großen und die für den Pikaro so bedeutende Froschperspektive sind von der selbstgewählten Initiation abhängig. Grass hat mit Oskar in eine verworrene Welt eine in sich abgeschlossene Gestalt hineingestellt und diese Gestalt zugleich als Spiegelbild eben dieser Welt geformt. Als abgerundeter Mikrokosmos enthält Oskar in seinem Inneren Widersprüche, an seinem Äußeren Disproportionen, und er ist damit eine Allegorie einer absurden und chaotischen Welt. Dieser Allegorie hat Grass die Attribute Trommel und Glaszersingen beigegeben, und zwar Attribute mit vielfältigen Funktionen wie Schutz, Protest, Verführung, Zerstörung, Darbietung, aber auch Inspiration. Während die Fähigkeit zum Glaszersingen schwindet, sobald Oskar die chaotische Welt verläßt, nimmt er die Trommel als Inspirationsmittel in die Pflegeanstalt mit.

Oskars Willensentscheidung bei der Initiation zeigt, daß ein Unterschied zum spanischen pikaresken Roman besteht. Daneben finden sich deutliche Anzeichen, daß Grass seine Gestalt von spanischen Einflüssen freihält. So verwendet er, wie noch zu zeigen sein wird, Don Quijote als negative Kontrastgestalt. Als Oskars Vorbild Bebra seine Beziehungen zum Propagandaministerium und die dadurch ermöglichte Tarnung u. a. durch den Hinweis auf die »Zwergenwesen am Hofe des vierten spanischen Philipp« erklären will, die Ähnlichkeit dieser Narren auch mit »Oskars Proportionen« aufweist und von »Innerer Emigration« spricht, da »trennten sich Oskars und Bebras Wege«. Grass hat gesagt, die Schöpfung dieser Gestalt gehe auf einen »dreijährigen, mit einer Blechtrommel behängten Knaben«[19] zurück. Im Roman nennt er das Märchen vom Däumeling, Zwerg Nase. In seinem Aufsatz *Mein Lehrer Döblin*[20] schreibt er über den »koboldartigen Waldzwerg« in Döblins *Wallenstein.* Dabei kommt es ihm darauf an, die dämonischen Elementarkräfte, den ins Dämonische ausbrechenden Infantilismus zu fassen, wie er sich in Oskar und in dessen Zeitalter entfesselt. Das Dämonische und Koboldartige findet Grass nicht in der spanischen, sondern in der germanischen mythischen Tradition. Intellektuelle Schärfe und Dämonie unterscheiden Oskar auch von dem kleinen Prinzen Saint-Exupérys und von Marcel Aymés *Der Zwerg*, stellen ihn aber in unmittelbare Nähe von Fischerle, den besessenen Zwerg in Elias Canettis *Blendung* (1936). Wie Oskar von der Trommel ist Fischerle vom Schachspiel besessen. Fischerle kann seine Geldgier immerhin so weit zügeln, daß er Kien das Geld nach einer Schlägerei zurückgibt, um es ihm dann mit einem pikaresken Streich, der ihn beinahe das Leben kostet, wieder zu nehmen. Wie beim Schachspiel verlangt es ihn nach der Bestätigung seines überlegenen Kalküls, und er benutzt seine Einsicht in die fixierte Vorstellungswelt Kiens, um den Gegenspieler von dessen Bewußtseinswelt her mattzusetzen, wie Lazarillo den Bettler gegen den Brückenpfeiler springen ließ. An Fischerle vollzieht die Umwelt einen grausamen Mord, was Oskar trotz äußerster Bedrohungen erspart geblieben ist. Ein Zwerg tritt in Schallücks *Don Quichotte in Köln* in dem Augenblick als Nebenfigur auf, als Pater Remigius einen Vortrag zum Thema »Der reduzierte Mensch« hält. Der Vortrag führt in »Abstraktionen« aus, wie der einzelne »in den riesigen Massenzusammenhängen der gegenwärtigen Gesellschaft, in den gigantischen Organisationen verschiedener Zielrichtungen und Ordnungssysteme« reduziert wird. Als der Pater »wieder einmal Der reduzierte Mensch sagt«, erscheint plötzlich »so ein Kleiner, da steht plötzlich ein Eingeschrumpfter im Studio, ein Däumling, so ein Vierkäsehoch und grinst«. Dieser Zwerg hat keine Funktion im Handlungszusammenhang, sondern er steht als Bild für die abstrakten Theorien vom Übergewicht der Gesellschaft über den einzelnen. Ein anderes Motiv bei Schallück erinnert an die Blechtrommel: Don Quichotte führt bei seinen Streichen eine zu einem Lautverstärker »umgebastelte Kindertröte«, ein »Kinder-Narren-Spielzeug«, mit sich.

Grass hat in seinem Roman neben der Initiation eine Entwicklung dargestellt. Wie die Initiation unter den Einfluß des Entwicklungsromans geraten kann, zeigt vor Grass Krämer-Badonis *In der großen Drift*, wo der Protagonist seine Einstellung, »immer das Beste aus jeder Lage machen«, nicht aus der Konfrontation mit der Realität, sondern aus der Bibel entnimmt. An die Stelle einer echten Initiation tritt hier ein Bildungserlebnis, das zur fixen Idee wird. Wie bei Grass liegt der Vorgang vor der ersten Begegnung mit der Realität. Eine in der Tradition des pikaresken Romans stehende Initiation hat Thelen in der *Insel des zweiten Gesichts* gestaltet. Vigoleis bekommt bei der Probe zur Kommunion mit einem Schlüssel einen Schlag auf die Zunge. Dieses Erlebnis, das ihn gerade dann zum Opfer macht, als er auf eine Befreiung hofft, bestimmt leitmotivisch den ganzen Roman. »Früh oder spät kriegen wir alle den Schlag auf die Zunge«, was die Initiation als allgemeinmenschliches Schicksal ausgibt. Während aber andere dadurch gleichgeschaltet werden, sieht sich Vigoleis aus sich »hinausgeworfen« und an die »Peripherie des Daseins« gedrängt. Bielers Matrose Bonifaz erlebt seine Initiation, als er, der seinem Wesen nach Matrose ist, vom Meer aufs Land verschlagen wird, wo er lediglich »Matrose in der Flasche« ist. In Gerhard Ludwigs *Tausendjahrfeier* ist der Vorgang völlig umgekehrt, insofern die Initiation nicht wie bei Grass und Krämer-Badoni vor, sondern nach den Ereignissen eintritt. Die Zentralgestalt ist während des Romans weitgehend Mitläufer, und erst am Schluß erwacht sie zu pikareskem Bewußtsein und heckt einen entsprechenden Streich aus. In Kunerts *Im Namen der Hüte* ist trotz der echt pikaresken äußeren Voraussetzungen an die Stelle einer Initiation eine telepathische Fähigkeit getreten. Die rationale Fähigkeit des Pikaro wird hier durch ein Stilmittel ersetzt. Dieses Motiv gleicht Oskar Matzeraths Glaszersingen, und wie Oskar verliert Henry schließlich seine Kraft. Zu einem selbständig rationalen Handeln ist Henry trotz dieser Begabung kaum fähig, so daß er während des Romans unter fremder Anleitung handelt oder in die Rolle eines Opfers und Toren gedrängt wird. Nachdem er Horstchens Flucht durchschaut hat, handelt er wie ein »Automat« in einer »zwanghaft gespielten Rolle«. Während der Schwarzmarktzeit verhält er sich trotz seiner Einsicht in die Gewinnmöglichkeiten beim Tauschgeschäft wie ein »Narr«, indem er auf einen plumpen Betrug beim Feuersteinhandel hereinfällt. »Ich habe versagt. Versagt wie jedermann, dem Taten nicht gegeben sind«. Abgesehen von der »Tat« am Schluß gelingen ihm keine Taten eines Pikaro, denn sosehr er sich bemüht, als Schelm über Toren zu triumphieren, er bleibt doch selbst der Tor.

Günter Grass hat in dem einleitend erwähnten Interview auf den Einfluß von Grimmelshausens *Simplicius Simplicissimus* hingewiesen. Dieser Einfluß läßt sich in der *Blechtrommel* einerseits bei der Simplexperspektive, andrerseits bei wiederholten Tarnungen Oskars in Simplexrollen nachweisen.[21] Grass kontrastiert das Verhalten Oskars mit den Kriegsereignissen und macht dabei deutlich, daß dessen Naivität nicht mit dem Verhalten Don Quijotes vergleichbar ist. Der Gestalt Don Quijotes bedient sich Grass, um den absurden Sturmangriff der »irrsinnigen« polnischen Kavallerie gegen deutsche Panzer zu deuten. Im Gegensatz zu dem polnischen Anführer »von traurig edler Gestalt«, der wegen seiner Gebundenheit an traditionelle, inzwischen überholte Denk- und Verhaltensschemata untergeht, vermag sich Oskar zu retten, indem er frei von Bindungen handelt. Nach der Eroberung der polnischen Post tarnt er sich als »unschuldiges Kind« und macht durch sein »Judasschauspiel« Jan Bronski zum »bösen Mann«. Während Oskar damals den »schlauen Unwissenden«, also den Pikaro in der Simplexgestalt spielte, ist er als rückblickender Erzähler von Schuldgefühlen geplagt, denn immerhin wurde Jan Bronski erschossen. Oskar paßt sich derart an die Machthaber an, daß einer ihn »auf den Arm nahm, was Oskar peinlich berührte«. Die Tarnung gelingt Oskar in gleicher Weise nach dem Auffliegen der Stäuberbande. Nach der »Schwarzen Messe« rettet sich Oskar, indem er »die Rolle eines greinenden, von Halbwüchsigen verführten Dreijährigen« spielt, während die Bande verhaftet wird. Grass betont die Gefühlskälte Oskars und zeigt, daß hinter der Tarnung sich der nackte Selbsterhaltungswille verbirgt. Wenn Oskar aber den verhafteten ehemaligen Führer der Bande »fortan nicht mehr« erkennt, so muß eingeräumt werden, daß er selbst zunächst das Opfer einer brutalen Einkreisung seiner »Verfolger« war, bis er sich als Jesus zum Führer aufschwingen konnte. Durch eine Welt voller Gewalt und Verbrechen vor die Alternative gestellt, entweder Opfer oder Führer zu sein, wählt er zuerst die Maske des Führers und schließlich die des Verführten, um sich aus der Schlagrichtung der Verfolger und Machthaber zu bringen. Die paradoxen äußeren Zustände zwingen ihm paradoxe Verhaltensweisen auf, so daß es schließlich so weit kommt, daß er sich in einer Simplexrolle tarnen und dadurch retten kann, obwohl er gerade wegen seiner Gestalt durch Euthanasie bedroht ist.

Der gespielten Simplexrolle entspricht eine Simplexperspektive. Oskars Verhalten beim Einmarsch der Russen läßt sich mit dem des Simplicissimus beim Überfall der Soldaten auf sein Elternhaus vergleichen. Während »scheußliche und ganz unerhörte Grausamkeiten« geschehen, sieht Simplicissimus ohne Bewußtsein zu, und die Marter seines Vaters erscheint ihm »so artlich und so anmutig«, daß er »von Herzen mitlachen mußte«. Aus Oskars Perspektive scheint es, als ob Matzerath weint und »lacht«, nachdem er das Parteiabzeichen verschluckt hat, und »ins Tanzen« gerät, bevor er erschossen wird. Und wie Simplizissimus sich »mitten in diesem Elend«

einem Braten zuwendet und »um nichts bekümmert« ist, weil er »noch nit recht verstunde, wie dieses gemeinet wäre«, so wendet sich Oskar ohne Gefühlsregung den Ameisen oder Läusen zu, denn er will einmal nicht »Zeuge sein« und zum andern »vergleichsweise« am Verhalten der Ameisen »das Zeitgeschehen messen«. Der Mangel an Anteilnahme und die Hinwendung zur wertfreien Natur unterstreichen die Grausamkeit des Geschehens noch stärker, als eine direkte Wertung das tun könnte. Die Simplexrolle ist hier keine Tarnung, denn Tarnung ist nicht nötig, da die »Russen die Kinder lieben«. Während Simplizissimus tatsächlich verständnislos dem Geschehen beiwohnt, kann Oskar seiner geistigen Verfassung nach diese Naivität und Unschuld gar nicht besitzen. Daher kann Simplizissimus aus der Rückschau seine mangelnde Einsicht reflektieren. Oskar aber muß sich bereits am Grab seines Vaters eingestehen, »daß er Matzerath vorsätzlich getötet hatte«, was eine Projektion ist. Als Matzerath erschossen wird, ist auch Oskar ohne Bewußtsein, denn er zerdrückt gleichzeitig eine Laus, »ohne es zu merken«. Die Unbewußtheit dieses Simplex läßt ihn teilhaben am Handeln der Umwelt, indem er die Laus zerdrückt. Was Oskar vom Simplicissimus unterscheidet, ist die seit der Geburt in ihm angelegte Bewußtheit, welche ihn mit Schuld belastet, auch wenn andere handeln.

In den unter dem Einfluß der *Blechtrommel* entstandenen Romanen von Küpper, Ludwig und Kunert sind die Protagonisten ebenfalls Simplexgestalten, doch deren Naivität ist teilweise mit der blinden Übernahme der nationalsozialistischen Ideologie verknüpft. Oskar ist immun gegen Ideologien. Die anderen Simplexgestalten erhalten eine kritische Funktion, indem sie die Ideologien unreflektiert in sich aufnehmen, sie beim Wort nehmen und durch Übertreibung entlarven. Küpper hat in *Simplicius 45*, abgesehen von Ausnahmen, die epische Fülle des Geschehens nicht in der Weise gestaltet, daß der Protagonist in die Welt hinauszieht, sondern umgekehrt so, daß die Kleinstadt einen dauernden »Verwandlungsprozeß« durchmacht und daß andauernd »etwas Neues«, also epische Fülle in die Stadt hineinkommt. »Herrliche Soldaten, sie schwemmten Welt durch diese Stadt, und wir stiegen in die Welt ein.« Die epische Totalität des Geschehens wird dadurch auf die Enge einer Kleinstadt und speziell auf das Bewußtsein einer Simplexgestalt bezogen. Die Romanstruktur entspricht der geistigen Struktur der Zentralgestalt. Indem der Simplex ohne volles Bewußtsein die herrschende Ideologie akzeptiert und sie auf das Kategoriensystem seines kindlich beschränkten Bewußtseins bezieht, führt er sie ad absurdum, wie auch die Romanstruktur dieser Entlarvung dient. Auch Gerhard Ludwigs *Tausendjahrfeier* spielt an einem von Mitläufern bewohnten Durchschnittsort »Niflheim«. Unter gleichgeschalteten Menschen ist auch die Simplexgestalt ein Mitläufer ohne kritisches Bewußtsein. Die Fähigkeit zur Kritik, die dem Protagonisten Martin fehlt, bringt Martin als rückblickender Erzähler hinzu, was einen kritisch entlarvenden Stil ergibt. Was Martin aber schon damals von anderen unterschied, war, daß er zwar angepaßt, gegen die Ideologie jedoch nicht anfällig war. Wie bei Simplizissimus bleibt sein Bewußtsein hinter der Realität zurück, und der Machtwechsel 1933 kann ihm »überhaupt nicht einleuchten«. Indem der rückblikkende Erzähler gerade entlarvende Episoden auswählt, entsteht ein Roman mit pikaresken Episoden ohne pikareske Zentralgestalt. Das ist eine Umkehrung im Vergleich mit anderen pikaresken Romanen, wo der Pikaro in dem Augenblick zum Autor wird, wenn sein pikareskes Handeln aufhört. Aktivität geht von Edi, dem

Führer der »Goldenen Horde«, oder von Lothar aus. Edi übertölpelt den Gendarmen Brill, einen heftigen Verfolger der »Landstörzer«, mit einem »schlau arrangierten« Schelmenstreich, indem er sein Handeln an die Vorstellungswelt des Gendarmen anpaßt und diesem dadurch den Blick für die Realität nimmt. An anderer Stelle lenkt der Autor von etwas Grauenhaftem ab und »etwas Drolligem, sehr Spaßigem« zu, indem er zeigt, wie die Nationalsozialisten für einen Umzug zum »Tag der erwachenden Nation« eine Zigeunerkapelle anheuern müssen. Im Krieg bleibt Martin in Anlehnung an Grimmelshausens *Der seltsame Springinsfeld* ein »Martin Springinsfeld« und damit als Simplexgestalt ein Objekt unübersehbarer Planungen und Zufälle. Die Verständnislosigkeit erhält sich bis nach dem Krieg, und er braucht lange, die »Dinge in seinem Kopf richtig« zu ordnen.

Der moderne sieht sich im Gegensatz zum spanischen Pikaro Massenversammlungen und Massenwahn gegenüber. Wegen seiner intellektuellen Einsicht und Distanz beschränkt er sich nicht auf Rettung seiner selbst, sondern er wird gesellschaftskritisch aktiv und versucht die falschen gesellschaftlichen Zustände aufzudecken. Als Oskar eine Massenversammlung umfunktioniert, geht er nicht von den Inhalten, sondern vom optischen und akustischen Gesamteindruck aus. Seine »Kritik« entzündet sich an der »Symmetrie, die durch Lösacks Buckel nur ungenügend gemildert wurde«. Er durchschaut, daß die Massenwirkung nicht auf den Reden, sondern auf der äußeren Aufmachung beruht, und daß das Sensationsbedürfnis, welches etwa bei der Frühmesse »nicht zufricdengestellt« wurde, von den Machthabern um der unterschwelligen politischen Wirkung willen geschickt angesprochen wird. Die Mittel, die das Volk seinen wahren Bedürfnissen entfremden und gleichschalten sollen, bekommen durch Oskar die umgekehrte Funktion, die wahren Bedürfnisse gegen den Anspruch der Machthaber zu entfachen. Gegen die »gradlinige Marschmusik« setzt Oskar den Walzertakt und trifft damit ebenso die unterschwelligen Bedürfnisse wie später im Zwiebelkeller, wo er die geheime Infantilität aufdeckt. Er erreicht, daß das Volk »es in den Beinen hatte«, also durch unkontrolliert aus dem Inneren ausbrechende Mächte beherrscht wird. Vom »inwendigen Tribünenfuß« her wirkt er koboldhaft, gleichsam unterschwellig im direkten Wortsinn, auf alle Beteiligten ein, indem er sich zum Herrn des Rhythmus aufwirft. Während er einerseits dem Volke gibt, was dieses verlangt, geht er andrerseits den Machthabern gegenüber weiter zur kritischen Entlarvung, indem er deren Selbstentlarvung inszeniert. Die Musiker »hämmerten Kraut und Rüben, sie bliesen mit Fanfaren Sodom und Gomorrha«. »Gesetz ging flöten und Ordnungssinn«. Die falsche Ordnung geht in das Chaos über und führt sich damit ad absurdum. Diese Wirkung genügt Oskar, denn er will nicht als »Prophet« das Bewußtsein der Massen ansprechen. Oskar selbst deutet diesen »Bühnentrick«, den er später gegenüber anderen Massenversammlungen »bis zur Perfektion« treibt, als ein »Versuchen der Mitmenschen«, wozu auch seine Anleitung der Menschen zu Diebstählen gehört, wobei er Löcher in die Schaufenster singt. Oskar läßt die »Magie der Versuchung« jeweils aus dem Verborgenen auf die Menschen einwirken, sei es aus seiner Position »unter der Bühne«, sei es von dunklen Hauseingängen her. Dazu bringt ihn bei den Massenversammlungen die unbedingte Überlegenheit der Machthaber. »Sie fanden Oskar nicht, weil sie Oskar nicht gewachsen waren«. Die Tarnung macht ihn überlegen. Seine dämonisch unterschwellige Wirkung auf die Mitmenschen macht ihn zum »kleinen Halbgott der Diebe«. Trotz erheblicher Unterschiede rückt Grass mit diesem Motiv in unmittelbare Nähe Thomas Manns, denn wie dieser seine Schelmengestalten auf den griechischen Hermes zurückführte, läßt Grass seinen Protagonisten unter dem Zeichen von »Merkur«, dem römischen »Gott der Diebe und des Handels«, Diebstähle durchführen. Grass hat dieses Motiv jedoch einem weitergehenden untergeordnet, indem er Oskar mit den Gegensätzen von Gut und Böse, Jesus und Satan charakterisiert.

Was bei Grass eine Episode unter vielen ist, gestalten Bieler, Ludwig und Kunert als abschließende Klimax eines vorher entweder simplizianischen oder vagabundenhaften Geschehens. Bielers Matrose Bonifaz, der sich in einem ihm unangemessenen Element bewegen muß und herumvagabundiert, findet am Schluß angesichts einer militaristischen Massenversammlung von Leuten, deren Gleichschaltung sich in der Form eingeschlagener Nasen kundtut, von seiner Indifferenz zu einem engagierten Handeln. Da es ihm nicht gelingt, sich den Leuten verständlich zu machen, tarnt er sich mit einer Luftschutzbinde und steckt den Ausstellungssaal in Brand, damit die Leute »wissen, wie euer Krieg aussieht«. Die von ihm selbst herangeschafften Schaumfeuerlöscher setzt er in Gang und wirft sie unter die Leute, um das Chaos noch zu vergrößern und die Absurdität von Rettung zu demonstrieren.

In Ludwigs *Tausendjahrfeier* kommt Martin als Organisator des Umzugs angesichts einer Gesellschaft, die sich selbstzufrieden im Lot glaubt und die schlimmen Jahre der Geschichte verschweigt, aus dem »Gleichgewicht«, und indem er den »Überblick« verliert, entwickelt sich bei ihm pikareskes Bewußtsein. Beim Auftritt des Bürgermeisters kann er »Gelächter nur mit großer Mühe unterdrücken«. An der »Peripherie« des Festes bewegt er sich in »entgegengesetzter Richtung« wie die anderen, indem er zuerst für das »Zwergengetümmel« der Kinder den Rummelplatz in Aktion setzt und schließlich mit seinem Wagen frontal in den Festzug hineinfährt. Aus seiner Gegenperspektive erscheint ihm der Festzug als ein von einer »Narrenzunft« inszenierter »Mummenschanz«. Indem er sich als Schelm querstellt, macht er die Beteiligten zu »Narren«. Verglichen mit der Definition des Pikaresken, läßt sich bei Ludwig feststellen, daß das Übergewicht der Umwelt über den einzelnen zu schwinden beginnt, je weiter der Krieg zurückliegt.

Ebenso vollbringt Henry in Kunerts *Im Namen der Hüte* seine einzige »Tat« zu einem Zeitpunkt, als die »Sekte Deutscher Hoministen« nach dem abklingenden Chaos ihre Position zu festigen sucht. Henrys telepathische Fähigkeit löst sich bereits durch »Lethe«, durch Vergessen auf, als er im Dienst der Sekte an der Manipulation der Massen mitwirken soll. Den Höhepunkt der Manipulation soll seine optimistische Zukunftsvision bilden, die Dr. Belmer, der Mörder seines Vaters, verfaßt hat. Doch Henry formuliert gegen diese Phrasen ein Zukunftsbild der Arbeit, Mühsal und Anstrengungen. Mit der harten Realität konfrontiert, geraten die Jünger der »neuen Menschlichkeit« in eine erbitterte Schlägerei. Der Schelm hat mit persönlichem Einsatz die falsche Verbrüderung in ein aufklärendes Chaos umschlagen lassen. Wo gleichgeschaltete Massen reagieren, kann der geistige Sprengsatz des Schelms seine Wirkung entfalten.

Vergleicht man mit der *Blechtrommel*, so ist deutlich, daß sich das pikareske Element in den Nachfolgeromanen abschwächt. In Paul Schallücks *Don Quichotte in Köln* entsteht zwar auch eine Wendung, als ein Fahrradkorso der Ostermarschierer in eine

Prozession hineinfährt, doch am Ende dreht sich die Situation wieder um, indem der »Feldherr der Humanität«, der nach allgemeinem Urteil »ein bißchen komisch«, »lächerlich« und »verrückt« gewirkt hat, durch den energischen Pater Remigius vom Podium verdrängt und durch dessen lautstarke Kapelle überspielt wird. Als Don Quichotte der Humanität und »Don Tünnes von Köln« kann Anton Schmitz zwar die Leute manipulieren und zum Gelächter bringen, aber er hat nicht die Distanz des Pikaro, um sich gegen die stärkeren gesellschaftlichen Kräfte durchzusetzen.
Die Umwelt in den neuesten Romanen gleicht immer mehr einer in Ideologien, Weltanschauungen und Utopien befangenen Schildbürgerwelt, während die gegen den einzelnen gerichtete Brutalität und Gefahr sich abschwächt. Dieser Vorgang hat sich bereits in Bielers *Bonifaz* in der Weise angekündigt, daß der Rasierklingenfabrikant Radau in einem »Kabinett für vorläufig Überflüssige« die »Elite der Nation« aufbewahrt, bis man sie wieder einmal verwenden kann. »Gefährliche und Dumme«, die sonst die Gegner des Pikaro ausmachen, befinden sich hier ebenso in einer Art Unterwelt wie in Zwerenz' *Casanova.* Zwerenz hat analog zu Hermann Kasacks *Stadt hinter dem Strom* und Dantes *Die göttliche Komödie* die Unterwelt in mehrere Höhlen eingeteilt, wo »Tote zur Wiederauferstehung« aufbewahrt werden. Auf der »Kanalisationsebene« ist ein getreues Abbild der Gesellschaft hergestellt worden, und »nichts ist dem Zufall obenerdiger Vernichtung ausgesetzt«. Hier befindet sich das deutsche Klein- und Normalbürgertum neben verschiedenen herausgehobenen Gesellschaftsschichten aus Gegenwart und unmittelbarer Vergangenheit mit den jeweils typischen Handlungsweisen. Diese Unterweltvisionen konservieren das gesellschaftliche Substrat des Pikaro, während in anderen Romanen wie bei Küpper und Kunert das Pikareske sich abschwächt oder ganz verfällt. Bieler und Zwerenz projizieren die für den Pikaro notwendigen Bedingungen mit einer negativen Utopie in die Zukunft.

Martin Walser stellt in dem Roman *Halbzeit* (1960) den modernen Pikaro in das Zentrum der bürgerlich-kapitalistischen Konkurrenzgesellschaft und schafft damit einen neuen pikaresken Typ. Wie man angesichts eines verstopften Marktes mit kühnen Mitteln Nachfrage erzeugt, dafür gibt es bereits im *Lazarillo von Tormes* ein Musterbeispiel in der Gestalt des Ablaßhändlers. Diesem gelingt es, als Lazarillo bereits mit pikaresken Handlungen aufhört und moralische Hemmnisse zeigt, durch ein inszeniertes Wunder den Geiz der Bewohner zu durchbrechen und die geweckte religiöse Verblendung für seinen Profit nutzbar zu machen. Für Anselm Kristlein bildet nicht Kriegs- oder Bürgerkriegschaos, sondern die Unberechenbarkeit der kapitalistischen Konkurrenz und des Pluralismus das Substrat des Handelns. »Ich lernte, daß Optimismus und Pessimismus gleich lächerlich sind angesichts der ungeheuren Unordnung, die die Welt lebendig erhält, und der aus diesem Zustand folgenden ebenso ungeheuren Möglichkeiten, mit denen man nicht rechnen kann, obwohl man mit nichts anderem als mit ihnen zu rechnen hat.« Eine sinnvolle innere Bestimmung des Menschen ist unter diesen Bedingungen »lächerlich«, denn bereits als Vertreter einer bestimmten Ware unterstellt sich Kristlein einem äußeren Zwang, was sich im Kampf aller gegen alle dahingehend steigert, daß er sich überpersönlichen Mächten ausgeliefert sieht, die der Autor als »Schicksal«, »Zufall«, und da ihm beide Ausdrücke nicht genügen, als »graue Mieze« bezeichnet, »die mit unserem Erdball spielt«. Kristlein hängt wie eine Marionette an Fäden, deren Bewegungsrichtung er nicht übersehen kann, und ist doch gezwungen, einen Überblick zu gewinnen, um die Käufer wiederum an seinen Fäden tanzen zu lassen. Das Chaos lenkt sein Leben, spielt ihm »ungeheure Möglichkeiten« zu und verlangt nichts als die angemessene Reaktion bei mangelndem Überblick. Walser hat in einer Fülle von Einzelepisoden gezeigt, wie verschiedene Personen auf dem schmalen Grat zwischen Profit und Gefängnis ihre kühnen Manipulationen der Käufer gestartet haben, wobei alle Handlungen zwischen brillantem Streich und Verbrechen schillern. »Einmal reiste ich, betrog ich, wurde ich betrogen, von einem Vertreter, betrog ich, wütend, wen immer ich traf.« Einmal hat sich Kristlein als Vertreter eines nicht existenten Gesundheitsministeriums ausgegeben, um seine Fußstützen zu verkaufen. In einer Folge von Peripetien ist er entweder der Schelm, wenn ihm die »milde Art des Betrugs« gelingt, oder er ist der Tor, den ein stärkerer Schelm wie Moser hinters Licht führt. Zu Beginn des Romans zeigt Walser in einem Modellfall, wie Kristlein zuerst die Geschäftsinteressen seines Friseurs für seine eigenen Zwecke einkalkuliert, indem er durch Nachgiebigkeit gegenüber dessen Tricks den Verkauf der Heizanlage psychologisch vorbereitet und in einem Verbalduell zu Ende führt, wie er dann aber als der Geprellte dasteht, da der ihm übergeordnete Moser inzwischen »Schluß mit dieser wilden Konkurrenz« im Brennergeschäft gemacht hat. »Moser war mir zu sehr überlegen in diesem zärtlichen Clinch, Wange freundlich an Wange, und unten die schmeichelhaften Leber- und Nierenhaken.« Diese Tarnung einer konsequenten Brutalität hinter jovialer Humanität, was so weit geht, daß der Geschäftspartner erledigt und dann als Marionette wieder aufgerichtet wird, hat Vorbilder in Brechts frühen Dramen *Im Dickicht der Städte* (1923) und *Die heilige Johanna der Schlachthöfe* (1930). Mauler fällt jeweils in Ohnmacht und handelt, von allen darum gebeten, als ein Muster der Menschlichkeit, wenn er tatsächlich die wirtschaftliche Existenz seiner Gegner zerschlägt und als Monopolist aus den Kämpfen herauskommt. Shlink und Garga führen ihren Kampf nach dem Jiu-Jitsu-Modell, indem sie jeweils die Mittel des Gegners einsetzen, um diesen von seinen Bedingungen her zu besiegen. Brecht hat den Kampf auf dem schmalen Grat zwischen Monopolstellung und Gefängnis oder Untergang auch im *Dreigroschenroman* (1934) und im Romanfragment *Die Geschäfte des Herrn Julius Cäsar* (1949) gestaltet. Bereits Heinrich Mann stellte in *Der Untertan* (1914) den um Besitz und Macht kämpfenden Bürger Heßling in ein gefährliches Spannungsfeld zwischen dem überlegenen Adel und dem aufstrebenden Proletarier und ließ ihn mit kühnen und präzisen Kalkulationen seine Stellung behaupten. In Döblins *Berlin Alexanderplatz* (1929) sinkt die pikareske Selbstbehauptung unter den bürgerlichen Konkurrenzkampf hinab auf die Ebene der Unterwelt. Dort ist das Übergewicht der Großstadtumwelt, besonders des Gangsters Reinhold, so groß, daß Franz Biberkopf fast ausschließlich zum Opfer wird.

Kristleins Streiche liegen in der Vergangenheit. Als reflektierender Ich-Erzähler blickt er nach einer Krankheit kritisch auf das Stadium des Handelns zurück, während er sich anschickt, wieder in den Konkurrenzkampf zurückzufinden. Diese Doppelung in ein Stadium des Handelns und der Reflexion setzt sich im folgenden Geschehen fort, indem jetzt die kritische Reflexion in der Form eines Bewußtseinsstroms oder durch das personifizierte Bewußtsein »Cleverlein« jeden Akt des Handelns mit Assoziationsketten begleitet. Dabei entsteht die Paradoxie, daß Kristlein als Anpassungsartist und souveräner Rollenspieler immer mehr in die Gesellschaft eindringt und in ihr aufsteigt, je mehr er deren Gesetzmäßigkeiten kritisch entlarvt und verwirft. Er gleicht damit »Don Quixote, nachdem [dieser] gelesen hat, was Cervantes über ihn schrieb«, denn Kristlein ist zu einem blind engagierten Handeln gezwungen, obwohl er bereits die Sinnleere dieses Handelns eingesehen hat. Je höher er steigt, desto mehr findet der pikareske Kampf in der Form von Rededuellen und intriganten füchsischen Reden in den zwischenmenschlichen Beziehungen statt. Sogar gegen seine Frau gebraucht er die »gute, glatte List, Göttin derer im Schlamassel«. Die Fluchtbewegung zu Beginn des Romans mündet in eine Flucht nach oben, wo er im Franke-Salon den Solisten spielt, genau kalkulierend, daß er zwar Eindruck macht, doch nicht durch einen Triumph die »brutale Konkurrenz« der anderen Solisten gegen sich heraufbeschwört. Auf dieser gefährlichen schmalen Kante tarnt er sich als den »demütigen Schelm«.

Was ihm besonders zu schaffen macht, ist die kühle »Sachlichkeit« der Frauen, vor allem seiner eigenen. »Alles machen sie einem kaputt. Schlimmer als Sancho Pansa sind sie, viel schlimmer.« Das häufige Auftreten des Ausdrucks »Sachlichkeit«, im Extremfall für eine kaltblütige Erpressung gebraucht, rückt den Roman in die Nähe von Hermann Brochs *Die Schlafwandler*, dessen dritter Teil *Huguenau oder die Sachlichkeit* 1932 abgeschlossen wurde. Broch hat die Sachlichkeit als Produkt der Anarchie geschichtsphilosophisch mit einem »Zerfall der Werte« begründet. Huguenau kann im Weltkriegschaos wegen seiner brutal sachlichen Einstellung und wegen seiner Freiheit von Wertbindungen über die in vergangenen Vorstellungswelten befangenen Gegner Esch und Pasenow triumphieren und schließlich durch einen geschickten Schelmenstreich in den Besitz von Eschs Druckerei gelangen. Mord und Vergewaltigung dienen ihm ebenso wie der kühl kalkulierte Kaufmannstrick dazu, seine Überlegenheit während einer anarchischen Zeit auszuspielen. Walser schließt seine geschichtsphilosophische Spekulation dort an, wo Broch aufgehört hat. Wie Broch verweist er auf eine zunehmende Versachlichung, denn Kristleins Vater war noch »eine Art Wandervogel mit dem Musterkoffer« und mit »falschen schönen Ideen im Kopf«. Der sachlich brutale Konkurrenzkampf gehört aber auch bald der Vergangenheit an, so daß das Substrat für die Entfaltung eines Pikaro anachronistisch zu werden beginnt, je weiter die Konzentration des Kapitals fortschreitet. Während Thomas Mann im *Joseph*-Roman über die Heilsgeschichte zur antiken Mythologie kam und Joseph einen »amerikanischen Hermes« nannte, verlegt Walser das »Heiligtum«, das »Mekka« für neueste Produktions- und Absatzformen direkt nach New York. Kristlein geht nach Amerika, um dort die »Apostel des Verbrauchs« zu studieren und in einem »Kursus für künstliche Produktalterung« der erste deutsche »psychologische Verschrottungsspezialist« zu werden. »Die Konzentration der Produktion, der kein Antikartellgesetz mehr gewachsen sein würde, mußte die Branche überflüssig machen, wenn sich die Branche nicht umstellte. Und was braucht ein Monopolist, um zu produzieren? Seine Produkte müssen rasch altern. Nicht das Material. Das Material muß gut sein. Aber das Produktbild muß Runzeln und Falten schlagen, schal muß es werden, aschgrau, widerlich verbraucht, Sehnsucht weckend nach dem neuen Produkt. Und dieser Wechsel muß in jedem Tempo manipulierbar sein.« Nachdem das Substrat für das individuelle pikareske

Verhalten mit der Monopolbildung überwunden worden ist, tritt an die Stelle der »konkurrierenden Produktbilder« und der damit verbundenen Manipulation in der direkten Gegenüberstellung von Handelsvertreter und Käufer eine gigantische anonyme, durch Propagandaapparate durchgeführte Manipulation des Verbraucherverhaltens. Der Einzelpikaro verliert seine Existenzgrundlage, indem das Gesamtsystem den grandiosen Schelmenstreich einer psychologischen Entwertung von substantiell hochwertigen Produkten arrangiert. Walser hat diese Zukunftsvision zwar als Realtypus entworfen, aber noch nicht explizit gestaltet.

Anmerkungen

1. Kurt Lothar Tank: *Günter Grass.* Berlin 1965. S. 57.
2. Werner Beck: *Die Anfänge des deutschen Schelmenromans. Studien zur frühbarocken Erzählung.* Diss. Zürich 1957.
3. *Pikarische Welt. Schriften zum europäischen Schelmenroman.* Hrsg. von Helmut Heidenreich. Wissenschaftliche Buchgesellschaft. Darmstadt 1969.
4. R. M. Albérès: *Geschichte des modernen Romans.* Düsseldorf 1964. S. 303–321.
5. R. Hinton Thomas und Wilfried van der Will: *Der deutsche Roman und die Wohlstandsgesellschaft.* Stuttgart 1969. S. 171 ff.
6. Irmgard Meiners: *Schelm und Dümmling in Erzählungen des deutschen Mittelalters.* München 1967.
7. Bruno Schleußner: *Der neopikareske Roman. Pikareske Elemente in der Struktur moderner englischer Romane: 1950–1960.* Bonn 1969.
8. Schleußner: *Der neopikareske Roman,* a. a. O., S. 26 ff.
9. Schleußner: *Der neopikareske Roman,* a. a. O., S. 35.
10. Willy Schumann: *Wiederkehr der Schelme.* In: PMLA 81 (1966) S. 467–474.
11. Pavel Petr: *Hašeks ›Schwejk‹ in Deutschland.* Berlin 1963.
12. Oskar Seidlin: *Pikareske Züge im Werke Thomas Manns.* In: Seidlin: Von Goethe zu Thomas Mann. Göttingen 1963. S. 162–186. – Dazu nimmt Stellung: Michael Nerlich: *Kunst, Politik und Schelmerei.* Frankfurt a. M. 1969.
13. Klaus Hermsdorf: *Thomas Manns Schelme. Figuren und Strukturen des Komischen.* Berlin 1968, S. 35.
14. Hans Wysling: *Thomas Manns Pläne zur Fortsetzung des ›Krull‹.* In: Aus der Werkstatt des S. Fischer Verlages. Almanach 81. S. 31.
15. Hermsdorf: *Thomas Manns Schelme,* a. a. O., S. 212.
16. Thomas Mann: *Tagebücher, Reden und Schriften zum Zeitgeschehen.* Berlin 1956. S. 479.
17. Thomas Mann: *Briefe 1948–1955 und Nachlese.* Frankfurt a. M. 1965. S. 223.
18. Wilhelm Johannes Schwarz: *Der Erzähler Günter Grass.* München 1969.
19. Zitiert bei Tank: *Günter Grass,* a. a. O., S. 57.
20. Günter Grass: *Über meinen Lehrer Döblin und andere Vorträge.* Berlin 1968. S. 22.
21. Helmut Günther: *Der ewige Simplicissimus.* In: Welt und Wort 10 (1955) S. 1–5.

MANFRED DURZAK

Zitat und Montage im deutschen Roman der Gegenwart

Als im Frühjahr 1970 Arno Schmidts monströser Essay-Roman *Zettels Traum* erschien, wurde er von einem Kritiker unter der Überschrift »Zettels Kasten« rezensiert. Dieser Kalauer, der mit der Assoziation ›Zettelkasten‹ spielt, kommt nicht von ungefähr. Denn, wie Dieter E. Zimmer ausführt, »ein Zettelkasten von 130 000 Kärtchen wurde in das Monsterwerk verarbeitet«[1]. Der immense Inhalt dieses Arno Schmidtschen Zettelkastens besteht nicht durchweg aus Zitaten im herkömmlichen Sinn, sondern rekrutiert sich großenteils aus Schmidts exzessiver Poe-Philologie und der von ihm entwickelten Semantik der ›Etyme‹, einer Lehre von sogenannten ›Wortkeimen‹, die Brücken zum eigentlich Gemeinten und Unbewußten darstellen. Damit meint Schmidt eine überwiegend erotisch getönte Bedeutungsaura, die unter der rationalen Aussageschicht der Wörter zum Vorschein kommt. Aber auch Zitate im traditionellen Sinn, vor allem kryptische Zitate (etwa Joyce-Zitate), die mit dem detektivischen Spürsinn des Lesers rechnen, sind verschwenderisch über die 1352 Seiten des 9,1 Kilo schweren Buches verstreut.

Bei aller Unentschiedenheit darüber, wie diese Don Quichotterie in Form eines Buches der literarischen Landschaft der Gegenwart einzuordnen ist, demonstriert *Zettels Traum*, auf monströse Weise vergrößert, ein strukturelles Stilelement zeitgenössischer Epik, das auch andere in den sechziger Jahren erschienene Romane von herkömmlichem Äußeren aufweisen. Auch bei Romanen wie Oswald Wieners *die verbesserung von mitteleuropa* (1969), Peter Chotjewitz' *Vom Leben und Lernen* (1969) und Helmut Heißenbüttels *D'Alemberts Ende* (1970) läßt sich auf den ersten Blick von literarisierten Zettelkästen sprechen.

Die geschlossene Form des Romans ist aufgehoben. Bei Heißenbüttel erscheint eine Kollektion von Texten, die mit der herkömmlichen Kapiteleinteilung eines Romans nichts zu tun hat. Es geht um keinerlei äußere Handlungsprogression, in deren Mittelpunkt ein ›Romanheld‹ und sein ›Schicksal‹ ständen. Statt dessen werden sprachliche Variationen des Themas »Satire auf den Überbau« geliefert, wie Heißenbüttel es selbst bezeichnet hat, d. h. die Aneinanderreihung von sprachlichen Fertigteilen, die Sprache jeweils als aussageleer und klischeehaft denunzieren. Eine äußerlich bleibende Integration dieser sprachlichen Fertigteile wird lediglich durch die Verwendung eines konstanten Romanpersonals erreicht, das freilich selbst nur die Funktion von maskenhaften Rollenträgern hat und seine Austauschbarkeit durch die Austauschbarkeit seiner Phrasen beweist.

Auch bei Wiener und Chotjewitz werden sprachliche Kreativität und Romanfiktion als Illusionen widerlegt. In beiden Fällen wird bewußt das ausgespart, was den traditionellen Roman ausmacht, nämlich die Erfindung einer bestimmten Fabel, die als Fiktion zum Modell für das wird, was der Autor demonstrieren will. Sowohl Wiener als auch Chotjewitz lassen ihren Roman mit einem Vorwort beginnen, ohne daß ein eigentlicher Hauptteil folgt. An die Stelle der Romanfabel tritt vielmehr eine Exegese des Vorworts in ständig neuen Ansätzen, in ständig neuer Facettierung. Das

Vorwort wird gewissermaßen durch Anmerkungen potenziert, die wiederum neue Anmerkungen nötig machen. Chotjewitz hat im Schlußabschnitt seines Buches diese Produktionsweise, die die Konzeption des herkömmlichen Romans ad absurdum führt, reflektiert. So heißt es im »Nachwort« über die Entstehung seines »Romans«: ». . . zugunsten des Zusammenhanges der Teile des Buches [ist zu] sagen, die ich zunächst einmal aus einigen Mappen mit fertigen und halbfertigen Arbeiten, Entwürfen und Zetteln, wie man sie sammelt, weil man sie vielleicht einmal brauchen kann, in eine gemeinsame Mappe tut (und den Rest wegwirft), weil die Kritik schon längst festgestellt hat, daß ich meine Bücher ohnedies immer so mache. Und wie aber, als ich diese eine Mappe in Zusammenhang las, nur weil ich sie in Zusammenhang las, ein Zusammenhang entstanden war, so daß ich doch wieder so etwas wie einen Roman gemacht hatte (vielleicht, weil das Prinzip des fortgesetzten Anmerkens eigentlich das Prinzip des Romans ist – nicht irgendeine der vielen Ideologien, die man dem Roman angehängt hat) . . .« Die Anmerkung der Anmerkung als Prinzip des Romans – das ließe sich zumindest auf den ersten Blick auch über den Roman Wieners sagen. Beide Autoren greifen auf bereits vorgeformte Worte als ihr Sprachmaterial zurück. Die Zitation ist also der sprachliche Ansatzpunkt und nicht sprachliche Imagination, die fiktive Modelle zu schaffen versucht. Der Verzicht auf die Romanfiktion, der mit dem Verzicht auf sprachliche Kreativität gekoppelt ist, und die Hinwendung zur Zitation als sprachlichem Bauelement lassen damit das strukturelle Element hervortreten, das offensichtlich mit dieser verabsolutierten Zitierweise verbunden ist: nämlich die Montage als Aufbauprinzip des Romans. Was bei Heißenbüttel im Ineinanderschieben verschiedener sprachlicher Ebenen, bei Wiener und Chotjewitz als offensichtlich schrankenlose sprachliche Assimilation, die die sprödesten und gegensätzlichsten Sprachschichten kombiniert und in einen Zusammenhang bringt, das, was in Chotjewitz' Formel von der »fortgesetzten Anmerkung« als Prinzip des Romans erscheint, läßt sich strukturell offensichtlich mit dem Begriff der Montage bezeichnen.

Wo die sprachliche und kompositionelle Kreativität des Autors, die sich in der Tradition stets in dem ästhetischen Eigenwert ihrer besonderen Sprache (bestimmten metaphorischen Qualitäten, einem persönlichen Stil usw.) und in der Erfindung einer spezifischen Romanfabel verriet, als Fiktion preisgegeben wird, treten Zitation von sprachlichen Fertigteilen und Montage dieser Fertigteile als Aufbauprinzip des Romans nun als Elemente der neuen Form in ihre Rechte ein.

Es wird im Folgenden versucht, an Hand dieser beiden Strukturzüge einen Beitrag zur Beschreibung dieser neuen Form des zeitgenössischen deutschen Romans zu leisten. Dabei ist es unumgänglich, zumindest in Ansätzen die historische Entwicklung zu berücksichtigen, die offensichtlich in den Romanbeispielen von Wiener, Chotjewitz und Heißenbüttel ihren Höhepunkt gefunden hat. Es stellt sich also die Frage, wie Zitat und Montage im traditionellen Roman vertreten sind, wobei der Begriff Montage, der ja einen filmischen Ursprung hat, auch den zeitlichen Rahmen festlegt. Es handelt sich also auch bei diesem Rückgriff auf die Romantradition um Romanbeispiele aus diesem Jahrhundert.

Es sind weniger die Romane von Thomas Mann, die durch die differenzierte Technik des leitmotivischen Zitats auf den ersten Blick die Technik der Zitat-Montage

vorwegzunehmen scheinen, als vielmehr die Romane Alfred Döblins, die schulebildend gewirkt haben. Und unter Döblins Romanen ist es wiederum vor allem sein eigentliches Hauptwerk, *Berlin Alexanderplatz* (1929), der einzige Roman Döblins, der eine gewisse Breitenwirkung hatte. Döblin als Angelpunkt dieser formalen Neuerung hervorzuheben, ist vor allem deshalb wichtig, weil sich die Autoren des ›Montage-Romans‹ mitunter auf eine Tradition berufen, die der Radikalität ihrer Romanform widerspricht. Bereits Etabliertes wird, so scheint es, aus taktischen Gründen zur Rückendeckung benutzt. Das ist der Fall, wenn Chotjewitz sich beispielsweise auf Musil beruft oder Heißenbüttel seinem Roman ein Thomas-Mann-Zitat als Motto vorangestellt hat: »Das Zitat als solches hat etwas spezifisch Musikalisches, ungeachtet des Mechanischen, das ihm eignet, außerdem aber ist es Wirklichkeit, die sich in Fiktion verwandelt, Fiktion, die das Wirkliche absorbiert, eine eigentümlich träumerische und reizvolle Vermischung der Sphären.«
Dieses Zitat hat hier bei Heißenbüttel eine völlig konventionelle Funktion, nämlich als Motto-Zitat einen Hinweis auf die Bedeutung der Tradition zu geben, die die Zitation in seinem Roman bestimmt. Aber darin liegt eigentlich ein Selbstwiderspruch, da Heißenbüttel in seinem Buch ja gerade die von kulturellen Klischees umstellte Sprache widerlegen will und das Zitat also nicht auf positive Zusammenhänge verweisen, sondern fiktive Zusammenhänge demaskieren will. Mit dem Motto-Zitat seines Buches bestätigt er jedoch im Grunde das, was er in seinem Text als »Satire auf den Überbau«, auf das Kulturgeschwätz seiner Zeit, entlarven will. Oder ist in dem Thomas-Mann-Zitat Ironie verborgen, die sich gegen den Leser richtet? Das scheint zweifelhaft. Naheliegender ist, dieses Zitat als intendierten Versuch zu deuten, sich einen Rückhalt in der Tradition zu geben. Freilich ist Thomas Manns Zitierweise keineswegs geeignet, als Traditionsfolie für Heißenbüttels eigenen Gebrauch des Zitats zu dienen. Herman Meyer hat in seinem Buch *Das Zitat in der Erzählkunst* ([2]1967), das die Funktion des literarischen Zitats an Romanbeispielen untersucht, die vom 16. Jahrhundert (Rabelais) bis in den Beginn des 20. reichen, überzeugend dargelegt, daß Thomas Manns Gebrauch des literarischen Zitats den Abschluß einer langen Entwicklung darstellt. In *Der Zauberberg* (1924) und *Lotte in Weimar* (1939) werde das literarische Zitat noch einmal im Sinne der Tradition verwendet. Es demonstriert »die Vielfalt überlieferter Bildungsgehalte« und spiegelt damit unter dem Aspekt der Wirkung die Gültigkeit eines »gemeinsamen Bildungsbesitzes«, dessen kanonische Geltung beim Leser erst die Resonanz möglich macht. Das Zitat und selbst das kryptische Zitat lebt also von seinem Verweisungscharakter und erfüllt seine Funktion erst, wenn der über den gleichen Bildungsbestand verfügende Leser das Zitierte zu identifizieren vermag. Jedes Zitat ist also generell ein »literarisches Zitat« und reflektiert einen Bildungsbesitz, dessen Geltung vom Autor wie vom Leser rückhaltlos anerkannt wird.
Die verabsolutierte Zitierweise bei Heißenbüttel oder Chotjewitz, die unterschiedslos alles als sprachliche Fertigteile assimiliert, unterscheidet sich davon, weil das Adjektiv ›literarisch‹ die Bedeutung eines Hinweises auf Bildungswerte eingebüßt hat und jegliche sprachliche Äußerung zur Literatur rechnet und als Zitat verwendet werden kann. Was Herman Meyer also am Beispiel Wielands, E. T. A. Hoffmanns, Fontanes und Raabes zeigt, spricht dem Zitat eine elitäre Wirkung zu: Eine bestimmte Bildungsschicht versichert sich ihrer Überlegenheit, indem sie in stillschweigender

Übereinkunft zwischen Autor und Leser ein literarisches ›Glasperlenspiel‹ inszeniert, das die verschiedenen Bildungsgehalte verbal in Beziehung zueinander setzt. Als trivialisierte Form dieser Zitation ließen sich dann in der Tat jene mit Goethe- und Schiller-Zitaten gespickten öffentlichen Reden auffassen, die ja ebenfalls mit einem gemeinsamen Bildungsbesitz kokettieren, der sich in Büchmanns *Geflügelten Worten* schwarz auf weiß nach Hause tragen läßt.
Es leuchtet auf diesem Hintergrund nicht ein, wenn Meyer die mit gelehrten Anmerkungen vollgestopften Romane eines Philipp von Zesen oder auch Jean Pauls von dieser Zitierweise unterscheiden will, weil sich Zitat und Roman hier wie »Romantext und Apparat zueinander verhalten« und »dieser Wust von Gelehrsamkeit einen ebenso chaotischen wie überflüssigen Eindruck« auf den modernen Leser mache. Aber läßt sich nicht sowohl bei dem barocken Romancier wie bei Jean Paul eine Radikalisierung jener Funktion des Zitats feststellen, die Meyer bei den anderen Autoren hervorhebt? Der Bildungsbesitz hat dort noch ein universales Ausmaß, umfaßt alle Bereiche menschlichen Wissens und ist noch nicht auf den Kanon bestimmter literarischer Zeugnisse als Inbegriff der Bildung eingeschränkt. Im Grunde deutet der geschichtliche Entwicklungsprozeß auf einen Spezialisierungsvorgang hin: Die polyhistorische Verknüpfung aller Wissensbereiche, die ja in der Renaissance als eigentliches Bildungsideal aufgestellt wurde, geht allmählich verloren; die Literatur reduziert sich nach und nach auf sich selbst. Dieser Reduktionsvorgang spiegelt die Bedeutung, die dem literarischen Zitat allmählich zukommt. Der Verweisungscharakter des Zitats beschränkt sich zunehmend auf die Literatur.
Freilich hat dieser Entwicklungsprozeß auch noch eine andere, positive Seite, die sich besonders an der Zitierkunst Thomas Manns belegen läßt. Meyer betont zu Recht: »Eine autonome epische Zitierkunst entsteht erst da, wo das Erzählen von einem persönlichen Erzähler getragen wird, der es in neue und eigene Form- und Sinnzusammenhänge hinstellen kann.« Erst die Erzählhaltung eines persönlichen Erzählers ermöglicht die Integration des literarischen Zitats – und das kann wie im Falle von Thomas Mann auch das Selbstzitat sein – als künstlerisches Gestaltungsmittel in den Roman. Es wird also wesentlich mehr durch die Zitation erreicht als ein Spiel mit allseitig akzeptierten literarischen Bildungsgehalten. Das läßt sich am Beispiel von Thomas Mann verdeutlichen, bei dem die Zitat-Wiederholung (auch die Wiederholung des Selbstzitats) im Dienst seiner Leitmotivtechnik zur sprachlichen Charakteristik seiner Personen beiträgt. Die Intensivierung der Gestaltung, die umständliche Beschreibungen und Situationsschilderungen durch die wiederholte Zitat-Formel ersetzt, läßt sich als Ausdruck kreativer Ökonomie auch unabhängig von der Personenzeichnung in seinen Romanen feststellen. In der Zitat-Wiederholung wird die Wirkung von Simultaneität erreicht: künstlerischer Ausdruck von Gleichzeitigkeit, die Entferntes und Getrenntes überraschend zur Einheit bringt und sich deshalb als episches Korrelat des Erinnerungsvermögens eines komplexen Bewußtseins begreifen läßt.
Diese Gestaltungsvielfalt, die sich besonders Thomas Mann durch die Zitat-Wiederholung erschließt, bleibt allerdings an die dominierende Erzählhaltung eines persönlichen Erzählers gebunden. Thomas Mann ist als Autor der ironische Arrangeur, der über der Wirklichkeit und den Personen seines Romans steht. Wenn in der Analyse Meyers Thomas Manns Zitierweise als Höhepunkt der Entwicklung und Döblins

Zitierkunst hingegen als Auflösung dieser Entwicklung gedeutet werden, so wird diese Zäsur erst verständlich, wenn man den Wechsel in der Rolle des Erzählers von Thomas Mann zu Döblin berücksichtigt. Mit der von Thomas Mann beanspruchten Überlegenheit des Erzählers bricht Döblin auf radikale Weise. Die von Wolfgang Kayser in seiner Studie *Die Anfänge des modernen Romans im 18. Jahrhundert und seine heutige Krise* (1954) hervorgehobene These: »Der Tod des Erzählers ist der Tod des Romans« beschreibt diesen Umbruch, der im modernen Roman stark mit dem Vordringen der ›stream of consciousness‹-Technik, aller Varianten des inneren Monologs, verbunden ist, ebenfalls negativ. Aber für Döblin, der in Kenntnis von Joyce, wenn auch nicht in beabsichtigter Anlehnung an Joyce, diesen Schritt im deutschsprachigen Roman äußerst bewußt vollzogen hat, bedeutet die Eliminierung des persönlichen Erzählers den Verzicht auf eine ideologische Überlegenheitspose, die für ihn eine Projektion von bürgerlichen Autoren darstellt. Die Sätze in den *Bemerkungen zu Berge, Meere und Giganten*: »Ich bin ein Feind des Persönlichen. Es ist nichts als Schwindel und Lyrik damit. Zum Epischen taugen Einzelpersonen und ihre sogenannten Schicksale nicht«, die in den *Bemerkungen zum Roman* verkündete These, der Roman habe keineswegs »mit der Wichtigkeit eines einzelnen Helden oder seiner Probleme etwas zu tun ... gedichtete Psychologie ist ein Unfug ...«, deuten die wesentlichen Konsequenzen bereits an. Die Aufhebung der Vormachtstellung des Individuums weist in zwei Richtungen: Einmal wird die individuelle Optik eines persönlichen Erzählers aufgegeben, zum andern werden das Individuum und seine Problematik ausdrücklich als thematisches Zentrum des Romans relativiert. Heißt es bereits im frühen ›Berliner Programm‹ *An Romanautoren und ihre Kritiker*: »Der Gegenstand des Romans ist die entseelte Realität ...«, so wird auch später in Döblins Aufsatz *Schriftstellerei und Dichtung* in dem Hinweis auf die »Souveränität der Phantasie und Souveränität der Sprachkunst«, in der Forderung einer »losgelassenen selbstherrlichen Sprache« jenes die Wirklichkeit schlechthin sprachlich gestaltende Epos verkündet, dessen »Tatsachenphantasie« mit einer ganz neuen Darstellungstechnik verbunden ist. Psychologische Motivation und kausale Handlungsführung werden ausgeschaltet. Die Wirklichkeit soll als objektives Material gestaltet werden. Folgerichtig wird die begrenzte Optik des persönlichen Erzählers, der alles in Analogie zu sich selbst präsentiert, kausal anordnet und psychologisch erklärt, ausgeschaltet. Bereits im ›Berliner Programm‹ heißt es: »Die Darstellung erfordert bei der ungeheuren Menge des Geformten einen Kinostil ... Man erzählt nicht, sondern baut ... Rapide Abläufe, Durcheinander in bloßen Stichworten; wie überhaupt an allen Stellen die höchste Exaktheit in suggestiven Wendungen zu erreichen gesucht werden muß ...«

So läßt sich in aller Knappheit Döblins romantheoretischer Standpunkt präzisieren, der also in allen Punkten der Position Thomas Manns entgegengesetzt ist. Wo Thomas Mann an die dominierende Stellung des Individuums glaubt, sich als überlegener Erzähler ins Spiel bringt und auch thematisch um die Problematik des Individuums (des Künstlers vor allem) kreist, in seiner Zitierweise auf einem noch gültigen Bildungskanon aufbaut, den er freilich ironisch relativiert, gibt Döblin die individuelle Perspektive preis, läßt er in seiner Definition der Wirklichkeit als Tatsachenmaterial literarisch Vorgeformtes und bloße Wirklichkeitspartikel unterschiedslos ineinander übergehen, postuliert er statt einer von Psychologie und Kausalität ge-

leiteten Erzählhaltung eine gleichsam objektive Gestaltung des Materials. Denn der geforderte »Kinostil« läßt sich nicht anders verstehen, als daß hier bereits die Gestaltungstechnik der Montage von ihm propagiert wird.
Bereits in den *Drei Sprüngen des Wang-lun* (1915) und im *Wallenstein* (1920) lassen sich die Konsequenzen dieser neuen Form des Romans erkennen. Aber das in der Geschichte des modernen deutschen Romans folgenreichste Beispiel ist nach wie vor *Berlin Alexanderplatz.* Hier werden, was die Funktion des Zitats und das Bauelement der Montage betrifft, bereits Wege vorgezeichnet, die im wesentlichen auch für den deutschen Roman der sechziger Jahre noch kennzeichnend sind. Freilich steht auch Döblin innerhalb eines spezifisch modernen Traditionszusammenhangs. So wie Filippo Tommaso Marinettis theoretische Bekundungen zum Futurismus und sein Roman *Mafarka le futuriste* (1910) Döblins These vom Wirklichkeitsmaterial schlechthin als Gestaltungsgegenstand des Romans unterbauen, weist die Technik des inneren Monologs auf James Joyces *Ulysses* (1922) und die montagehafte Zitation von Zeitungsauszügen in *Berlin Alexanderplatz* auf die Technik von Dos Passos, der in *Manhattan Transfer* (1925) und der Trilogie *USA* (1930–37) mit der Einfügung der sogenannten ›Newsreels‹, Zitaten von Presseschlagzeilen und kurzen Meldungen, bereits auf diese Weise die großstädtische Umwelt in ihren vielen sozialen und politischen Bezügen in den Roman integrierte. Diese formalen Wege beschreitet Döblin ganz ähnlich in *Berlin Alexanderplatz.* Er zitiert unterschiedslos sprachlich Vorgeformtes und montiert es ohne jegliche erzählerische Vermittlung kommentarlos aneinander, um das zu erreichen, wie Schöne in seiner Interpretation des Romans es ausdrückt, »als erzähle die große Stadt sich selbst, als träten die Texte in den Roman, ohne daß sie des aufnehmenden und erzählend wiedergebenden Vermittlers bedürften«.[2]
Das geschieht etwa im zweiten Buch unter der Überschrift »Der Rosenthaler Platz unterhält sich«. Der Abschnitt setzt mit einem Wetterbericht ein, der dieses als quasi selbständiges Lebewesen vorgeführte Segment der Stadt von außen her einkreist und mit dem Schlußsatz: »Wetteraussichten für Berlin und weitere Umgebung« den Beginn einer Assoziationskette einleitet, die in der Zitation aller Stationen der Straßenbahn Nr. 68, die vom Rosenthaler Platz ausgeht, die weitere Umgebung des Platzes faktisch ins Bild bringt, ohne daß eine erzählerische Vermittlerrolle nötig wäre. Man könnte an diesem Beispiel bereits belegen, was Volker Klotz in seiner Untersuchung *Die erzählte Stadt* (1969) generell ausgeführt hat: daß die Großstadt Berlin durch die Montage ihrer Realitätspartikel so bereits als »einem ständigen Vermittlungsprozeß unterworfen« gezeigt werde.
Im ersten Abschnitt des zweiten Buches von *Berlin Alexanderplatz* findet sich ebenso ein Beispiel, das diese objektive Montage ergänzt: Montage nämlich, die in die Gestaltung des Bewußtseinsstroms von Franz Biberkopf eingefügt ist. Die Überschrift des ersten Abschnitts »Franz Biberkopf betritt Berlin« signalisiert, daß es hier um die literarische Gestaltung des Bewußtseinsfeldes geht, als Biberkopf nach der Haftentlassung sich allmählich wieder mit der Stadt vertraut macht. Die im Text graphisch erscheinenden Symbole für Berlin (zu Anfang erscheint das Wappentier des Berliner Bären als Bild), das in seine verschiedenen institutionellen Sparten (›Handel und Gewerbe‹, ›Stadtreinigungs- und Fuhrwesen‹, ›Gesundheitswesen‹ usw.) aufgeschlüsselt wird, kennzeichnen das auf Autorität gedrillte Bewußtsein

Biberkopfs, der die Stadt nur als offizielle Institution wahrzunehmen vermag. Wenn diese Aneinanderreihung von Bewußtseinseindrücken Biberkopfs beim Amt für ›Finanz- und Steuerwesen‹ endet, so ist hier bereits der Ausgangspunkt des nächsten Abschnittes zu sehen: Die Montage von drei offiziellen Dokumenten, einem Amtsaushang über ein Grundstück an der Spandauer Brücke, einem Dankesschreiben des Oberbürgermeisters und einem Dankesschreiben an einen verdienten Wohlfahrtspfleger, spiegelt die rein rezeptive Haltung Biberkopfs, der im Aushang nacheinander die drei Dokumente liest.
Die vielen Formen literarischer Zitate, die Döblin verwendet (Bibel-Zitate, klassische Zitate, Schlager-Zitate, Zeitungs- und Reklame-Zitate usw.) sind häufig in die Darstellung des Bewußtseinsstroms von Biberkopf eingebettet. Wenn Herman Meyer angesichts dieser Zitat-Montierung eine »radikale Sinnentleerung der Bildungsgüter« bei Döblin festzustellen glaubt, so unterschlägt diese negative Charakteristik die eigentliche Gestaltungsabsicht Döblins: die Wirklichkeit der Großstadt und ihrer durchschnittlichen Bewohner objektiv ins Bild zu bringen und auf jegliche literarische Stilisierung dabei zu verzichten. Was in der zufälligen Mischung von Biberkopfs Geschichte mit unzähligen zitierten Kolportagegeschichten künstlerisch ohne Funktion zu sein scheint, gewinnt seinen künstlerischen Stellenwert auf dem Hintergrund von Döblins Absicht, nämlich Biberkopfs »Geschichte als austauschbar gegen die von der Boulevardpresse berichteten« (Klotz) zu zeigen.

Es wird im Folgenden an Beispielen zeitgenössischer deutscher Romane dargelegt, wie diese Verwendung von Zitat und Montage fortgewirkt hat. Bereits am Beispiel Döblin lassen sich die folgenden Möglichkeiten zusammenfassen: a) Der literarische Bildungskanon und damit das elitäre literarische Zitat werden preisgegeben; wo es bei Döblin auftaucht (etwa die vielen Klassiker-Zitate), hat es parodistische Funktion; es demaskiert die bürgerliche Bildungsvorstellung als leere Konvention; das Zitat bei Döblin umfaßt also prinzipiell alles sprachlich Vorgeformte ohne irgendeinen qualitativen Unterschied. b) Das Zitat tritt bei Döblin auf zweifache Weise in der Montage auf, einmal in der Verbindung mit dem sprachlichen Bewußtseinsstrom, der personal gebunden ist; die Montage von Zitaten spiegelt also ein bestimmtes Bewußtseinsfeld, das sich rezeptiv verhält; zum andern tritt das Zitat auch in der Form objektiver Montage auf; die Bindung an ein bestimmtes Bewußtsein fällt weg; es hat den Anschein, als wenn ein bestimmter Realitätsbereich sich mit all seinen Partikeln gleichsam objektiv in Sprache umsetzt.
Allerdings läßt sich bei Döblin, streng genommen, auch noch von einer dritten Form der Montage sprechen, in der Zitate bei ihm auftreten. Diese Zitate sind auf einer Ebene angesiedelt, die eigentlich das Wirklichkeitsfeld des Romans, die Großstadt Berlin, übersteigt: Zitate, deren Montage auf die subjektive Absicht des Autors zurückgeht, der hier gleichsam die Sprachform seines eigenen Romans reflektiert, indem er sich mit d e r Literatur parodistisch auseinandersetzt, die seine Darstellungsform konkret widerlegt. Ein Beispiel dafür ist etwa die d'Annunzio-Parodie im ersten Buch des Romans[3]. Im Kontext wird die Episode einer homosexuellen Liebesbeziehung zwischen einem jungen und einem älteren Mann berichtet, die dessen Frau hinterbracht wird und sein Leben ruiniert. Im Anschluß daran folgt die Aneinanderreihung von Reklamesprüchen, von denen der letzte »Freiheit für die Liebe auf der

ganzen Front« die d'Annunzio-Parodie nochmals auslöst. Zitiert wird eine Liebesepisode, die in hochgestochenem klischeehaften Stil den Abschiedsschmerz eines »blondlockigen Weibes« um ihren »Herzallerliebsten« beschreibt. Wirklichkeit wird also mit verlogener Literatur konfrontiert. Diese Literaturparodien sind also eigentlich auf die Person des Autors und seine Gestaltungsabsicht zugeordnet. Das ist an sich überraschend, da Döblin ja die Objektivität des Erzählens im epischen Bericht ausdrücklich gefordert hat. Aber in seiner wichtigen Abhandlung *Der Bau des epischen Werks* hatte er seine eigene These eingeschränkt und eingeräumt: »Darf der Autor im epischen Werk mitsprechen, darf er in diese Welt hineinspringen? Antwort: ja, er darf und er soll und muß.« Handelt es sich nicht hier zugleich um eine Form des Zitats, die der verabsolutierten Zitation eines Heißenbüttel entsprechen könnte? Denn wenn Heißenbüttel seinen Roman insgesamt als »Satire auf den Überbau« versteht, geht es ihm ebenfalls um eine Reflexion seiner Zitiertechnik, die generell als Demaskierung literarisierter Wirklichkeit gedacht ist. Auch unter diesem Aspekt ließen sich also bei Döblin und nicht bei Thomas Mann, wie Heißenbüttel vorgibt, Ansatzpunkte erkennen.

Das formale Spektrum, das die Elemente Zitat und Montage im modernen Roman verbindet, läßt sich also bereits in seinen wesentlichen Charakteristika bei Döblin aufzeigen. Das Vordringen beider Elemente im deutschsprachigen Roman nach 1945 ist eng verknüpft mit der zunehmenden Bedeutung, die die verschiedenen Modifikationen der Bewußtseinsstromdarstellung annahmen. An die Stelle der traditionellen Form der ›Erlebten Rede‹, die die Vorstellungswelt einer Romanfigur unter Verwendung der dritten Person Singular und der Vergangenheitsform distanziert berichtet und also formal stilisiert,[4] tritt im Wechsel zur Präsensform und Ich-Person eine direkte Spiegelung des Bewußtseins in der Sprache. Die Identität von Sprache und Bewußtseinsstrom kann so weit vorangetrieben werden, daß wie im Schlußmonolog der Molly Bloom in Joyces *Ulysses* auf jegliche grammatischen und syntaktischen Konventionen der Sprache verzichtet wird und der Bewußtseinsstrom in einem grenzenlosen Wortfluß konkret hervortritt.

Wie allmählich diese formale Entwicklung im deutschen Roman voranging, läßt sich am Beispiel von Romanen Heinrich Bölls verdeutlichen. Bölls 1951 erschienener erster Roman *Wo warst du, Adam?* ist in neun große Episoden untergliedert, die nur durch die Person des Soldaten Feinhals, der in verschiedenen Episoden auftaucht, locker verbunden sind. Es geht um die Darstellung des anonymen, den einzelnen zur Marionette degradierenden Kriegsgeschehens. Das läßt sich eigentlich auch als Erzählabsicht in Döblins *Wallenstein* bestimmen. Aber die Darstellung des Krieges von seinen Realitätspartikeln her, als einer Addition von unzähligen Einzelepisoden mit einer Heerschar von Akteuren, ist bei Döblin wesentlich radikaler. In Bölls Roman überwiegt die moralische Einstellung des Autors, der eine bestimmte ›Botschaft‹, nämlich die Verwerflichkeit des Krieges, demonstrieren will. So ist der Roman zwar großenteils aus dem Erzählhorizont des Soldaten Feinhals geschrieben, aber nicht exakt aus seiner Erzählperspektive. Die Darstellung der Wirklichkeit scheint häufig mit der Sicht von Feinhals als Prototyp des einfachen Soldaten identisch zu sein. Erzähltechnisch schiebt Böll jedoch lange Rückblicke über das Leben der einzelnen Personen ein, die als epische Zusammenfassungen von der Erzählhaltung eines quasi noch omnipotenten Erzählers bestimmt werden.

Dieser erzähltechnische Kompromiß mit der Romankonvention ist in dem 1953 erschienenen Roman *Und sagte kein einziges Wort* aufgegeben. Der Roman ist formal ein interessantes Experiment, das eine deutliche Weiterentwicklung zeigt. Die zeitliche Einheit eines Tages und der darauffolgenden Nacht wird in einer Folge von dreizehn Kapiteln dargestellt, die jeweils alternierend aus der Perspektive Fred Bogners und seiner Frau erzählt werden, eines Ehepaares, das aus wirtschaftlichen Gründen (Wohnungsnot) in der Nachkriegszeit getrennt lebt. Diese streng durchgehaltenen Erzählperspektiven werden im zehnten Kapitel zusammengeführt, das auch von der Handlung her der Höhepunkt des Romans ist: das Zusammentreffen der Eheleute in einem armseligen Hotelzimmer, da in der von Kindern übervölkerten Einzimmerwohnung die eheliche Gemeinschaft nicht mehr möglich ist. Hier wird zwar trotz der individualisierten Erzählperspektive grundsätzlich noch traditionell erzählt. Fred und Käte Bogner berichten über ihre Wirklichkeitserfahrung. Aber diese Erfahrung wird nicht direkt gestaltet, indem Böll etwa zum Mittel des inneren Monologes gegriffen hätte. Nur Ansätze dazu sind vorhanden. Dennoch finden sich in dem Roman bereits Beispiele für die Verwendung von Zitat und Montage. Da Böll durch die Individualisierung der Erzählperspektive darauf verzichtet hat, die Stadt Köln objektiv ins Bild zu bringen, wird die Montage zum Stilelement, durch das die äußere Wirklichkeit in das Privatleben der Bogners eindringt. In der Stadt findet gerade die Jahresversammlung des Drogistenverbandes statt, dessen Werbeslogans »Gummi Griss schützt dich vor Folgen« und »Vertrau dich deinem Drogisten an« die Umgebung übersäen. Die Jahresversammlung der Drogisten wird zugleich in Parallele gesetzt zur großen Prozession der katholischen Kirche. Was für die Drogisten die Werbeslogans sind, das sind für die Kirche die frommen Transparente, auf denen die Zeichen christlicher Opferbereitschaft, »Lämmer und Kelche«, zur Schau getragen werden. Die äußerliche Identität dieser Zurschaustellung soll bei Böll zugleich auf eine innere hindeuten und damit auf eine Relativierung des kirchlichen Rituals. Die geschäftige Betriebsamkeit der Drogisten tritt in Parallele zu der der Kirche.

Während der Nacht im Hotelzimmer im zehnten Kapitel werden nun ständig die Werbeslogans der Drogisten, die sie als Neonreklamen in der Nacht aufleuchten lassen, in Form von Montage in den Text integriert. Es handelt sich hier um Montage, die einen Bewußtseinsreflex Fred Bogners zum Ausdruck bringt. Wenn der Neonlicht-Werbeslogan ständig signalisiert: »Vertrau dich deinem Drogisten an«, so wird indirekt gerade darauf hingewiesen, was die Liebesnacht der Bogners scheitern läßt und ein Weiterleben in der engen Wohnung gänzlich unmöglich macht. Käte Bogner erwartet nämlich ihr viertes Kind. In den Werbeslogans der Drogisten (»Gummi Griss« ist ein mechanisches Verhütungsmittel, mit dem das bigotte Vermieterehepaar Franke handelt) wird die Möglichkeit angedeutet, wie die Zuspitzung der Situation hätte verhindert werden können, nämlich durch Geburtenkontrolle, die die Kirche jedoch dem katholischen Ehepaar verbietet, ohne ihm auf der andern Seite wirklich zu helfen. Jenes aufflammende Neonlicht mit dem Slogan: »Vertrau dich deinem Drogisten an« ist also an die Stelle von Fred Bogners Gewissen getreten. Die moralische Dimension, die mit der Geburt des Kindes verbunden ist, wird von den äußeren Zwängen der Wirklichkeit, in der sie leben, völlig ausgelöscht. Die Werbeslogans, der Reklamefeldzug von »Gummi Griss« ist das nach außen projizierte schlechte Gewissen Bogners.

Eine weitere Entfaltung der erzählerischen Mittel, auch in bezug auf die Verwendung von Zitat und Montage, tritt in Bölls Roman *Billard um halbzehn* (1959) hervor. Böll, der versucht, in diesem Roman ein Gesamtbild der deutschen Geschichte, das die Jahre von 1907 bis 1958 umspannt, zu geben, hat hier auch künstlerisch Summe ziehen wollen. Ergibt noch die Darstellung aus alternierenden Erzählperspektiven in *Und sagte kein einziges Wort* ein leicht durchschaubares episches Gewebe, so stellt *Billard um halbzehn* einen vielperspektivisch zusammengesetzten Text dar, der aber im Grunde die individualisierte Erzählperspektive des frühen Romans nur weiterentwickelt. Auch hier steht ein bestimmtes Zeitkontinuum im Mittelpunkt, nämlich der 6. September 1958, der Geburtstag des achtzigjährigen Baurats Heinrich Fähmel, der als junger Architekt gegen die Konkurrenz berühmter Fachkollegen die Ausschreibung um die Abtei St. Anton gewann, die Abtei erbaute, dadurch reich und berühmt wurde und dessen Sohn dann gegen Ende des Krieges, äußerlich der Marotte des überspannten Generals Koster zuliebe, die Abtei zerstörte, aber sich mit der Sprengung der Abtei eigentlich dafür rächen wollte, daß auch die Mönche der politischen Verführung im Dritten Reich nicht widerstanden hatten. Trotz des aus vielfältigen Erinnerungsmonologen zusammengesetzten epischen Bildes, das jede Kontinuität einer durchgehenden Handlung auflöst und statt dessen Fragmente von Handlungen diskontinuierlich, unter Zerschlagung des zeitlichen Zusammenhangs, montiert, mitunter auch zu einem Vexierbild werden läßt, ist der Grundriß des Romans eigentlich leicht überschaubar. In den verschiedenen Erinnerungsmonologen der Familienangehörigen geht es nicht nur um die Klärung der Bedeutung, die die Abtei im Leben Heinrich Fähmels hatte, und um die Klärung der Sprengung durch den Sohn Robert, sondern zugleich auch um die Reflexion der moralischen Verfehlungen, die sich in der politischen Situation des Dritten Reiches bei den einzelnen Personen abzeichneten. Das zentrale Beispiel dafür ist das Verfolgtenschicksal des moralisch integren Schrella, eines Jugendfreundes von Robert Fähmel. Als struktureller Mittelpunkt der Erinnerungsmonologe kommt hier dem Familienfest der Fähmels die Bedeutung zu, die das Rendezvous des Ehepaares Bogner im zehnten Kapitel von *Und sagte kein einziges Wort* hat. Auch die in Form von Montage eingebauten Reklamezitate des frühen Romans finden hier ihre Entsprechung. Freilich hat Böll sich in der leitmotivisch verwendeten Bildkonstellation der »Lämmer« und derjenigen, die vom »Sakrament des Büffels« essen, künstliche Zeichen geschaffen, die die politische Polarität zwischen Mitläufern und Verfolgten im Dritten Reich zum Ausdruck bringen sollen. Aber er verwendet Zitate ebenso als Realitätspartikel, die durch die Wiederholung die Funktion von Motivverkürzungen erhalten. Besonders bei der Personencharakteristik wird dieses Stilmittel eingesetzt. So wird etwa der Kinderliedrefrain: »Muß haben ein Gewehr« leitmotivisch mit der Person von Otto Fähmel verbunden, der – in der Bildersprache des Romans – vom »Sakrament des Büffels« gegessen hat, sich politisch zur NS-Ideologie bekannte und als hoher Offizier im russischen Feldzug fiel. Hier wird also durch das Zitat ein Element der politischen Ideologie zur Charakteristik der Person verwendet. Ein paralleles Beispiel zeigt sich in Verbindung mit dem jüngsten, im kindlichen Alter gestorbenen Sohn Heinrich Fähmels. Der Siebenjährige begeisterte sich für ein chauvinistisches Hindenburg-Gedicht und stirbt mit den pseudopatriotischen Versen auf den Lippen: »Solange noch deutsche Wälder stehen, solange noch deutsche Wimpel

wehen, solange noch lebt ein deutsches Wort, lebt der Name unsterblich fort...«
Eine analoge Funktion hat in anderm Zusammenhang das Schiller-Zitat »Kabale und Liebe« oder der in Verbindung mit den Mönchen zitierte NS-Liedvers: »Es zittern die morschen Knochen«. Den Gegenpol dazu stellt in etwa das Hölderlin-Zitat dar: »Mitleidend bleibt das ewige Herz doch fest«, ein Vers, der besonders in Verbindung mit Schrella zitiert wird. Sicherlich deutet diese leitmotivische Verwendung von Zitaten auf Thomas Mann zurück, wie ja auch der literarische Ursprung der verschiedenen Zitate (auf der einen Seite chauvinistische Literatur, NS-Lieder und auf der andern Hölderlin) der moralischen Wertung entspricht, die Böll bei der Charakteristik der verschiedenen Personen impliziert. Der gewissenlose Mitläufer Nettlinger, der sich stets mit den neuen Verhältnissen arrangiert und Erfolg hat, und der Idealist und von Nettlinger verfolgte Schrella werden in ihrer Charakteristik von dem gleichen moralischen Dualismus bestimmt, der sich in der Herkunft der verschiedenen Zitate erkennen läßt. Hölderlin, das ist gewissermaßen auch noch für Böll eine Konstante im literarischen Bildungskanon.
Das Vordringen der sprachlichen Technik der Bewußtseinsstromdarstellung ist bei Böll also auch mit einem Vordringen des Zitats verbunden, aber die künstlerische Funktion der Zitate bleibt vergleichsweise konventionell. Dennoch kann man Bölls Romane als charakteristisches Beispiel für typische Entwicklungen von Darstellungstechniken im deutschen Nachkriegsroman ansehen. Das verdeutlicht etwa auch ein Roman wie *Schlußball* (1958) von Gerd Gaiser. Auch hier handelt es sich um eine Montage von Bewußtseinsprotokollen, an der die vier Hauptpersonen des Romans als »Stimmen« partizipieren, ergänzt von »vier Stimmen von außen«. Intendiert ist bei Gaiser ein Bild der bundesdeutschen Wohlstandsgesellschaft. Auch hier fungiert das Zitat als identifizierendes Charakterisierungselement. Und ebensowenig wie bei Böll läßt sich bei Gaiser die moralische Wertung übersehen, die der Autor impliziert, nämlich den moralischen Verfall hinter der Wohlstandsfassade aufzudecken.
Hinzuweisen ist in diesem Zusammenhang auch auf die in den fünfziger Jahren entstandenen Romane Wolfgang Koeppens, *Tauben im Gras* (1951), *Das Treibhaus* (1953) und *Der Tod in Rom* (1954), die unter bewußter Verarbeitung von Joyce die Technik des sprachlichen Bewußtseinsstroms, des Zitats und der Montage überzeugend verwenden. Wenn Koeppen etwa in *Tauben im Gras* Zeitungsschlagzeilen und Filmtitel zitiert und in seinen Text montiert, so geht es ihm ähnlich wie Döblin darum, den Wirklichkeitsstoff der zeitgenössischen Realität direkt in seine Gestaltung zu integrieren.
In den sechziger Jahren haben diese Stilmittel des Romans eine neue Aktualität gewonnen und die Form des zeitgenössischen deutschsprachigen Romans entscheidend bestimmt. Das sei an einigen Romanen stellvertretend erläutert, die 1969 und 1970 erschienen. Zitat als Sprachelement und Montage als Aufbauprinzip des Romans scheinen auf mehr traditionelle Weise in zwei 1969 erschienenen Romanen vertreten zu sein: Peter Härtlings *Familienfest* und Christa Wolfs *Nachdenken über Christa T.* Christa Wolf hat ihrem Roman die Bemerkung vorangestellt: »Christa T. ist eine literarische Figur. Authentisch sind manche Zitate aus Tagebüchern, Skizzen und Briefen.« Der Roman läßt sich also in seiner aus Erinnerungen und Gedanken der Autorin und authentischem literarischen Material der Freundin Christa T. montierten

Form insgesamt als ein Reflexionsvorgang kennzeichnen, der um das Thema der individuellen Selbstverwirklichung am Beispiel der Freundin kreist, deren Leben an der Peripherie der Gesellschaft verlief und deren künstlerische Versuche in Anfängen steckenblieben. Aber es geht darüber hinaus zugleich um einen Versuch der künstlerischen Selbsterkundung der Autorin, worauf das »Selbstinterview« Christa Wolfs hindeutet.[5] Die Frage nach der Relevanz von Dichtung steht also indirekt im Zentrum des Romans. Das verdeutlichen besonders jene Abschnitte des Buches, wo die Auseinandersetzung der germanistischen Staatsexamenskandidatin Christa T. mit ihrem Prüfungsthema Theodor Storm zugleich ihre Vision von sich selbst als Künstlerin beleuchtet und die Frage nach dem Stellenwert der Kunst klären hilft. Die Erzählstruktur des Buches, die äußerlich stark an Härtlings *Familienfest*, aber auch an Uwe Johnsons Roman *Mutmaßungen über Jakob* (1959) erinnert, stellt keineswegs eine äußerliche Adaption modernistischen Erzählens dar. Vielmehr gilt der an einer Stelle geäußerte Satz: »Und schafft nicht auch – Nachdenken Tatsachen?« auch auf der Ebene der Romanstruktur. So wie die Tatsachen erst dem Nachdenken als Fakten bewußt werden, kristallisiert sich zugleich erst in der Form der Inhalt des Romans. Der elegische Erinnerungsrückblick der Erzählerin, der, ohne die chronologische Zeitfolge einzuhalten, achtzehn Jahre von Christa T.s Leben bis zu ihrem Tod im Jahre 1963 vergegenwärtigt und diesen Erinnerungsbericht mit Zitaten aus Christa T.s Briefen, Tagebüchern, ihren fragmentarischen Dichtungen durchsetzt, manchmal episodenhaft bestimmte Ereignisse ihres Lebens als traditionell erzählte kleine Geschichten ins Spiel bringt, aber ebenso imaginäre Gespräche erfindet, etwa mit der gemeinsamen Schulfreundin Gertrud Born, um die Gestalt der T. zu profilieren, – dieser Erinnerungsrückblick, der nirgendwo im distanzierten Berichtsstil, sondern stets im Sprechstil eines inneren Monologs oder eines imaginären Gespräches vorgetragen wird, erweist sich als ein fesselnder Traktat über »die große Hoffnung oder über die Schwierigkeit, ›ich‹ zu sagen«.

Geht es Christa Wolf darum, die exemplarische Geschichtlichkeit eines bestimmten Lebens künstlerisch zu fassen, und treten Fiktion und Geschichte in Form realer Dokumente in ein fruchtbares episches Spannungsverhältnis, so stellt Härtling im *Familienfest* gerade diese Relation generell in Frage. So wie der Roman im Untertitel »Das Ende der Geschichte« heißt, versucht Härtling buchstäblich eine Widerlegung der Geschichte als Addition unbewiesener Annahmen und Vermutungen, getarnt mit einem nach außen hin objektiv scheinenden Schleier von Daten und Fakten, die ohne Interpretation nutzlos seien. Thematisch geworden ist dieser Geschichtspessimismus im Protagonisten von Härtlings Roman, der historisch überlieferten Figur des Tübinger Philosophen Georg Lauterbach (1824–85), der, in seiner Jugend von den Idealen der Revolution von 1848 beeindruckt, sich politisch engagierte, von der Restauration außer Landes getrieben wurde, nach Grenoble ging, später zurückkehrte und in Tübingen diese Auffassung der Geschichte akademisch vertrat. Und so wie Christa Wolf authentisches Zitatmaterial des historischen Vorbildes der Christa T. in ihren Roman montiert, verwendet auch Härtling Auszüge aus den philosophischen Essays Lauterbachs.

Das Buch ist in zwei große Abschnitte untergliedert: »Die Familie« und »Das Familienfest«. Aber der erste Teil, den wiederum elf Unterabschnitte gliedern, in deren

Mittelpunkt jeweils Menschen stehen, die für Georg Lauterbach von Bedeutung gewesen sind, wiederholt im elften Abschnitt, »Die Familie«, den Titel des ersten Teils. Von der Erzählhaltung her gesehen, handelt es sich um eine zwar knappe, aber dennoch völlig eigene Strukturschicht. Bringen die zehn Abschnitte des ersten Teiles die aus der Erinnerung schöpfende, durch montierte Dokumente oder zitierte Dialektwendungen ergänzte Verlebendigung von Georgs Geschichte, so faßt der elfte Abschnitt im Chronikstil das Schicksal der Familie Lauterbach seit dem Tode von Georgs Neffen, dem kleinen Naphta Lauterbach, der am 23. Juli 1858 stirbt, bis zur Gegenwart, dem Familientreffen der Lauterbachs am 6. Oktober 1967 in Plieningen bei Stuttgart, zusammen. Die Absicht, die in dieser stilistischen Konfrontation liegt, ist deutlich. Das fast weitere hundert Jahre umspannende Schicksal der Lauterbachs ist hier auf zwei Seiten zusammengefaßt worden: nach dem Muster traditioneller Geschichtsschreibung vorgeführte Addition von Fakten also, die ohne Interpretation nutzlos sind.

Der dritte Teil, die Darstellung des 1967 erfolgten Familienfestes, läßt sich als weitere Strukturschicht auffassen. Hier tritt der eigentliche Kontrast zum ersten Teil hervor. Denn es geht im Gespräch der Nachgeborenen, die sich mit der Familiengeschichte deutend beschäftigen, um Vorführung von Geschichtsdeutung, wie sie dem Historiker möglich ist. In dem Streit zwischen dem eigentlichen Chronisten, dem Studienrat Brenner, und dem in Amerika lebenden Norbert Lauterbach wird erneut demonstriert, wie sich die historischen Fakten in bloße Vermutungen auflösen: Die rationale Geschichtsdeutung versagt, verstrickt sich in ein Netz von Mutmaßungen. Das führt dann im Ergebnis bei Brenner dazu, daß er den Plan, eine Geschichte von Georg und dessen Bruder Immanuel Lauterbach, einem pietistischen Wundertäter, zu schreiben, aufgibt, da die Geschichtsdeutung kapituliert. So steht denn am Schluß des Romans das, was sich als Schlüssel zur Deutung der Form im zentralen ersten Teil des Buches anzubieten scheint: »Und was wir von ihnen lesen können, Immanuels Gebete, seine Erzählung von dem kranken Mädchen, Georgs historische Aufsätze, es sind Wörter, denen der Mund fehlt, du hast erzählt, ich habe erzählt, ich habe sie vorgestellt, ich habe sie umgedacht, ich habe sie kostümiert...« Diese Stelle legt die Deutung nahe, Brenner selbst habe einen Roman über die Brüder verfaßt, er habe sie imaginiert, anstatt sie in einem historischen Werk zu deuten.

Der von Döblin eliminierte persönliche Erzähler wird hier erneut ins Spiel gebracht. An die Stelle der »Tatsachenphantasie«, die Döblin forderte, tritt also die Imagination des Autors, die der Authentizität der Geschichte in Form von überlieferten Fakten und Dokumenten weit überlegen sei. Das ist in der Tat eine restaurative Position, die in Härtlings Roman auch dadurch fragwürdig wird, daß sie die subjektive Willkür eines quasi erneut allmächtigen Erzählers zum Strukturprinzip des Romans erhebt. Erlebte Rede, innerer Monolog, verschiedene Zeitformen und verschiedene Subjekte gehen ununterscheidbar ineinander über. Was sich äußerlich als Montage präsentiert, ist nicht orientiert an einer darzustellenden Wirklichkeit, sondern an der subjektiven Willkür eines maskenhaften Erzählers im Roman.

Während also die Eingrenzung von Zitat und Montage auf die Problematik des Individuums bei Christa Wolf künstlerisch geglückt und bei Härtling augenscheinlich mißlungen ist, werden in zwei anderen Romanbeispielen deutlich Wege fortgesetzt, die auf Döblin zurückweisen, ohne freilich dessen künstlerische Wirkung voll zu erreichen. Günter Grass hat in seinem letzten Roman *örtlich betäubt* (1969) von den kleinbürgerlichen Protagonisten seiner drei ersten Romane Abschied genommen und damit zugleich auch den kleinbürgerlichen Erzählhorizont aufgegeben, der die Erzählhaltung seiner ersten Romane bestimmt. An die Stelle der kleinbürgerlichen Erzähler Oskar Matzerath in der *Blechtrommel* (1959), Pilenz in *Katz und Maus* (1961), des Erzähler-Trios in *Hundejahre* (1963) ist der ehemalige Ingenieur für Zementherstellung und jetzige Studienrat für Deutsch und Geschichte Starusch getreten. Die vitale Fabulierkunst, die sich in den frühen Romanen als Korrelat des Kleinbürgerlichen verstehen läßt, ist einem neuen nüchternen Stil gewichen, der dem Bewußtsein des Intellektuellen Starusch entspricht. Entstanden ist so eine Ich-Erzählung, deren Aufgelockertheit von Reflexionen, deren in verschiedenen Denkmöglichkeiten durchgespielte Wirklichkeitskorrektur, deren Preisgabe einer kontinuierlichen Entfaltung nach dem Muster der Episodenreihung in der *Blechtrommel* oder den *Hundejahren*, nach dem chronikhaften »Es war einmal«-Schema, also das Bewußtsein von Starusch spiegelt, in dessen Auffassung das dargestellte Bild der Wirklichkeit gefiltert wird.

Erzählhaltung, Stil des Romans und Montageform als Aufbauprinzip des Romans sind also als Korrelate von Staruschs Bewußtsein und der von ihm vertretenen Erkenntnishaltung anzusehen. Auf der einen Seite steht seine Überzeugung, er glaube an Geschichten, und auf der andern Seite seine Haltung, die den Wahrheitsgehalt dieser Geschichten nachprüfen will. Das sich vor allem im ersten Romanteil kaleidoskophaft zusammensetzende Bild der Wirklichkeit ist Spiegelung dieses Bewußtseins. Starusch reflektiert, im Zahnarztstuhl sitzend, seine Vergangenheit, den nationalsozialistischen Sündenfall, seine Haltung, mit der er aus dem Krieg zurückkehrte, eine Beckmann-Figur, wie Borchert sie entwarf – so äußert er selbst an einer Stelle. Die politische Schuldfrage konzentriert sich dabei auf die Figur des Generals Krings alias Schörner, des »Durchhaltegenerals«, dessen Strategie den Rückzug nicht kannte und der aus diesem Grund seine Soldaten opferte. Dieses sich mosaikartig zusammensetzende Erinnerungsbild, jeweils von leitmotivisch gebrauchten Zitaten und Selbstzitaten zusammengehalten, etwa dem Motiv der »Verlorenen Schlachten«, erscheint erzählstrukturell als innerer Monolog, der ständig von der Gegenwart, der Anwesenheit des Zahnarztes, der als Staruschs intellektueller Widerpart und Gesprächspartner fungiert, unterbrochen wird. Grass hätte hier die Möglichkeit gehabt, die einzelnen Erinnerungsblöcke in Form der Montage ineinander zu verkanten, ähnlich wie es am Beispiel von Döblins *Berlin Alexanderplatz* beschrieben wurde. Die Kühnheit, aber zugleich auch Einfachheit einer solchen Montage hat Grass vermieden. Statt dessen führt er ein vermittelndes Erzähl-Vehikel ein, das eine modernistische Variante der Döblinschen Presseschlagzeilen und Zeitungszitate abgeben soll, das aber ausgesprochen künstlich wirkt: Der Fernsehapparat, den der Arzt zur Beruhigung seiner Patienten im Behandlungszimmer aufgestellt hat, fungiert als Erinnerungsstimulans. Die Erinnerungsdimension und die Dimension des Gesprächs sollen hier offensichtlich durch eine dritte erweitert werden, durch die die Außenwelt eindringt. Aber anstatt hier der Aufnahmefähigkeit seiner Leser mehr zuzutrauen und literarische Montage ohne künstliche Hilfsmittel zu verwirklichen, drapiert Starusch nun seine Erinnerungssegmente jeweils als Filmschnipsel, die auf der Mattscheibe erscheinen. Das führt besonders im ersten Teil des Romans zu dem penetranten Stilzug, daß andauernd von Kamerafahrten, Kameraschwenks, von Totale und Naheinstellung, von Schnitten gesprochen wird. Die Folge ist, daß Grass unterderhand eine Art von technischem Erzählhomunkulus einführt, nämlich die Kamera oder den anonymen Kameramann. So heißt es etwa in einer Szene, die Linde und den Elektriker Schlottau im Auto zeigt: »Im Rücken der Autoinsassen fährt die starre Kamera mit...« oder in einem Erinnerungssegment, das Staruschs Zeit als Zementingenieur vergegenwärtigt: »Für jeden Kameramann Grund genug, die Optik schweifen zu lassen.« Man kann also Grass nicht den Vorwurf machen, daß er den literarischen Stilzug der Montage verwendet, sondern daß er Montage für den Durchschnittsleser so konsumierbar zubereiten wollte, daß er sie in der Ausführung künstlerisch verfälscht. Anstatt Montage direkt als Aufbauprinzip seines Romans einzusetzen, literarisiert er die Technik: Aus einem Strukturelement entsteht so die Metaphorik der Filmtechnik oder, wenn man so will, das szenische Vokabular eines verunglückten Drehbuchs. Sobald es Grass gelingt, diese fatale Metaphorik zu überspielen, verwirklicht er Montage sehr viel adäquater. Sie wird dann zum Spiegel eines Bewußtseins, das dem Informationsstoff, der auf es einströmt, ausgesetzt ist und, allmählich diese Oberfläche durchstoßend, Erkenntnis destilliert. Bezeichnend dafür ist die Verarbeitung von Wirklichkeitsmaterial in Staruschs Bewußtsein am Beispiel eines Zeitungszitates, das vom Mord eines Taxifahrers an seiner Familie in Berlin-Spandau berichtet. Das wird von Starusch, so scheint es, spielerisch aufgenommen, indem er sich nun selbst ausmalt, wie er Linde Krings, die ihn mit Schlottau betrügt, umbringt, desgleichen ihre Mutter, bedeutet aber über die assoziative Entfaltung hinaus Identifikation mit dem Taxifahrer und den gesellschaftlichen Zwängen, die an diesem Mord beteiligt sind. Zu Anfang des zweiten Romanteils findet sich ein anderes Beispiel, das in einer Kette von literarischen Zitaten einen Topos vergegenwärtigt, dem sich die Person und Erkenntnishaltung des Lehrers Starusch zu entziehen versucht: »Lehrer haben an Lehrer zu erinnern. Nicht nur an solche, die man gehabt hat, auch an literarische Lehrerfiguren, zum Beispiel an Kluges Doktor Windhebel oder an irgend eine Lehrergestalt bei Otto Ernst... Der Lehrer bei Jeremias Gotthelf. (Immer noch werden wir an den Freuden und Leiden eines Dorfschulmeisters gemessen.) Der Lehrer als Sohn eines Lehrers, wie ihn Raabe in der ›Chronik der Sperlingsgasse‹ sieht. Ich sage Ihnen, alle diese Schulmeisterlein Wuz, diese schwindsüchtigen Karl Silberlöffel, selbst Flachsmann als Erzieher und die pädagogischen Brosamen des Schulrates Pollack, den Heideschulmeister Karsten, auch Grimms Lehrer Rölke, ach, und die Studienräte, von denen gesagt wird, sie nahmen, als Philologen, schon immer eine Sonderstellung ein, den Studienrat bei Wiechert, den Studienrat bei Binding, alle, alle müssen wir mitschleppen ...« Wogegen Grass sich hier durch die Zitatenkette wehrt, ist die mißverständliche Zurückführung seiner Lehrerfigur auf ein literarisches Klischee.

So läßt die Verwendung von Zitat und Montage auch bei Grass Motive erkennen, die an Döblin erinnern: die Ablehnung der literarischen Tradition, die zum Klischee geworden ist, und statt dessen der Versuch, die moderne Wirklichkeit als komplexen Vermittlungszusammenhang sichtbar zu machen.

Bereits in Uwe Johnsons beiden ersten Romanen, die aus Erinnerungen, Gesprächen,

Erzählabschnitten (*Mutmaßungen über Jakob*, 1959) und den Fragen und Notizen des recherchierenden Journalisten Karsch (*Das dritte Buch über Achim*, 1961) gemischt sind, spielt die Montage als Aufbauprinzip eines aus verschiedenartigsten Elementen komplex zusammengefügten Textes eine wesentliche Rolle. Lediglich der dritte Roman, *Zwei Ansichten* (1965), der ähnlich wie Bölls *Und sagte kein einziges Wort* alternierend aus der Perspektive der beiden Protagonisten erzählt wird, stellt in seiner konventionellen Struktur die Ausnahme dar. Johnson ist in seinem vierten Roman, *Jahrestage. Aus dem Leben von Gesine Cresspahl* (1970), zu der komplexen Form seiner ersten Bücher zurückgekehrt und hat zugleich den bisherigen Wirklichkeitsraum seiner Darstellung bedeutend erweitert. Stellte bisher die Problematik des zweigeteilten Deutschland auch äußerlich den Aktionsraum dar, in dem sich Jakob Abs, Achim T. und die Krankenschwester D., die Protagonisten aus Johnsons drei ersten Romanen, bewegen, so ist im neuen Roman die Wirklichkeit des amerikanischen Alltags, dargestellt am Beispiel New Yorks, der Realitätshorizont, der gestaltet wird. So wie in den ersten Büchern stets die Spannung zwischen Ost und West die Entwicklungskurve der Handlung bestimmte, ergibt jetzt die Relation zwischen Amerika und Deutschland oder vielmehr Mecklenburg, das zur Kindheit von Gesine Cresspahl gehört, die räumlichen und zugleich politischen Pole des Romans. Für Johnson ist auch hier erneut die Gewissensfrage entscheidend, die aus der moralischen Auseinandersetzung des Ichs mit der Wirklichkeit erwächst: Wie kann ich die Integrität meiner Person in einer Realität bewahren, die diese Integrität offensichtlich untergräbt? Oder direkter formuliert: Wie ist es möglich, nicht mitschuldig zu werden in einer Welt, die sich augenscheinlich mit Schuld belädt? In die gleiche Richtung weist die rhetorische Frage, die sich Gesine Cresspahl in einem ihrer Gedankenmonologe gegen Ende des Romans stellt: »Wo ist die moralische Schweiz, in die wir emigrieren können?«

Bereits in der Ausgangssituation des Buches geht es um die Beantwortung dieser Frage. Gesine Cresspahl, die ja aus dem Personal von Johnsons erstem Roman stammt, macht ihre in den *Mutmaßungen* gefällte Entscheidung rückgängig. Sie verläßt Westdeutschland offensichtlich aus ähnlichen Gründen wie der Journalist Karsch in Johnsons Erzählung *Eine Reise wegwohin* (1964); Karsch emigriert aus politischen Gründen nach Italien. Aber Gesines Alternative Amerika wird zu Anfang des Buches bereits relativiert. Als sie bei der Wohnungssuche zum ersten Mal konkret auf Rassendiskriminierung stößt, ist sie entschlossen zurückzukehren. Sie gibt jedoch ihren Entschluß wieder auf, als sie im New Yorker Flughafen in der Zeitung liest: »Die westdeutsche Regierung will die Verjährung für Morde und Massenausrottung in der Nazizeit ganz und gar aufheben.« Bereits hier findet sich ein erstes Beispiel für ein in den Roman montiertes Zeitungszitat, das die Funktion hat, den politischen Hintergrund zu skizzieren, von dem Gesines Entscheidung sich abhebt.

Ihr später von der Tochter Marie forcierter Entschluß, in Amerika zu bleiben, wird also nicht von den Verlockungen des höheren Lebensstandards diktiert (wie im Falle des befreundeten Naturwissenschaftlers D. E., der ebenfalls emigrierte), sondern von dem Wunsch, in einer Realität Fuß zu fassen, die der moralischen Selbstverwirklichung ihrer Person entgegenkommt. Aber der offenkundige Krisenzustand, in dem sich Amerika befindet und der in den Aufzeichnungen Gesines oft genug angedeutet wird, rechtfertigt die kompositorische Verklammerung der Amerika-Abschnitte mit den Erinnerungspartien, die, großenteils als Erzählung Gesines für ihre Tochter, die Situation ihrer Eltern in England und in Mecklenburg um 1933 wachrufen. Da ist einmal die äußerliche Parallelität. Lisbeth Papenbrock, die ihrem ausgewanderten Mann, dem Kunsttischler Cresspahl, 1930 nach Richmond in die Nähe von London folgte, befindet sich in der fremden Umgebung in einer ähnlichen Situation wie ihre Tochter Gesine in New York. Gesine spiegelt gewissermaßen ihre eigene Erfahrung in der ihrer Mutter, indem sie deren Geschichte der Enkelin Marie erzählt. Diese Kontrapunktik, die sich auf der personalen Ebene abzeichnet, bestimmt auch die Anreicherung des Romans mit Wirklichkeitsstoff, der aus der amerikanischen Großstadtumwelt Gesines stammt. Und hier greift Johnson exzessiv zum Mittel der Zitat-Montage, um diesen Wirklichkeitsstoff, der alle jene vielschichtigen Vermittlungsprozesse vergegenwärtigt, in die der einzelne in der Großstadt verstrickt ist, darzustellen. Dos Passos' Technik der ›Newsreels‹ und Döblins Verwendung der Zeitungszitate werden von Johnson offensichtlich erzähltechnisch aktualisiert.

Die formale Funktion, die der TV-Bildschirm in Grass' Roman *örtlich betäubt* haben sollte, nämlich einmal, in der Reklame etwa, Wirklichkeitsstoff im Rohzustand zu präsentieren, und zum andern die monologische Reflexion von Starusch anzureizen, gilt hier für die *New York Times*, die an einer Stelle »das Bewußtsein des Tages« genannt wird. Die einzelnen Tagebuchaufzeichnungen Gesines setzen regelmäßig mit Auszügen aus der *New York Times* ein. Die Zeitung wird zum Filter, durch das die amerikanische Wirklichkeit (Vietnam-Krieg, Rassenverfolgung, Unruhen, Verbrechen, lokale und politische Nachrichten) eindringt. Auch hier sind die kontrapunktischen Bezüge deutlich. So werden Nachrichten aus Vietnam mit Nachrichten über KZ-Verbrechen im Dritten Reich montiert. Die sich andeutende Judenverfolgung im Jerichow nach 1933 erscheint im Kontext von zitierten Nachrichten über Rassenverfolgung in Amerika. Der Pastor Stephen McKittrick von der Lutherischen Kirche St. Paul, der mit einer doppelläufigen Schrotflinte auf einen amoklaufenden Familienvater Jagd macht, und der mecklenburgische Geistliche Methling, der die Rasse für »eine irdische Schranke« hält, sind Geistesverwandte.

Allerdings sind diese Bezüge nicht immer klar. So fragt man sich nach der Funktion der ausführlichen Zitate aus den Memoiren der Stalin-Tochter Swetlana. Diese Memoiren, die 1967 fortlaufend in der *New York Times* veröffentlicht wurden, werden durch die Zitat-Montage Johnsons als zurechtgeschminkte politische Kolportage demaskiert. Hier droht allerdings die Zitat-Montage die Aktualität von Realitätspartikeln durch leere Wiederholung überzudimensionieren. Undeutlich bleibt auch, warum z. B. die ausführliche Nachricht über den Mord an dem rauschgiftsüchtigen amerikanischen Teenager Linda Fitzpatrick im New Yorker East Village mit dem Bericht über Lisbeth Cresspahls erste Eingewöhnung in Richmond verbunden wird.

Mag auch die Absicht Johnsons überdeutlich sein, nämlich einem einseitigen moralischen Verdikt Amerikas durch Differenzierung entgegenzuwirken, so ist dennoch nicht zu übersehen, daß er sich beträchtliche formale Probleme in diesem Roman eingehandelt hat. Während Grass in *örtlich betäubt* die Montage-Technik metaphorisiert und damit ihren künstlerischen Effekt verfälscht, läßt sich auch in Johnsons Zitaten aus der *New York Times* eigentlich ein unausgesprochener Zusatz von

Fiktion erkennen. Denn nur die wenigsten Zeitungszitate sind im strengen Sinn authentisch. Sie sind jeweils übersetzt und werden vom Erzähler arrangiert. Das mag so lange zu rechtfertigen sein, als diese Zitate im sprachlichen Bewußtseinsstrom Gesines als Informationsinseln auftauchen. Verwirklicht Johnson jedoch der Absicht nach objektive Montage, worauf der Stellenwert der Zitate zu Beginn der einzelnen Abschnitte häufig hindeutet, mischt sich der Autor als stillschweigender Arrangeur doch in diese Dokumentation von Wirklichkeitsstoff ein. Nur gegen Ende des Romans erscheinen einige Zeitungsauszüge, die durch ein beigefügtes »© by the New York Times Company« als wörtliche Zitate (die lediglich übersetzt wurden) gekennzeichnet sind. Zumeist erscheinen diese Zeitungszitate jedoch in einer referierenden Zusammenfassung, hinter der offensichtlich der Autor Johnson steht.

Kritik an der Montage-Struktur des Romans ist auch noch unter einem andern Aspekt anzumelden. Es handelt sich um einen Vorwurf, der mit Einschränkungen auch für Johnsons beide ersten Bücher gilt. Die Erzählung Gesines über ihre Mutter, ihre Reflexionen, Gedankenmonologe gehen oft schwer unterscheidbar in Brief- oder Gesprächsauszüge über, die sich nicht immer einwandfrei lokalisieren lassen; zumal auch der Unterschied zwischen den kurzen Partien, die im Kursivdruck gesetzt sind, und den übrigen Teilen des Buches reichlich künstlich ist. Dennoch läßt sich über Johnsons Roman sagen, daß er auf der Linie von Dos Passos und Döblin Zitat und Montage noch einmal äußerst bewußt als Strukturelemente einsetzt, um die komplexe moderne Wirklichkeit als den Hintergrund einzufangen, in dessen Bezügen auch die Personen seines Romans vermittelt sind.

Zwischen Johnson (der hier als Beispiel dient) und der verabsolutierten Zitation eines Chotjewitz oder Heißenbüttel, für die Sprache generell zu einem Arsenal von sprachlichen Fertigteilen wird, liegt eine ideologische Zäsur. Für Johnson sind sprachliche Kreativität und durch Reflexion gefilterte Fiktion des Romans noch gültige Voraussetzungen seiner Arbeit. Zitat und Montage stellen nur Elemente dar, um die immer komplexer werdende Wirklichkeit (vor allem die Großstadtumwelt) einzufangen. Heißenbüttel stellt diese Voraussetzungen generell in Frage. Wenn Heinrich Vormweg im *Briefwechsel über Literatur* (1969) mit Helmut Heißenbüttel indirekt über jenen festgestellt hat: »daß wir Sachen nur noch als zitierbare Sachen, nicht mehr direkt haben ...« und fortfährt: »Es schließt die Entdeckung des Bewußtseins als eines Inhalts der Sprache ein, mit allen Konsequenzen«, so verlieren Elemente wie Zitat und Montage ihre strukturelle Funktion. Indem potentiell alles zum Zitat wird, verliert das Zitat seinen Verweisungscharakter und wird zur mechanischen Reproduktion, die alle Unterschiede einebnet. Der gleiche Vorgang wiederholt sich bei der Montage. Indem nur noch sprachliche Fertigteile montiert werden, geht jeder künstlerische Stellenwert der Montage verloren. Aus der Montage entsteht die mechanische Collage, die, wie Chotjewitz es selbst am Beispiel seines Romans *Vom Leben und Lernen* beschrieben hat, rein zufällig Material miteinander kombiniert. Das Ergebnis ist der Verzicht auf den Roman als individuell künstlerische Einzelleistung. Der Autor liquidiert sich, wie Chotjewitz vorgeführt hat, gewissermaßen selbst. Er will nicht als »Betonierer von Wirklichkeit« auftreten, sondern dem Leser sekundäres Material liefern, aus dem er seinen eigenen Roman zusammenstellen soll: »Sie müssen das Buch im Kopf zusammensetzen, bei dessen Herstellung

ich behilflich sein will. Romanheld sind Sie, ist jeder von Ihnen ...« Das wäre der ideologisch akzentuierte Endpunkt der Entwicklung, die Aufhebung des Romans als eines bürgerlichen Kunstprodukts. Eine Konsequenz, zu der eigentlich auch Heißenbüttel tendiert, obwohl er es im Unterschied zu Chotjewitz nicht offen eingesteht.
So läßt sich, von Döblin ausgehend, in der Skizzierung der formalen Wandlungen, die die Strukturelemente Zitat und Montage im deutschen Roman bis in die jüngste Gegenwart durchlaufen, eine integrale Geschichte des modernen Romans andeuten, die offensichtlich in eine künstlerische Sackgasse führt. Indem das Zitat zum Zitatcharakter der Sprache schlechthin erweitert wird und Montage in Collage umschlägt, wird, wie Renate Matthaei im Vorwort ihres Buches *Grenzverschiebung* (1970) mit guten Gründen festgestellt hat, die Unsicherheit einer Literatur signalisiert, »die ihr Selbstbewußtsein als Opponent der Gesellschaft verloren hat«, »ihre Voraussetzungen nicht mehr überprüft und Sprache als Technik irrational verhüllt«.

Anmerkungen

1. *Die Zeit* Nr. 19 (8. 5. 1970), S. 19.
2. *Alfred Döblin. Berlin Alexanderplatz.* In: Der deutsche Roman II. Hrsg. von Benno von Wiese. S. 291–325.
3. Die Stelle findet sich in der Ausgabe des Walter Verlages (Olten 1961) auf Seite 79. Die d'Annunzio-Parodie setzt bereits auf Seite 75 ein, wo d'Annunzio auch dem Namen nach erwähnt wird. Der Hinweis im Text: »Hier sind die Gedanken des Mannes so von der ihm fernen Geliebten erfüllt, daß ihm in einer Liebesnacht mit einer Frau, die ihm als Ersatz dient, der Name der wahren Geliebten gegen seinen Willen entflieht« (S. 75) läßt darauf schließen, daß es sich um den Roman *Il picare (Lust)* (Mailand 1889) handelt.
4. Zur Begriffsbestimmung vgl. den Aufsatz von Gerhard Storz: *Über den ›Monologue intérieur‹ oder die ›Erlebte Rede‹*. In: Deutschunterricht VII/1 (1955) S. 41–53.
5. Vgl. *Nachdenken über Christa T. – Ein Selbstinterview.* In: Kürbiskern 4/68, S. 555.

Literaturhinweise

Peter Demetz: *Die süße Anarchie. Deutsche Literatur seit 1945. Eine Einführung.* Berlin 1970.
Deutsche Literatur seit 1945 in Einzeldarstellungen. Hrsg. von Dietrich Weber. Stuttgart 1968.
Grenzverschiebung. Neue Tendenzen in der deutschen Literatur der 60er Jahre. Hrsg. von Renate Matthaei. Köln 1970.
Eberhard Lämmert: *Bauformen des Erzählens.* Stuttgart 1955.
Karl Migner: *Theorie des modernen Romans.* Stuttgart 1970.
Franz K. Stanzel: *Typische Formen des Romans.* Göttingen 1964.
R. Hinton Thomas / Wilfried van der Will: *Der deutsche Roman und die Wohlstandsgesellschaft.* Stuttgart 1969.
Werner Welzig: *Der deutsche Roman im 20. Jahrhundert.* Stuttgart 1967.

BODO HEIMANN

Experimentelle Prosa

der tausendsassa wird mit sprache noch ein flugzeug machen und völlig fortfliegen.*
* er wird nicht recht weit kommen: seine träume bleiben deutsch.

Oswald Wiener[1]

Die Grenze wird also nur in der Sprache gezogen werden können und was jenseits der Grenze liegt, wird einfach Unsinn sein.

Ludwig Wittgenstein[2]

Wir wissen nicht, was herauskommt. Aber wir probieren trotzdem weiter.

Helmut Heißenbüttel[3]

Makulatur ist möglicherweise das letzte Stadium der Literaturgeschichte.
Das Ausrollen der Dichtung in Buchstabenmüll wird heute als Möglichkeit und extreme Konsequenz sichtbar und reflektiert sich, teils begründet, als Gebot der Stunde einer einerseits unintelligibel, andererseits szientifizierbar und manipulierbar gedachten Welt.
Der in diesem Weltverständnis enthaltene Widerspruch hat seine exakte Entsprechung im Dilemma moderner Autoren. Dieselbe Welt, die sich – unintelligibel – den Fragen des Philosophen und der Gestaltung des Dichters in zunehmendem Maße entzieht, läßt sich in reziproker Progression – szientifizierbar – vom Wissenschaftler auf Formeln bringen und – manipulierbar – von Technikern, Planern usw. ausbeuten und verändern. Während diese einander funktional ergänzen und sich komplementär als Träger eines Gesamtprozesses verstehen, den sie als Ganzes indessen weder überblicken noch durchschauen, bleiben jene funktionslos und vom Gesamtprozeß, an dem sie nicht teilnehmen, den sie aber als Ganzes aus dem Abstand des Reflektierens und Gestaltens zu erfassen suchen, ausgeschlossen. Ihr Problem wird das Verstehen dessen, woran sie nicht teilhaben; die Gestaltung dessen, was ihnen als Wirklichkeit verloren ist.
Zum Problem wird aber auch das, was manchem zunächst Ausweg scheint: die Anerkennung des Prinzips der Arbeitsteilung und dessen Ausdehnung auch auf das eigne Gebiet: der Autor als Spezialist der Sprache, eingebettet in und akzeptiert von einer Gesellschaft, die nur noch Spezialisten als Menschen gelten läßt. Wo Vorhandenes nur noch als Ausgangsmaterial für Umwandlungsprozesse aller Art genommen wird, wird dem Autor in Analogie die Sprache zum Rohstoff, zum absoluten, nämlich von den Phänomenen losgelösten Material, entfremdet vom Substrat der Wirklichkeit.
Sprache als Ausgangsmaterial zum Experimentieren, Laborieren, Manipulieren kann gleichsam im Reagenzglas ein zeitweilig interessantes, in Einzelfällen faszinierendes Oszillieren hervorbringen, wird aber zugleich untauglich zu relevanter Wirklichkeitsbewältigung und wird in fortgeschrittenem Stadium des Experimentierens das

als Residuum zurücklassen, was sich heute bereits als Laborergebnis einschlägiger Zeitschriften und Buchveröffentlichungen abzeichnet: Makulatur, Buchstabenmüll. Losgelöst von ihren Substraten verliert im Experiment Sprache auch ihre eigne Konsistenz.

Der scheinbare Ausweg aus dem Dilemma führt in Wahrheit zu ihm zurück und zeigt es nur von einer anderen Seite. Das Dilemma zeigt sich darin, daß sich Wirklichkeit in Beispielen moderner Prosa problematisiert, daß sie sich auflöst oder hypothetisch wird. Es zeigt sich darin, daß Wirklichkeit nur noch aus dem Blickwinkel und der Erzählperspektive von Außenseitern gesehen wird. Es zeigt sich auch darin, daß sich die Bewältigung von Wirklichkeit zunehmend auf das Problem der Bewältigung von Sprache reduziert. Existenzprobleme werden zu semantischen Problemen.

Mit der Reduktion auf Sprache stellt sich zunehmend die Frage, inwieweit aus rein sprachimmanenten Impulsen heraus epische Großformen wie der Roman überhaupt noch entstehen können. Es ist bezeichnend, daß auch Helmut Heißenbüttels und Heinrich Vormwegs *Briefwechsel über Literatur*, der in seinem mittleren Teil ausführlich auf Probleme des Romans eingeht, auf diese Frage keine Antwort weiß.

Die Krise des Romans und das Dilemma seiner Autoren sind historisch zu begreifen als Stadium einer auflösenden Entwicklung, Stadium einer Spätzeitlichkeit der literarischen Form wie der bürgerlichen Gesellschaft. Während Heißenbüttel immer wieder glaubt, das Experimentieren könnte den Anfang einer neuen Art von Literatur darstellen, sind seine eigenen theoretischen Überlegungen wie sein neuester praktischer Versuch auf dem Gebiet der Großform typische Belege für die Spätzeitlichkeit.

Spätzeitlich sind das Auflösen und Verschmelzen der Gattungen und Kunstformen, das rein negativ zu bestimmende, nicht zielgerichtete ›Probieren‹, das artistisch-spielerische Manipulieren und Arrangieren sprachlicher Fertigteile, besonders aber die hinter allem stehende Sinnblindheit und Gegenstandslosigkeit, wie sie sich in dem Unterfangen äußern, »die Organisationsmittel der Sprache selbst auszunutzen, aus dem Vorrat der Sprache heraus zu arbeiten, sich sprachimmanent zu verhalten und zuzusehen, was das Medium hergibt«.[4]

Das Medium kann natürlich nichts aus sich selbst hergeben, denn – eben das besagt der Begriff – es vermittelt nur. Das zu Vermittelnde, die Realität, ist sein notwendiges Substrat, auf dem es ruht, aus dem es lebt. Wird es davon ›befreit‹, wird es selbst zum Gegenstand, so hebt es sich als Medium auf. Konsequenterweise hebt die Sprachimmanenz der Literatur, d. h. die Abkehr von der Realität und die Inthronisation der Sprache als oberste oder einzige Realität, sowohl Literatur als auch Sprache selbst auf. Alles, was Heißenbüttel in und von seinem neuen Roman *D'Alemberts Ende* (1970) schreibt, qualifiziert ihn als Ende, nicht als Anfang einer Gattung. Insbesondere gilt das für das parodierende, zitierende, mischende Schreiben und die pluralistische Struktur der Collage.

Dabei hat nicht nur der Roman selbst, sondern auch seine Auflösung schon eine beträchtliche Tradition. Die modernen Erzeugnisse sind – auch wo sie gern traditionslos sein möchten – vor dem Hintergrund dieser Tradition zu verstehen und nur in diesem historischen Zusammenhang angemessen zu würdigen.

Der Roman reflektiert in seiner Geschichte die Problematik des bürgerlichen Welt-

und Menschenbildes besonders prägnant. Diese »moderne bürgerliche Epopoe« fordert nach Hegels Darlegungen zwar wie das Epos »die Totalität einer Welt- und Lebensanschauung«, emanzipiert sich aber andererseits in zunehmender Subjektivierung aus dem umfassenden Bezugssystem eines objektiven, vorgegebenen mythischen und poetischen Weltzustands, aus dem das eigentliche Epos hervorging.[5] Von Anfang an repräsentiert sich im Roman die Auflösung und Zersetzung jenes Weltzustands. Heißenbüttel: »Der Roman begann mit der Darstellung der sich entlarvenden Repräsentanz«.[6] Im Unterschied zum Epos problematisiert, entlarvt und entthronisiert der Roman die öffentlichen Rangordnungen und Werte und entdeckt als seinen eigentlichen Gegenstand den Menschen, seine subjektive Motivation oder, wie Heißenbüttel sagt, »seine Innerlichkeit, vor der Ränge und Hierarchien zur bloßen Staffage herabsinken«[7].

Nach Heißenbüttel stellt sich die Entwicklung des Romans dar »als eine immer radikaler fortschreitende Enthüllung der menschlichen Motivation«,[8] die schließlich an den Punkt gelangt, wo sie das auflöst, worauf sie sich stützte, die subjektive Innerlichkeit, die Persönlichkeit, den Charakter. Das Individuum und die Einheit seiner Motivation lösen sich auf in Bedingtheiten, die sie entlarven wollten, die Enthüllung menschlicher Motivation enthüllt nunmehr die Vielzahl ihrer Voraussetzungen und gelangt zu einer neuen Interpretation vom Menschen. Diese neue Interpretation würde sich genau wie die neue Sprache und Erzählweise »nicht auf eine subjektive Innerlichkeit, sondern auf die soziale Äußerlichkeit des Menschen richten«[9].

Reflektieren sich in der langsamen Erosion der Romanform, ihrer teils unterschwelligen, teils programmatischen, teils überraschend rückläufigen Auflösung die mannigfaltigen sozialen, ökonomischen, psychologischen Wandlungen und Verschiebungen, auch restaurativen Tendenzen der europäischen Gesellschaft im industriellen Zeitalter, so stellt die Krise des Romans auch die Menschlichkeit des Menschen und die Beschreibbarkeit und Bildlichkeit der Gesellschaft in Frage. Ist die neue, experimentelle Prosa zunächst in ihrer Negativität, nämlich als Auflösung der Romanform, zu fassen, so ist auch die neue Interpretation vom Menschen zunächst rein negativ zu umschreiben: als Auflösung der Innerlichkeit, Entlarvung menschlicher Motivation, Entindividualisierung, Enthumanisierung, Ich-Zerfall: Phänomene, denen in der Psychologie die Begriffe ›Depersonalisationserscheinungen‹ oder ›schizoides Bewußtsein‹ genau entsprechen.[10]

»Mein Leben?!: ist kein Kontinuum! (nicht bloß durch Tag und Nacht in weiß und schwarze Stücke zerschnitten! Denn auch am Tage ist bei mir ein Anderer, der zur Bahn geht; im Amt sitzt; büchert; durch Haine stelzt, begattet; schwatzt, schreibt; Tausenddenker; auseinanderfallender Fächer; der rennt; raucht; kotet; radiohört; Herr Landrat sagt: that's me!): ein Tablett voll glitzernder snapshots.«[11] Was Arno Schmidt hier noch emphatisch, nicht ohne Stolz und Grauen und keineswegs emotionslos verkündet, ist heute weithin selbstverständlicher Ausgangspunkt und Grundlage des Schreibens und ›Erzählens‹ geworden.

Emotionslos nüchtern wird heute auch weitgehend das anerkannt, was man die schizoide Bewußtseinsstruktur nennen kann, die fehlende Kongruenz zwischen Bewußtsein und Sein, Denken und Tun, Fühlen und Sagen. Auch diese Art von Ich-Zerfall und Selbstentfremdung, deren Entwicklung wir schon im 19. Jahrhundert bemerken, war ein bestimmendes und erregendes Erlebnis vieler Autoren in der ersten Hälfte des 20. Jahrhunderts, daher von Benn nicht ohne Grund in der 1. Person Plural beschrieben, wenn er resümiert: »Wir lebten etwas anderes, als wir waren, wir schrieben etwas anderes, als wir dachten, wir dachten etwas anderes, als wir erwarteten und was übrigbleibt, ist etwas anderes, als wir vorhatten.«[12] Nicht zufällig ist die schizoide Bewußtseinsstruktur das Stigma der industrialisierten, perfektionierten und hochspezialisierten Gesellschaften, die wirksames öffentliches Handeln drosseln oder nur in eng begrenzten, institutionalisierten und spezialisierten Formen entindividualisierend filtern. Wo Freiheit sich aktiv zu entfalten sucht, stößt sie an Grenzen der Einflußlosigkeit und Unwirksamkeit, die sie bald in das lähmende Gefühl des Gelenktwerdens umschlagen läßt und das nicht mehr mögliche Handeln in die Tiefen des Unbewußten abdrängt und gefährlich staut. Wo andererseits Freiheit erfahren wird, stellt sie sich dar als Unsicherheit, Einsamkeit und anonyme Angst, als Sinnlosigkeit, Ungeborgenheit, Leere und Bodenlosigkeit. Diese schizoide Bewußtseinsstruktur und dieses gestörte Verhältnis zur Wirklichkeit ist von Büchner bis hin zu Butor, Robbe-Grillet, Benn, Beckett und Bernhard, Kafka, Camus, Wellershoff, Fichte, Handke und anderen in zunehmendem Maße Thema der Literatur. Hier kann es nur darum gehen, die wichtigsten Tendenzen und Strukturen an ausgewählten, möglichst repräsentativen Beispielen etwas ausführlicher zu zeigen. Exemplarisch also sei zunächst auf eine der neueren Erzählungen eingegangen.

Peter Handke greift mit seiner Erzählung *Die Angst des Tormanns beim Elfmeter* (1970) einen Fall auf, der die Gesellschaften im fortgeschrittenen Stadium industrieller Zivilisation in zunehmendem Maße beunruhigt: den Fall einer plötzlichen sinnlosen, absurden Gewalttat. Handkes Hauptfigur Bloch begeht einen Mord, der offenbar ohne Ziel, ohne Sinn und ohne Grund ist. Die Beschreibung des Mordes ist dabei so, daß sich das Tun wie losgelöst vom Wollen und Wissen vollzieht. Bloch ermordet ein Mädchen nach einer gemeinsam verbrachten Nacht, nach dem Frühstück, bei einem scheinbar ganz alltäglichen Gespräch, nach dem belanglosen Auflegen und Wechseln von Schallplatten, als sie sich hingelegt hatte und er neben ihr saß: »Plötzlich würgte er sie. Er hatte gleich so fest zugedrückt, daß sie gar nicht dazu gekommen war, es noch als Spaß aufzufassen.«
Die ganz an die Hauptfigur gebundene Erzählperspektive läßt das Wort »Plötzlich« in doppelter Funktion erscheinen. Plötzlich kommt diese Tat nicht nur im Handlungsablauf der Erzählung, plötzlich und überraschend kommt sie auch für Bloch selbst. Die Handlung bricht plötzlich aus ihm hervor, ohne sein Wollen und Planen, fast ohne sein Wissen, seinem Ich entfremdet, wie zufällig. Danach sinkt er zurück in Lähmung und absolute Passivität: er schläft ein.
Unmotiviert kommt aber die ich-entfremdete Tat in der Erzählung keineswegs, im Gegenteil, die Erzählung ist ganz auf die Beschreibung der Bewußtseinsstruktur ausgerichtet, aus der diese Tat hervorgeht. Nicht die Planung, Ausführung und Aufdeckung der Tat ist Gegenstand der Erzählung, sondern das Verhältnis von Selbst und Welt, das problematische Verhältnis zur Wirklichkeit, die Selbstentfremdung des Täters.
Handke versucht, eine Formel und ein Bild für diese Problematik zu finden. Die

Formel erscheint im Titel des Buches, die Erzählung mündet in das Bild: der Tormann im Fußballspiel, der auf das Spiel selbst keinen Einfluß hat, es mit Spannung verfolgt, bei einem Angriff der Stürmer aufgeregt hin und her laufend, angstvoll auf den Augenblick ausgerichtet, der seine Reaktion – denn für ihn gibt es nur Reaktion – verlangt. Er spielt nicht selbst mit dem Ball, er stürmt nicht, er gestaltet nicht das Spiel, er zielt nicht, niemand – außer Bloch – beachtet ihn, man folgt mit den Augen dem Ball, den Tormann sieht man erst in dem Augenblick, da der Ball aufs Tor geschossen wird.

Blochs Verhältnis zur Wirklichkeit ist wie das des Tormanns zum Fußballspiel. Unbeteiligt und sprungbereit. Ohne selbst planen, handeln und entscheiden zu können, lauert er angstvoll auf den Moment, wo die Wirklichkeit auf ihn zielt. Auch dann reagiert er automatisch. Nicht als Vorgang, sondern als Ergebnis registriert er Handlung. Daher ist auch die Erzählung beherrscht vom Plusquamperfekt, nicht vom Imperfekt. Imperfekt legt die Betonung auf das Geschehen selbst, Plusquamperfekt auf das Ergebnis, das nicht mehr ungeschehen zu machen ist und keine Freiheit mehr läßt. Zugleich bezeichnet das Plusquamperfekt die größtmögliche Trennung vom Geschehen, die größte Distanz zwischen Subjekt und Prädikat.

Bloch war früher Tormann. Damit motiviert sich auch äußerlich seine Eigentümlichkeit, die sonst als »etwas ganz und gar Unnatürliches« erschiene: die zugleich aus der Situation des Gesuchtwerdens und Verfolgtseins heraus begründete Angewohnheit, von den Stürmern und dem Ball wegzusehen, um den Tormann zu beobachten, nicht dem Mann zuzusehen, der zur Tür geht, sondern sich auf die Klinke zu konzentrieren, die der Mann ergreifen wird. Nicht einen herablaufenden Tropfen zu beobachten, sondern die Stelle auf dem Bierdeckel, auf die der Tropfen fallen wird, nicht den kreisenden Habicht, sondern das Opfer:

»Als der Habicht dann auf der Stelle flatterte und herabstieß, fiel Bloch auf, daß er nicht das Flattern und Herabstoßen des Vogels beobachtet hatte, sondern die Stelle im Feld, auf die der Vogel wohl herabstoßen würde«.

Was fasziniert, beunruhigt und ängstigt, ist im Grunde weder das entfremdete Ich noch die entfremdete Welt, weder der Täter noch das Opfer, weder der Verfolgte noch der Verfolger, sondern der Punkt des Zusammenstoßens, der Augenblick, da Wirklichkeit zustößt.

Da bei »Menschen mit lebensbedingt mangelnder Möglichkeit zur Abstraktion, also Arbeitern und Angestellten«, »schizophrene Erlebnisweisen eher r e a l als bei Intellektuellen und Lohnunabhängigen«[13] werden, gibt Handke dem ehemaligen Torwart aus Gründen realistischer Glaubwürdigkeit den Beruf eines Monteurs. Damit gibt er auch eine plausible Erklärung für die Vorliebe moderner Autoren für Autohändler, Vertreter, Büroangestellte, untere Militärränge – Woyzeck-Naturen, die nur abhängig, nur Objekt, nur gelenkte Marionetten, nur passiv Verwaltete sein dürfen und bei denen die bei allen latente Schizophrenie am ehesten manifest werden und angestautes verdrängtes Handeln sich am ehesten aus unkontrollierten Tiefenschichten plötzlich in blinder, ungezielter Aggression entladen kann.

Über diese realistische Glaubwürdigkeit hinaus verfolgt Handke mit dem Monteurberuf auch eine metaphorische Absicht. Bloch erlebt Wirklichkeit als montiert und montiert sie selbst. Sein Verhältnis zur Wirklichkeit erscheint so doppelt problematisch, doppelt gebrochen. Er sieht sich nicht als Teil eines Ganzen, nicht als Glied

einer Gesellschaft, in der er seinen bestimmten Platz einnimmt, sondern das Ganze entgleitet ihm, dem Ausgeschlossenen, als Vorstellung, Traum und Collage.
Für diesen Realitätsbezug ist es von besonderer Wichtigkeit, daß Bloch nicht nur normaler Monteur, sondern ein entlassener Monteur ist, daß er nicht mehr Glied der arbeitsteiligen Gesellschaft ist. Der erste Satz der Erzählung klärt mit einemmal die für den Fortgang der Geschichte bezeichnende Situation: »Dem Monteur Josef Bloch, der früher ein bekannter Tormann gewesen war, wurde, als er sich am Vormittag zur Arbeit meldete, mitgeteilt, daß er entlassen sei.« Eine Erzählung, die so beginnt, kann nur von jemandem handeln, der wie Kleists oder Kafkas Helden, wie die Marquise von O., wie Kohlhaas, wie Josef K. oder Gregor Samsa sich plötzlich außerhalb der Weltordnung sieht, herausgefallen aus allen real geglaubten Bezügen.
Bereits der erste Satz ist aber wiederum nicht die einfache Feststellung einer unzweifelhaften Tatsache, sondern eine höchst unsichere Montage und Interpretation. Bloch erhielt nicht eine eindeutige schriftliche oder mündliche Mitteilung der Entlassung, sondern er legte einen unerwarteten Umstand als eine solche Mitteilung aus, er montierte, interpretierte, konstituierte selbst seine Entlassung und verließ daraufhin das Baugelände. Stellt der erste Satz der Erzählung fest, daß Bloch aus seiner Arbeitswelt entlassen sei, so signalisiert der zweite Satz bereits, wie Wirklichkeit sich ihm als montierte Vorstellung entfremdet.
Auf vielfältige Weise kommt Blochs gestörtes Verhältnis zur Wirklichkeit zum Ausdruck. Typisch die Irritation durch die Umwelt, die Erlösung durch halluzinatorische Scheinwelt: »Alles, was er sah, störte ihn; er versuchte, möglichst wenig wahrzunehmen. Im Kino drinnen atmete er auf.« Immer wieder rettet er sich ins Kino. Fremd und beziehungslos sind ihm die Menschen. Bedeutungsvoll und beziehungsreich werden ihm dagegen die Dinge. Die Menschen handeln unerwartet, fremd, feindselig. Das Kinolicht geht aber in dem Augenblick aus, in dem er damit rechnet.
Begegnungen mit wirklichen Menschen kommen ihm unwirklich vor, hinterlassen bei ihm einen Eindruck von »Verstellung und Getue«, die unwirklichen Einfälle und gestellten Aktionen der Filmregie dagegen erlebt er als unverstellte und unzweideutige Sachen: »Dieser Eindruck von Verstellung und Getue [...] verschwand erst, als er drinnen im Kino, wo ein Komiker im Vorbeigehen wie zufällig eine Trompete von einem Trödlerladen nahm und darauf ganz selbstverständlich zu blasen probierte, diese Trompete und dann auch alle anderen Sachen unverstellt und unzweideutig wiedererkannte. Bloch wurde ruhig.«
Typisch sind Wendungen wie die folgenden: »zumindest faßte Bloch das als Erwiderung auf«; »schien es ihm, als ob er [...] auf das alles immer noch nur zum Spaß eingehe«; »nach einiger Zeit begann er sich einzubilden«; »Bloch kam es vor, als könnten diese Vorgänge gegen ihn verwendet werden«; »jedenfalls war es ihm vorgekommen, als hätte er sie rufen hören«; »wieder kam es Bloch vor, als schaue er einer Spieluhr zu«; »als hätte er das alles schon einmal gesehen«; »Die Gendarmen, die die vertrauten Bemerkungen machten, schienen dennoch damit etwas ganz andres zu meinen«.
Typisch für sein Verfehlen von Wirklichkeit ist auch die folgende Satzkonstruktion: »als er dann die Frau nach dem noch ausstehenden Lohn fragte, war sie schon weggegangen«. Dieser Tempusgebrauch ist nicht falsch, sondern bezeichnend.
Merkwürdig fremd und beziehungslos ist auch Blochs Verhältnis zur Kassiererin des

Kinos, dem Mädchen, das er beim näheren Kennenlernen erwürgt. Was ihn zuerst an ihr beeindruckt, ist die Selbstverständlichkeit ihrer Geste beim Kartenverkaufen. Der erste Wortwechsel mit ihr ist inhaltslos, zufällig, äußerem Anlaß verpflichtet. Ihre erste Berührung läßt ihn erschrecken. Auch hier wieder die merkwürdige Umkehr im Verhältnis von Ding und Person: »Die Handtasche in ihrer freien Hand kam ihm einen Augenblick lang vertrauter vor als sie selber.« Seine Distanz zu ihr und seine Furcht, ihre Angelegenheiten zu den seinen zu machen, stehen in bezeichnendem Gegensatz zu ihrer selbstverständlichen, vertraulichen und direkten Art, die ihn zunehmend irritiert.
Die ich-entfremdete und fast wie unwirklich begangene Tat wird nun aber für ihn ich-konstituierend, sie zeichnet ihn, sie bindet ihn an die Gesellschaft, deren Strafe er nun dauernd erwartet und der er zu entfliehen sucht, ebensosehr wie sie ihn noch tiefer aus ihr ausstößt. In wachsender Angst vor Verfolgung und Einkreisung wird ihm Wirklichkeit bedeutungsvoll, signalisierend in einem halluzinatorisch schizophrenen, abgründigen Sinne. Was er sieht, was ihm begegnet, worauf nur zufällig sein Auge fällt, scheint nur allein für ihn da zu sein, um ihm ein Zeichen zu geben: »alle Gegenstände erinnerten ihn aneinander. Was war mit dem wiederholten Vorkommen des Blitzableiters gemeint? was sollte er an dem Blitzableiter ablesen?« – »Und warum hatten die Kekse dort auf dem Holzteller die Form von Fischen? Auf was spielten sie an? Sollte er ›stumm wie ein Fisch‹ sein?« – »Der Abwaschfetzen, der über dem Wasserhahn lag, befahl ihm etwas. Auch der Verschluß der Bierflasche auf dem inzwischen sonst leergeräumten Tisch forderte ihn zu irgend etwas auf. Es spielte sich ein: überall sah er eine Aufforderung: das eine zu tun, das andere nicht zu tun.« Entsprach der Enthumanisierung zunächst eine Verdinglichungstendenz, so entdinglichen sich nun die Dinge, werden zu Hinweisen, Redensarten und Verhaltensregeln, verfallen freier Kombinatorik und Montage. Wirklichkeit löst sich auf in Semantik.

Bis in wesentliche Details hinein entspricht diese Erzählung Handkes der ein Jahr zuvor von Dieter Wellershoff veröffentlichten Erzählung *Die Schattengrenze* (1969).
Hier wie dort die Außenseiterexistenz, der aus der normalen Arbeitswelt Herausgefallene, der sich selbst nur im Gegensatz zu den andern begreift, der sich der Gesellschaft so weit entfremdet hat, daß er ihre Gesetze verletzt und von ihr verfolgt wird, der sich in wachsender Angst eingekreist sieht und der in dieser Situation sich zugleich selbst entfremdet in gleitendem Ich-Zerfall, dessen Persönlichkeit sich desintegriert in progressiver Depersonalisation.
Ist es bei Handke der entlassene Monteur, so bei Wellershoff der beschäftigungslose oder in wechselnden Jobs erfolglose Autowäscher und Gebrauchtwagenhändler, der einen solchen Entfremdungsprozeß durchmacht. Ist so das Hauptmotiv, die zunehmende Einkreisung, das Auf-der-Flucht-Sein, das Sich-verfolgt-Fühlen in beiden Erzählungen dasselbe, so ergeben sich Ähnlichkeiten auch in bezeichnenden Details. Auch bei Wellershoff finden wir das typische ziellose Herumschweifen in verschiedenen Lokalen, Kneipen, Kinos, Diskotheken. Auch Wellershoffs ›Held‹ knüpft u. a. eine Beziehung zur Kassiererin eines Kinos an. Auch bei Wellershoff eröffnen sich plötzlich Möglichkeiten unbegriffener und sinnloser Gewalttaten, z. B. der Mord an

der Partnerin, im Gegensatz zu Handke nicht realiter, sondern in der Vorstellung: »Jetzt ihr die Hand nach hinten umbiegen, bis sie auf den Rücken fiel, auf den Teppich, vor seine Füße, ein Wanst, in den er das Geld gestopft hatte, Abend für Abend, und in den er hineintrat, bis er platzte, bis das Geld zum Vorschein kam, der schreiend vor ihm durch das Zimmer rollte, der in der Ecke liegen blieb, zukkend, rot, blau und schwarz getreten.«

Wellershoff benötigt hier den Mord nicht in dem Maße wie Handke, denn sein Held fühlt sich bereits wegen anderer Straftaten verfolgt. So werden blutige Aggressionen wie diese nur in Gedanken durchgespielt.

Dient bei Handke als eine Art Hinweis auf mögliche Motivation die Frage nach der Arbeit, so ist es hier der Gedanke an das Geld, der auf einen ganz ähnlichen Hintergrund verweist, denn Arbeiten und Geldverdienen als wesentliche Quelle der Selbstbestätigung entfällt für beide Figuren.

Analog zu den Wirtshausschlägereien bei Handke gibt es auch bei Wellershoff noch andere vergleichbare Aggressionen, hier ebenfalls in der Vorstellung: »Er stellte sich vor, wie er sie mit schnellen Faustschlägen erledigte und sie alle wie Schießfiguren hintenüberkippten und verschwunden waren [...]«.

Auch bei Wellershoff wird Handlung nicht als Ergebnis planvoller Überlegung oder eines sich durchsetzenden Willens, sondern als scheinbar zufälliges, unbeabsichtigtes Resultat nachträglich festgestellt. Selbst die eigenen Worte werden von der Figur nicht gedanklich antizipiert, sondern im nachhinein als Klang konstatiert: »Er hörte sich ja sagen«, »Er hörte sich ja sagen. Ja ja.« – Eine typische Wendung, die immer wiederkehrt. Auch *Ein schöner Tag* (1966) von Dieter Wellershoff ist davon beherrscht. Die Worte sind so wenig die des Sprechenden, daß er selbst nicht weiß, ob sie nicht anderswoher stammen: »[...] ja, dachte er, oder sagte er, oder Hilde war es, die ja sagte«. Seine eigenen Gedanken sind nicht die seinen: »Fliehen jetzt! Aber das war nicht er, der das dachte. Es waren die Gedanken seiner Feinde, die nach ihm suchten.«

Nicht nur, daß »irgendeine Lähmung« in ihm ist, eine Enttäuschung oder die Vorwegnahme der Niederlage, sondern auch das, was ihm an Plänen und Gedanken in den Sinn kommt, hat schon von vornherein keine Beziehung zu ihm: »[...] es schien wahr zu sein, was er sagte, aber von ihm abgelöst, nicht zu ihm gehörig, es war ein anderes Leben neben ihm, vor ihm [...]«. So entgleitet ihm alles, »als sei alles nur noch scheinbar da«, während seine Partnerin, in ähnlichem Kontrast wie bei Handke, »ihm von sich erzählte, selbstverständlich, als kenne er schon alles [...]«.

Ähnlich wie seine Gedanken, Pläne, Worte, so wird – auch dies hat bereits *Ein schöner Tag* beispielhaft ausgeprägt – ihm auch sein eigener Körper fremd und fern: »Das vor ihm waren seine Hände. Sehr weit weg an den gestreckten Armen. Die Entfernung war unwahrscheinlich groß geworden.«

Schließlich gewahren wir sogar in der Organisation und Struktur, der Bildstruktur der Erzählung eine Entsprechung bei Wellershoffs *Schattengrenze* und Handkes *Angst des Tormanns beim Elfmeter*.

Wie sich in Handkes Erzählung Wahrnehmungs- und Reaktionsweisen in der Optik des Fußballspiels sinnfällig verbildlichen, so gewahren wir in gleicher Funktion die stilisierende Optik des Kartenspiels bei Wellershoff. Die Kartenspiele haben, wie Wellershoff in seinem Essay *Die Instanzen der Abwehr und das totale Environment*[14] feststellt, ihren Reiz darin, »daß sie als eine Kurzformel des Lebens zwar nicht begriffen, aber erfahren werden. Der Zufall, das Schicksal spielt einem etwas zu und man muß daraus etwas zu machen versuchen. Das hat seine Entsprechung im Kartenspiel, bei dem jeder Spieler aus den ihm zugeteilten Karten mit Glück und Geschick eine anerkannte Ordnung herstellen muß. Bei den Patiencen ist das ein einsamer meditativer Vorgang von einer leisen Bedrohlichkeit, weil die entstehende Ordnung schließlich der kleine Packen wird, der die ausgebreiteten Karten in sich verschwinden läßt [...]«.

So ist Wellershoffs Held nicht ein ehemaliger Tormann, sondern er legt Patiencen. Und dem Aufnehmen, Ausbreiten, Zurücklegen, Nebeneinanderlegen, Vergleichen, Wiederaufnehmen von Spielkarten entspricht auch die Struktur des Erzählens. Nicht von einem Kontinuum, sondern von der jeweils zugespielten, aufgenommenen Karte her bestimmt und geprägt, mit oft irritiert hin- und herschweifendem Blick. Beispiel für solch schnellen Blickwechsel zwischen zwei verschiedenen Spielkarten, die jeweils einen anderen Ort, eine andere Zeit, eine andere Frau darstellen:

»[...] aber das Tapsen war nicht sie, [Wechsel] das war Margot, die auf nackten Füßen durch ihre Wohnung geht. Jede Nacht schwellen ihre Füße und passen morgens in nichts mehr hinein. [Wechsel] Ich riech es an dir, sagte sie, du bist bei deiner Nutte gewesen. Hier, hier, überall Nuttengeruch! Er schob sie von sich fort. [Wechsel] Er wartete. Er schob die Badezimmertür auf. Margot saß auf dem Rand der Wanne [...]«.

Manchmal erfolgt der Blickwechsel in engster Fügung. In den folgenden vier Sätzen wechselt mit jedem Satz der Blick schnell hin und her mit dem ausdrücklich festgestellten Erfolg einer Irritation und Konfusion:

»Ist sie besser als ich? – Was ist, Schätzchen, magst du mich nicht? – Ist sie besser? – Du bist ganz durcheinander, du bist gar nicht da.«

Die letzten Worte zeigen, daß gerade die äquivalente Mischung nicht kongruenter äußerer und innerer Wirklichkeiten, gesehener und gedachter, unmittelbarer und vorgestellter Realitäten ein wesentliches Moment der Entfremdung und Trennung selbst ist. In Wellershoffs Romanen schiebt sich zwischen Figur und Umwelt trennend und störend eine verselbständigte, halluzinatorische Schicht: Erinnerungen, Vorstellungen, Gedanken, Möglichkeiten, die den Kontakt unterbrechen, Aktivität lähmen, ein Eingreifen vereiteln und so jedes konsequente Handeln unmöglich machen. Inkonsequenz, Sprunghaftigkeit, punktualisierte Geistes- und Erzählstruktur sind die Konsequenz dieser Konfusion, Pluralismus der Erzählinhalte die Folge des vielfältig motiviert-unmotivierten Hin und Her. Beide Tendenzen, die punktualisierende und die pluralistische, hat Wellershoff selbst gesehen und will sie bewußt weiterverfolgen: »Eine Zeitlang möchte ich kürzere Prosa schreiben, um verschiedenes auszuprobieren und auf wechselnde Anregungen eingehen zu können; strukturell beschäftigen mich die Möglichkeiten polysemantischen Schreibens. Ich denke an eine Prosa mit Brüchen, Sprüngen, wechselnden Artikulationsebenen.«[15]

Das Prinzip des Mischens und Aufnehmens der Karten motiviert sich so in vielfältiger Weise. Es gilt für die Erzählweise und Erzählstruktur wie für die Erlebnisweise und psychische Struktur der Erzählfigur.

Die Umwelt als Bedrohung, Verschwörung, Einkreisung. Die Flucht als Patience-

legen, als angstvoller Versuch, als ein einsames, irritierendes, offensichtlich nicht aufgehendes Glücksspiel, das um so weniger Spielraum läßt, je mehr es aufs Ende zugeht.
Am Ende der Erzählung erscheint Wellershoffs Held ähnlich wie Handkes Tormann angstvoll fixiert: »Patiencen legend, mit dem Blick zum Fenster oder mit dem Blick zur Tür.«
Wellershoffs Autohändler und Handkes Monteur sind zwar einerseits Außenseiter der Gesellschaft, repräsentieren aber andererseits das typisch moderne, schizoide Individuum, den scheinfreien, entfremdeten Menschen, dessen Rest Menschlichkeit gerade nicht in den Schablonen und Leistungen der Industriegesellschaft aufgeht und sich darum notwendig zum Außenseitertum stigmatisiert. Wir finden hier wieder dic gleichen Züge, wie sie von Wellershoff auch z. B. in dem Roman *Ein schöner Tag* sehr scharf herausgearbeitet wurden.
Für diesen früheren Roman hat Peter Kern in einem Aufsatz[16] zwar eine ganze Reihe wichtiger und typischer Züge dieses Menschenbilds nachgewiesen, kommt aber zu dem merkwürdigen Schluß, daß der Roman zu wenig die gesellschaftlichen Verhältnisse zeige, »zu privat«, »beschränkt« sei, »als daß der Leser seine Welt darin zu erkennen vermöchte; die Romanfiguren benehmen sich allzu krankhaft [...]«.
Nun hat man natürlich die sogenannte werkimmanente Interpretation noch nicht damit überwunden, daß man wie Kern ihr ein unverbundenes und unverbindliches subjektives eignes Gutdünken unvermittelt folgen läßt. Hier liegt natürlich ein methodischer Kurzschluß vor, der wichtige literaturgeschichtliche Vermittlungen und überhaupt die Literaturgeschichte ignoriert, ohne nach den ihr zugrunde liegenden sozialökonomischen Strukturen auch nur zu fragen. Ein Literaturhistoriker, der die Literaturgeschichte seit Büchner kennt, müßte sich zumindest fragen, warum denn schon seit anderthalb Jahrhunderten die Figuren sich »allzu krankhaft« benehmen, und das immer häufiger, und wird schon auf Grund der erstaunlichen Häufigkeit dieser Tendenzen Wellershoffs Menschen eine exemplarische Repräsentanz zubilligen und eine nur private Deutung von vornherein ausschließen.[17]

Isolierung und Kontaktlosigkeit sind in dieser Art neuer Prosa nur noch zum Teil in dieser Gewichtigkeit Gegenstand der Betrachtung, zum anderen Teil bereits selbstverständlicher Hintergrund. Ausgesprochen oder unausgesprochen wirken sie aber konstituierend und bestimmen die Struktur des Werks und der Sprache.
Isolierung und Kontaktlosigkeit wirken zwischen den Personen, sofern Personen überhaupt noch vorkommen, und äußern sich im Nicht-Begreifen, Nicht-Beteiligtsein, im Versagen der Kommunikation, in Fremdheit und Beziehungslosigkeit, in unvermitteltem Nebeneinander und im Verfehlen des Gesprächs. Sie äußern sich auch im Bewußtsein des einzelnen, sofern einzelne überhaupt noch vorkommen, im Ausbrechenwollen aus der Isolation, im Ergreifenwollen von Wirklichkeit und in Wirklichkeitsphobie. Problematisches Tun, Fehlverhalten und Verbrechen resultieren aus dem gestörten Wirklichkeitsbezug ebenso wie die allgemeinen Depersonalisationserscheinungen und die Problematik der leeren Individualität.
Isolierung und Kontaktlosigkeit walten auch zwischen Autor und Leser. Eine Beziehung wird vom Autor nicht hergestellt noch vom Leser aufgenommen. Was an Publikumsbezug rudimentär vorhanden ist, oder – im Falle Handkes beispiels-

weise – wie Resonanz oder Gemeinde aussieht, ist sekundär, ist Manipulation und Vermittlung des Kulturbetriebs.[18] Der Roman aber verlangte als Großform nicht nur Kohärenz und Kontinuität in dem in ihm gestalteten Welt- und Menschenbild, er setzte solche auch beim Leser voraus, mit dem er gleichsam korrespondierte. Auch seitens des Lesers fehlen heute die notwendigen Voraussetzungen.

Die erzwungene Konzentration der Arbeitswelt verlangt als Ausgleich nicht freiwillige Konzentration auf anderem, etwa anspruchsvollem künstlerischen Gebiet, sondern Zerstreuung – eine Zerstreuung, die von der Industrie als Fertigprodukt in reichlichem Maß bereitgehalten wird. Die Selbstentfremdung durch spezialisierende Konzentration wird ergänzt durch die Selbstentfremdung mittels manipulierter Zerstreuung.

Sowohl aus inneren, in ihr selbst und ihrer Entwicklung liegenden, als auch aus äußeren Gründen drängt erzählende Prosa heute zu Kürze. Nur in einem Beispiel – *Zettels Traum* (1970) von Arno Schmidt – ist es gelungen, experimentell, aus weitgehend, aber nicht ausschließlich sprachimmanenten Impulsen zu einer neuen Großform zu gelangen. Charakteristisch für die experimentelle Prosa ist die Kleinform, das Gegenteil von Epik, von Roman. Strukturell wirkt diese Tendenz beispielsweise als Komprimierung erzählter Zeit auf einen kleinen Ausschnitt, eine Momentaufnahme. Wenn Erleben und Erzählen sich nicht mehr auf ein Kontinuum erstrecken, reduziert sich die Form auf die Prägnanz einer Formel, eines Bildes, einer sprachlichen oder halluzinatorischen Einheit und schrumpft zusammen zu einer Welt im Tropfen, einem kurzen, höchst konsistenten Augenblick. Letzte Konsequenz solcher Punktualisierungstendenz wäre die Schrumpfung zu einem Punkt ohne Ausdehnung, die Reduzierung auf den einzelnen Satz, auf die einzelne Vokabel, den Buchstaben, den einzelnen Laut, die kleinste Einheit, deren Hintergrund das Verstummen wäre.

Dem Zwang dieser Tendenz entsprechend hat moderne Epik, experimentelles Erzählen, ›Roman‹, die deutliche Tendenz zur Kurzgeschichte, zum Bericht, zum Aphorismus, zur Collage – oft heterogener – punktualisierter Partikel.

Novellistische, aphoristische und pluralistische Struktur bestimmen weitgehend die Erzeugnisse moderner epischer Gestaltung. Dabei ergibt sich novellistische Struktur häufiger in den Werken, die sich noch im Bemühen um geschlossene, abgerundete Form, um Mitte und Aufbau, Hauptfigur und Nebenfiguren, Haupthandlung und Nebenhandlung usw. an traditionelle Erzählform anlehnen. Novellistische Struktur bestimmt die Erzählungen Handkes, dessen *Angst des Tormanns beim Elfmeter* nicht umsonst sofort an Kleists Novellen erinnert, eine Erzählung, die sich ganz auf die eine Hauptfigur konzentriert und sich um eine einzige Tat und die Angst vor deren Aufdeckung organisiert.

Eine ähnliche Struktur kennzeichnet die Romane Thomas Bernhards, dem Handke entscheidende Anregungen verdankt. Auch Bernhards Romane spitzen sich zu auf den einen abnormen Fall. Bernhards Helden sind wie der Tormann Bloch Kriminelle, Mörder, vom Wahn Besessene. Leute von extremer psychischer Verfassung, Außenseiter, aus der Gesellschaft Ausgeschiedene, die in teils gewollter Isolation sich von ihrer Umwelt eingekreist und verfolgt fühlen. In seinem neuen Roman *Das Kalkwerk* (1970) ist es ein Forscher, der sich zu privaten wissenschaftlichen Studien in die Isolation begeben hat, in ein ehemaliges abgelegenes Kalkwerk mit dicken Wänden und hohem Gestrüpp ringsum, eine Art abgeschiedenes Dornröschenschloß. Aber so wenig ein solches in der modernen Industriegesellschaft noch möglich ist, so wenig kann Bernhards Held in Ruhe sein Werk vollenden. Auch bei ihm schlägt Frustration um in Aggression und Gewalttat. Deutlicher als bei Handke repräsentiert bei Bernhard die Außenseiterexistenz die gesellschaftliche Entfremdung des Schriftstellers und Intellektuellen.

Nicht in ein Kalkwerk, aber doch in die Abgeschiedenheit und Einsamkeit hat sich wie Arno Schmidt selbst in *Zettels Traum* Daniel Pagenstecher, ebenfalls ein Privatgelehrter, gerettet, um sich in der Lüneburger Heide seinen literarischen Studien zu widmen. Wie in den anderen Erzählungen Schmidts ist auch in *Zettels Traum* Handlung novellistisch konzipiert. Zugleich wird diese Handlungsebene unterminiert und gesprengt von einer mehr sprachlich-assoziativen Impulsen folgenden aphoristischen Substruktur. Das hier unwichtige, blasse und nicht mehr konstitutive, sondern künstlich übergestülpte novellistische Handlungsgerüst vermag die Großform nicht mehr zureichend zu skelettieren. Es ist nur noch Beiwerk oder Rudiment. Konstitutiv allein ist die aphoristische Substruktur, die Ansammlung, das Geflecht sprachlicher Details, linguistischer Bezüge, geistreicher, witziger, mehrdeutiger Anmerkungen und literarischer Aperçus.

Nur zum Teil entstammen die Impulse zur sprachlichen Großform hier der Sprache selbst. Als vorgegebene Realitäten werden hier insbesondere eine Erscheinung der Literaturgeschichte – Poe – und die eigne werktranszendente Existenz – Schmidt – zum Substrat sprachlicher Formulierung. Immerhin läßt die aphoristische Konstitution des Buches zu, daß auch die Leser, sofern es sie gibt, es nicht fortlaufend im Zusammenhang, sondern diskontinuierlich, punktuell, aphoristisch lesen. Für eine kontinuierliche Großlektüre ist es von vornherein untauglich. Schmidt hat mit seiner dritten Wurzel aus P^{19} die Käuferzahl zwar unterschätzt, die Zahl der Leser aber sicherlich überschätzt, Tauschwert und Gebrauchswert des Buches provozierend naiv gleichsetzend. Die Punktualisierungstendenz, die sowohl der Buchstruktur als auch der Bewußtseinsstruktur des Lesers immanent ist, äußert sich in diesem Beispiel jedenfalls in der Atomisierung der Partikel. Entsprechendes gilt für andere epische Superformen wie Uwe Johnsons *Jahrestage* (1970).

Die Schrumpfungstendenz, die Komprimierung auf den einen höchst konsistenten Augenblick – die gleiche Tendenz, wie sie Theodor W. Adorno in seiner *Philosophie der neuen Musik* (1949) feststellte und die auch dort in letzter Konsequenz zum Verstummen führt –, müßte auch bei der Erzählung konsequenterweise zu progressiver Reduzierung bis auf den einen Punkt ohne Ausdehnung, zum Nichts, zum Verstummen führen.

Was Erzählen noch möglich macht, ist Inkonsequenz und Entgegenwirken dieser dem Erzählakt immanenten totalen Reduktion. Erzählung kann wieder – anders organisiert – erwachsen, wenn der Reduktion auf den Augenblick die Dehnung dieses Augenblicks entgegenwirkt. Das zeigt sich besonders deutlich in Hubert Fichtes ›Roman‹ *Das Waisenhaus* (1965).

Auch in diesem ›Roman‹ konstituiert sich Wirklichkeit wieder in der potenzierten Außenseiterperspektive. So extrem ist hier die Außenseiterposition, daß sie schon künstlich, konstruiert anmutet und Glaubwürdigkeit nur durch den Realismus des Details gewinnt, durch die Genauigkeit insbesondere des atmosphärischen, des psy-

chologischen und – besonders eindrucksvoll und entlarvend gehandhabt – des linguistischen Details.
Hauptfigur der Erzählung ist Detlev, ein Kind. Schon das ist eine natürliche Außenseiterrolle in der Erwachsenenwelt. Schon das bedeutet Nichtverstehen der Zusammenhänge, ohnmächtiges Unterworfensein, Ausgeliefertsein an die mächtigeren Erwachsenen, die sich so merkwürdig fremd in der scheinbar von ihnen geformten und beherrschten Welt bewegen. Aber Detlev ist nicht nur Kind, einziges Kind seiner Mutter. Er ist auch Halbjude im nationalsozialistischen Deutschland. Das zeichnet ihn und stempelt ihn zum Ausgestoßenen, Verfolgten, der sich verbergen muß. Weitere Potenzierung seines Außenseitertums: Seine Mutter hat ihn, den Norddeutschen, aus Hamburg nach Bayern gebracht in eine für ihn neue und fremde Umwelt, in die er nicht hineinfinden kann. Um ihn zu verbergen, hat ihn die Mutter – weitere Abschließung von der Gesellschaft – in ein Waisenhaus gebracht. Aber auch dort ist er nicht in gleicher Isolation wie die anderen Zöglinge, auch dort ist er etwas Besonderes. In diesem in einem schon unfaßlichen Ausmaß katholischen Waisenhaus, in dem eine katholische Sprache, eine sehr spezifische, unkindliche, selbst von den katholischen Kindern unverstandene und ins Groteske verzerrte Nomenklatur das gesamte Leben beherrscht, ist er der einzige Protestant. Ein Außenseiter in mindestens sechsfachem Sinne.
Dieser Außenseiter wird uns gleich im ersten Satz der Erzählung in einem charakteristischen Satz vorgeführt: »Detlev steht abseits von den anderen auf dem Balkon.« Auf dem Balkon, also draußen, und abseits von den anderen. Damit ist seine Position im realistischen wie im metaphorischen Sinne umschrieben. Damit ist aber zugleich die Handlung des Buches gegeben: Sie gerinnt in diesem Augenblick des Auf-dem-Balkon-Stehens. Detlev steht auch am Ende des Buches noch dort auf dem Balkon. Die Zeit ist kaum vergangen, er hat sich nicht entfernt. Eine Komprimierung der Handlung auf engsten Raum und kürzeste Zeit. Für einen Roman von fast 200 Seiten Länge dokumentiert sich allein in diesem Umstand schon ein Widerspruch zwischen Erzählzeit und erzählter Zeit in einem solche Zeiten überhaupt aufhebenden Sinne.
Der Roman ist die Beschreibung eines Augenblicks von ganz besonderer Dichte. Es ist nicht irgendeine beliebige Momentaufnahme, sondern bereits eine exemplarische Situation. Die bedeutungsvolle Konsistenz des Augenblicks wird dadurch gesteigert, daß Detlev in einem besonderen Reiseanzug seine Mutter erwartet, die ihn aus dem Waisenhaus wieder abholen soll, um mit ihm nach Hamburg zurückzukehren. Es ist ein Augenblick des Abschieds. Ein Augenblick des Sich-Lösens und der Befreiung aus einem alptraumartigen Zustand. Die Intensität des Augenblicks erhält noch eine besondere Prägung dadurch, daß Detlev Wirklichkeit in einem bezeichnenden und schockierenden Sinne verfehlt:
»Auf dem Pfosten liegt eine kleine Kugel. Grau und weiß.
– Es ist ein Puppenauge.
Detlev faßt hin. Er will es zwischen die Finger nehmen. Er zerquetscht es. An den Fingerspitzen klebt grüner Schleim.
– Detlev hat in Vogelscheiße gefaßt, schreit Alfred.«
Dieser Augenblick gerinnt ihm zu einer merkwürdig gedehnten, alle Wahrnehmung und Erinnerung intensivierenden Zeit. Sein Außenseitertum ist in diesem Zeitpunkt

so manifest und unerträglich wie kaum zuvor. Mit Vogelkot an den Händen steht er da. Die Zöglinge und die Schwestern eilen herbei. Er schämt sich. »Er wünscht den Vogelkot weg. Er wünscht alles weg. Er wünscht sich selbst weg.«
Dabei gerät er in einen merkwürdigen Zustand, der teils beschrieben, teils aus den Reaktionen der Umstehenden zu erschließen ist. Er öffnet und schließt die Augen. »Die Bilder verwischen sich mit seiner Umgebung auf dem Balkon«, ein tranceähnlicher Zwischenzustand. »Sein Atem geht langsamer und schneller. Er glaubt, er fliege. Er hebt die Hände. Er setzt an, sie sauberzuwischen.« Die Bewegungen intensivieren sich: »Er spreizt den Daumen von der Hand ab. Zwischen den Fingern zerreißen die Fäden aus Vogelkot.« Seine Bewegungen und die Stimmen der anderen blenden ineinander:
»Detlev hebt die Hände. Der Vogelkot fällt nicht ab. Detlev reibt die Hände gegeneinander. Detlev verschränkt seine Finger und reibt.
– Er betet. Er kann es nicht lassen. Er betet wie ein Evangelischer.«
»Er will den grünen Schleim wegreiben, ohne daß die Waisenhauszöglinge es bemerken.
– Detlev ist ein Ketzer. Mit Scheiße an der Hand faltet er die Hände.«
»Detlev verschmiert den Kot an den Händen. Er legt die Hände mit ausgestreckten Fingern übereinander. Er kreuzt die Daumen.
– Detlev betet wie ein Katholischer. Detlev beschmutzt unseren Heiligen Katholischen Glauben.«
»– Detlev hat den Sankt Veitstanz.
– Die Krankheit von Anna steckt an.«
Anna ist ein Waisenhauszögling, eine Epileptikerin. Die Stimmen der Umstehenden kennzeichnen Detlevs ungewöhnlichen Zustand als epileptischen Anfall. Diesen ›Veitstanz‹ beschreibt das Buch. Er ließe sich auf ein bis zwei Seiten beschreiben. Fichte tut das am Ende des Buches, nachdem er denselben Augenblick vorher auf fast zweihundert Seiten geschildert hat. Das Erzählen, der Roman wird möglich dank einer der Punktualisierungstendenz entgegenwirkenden Dehnung des Augenblicks: »Jedes Zucken der Wimpern dauert einen Tag lang, eine Woche lang, einen Monat lang.« Wie man sagt, daß im Augenblick des Sterbens, im Augenblick des Sturzes aus dem Fenster in Sekundenschnelle gleichsam wie ein Film noch einmal das gesamte Leben abläuft, oder wie Träume, die lang und quälend erscheinen, in Wirklichkeit nur wenige Sekunden dauern, so rekapitulieren sich in diesem höchst bedeutungsvollen Augenblick scharf und plastisch gezeichnete Szenen. Bestimmte Augenblicke, wiederum kein Kontinuum, keine Entwicklung, sondern Einzelheiten: die Aufnahme ins Waisenhaus – eine Nacht im Schlafsaal – ein Spaziergang mit Anna – Wochenenden mit der Mutter – Flugzeugangriffe. Diese und andere Einzelheiten blenden sich ein, blenden sich teils in- und übereinander. Einzeln. Dissoziiert. Aus ihren Zeit- und Sinnbezügen entlassen. »Er verwechselt in seiner Erinnerung die einzelnen Teile des Jahres. Er riecht, was schon vergangen ist.«
Die Bilder und Stimmen der Vergangenheit und die Bilder und Stimmen der Gegenwart drängen sich ihm auf und vermischen sich in gleich starker sinnlicher Intensität. Exakte Wahrnehmung der Einzelheiten verbindet sich mit einem ungeordnet heranbrandenden Durcheinander und Ineinander im Ganzen und wird oft genug durch die Metaphorik der Sprache ins traumhaft Groteske verzerrt.

»Zwischen den Augen juckt es, hinter den Ohren, im Nacken. Die Gegenstände rücken so nahe, daß sie ihm mit ihren Ecken in die Augen stechen.
Detlev kneift die Lider zusammen. Die Waisenhauszöglinge schwimmen durcheinander wie die tutenden Barkassen im Hafen.«
Beziehungslos und scharf und verselbständigt rückt die Realität heran, so aufdringlich, daß er alles hinwegwünscht. Hypothetisch, im Konjunktiv, versucht er sich zu befreien, sich zu lösen: »– Wenn ich nicht in die Vogelscheiße gefaßt hätte«, so folgert er in merkwürdiger Anti-Logik, »wenn Schwester Silissa und Schwester Appia nicht da wären, wenn Anna nicht da wäre, gäbe es den Balkon gar nicht. Detlev stellt sich den Kirchplatz mit dem Waisenhaus ohne Balkon vor. Die Traljen verdikken sich zu einer Wand. Die Pfeiler verwandeln sich in schwarze Klöße. Die Zöglinge kleben mit den Schwestern zu Großvaters Komposthaufen zusammen.«
In diesem hypothetischen Wirklichkeitsbezug entschwebt er, überhöht sich selbst in Dimensionen, die ihn aus seiner Welt nicht nur lösen, sondern deren Vernichtung möglich erscheinen lassen:
»Detlev fliegt hoch in die Luft wie der rote Luftballon vor dem Krieg auf dem Hamburger Dom. Detlev fliegt hoch oben wie ein Bomber.
Detlev sieht von oben auf die vier Mauerpfosten herunter. Er drückt mit dem Finger auf die Traljen des Gitters, und der Balkon fällt ab wie ein Klötzchen seines Steinbaukastens.«
Die Welt behandeln und einreißen wie die Klötze seines Baukastens –: Sein ›Veitstanz‹ wird vergleichbar dem kosmischen Tanz Schiwas, des Zerstörers: »Detlev schlägt von oben die Waschküche auseinander. Er schiebt den Schlafsaal weg. Er haut mit der Faust in die Zellophanscheiben. Er trampelt mit den Füßen auf jedem weißen Balken herum, den er freilegt. Er schmeißt die Betten heraus.«
So gestaltet sich der bedeutsame Augenblick zu einem tänzerischen Vernichtungskampf, einem Ringen, einem Gegeneinander von ungewolltem Aufsteigen und gewolltem Vernichten der Bilder und Stimmen. Einem Vernichtungskampf, an dessen Ende das absolute Nichts stehen soll: »Alles wäre schwarz. Der Schnee würde nicht weiß aussehen. Nichts gäbe es. Es gäbe gar nichts.« Solche totale Vernichtung alles Seienden würde auch vor ihm selbst nicht haltmachen. Er bezieht sich selbst ein in die Vertilgung.
Auch hier ist die letztmögliche Reduktion die Reduktion auf die Sprache. Sprache ist das Letzte, ohne das selbst das Nichts nicht zu denken ist: »Die Wörter ›Es‹ und ›gäbe‹ verwischen. Das Wort ›gar‹ und das Wort ›nichts‹ hört er deutlich in dem letzten Winkel, der von seinem Körper übrig ist. Er hört die Lippen eines riesengroßen Mundes auseinanderschmatzen. Er hört den Speichel gegen die Zähne klatschen, während das G, das A, das R, das N, das I, das C, das H, das T, das S ausgesprochen werden.«
Dem entspricht, daß neue Realität ihm zuerst sprachlich erscheint, zeichenhaft, »rotgefärbt ein großes H, ein kleines B, ein kleines G. – Opa schreibt Hamburg so«.
In seinem halluzinatorisch-vernichtenden ›Veitstanz‹ befreit er sich von einer Wirklichkeit, von der er ohnehin Abschied nehmen wollte, befreit sich, um mit seiner Mutter nach Hamburg zu gehen. Dem entspricht, daß am Ende die Schwestern ihre Autorität verlieren: »Sie wollen jetzt, wo die Mutter angelangt ist, nicht mehr eingreifen.« Das Waisenhaus verliert seine bedrückende Realität. Seine Insassen sinken

beim Abschied bereits ins ununterscheidbar Bedeutungslose zurück: »Noch mehr Hände, die er nicht mehr unterscheiden will. Hände, die schnell zu ihm vorlangen und wieder zurückfallen.«

Der Wirklichkeitsentfremdung und hypothetischen totalen Vernichtung folgt am Ende eine neue Realitätsgewißheit:

»Die Mutter gibt es.

Hamburg gibt es.

Detlev will seiner Mutter in Lokstedt ein festes Haus bauen, das niemand einreißen kann wie ein Haus aus Bauklötzern.«

Hat so die Gesamtstruktur des Romans etwas Überzeugendes, Geschlossenes und begründet Durchdachtes, so wird sie andererseits problematisch gerade durch das, was Fichte in besonderem Maße als erzählerisches Talent ausweist: die Plastizität und Eindringlichkeit der eingeblendeten Szenen. Sie verselbständigen sich immer wieder so sehr, daß sie den gedehnten Augenblick überdehnen und eigentlich sprengen. Sie sind so in sich ausgestaltet, daß die gelegentlich eingestreute Erwähnung von Vogelkot die übergeordnete Erzählstruktur nicht immer überzeugend ins Bewußtsein zurückruft. Eine ähnlich drastische Dehnung des konsistenten Augenblicks kennzeichnet die Struktur von Gert Friedrich Jonkes *Geometrischem Heimatroman* (1969).

Wo in moderner Prosa ein Handlungsgerüst, auch ein punktualisiertes, begrenztes, novellistisches Gerüst, eine durchgängige Erzählstruktur und einheitliche Erzählperspektive aufgegeben werden, disintegriert sich das Werk und reduziert sich auf die Ansammlung nicht mehr verketteter, entbündelter Partikel. Die sprachliche Großform folgt nicht mehr den Impulsen eines erzählerischen Zusammenhangs. Die ›Zusammenhangsdurchstoßung‹ (Benn), die immerhin noch von einem aufzulösenden Zusammenhang ausging, wird abgelöst von einem a priori zusammenhanglosen Muster. Die Punktualisierungstendenz läßt die einzelnen Partikel der Großform zu kleinen in sich konsistenten Einheiten schrumpfen.

Solche Einheiten können scharfe Momentaufnahmen sein, Detailzeichnungen, Kurzbeschreibungen, sofern sie noch eine anschauliche Welt spiegeln, kleine Vorgänge, bestimmte einzelne, unverbundene Handlungen, sofern noch menschliche Handlungen vorkommen. Beispiele für diese Art von Gestaltung finden wir u. a. in Fichtes Roman *Die Palette* (1968).

Schon die Überschriften vermitteln einen Eindruck von dieser Art unverbundener scharfer Detailbeschreibung: »Jäcki geht über den Gänsemarkt« oder »Jäcki geht vier Stufen hinunter« oder »Am Donnerstag, den 19. Januar 1967, fünf Uhr dreißig«.

Auch in diesem Roman bemerken wir wieder Fichtes Stärke: Präzision, genaues Erfassen der Einzelheiten. Ein besonders eindrucksvolles Beispiel dafür bietet der Partikel 22: »Achtzehnter Besuch: Arnim schlägt Anne«. Ein Stück, weniger als eine Seite, bildet das ganze Kapitel. Eine kurze, scharfe, gewalttätige Szene. Zugleich eine Szene, die sich ganz auf Szenisches reduziert, auf die eine sichtbare, konkrete Vorgänglichkeit, losgelöst von allen Bezügen übergreifender Handlung, verknüpfender Motivation, zwingender Konsequenzen. Der beschriebene Vorgang steht für sich, losgelöst von seiner Verursachung, ohne gedankliche oder emotionale Verbindung, ohne Folgen für künftiges Geschehen: ein absolutes, geronnenes Bild, eine für

sich bestehende, herauspräparierte blutige Gewalttat. Ein Vorgang, der seinem Wesen nach leidenschaftlich, höchst emotional, grausam, wild ist, wird kühl, sachlich, emotionslos beschrieben. Die stilistische Enthumanisierung kontrastiert und überbietet die inhaltliche unmenschliche Menschlichkeit. Die blutige Szene transformiert sich sprachlich und entwirklicht sich zu einem grellen Farbtupfer in der bunten Palette sinn- und zwecklosen Soseins. *Die Palette* funktioniert so einmal in einem realistischen Sinne als das Nachtlokal, der Schauplatz des Geschehens, wiederum also ein bestimmter, eng begrenzter Ort, ein kleiner Ausschnitt, zugleich ein Ort im Untergrund, außerhalb der normalen Gesellschaft – zum anderen aber auch in einem metaphorischen Sinne als das Stil- und Organisationsprinzip des Romans.
Was diesen Roman mit den Romanen traditioneller Erzählkunst verbindet, sind immerhin noch wesentliche Momente: die Fiktion einer räumlichen Identität, das Erzählen gegenständlicher Handlung, das Beschreiben anschaulicher Objekte und Vorgänge, die Fiktion menschlicher Individuen und das Festhalten an einer spezifischen Erzählperspektive. Die über weite Strecken scheinbar objektive auktoriale Erzählweise täuscht nicht darüber hinweg, daß auch hier Wirklichkeit sich wieder in einem sehr speziellen Blickwinkel bricht und konstituiert, daß Welt entsteht, gesehen und beschrieben wird wiederum aus einer potenzierten Außenseiterperspektive, der von intellektuellen Clochards, Kriminellen und Homosexuellen.

Wo die Auflösung erzählerischer Zusammenhänge so weit geht, daß Handlung nicht mehr Inhalt der Rede ist und die Impulse sprachlicher Gestaltung nicht mehr aus fiktiven personalen oder räumlichen Identitäten kommen, wo Erzählperspektive und erzählerisches Substrat aufgehoben sind und Sprache sich auf sich selbst reduziert, können wir von einer aphoristischen Struktur epischer Prosa sprechen.
Die Tendenz zu solcher aphoristischer Struktur bemerkten wir in *Zettels Traum*. Wir finden sie in vielen Werken, bei Handke wie bei Johnson, bei Fichte wie bei Heißenbüttel, besonders stark ausgeprägt bereits bei sonst so verschiedenen Erzählern wie Benn und Musil.
Ein extremes Beispiel aphoristischer Struktur liefert Oswald Wieners ›Roman‹ *die verbesserung von mitteleuropa* (1969).
Man hat sich bereits bemüht, auch für dieses Buch die Gattungsbezeichnung ›Roman‹ zu rechtfertigen. Ein wenig überzeugendes und müßiges Unterfangen zu einer Zeit, da eine Definition des Begriffs ›Roman‹ weniger möglich ist als je zuvor. Wichtiger ist der Umstand, daß Wiener sein Buch als ›Roman‹ bezeichnet, schlicht ›Roman‹, als sei daran kein Zweifel, dann aber so befremdend wie nur möglich einsetzt: mit einem »personen- und sachregister«, das auf den ersten Blick ein wissenschaftliches, kein erzählerisches Ordnungsprinzip verrät. Normalerweise findet man in wissenschaftlichen Büchern die Register dort, wo man sie sucht: am Ende. Hier steht das Unerwartete am Anfang, dort wo man es nicht nur nicht gesucht hätte, sondern wo es eindeutig demonstrativen, programmatischen Charakter hat. In dieser befremdenden Zusammenstellung von Roman und Register liegt Prinzip und Methode von Wieners Buch. Wiener versucht in diesem ›Roman‹ etwas zu erfüllen, was schon Novalis vorschwebte: die Verschmelzung von Literatur und Mathematik, von Kunst und Wissenschaft, von Aphorismus und System.
Die im Register aufgeführten Personennamen verraten bereits viel über die Art

dieser gedanklichen Prosa. In der umfassenden Kleinschreibung Wieners erscheinen u. a. bakunin, bebel, beckett, bense, bergson, descartes, feuerbach, hegel, heidegger, heisenberg, hitler, hobbes, joyce, marx, newton, schiller, schopenhauer, wittgenstein, zola. – Der Blick ist nicht gerichtet auf bestimmte Personen, Geschichten, Ausschnitte, sondern auf die Welt im ganzen, ihre Deutung, Beschaffenheit, Organisation, Lenkbarkeit und Entwicklung. Auf Selbstverständnis und Bestimmung des Menschen, sein Bewußtsein und seine Sprache. Diesem Eindruck entspricht das umfangreiche Sachregister von abbildung, analogie und arbeit über bedeutung, bewusstsein, gegenstand, sprache, verstand, welt, wort bis zu zeit und zweifel.
Der gewollten demonstrativen Annäherung des Romans an wissenschaftliche Formen entspricht die Anfügung von anmerkungen, appendix A, appendix B und appendix C sowie das für einen Roman ungewöhnliche literaturverzeichnis. Der verfremdenden, nonkonformistischen Absicht des Buches dient die konsequente Kleinschreibung ebenso wie die römische Bezifferung der Seiten.
Widersprüchlich ist Wieners Buch in einem mehrfachen Sinne. Form und Inhalt des Buches widersprechen schon beim ersten Hinsehen jedem Vorverständnis von Roman und epischer Darstellungsweise. Es fehlen Handlung, Erzählung, Romanfiguren. Es fehlen Erzählperspektive, Erzählhaltung, es fehlen Anschaulichkeit, Welthaltigkeit und jedes menschliche Substrat, das Basis für Erzählung werden könnte. Wir blättern in dem Buch wie in den Fragmenten des Novalis, gewahren wie dort ein abstrahierendes, mathematisierendes, zeichenhaftes Verhältnis zur Welt, einen ähnlich umfassend motivierten Fragmentarismus: Fragmentarismus aus Prinzip und Weltanschauung. Das Bemühen um die Prägnanz der Formel verbindet sich mit hintergründiger, gewollter Vielstrahligkeit und Mehrdeutigkeit des Formulierten. Die Redundanz der Aperçus widerspricht wissenschaftlicher Eindeutigkeit ebenso wie die Spontaneität ungeordneter und unzusammenhängender Gedanken der Systematik und Strategie des wissenschaftlichen Apparats. Der rationalen Gesamtanlage des Buches widerspricht die Dunkelheit, die irrationale Unverständlichkeit vieler Details. Die rationale Schärfe und gedankliche Konsequenz vieler Einzelheiten wiederum erscheint eingebettet in eine umfassendere Irrationalität.
Wieners ›Roman‹ facettiert als Ganzes wie in seinen Bruchstücken und Widersprüchen ein Weltbild. Er reflektiert in seiner Struktur und in verschiedenen Stil- und Sprachebenen eine Welt, die in ihrer Wandelbarkeit und Funktionalität das Anschauliche und Konkrete weitgehend verloren hat. Die Bildlichkeit und Verbindlichkeit des Vorhandenen zersetzt sich in die Abstraktheit des Geplanten und Machbaren. Reproduziert wird die Mathematisierung der Wirklichkeit, die Aufhebung des Natürlichen in Naturwissenschaft, das »ausrollen der neuzeit in kybernetik«.
Wiener, der Kybernetiker, formuliert und analysiert nicht so sehr subjektive Irritationen, obwohl auch diese, sondern vor allem Einsichten in die objektiven Möglichkeiten, Entwicklungen und Abgründe fortgeschrittener Industriegesellschaften im Stadium der sogenannten zweiten industriellen Revolution.
Die schizoide Persönlichkeitsstruktur und der gestörte Realitätsbezug, das Entfremdungserlebnis, seit dem 19. Jahrhundert Gegenstand der Literatur, sind heute so sehr allgemeines Stigma literarischer Produkte, daß wir uns nicht wundern, auch bei Wiener das entscheidende schizoide Grunderlebnis formuliert zu finden:
»früher schien ich einer von ihnen gewesen zu sein [...] bis dann der knacks passiert

ist mit mir und sozusagen war es einmal ein sätzchen auf das ich gestoßen war und das nun wirklich nicht zum stimmen zu bringen war. augenscheinlich stimmte er aber ohnehin, alle sagten aber nein ossi der stimmt doch ohnehin schau doch richtig hin und schließlich mußte ich ihnen recht geben weil sie mich so komisch anguckten und weil mir recht unbehaglich war auf einmal.«
Der »knacks« ist aber nicht nur ein subjektives Erlebnis, sondern stellt sich vor dem Panorama der modernen Massendemokratie in einer linguistisch-sozialen Relevanz: »die sprache wird gemeinhin als gesellschaftliches bewusstsein, ja als gedächtnis der menschheit bezeichnet. diesen kalauer einmal wörtlich genommen: ein aufstand gegen die sprache ist ein aufstand gegen die gesellschaft.«
Es ist ein Grundwiderspruch dieses Buches, daß es einerseits nicht nur die Möglichkeit eines solchen Aufstands erörtert, sondern selbst Widerspruch und Aufstand sein will, daß es aber andererseits die Unmöglichkeit und Aussichtslosigkeit solchen Widerspruchs feststellt. Die moderne Industriegesellschaft im Zeitalter der Kybernetik hat sich der Zukunft versichert und scheint am Ziel der Zeiten. Ihre Sicherheit ist so total, daß auch Kritiker, Außenseiter und scheinbare Warnstimmen ihr nur dienen. Das kybernetische Prinzip hat immer auch schon die Gegenkräfte, die Zwischenfälle und das Versagen berücksichtigt. In seinem umfassenden System findet auch das Unberechenbare und Irrationale noch seinen Stellenwert bei der Kalkulation. Pluralismus bedeutet keine Gefahr, weil er mit einer aus manipulierbarer Leere resultierenden Uniformität konvergiert. Eine Alternative scheint in diesem fortgeschrittenen, endzeitlichen Stadium der Industriegesellschaft kaum noch sichtbar: »die demokratie hat die mittel zu ihrer eigenen verewigung, und sie wird nicht zögern, sich selbst zur historisch letzten, zur endgültigen staatsform zu machen. wenn die alte demokratie den plaudernden sokrates schon gefährlich fand, so zeugt dies für eine ungewöhnliche feinsinnigkeit – seine liquidierung aber war noch nicht vernünftig: er hätte interniert, beobachtet und mit opium geheilt gehört; [...] die moderne demokratie ist so gefestigt, weil sie die abnormität studiert [...] sie erkennt daraus zwar nicht die einzuschlagende richtung, wohl aber erprobt sie ihre mittel zur bewahrung der eingeschlagenen. (richtung ist ja doch das falsche wort. das zielgebiet ist schon so nahe, dass es den ganzen horizont bedeckt: der weg durch die zeiten ist absolviert!)«
Die Frage, ob das Individuum und seine Autonomie noch zu retten sind, beschäftigte bereits das frühe 19. Jahrhundert. Immermann stellte angesichts des neuen Industriezeitalters die Frage sehr präzise, wagte aber nicht, darauf eine ebenso präzise Antwort zu geben. Der Goethe der *Wanderjahre* suchte bereits ein neues gesellschaftliches Modell. Bei Marcuse wie bei Wiener reduzieren sich die Freiheitsräume des Individuums zur nur noch negativ zu bestimmenden großen Verweigerung, zum Aufstand gegen Sprache und Verhalten, zu Aggression, »ablehnung des guten tons«, »sabotage und terror«. Ganz im Sinne Marcuses hofft Wiener, daß der Leser seines Buches ein Gefühl davon gewinnen möge, »dass er sich mit aller kraft gegen den beweis, gegen die kontinuität und die kontingenz, gegen die formulierung, gegen alles richtige, unabwendbare, natürliche und evidente richten muss, wenn er eine entfaltung seines selbst – und sei es auch nur für kurze zeit – erleben will«.
Die Kluft zwischen Selbst und Welt, zwischen Individuum und Gesellschaft, zwischen Ich und Nicht-Ich ist hier so groß, der Realitätsverlust so hoffnungslos und

eine Versöhnung der Gegensätze, bzw. eine wirkliche Befreiung so aussichtslos, daß Wiener, der Datenverarbeitungsingenieur, eine verzweifelte Erfindung macht und anpreist:
Er erfindet eine neue Maschine, die er »bio-adapter«, auch »glücks-anzug« nennt. Es handelt sich um eine Maschine, in die der Mensch steigt oder die er wie einen Anzug anlegt und die ihn hermetisch von der Umwelt abschließt. Die Umweltmaschine erspart ihm den direkten Kontakt mit der Umwelt und funktioniert als Umweltersatz. Wirklichkeit und Kommunikation werden in Zukunft nur noch von diesem bio-adapter simuliert, »der zu adaptierende mensch wird pausenlos nach seinen bedürfnissen abgetastet, solange bis dieselben zum zwecke erhöhten lustgewinns vom adapter selbst erzeugt werden können«. Der Adapter sorgt für die ideale ›Umwelt‹bedingung. Allerdings: »einmal angelegt, kann der bio-adapter nicht mehr verlassen werden – allein schon deshalb, weil der einmal in adaption befindliche mensch ausserhalb des adapters nicht mehr lebensfähig ist: der inhalt des adapters ist für die gesellschaft verloren, weil er die wirklichkeit verlassen hat.« Der Adapter verschmilzt mehr und mehr mit seinem Inhalt zu einer technisch-halluzinatorischen Bewußtseinseinheit. Seine Funktion geht auf die Erhaltung des Bewußtseins. Was dazu nicht benötigt wird, wird nach und nach abgebaut. Zunächst werden die Glieder amputiert, dann zersetzt der Adapter den ganzen menschlichen Körper, so daß schließlich der Adapter bei kleinstem Energiehaushalt nur noch das Bewußtsein enthält – für Wiener eine Möglichkeit der Unsterblichkeit. Falls das ›experiment‹ aber doch einmal terminiert werden muß, »besorgt der adapter den glücklichen tod seines patienten, und wird, nach selbsttätiger stillegung seiner funktionen, zum leblosen sarg seines toten inhalts (euthanasie)«.
Die Paradoxie eines enthumanisierten Glücks stellt sich bei solcher Identität von »glücks-anzug« und »sarg« dar als äußerste Position der bisher beobachteten Entfremdungs- und Enthumanisierungstendenzen. Gesellschaftlichkeit als eine wesentliche Qualität der Menschlichkeit schlägt um in solipsistischen Individualismus, der dann folgerichtig Menschlichkeit selbst liquidiert. Hier liegt nicht einfach eine Verlängerung der Tendenzen der gegenwärtigen Gesellschaft vor, sondern ein echter qualitativer Umschlag.
Konsequenterweise müßte Wiener, dessen Roman ein Aufstand gegen Sprache und Gesellschaft sein will, die Sprache zerstören. Einen Versuch dazu unternimmt er immer wieder: »helgas libees amsSElteir. liebes h helgentir. es isrt 7«. Der Aufstand »gegen die formulierung, gegen alles richtige«, gegen die Sprache und ihre überindividuellen, als manipuliert empfundenen Modelle und Gehalte könnte so aussehen. Hätte Wiener aber nur solche ›freien‹ Sätze geschrieben, sein Buch wäre als ganzes so unintelligibel, wie es so nur stellenweise ist. Es wäre vermutlich auch das geblieben, was es seiner eigenen Idee und Konsequenz nach sein müßte: Makulatur, Buchstabenmüll.
Was Wieners Buch noch möglich machte, ist gerade, daß er sehr weitgehend die Sprache spricht, die er angreift. Inkonsequenz allein hat hier das Werk gerettet. Diese ›Rettung‹ des ›Romans‹ für die Literatur kann von Wieners Standpunkt aus nur einer Verurteilung gleichkommen. Das ist sein Dilemma.
Der Bruch mit der Wirklichkeit, das, was Wiener als ›knacks‹ bezeichnete, äußert sich darin, daß man die Sprache, die die andern sprechen, als falsch empfindet und daß

man selbst sich den andern sprachlich nicht mehr mitteilen kann. Dies hat zur Folge, daß man, wenn man sich gesellschaftlich mitzuteilen sucht, gesellschaftliche Sprache nicht mehr ›eigentlich‹ spricht, sondern nur noch als Zitat handhabt. Wiener: »ein baum wurde langsam wieder ein baum, aber es war eine andere sorte baum als früher und nicht eigentlich ein baum sondern gewissermassen ein ›baum‹, aber die anführungszeichen konnten sie ja nicht sehen beim reden und das half mir, denn für sie wars dasselbe. das reden war so geworden als ob ich nur in zitaten redete, aber es klang gut und wenn ich kaffee wollte so hatte sich der ober an die bestellung gewöhnt und es war ihm scheissegal ob ich günczler zitierte oder den hofrat kringel, nur wenn ich den tonfall nachahmte lachte er«.
Übertragen auf die Erzählung heißt das, daß nicht mehr ein Erzähler ›eigentlich‹ erzählt, sondern daß er zitiert, daß er beispielsweise Stimmen zitiert, die er in der Straßenbahn oder bei einer Versammlung oder im Radio gehört hat, daß er Stellen aus Büchern und Zeitungen zitiert, die er gelesen hat. Solches Zitieren hat ja schon eine beachtliche Tradition und ist wahrscheinlich so alt wie die ganze Literaturgeschichte. Was das heutige Zitieren vom antiken oder mittelalterlichen Zitieren unterscheidet, ist seine pluralistische Struktur, die gewollte Mannigfaltigkeit und Unvereinbarkeit der Zitate, die so etwas wie eine objektive disparate Öffentlichkeit erstellen sollen, eine pluralistische Wirklichkeit, die nicht mehr individuell zu gestalten ist.

Wo das Zitieren unterschiedlichster Sprechweisen zum Prinzip der Form gemacht wird, wie bei Jürgen Becker oder Peter Chotjewitz, können wir von einer pluralistischen Struktur der Prosa sprechen. Auch sie ist eine besondere Ausprägung der oben gekennzeichneten Reduktion und Punktualisierungstendenz. Wie ein Schulbeispiel dafür wirken Beckers *Felder* (1964). Der Gegenstand, dem Becker sich nähert, die Wirklichkeit, die er zu gestalten sucht – Köln –, tritt uns nicht gegenständlich entgegen, erscheint weder als Objekt noch als anschaulicher Hintergrund handelnder Personen. Köln-Prosa Beckers besteht nicht im Erzählen einer Geschichte, die in Köln spielt, auch nicht im Beschreiben, Schildern, Vergegenwärtigen topographischer Details. Die Topographie der Stadt bleibt im Nebulosen, Gestaltlosen, Unklaren. Sie wird nicht einmal als bekannt vorausgesetzt, sondern als irrelevant erachtet. Eine Wirklichkeit ›Köln‹ – der Name wäre wie Wieners ›baum‹ in Anführungsstriche zu setzen – soll sich allein als linguistische Dokumentation konstituieren, als Collage verschiedener sprachlicher Exempel. Das geschieht zum Teil, obwohl nicht ganz so witzig, im Tegtmeier-Stil Jürgen von Mangers:
»Dann sind wir endlich in den Hl. Dom hineingegangen. Dort drinnen haben wir ca. eine geschlagene Stunde lang verbracht, nachdem wir kurz zuvor bei einem der zahlreichen Losverkäufer der Domlotterie unglücklicherweise Nieten gezogen hatten, obwohl der Losverkäufer uns versichert hatte, daß in seiner großen Trommel da noch ein paar fette Kisten drin wären, so wie er sagte.«
Wie man sieht, handelt es sich um eine ›uneigentliche‹ Sprechweise, der Stil bestätigt die Irrelevanz des Ausgesagten. Der Zitatcharakter ist deutlich. Deutlich wird aber auch die Fiktion, sie tritt doppelt hervor: einmal die Fiktion des Vorgangs, zum anderen die Fiktion, der Autor habe dem Volk aufs Maul geschaut, er zitiere »Stimmen, die sich durch die Wirklichkeit bewegen«. Daß dem nicht so ist, wird im späte-

ren Verlauf des ›Zitats‹ deutlich: »Gewiß mit Hilfe der Hl. Drei Könige ist nun alles wieder wie neu, die übrigens eine Beute des eisernen Kanzlers des Kaiser Barbarossas sind, also von dem Erzbischof R. v. Dassel, der aus Mailand die Reliquien mit nach hier gebracht hat, 1164, und die wir in dem berühmten Dreikönigenschrein da auf dem Hochaltar, der 1220 vollendet wurde, dann auch noch besichtigen konnten.« Die Primitivität geht auf Stelzen, ziert sich und wird unglaubwürdig.

Der Idee nach geht es dieser pluralistischen Prosa nicht um ein bestimmtes individuelles, menschliches Ich oder Wir noch um dessen Erlebnisse, noch um den Hl. Dom, der sich in dieser Schilderung genauso entmonumentalisiert hat, wie sich die Menschen in ihrer Uneigentlichkeit und anonymen Dürftigkeit enthumanisieren, es geht vielmehr um die Fixierung einer spezifischen Sprachgebärde als Beleg für eine spezifische Bewußtseinsstruktur unbeschadet des Erlebnisinhalts.

Relativiert wird dabei nicht nur der Inhalt, sondern auch die Sprachgebärde selbst, indem sie ebenso plötzlich und willkürlich, wie sie erstellt wurde, wieder fallengelassen wird oder sich schon in sich falsifiziert. Sie wirkt nicht nach, greift nicht über auf das folgende Zitat, sondern verschwindet, wird abgelöst, hat nach wenigen Seiten, manchmal auch nach wenigen Zeilen, ihre Schuldigkeit getan. Andere, ganz andere Sprachgebärden, Sprachebenen und Sprachmöglichkeiten werden vorgeführt. So hören wir, ein anderes Beispiel, die Stimme Adenauers: eine Rede anläßlich eines großen historischen Augenblicks, aber ahistorisch aus allen geschichtlichen Zusammenhängen herausgelöst, herauspräpariert um ihrer selbst willen: »Die Stunde is jekommen, die so heiß, so inbrünstich ersehnte, der Tach der Freiheit is anjebrochen!« und: »Schwören wir Einichkeit, Treue dem Volke, Liebe dem Vaterlande! Ruft mit mir: Deutschland, jeliebtes Vaterland, hoch! hoch! hoch!«

Hier ist anzumerken, daß in vielen Stellen des Buches Becker rheinische Ausdrucksweise simuliert, nirgends aber, obwohl dies sonst auch nahegelegen hätte, durch phonetische Schreibweise den rheinischen Dialekt wiederzugeben sucht. Nirgends außer an dieser Stelle. Man darf daraus schließen, daß die phonetische Schreibweise keine dokumentarische, keine Wiedergabefunktion hat, denn dann müßte sie auch an entsprechenden anderen Stellen erscheinen, sondern hier mit Bedacht so gewählt ist, um das Gesagte, den Inhalt der Rede zu denunzieren und zu negieren. Bestimmte Tugenden oder Werte wie Freiheit und Freiheitsliebe, Patriotismus, Frömmigkeit sollen hier weder dokumentiert noch gar gerühmt, sondern verfremdet und aufgelöst werden.

Konsequenterweise macht die Enthumanisierungstendenz bei der Auflösung des Individuums nicht halt, sondern setzt sich fort in der Auflösung überindividueller menschlicher Gemeinschaften, richtet sich gegen die Familie, die kommunalen Gemeinschaften, die Volksgemeinschaft. Hatten wir soeben ein Beispiel für die ihrer Absicht nach antinationale, antipatriotische Tendenz der sprachlichen Verfremdung, so ironisiert in den *Umgebungen* (1970) ein rund vier Seiten langes Stück den »Umkreis der Familie«: »Meine Familie läßt deine Familie grüßen. Unsere Familien sind eine einzige Familie. Meine Familie ist der Kern des Staates. Deine Familie ist die Wurzel des Volkes. Seine Familie ist der Grund seines Elends.«

Pluralistische Prosa ist ihrem Wesen nach auflösend, weltanschaulich leer, schwebend, mehrdeutig unbedeutend, ohne tragende Sinnmitte. Die verschiedenen Partikel neutralisieren einander, heben einander auf. Hinter allem steht durchaus: nichts.

Sehr deutlich machen das besonders Beckers *Ränder* (1968). Was am Anfang so aussehen könnte wie der Versuch von Erinnerungen, das Festhalten sich verwischender Konturen, bringt nur das Verwischen selbst zur Sprache: »Da hängt die Landkarte, alle Wände sind weiß, dies ist das Land, dies sind die Küsten, dies ist Geschichte, das ist das hohe Fenster mit den Bäumen im Park, darüber ist der Himmel, das ist die tägliche DC 8, das ist die Katze Nina, heute ist Freitag, kein Sommer, keine Veränderung, das ist der vergangene Herzschlag, da kommt wieder was man eine Hoffnung nennt, das ist die Dauer einer Zigarette, da nähert sich ein Termin [...]«

Das ist Wortgeplapper, leer, keineswegs Inventur dessen, was »noch erkennbar bleibt«. Nur scheinbar wird hier Günter Eichs berühmte *Inventur* imitiert. Eich vergewisserte sich der Dinge, sicherte sich das wenige, das geblieben war, benannte es wie ein Magier, der mit den Namen, den Worten sich zugleich der Realien bemächtigt, eignete sie sich zu mit der Intensität nachdrücklicher Possessivpronomen der ersten Person. Hier dagegen bleiben die Dinge unbestimmt und verfließen: »Alle Wände sind weiß«, »da nähert sich ein Termin«. Statt einer Bemächtigung der Wirklichkeit gewahren wir Unverbindlichkeiten: »das ist der vergangene Herzschlag, da kommt wieder was man eine Hoffnung nennt«. Wenn Heißenbüttel in seiner Georg-Büchner-Preis-Rede 1969[20] bekannte: »Ich habe eigentlich nichts zu sagen«, so gilt das im gleichen Sinne für Becker.

Sinn, Gegenstand und Ziel der *Ränder* Beckers ist das Verschwindende: »wir sprechen von dem, was langsam verschwindet und an seinen Rändern noch erkennbar bleibt; da sieh noch mal, dort ist, da war, wir blicken hoch und sehen unser hochblickendes Gesicht, so fangen wir noch einmal an, wenn wir noch da sind, nach dem Vergessen, weiter, nicht hier, wo wir noch sitzen und hochblicken und jetzt, endlich, sehen wir nichts mehr.«

Da ist das bekannte ontologische Schema: die Anwesenheit eines Nichts, das erfahrbar wird in Negationen, im Vergehen, Verschwinden, Vergessen. Eine ontologische Einsicht, die sich inzwischen durchgesetzt hat: daß die Sprache nur bedingt einen Raum zu schaffen vermag, in den das Nichts eintreten kann, daß sie nicht wirklich das Nichts zu gestalten vermag, sondern vom Sein spricht, allenfalls von dem, was »langsam verschwindet«, was vielleicht schon ausgehöhlt und in seinem Wesen leer ist, aber »an seinen Rändern noch erkennbar bleibt«. Es ist der Versuch des Aufzeigens und Beschreibens einer sich entziehenden Wirklichkeit. Aber das Experiment gelingt nicht. Statt des transzendentalen Objekts kommt nur das transzendierende Subjekt ins Bild: »unser hochblickendes Gesicht«, nach dessen Tilgung »sehen wir nichts mehr«. Dieses »nichts« macht sich überall in dem Buch bemerkbar. Am auffälligsten durch die die Texte durchsetzenden und separat gezählten – übrigens mit größeren Ziffern versehenen – leeren weißen Seiten. Es erscheint auch in der Zusammenhanglosigkeit der Sätze und Absätze, in den Auflösungstendenzen der grammatischen Strukturen, in dem freien Raum zwischen den einzelnen Absätzen, die ohne Anfang aus dem Freien plötzlich beginnen und ohne eigentliches Ende wieder ins Freie auslaufen. In der Aufhebung der Sätze und Satzperioden, im Verschwimmen, Verfließen der Konturen, der Auflösung des Festen. Dieses Nichts verbirgt sich aber auch hinter der sinnentleerten Sprachgebärde, den Redensarten ohne Inhalt, denen der sinntragende Bezug, das Substrat genommen ist: »Da müssen wir uns eben langsam dran gewöhnen. Da läßt sich nämlich sowieso nicht mehr viel machen. Da kommt man auch anders gar nicht mit zurande. Da läßt man besser lieber gleich die Finger von. Da kann man nämlich werweißwas mit erleben. Da redet man besser erst gar nicht drüber. Da hat man auch nichts von. Da haben wir sowieso nichts am Hut mit.«

Was diese Texte zu reproduzieren versuchen, sind nicht die Inhalte, sondern die Strukturen des Bewußtseins. Inhaltlich sind sie offen. Indem der Bedeutungsträger fehlt, öffnen sie sich multipler Bedeutung und einer gewissen »Jemeinigkeit« des Lesers, wobei die verschiedenen Sinnfüllungen sich indifferent zueinander verhalten, somit die pluralistische Gesamtstruktur im einzelnen wiederholen und letztlich wiederum inhaltlich eigentlich »nichts« meinen.

Daß in der Struktur dieser pluralistischen Prosa sich durchaus nicht nur das desintegrierte Bewußtsein einzelner, sondern auch die inhaltlich leeren, offenen, zu reiner Funktionalität reduzierten Wesenszüge unserer westlichen Industriegesellschaft spiegeln, wird man nicht abstreiten, wenn man die Diagnose Lucien Goldmanns für grundsätzlich richtig hält:

»Die westliche Welt ist heute dabei, eine endgültig profane, radikal desakralisierte industrielle Gesellschaft aufzubauen. Eine Gesellschaft, in welcher – wenn sie sich verwirklicht – alle Menschen im Wohlstand, vielleicht auch in einer sehr großen formalen Freiheit und weltanschaulichen Toleranz leben werden, eine Welt aber, in welcher das Leben der Menschen ohne jeden geistigen Inhalt zu sein droht, eine Gesellschaft, in der die Freiheit um so größer werden kann, als aus innerer Leere immer weniger Menschen das Bedürfnis haben werden, von ihr Gebrauch zu machen, in der weltanschauliche Toleranz um so leichter verwirklicht werden kann, als die innere Verarmung der Menschen ›Weltanschauungen‹ immer seltener werden lassen wird.«[21]

Chotjewitz geht es von *Hommage à Frantek* (1965) bis *Vom Leben und Lernen* (1969) um die äußere Kennzeichnung der pluralistischen Struktur seiner Collage. Er benutzt dazu verschiedene Drucktypen, verschiedene Farben Papier. Er zerreißt fortlaufende Handlungsstränge, Zitate, Argumente, um andere dazwischenzuschieben. Das Nichtzusammenhängende, Disparate, auch dem Druckbild nach ganz Verschiedene, soll zusammen auf der einen Seite erscheinen und zusammen gelesen werden, das Zusammengehörige dagegen soll sich verteilen und zerstreuen über die Seiten hin. Er verteilt wie neuerdings Heißenbüttel in *D'Alemberts Ende* die verschiedenen Zitate und Sprachebenen auf verschiedene Sprecher und schiebt in seine Prosa ein »Stück für vier Sprecher« und ein »Stück für drei bis vier Sprechergruppen und mehrere einzelne Sprecher« ein, ohne daß es in diesen Stücken zu Gesprächen käme. Vielmehr werden Zitate gegeneinander und nebeneinander gesetzt, gemischt und verzahnt. Nach Wieners Vorbild versieht auch Chotjewitz seinen ›Roman‹ mit Anmerkungen. Allerdings ist deren Funktion erheblich anders als bei Wiener. Es handelt sich um nachgeliefertes, in aller Breite und Umständlichkeit wiedergegebenes Rohmaterial: unverarbeitete, nichtintegrierte Schriftstücke, Zeitungsartikel, Steuererklärung usw., die bei weitem den größten Teil des Buches ausmachen. Die Anmerkungen werden zum Zentrum der Form, leicht ironisiert, indem Chotjewitz diesen Anmerkungen wiederum Anmerkungen beigibt.

Obwohl Chotjewitz weitgehend politische und gesellschaftsbezogene Texte wählt und seine kritische Absicht nicht verbergen kann, geht er im Grunde unkritisch, unpolitisch und ahistorisch vor. Die Form der Prosa und die ihr immanente Tendenz widersprechen den Intentionen des Inhalts, soweit dieser kritisch sein will. Nicht das Auflösen, sondern das Aufzeigen von Zusammenhängen wäre kritisch. Ein Beispiel für diese unkritische Art von Kritik: Als hätte es die Kriegsverbrechen gegen Dresden, Hiroshima und Nagasaki nie gegeben, lesen wir bei Chotjewitz folgende Naivität: »Es ist unbegreiflich, wie diejenigen, die nach dem zweiten Weltkrieg die Vernichtung der Bevölkerung durch Gift und Gas und die Angriffe auf Frauen und Kinder durch Bomben als Kriegsverbrechen verurteilt haben, jetzt diese Verbrechen in Vietnam verüben.« Solch ein Beispiel zeigt nicht nur, daß der kritische Wert des Buches gering zu veranschlagen ist, es zeigt auch wieder, wie subjektiv das Prinzip der Collage zu handhaben ist, es macht auch deutlich, wie sehr die ausgebreiteten ›Materialien‹ weiterer Anmerkungen des Lesers bedürfen, wie sehr sie noch zu ergänzen und zu verarbeiten wären.

Dies entspräche übrigens den grundsätzlichen Vorstellungen von Chotjewitz. Bereits in seinem Roman *Die Insel* (1968) vertritt er die Tendenz zu einer Art kollektivem Roman:

»Von seiner nächsten Reise werde ich Rottenkopf, statt der Beschreibung von Landschaften, Städten, Häusern, Menschen, Tieren etcetc, Bierfilze und Kieselsteine, Servietten und Urinproben, Kaufmannsrechnungen und klimatische Daten, Zeitungsausschnitte und Schnapsflaschenetiketten, vor allem aber das unvermeidliche Photoalbum, an dem sich die Phantasie entzündet, mitbringen lassen und diese Gegenstände, so wie sie sind, dem Leser überreichen: mit der Bitte, sie sich selbst zu beschreiben. Mit der Bitte, sich eine eigene Literatur anzufertigen. Warum noch am Prinzip der Arbeitsteilung zwischen Künstlern und Menschen festhalten?«

Hier scheint bereits die Konzeption hindurch, die Faecke/Vostell für ihren *Postversand-Roman* (1970) entwickelt haben. Der Leser soll sich selbst an der Zusammenstellung und Bearbeitung des Materials beteiligen, er soll aktiv werden, nicht nur die künstlerische Komposition in ihrer Vollendung bewundern und zu begreifen suchen, sondern selber basteln.

Die eingangs aufgezeigte Isolierung des Autors wäre damit aufgehoben. Die problematische Trennung zwischen Autor und Gesellschaft, übrigens auch die zwischen Literatur und Realität, wäre eingeebnet, aufgehoben im Sinne der Selbstaufhebung von Literatur und Literaten zugunsten einer kaum weniger problematischen und etwas spielerischen Do-it-yourself-Methode.

Warum soll der dilettierende potentielle Autor sich für Geld Texte, Fundstücke, Nachrichten, Modelle, Fotos und Schallplatten von Faecke/Vostell bestellen, wo doch sein eigenes Zimmer schon voll ist von Texten, Fundstücken, Nachrichten, Modellen, Fotos und Schallplatten? Statt sich von Chotjewitz Rottenkopfs Bierfilze usw. kommen zu lassen, kann er selber Bierfilze usw. sammeln. Die Autorität eines Autors und Manipulanten ist überflüssig, wenn jeder sein eigener Autor und Manipulant sein kann. Logischerweise möchte Chotjewitz die Literatur abgeschafft sehen. In einem Leserbrief an *Die Zeit* meint er: »Ich kann die Literatur nicht abschaffen. Das muß die Gesellschaft selber machen.«[22] Aber die Gesellschaft »muß« gar nicht, und sie will auch nicht. Einstweilen gibt es kein Anzeichen dafür, daß die Gesellschaft auf die Literatur ganz verzichten möchte. Der Roman ist wie die bürgerliche Gesellschaft schon so oft totgesagt und am Ende -geglaubt worden, daß man sich vor neuen Prophezeiungen hüten sollte. Beide bestehen einstweilen fort: nicht ohne Wandlung, in elastischen Strukturen, amorph genug, um auch das Fremde, das Antagonistische, auch die eigenen Verfallserscheinungen, Auflösungs- und Überwindungstendenzen zu inkorporieren und zu assimilieren, anders gesagt: aufzufangen im Schmelztiegel verwissenschaftlichter und zugleich entwirklichter soziologischer oder poetologischer Theorien und Formeln bei einer ebenso pluralistischen wie leeren und austauschbaren Identität alles Denk-, Sag- und Machbaren.

Vorsicht ist geboten bei der Verlängerung von Entwicklungslinien und bei der Übertragung von Fortschritts- und Entwicklungsvorstellungen auf literarische Sachverhalte. Während ein so realitätsbezogener und gesellschaftsorientierter Autor wie Martin Walser in seinem Prosaversuch *Fiction* (1969) plötzlich hermetisch wird und sprachimmanent in einer Weise laboriert, daß er im Zusammenhang mit Heißenbüttel und Becker hätte betrachtet werden können, macht sich bei anderen Autoren wiederum eine gegenläufige Tendenz bemerkbar, die aus der Sackgasse herausführen könnte.

Bemerkten wir schon bei Wiener starkes Bemühen um eine prägnante Erfassung unserer Situation, also doch die Beziehung auf eine nicht nur sprachliche Realität, so finden wir gerade in Beckers *Umgebungen* eine neue, zukunftsträchtige Hinwendung zur außersprachlichen objektiven Wirklichkeit. So wendet er sich hier dem plötzlich aktuell gewordenen, lange verdrängten Problem des Lebensraums zu, der Enge, der Zerstörung und Vergiftung unserer Umwelt, z. B. in dem Stück »Raum-Fragen« oder in dem folgenden Passus:

»Wer die Gegend hier nicht kennt, kennt aber die Phänomene aus der eigenen Umgebung (Ausnahmen vielleicht noch in Schleswig-Holstein und in der Lüneburger Heide) oder aus irgendeinem abendlichen Fernseh-Feature. Einmal nicht hinausfahren ins Grüne, um ins Grüne hinauszufahren, sondern um ohnmächtig wahrzunehmen, wo ein weiterer grüner Hügel unter einem Haufen von Reihenhaus-Siedlung, wo eine Weide unter einem Parkplatz eines blinkenden Hallenbades und ein Waldweg unter einer Schnellstraße hin zum geplanten Flughafen-Ausbau verschwunden ist.«

Vielleicht breitet sich die Erkenntnis aus, daß jahrzehntelanges Experimentieren mit der Sprache weder die Sprache noch unser Bewußtsein, noch unsere Umwelt entscheidend verändert hat, sondern daß wir noch andere Kräfte aufbieten müssen, um die Zerstörung unserer Welt zu verhindern.

Anmerkungen

1. Oswald Wiener: *die verbesserung von mitteleuropa*. Reinbek 1969.
2. Ludwig Wittgenstein: *Tractatus logico-philosophicus*. In: L. W.: Schriften. Frankfurt a. M. 1960.
3. Helmut Heißenbüttel / Heinrich Vormweg: *Briefwechsel über Literatur*. Neuwied u. Berlin 1969. S. 47.
4. Heißenbüttel/Vormweg: *Briefwechsel*, a. a. O., S. 64.
5. Georg Wilhelm Friedrich Hegel: *Sämtliche Werke*. Jubiläumsausgabe in 20 Bdn. Bd. 14. S. 340 ff.
6. Helmut Heißenbüttel: *Frankfurter Vorlesungen über Poetik 1963*. In: H. H.: Über Literatur. Olten u. Freiburg 1966. S. 166.
7. Heißenbüttel: *Frankfurter Vorlesungen*, a. a. O., S. 167.
8. Heißenbüttel: *Frankfurter Vorlesungen*, a. a. O., S. 169.
9. Heißenbüttel: *Frankfurter Vorlesungen*, a. a. O., S. 179.

10. Vgl. Bodo Heimann: *Ich-Zerfall als Thema und Stil.* In: GRM 1964. H. 4. S. 384–403.
11. Arno Schmidt: *Aus dem Leben eines Fauns.* Hamburg 1953.
12. Gottfried Benn: *Drei alte Männer.* In: G. B.: Gesammelte Werke in 4 Bdn. Hrsg. von Dieter Wellershoff. Wiesbaden 1958 ff. Bd. II, S. 391.
13. Peter Handke: *Leserbrief.* In: Die Zeit. 1970. Nr. 20. S. 51.
14. Dieter Wellershoff: *Literatur und Veränderung.* Köln 1969. S. 46–62.
15. *Grenzverschiebung. Neue Tendenzen in der deutschen Literatur der 60er Jahre.* Hrsg. u. Vorw. von Renate Matthaei. Köln 1970. S. 311.
16. Peter Kern: *Dieter Wellershoff, Ein schöner Tag.* In: ZfdPh 1968. S. 631–642.
17. Wie für *Die Schattengrenze* so ließen sich auch für *Ein schöner Tag* eine Fülle von Belegen dafür anführen, daß gerade der soziologische Aspekt von Wellershoff sehr sorgfältig, genau und bis ins Detail glaubwürdig dargelegt ist: als methodisches Prinzip (Realismus), als Hintergrund und Farbe, aber auch als Verursachung und Motivation. Man muß sich wundern, daß Kern hier etwas vermißt, was in überreichem Maße vorhanden ist. Neben allgemeineren werden z. B. auch die folgenden sehr spezifischen ungelösten Probleme unserer Industriegesellschaft dargestellt: die fortschreitende Zerstörung der Familie; die Problematik der alten Menschen als Folge der bereits abgeschlossenen Zerstörung der Großfamilie; die Mobilität und Entwurzelung als wesentliches Moment der Umweltentfremdung, verschärft noch durch das nationale Schicksal der Vertreibung aus den Ostgebieten (der Komplex Pommern) u. a. m. *Ein schöner Tag* enthält kein einziges Kapitel, das nicht sehr scharf »die gesellschaftlichen Verhältnisse« zeigte. – Zu dem Vorwurf »zu privat« vgl. die treffenden Darlegungen Wellershoffs in *Literatur und Veränderung.* S. 33–45.
18. Vgl. *Peter Handke.* Text + Kritik. H. 24.
19. Die Welt der Literatur. 1970. Nr. 9. S. 2.
20. Helmut Heißenbüttel: *Georg-Büchner-Preis-Rede 1969.* In: Text + Kritik. H. 25. S. 42–45.
21. Lucien Goldmann: *Der christliche Bürger und die Aufklärung.* Neuwied u. Berlin 1968.
22. Peter O. Chotjewitz: *Ich kann die Literatur nicht abschaffen.* Leserbrief in: Die Zeit. 1970. Nr. 10. S. 49.

REINHARD DÖHL

Konkrete Literatur

Als »Sprachknochensplitter, die sich für Poesie halten«, als »Schnickschnack« wertete Max Rychner 1960 in *Die Zeit* Eugen Gomringers *33 konstellationen*[1]: »Sie entstammen einer Kiste, die Lallbrocken enthält, aber auch Wörter, die von den Tischen reicherer Männer in diese Armseligkeit fielen«[2]. Und während Hugo Friedrich noch 1966 glaubte, daß eine »sogenannte ›konkrete Poesie‹ mit ihrem maschinell ausgeworfenen Wörter- und Silbenschutt [...] dank ihrer Sterilität [...] völlig außer Betracht bleiben«[3] könne, wußte *Der Spiegel* 1970 bereits von »frühen Inflations- und Alterserscheinungen« einer »neuesten (auch ›konkret‹ genannten) Lyrik« zu berichten, deren »Wortmalereien [...] nunmehr auch vom Establishment immer höher eingeschätzt«[4] würden, kritisierte die *Stuttgarter Zeitung*: »Ohne nun an die visuelle Poesie [...] die heutzutage beliebte Sonde der Ideologiekritik anzulegen und zu untersuchen, ob es sich dabei um eine hinter ästhetischer Progression versteckte politische Regression handelt (die Tatsache, daß visuelle Poesie in Diktaturen besonders gut gedeiht, kann man so oder so auslegen!), erscheint mir die hier vorgeführte Manipulation der Sprache schon aus dem Grunde suspekt, als – virtuell – sinnentleerte, auf ihre Zeichenexistenz verwiesene Schriftsymbole jeder Interpretation gegenüber offen sind: allen Beteuerungen zum Trotz ist visuelle Poesie über weite Strecken nichts anderes als geschmäcklerisch-unverbindliche, informationstheoretisch aufgeblähte Wand- oder Bodendekoration, die ästhetische Beschwichtigungsformeln propagiert«[5]. Zwischen dieser Kritik und Rychners abschätzigem »Schnickschnack« liegen genau zehn Jahre, in denen sich eine Literatur in den Vordergrund und in die Diskussion spielte, deren Wurzeln in eine sogenannte Literaturrevolution zurückreichen, deren spezielle Ausprägung in den frühen fünfziger Jahren begann und deren Ende sich mit einigen umfangreichen Anthologien[6] und umfassenden Ausstellungen[7] anzudeuten scheint. »Zijn de dagen van de konkrete poezie geteld?« fragt denn auch Paul de Vree[8], während Christian Wagenknecht in einem Großteil konkreter Literatur »eine letzte Phase der Formgeschichte der Poesie« sieht, »unfruchtbar oder fruchtbar doch nur im eigenen Gebiet: der poetischen Erkundung sprachlicher Sachverhalte«[9].

Jeder Versuch, eine sogenannte konkrete Literatur in den Griff zu bekommen, ist vor allem durch drei Umstände erschwert: durch ihre Internationalität, ihre Vielsprachigkeit und eine daraus resultierende Variationsbreite des Selbstverständnisses, durch die Verstreutheit des oft nur schwer zugänglichen Materials und durch eine Vielzahl nicht nur terminologischer Unschärfen und Differenzen. So begegnen vor und neben der erst relativ spät allgemein gebräuchlichen Bezeichnung ›konkrete Literatur‹ synonym oder nur geringfügig variierend gebraucht Bezeichnungen wie experimentelle, elementare, materiale, abstrakte, absolute, künstliche, spatialistische, evidente Literatur bzw. Poesie. Immer wieder werden konkrete und visuelle Literatur fast synonym gebraucht, visuelle und akustische Poesie aber alternativ unterschieden[10]. Angesichts dieses Dilemmas schrieb Hansjörg Schmidthenner schon 1965 resignierend, »daß zwar alle Autoren der konkreten Poesie das, was an der Sprache materiell konkret ist, nachdrücklich in die Produktion mit einbezogen wissen wollen, daß sie aber im übrigen sehr oft verschiedene Meinungen vertreten, was – noch oder schon – zur konkreten Poesie zu zählen sei«[11].

Geht man von dem in den letztjährigen Anthologien und Ausstellungen überschaubar gemachten Material aus, wäre eine konkrete Literatur seit spätestens 1953 datierbar. Die ersten Jahre erweisen sich dabei wesentlich als Zeit der Theorienbildung mit Öyvind Fahlströms *Hätila ragulpr pä fätskliaben. Manifest für konkrete Poesie* (1953), mit Eugen Gomringers *vom vers zur konstellation. zweck und form einer neuen dichtung* (1955) und schließlich mit Augusto de Campos', Décio Pignataris, Haroldo de Campos' *Plano-Pilôto para Poesia Concreta* (1958)[12]. Ihnen folgen bis Mitte der sechziger Jahre zahlreiche weitere Manifeste und theoretische Äußerungen unterschiedlichster Art[13], was fragen läßt, ob eine konkrete Literatur gleichsam nur auf der Folie ihrer Theorien gelesen werden kann. Dabei differieren von Anfang an die Auffassungen derart, daß bereits die Beantwortung der Frage nach der Bildung des Begriffs ›konkrete Literatur‹ Ermessenssache scheint. Denn entweder hält man sich – wie zumeist geschieht – an die Tatsache, daß Gomringer 1954–58 Sekretär Max Bills an der Hochschule für Gestaltung in Ulm war[14], und schließt sich der Auffassung Helmut Heißenbüttels an: »Der Begriff einer konkreten Poesie wurde gebildet in Analogie zur bildenden Kunst, vor allem zur Malerei. Dort löste er sich ab aus den theoretischen Vorstellungen Mondrians, der Stijl-Gruppe und Kandinskys«[15]. Oder man folgt – wie etwa Bob Cobbing in seinem Versuch über *Concrete sound poetry 1950–1970*[16] – Fahlström, der »das Wort konkret [...] mehr im Anschluß an konkrete Musik als an Bildkonkretismus im engeren Sinne« verwendet und seine Auffassung des »fundamentalen konkreten Prinzips« an Pierre Schaeffers *Etude aux chemin de fer*, dem ersten Stück konkreter Musik, veranschaulicht: Schaeffer »hatte auf einem Band einige Sekunden Lokomotivengeräusch aufgenommen, war aber nicht damit zufrieden, dieses Geräusch nur an ein anderes zu fügen, obwohl die Zusammenstellung an sich ungewöhnlich wurde. Statt dessen *schnitt er ein kleines Fragment* des Lokomotivengeräusches heraus und wiederholte dieses Fragment in einer veränderten Tonhöhe: dann zurück zum ersten, dann das zweite usw., damit ein Wechsel entstand. Da erst hatte er geschaffen, er hatte durch die Zerstückelung *einen Eingriff gemacht in den Stoff selbst*: die Elemente waren nicht neu: aber der neue Zusammenhang, *der gebildet war, hatte eine neue Materie gegeben.*
Daraus geht hervor, daß, was ich literarische Konkretion nenne, ebensowenig wie die musikalische Konkretion und die Nonfiguration der bildenden Kunst einen Stil hat – teils ist es für den Leser eine Möglichkeit, Wortkunst zu erleben, in erster Linie Poesie – teils für den Poeten eine Befreiung, eine Erlaubniserklärung allen sprachlichen Materials und aller Mittel, es zu bearbeiten. Eine Literatur, die mit diesem Ausgangspunkt geschaffen wurde, steht also weder in Opposition noch in Ähnlichkeitsverhältnis zu Lettrismus, Dadaismus oder Surrealismus«[17].
Wenn auch nicht in einem »Ähnlichkeitsverhältnis«, in Tradition von Dadaismus, Surrealismus und Lettrismus steht eine konkrete Literatur doch, was Fahlström indirekt auch zugesteht, wenn er von der Verwandtschaft des »konkret arbeitenden

Dichters« »mit den Formalisten und Sprachknetern aller Zeiten, mit den Griechen, mit Rabelais, Gertrude Stein, Schwitters, Artaud und vielen anderen«[18], spricht. So geht z. B. Kurt Schwitters' i-Theorie »Schaeffers Schlüsselerlebnis während seinem Suchen nach einer konkreten Musik« voraus. Er habe, schreibt Schwitters 1923 in der sogenannten Nummer i, dem zweiten Heft seiner Zeitschrift *Merz*, den Buchstaben i »zur Bezeichnung einer spezialen Gattung von Kunstwerken gewählt, deren Gestaltung so einfach zu sein scheint, wie der einfältigste Buchstabe *i*. Diese Kunstwerke sind insofern konsequent, als sie im Künstler im Augenblick der künstlerischen Intuition entstehen. Intuition und Schöpfung des Kunstwerkes sind hier dasselbe. – Der Künstler erkennt, daß in der ihn umgebenden Welt von Erscheinungsformen irgendeine Einzelheit nur begrenzt und aus ihrem Zusammenhang gerissen zu werden braucht, damit ein Kunstwerk entsteht, d. h. ein Rhythmus, der auch von anderen künstlerisch denkenden Menschen als Kunstwerk empfunden werden kann. [...] – Die einzige Tat des Künstlers bei *i* ist Entformelung durch Begrenzung eines Rhythmus. [...] – Wer n*u*n denkt, daß es leicht wäre, ein *i* zu schaffen, der *i*rrt sich. Es ist *v*iel schwerer, als ein *w*erk durch *w*ertung der Teile zu gestalten, denn die Welt der Erscheinungen wehrt sich dagegen, Kunst zu sein, und selten findet man, wo man nur zuzugreifen braucht, um ein Kunstwerk zu erhalten«[19].

Noch deutlicher sind die Beziehungen im Falle des Bildkonkretismus faßbar. Die Manifeste zu einer konkreten Literatur Mitte bis Ende der fünfziger Jahre stimmen weitgehend überein in der Betonung des literarischen Produkts als eines primär sprachlichen Ereignisses, in der angestrebten Ausschließung alles subjektiv Zufälligen, in der Opposition gegen traditionelle Schreib- und Lesegewohnheiten, in der Forderung neuer Schreib- und Leseweisen und schließlich in der Auffassung des literarischen Produkts als eines Gegenstandes zum geistigen Gebrauch. Vor allem letztere, auf Bill zurückgehende Auffassung gilt allgemein für eine Kunst und ihr Selbstverständnis, die – will man sich an das Epitheton ›konkret‹ halten – seit spätestens 1930, seit Erscheinen der ersten und einzigen Nummer einer von Theo van Doesburg herausgegebenen Zeitschrift *Art Concret* datieren. Ähnlich wie zahlreiche andere Manifeste der damaligen Zeit formuliert auch das dort programmatisch veröffentlichte *Manifest der Konkreten Kunst* eigentlich keinen Neuansatz, faßt es vielmehr Teilergebnisse der sogenannten Kunstrevolution zum Programm einer Gruppe zusammen und formuliert als »Die Grundlagen der konkreten Malerei«:

»1. Die Kunst ist universell.

2. Bevor das Werk in Materie umgesetzt wird, soll es vollständig im Bewußtsein konzipiert und vorgeformt sein. Es darf keine Anlehnung an die Natur enthalten, weder Sinnlichkeit noch Sentimentalität. Wir wollen den Lyrismus, die Dramatik, den Symbolismus usw. ausschließen.

3. Das Bild soll mit rein plastischen Mitteln gestaltet werden, das heißt mit Flächen und Farben. Ein bildnerisches Element bedeutet nur sich selbst; folglich bedeutet das Bild ebenfalls nur sich selbst.

4. Die Bildkonstruktion muß ebenso wie die Elemente, die sie bestimmen, einfach und visuell kontrollierbar sein.

5. Die Technik muß mechanisch sein, das heißt exakt, anti-impressionistisch.

6. Wir wollen die absolute Klarheit«[20].

Es ist relativ leicht, diese »Grundlagen« auf eine konkrete Literatur umzumünzen.

Dabei könnte es z. B. heißen, daß das Gedicht mit rein sprachmaterialen Mitteln gestaltet werden solle, d. h. mit Worten; daß ein Wort nur sich selbst bedeute; folglich bedeute das Gedicht ebenfalls nur sich selbst. So gelesen findet sich in den theoretischen Äußerungen konkreter Autoren eine Fülle von Entsprechungen, wenn Gomringer z. B. davon spricht, daß »mit der konstellation [...] etwas in die Welt gesetzt« werde, daß sie »eine realität an sich und kein gedicht über ...«[21] sei, oder wenn Max Bense konstatiert: »Konkrete Poesie ist also bewußte Poesie«, oder: »Alles Konkrete ist hingegen nur *es* selbst. Ein Wort, das konkret verstanden werden soll, muß ganz und gar beim Wort genommen werden. Konkret geht jede Kunst vor, die ihr Material so gebraucht, wie es den materiellen Funktionen entspricht, nicht aber, wie es im Sinne von Übertragungsvorstellungen unter Umständen möglich wäre. In gewisser Hinsicht könnte also die ›konkrete‹ Kunst auch als ›materiale‹ Kunst aufgefaßt werden«[22].

Ob das Epitheton ›konkret‹, bezogen auf die bildende Kunst, schon vor 1930 verwendet wurde, ist nicht mit Sicherheit auszumachen, aber durchaus denkbar. Unwahrscheinlich ist dagegen ein so früher Gebrauch der Bezeichnung ›konkrete Literatur‹ bzw. ›Poesie‹, die Gomringer bezeichnenderweise in seinen ersten Manifesten – möglicherweise in Unkenntnis des Fahlströmschen Manifests – noch nicht verwendet, wenn er von »der neuen dichtung«, von der »konstellation« als neuer Form literarischer Redeweise spricht. Dennoch gibt hier ein schon vor den ersten Manifesten Fahlströms und Gomringers veröffentlichter retrospektiver Essay Hans Arps, *Kandinsky, le poète* (1951), einige aufschlußreiche Hinweise:

»1912 besuchte ich Kandinsky in München. [...] Es war die Zeit, da die abstrakte Kunst sich in die konkrete Kunst zu verwandeln begann[23] [...]. Kandinsky ist einer der ersten, sicher der erste, der es bewußt unternahm, solche Bilder zu malen und entsprechende Gedichte zu schreiben. [...]

Anno Dada wurden im Cabaret Voltaire in Zürich zum ersten Mal Gedichte Kandinskys vorgelesen und mit urweltlichem Gebrüll von den Zuhörern verdankt. Die Dadaisten waren begeisterte Vorkämpfer der konkreten Dichtung. Hugo Ball und Tristan Tzara haben 1916 onomatopoetische Gedichte geschrieben, die wesentlich zur Klärung des konkreten Gedichtes beigetragen haben. Mein Gedichtband ›Die Wolkenpumpe‹ enthält zum größten Teil konkrete Gedichte.

Der Gedichtband Kandinskys, ›Klänge‹, ist eines der außerordentlichen, großen Bücher. [...] Kandinsky hat in diesen Gedichten die seltensten geistigen Versuche unternommen. Er hat aus dem ›reinen Sein‹ nie gehörte Schönheiten in diese Welt beschworen. In diesen Gedichten tauchen Wortfolgen und Satzfolgen auf, wie dies bisher in der Dichtung nie geschehen war. [...] Durch die Wortfolgen und Satzfolgen dieser Gedichte wird dem Leser das stete Fließen und Werden der Dinge in Erinnerung gebracht, öfters mit dunklem Humor, und, was das Besondere an dem konkreten Gedicht ist, nicht lehrhaft, nicht didaktisch. In einem Gedicht von Goethe wird der Leser poetisch belehrt, daß der Mensch sterben und werden müsse. Kandinsky hingegen stellt den Leser vor ein sterbendes und werdendes Wortbild, vor eine sterbende und werdende Wortfolge, vor einen sterbenden und werdenden Traum«[24].

Vieles an diesen nur fragmentarisch zitierten Ausführungen Arps ist interessant und bedürfte einer genaueren Analyse. Für unsere Fragestellung geht es vor allem um

die Konfrontation von Goethe- und Kandinsky-Gedicht, von – wie Arp es sieht – poetisch belehrendem Gedicht und sprachlicher Demonstration. Denn als »Demonstration« möchte auch Heißenbüttel 1961 seine literarischen Arbeiten verstanden wissen: »Ich neige in gewisser Weise immer mehr dazu, diese Dinge weder als Gedichte noch als Text zu bezeichnen, sondern als Demonstrationen. Demonstration im Doppelsinn dieses Wortes scheint mir das zu sein, was notwendig ist«[25].
Man könnte die von Arp vorgenommene Gegenüberstellung als eine erste (historische) Annäherung an das konkrete Gedicht nehmen und ein wenig vereinfacht sagen, daß in dem gleichen Maße, wie Goethe bei Formulierung seines Symbolbegriffs[26] die symbolische als die eigentlich poetische Redeweise von der allegorischen Redeweise des 17./18. Jahrhunderts abhebt, Arp jetzt das primär sprachliche Ereignis, die sprachliche Demonstration als die eigentlich poetische von der symbolischen Redeweise Goethes und – wie man hinzufügen kann – des 19. Jahrhunderts unterscheidet. Die Gedichte Kandinskys und Arps, der den *Klängen* wesentliche Anregungen verdankt, ständen danach ebenso wie die »onomatopoetischen Gedichte« Balls und Tzaras am Anfang einer Entwicklung, innerhalb derer nach 1953 dann die Rede von einer konkreten Literatur ist. Auf was Arp mit seiner Gegenüberstellung zielt, läßt sich mit einer weiteren Gegenüberstellung verdeutlichen, in der Konfrontation von Goethes »Über allen Gipfeln / Ist Ruh, / In allen Wipfeln / Spürest du / Kaum einen Hauch; / Die Vögelein schweigen im Walde. / Warte nur, balde / Ruhest du auch.« mit der sprachlichen Demonstration des Schweigens bei Gomringer

schweigen schweigen schweigen
schweigen schweigen schweigen
schweigen   schweigen
schweigen schweigen schweigen
schweigen schweigen schweigen

bzw. mit ihrem Gegenteil, mit Friedrich Achleitners sprachlicher Demonstration von Unruhe

ruh
und
ruh
und
ruh
und
ruh
und ruh und ruh und ruh und
ruh
und
ruh
und
ruh
und
ruh

Mit Recht weist Wagenknecht darauf hin, daß Gomringers *schweigen* »nicht als eine moderne Version von *Wanderers Nachtlied* verstanden sein« will. Kein Rollen-

gedicht, keine »Selbstaussprache des lyrischen Ich« (Fritz Martini), zeigen die beiden Konstellationen vielmehr, was sie sagen, und sagen, was sie zeigen. »In ›ruh und‹ there is a contrast between the meaning of ›ruh‹ [...] and the movement of the rhythm, which speeds up in the horizontal part of the constellation«[27] kommentiert Achleitner seinen Text, während Wagenknecht für die Konstellation Gomringers festhält, daß sie »sich allein auf der Fläche des bedruckten Papiers« ordne. »Das Schweigen, von dem hier vierzehnmal die Rede und einmal, emphatisch, nicht die Rede ist, soll weniger als Pause ins Ohr denn als Leerstelle ins Auge fallen«[28].
Ein Vergleich der beiden Konstellationen schränkt überdies die Behauptung einer konkreten als einer primär »visuellen Poesie«[29] stark ein. Denn während Gomringer seinen Text mit Recht der Gruppe der »visuellen konstellationen« zuordnet, verweist im Falle Achleitners die Differenz zwischen Geschriebenem (»ruh und«) und akustischem Effekt (Unruhe), das Erzeugen von Unruhe durch vertikale und horizontale Addition des Wortes ›ruh‹, den Text in die Nähe der »audiovisuellen Gedichte«, wie sie Carlo Belloli 1959 theoretisch begründete: »what we seek is visual evaluation in semantic structure, a development entirely of spiritual quality in that it represents the unified relationship of word, sound and visuality«[30].
Den Schritt weiter in Richtung eines primär akustischen Textes gehen z. B. Cobbing mit einem Zählgedicht der Art »wan / do / tree / fear / fife / seeks / siphon / eat / neighing / den / elephan' / twirl«[31] oder Ernst Jandl mit seinem inzwischen recht populären

schtzngrmm
schtzngrmm
t-t-t-t
t-t-t-t
grrrmmmmm
t-t-t-t
s-------c--------h
tzngrmm
tzngrmm
tzngrmm
grrrmmmmm
schtzn
schtzn
t-t-t-t
t-t-t-t
schtzngrmm
schtzngrmm
tssssssssssssssssss
grrt
grrrrrt
grrrrrrrrrt
scht
scht
t-t-t-t-t-t-t-t-t-t
scht

tzngrmm
tzngrmm
t-t-t-t-t-t-t-t-t-t
scht
scht
scht
scht
scht
grrrrrrrrrrrrrrrrrrrrrrrrrrr
t-tt

Was in diesem Text geschieht, ist dem Schriftbild leicht abzulesen. Das Wort ›Schützengraben‹ wird auf sein Konsonantenskelett reduziert mit Ausnahme der beiden letzten Konsonanten b und n, die durch ein doppeltes m ersetzt sind. Dieses Konsonantenskelett wird wiederum in sich zerlegt, in seinen Bestandteilen rhythmisch neu geordnet durch Wiederholungen, Dehnungen, Verstellungen, bis schließlich ein t-tt herausgefiltert wird, was akustisch ja tot assoziiert. Die Wahl des Konsonantenskeletts, seine Anordnung erfolgt eindeutig im Hinblick darauf, was als Schall nachgeahmt werden soll, und zwar abhängig von dem Wort, von dem der Autor ausgeht. Der ästhetische Reiz dieses »Sprechgedichts« (Jandl) ließe sich demnach begründen mit der Ambiguität von vorgegebener Semantik und der Materialität der durchgespielten Konsonanten. Daß die einleitend zitierte Kritik der *Stuttgarter Zeitung* für diesen Fall nicht sticht, bedarf keiner Erörterung. Als »politische Gedichte« will Heißenbüttel diesen und ähnliche Texte verstanden wissen. Und er versucht zugleich zu beantworten, ob sich hier noch von Gedicht sprechen läßt: »Es sind Gedichte sogar in einem ganz bestimmt auf Tradition bezogenen Sinn. [...] Jandl bezieht sich auf die Tradition und zieht sich zugleich zurück auf die bloßen Kennmarken des traditionellen Redens. Er zieht sich zurück auf ein sprachliches Rudiment [...], das er am Grunde dessen findet, was in der Überlieferung Gedicht heißt. Dies Rudiment (mit allem, was sich aus ihm, aus seiner Wortwörtlichkeit erschließen läßt) verarbeitet er zu einem Modell, an dem sich zeigt, wie der Redende (und sein Leser, sein Nachsprecher) sich in der Sprache befindet«[32].

Jandls Schützengraben-Gedicht – eine vergleichende Analyse mit August Stramms *Patrouille* dürfte aufschlußreich sein – ist konsequenterweise nicht nur gedruckt, sondern auch auf einer Schallplatte produziert[33] und damit in einer Form veröffentlicht, die sich für eine primär akustisch strukturierte konkrete Literatur immer mehr durchzusetzen scheint.[34]

Zur Vorgeschichte dieser Texte zählen fraglos die ›parole in libertà‹ der italienischen Futuristen, die ›Verse ohne Worte‹ Hugo Balls, die Lautgedichte der Dadaisten und ihre Entwicklung bis zum lettristischen Gedicht eines Isidor Isou, wovon noch zu sprechen sein wird. Selbst die Gedichte Arps aus *die wolkenpumpe* (1920) lassen sich in dieser Vorgeschichte verstehen, soweit bei ihnen die akustische Dimension vor die semantische tritt. Und nicht von ungefähr nennt Kandinsky seinen Gedichtband ja *Klänge*. Damit wären wir zum Ausgangspunkt unseres Exkurses zurückgekehrt.

Die Ansätze einer konkreten Literatur, ihre Wurzeln liegen augenscheinlich in einer sogenannten Literaturrevolution, genauer: in der literarischen Auseinandersetzung mit einer traditionellen symbolischen Redeweise. Diese Auseinandersetzung führt – wie sich am literarischen Werk Arps sehr schön ablesen läßt[35] – zu Ergebnissen, an die eine konkrete Literatur fast nahtlos anschließen, auf die eine konkrete Literatur folgenreich aufbauen konnte. Für Arp z. B. erfolgte diese Auseinandersetzung im Sprach- und Wortspiel mit literarischen Requisiten, mit der Umgangssprache, im Verstellen des Sinns in Unsinn, während Franz Mon später für seinen Fall von »Querstellen« spricht, wenn er nach dem Grund fragt, »aus dem heraus der Versuch, nur noch lautlich, nicht mehr bedeutungsvoll zu reden, sinnvoll, ja vielleicht notwendig erscheint. Er erkennt diesen Grund im sprachlosen Zurückgeworfensein ins Schweigen. Er spricht vom ›Querstellen‹ gegen das allzu geläufig gewordene und im Grunde fast nur noch Anonymes und Unbedeutendes sagende Vokabular der sogenannten Umgangssprachen«[36].
Für Arp führte die literarische Auseinandersetzung schließlich zur Erprobung neuer sprachlicher Mittel, zum Einsatz neuer syntaktischer Sonderformen, z. B. der Permutation, die Daniel Spoerri, Mon und vor allem Ludwig Harig Ende der fünfziger Jahre jeder auf seine Weise wieder aufgreifen, zum Ansatz neuer Möglichkeiten, im Gedicht zu reden, z. B. in der Konfiguration oder Konstellation. Etwa gleichzeitig mit Entstehen des ersten Gomringerschen Manifests hielt Arp über seine Gedichte um 1930 rückblickend fest: »In diesen Gedichten verwende ich öfters die gleichen Wörter. [...] Ich schrieb Gedichte mit einer beschränkten Anzahl Wörter, die in verschiedenen Konstellationen auftreten. [...] Die Beschränkung in der Zahl der Wörter bedeutet keine Verarmung des Gedichtes, vielmehr wird durch die vereinfachte Darstellung der unendliche Reichtum in der Verteilung, Stellung, Anordnung sichtbar. Auch die typographische Anordnung des Gedichtes war in jener Zeit für mich von großer Wichtigkeit«[37]. Genau davon spricht aber auch Gomringer, wenn er die Konstellation als die »einfachste gestaltungsmöglichkeit der auf dem wort beruhenden dichtung« auffaßt; »in ihr sind zwei, drei oder mehr, neben oder untereinandergesetzten worten – es werden nicht zu viele sein – eine gedanklich-stoffliche beziehung gegeben. [...] die konstellation ist eine ordnung und zugleich ein spielraum mit festen größen«[38]. In *gedichttechnik* schließlich beschreibt er die ihm idealtypische Ein-Wort-Konstellation: »ein aufbauprinzip der konstellation [...] ist die unmittelbare wiederholung eines wortes. sie bewirkt die beharrung und momentane konzentration und ein plötzliches bewußtwerden der besonderheit einer bestimmten wortmaterie. [...] um beispielsweise dem deutschen wort ›schnee‹ zum bedeutenden ausdruck zu verhelfen, ist es nötig, dieses wort – dieses zeichen – in einer ausgewogenen anzahl und in einer bestimmten typographischen anordnung zu verwenden«[39].
Welche Möglichkeiten sich über die relativ geringe Spielbreite der Gomringerschen Ein-Wort-Konstellation hinaus ergeben, wenn man die für ein Wort aufgewendete Buchstabenmenge als Ensemble akustischer oder visueller Partikel auffaßt, soll wenigstens mit Hinweis auf einige Textbeispiele angedeutet werden. So versucht Jandl das mechanische Ablaufen der Zeit als sprachlichen Prozeß darzustellen, indem er das Wort ›stunden‹ in »st / und / en« zerlegt und, mit einem weiteren »und« verbunden, viermal untereinanderschreibt. Dieser Text hätte seinen Stellenwert ungefähr zwischen Gomringers *schweigen* und Jandls *schtzngrmm*, einem

nur noch akustisch strukturierten Gedicht. Auf der anderen Seite führt Timm Ulrichs in der Wiederholung aller durch Buchstabenauslassungen möglichen fragmentarischen Schreibweisen des Wortes ›fragment‹ gleichsam tautologisch das Wort ›fragment‹ als Fragment vor, läßt Dom Sylverster Houédard die vier Buchstaben des Wortes ›news‹ in Wiederholung und verschiedener Schriftgröße über eine Seite gleichsam explodieren, sicherlich auch, um so den Wert und die Bedeutung, die eine auf ständig neue Informationen drängende Zeit den Neuigkeiten beimißt, durch die materiale Auflösung von ›news‹, die rein mechanische Vervielfältigung der Buchstaben in Frage zu stellen. Den Weg zum Figurentext, zum in einem wörtlichen Sinne Schrift-Bild geht schließlich Jiři Kolař, wenn er in *Gersaints / Aushängeschild* die Buchstaben z. B. der Namen Albers und Brancusi in der Vervielfältigung zu Albersschen Quadraten bzw. dem Aufriß einer Brancusischen Plastik ordnet, wobei er im letzten Fall sogar noch die Schere zur Konturierung zu Hilfe genommen hat.

Diese Beschränkung auf nur noch wenige Worte und schließlich auf das nur noch aus einem Wort bestehende Gedicht läßt sich als ein Reduktionsprozeß beschreiben, dessen Ansätze sich wiederum in der Literaturrevolution, in der Auseinandersetzung mit einer traditionellen Literatur finden, für die »die Kategorie des Inhaltlichen eine wesentliche Bedeutung« besaß. Was Heißenbüttel in diesem Zusammenhang an einem Text Gertrude Steins exemplifiziert – »Die Opposition ist aggressiv. Sie reduziert den Inhalt und löst die Form in ihren traditionellen Erscheinungsweisen auf. Sie ist getragen von der Intention einer neuen Sprechmöglichkeit. Diese neue Sprechmöglichkeit wird gesehen in der Rückführung und Rückbesinnung der Sprache auf sich selbst. In dieser Rückbesinnung wird die Frage nach Form und Inhalt gegenstandslos«[40] –, ist denn auch ein weiteres wesentliches Indiz konkreter Texte. Von »Reduktion auf die Variation eines Modells« redet Heißenbüttel in eigener Sache im Zusammenhang der *Kombinationen*, und er fordert in der *Achterbahn*: »Reduktion muß Witz entwickeln«. Bense macht zunächst in seiner *Theorie der Texte* bei Aufzählung der ihm wichtigsten »Textsorten« einen Unterschied zwischen »5. abstrakte und konkrete Texte« und »8. reduzierte und komplette Texte«, faßt dabei als konkreten Text allerdings nur die ›Konstellation‹ im Sinne Gomringers bzw. das ihr ähnliche ›Ideogramm‹ der Noigandres-Gruppe, während er für die »reduzierten und kompletten Texte« notiert: »Die Verwendung der Ausdrücke ›reduziert‹ und ›komplett‹ zur Kennzeichnung von Texten kann sich sowohl auf die semantische wie auf die nichtsemantische Funktion eines Textes beziehen. Man kann in einem Text grammatische und logische Ausdrücke reduzieren, oder man kann mehr oder weniger auf die konkreten Bedeutungsträger (die die Außenwelt eines Textes im Gegensatz zu seiner sprachlichen Eigenwelt geben) verzichten«[41]. Allerdings sind die von Bense genannten insgesamt zwölf »Paare von Textformen« keinesfalls ausschließlich gemeint, sie gehen vielmehr z. T. auseinander hervor, können sich bei dem Versuch, Texte zu klassifizieren, z. T. sinnvoll ergänzen. Auf dem Hintergrund einer allgemeinen sprachlichen Entwicklung möchte Gomringer schließlich seine Konstellationen verstanden wissen: »unsere sprachen finden sich auf dem weg der formalen vereinfachung. es bilden sich reduzierte, knappe formen. oft geht der inhalt eines satzes in einen einwort-begriff über, oft werden längere ausführungen in form kleiner buchstabengruppen dargestellt. es zeigt sich auch die tendenz, viele sprachen durch einige wenige, allgemeingültige zu ersetzen«[42].

Man könnte eine Ausstellung[43] oder Anthologie konkreter Texte so anordnen, daß die Zahl der für einen Text aufgewendeten Wörter immer mehr abnimmt, bis der Text schließlich nur noch aus einem Wort besteht; ja man könnte diesen Reduktionsvorgang noch jenseits des Wortes an möglichen sinnfälligen Silben- oder gar nur noch Buchstabenkonstellationen zeigen. Man würde auf diese Weise rein mechanisch eine Tendenz konkreter Literatur sichtbar machen, deren Ansätze zu sehen wären im Ausbrechen aus der Strophen- und Versstruktur des traditionellen Gedichts und schließlich sogar aus der traditionellen Vonlinksnachrechts-Abfolge des Textes. Auf Arno Holz' Achsenkomposition der *Phantasus*-Gedichte, seine Definition der »Zeile« als der letzten »Einheit« seiner »Rhythmik« (im Gegensatz zu Versfuß/Metrik), auf Stéphane Mallarmés *Un Coup de Dés* beruft sich denn auch Gomringer bei Aufzählung der Vorgänger in seinem Manifest *vom vers zur konstellation*, dessen Motto »rien n'aura lieu / excepté / peut-être / une constellation« dem Gedicht Mallarmés entlehnt ist (»RIEN / N'AURA EU LIEU / QUE LE LIEU / EXCEPTÉ / PEUT-ÊTRE / UNE CONSTELLATION«). Gomringer bezieht sich des weiteren auf den italienischen Futurismus und (Züricher) Dadaismus, und damit auf eine Entwicklung, die mit Gustave Kahns ›vers libre‹, Marinettis ›parole in libertà‹ und Balls Konsequenzen in wesentlichen Punkten skizziert wäre:

»Mit der Preisgabe des Satzes dem Wort zuliebe begann resolut der Kreis um Marinetti mit den ›parole in libertà‹. Sie nahmen das Wort aus dem gedankenlos und automatisch ihm zuerteilten Satzrahmen (dem Weltbilde) heraus, nährten die ausgezehrte Großstadtvokabel mit Licht und Luft, gaben ihr Wärme, Bewegung und ihre ursprünglich unbekümmerte Freiheit wieder. Wir andern gingen noch einen Schritt weiter. Wir suchten der isolierten Vokabel die Fülle einer Beschwörung, die Glut eines Gestirns zu verleihen. Und seltsam: die magisch erfüllte Vokabel beschwor und gebar einen n e u e n Satz, der von keinerlei konventionellem Sinn bedingt und gebunden war. An hundert Gedanken zugleich anstreifend, ohne sie namhaft zu machen, ließ dieser Satz das urtümlich spielende, aber versunkene, irrationale Wesen des Hörers erklingen; weckte und bestärkte er die untersten Schichten der Erinnerung.«

Auf den Versuch, der »isolierten Vokabel die Fülle einer Beschwörung [...] zu verleihen«, auf die Überzeugung, »das Wort mit Kräften und Energien geladen« zu haben, »die uns den evangelischen Begriff des ›Wortes‹ (logos) als eines magischen Komplexbildes wieder entdecken ließen«[44] zielt Gomringer unter anderem, wenn er die Überzeugung äußert, daß »die weltanschauliche begründung und der ausdruckswille, der hinter dieser dichtung steht, [...] uns nicht mehr zugehörig«[45] seien.

Aber wie weit ist Gomringer von Mallarmé – für den Carl Einstein festgehalten hat, es sei ihm um den »schwierigen Punkt« gegangen, »wo die Sprache sich durch Fixiertsein allein rechtfertigen kann, durch den Gegensatz des geschriebenen Schwarz und des unerschlossenen Weiß des Papiers«[46] – entfernt? Er entlehnt ihm das Motto seines Manifests. Er nennt die Konstellation »das letztmögliche absolute gedicht«. Seiner Auffassung, die Konstellation umfasse »eine gruppe von worten, wie sie eine gruppe von sternen umfaßt und zum sternbild wird«, läßt sich eine Passage aus *Un Coup de Dés* vergleichen: »vers / ce doit être / le Septentrion aussi Nord / UNE CONSTELLATION / froide d'oubli et de désuétude / pas tant / qu'elle n'énumère / sur quelque surface vacante et supérieure / le heurt successif / sidéralement / d'un compte total en formation«[47]. Und die Analyse einer der neben *schweigen* bekanntesten frühen Konstellationen Gomringers

das schwarze geheimnis
ist hier
hier ist
das schwarze geheimnis

wird Formulierungen Mallarmés berücksichtigen müssen wie »l'alphabet des astres, seul, ainsi s'indique, ébauché ou interrompu; l'homme poursuit noir sur blanc«; »avec le rien de mystère, indispensable, qui demeure, exprimé, quelque peu«; »comme un vol recueilli mais prêt à s'élargir ... feuille fermée, contienne un secret, le silence y demeure«; »l'ombre éparse en noirs caractères«[48] u. a. m. Es muß einer umfangreicheren Analyse vorbehalten bleiben, diese Tradition genauer zu beschreiben. Dabei wird man auch an Bilder der geometrisch-konkreten Kunst denken müssen, etwa an die »Meditationstafeln, Mandalas, Wegweiser« Sophie Taeubers und Arps, die »in die Weite, in die Tiefe, in die Unendlichkeit zeigen«[49] sollten, speziell an Malewitschs schwarze und weiße Quadrate der suprematistischen Phase. »Looking at this poem«, merkt Haroldo de Campos dem ersten japanischen konkreten Text Kitasono Katues, *tanchona kukan* (1957), an, »I remember Malevich's ›White on White‹ painting and Albers' ›Homage to the Square‹ series«[50]. Versteht man Weiß als Anwesenheit und Schwarz als Abwesenheit aller Farben, könnte man, ausgehend von Katues *tanchona kukan*, den zitierten Text Gomringers, manche *zeichen* Heinz Gappmayrs, einzelne *ideogramme* Claus Bremers, die *textlabyrinthe* Franz Mons als Gruppe subsumieren, die durch ein Interesse der Autoren an Ab- bzw. Anwesenheit der Sprache wesentlich charakterisiert wäre, wobei eine gewisse Neigung zu Sprachmystik, eine gelegentlich naiv-mystische Scheu vor Druckerschwärze sicherlich mit hineinspielt. »Angefangen beim z«, kommentiert Bremer eines seiner *ideogramme*, »wird Zeile für Zeile, die jeweils das ganze Alphabet enthält, ein Buchstabe mehr übereinandergeschrieben. So enthält schließlich ein Fleck Dunkel alle unsere Ausdrucksmöglichkeiten«[51]. Noch in diesem Zusammenhang zu lesen ist auch Mons Begründung der »labyrinthischen Darstellung« des Textes: »je konsequenter ein text aufgebaut ist, desto dringlicher wird das bedürfnis nach seiner labyrinthischen darstellung, nicht um seine struktur zu durchlöchern, sondern um ihre intensität erfahrbar zu machen und zu manifestieren, daß die klarste textentwicklung auf einem grund von unabsehbaren möglichkeiten entspringt«[52].

Und in noch einem Punkte ist Mallarmé, der seinen Zeitgenossen vorwarf, sie könnten nicht lesen, »es sei denn die Zeitung«, für Gomringer ›entwicklungsgeschichtlich‹ bedeutend, in dem Versuch, »durch komplizierte typographische anordnungen das einzelne wort aus der einebnenden syntax zu lösen und ihm [...] eigengewicht und [...] individualität zu geben«[53]. Marie-Louise Erlenmeyer hat die syntaktischen Voraussetzungen dieses für *Ein Würfelwurf* notwendigen »nichtlinearen mehrschichtigen Lesens« beschrieben: »Wichtig für die verschiedenen Lesemöglichkeiten des Würfelwurfs ist, was Diderots Enzyclopädie, bezugnehmend auf die uneinheitliche Anwendung des Dativs, sagt: ›Die Tatwörter regieren nichts. Es gibt nur die Sicht des Geistes, die Grund ist für die verschiedenen Inflexionen, die man den Dingwörtern gibt, die im Rapport stehen zum Tatwort.‹ Daß Subjekt und Objekt im

Französischen unter sich austauschbar, also nicht unterschieden sind, außer durch eine festgelegte Folge im Satzgefüge, ist für die Möglichkeiten in Mallarmés dichterischem Denken und Gestalten von größter Tragweite und gibt in der abendländischen Sprach- und Denkstruktur von Handelnden und Duldenden die Freiheit einer hin- und herschwingenden Vertauschbarkeit der Kräfte. In diesem Sinne hebt Mallarmé durch die Technik seiner Inversionen auch die festgelegte Folge innerhalb des Satzes auf«[54].

Dennoch löst Mallarmé das Gefüge der vorgegebenen Syntax nicht auf. Er macht vielmehr durch die typovisuelle Erweiterung dieses Gefüge noch einmal handhabbar und funktionabel. Darauf bezogen erscheint die inhaltlich reduzierte Konstellation Gomringers, in der »neben- oder untereinandergesetzten worten [...] eine gedanklich-stoffliche beziehung gegeben« ist, die »eine ordnung und zugleich einen spielraum mit festen größen« darstellt, in der erst »die inversion zu einer bewegenden größe, zu einem problem«[55] wird, sogar relativ traditionell, gemessen an anderen Beispielen konkreter Literatur. Dennoch geht beidem die aus Mißtrauen in das grammatische Schema der »Unterscheidung von Subjekt, Objekt und Prädikat« (Heißenbüttel) resultierende aggressive Zerstörung der Syntax durch die italienischen Futuristen voraus.

»Ich saß im Flugzeug auf dem Benzintank und wärmte meinen Bauch am Kopf des Fliegers, da fühlte ich die lächerliche Leere der alten, von HOMER ererbten Syntax. Stürmisches Bedürfnis, die Worte zu befreien, sie aus dem Gefängnis des lateinischen Satzbaus zu ziehen.«[56] So leitet Marinetti recht anekdotisch sein *Manifesto tecnico della letteratura futurista* ein. Konnte Mallarmé im Vorwort zu *Ein Würfelwurf* noch von Teilnahme seines »Versuchs« »an den unserer Zeit eigenen und ihr wertvoll erscheinenden Vorstößen zum freien Vers und der Prosadichtung« sprechen, fordert Marinetti jetzt: »Nach dem freien Vers, nun endlich DIE BEFREITEN WORTE!« Wenn Gomringer in seinem Manifest die Konstellation gegen eine Dichtung des »individualistischen ausdrucks«, gegen »stimmungsdichtung« abhebt, so findet sich dies bereits als Ablehnung einer »poésie personelle« bei Lautréamont (»Reprenons le fil indestructible de la poésie impersonelle«), als Forderung im *Technischen Manifest*: »MAN MUSS DAS ›ICH‹ IN DER LITERATUR ZERSTÖREN, das heißt die ganze Psychologie.«[57]

Die für die Folgezeit und die Entwicklung einer konkreten Literatur wichtigsten Forderungen des *Technischen Manifests* werden gleich zu Anfang gestellt:

»1. MAN MUSS DIE SYNTAX DADURCH ZERSTÖREN, DASS MAN DIE SUBSTANTIVE AUFS GERATEWOHL ANORDNET, SO WIE SIE ENTSTEHEN.
2. MAN MUSS DAS VERB IM INFINITIV GEBRAUCHEN [...].
3. MAN MUSS DAS ADJEKTIV ABSCHAFFEN [...].
4. MAN MUSS DAS ADVERB ABSCHAFFEN [...].
5. JEDES SUBSTANTIV MUSS SEIN DOPPEL HABEN [...].
6. AUCH DIE ZEICHENSETZUNG MUSS ABGESCHAFFT WERDEN. [...]«[58].

Diesen Forderungen folgt bald die Praxis, zunächst durchaus noch in der traditionellen zeiligen Vonlinksnachrechts-Abfolge im Versuch, durch Wechsel der Typen und unterschiedliche Spatien so etwas wie eine neue ›syntaktische Ordnung‹ herzustellen (»Battaglia / peso + odore«). Doch brechen Ardengo Soffici (*Bif§zf + 18. Chimismi lirici*, 1915) und Marinetti (*Les mots en liberté futuriste*, 1919) den Text bald endgültig aus seiner traditionellen Erscheinungsform. »In den ›Wörtern in Freiheit‹«, beschreibt Heißenbüttel die auf diesem Wege entstehenden Leseflächen, »wird zum erstenmal radikal das geordnete Schriftbild aufgegeben. Die visuelle Form der Sprache wird aus den Schemata der Druck- und Lesepraxis herausgenommen und in einem gleichsam bildhaften Aufbau neu zusammengesetzt. Dabei verfährt diese neue Konstellation der vokabulären Sprachelemente durchaus selbstherrlich. Eine dem visuellen Kompositionsbild entsprechende akustische Form (die versucht und durchgeführt wurde) geht nicht zwingend aus diesem Bild hervor«[59]. Eine strikte Trennung zwischen »Seh-« und »Hörtexten« (Ferdinand Kriwet), zwischen »akustischer« und »optischer Erscheinungsweise« der Worte (Gerhard Rühm), zwischen dem visuellen und akustischen Text der konkreten Literatur erfolgt erst durch die von Ball, Raoul Hausmann und Schwitters gezogenen Konsequenzen. Die Futuristen, der ihnen in manchem nahestehende Guillaume Apollinaire vollziehen sie noch nicht. Im Gegenteil betont Marinetti »unsere natürliche Tendenz zur Klangmalerei. Es tut nichts, wenn das entstellte Wort zweideutig wird. Es wird sich den klangmalerischen Akkorden oder Geräuschbündeln vermählen und uns gestatten, bald zum klangmalerischen psychischen Akkord zu gelangen, dem sonoren, aber abstrakten Ausdruck einer Emotion oder eines reinen Gedankens«[60]. Anders als Heißenbüttel sieht so auch Dietrich Mahlow die Leseflächen der Futuristen: »Die meisten Zeilen sind Geräusche, wie Stellen aus einem Lautgedicht der Dadaisten. [...] Die Bewegung des Sprechens, dazu die Lautstärken, vom Schrei bis zum Murmeln, werden sichtbar«[61]. Und für Apollinaires bekanntes *il pleut* läßt sich schließlich ein ausgesprochen auditives Vokabular beobachten.

Wie immer dem sei, sowohl der visuelle wie der akustische Text lassen sich von den ›parole in libertà‹ herleiten. Für den visuellen Text ist dabei zum einen von Bedeutung, daß die Forderung der Zerstörung der Syntax dazu geführt hat, der Typographie jetzt gleichsam Rolle und Funktion der traditionellen Syntax, wenigstens zum Teil, zuzuweisen, sozusagen eine typographische Syntax einzuführen. Zum anderen steht die von Gomringer, der Noigandres-Gruppe u. a. wiederholt bekundete Absicht, alles metaphorische Ungefähr zu vermeiden bzw. auszuschließen, am Ende eines von den Futuristen, von Apollinaire eingeleiteten Prozesses, zu dessen Beginn Marinetti z. B. die Unterdrückung der »Redewendungen *wie, gleich, so wie, ähnlich*« verlangt und fordert, »in der Sprache« abzuschaffen, »was sie an Bild-Klischees und farblosen Metaphern enthält«[62]. Apollinaires von der konkreten Literatur häufig als Beleg zitiertes *il pleut* liest sich dabei durchaus noch in der Tradition einer symbolischen Bildersprache, was allerdings ein wenig dadurch verdeckt wird, daß er das traditionelle lyrische Requisit »Regen« typographisch wörtlich nimmt, gleichsam ins Typogramm veräußerlicht. Im gezielten Einsatz umgangssprachlicher Versatzstücke zeigen andere *Calligrammes* Apollinaires eine immer weitergehende Abkehr von einer symbolischen Bildersprache und deuten damit eine Entwicklung an, innerhalb derer es schließlich zu einer für die konkrete Literatur kennzeichnenden Ersetzung des traditionellen literarischen Bildes durch das typographische Bild kommt. Die Vielfalt der Möglichkeiten ist heute sichtbar in einer Fächerung von fast tautologischer Deckung von Text und Figur, etwa bei den zitierten Albers- und Brancusi-Portraits Kolařs, bis zum gewollten Widerspruch zwischen Bild und Text, wenn Bremer z. B. Christusworte in die Figur eines mit aufgepflanztem Bajonett angreifenden Soldaten einschreibt und kommentiert: »Kein eigener, kein Hippie-Text. Sondern Christusworte in einer katholischen Übersetzung, vorgefunden wie die Form. Kunst zeigt sich, finde ich, im Umgang mit Gegebenem. Die sichtliche Montage von Gewohntem macht Gewohntes zu Ungewohntem. Im Schriftbild, das hier getrennt ist, macht die Schrift das Bild fragwürdig und das Bild die Schrift. Die Tatsache, daß der Inhalt hinter die Form ein Fragezeichen setzt und die Form hinter den Inhalt, lädt den Leser zur Stellungnahme ein«[63].

Apollinaire hat seine ersten vier Figurengedichte als *Idéogrammes lyriques* veröffentlicht und dabei möglicherweise an die Figurata des Barock gedacht. Er hat damit aber auch einem folgenreichen Irrtum Vorschub geleistet, aus dem heraus z. B. Houédard in seiner *Between Poetry and Painting Chronology*[64] eine kontinuierliche Geschichte des visuellen Textes bis zu den Figurgedichten der Bukoliker und Alexandriner zu rekonstruieren versucht. Gewiß begegnet eine Tendenz zur figuralen Textdarstellung innerhalb der Literaturgeschichte in Abständen immer wieder. Doch ist ihre Begründung jeweils so verschieden, daß eine Chronologie, die einen historischen Prozeß vorgibt, wo es sich höchstens um vergleichbare Tendenzen handelt, verfehlt erscheinen muß. Gerade das, was etwa die barocken Figurata auszeichnete, »wohlgeordnete Waagrechte und vollständige Verszeilen« (Alfred Liede), Vonlinksnachrechts-Abfolge des Textes, Einhalten von Strophen-, Vers- und Satzstruktur, mußte ja vor den Leseflächen der Futuristen, den *Calligrammes* Apollinaires, den visuellen Texten einer konkreten Literatur erst in Frage gestellt und aufgelöst werden. Da die konkrete Literatur keine Verse kenne »und gerade hier auch noch auf Sätze verzichtet«, beschreibt Wagenknecht diesen Tatbestand, »können sich ihre Figuren nicht aus dieser oder jener metrischen oder syntaktischen Ordnung des sprachlichen Materials ergeben. Die einzig wirksame Ordnung ist der figurale Zusammenhang selbst.« Während also das barocke Figurgedicht »auch im gewöhnlichen Druck ein Gedicht« bilde, ja in gewissen Fällen »selbst beim bloßen Hören noch als Bildgedicht erkennbar« bleibe, »fiele jedes ähnliche Werk konkreter Dichtung in sich zusammen, wenn ihm der Halt seiner typographischen Organisation genommen würde«. Der konkrete Dichter gebe »die konventionellen Ordnungsschemata der Sprache und Dichtung auf – um zu erproben, ob sich nicht schon die Elemente beider, die Wörter, auf der frei verfügbaren Fläche des Papiers dergestalt wiederholen, versetzen und verbinden lassen, daß die von ihnen bezeichneten Gegenstände unmittelbar zur Anschauung kommen. Der Autor konkreter Texte dichtet also gewissermaßen nicht *in* der Fläche, sondern *aus ihr heraus*«[65].

Ebenfalls von den ›parole in libertà‹ läßt sich auch der allerdings von Wagenknecht und vielen anderen im Zusammenhang einer konkreten Literatur nicht oder kaum behandelte akustische Text herleiten, jedoch insofern nur indirekt, als sich Balls »Verse ohne Worte« als eine Konsequenz der »Wörter in Freiheit« zeigen lassen. Man kann den Weg zu den »Versen ohne Worte«, der sicherlich durch die Situation des ›Cabaret Voltaire‹, dessen Mitarbeiter »einer den andern stets durch Verschärfung der Forderungen und der Akzente zu überbieten suchte«, mit bestimmt wurde, an Hand der Tagebücher Balls leicht verfolgen und mit drei kurzen Zitaten beschreiben: »Mit der Preisgabe des Satzes dem Wort zuliebe begann resolut der Kreis um Marinetti mit den ›parole in libertà‹.« »Wir anderen gingen noch einen Schritt weiter. Wir suchten der isolierten Vokabel die Fülle einer Beschwörung, die Glut

eines Gestirns zu verleihen.« »Man ziehe sich in die innerste Alchemie des Wortes zurück, man gebe auch das Wort noch preis und bewahre so der Dichtung ihren letzten heiligsten Bezirk.«[66]
Das ist etwas anderes als die zeitlich davorliegenden Versuche einer künstlichen Sprachfindung, sprachlicher Weltflucht bei Stefan George oder Else Lasker-Schüler, als das unsinnige Sprachspiel bei Paul Scheerbarth oder Christian Morgenstern. Zwar lassen sich Balls ›Klanggedichte‹ – die übrigens auch in der Tradition des onomatopoetischen Gedichts als dessen reduzierteste Form gelesen werden können – ähnlich wie die entsprechenden Versuche Georges oder Else Lasker-Schülers auch als »Schutzwehr gegen das gewöhnliche Leben« (Novalis) interpretieren, aber Ball wehrt sich – anders als George oder Lasker-Schüler – zugleich gegen eine »durch den Journalismus verdorbene und unmöglich gewordene Sprache«, er ist mißtrauisch gegen die Sprache der Literatur, gegen Sprache überhaupt. Das führt bei ihm zu einer Art Sprachmystik, die der zwei Jahre später mit seinen »poèmes phonétiques« beginnende Raoul Hausmann nicht will, wenn er resümiert: »Durch die Dada-Bewegung hat die Dichtung völlig ihren Charakter geändert: statt Folgen von sinnvollen Worten, angenehmem Klingen von Vokalen, ist sie gewollte Auflösung geworden, sie bedient sich der Buchstaben des Alphabets, dem ersten und letzten Phänomen rein menschlicher Klangform«[67].
In der Tat spielt in der Vorgeschichte einer konkreten Literatur die Entdeckung des Buchstabens als des »ursprünglichen Materials der Dichtung« eine wichtige Rolle. »Die konsequente Dichtung«, pointiert Schwitters, »ist aus Buchstaben gebaut. Buchstaben haben keinen Begriff. Buchstaben haben an sich keinen Klang, sie geben nur Möglichkeiten zum Klanglichen gewertet [zu] werden durch den Vortragenden. Das konsequente Gedicht wertet Buchstaben und Buchstabengruppen gegeneinander«[68]. Konsequente Gedichte dieser Art sind eine Handvoll Alphabet-Texte seit 1920, dem Erscheinungsjahr von Louis Aragons

SUICIDE
A b c d e f
g h i j k l
m n o p q r
s t u v w
x y z

dem Schwitters mit *Z A / (elementar)* und einem *Alphabet von hinten* antwortet, in dem die Buchstaben p und o eindeutig als Wort zusammengezogen sind. Ebenfalls in *Register / (elementar)*, in dem Schwitters die Reihenfolge des Alphabets verstellt und die z. T. wiederholten Buchstaben um eine Achse ordnet, verzichtet er – ähnlich wie später in seiner *Ursonate* – nicht ganz auf wörtliche Anspielung (»A R P«). Man kann mit Heißenbüttel »elementar«-Gedichte dieser Art als Versuche verstehen, dem von den Futuristen und Apollinaire entwickelten visuellen Text neue, materialbezogenere Möglichkeiten abzugewinnen, »das Sehbild des poetischen Gebildes ganz rein zu erfassen und von allen anderen, störenden Elementen abzulösen. Die Konsequenz, die Schwitters bei diesem Vorhaben zog, bestand darin, daß er dem Gedicht allen rezipierbaren Inhalt nahm«[69]. Das scheint nicht ganz schlüssig, wenn man die wörtlichen Anspielungen berücksichtigen will. Darüber hinaus läßt sich für die zitierten Alphabet-Texte die Absicht des reinen »Sehbildes« – die allerdings für das fraglos auch in diesen Zusammenhang gehörende *Gesetzte Bildgedicht* geltend gemacht werden muß – bezweifeln. Schwitters hat an keiner Stelle die Möglichkeit der klanglichen »Wertung« ausgeschlossen. Im Gegenteil betont er zwei Jahre später: »Dem Vortrag ist es sogar gleichgültig, ob sein Material Dichtung ist oder nicht. Man kann z. B. das Alphabet, das ursprünglich bloß Zweckform ist, so vortragen, daß das Resultat Kunstwerk wird«[70] – eine Feststellung, die für eine ausführliche Analyse des Zusammenhangs von Hausmanns *fmsbwtözäu*, das ursprünglich »eine Druckprobe für die Auswahl von Typen war« (Schwitters), und der Schwittersschen *Ursonate* nicht unwichtig ist[70a].

Diese Breite zwischen klanglicher und/oder typovisueller Auswertungsmöglichkeit des auf das Alphabet, den Buchstaben, reduzierten Textes läßt sich auch für eine Vielzahl vergleichsweise ähnlicher Gebilde der konkreten Literatur geltend machen. Dabei läßt sich rein äußerlich gelegentlich durchaus eine Nähe zur traditionellen Gedichtform beobachten, etwa bei Houédards *rhyming alphabet*, während Haroldo de Campos für die Serien *alphabet*, *alphabetenquadrate* und *typoaktionen* Hansjörg Mayers mit Recht die Bezeichnung »typoems« vorgeschlagen hat. In diesem Zusammenhang zu sehende Collagen Mons, Kolařs *Abeceda I–III* lassen sich darüber hinaus einer wichtigen weiteren Tradition einordnen, der auch das visuelle Pendant des genannten Hausmannschen Lautgedichts, das Poèmeaffiche *fms* (1918) zuzurechnen ist: einem seit Aufnahme von Schriftelementen ins Bild bzw. in die Collage der Kubisten zu beobachtenden Prozeß gegenseitiger Annäherung der Kunstarten.[71] Carlo Carràs politisch gemeinte *Manifestazione interventista* (1914) erweist dabei noch einmal den Stellenwert des Futurismus in der Vorgeschichte einer konkreten Kunst, in der wenige Jahre später Schwitters in Sachen »Merzgesamtkunstwerk« ausführt: »Ich habe Gedichte aus Worten und Sätzen so zusammengeklebt, daß die Anordnung rhythmisch eine Zeichnung ergibt. Ich habe umgekehrt Bilder und Zeichnungen geklebt, auf denen Sätze gelesen werden sollen. [...] Dieses geschah, um die Grenzen der Kunstarten zu verwischen«[72]. Karel Teige hat wohl als erster in seinem wichtigen, aber kaum bekannten *Manifest des Poetismus* (*Manifest poetismu*, 1928) – dem, ähnlich dem etwa zeitgleichen *Manifest der Konkreten Kunst*, weniger programmatische als vielmehr zusammenfassende Bedeutung zukommt – auf diese Tendenz zu Mischformen nachdrücklich hingewiesen, indem er z. B. Apollinaires *Calligrammes* als einen »wichtigen Schritt zur *Identifizierung der Poesie und der Malerei*« apostrophiert oder an anderer Stelle verallgemeinert: »Die Epoche unserer Zivilisation ist ein Stadium, wo sich die einzelnen Kunstarten und -gattungen von den Aufgaben befreit haben, denen sie in der Vergangenheit gedient hatten, wo sich die ästhetische Aktivität von der Utilitarität der einstigen Gewerbe loslöst, um ein selbständiges Leben zu leben, und wo sich die emanzipierten Kunstbereiche einander annähern und miteinander vermählen, so daß man sie künftig nach den Kategorien der einstigen ästhetischen Systeme nicht mehr wird einteilen und unterscheiden können; in einer Zeit, wo neue wissenschaftliche und technische Errungenschaften zu ganz neuen ästhetischen Sparten und Gebilden führen, entzündet sich die *Idee der Korrespondenz und Einheitlichkeit der künstlerischen Emotion*«[73]. Rund dreißig Jahre später weist Heißenbüttel in seiner *Geschichte des visuellen Gedichts im 20. Jahrhundert* erneut auf dieses Problem der Mischformen hin, ohne damit eine längst überfällige Diskussion auszulösen, und merkt schließlich speziell zur konkreten Literatur an: »Konkrete Poesie [...] kann, so meine ich, vor allem unter zwei Aspekten gesehen werden: dem der Reduktion und dem der Überschreitung von medialen Begrenzungen«[74].

Wie sehr das Problem der Grenzverwischungen schon in der Vorgeschichte einer konkreten Literatur – deren akustische Texte der ›musique concret‹ Schaeffers ebenso wie der späteren Entwicklung einer elektronischen Musik wertvolle Impulse verdanken – auch für die Bereiche der Literatur und Musik Gültigkeit hat, zeigt als ein exemplarisches Beispiel die *Ursonate* Schwitters', dem Hausmann anlastet, er habe »die Form der Sonate übernommen und [...] seine Klangfolgen nach dem Prinzip der klassischen Musik komponiert«, wodurch ein »Zwitter zwischen Form und Klang« entstanden sei[75]. Dies könnte ein Grund sein, weshalb die Schwitterssche ›Komposition‹ kaum Nachfolge gefunden hat. Die Lautdichter der konkreten Literatur[76] verwenden jedenfalls keine vorgegebenen musikalischen Großformen mehr[77], versuchen vielmehr, lettristische Traditionen, Errungenschaften der konkreten und elektronischen Musik für sich fruchtbar zu machen und auf ihre Weise fortzusetzen.

Von »einer spezifischen Entwicklungslinie in der konkreten Lautpoesie, nämlich der elektronisch-musikalischen«, spricht in diesem Zusammenhang Cobbing, bezogen auf das Fahlströmsche Manifest, in seinem Bericht über die *Konkrete Lautdichtung 1950 bis 1970* und weist am Beispiel François Dufrênes auf die Rolle hin, die das Tonbandgerät in dieser Entwicklung spielt.

»However, in 1950, François Dufrêne and Gils Wolman (France) began to make their cri-rhythmes und mégapneumes without any aid from the tape-recorder. [...] Both performed at first live, and later recorded their creations on tape, the tape-recorder being used simply as a recording instrument.

However, Dufrêne gradually warmed towards the more creative aspects of the tape-recorder and other electronic devices, which he had at first regarded as contaminations. He began to superimpose one recorded performance over another, and to use certain varieties of echo effect and reverberation. This was mainly from about 1963 onwards, although there are earlier examples«[78].

Den ebenfalls der akustischen Literatur zugehörenden »Artikulationen« Mons gehen – um hier noch einmal auf die Vorgeschichte zurückzulenken – die gelegentlich als »lettristisch« apostrophierten »Lautgedichte« Hausmanns voran, der rückblickend ihre »Bedeutung und Technik« wesentlich artikulatorisch begründet:

»Im Gewirr der Töne und Geräusche hat der Mensch einige dieser Töne und Geräusche gewählt und andere abgelehnt. Er hat seine Wahl Harmonie und Akkorde genannt.

Wenn wir die vielfachen Möglichkeiten, die uns unsere Stimme bietet, aufzeichnen, die Unterschiede der Klänge, die wir unter zahlreichen Techniken der Atmung hervorbringen, der Stellung der Zunge im Gaumen, der Öffnung des Kehlkopfes oder der Spannung der Stimmbänder, kommen wir zu neuen Anschauungen dessen, was man Wille zur schöpferischen Klangform nennen kann«[79].

Noch vor Hausmanns ersten »Lautgedichten« bereiten aber schon die Züricher Dadaisten mit ihrer Auffassung und Praxis des von Henri Barzun und Fernand Divoire übernommenen »poème simultan« die »écriture automatique« der Surrealisten und die artikulatorische Erweiterung des Alphabets im Lettrismus grundlegend vor. Ball in seinem Tagebuch (30. 3. 1916) und Arp in seinen Erinnerungen an *Dadaland* haben Herstellung und Aufführung dieser Gedichte so instruktiv beschrieben, daß man sich eine ziemlich genaue Vorstellung bilden kann. Drei Sätze Arps sind dabei für unseren Zusammenhang von besonderem Interesse: »La poésie automatique sort en droite ligne des entrailles du poète ou de tout autre de ses organes qui a emmagasiné des réserves. [...] Il cocorique, jure, gémit, bredouille, yodle comme ça lui chante. Ses poèmes sont comme la nature: ils puent, rient, riment comme la nature«[80]. Die Charakterisierung des akustischen Simultangedichts im letzten Satz entspricht nämlich weitgehend einem Definitionsversuch, den Arp 1944 der ›art concret‹ allgemein widmet: »nous ne voulons pas copier la nature. nous ne voulons pas reproduire, nous voulons produire. nous voulons produire comme une plante qui produit un fruit et ne pas reproduire. nous voulons produire directement et non par truchement«[81]. Und der erste Teil des Zitats nimmt praktisch in verkürzter Form eine artikulatorische Konsequenz des Lettrismus vorweg, die Dufrêne dann nach 1950 wieder aufgreift und fortführt, wenn seine »cri-rhythmes employ the utmost variety of utterances, extended cries, shrieks ululations, purrs, yarrs, yaups and cluckings« (Cobbing). »Wir haben«, formuliert Isou diese Konsequenz, »das Alphabet aufgeschlitzt, das seit Jahrhunderten in seinen verkalkten vierundzwanzig Buchstaben hockte, haben in seinen Bauch neunzehn neue Buchstaben hineingesteckt (Einatmen, Ausatmen, Lispeln, Röcheln, Grunzen, Seufzen, Schnarchen, Rülpsen, Husten, Niesen, Küssen, Pfeifen usw...)«[82].

Wählt Rudolf Blümner, ein weiterer, allerdings weitgehend in Vergessenheit geratener Ahnherr der akustischen Literatur, dem Schwitters nicht nur als Sprechkünstler des *Sturm*-Kreises sicherlich manche Anregung verdankt, 1921 noch den Vergleich mit Malerei und Musik, um seine »Absolute Dichtung« zu begründen – »[...] wie der Maler Farbformen nach Belieben, also unabhängig von einer Bedeutung, zur Gestaltung zusammensetzt, der Komponist Töne rhythmisch nach vollkommener Freiheit aneinanderreiht, so stelle ich Konsonanten und Vokale nach k ü n s t l e r i s c h e n Gesetzen zusammen«[83] –, so ist für Isou rund zwanzig Jahre später das lettristische Lautgedicht »une poésie devenue musique« bzw. eine »nouvelle poésie et nouvelle musique«. Dabei versteht sich Isou augenscheinlich am Ende einer »évolution du matériel poétique«, die er als einen mit Baudelaire einsetzenden Reduktionsprozeß sieht, wenn er seinen Vorgängern folgende literarischen Leistungen bescheinigt: Baudelaire: »la destruction de l'anecdote pour la forme du POÈME«; Verlaine: »annihilation du poème pour la forme du VERS«; Rimbaud: »la destruction du vers pour le MOT«; Mallarmé: »l'arrangement du MOT et son perfectionnement«; Tzara: »destruction du mot pour le RIEN«; Isou: »l'arrangement du RIEN – LA LETTRE – pour la création de l'anecdote«[84].

Mit Arbeiten von Isou und Belloli müßte eigentlich jede Ausstellung oder Anthologie konkreter Literatur beginnen. Von einer »proto-konkrete konceptie« Bellolis spricht de Vree und könnte sie gleichfalls für Isou geltend machen. Wie Isou läßt sich auch der Spätfuturist Belloli am Ende eines literarischen Entwicklungsprozesses sehen, der über die ›parole in libertà‹ zu »semantico visual poster poems« (Williams) führt, zu »testi-poemi murali« (1944) der Art

treni
i treni
i
i i i i i i i i i i i i i
umbria 1943

denen Marinetti »creazione originale di zone-rumori construiti otticamente sulla pagina-spazio totale«[85] bescheinigt, in deren Folge Belloli 15 Jahre später im zeitlichen Kontext einer konkreten Literatur seine *notes for an aesthetic of audiovisualism* folgen läßt. So gesehen erweist sich die konkrete Literatur im Sinne Wystan Hugh Audens als Akt einer »colonization«. Das »Heraustreten aus dem dichterischen Gefüge von rund einhundert Jahren«, das Friedrich ihr indirekt zugesteht, hat also schon in ihrer Vorgeschichte stattgefunden.

Wenn wir eingangs die ersten Jahre der konkreten Literatur eine Zeit der Theorienbildung nannten, können wir jetzt differenzieren, daß diese Theorienbildung auch als eine Vergewisserung der Vorgeschichte und zugleich als ein Versuch, den eigenen Standpunkt innerhalb eines langwierigen literarischen Prozesses zu bestimmen, verstanden werden muß. Versuche derartiger Standortbestimmungen lassen sich in immer dichterer Folge bis Mitte der sechziger Jahre verfolgen und zeigen in Pierre Garniers *Position I du Mouvement International*, in der *Réponse d'Henri Chopin à Position I du Mouvement International*[86] und einer Erklärung der sogenannten Stuttgarter Gruppe *Zur Lage*[87], wie uneinheitlich bei allen Gemeinsamkeiten diese Bestimmungsversuche ausfallen, wobei Garnier infolge der Einengung, den der Begriff ›konkrete Dichtung‹ durch Gomringer und die Noigandres-Gruppe erfuhr, unter dem »nom général de Spatiale« summiert: »poésie concrète, poésie phonétique, poésie objective, poésie visuelle, poésie phonique, poésies cybernétiques, sérielles, permutationnelles, verbophonie, etc.«, während die Stuttgarter Gruppe die Bezeichnung ›konkrete Poesie‹ gänzlich meidet und von »Tendenzen« spricht, »innerhalb derer Poesie heute realisiert wird«, nachdem Heißenbüttel schon 1961 anzudeuten versucht hatte, »in welcher Weise man über den relativ engen Rahmen hinaus, den Gomringer und die Brasilianer sich zunächst gesteckt haben, von konkreter Poesie sprechen könnte«[88]. Dennoch hat sich bis heute ein Vorurteil über die konkrete Literatur halten können, das sich an Gomringers Konstellationen und den Ideogrammen der Noigandres-Gruppe und ihren Nachfolgern orientiert, dabei aber nur – und nicht einmal zur Gänze – die Tendenz zum visuellen Text, den typovisuellen Aspekt betrifft, während es die Tendenz zum akustischen Text in Folge der Isouschen »nouvelle poésie et nouvelle musique« völlig außer acht läßt. Die Arbeiten Siegfried J. Schmidts und in seiner Folge Peter Weiermairs[89] seien hier stellvertretend genannt, zumal nicht zuletzt ihre rein ästhetische und sprachphilosophische Argumentation mit beigetragen haben dürfte zu vorschnellen Urteilen, wie sie z. B. die einleitend zitierte Kritik der *Stuttgarter Zeitung* formuliert.

Ähnlich wie bei den Manifesten und theoretischen Äußerungen ist der Befund bei den Textveröffentlichungen. Zunächst erscheinen die Texte vereinzelt in Zeitschriften, in der inzwischen schon legendären *spirale* Gomringers, Marcel Wyss' und Diter Rots seit 1953, seit 1958 in eigens dafür gegründeten Publikationsfolgen wie Spoerris *material* (1958–61), das durchaus andere Intentionen verfolgt als Gomringers *konkrete poesie / poesia concreta* (1960–65). Seither datieren auch die ersten selbständigen Publikationen oft in kleinsten Verlagen, bis dann Ende der sechziger Jahre etwa gleichzeitig Autoren wie Gerhard Rühm, Friedrich Achleitner, Gomringer, Bremer, Heißenbüttel, Jandl, Mon u. a. ihr bis dahin oft an entlegenem Ort Veröffentlichtes noch einmal – und jetzt in großen Verlagen – überschaubar zusammenfassen.

Im Wintersemester 1959/60 stellt Bense – dessen Zeitschrift *augenblick* (1955–61) und Publikationsfolge *rot* (seit 1960) in diesem Zusammenhang ebenfalls genannt werden müssen – in der von ihm geleiteten Studiengalerie der Technischen Hochschule Stuttgart zum ersten Mal *konkrete texte* aus und leitet damit eine immer regere Ausstellungstätigkeit ein.

Man geht sicher nicht fehl, wenn man das Jahr 1960 als eine Art ersten Höhepunkt innerhalb der Geschichte einer konkreten Literatur annimmt, die in einem zweiten Anlauf mit jetzt zunehmender Breitenwirkung ihren zweiten Höhe- und in gewisser Hinsicht auch Endpunkt Ende der sechziger Jahre erreicht. Schon 1965 widmet ihr Walter Höllerer in seiner Zeitschrift *Sprache im technischen Zeitalter* ein Sonderheft *Texttheorie und Konkrete Dichtung*, das allerdings wesentliche Aspekte ebenso unberücksichtigt läßt wie ein 1968 in Karlsruhe veranstaltetes Kolloquium *Konkrete Dichtung / Konkrete Kunst*, das »Autoren und Theoretiker in unmittelbaren Kontakt« bringen wollte, um »beiden Seiten Einblick in die gemeinsame Sache – die konkrete Kunst – von den jeweils verschiedenen Aspekten her zu ermöglichen«[90]. Ein die Ergebnisse dieses Kolloquiums zusammenfassender Berichtband läßt sich ebenso wie eine Anzahl seit 1967 erschienener Anthologien, Langspielplatten, umfangreicher Ausstellungen als Versuch verstehen, die konkrete Literatur überschaubar zu machen, was ja voraussetzt, daß sie den Beteiligten als literarische Phase weitgehend abgeschlossen scheint. Die von Nicolas Zurbrugg Anfang 1970 in *Stereo Headphones*[91] zusammengestellten, z. T. recht kritischen Äußerungen beteiligter Autoren zum Tode der konkreten Literatur sind hier ebenso bezeichnend wie auf der anderen Seite schon 1968 die Veröffentlichung der Ergebnisse eines ›Vaughan College Concrete Poetry Course‹[92], die man entweder als die vom *Spiegel* attestierten »frühen Inflations- und Alterserscheinungen« werten kann oder als Beleg dafür nehmen, daß die konkrete Literatur unter anderem literarische Redemuster ausgebildet und bereitgestellt hat, die gleichsam literarische Gesellschaftsspiele ermöglichen, nicht unähnlich, wenn auch mit anderem gesellschaftlichen Hintergrund, den literarischen Gesellschaftsspielen des Barock, der japanischen Haiku-Tradition.

Man wird bei der Analyse konkreter Literatur die gelegentlich recht unterschiedliche gesellschaftspolitische Situation mit einkalkulieren müssen und keinesfalls über einen Leisten schlagen dürfen, »daß visuelle Poesie in Diktaturen besonders gut gedeiht«. Mary Ellen Solt unterscheidet mit Recht: »It is not difficult to see that Gomringer's ›constellations‹ do not look like *Noigandres* ideograms. And on the whole, Brazilian concrete poetry is more directly concerned with sociological-political content«, und weist für ein Ideogramm Pignataris nach: »Decorative typography is used here to satirical effect. In

beba coca cola
babe cola
beba coca
babe cola caco
caco
cola
c l o a c a

Décio Pignatari makes an anti-advertisement from an American advertising slogan, condemning both the culture that makes and exports coca cola and the culture that drinks it«[93].

Anders wird man nicht nur in Spanien fragen müssen, ob das intellektuelle Spiel der konkreten Literatur nicht so etwas wie eine letzte Zone geistiger Freiheit bietet in Ländern, in denen Literatur nicht frei ist. Die dem tschechischen Beitrag zur konkreten Literatur zugehörenden *Variationen auf einen Satz von Josef Stalin* (»Der Frieden wird erhalten und befestigt werden, wenn das Volk die Sache des Friedens in seine Hände nehmen und sie bis zu Ende verteidigen wird«) stellen auf dem Wege der Variation in Frage, lassen sich als Musterbeispiel einer sprachlichen Demonstration des klassischen Widerspruchs von Theorie und Praxis apostrophieren. Umgekehrt und wirkungsästhetisch nicht uninteressant ist die »große Überraschung«, die Heißenbüttels *Politische Grammatik* (1959) bei einigen tschechischen Autoren ausgelöst hat: »Aus drei Wörtern wurde da eine Kreation aufgebaut, die typisch war auch für unsere menschliche Situation. Das war für uns ein wirklich politisches Gedicht, ob es konkret war oder nicht, spielte dabei keine Rolle. Es war aus reduzierter Sprache aufgebaut. Und es stellte einen neuen Zutritt zu poetischen Ausdrucksformen dar«[94]. Ähnlich interessant ist der kommentierte Abdruck eines visuellen Textes, der die Worte şah (Schah), taç (Krone), halk (Volk), aç (hungrig) typographisch in ihrer Wiederholung zu einem Orden ordnet, des einzigen allerdings in Deutschland lebenden türkischen Beiträgers zur konkreten Literatur, Yüksel Pazarkayas, in einer in Schweden erscheinenden Gastarbeiterzeitschrift[95].

»Alle Texte«, kommentiert Bremer seine den bereits genannten Figurengedichten vorausgehenden *engagierenden texte* (1966), »die ich hier zeige, sind so geschrieben, daß die Haltung, zu der sie einladen, auch in unseren gesellschaftlichen, politischen Verhältnissen ein Wirkungsfeld finden kann. Es sind keine engagierten Texte, es sind engagierende Texte«[96]. Wagenknecht – der für einen Großteil der konkreten Literatur kritisch einschränkt, daß er, »wie lehrreich auch im einzelnen, im ganzen kaum mehr als ein anregendes Spiel geworden« sei, »zwar oft imstande, den Betrachter zu unterhalten, nicht aber dazu, ihn auch nützlich zu beschäftigen« – sieht in diesen Texten Bremers »Beispiele eines Typs von nicht mehr nur kontemplativen Gedichten«, weil sie »statt der Sprache die Rede, statt Satzplänen Sätze« studieren. Sie »arbeiten mit Parolen. Sie machen und zitieren Vorschriften. Und sie bringen diese Vorschriften mit den von der konkreten Poesie entwickelten oder erneuerten Mitteln in der Weise zur Sprache, daß sich der Betrachter, wenn er die Darstellungsmethode nicht schon von vornherein verwirft, zur Folgsamkeit oder zum Widerspruch veranlaßt findet. [...] Erst in solchen Gedichten scheint sich die konkrete Poesie ihren Namen wirklich zu verdienen«[97].

Diese Tendenz zum engagierenden, ja sogar zum engagierten Text nimmt Mitte der sechziger Jahre unübersehbar zu. »sau / aus / usa« lautet z. B. eine 3-Buchstaben-Permutation Mayers von 1965, der sich Jandls *alphabet einer macht*, *mit 3 unbekannten* (1969) vergleichen ließe. Chopins *Aux Hommes* (1969) schließlich scheint ziemlich direkt an die Wandparolen und Plakatentwürfe der Pariser Mairevolte anzuschließen, die umgekehrt ihrerseits durchaus auch mit Mitteln konkreter Literatur arbeiten: »je participe / tu participes / il participe / nous participons / vous participez / ils profitent«. Dieser Plakattext aus dem Mai 1968 will allerdings weniger konkretes Gedicht als politischer Gebrauchstext sein. Das ist zunächst kein Widerspruch, denn vom Gedicht als einem Gebrauchsgegenstand haben so unterschiedliche Autoren wie Bertolt Brecht und Hans Magnus Enzensberger auf der einen und auf der anderen Seite die Noigandres-Gruppe und innerhalb der konkreten Literatur als erster Gomringer gesprochen: »der zweck der neuen dichtung ist viel direkter als der der individualistischen dichtung. der unterschied zwischen der sogenannten gebrauchsliteratur und der designierten dichtung fällt nicht mehr ins gewicht. zwischen beiden besteht nahe verwandtschaft, ja es ist nicht abwegig zu denken, daß der unterschied einmal verschwindet, daß es in zukunft überhaupt nur noch eine art wirklicher gebrauchsliteratur geben wird«[98]. Allerdings hat Gomringer dabei sicher am wenigsten an die politische Wandparole gedacht. Er sieht die Aufgabe des Dichters anders: »indem der dichter ein schweigen bricht, bejaht er, er bejaht mit worten. [...] daß wir lernen, auf worte zu achten, worte zu sehen, worte zu hören, daß wir freude haben an worten, daß wir heiter werden mit worten, dies ist des dichters anteil an den tätigkeiten des menschen«[99]. Der Gebrauchstext, den er im Auge hat, dürfte wohl eher der Werbetext sein einer Art, wie ihn z. B. das Stuttgarter »schwabenbräu« oder der Kaufhof (»KAUFHOF kommt«) vorgestellt haben. Und als Beispiele einer künftigen »wirklichen gebrauchsliteratur« lassen sich vielleicht schon eine Anzahl in letzter Zeit produzierter Textvasen Gomringers ansprechen. Könnte man Gomringers Feststellung, »das neue gedicht ist [...] einfach und überschaubar, es wird zum seh- und gebrauchsgegenstand: denkgegenstand, denkspiel«, mit Einschränkung für den konkreten politischen Wandtext der Mairevolte geltend machen, als Gebrauchsgegenstand stellt er nicht nur intentionell etwas grundsätzlich anderes dar als eine Vase mit der Aufschrift der Konstellation *ping pong*, für die sich ankreiden ließe, der ursprünglich von Bill (und Bense) so definierte Gegenstand zum geistigen Gebrauch sei nun endgültig in die Sackgasse des Konsums geraten – ein Problem, das bei den in der konkreten Kunst fließenden Grenzen zwischen Kunst- und Designobjekt einmal grundlegend und nicht nur von einem neomarxistischen Standpunkt aus durchdacht werden müßte.

Inzwischen wurde in Enzensbergers *Kursbuch* das Ende der Literatur gefordert, da sie nichts zur Lösung der gesellschaftlich-politischen Mißverhältnisse beitrage, affirmativ sei und letztlich sowieso nur von der Clique verstanden werde, für die sie geschrieben sei. Daß sich »die Beziehungen zwischen Literatur und Gesellschaft im 20. Jahrhundert« so einfach »nicht auflösen« lassen, hat bereits Heißenbüttel kritisiert und dagegengehalten, daß »in der Reduktion auf das Wort und in der Kombinatorik von Wörtern [...] die der Sprache eingeschriebene Stufenordnung von Rängen (Über-, Unter- und Beiordnungen) durchbrochen« werde, »in der bestimmte gesellschaftliche Entwicklungen der Sprache ihren Stempel aufgedrückt haben und ohne die wir bis heute nicht in der Lage sind, uns differenziert zu verständigen. [...] Die Brechung des Ausdrucks gesellschaftlicher Herrschaft aber, wenn man es so ausdrücken will, bedeutet so etwas wie eine Einebnung der Sprache. In dieser Einebnung wird sie nicht zur exklusiven Schlüsselsprache für Eingeweihte [...], sie wird zugänglich für jedermann; genauer, der Zustand, aus dem heraus Literatur produziert wird, ist in dieser Einebnung ein für jedermann gedachter«[100]. So gesehen betreibe Gomringer, der sich bereits in seinem ersten Manifest für den »zweck« interessiert, »welcher der dichtung in der heutigen gesellschaft zugeschrieben werden kann«,[101] sogar »so etwas wie eine Sozialisierung der Sprache« und gehe »darin weiter als die politisch engagierten Poeten der anderen Seite, die bei aller verbalen und physisch tätigen Kritik an den herrschenden Zuständen doch der metaphorischen Redeweise der bürgerlichen Rechtfertigungspoetik verhaftet«[102] blieben. Allerdings schlösse er dabei »Problematik, Kritik, Verzweiflung, Konflikt usw.« weithin aus. Anders als die *engagierenden texte* Bremers, die zu einer Haltung einladen wollen, die »auch in unseren gesellschaftlichen, politischen Verhältnissen ein Wirkungsfeld finden kann«, soll Gomringers Konstellation »dem heutigen menschen durch seinen objektiven spiel-charakter« dienen, »und der dichter dient ihm durch seine besondere begabung zu dieser spieltätigkeit. er ist der kenner der spiel- und sprachregeln, der erfinder neuer formeln. durch die vorbildlichkeit seiner spielregeln kann das neue gedicht die alltagssprache beeinflussen«[103]. (An anderer Stelle spricht Gomringer gar vom »gedicht einer auch in kommunikativer hinsicht sich neubildenden universellen gesellschaft«.)

Gomringer, dessen Beitrag zur konkreten Literatur sich wesentlich auf die Konstellation beschränkt, will also – ein wenig verkürzt – den Leser als Partner in einem Spiel mit Worten, mit denen der Dichter bejaht. Bremer, dessen Werk deutlich eine Entwicklung von den *tabellen und variationen* (1960) über die *engagierenden texte* zu den (engagierten) *Figurentexten* (1968) erkennen läßt, will ganz anders den Leser »zum Ungehorsam und zum Widerstand« (Wagenknecht) erziehen.

Historisch könnte man hier eine Entwicklung der konkreten Literatur sehen, eine erste relativ strenge Phase (der Konstellation) von einer Phase der Erweiterung (mit zunehmender Tendenz zum engagierenden und engagierten Text) in den sechziger Jahren unterscheiden. Das entspräche in ungefähr einer Unterscheidung Wagenknechts zwischen den konkreten Dichtern, die »mit den lexikalischen und grammatischen Mustern der parole, nicht mit der hier und jetzt, in dieser oder jener geschichtlichen und gesellschaftlichen Situation verlautbarten Rede selbst«, arbeiten, deren »Gegenstand [...] nicht Worte, sondern Vokabeln, nicht Sätze, sondern Pläne von Sätzen« bilden, und einer konkreten Literatur, die »statt der Sprache die Rede, statt Satzplänen Sätze studiert«[104]. Von zwei Aspekten konkreter Literatur und zwei Generationen konkreter Dichter spricht unter anderem Blickwinkel auch Cobbing bei seinem Versuch, die Bedeutung des Fahlströmschen Manifests zu bestimmen. »He opened the way not only for the structural aspects of concrete poetry which play such a prominent part in the theory and practice of Eugen Gomringer [...], the Brazilians and the Germans, but for expressionist aspects which a second generation of concrete poets has found so potent«[105].

Aber das Gesicht der konkreten Literatur ist von Anfang an nicht einheitlich. Auf den Unterschied zwischen Gomringers Konstellation und dem Ideogramm der Noigandres-Gruppe hat Mary Ellen Solt hingewiesen. Ist Gomringer davon überzeugt, »das neue gedicht« könne »durch die vorbildlichkeit seiner spielregeln [...] die alltagssprache beeinflussen«, spricht Mon »vom ›Querstellen‹ gegen das allzu geläufig gewordene und im Grunde fast nur noch Anonymes und Unbedeutendes sagende Vokabular der sogenannten Umgangssprachen«, benutzen in den sechziger Jahren zunehmend Autoren als Material die vorgefundene Sprache, lassen sie mit den Mitteln der konkreten Literatur leerlaufen, zerstören das sprachliche Fundstück und versuchen so, umgangssprachliche Verhaltensmuster in ihren Widersprüchen zu entlarven.

Ist Gomringer davon überzeugt, daß »das neue gedicht [...] als ganzes und in den teilen einfach und überschaubar« sei, leitet Mon die Begründung seiner *textlabyrinthe* ein: »solange geschrieben wird, konkurrieren zwei tendenzen, das geschriebene darzubieten, die zur leichtesten lesbarkeit mit der, dem lesen widerstand zu bieten«[106]. Ähnlich unterschiedlich ist die Bedeutung, die beide Autoren dem Schweigen zumessen. »Die Verfassung des Querstellens«, sieht es Mon, »ist das Schweigen. ›Ich‹ ist da, aber es behauptet nichts, es redet nicht, es läßt alles, was es von der Rede hat, und alles, was Rede ist, fahren. Es fällt auf sich zurück, von wo die entfallene Realität ja ausgegangen war. Es fällt auf sich zurück, ohne sich um sich zu kümmern. Etwas wird in seinen leeren Hof eintreten, an dem es wieder beginnen kann«[107], während für Gomringer der Dichter »einer« ist, »der ein schweigen bricht, um ein neues schweigen zu beschwören. [...] die worte des dichters kommen aus dem schweigen, das sie brechen. dieses schweigen begleitet sie. es ist der zwischenraum, der die worte enger miteinander verbindet als mancher redefluß[108]«.

Man könnte leicht einen ganzen Katalog derartiger Aspekte und Tendenzen zusammen- und gegenüberstellen und damit verdeutlichen, wie komplex eine konkret genannte Literatur bei genauerem Zusehen ist. »Was mich interessiert«, sagt es Heißenbüttel in eigener Sache, »ist die Ausnutzung der Tendenzen, als die man die konkrete Poesie ansehen kann, miteinander, in Bezug zueinander«[109]. In ihren Mitteln, Methoden und Tendenzen in einer sogenannten Literaturrevolution vorbereitet, erweist sie sich als Phase eines seither andauernden literarischen Prozesses, die wesentlich charakterisiert ist durch eine konsequente Aufnahme dieser Mittel, Methoden und Konsequenzen. Wo sie sich dabei »zu speziellen Einzelmethoden, Einzeltechniken, Einzelrichtungen verengt« (Heißenbüttel) hat, erscheint sie heute historisch abgeschlossen, überschaubar, gleichsam museal. Im »größtmöglichen Miteinander von Methoden« jedoch, durchlässig an den Rändern, könnte sie, wie Heißenbüttel es zu fassen versucht, »nicht nur [...] neue« literarische »Sprechweise«, »sondern ebenso [...] eine neue Weise« sein, »sich sprachlich in dieser Welt zu orientieren«[110].

Anmerkungen

(Zitiert wird jeweils die am leichtesten zugängliche Quelle.)

1. St. Gallen 1960 (die quadratbücher, 11).
2. Vgl. dazu auch Peter Rühmkorf: *An den Quellen des Versiegens. In der poetischen Avantgarde Deutschlands ist das Schweigen der letzte Schrei.* Ebd., 13. 4. 1962.
3. Hugo Friedrich: *Die Struktur der modernen Lyrik. Von der Mitte des neunzehnten bis zur Mitte des zwanzigsten Jahrhunderts.* Erweiterte Neuausgabe. Hamburg 1970. S. 13. – Möglicherweise verwechselt Friedrich hier jedoch konkrete Literatur und Computer-Dichtung.

4. *Der Spiegel.* Jg. 24, 1970, Nr. 32, S. 101 u. 99 *(Visuelle Poesie. Bild vom Dichter).*
5. *Stuttgarter Zeitung.* 7. 12. 1970, S. 14 (Helmut Schneider: *Sprachlose Lesebilder*).
6. Emmett Williams (Hrsg.): *An Anthology of concrete poetry.* New York u. a.: Something Else Press und Stuttgart: Edition Hansjörg Mayer 1967; Stephen Bann (Hrsg.): *Concrete Poetry. An International Anthology.* London: Magazine Editions 1967; Josef Hiršal, Bohumila Grögerova (Hrsg.): *Experimentální Poezie.* Prag: Odeon 1967; u. a. Außerdem haben mehrere literarische Zeitschriften ganze Nummern der konkreten Literatur gewidmet, u. a. Paul de Vree (Hrsg.): *Poëzie in fusie. visueel konkreet fonetisch.* In: De Bladen voor de Poëzie. 1968, Nr. 6/8; *Anthology of concretism.* In: Chicago Review. Vol. 19, 1967, Nr. 4 (zusammengestellt von Alain Arias-Misson); In: Artes hispanicas, Hispanic Arts. Vol. 1, 1968, Nr. 3 u. 4 (Vorwort und Zusammenstellung: Mary Ellen Solt).
7. *Poesie zum Ansehen. Beispiele konkreter und visueller Dichtungen aus 3 Kontinenten. Hofer Tage für neue Literatur 1968; Visuelle Poesie.* Münster: Westfälischer Kunstverein 1969; *Poesia concreta. Indrizzi concreti, visuali e fonetici.* Venedig: Biennale 1969; *Text Buchstabe Bild.* Zürich: Zürcher Kunstgesellschaft 1970; *klankteksten / ? konkrete poëzi / visuele teksten.* Amsterdam: Stedelijk Museum 1970; ferner Antwerpen, Stuttgart, Nürnberg, Oxford, Liverpool 1971 ff.
8. In: De Tafelronde. Neonlicht. (Extra-editie.) o. J. [1970], S. 5 f. – Antwort auf die Toterklärung der konkreten Literatur in: Stereo-Headphones, siehe Anm. 91.
9. Wagenknecht: *Konkrete Poesie.* In: Karl Heinz Borck, Rudolf Henß (Hrsg.): Der Berliner Germanistentag 1968. Vorträge und Berichte. Heidelberg: Winter 1970. S. 117.
10. »In nahezu allen Definitionen konkreter Dichtung [...] wird das visuelle Moment so stark betont, daß es oft zu einer Synonymie der Begriffe konkret und visuell kommt«, faßt z. B. Peter Weiermair (*Zur Visuellen Poesie.* In: Wort und Wahrheit. Jg. 23, 1968, Heft 6, S. 524) zusammen, während Gero von Wilpert den »Konkretismus« als »internationale Strömung der modernen Lyrik« definiert, »die von den sprachlichen Elementen als konkretem Material ausgeht, sie von ihrer Funktionalität zu erlösen sucht und sie gemäß ihrem Klangcharakter nach rein klanglichen Gesetzen unter Verzicht auf jede Aussage oder Mitteilung neu kombiniert« (*Sachwörterbuch der Literatur.* Stuttgart [5]1969. S. 405).
11. Schmidthenner: *Konkrete Poesie.* In: Konkrete Poesie deutschsprachiger Autoren. München: Goethe-Institut 1969 (Ausstellungskatalog). S. 7.
12. Diese drei ersten Manifeste sind seit ihrem Erstdruck wiederholt, auch in Übersetzung, veröffentlicht worden und heute leicht zugänglich in:
Gomringer: worte sind schatten. die konstellationen 1951–1968. Reinbek 1969 (S. 277 ff.: *vom vers zur konstellation*)
Artes hispanicas, Hispanic Arts (S. 70 f.: *Plano-pilôto para poesia concreta*; S. 74 ff.: *Hätila ragulpr pä fätskliaben*)
Katalog »Text Buchstabe Bild« (S. XVII ff.: *Hätila* [...]; S. XXVII f.: *Plan der konkreten Poesie*).
13. Eine zur ersten Orientierung ausreichende Auswahl der Manifeste bieten Artes hispanicas, Hispanic Arts, a. a. O., S. 67 ff. *(Manifestos and Statements on Concrete Poetry)* und der Katalog »Text Buchstabe Bild«, S. I ff., der zusätzlich einige wichtige Manifeste aus der Vorgeschichte einer konkreten Literatur enthält.
14. Überhaupt laufen für eine Anzahl Autoren konkreter Literatur Fäden in der Hochschule für Gestaltung in Ulm zusammen, vor allem für die Brasilianer, Bense und Bremer.
15. *Konkrete Poesie.* In: Helmut Heißenbüttel: Über Literatur: Olten u. Freiburg i. Brsg. 1966. S. 71 (= Texte und Dokumente zur Literatur).
16. In: Katalog »klankteksten / ? konkrete poëzie / visuele teksten«, o. P. [S. 25 ff.].
17. Katalog »Text Buchstabe Bild«, S. XXI f.
18. Ebd., S. XXII.
19. Zitiert nach Reinhard Döhl: *Kurt Merz Schwitters.* In: Wolfgang Rothe (Hrsg.): Expressionismus als Literatur. Gesammelte Studien. Bern u. München 1969. S. 771.
20. *Das Manifest der Konkreten Kunst.* In: Margit Staber (Hrsg.): Konkrete Kunst. St. Gallen: Galerie Press 1966. S. 5 (= Schriften für Literatur, bildende Kunst und Musik. Hrsg. von der Edition Galerie Press. Serielle Manifeste 66, Manifest XI).
21. Gomringer: *vom vers zur konstellation.* In: worte sind schatten, a. a. O., S. 281.
22. Bense: *Konkrete Poesie.* In: Sprache im Technischen Zeitalter. 1965, Heft 15 (Sonderheft: Texttheorie und Konkrete Dichtung), S. 1240.

23. Für Arp bedeutet hier »abstrakt« die geometrische Auflösung des Gegenstandes, allgemein die Deformation des Gegenstandes in der Art des kubistischen Bildes, während er unter »konkret« die gegenstandslose Kunst (so auch die ersten sogenannten abstrakten Bilder Kandinskys) faßt. Vgl. auch das Zitat aus »art concret«, s. o. S. 274.
24. Zitiert nach: *Der Dichter Kandinsky.* In: H. M. Wingler (Hrsg.): Wie sie einander sahen. Moderne Maler im Urteil ihrer Gefährten. München 1961. S. 89 f. (= List-Bücher, 181).
25. *Über den Einfall.* In: Heißenbüttel: Über Literatur, a. a. O., S. 227.
26. Z. B. in *Maximen und Reflexionen* 749, 750, 751.
27. Williams: *An Anthology of concrete poetry,* a. a. O., o. P. [S. 4].
28. Wagenknecht: *Konkrete Poesie,* a. a. O., S. 103. – Vgl. dazu auch Wagenknechts aufschlußreiche »Variationen über ein Thema von Gomringer« (Text + Kritik. 1970, Heft 25, S. 14 ff.), die zugleich ein instruktives Beispiel für einen Aspekt der konkreten Literatur sind, den die Züricher Ausstellung in der Gruppe »Fortführungen« zu zeigen versucht hat.
29. Vgl. Anm. 10.
30. Zitiert nach Mary Ellen Solt: *A World Look at Concrete Poetry.* In: Artes hispanicas, Hispanic Arts, a. a. O., S. 39.
31. Williams: *An Anthology of concrete poetry,* a. a. O., o. P. [S. 80].
32. *Nachwort* zu: Ernst Jandl: Laut und Luise. Olten u. Freiburg i. Brsg. 1966. S. 203 f. (= Walter-Druck, 12). – Ebd. S. 47 ist auch das zitierte »Sprechgedicht« in der Gruppe »Krieg und so« abgedruckt. Vgl. dazu auch: Jandl: *Voraussetzungen, Beispiele und Ziele einer poetischen Arbeitsweise.* In: Protokolle. Wiener Jahresschrift für Literatur, bildende Kunst und Musik. 1970, S. 9 f.
33. *Laut und Luise. Ernst Jandl liest Sprechgedichte.* Berlin o. J. (Wagenbachs Quartplatte, 2).
34. Vgl. das Schallplattenverzeichnis in der »Bibliographie« des Katalogs »klankteksten / ? konkrete poëzie / visuele teksten«, S. 230. – Nicht in dies Verzeichnis aufgenommen wurde eine anläßlich der Ausstellung vom Stedelijk Museum herausgegebene Langspielplatte. – Eine nahezu vollständige Zusammenfassung bis 1969 vorliegender Tonbänder und Schallplatten (mit genauen technischen Daten) enthält der »Fylkingen Catalogue of Text-Sound Compositions«, hrsg. von der Fylkingen Group of Linguistic Arts. Hrsg. Sten Hanson. Stockholm 1969 (Dieser Katalog soll jährlich ergänzt werden).
35. Vgl. Döhl: *Das literarische Werk Hans Arps 1903–1930. Zur poetischen Vorstellungswelt des Dadaismus.* Stuttgart 1967.
36. Otmar Engel, Georg Heike, Franz Löffelholz, Günter Tillmann: *Sprechspiele und Lautgedichte. Über phonetische Experimente in Wissenschaft und Literatur.* Radio-Essay. Süddeutscher Rundfunk, 12. 11. 1962. Zitiert nach dem Funkmanuskript, S. 20.
37. Hans Arp: *Wegweiser.* In: wortträume und schwarze sterne. auswahl aus den gedichten der jahre 1911–1952. Wiesbaden 1953. S. 9 f.
38. Gomringer: *vom vers zur konstellation,* a. a. O., S. 280 f.
39. Gomringer: *gedichttechnik.* In: worte sind schatten, a. a. O., S. 284.
40. *Reduzierte Sprache. Über einen Text von Gertrude Stein.* In: Heißenbüttel: Über Literatur, a. a. O., S. 11.
41. Max Bense: *Theorie der Texte. Eine Einführung in neuere Auffassungen und Methoden.* Köln, Berlin 1962. S. 136.
42. Gomringer: *vom vers zur konstellation,* a. a. O., S. 277.
43. Vgl. den Aufbau der Züricher Ausstellung und seine Begründung im Katalog, S. 5.
44. Hugo Ball: *Die Flucht aus der Zeit.* München, Leipzig 1927. S. 101 f.
45. Gomringer: *vom vers zur konstellation,* a. a. O., S. 279.
46. Carl Einstein: *Zu Paul Claudel.* In: C. E.: Gesammelte Werke. Hrsg. von Ernst Nef. Wiesbaden 1962. S. 64.
47. Stéphane Mallarmé: *Ein Würfelwurf.* Übersetzt und erläutert von Marie-Louise Erlenmeyer. Olten, Freiburg i. Brsg. 1966 (= Walter-Druck, 10). O. P. [S. 33].
48. Mallarmé: *Ein Würfelwurf,* a. a. O., S. 107 bzw. 109 *(Verwandte Texte zum »Coup de Dés« aus Mallarmés Werken).*
49. Hans Arp: *Sophie Taeuber.* In: Unsern täglichen Traum . . . Zürich 1955. S. 19.
50. Williams: *An Anthology of concrete poetry,* a. a. O., o. P. [S. 178].
51. *Texte und Kommentare.* Zwei Vorträge. Steinbach: Anabas 1968, o. P. [S. 15].
52. Franz Mon: *textlabyrinthe.* In: einmal nur das alphabet gebrauchen. Stuttgart: Edition Hansjörg Mayer 1967. S. 15.

53. Gomringer: *vom vers zur konstellation*, a. a. O., S. 278 f.
54. Mallarmé: *Ein Würfelwurf*, a. a. O., S. 80.
55. Gomringer: *vom vers zur konstellation*, a. a. O., S. 280 f.
56. Christa Baumgarth: *Geschichte des Futurismus* (Anhang. Dokumente und Texte). Reinbek 1966. S. 166.
57. Bei einem Vergleich der beiden Manifeste Gomringers und Fahlströms scheint es mir schon rein äußerlich interessant, daß Fahlström sein zweites Motto dem – bezogen auf Mallarmés »Würfelwurf« – ›fortschrittlicheren‹ Technischen Manifest Marinettis entlehnt: »Replacer la psychologie de l'homme . . . par L'OBSESSION LYRIQUE DE LA MATIERE«.
58. Baumgarth: *Geschichte des Futurismus*, a. a. O., S. 166.
59. *Zur Geschichte des visuellen Gedichts im 20. Jahrhundert.* In: Heißenbüttel: Über Literatur, a. a. O., S. 76.
60. Baumgarth, *Geschichte des Futurismus*, a. a. O., S. 178.
61. Dietrich Mahlow: Einleitung zu *Ausstellungskatalog Schrift und Bild.* Amsterdam: Stedelijk Museum, Baden-Baden: Staatliche Kunsthalle 1963. S. 54.
62. Baumgarth: *Geschichte des Futurismus*, a. a. O., S. 166 u. 167.
63. *Texte und Kommentare*, a. a. O., o. P. [S. 35].
64. Als Manuskript vervielfältigte Beilage zum Ausstellungskatalog »Between Poetry and Painting«. London: Institute of Contemporary Arts 1965.
65. Wagenknecht: *Konkrete Poesie*, a. a. O., S. 105, 107.
66. Ball: *Die Flucht aus der Zeit*, a. a. O., S. 107.
67. Raoul Hausmann: *Bedeutung und Technik des Lautgedichts.* In: nota. Nr. 3, 1959, S. 30.
68. *Konsequente Dichtung.* In: G. Nr. 3, 1924, S. 46.
69. *Zur Geschichte des visuellen Gedichts im 20. Jahrhundert*, a. a. O., S. 78.
70. *Konsequente Dichtung*, a. a. O., S. 46.

70a. Vgl. dazu Hausmann: *Das war Dada* und Schwitters: *Meine Sonate in Urlauten.*

71. Vgl. Reinhard Döhl: *Poesie zum Ansehen, Bilder zum Lesen? Notwendiger Vorbericht und Hinweise zum Problem der Mischformen im 20. Jahrhundert.* In: Gestaltungsgeschichte und Gesellschaftsgeschichte. Literatur-, Kunst- und Musikwissenschaftliche Studien. In Zusammenarbeit mit Käte Hamburger hrsg. von Helmut Kreuzer. Stuttgart 1969. S. 554 ff.
72. Zitiert nach Schwitters: *Anna Blume und ich. Die gesammelten »Anna Blume«-Texte.* Hrsg. von Ernst Schwitters. Zürich 1965. S. 16.
73. Karel Teige: *Manifest des Poetismus.* In: Liquidierung der ›Kunst‹. Analysen, Manifeste. Frankfurt a. M.: Suhrkamp 1968 (edition suhrkamp, Nr. 278). S. 83 u. 93.
74. *Anmerkungen zur konkreten Poesie.* In: Text + Kritik, 1970, Heft 25, S. 19.
75. Hausmann: *Bedeutung und Technik des Lautgedichtes*, a. a. O., S. 31.
76. Es muß einer weitergehenden Untersuchung vorbehalten bleiben, zu fragen, ob das Wiederaufnehmen einer traditionellen musikalischen Form (Sonate) und ihre Verwendung in der akustischen Literatur dieser Form neue Möglichkeiten gewinnt oder ob es sich auch hier im Bereich der Mischformen, in der »Überschreitung von medialen Begrenzungen« (Heißenbüttel) um einen speziellen Fall von neuem Wein in alten Schläuchen handelt.
77. Zu den Beziehungen zwischen Musik und Literatur vgl. Horst Petri: *Literatur und Musik. Form und Strukturparallelen.* Göttingen 1964 (= Schriften zur Literatur, 5). Allerdings berühren die Untersuchungen Petris die Fragestellung dieses Aufsatzes nur am Rande.
78. Cobbing: *Concrete sound poetry 1950–1970*, a. a. O., o. P. [S. 26 f.].
79. Hausmann: *Bedeutung und Technik des Lautgedichtes*, a. a. O., S. 30.
80. Hans Arp: *Dadaland.* In: On My Way. Poetry and Essays 1912–1947. New York: Wittenborn 1948. S. 88.
81. Hans Arp: *Art concret.* In: On My Way, a. a. O., S. 98.
82. Zitiert nach Alain Bosquet: *Surrealismus 1924–1949. Texte und Kritik.* Berlin 1950. S. 42.
83. *Der Sturm* (1921) S. 122.
84. Zitiert nach Alfred Liede: *Dichtung als Spiel. Studien zur Unsinnspoesie an den Grenzen der Sprache.* Berlin 1963. Bd. 2, S. 244.
85. Zitiert nach Williams: *An Anthology of concrete poetry*, a. a. O., o. P. [S. 19].
86. *Position* und *Réponse* sind abgedruckt in: Les Lettres, 8me Série, No 32, 1964, p. 1 ff., bzw. 4 f.
87. In: Manuskripte. Jg. 5, 1965, Heft 1, S. 2.
88. *Konkrete Poesie.* In: Heißenbüttel: Über Literatur, a. a. O., S. 74.

89. Vgl. zusätzlich zu den oben genannten Titeln Schmidts und Weiermairs jetzt noch Schmidt: *Konkrete Dichtung: Theorie und Konstitution.* In: Poetica. Bd. 4, 1971, Heft 1, S. 13–31.
90. Siegfried J. Schmidt (Hrsg.): *Konkrete Dichtung, konkrete Kunst '68.* Karlsruhe: Selbstverlag hors commerce 1968, o. P. [S. III].
91. Vol. 1, Nr. 2 + 3, 1970.
92. *Vaughan Concrete.* Hrsg. von Ronald Draper. University of Leicester. Vaughan Papers in Adult Education, 13. 1968.
93. Solt: *A World Look at Concrete Poetry,* a. a. O., S. 14.
94. *Konkrete Dichtung, konkrete Kunst '68,* a. a. O., S. 110.
95. belleten. Jg. 2, 1968, Heft 11, S. 14.
96. *Texte und Kommentare,* a. a. O., S. 29.
97. Wagenknecht: *Konkrete Poesie,* a. a. O., S. 117.
98. Gomringer: *vom vers zur konstellation,* a. a. O., S. 280.
99. Gomringer: *der dichter und das schweigen.* In: worte sind schatten, a. a. O., S. 293.
100. Heißenbüttel: *einleitung* zu Gomringer: worte sind schatten, a. a. O., S. 19.
101. Gomringer: *vom vers zur konstellation,* a. a. O., S. 279. – Vgl. auch Gomringer: *23 punkte zum problem »dichtung und gesellschaft«.* In: worte sind schatten, a. a. O., S. 287 ff.
102. Heißenbüttel: *einleitung,* a. a. O., S. 19.
103. Gomringer: *vom vers zur konstellation,* a. a. O., S. 280.
104. Wagenknecht: *Konkrete Poesie,* a. a. O., S. 117.
105. Cobbing: *Concrete sound poetry 1950–1970,* a. a. O., o. P. [S. 25].
106. Mon: *textlabyrinthe,* a. a. O., S. 15.
107. Zitiert nach Engel u. a.: *Sprechspiele und Lautgedichte,* a. a. O., S. 20.
108. Gomringer: *der dichter und das schweigen,* a. a. O., S. 293.
109. *Anmerkungen zur konkreten Poesie,* a. a. O., S. 20. – Was Heißenbüttel hier für sich beschreibt – »von da her bin ich vorerst immer stärker zu Collage und Montage gekommen, der Verwendung von vorgefertigten Sprachteilen, der großräumigen Rhythmik und vor allem dem Versuch, in den linearen Textablauf multiple Stimmführungen einzubauen« –, ließe sich auf einen bestimmten, in den letzten Jahren ausgeprägten Typ der Hörcollage ausweiten, der als spezielle Ausprägung des Hörspiels dann so etwas wie eine Großform des konkreten Textes darstellen würde. Eine Vorgeschichte dieser Hörcollagen läßt sich bis in die Anfänge des Hörspiels zurückverfolgen. Lange bevor Schmitthenner vorschlug, Texte der akustischen Literatur und Hörspiele dieses Typs als »Radio-Kunst« zu subsumieren, sprach bereits Teige (1928) von »radiogener Poesie« bzw. »Radiopoesie«. Die Fylkingen-Gruppe rechnet auf den von ihr produzierten Platten sogar die engagierten und tendenziösen Textcollagen Åke Hodells zu den »Text-Sound-Compositions«. Nachdem Klaus Schöning 1969 Hörspiele dieses Typs in seine Anthologie »Neues Hörspiel. Texte und Partituren« (Suhrkamp) mit aufgenommen hat, bringt der WDR im ersten Halbjahr 1971 gezielt eine Sendefolge »Autoren der konkreten Poesie« mit Beispielen von Bense, Mon, Rühm, Jandl, Heißenbüttel u. a.
110. *Anmerkungen zur konkreten Poesie,* a. a. O., S. 21.

JOST HERMAND

Pop oder die These vom Ende der Kunst

An sich hatte sich alles so schön eingespielt. Die Highbrows schwärmten für Joyce, Kandinsky und Schönberg, während das ›Volk‹ sein kulturelles Bedürfnis mit Schlagern, Comics und Dreigroschenromanen befriedigte. Und da tauchten um 1960 mit einem Male ein paar ›Barbaren‹ auf, die dieses System als unfair, ungerecht oder zumindest undemokratisch empfanden. Die ersten waren die Maler, die sich gegen diese Standesklausel empörten und der konsequent durchgeführten Stiltrennung das Schlagwort »All is pretty« (Andy Warhol) entgegensetzten. Ob in Kunstzeitschriften, Galerien oder Sonderausstellungen der großen Museen: überall sieht man sich zwischen 1960 und 1965 mit gewaltigen Coca-Cola-Flaschen, Elvis-Presley-Porträts, überdimensionalen Hot Dogs, Campbell's Tomato-Soup-Cans, Gipsabgüssen von Schreibmaschinen, Pinup Girls, Comic Strips und Marilyn-Monroe-Posters konfrontiert. Wie noch nie zuvor, schien sich hier eine ›klassenlose‹ Kunst anzubahnen, an der jeder sein Vergnügen haben kann.

Schon nach wenigen Monaten hatte man für diese neue Masche einen höchst effektvollen Namen zur Hand. Man nannte sie einfach ›Pop‹. Wohl selten hat ein Slogan der Madison Avenue einen solchen Erfolg gehabt wie dieser. Denn unter Pop kann man sich alles vorstellen: Popular, Pop Corn, Popping up, Poppies, Boston Pops, Popsicles, Popeye, Ginger-Pop, Lollipop, das heißt alles, was knallt, platzt, wohlig aufstößt, Freude macht, süß schmeckt, sich lutschen läßt, Pep hat, eingängig wirkt und damit die nötige Pop-Pularity erreichen kann. Pop Art ist daher Public Relations Art, Big City Art, Mass Produced Art, Walt Disney Art, Teenage Art, Cracy Art, Alles Art. Pop ist das Weltzugewandte, Positive, Profitversprechende, Reklamewirksame, Kandyhafte und Leichtabsetzbare. Pop ist der Ausdruck des »no-refinement standard appropriate to the 1960's«, wie Lucy Lippard schreibt.[1]

Statt also wie bisher dem Künstlerischen und Erlesenen nachzustreben, verteidigt man gerade das Banale, Billige und maschinenmäßig Hergestellte, das sich ohne großen seelischen Aufwand auf der Stelle konsumieren läßt. So bezeichnet etwa Andy Warhol die Pop Art als Erziehung zu einer echten Verbraucherkultur, zum Abbau eines jeden falschen Individualismus. Nach seiner Meinung wünschen sich alle US-Bewohner eigentlich dasselbe, ob sie es nun zugeben oder nicht, weshalb er den idealen Menschen mit dem idealen Konsumenten identifiziert. Wer noch immer einem schimären Kultur- oder Originalitätsbegriff anhängt, unterstützt nach Warhol nur seine eigene Frustriertheit und damit Konsumunfähigkeit.[2]

Die meisten Popster empfinden deshalb ein tiefes Ungenügen allen sogenannten ›seriösen‹ Künsten gegenüber. Sie wollen nicht mehr einzelne Gemälde produzieren, die nur von Kennern und Museumsleuten gewürdigt werden, sondern von vornherein ins Breite schaffen. Die Leinwand, deren sich noch die Tachisten und abstrakten Expressionisten der späten fünfziger Jahre bedient hatten, ist daher weitgehend ›out‹. ›In‹ sind dagegen alle Formen der technischen Reproduzierbarkeit: das Plakat, die Graphik, der Siebdruck, die Ansteckplakette oder das serienmäßig herge-

stellte ›Objekt‹. Was man zwischen 1910 und 1960, also von Kandinsky bis Jackson Pollock, getrieben hat, gilt in diesen Kreisen plötzlich als hoffnungslos veraltet, als ›Opas Malerei‹ oder die ›Moderne der alten Herren‹.
Das wird noch deutlicher, wenn man einmal über die bildende Kunst hinausblickt. Schließlich wird ja auch die ›seriöse‹ Musik in diesen Jahren Schritt für Schritt von einer Pop-Revolution größten Ausmaßes in den Hintergrund gedrängt. Dieselben, die sich in den fünfziger Jahren noch für die komplizierten Techniken der Schönberg-Schule, die neuen Elektroniker, für Edgar Varèse, John Cage und Elliott Carter begeistert hatten, lassen sich plötzlich schamlos von der Rock-'n-Roll- und Beat-Propaganda ans Gängelband nehmen. Die Beatles, die Stones und schließlich die Mothers of Invention, The Band, The Who: dies sind die neuen Strawinskys und Bartoks der ›ernsthaft‹ an Musik Interessierten. Von den ›anderen‹ ist eigentlich kaum noch die Rede. Was einmal im Bargain Basement der Kultur verscheuert wurde, liegt seit 1960 selbst bei den Highbrows auf den Cocktailtischchen herum und wird zum Gegenstand höchster ›Sophistication‹. Wer würde es heute noch wagen, in den ›In-Zirkeln‹ nichts über die Fugs zu wissen? Wo früher einmal Klaviere standen, lehnen daher neuerdings meist Gitarren an der Wand.[3] Und so mehren sich denn in den letzten Jahren die Stimmen, die der ›seriösen‹ oder ›klassischen‹ Musik, der E-Musik, den baldigen Tod voraussagen und die ihre Zukunftshoffnung allein auf die Pop-Musik, die U-Musik, setzen.
Ähnlich und doch anders liegen die Dinge auf dem Felde der Literatur. Hier sind es hauptsächlich die ›Formalisten‹, die Vertreter der konkreten Poesie, die Lyriker der Schreibmaschinen-A's, die Anhänger des Absurden und Grotesken, die weltlosen Paraboliker und Existentialisten, denen von seiten der Pop-Fanatiker die ›krasse Realität‹ entgegengehalten wird. Anstatt wie in den fünfziger Jahren gelangweilt vor sich hin zu dröseln und sich mit der ›seriösen Moderne der alten Herren‹ à la Joyce, Kafka und Beckett zufriedenzugeben, kreiert man plötzlich einen ›Postmodernism‹, der auf alle intellektuelle Verfeinerung verzichtet und sich an knalligen ›Pop forms‹ wie dem Western, der Science Fiction und der Pornographie orientiert.[4] Während diese Vorbilder mehr auf den Roman zutreffen, verlangt man von der Lyrik einen Zug ins Volkstümlich-Balladeske, eingängige Refrains und eine an Rock gemahnende Sensualität. Form ist dagegen absolut verpönt. »The great vitality of the poprevolution«, schreibt Richard Goldstein, »has been its liberation from [all] encumbrances of form. [Rock poetry] laughs at the notion that there could be anything more worth celebrating than the present«.[5]
Und so spricht man schon um 1963/64 allgemein von einer amerikanischen Pop-Kultur, die paradoxerweise durch das nationale Hochgefühl der Kennedy-Ära ausgelöst wurde, obwohl sie den Idealen der in JFK kulminierenden High Society scheinbar zutiefst widersprach. Denn der Begriff ›Pop‹ ist durchaus antiintellektuell und damit Anti-New-Frontier. »Pop Art«, schreibt Allan Kaprow, einer der Erfinder des Happenings, »ist eine bewußte Aufwertung des Teiles amerikanischer Existenz, von dem die Hochintelligenz hoffte, die USA seien ihm nun endlich entwachsen«.[6] Fast die gleiche Tendenz liegt dem Pop-Manifest *The Kandy-Kolored Tangerine-Flake Streamline Baby* (1963, dt. 1968) von Tom Wolfe zugrunde. Hier hagelt es nur so von Verdammungsurteilen gegen die ›verkalkte‹ Elitekultur der sogenannten High Society mit ihren längst abgestandenen europäischen Kulturidea-

len, in denen ein »jahrhundertealter Statusdruck« zum Ausdruck komme.[7] Was man in diesen Kreisen als ›modern‹ empfinde, sind nach Wolfe immer noch das Bauhaus, Mondrian, Schönberg, der Nouveau Roman und der Cool Jazz, worin er eine hoffnungslose Zurückgebliebenheit erblickt. Seine ›Moderne‹ ist dagegen die Pop Society der Himmelfahrtsrennen, des Twist, der Peppermint Lounge, der Underground-Filme, der Beat- und Rock-Musik, der Disc Jockeys, der Neon-Reklamen, der Beatles, der Stretchhosen und der bambilustcremefarbenen Sportwagen, das heißt aller Dinge, die ›super‹ sind, die außerhalb der bisherigen Kulturtraditionen stehen und daher von den hochgestochenen ›Intellektuellen‹ meist als ›vulgär‹ bezeichnet werden. Soziologisch gesehen, erscheint ihm diese »Stromlinien- und Bumerang-Moderne« als der Ausdruck einer »Teenager-Rebellion«, die von der »proletarischen Vision« eines Glamour für alle getragen wird.[8] Als Inbegriff dieses neuen Stils betrachtet er eine Stadt wie Las Vegas, wo man sich den Wonnen des Konsums überläßt und sich einen Schmarren darum kümmert, ob man damit die Ideale jener kulturbewußten High Society erfüllt, die jeder lustbetonten Wunschbegierde sofort mit der Forderung der geistigen und ästhetischen Sublimierung entgegentritt.

Damit war ein Stichwort gegeben, das in der Folgezeit von größter Wichtigkeit werden sollte, nämlich die Pop-Bewegung mit dem Teenager-Ethos der Rebellion gleichzusetzen. Denn auf diese Weise wurde der Pop auch für die Industrie von größtem Interesse, die in den Teenagern schon seit den späten fünfziger Jahren die eigentlichen ›Trendsetter‹ der modernen Großstadtkultur erblickt. Schließlich unterwirft sich diese Altersgruppe den neuen Moden und Fads wesentlich schneller als die bereits auf einen bestimmten Geschmack fixierte ältere Generation. Obendrein zwingt man damit die ›Alten‹, ob sie es wollen oder nicht, diesen Trend zur verpopten Jugendlichkeit wenigstens teilweise mitzumachen, um nicht als abgestanden oder verkalkt zu gelten. In den Augen der industriellen Werbepsychologen ist deshalb der Pop nichts anderes als die Verpflichtung zum Modewechsel, zum verstärkten Konsumzwang und damit zu einer unkritischen Verbrauchermentalität.

Ein solches Geschäft mußte schnell zu einer weltweiten Mode werden. Und so greift denn die Pop-Bewegung, »America's single greatest contribution to the world«, wie sie Goldstein nennt,[9] schon in den frühen sechziger Jahren auf alle ›westlichen‹ Industrieländer über, in denen ein mit den Vereinigten Staaten vergleichbarer Lebensstandard herrscht. Ein Kommerz-Pop entsteht, der zu einer fortschreitenden Konsumverdummung und der daraus resultierenden Depravierung der sogenannten ›Freizeitgestaltung‹ führt. Das einzige Regulativ dieser konsumorientierten Teen- und Twen-Society, wie sie sich selbst bezeichnet, sind die Begriffe ›in‹ und ›out‹. Man will immer das Letzte haben und verschmäht daher alles Ästhetische, Wertvolle, Haltbare und künstlerisch Gediegene. Statt dessen umgibt man sich mit Dingen, die man nach ein paar Wochen oder Monaten wieder wegwerfen kann: mit Plastikmöbeln, Plakaten, Bestsellern oder den letzten Schallplatten-Hits.

Auch in der Kunst verlangt man nichts Wertbeständiges mehr, sondern eine Konsum-Kunst, eine Drugstore-Kunst, eine Supermarkt-Kunst, eine Kunst von der Stange, eine Kunst ohne Anstrengung, eine ›Instant‹-Kunst, eine Sofort-Kunst, eine Kunst der geplanten Obsolenz, eine Party-Kunst oder Wegschmeiße-Kunst, bei der das rein ›Modische‹ im Vordergrund steht. Wie in den populären Massenmedien, in Kino, Radio, Fernsehen oder Illustrierten, möchte man alles in Bearbeitungen, in

Form kurzweiliger Digests oder Comic Strips geboten bekommen, die sich wie eine Banane auf der Stelle verzehren lassen. Vor allem die Pop Society der Twens gibt sich seit einiger Zeit einer auffälligen Neigung zum Trivialen hin. Statt sich für anspruchsvolle Problemfilme, seriöse Lyrik, bewußt avantgardistische Musik oder abstrakte Gemälde zu begeistern, wie das vor 1960 üblich war, huldigen diese Kreise heutzutage einer ironischen Freude am Krimi, an der Science Fiction, am Italo Western, an anglo-amerikanischer Beat-Musik oder billigster Pornographie, ja lassen sogar *Batman* und die *Peanuts* als ›Kunst‹ passieren. Wie Leslie A. Fiedler[10] oder Susan Sontag[11] geht es ihnen nur noch um die kunstlose Kunst, die Anti-Kunst, die Un-Kunst, die ›Minimal Art‹, die Not-Art oder Un-Art, um es ›campy‹ auszudrücken.

Kein Wunder, daß auch die ›Literatur‹ dieser Richtung so konsumgerecht wie nur möglich ist. Meist mit knallig bunten, total verpopten oder vergagten Schutzumschlägen versehen, wendet sie sich an ein Publikum, das bereits gewohnt ist, alles nach seinem modischen Verpackungseffekt zu beurteilen. Doch nicht nur das Äußere, auch der Inhalt muß schon in seinem graphischen Layout darauf hinweisen, daß es sich hier um leichtbekömmliche, digestartige Elaborate handelt, wie man sie aus der Welt der Massenmedien kennt. Die meisten sind bereits so vorgeprägt, so abgegriffen und ausgestanzt, daß sie überhaupt keiner Reflexion mehr bedürfen. Andere dieser literarischen Tidbits haben fast den Charakter von Cocktailhappen, die man wie Peanuts zu sich nehmen kann.

Es gibt daher immer weitere Kreise, selbst im Bereich der Produzenten dieser Art von Literatur, die wie Rolf Dieter Brinkmann den Unterschied zwischen einem Buch und einer Zigarette ziemlich unerheblich finden.[12] Statt weiterhin in ›Dichtung‹ zu machen, wie Jörg Schröder vom März Verlag behauptet,[13] will man auch auf diesem Sektor erfrischende und bekömmliche Gebrauchsartikel herstellen. Bloß keine »Abstrakta«, bloß kein »Elitebewußtsein«, heißt es bei diesen Leuten immer wieder.[14] Selbst als Dichter möchte man ein »Massenmensch« sein, der gut und gerne »konsumiert«, um noch einmal den März-Star Rolf Dieter Brinkmann zu zitieren.[15]

Das Vorbild einer solchen Haltung finden er und andere fast ausschließlich in den USA. Verglichen mit der Unverfrorenheit, mit der man dort sogar die ›gute Literatur‹ als reines Konsumprodukt betrachtet, erscheint ihm die europäische Dichtungssituation in ihrer esoterisch-elitären Struktur hoffnungslos »rückständig«.[16] Brinkmann greift daher alles auf, was dem Bild des neuen bonbonfarbenen und tangerinrotgespritzten Amerika entspricht. Anstatt lange an einem Gedicht herumzubosseln, empfiehlt er, lieber in der Stadt herumzulatschen, »in der Nase zu bohren, Zeitung zu lesen, zu ficken oder ins Kino zu gehen«[17]. Überhaupt stellt er das Dichten als ein bloßes Machen hin, das nie in ›Arbeit‹ entarten darf. »Ob das Ergebnis nun gut oder schlecht ist, Literatur oder keine Literatur ist, interessiert weniger«, heißt es einmal selbstbewußt.[18] Die deutschsprachigen Lyriker, jene »ausgebufften Kerle«, »lebendigen Toten«, »berufsmäßigen Ästheten und Dichterprofis«, die alles in feinziselierten Hokuspokus sublimieren, werden daher kurzerhand auf den Abfallhaufen geworfen.[19] Um so besser gefallen ihm die Texte der Rolling Stones und der Fugs, die sich nach seiner Meinung mit dem beschäftigen, »was wirklich abfällt«,[20] also Dingen wie Comics, Supermarktreklamen, dem nackten Fuß von Ava Gardner, Tomatenketchup, Klosettvorrichtungen, Pinup Girls und Coca-Cola-Plakaten. Brinkmann schreibt darum im Vorwort zu seinem eigenen Lyrikbändchen *Die Pilo-*

ten (1969) ebenso unverblümt wie banal: »Man muß vergessen, daß es so etwas wie Kunst gibt! und einfach anfangen«, worunter er das Naheliegendste, nämlich seinen eigenen Körper und dessen Bedürfnisse versteht. Ähnliches verlangt sein Freund Ralf Rainer Rygulla, der diese vielberufene »Sensibilität« als das bezeichnet, was das neue Gedicht »vom Anspruch eines kostbaren Kulturmaskottchens befreit und es so überraschend ›populär‹ macht«.[21]
Im Bereich des Romans kann man als gutes Beispiel dieser Richtung auf den *Paralleldenker* (1968) von Heinz von Cramer verweisen: ein knallgelbes, großformatiges Superbuch mit dreispaltigem Kolumnendruck, eingestreuten Comic Strips und Fotocollagen, bei dem der Inhalt nichts und die Aufmachung alles ist. Wie bei Brinkmann wird dabei eine literarische Bildtechnik verwendet, aus der ständig Worte wie Batman, LBJ, Snoopy, Sex, Coca Cola, Brigitte Bardot, Zombie oder Frankenstein hervorpoppen. Auch die Schauplätze sind weitgehend dieselben: Beatschuppen, Kinos und Automatenrestaurants, wobei sich Cramer einer Prosa bedient, die ständig vom Psychedelischen ins Banale oder vom ganz Abstrakten ins ganz Konkrete umkippt.
Doch die meisten machen es sich in diesen Bereichen noch bequemer und beschränken sich von vornherein auf verpopte Bilderbücher, Comics, Western oder Science-Fiction-Modelle, die an den Leser überhaupt keine ›kulturellen‹ Ansprüche stellen. Mit ironischem Behagen und genüßlicher Distanzierung wird hier gebeated und gestoned, mit Superstars à la James Bond oder Melinda operiert, gehandked und gechotjewitzt, um nur ja den Eindruck einer kulturbewußten Elite zu vermeiden, die keinen Sinn für die wahre Pop-Pularity hat. Ähnliches gilt für die neueste Pornographie, die in ihrer eindeutigen Trivialität diesen ›populären‹ Zweck wohl am eindeutigsten erfüllt. Man denke an das verpopte Sexbuch *Die Sache. 21 Variationen* (1968) von Felix Rexhausen, das sich – laut Vorwort – rein auf das beschränkt, von dem »die Leute gerne lesen möchten«.[22] Als echter Konsumautor geht Rexhausen dabei strikt soziologisch vor und verhilft selbst Studienrätinnen, bewußten Pommern, Bauingenieuren, Sportsfreunden, grünen Witwen und gerade erst Pubertierenden zu ›ihrem‹ Sexerlebnis. Hier ist die res publica litterarum wirklich nur noch das, wo jeder sein Geschäft erledigt. Von einem Anspruch des ›Dichterischen‹ kann in dieser *Sache* wahrlich keine Rede mehr sein. Doch »Literatur«, höhnt Brinkmann einmal, »als ob es noch darum ginge«.[23]
Eine solche Skizze des momentan so beliebten Kommerz-Pops ließe sich selbstverständlich nach allen Seiten ergänzen, läuft jedoch im Grunde immer wieder auf dasselbe hinaus: nämlich die steigende Tendenz, auch die Werke der Literatur in gängige Konsumprodukte umzuwandeln. Ganz so neu ist diese Masche ja nicht. Doch die Möglichkeiten der Werbung sind heute viel raffinierter, als das den Trivialautoren früherer Zeiten je eingefallen wäre. Und damit hätten sie letztlich einem Vulpius oder einer Marlitt nur den Schick voraus. Warum also das viele Geschrei? Ist es wirklich so ergiebig, sich mit ›forscherlicher Inbrunst‹ auf diesen Kommerz-Pop zu stürzen? Oder hat man hier einfach zu wenig Wolle in der Hand?
Ich glaube schon, daß eine solche Beschäftigung ihren Sinn hat. Denn schließlich ist auch die schlechteste Literatur immer noch Literatur. Vor allem diese, die sich per definitionem jenseits aller bisherigen ›Klassenunterschiede‹ anzusiedeln versucht. Obendrein hat dieser Aufstand gegen alles bloß Kulturbeseelte, Esoterische und

Elitäre inzwischen so plakative Züge angenommen, daß er einfach nicht mehr zu übersehen ist. Wohin man auch blickt, stößt man auf die These vom ›Ende der Kunst‹, vom ›Tod der Kultur‹ oder von der ›Gleichsetzung von Leben und Kunst‹. Ob nun rechts oder links, überall wird eine Minimal- oder Not-Art gepredigt, die bloß noch Leben, Aktion, unmittelbares Happening, aber kein kultureller Überbau mehr sein will. Es sieht fast so aus, als ob sich in dieser Tendenz zu einem bewußten ›Antistil‹ der eigentliche Stil der sogenannten sechziger Jahre verbirgt. Schließlich waren es nicht nur die Popster und Popisten, sondern geradezu alle avantgardistischen Strömungen dieser windungsreichen Dekade, die sich zu einer neuen ›Unkunst‹ bekannten.

Da wären erst einmal die Neodadaisten oder Dadadadas, deren Anfänge bis in den ›Formalismus‹ der fünfziger Jahre zurückreichen. Was sie unter Kulturobjekten verstehen, sind meist bloße Readymades oder Objets trouvés, die man höchst snobistisch als »Abfall« aus der »Krimskramskiste« bezeichnet.[24] Hier ist die Kunst wirklich nur noch die Kunst, die »Kunst auf der Straße zu finden«, wie Heinz Ohff sein neodadaistisches Manifest *Pop und die Folgen!!!* (1968) im Untertitel erläutert. Bazon ›der Schwätzer‹ Brock nennt sich daher gern einen »Dichter ohne Literatur«, der nicht krankhaft »sublimiert«, sondern lediglich »findet« und das Gefundene mit derselben Nonchalance wieder von sich gibt.[25] Daß es sich bei diesen vom Pflaster aufgelesenen Objekten häufig um Coca-Cola-Flaschen, die Beatles, Gernreichs No-Bra, Andy Warhol, Comic Strips oder abgedroschene Werbesprüche handelt, versteht sich mittlerweile wohl von selbst. Ebenso modisch wirkt sein ironischer Jubelschrei: »Hallelujah, wir sind zurückgekehrt aus der Kunst ins gesellschaftliche Dasein«.[26]

Wie weit man diese Literatur der ›Sehtexte‹ oder bloßen ›Fundstücke‹ treiben kann, beweist ein Lyrikband wie *Die Innenwelt der Außenwelt der Innenwelt* (1969) von Peter Handke, wo neben reinen Formalismen und grammatischen Spielereien, die noch aus der experimentellen Lyrik der Fünfziger zu stammen scheinen, auf einmal völlig ungedeutete Realitätsfragmente wie der Vorspann von *Bonnie & Clyde* oder die Mannschaftsaufstellung des 1. FC Nürnberg auftauchen. Rein collagehaft verfährt dagegen Rolf Dieter Brinkmann in seinem lyrischen Opus magnum *Vanille* (1969), das lediglich aus scheinbar unzusammenhängenden Bildchen, Reklametexten, Briefen, Zitaten, Todesanzeigen, Aktfotos, Kinotiteln, Werbeslogans, Obszönitäten, Zeitungsnachrichten, einem Hinweis auf Marcel Duchamp und dem fettgedruckten Wort ›Objet trouvé‹ besteht.[27] Hier wird wirklich mit dem Ernst gemacht, was John Giorno die ›Found Poetry‹ nennt, oder was Andy Warhol einmal mit der Zeile umschreibt: »Out of the garbage, into The Book«.[28] Das gleiche tut Horst Bienek in seinem Bändchen *Vorgefundene Gedichte. Poèmes trouvés* (1969) und neuerdings noch einmal Peter Handke in seinen *Deutschen Gedichten* (1969), die aus lauter zugeklebten Briefumschlägen bestehen. Hier muß man das Ganze regelrecht zerstören, um sich seines inhaltslosen Inhalts zu bemächtigen. Wenn irgend etwas, so ist dies die wahre ›Instant Art‹, die ideale Wegschmeiße-Kunst, die sich im Akt des Konsumierens von selbst aufhebt und damit jeden Anspruch auf Ewigkeit von vornherein eliminiert.

Daß man diese ›Findigkeit‹ auch auf die Prosa oder das Drama ausdehnen kann, haben Daniel Spoerri in seinen *Anekdoten zu einer Topographie des Zufalls* (1969) und Hans Georg Behr in seinem Stück *Ich liebe die Oper* (1969) bewiesen. Von letzterem behauptet sein Autor voller Stolz, daß es lediglich aus »Zitaten« bestehe und daher unbelastet von jeder individuellen Verfälschung sei.[29] Hier ist »Kunst gleich Leben, Leben gleich Kunst«, wie es Wolf Vostell, der deutsche Großmeister des Happenings, einmal formulierte.[30] Eine solche Haltung führt in letzter Konsequenz zu jenem *Theater der Position*, mit dem sich Bazon Brock 1966 auf der Frankfurter ›experimenta‹ vorstellte. Unter dem Motto »Fünfzehn Rezepte für alle, die leichter leben wollen« wurde hier die gesamte Bühne mit ›Fundstücken‹ aus dem Warenhaus Neckermann beladen, um nur ja keine ›Kulturerwartung‹ aufkommen zu lassen. Kein Wunder, daß das Publikum am Schluß mit schrillen Lustschreien nach vorne stürmte und die aufgestapelten Büstenhalter und Persilpakete einfach mit nach Hause nahm. Hier war aus der wahren Kunst endlich die Ware Kunst geworden. ›Schllllfff‹ hätte Kerr gesagt.

Noch weiter geht diese grundsätzliche Verachtung des bisherigen Kulturbetriebes bei den Hippies, Provos und Gammlern. Bei diesen Gruppen hört eigentlich alles auf, was den ›edlen Abendländlern‹ einmal wert und sauber war. Denn wer sich rein dem Prinzip des ›Letting go‹ verschreibt, kann für Sublimierung oder Moral restraint nicht viel übrig haben. Und so betrachten denn die meisten Hippies ›Das Geistige in der Kunst‹ lediglich als einen Ausdruck für ›Das Unbehagen in der Kultur‹. Was sie dagegen propagieren, ist die absolute Kulturlosigkeit, das alte, immer wieder romantisierte Rezept des Rousseau, nach dem der Mensch seine wahre Glücksbefriedigung nur im Zustand der reinen Natürlichkeit finden kann. Ästhetisch kommen sie daher meist mit etwas Bodypainting, einer Glasperlenkette und ein paar dumpf vor sich hingemurmelten Mantras aus. Im Sinne des ›Let's take loving care of oneanother‹ imponiert ihnen nicht die Leistung, sondern nur die mit dem Ego boosting verbundene Lustempfindung. Das Leben interessiert sie, nicht die Kunst. Sie dringen daher künstlerisch selten über einen läppischen Dilettantismus hinaus, der aus etwas Gitarrengezupfe und ein paar hingeschlenkerten Versen besteht.

Nicht ganz so harmlos ist jener Schocker-Pop, wie er sich in den letzten Jahren im sogenannten ›Underground‹ entwickelt hat. Während sich die Reste der ehemals so blühenden Flower Children mit gedämpftem Saitenspiel aufs Land verkrümelt haben, sind in diesen Gefilden ganze Scharen von literarischen Rockern und Politgammlern aufgetaucht, bei denen das bloße Zähnefletschen noch eine recht harmlose Geste ist. Was sie auf ihre Fahnen schreiben, sind Drogenkult, Porno-Politik, Vandalismus, Pansexualität, LSD und Dirty Speech, das heißt Programmpunkte eines »Nachhumanismus«, der unter dem Motto »Id herrsche über Ego, Trieb über Ordnung« zu stehen scheint.[31] Von extrem rechts bis extrem links, von extrem romantisch bis extrem marxistisch wird hier geradezu alles gepredigt, was den Anschein des ›Radikalen‹ erweckt und auf die sogenannte ›bürgerliche‹ Welt einen Schock ausüben soll.

Auch ästhetisch geht man dabei nicht gerade zimperlich vor. Der Wandspruch »Scheißt den antiquierten Avantgardisten in ihren permanenten Modernismus«, den die SDSler lieben, wäre für diese Kreise noch zu vornehm ausgedrückt. Wenn William Burroughs einmal sagt: »Schmeißt ihnen ihre eigene Scheiße in die Fresse zurück«, so findet man das schon akzeptabler. Was sie selber an ›Kultur‹ produzieren, läßt sich daher nur als ›Total Assault against Culture‹, als Anti-, Nicht- oder Gegen-

Kultur verstehen. Wohl der massivste Vorstoß in dieser Richtung, bei dem so manches kulturelle Jungfernhäutchen geplatzt ist, wurde von Rolf Dieter Brinkmann und Ralf Rainer Rygulla in ihrer Pop-Anthologie *Acid. Neue amerikanische Szene* (1969) unternommen. Comic Strips und Hippie-Bilder stehen hier neben Fotos aus Girlie Mags (We sock it to you), Transvestiten-Schönheitsköniginnen (Some of the most beautiful women in the world are men), LSD-Gedichten, lesbischen Monstren, Burroughs-Texten, reinen Obszönitäten (vor allem von Ed Sanders und Michael McClure) und ein paar Essays von Leslie A. Fiedler und Marshall McLuhan. Überall ist von »Übelkeit und Geilheit«, von »Überdruß und Lustgenuß« die Rede, und zwar in einem Vokabular, bei dem von »fuck bis suck, von prick bis pussy« wenig Spielraum für Literatenfeinsinn bleibt, um den Rezensenten der *twen* zu zitieren.[32] Dieser Mann schreibt ganz unverblümt: »Wir sind – fuck the fucking literature – unheimlich frustriert, jetzt also raus mit all den Intellektual-Verklemmungen«. Ja, auf einer Wandzeitung der Münchner Universität hieß es in dieser Hinsicht noch eindeutiger: »Weg mit allen bloßen Kunst-Onanierern!«

Doch bei der Ausführung dieses Vorsatzes hapert es meist noch ein bißchen. Eine echte Schocker-Bravura wie bei Tuli Kupferberg, Frank Zappa oder Jan Cremer, um wenigstens drei Idole dieser Richtung zu nennen, ist bei den deutschen Beat-Autoren relativ selten. Sie stecken noch weitgehend im Prozeß der Rezeption und biegen obendrein die amerikanischen Impulse immer wieder ins Formalistische um. Auf dem Gebiet der Lyrik wäre hier lediglich Brinkmann zu nennen, vielleicht auch jene Renate Rasp, die in ihrer *Rennstrecke* (1969) ›mutig‹ zu Worten wie Arsch, Loch und Scheiße greift, doch nur, um daraus nach guter, alter, deutscher Sitte einen allgemeinen Weltekel ableiten zu können. Schon etwas munterer geht es auf dem Gebiet der Prosa zu. Man denke an Hubert Fichtes *Die Palette* (1968), Peter O. Chotjewitz' *Roman* (1968), Herbert Achternbuschs *Hülle* (1969) oder Jürgen Ploogs *Cola-Hinterland* (1969), die mit ihrer Schockergesinnung selten hinter dem Berge halten. Primitivste Klischees werden hier als Anti-Klischees, übelster Abfall als Anti-Abfall angeboten, um nur ja keinen Zweifel an der herrschenden ›Kulturscheiße‹ zu lassen. Das gleiche gilt für die Anthologie *Super Garde* (1969), die Vagelis Tsakiridis im Untertitel als die »Prosa der Beat- und Pop-Generation« bezeichnet. Ihre Beiträger werden schon im Vorwort als »Super Autoren« vorgestellt, die in Beatschuppen herumlungern, ihre Joints drehen, mit ihren Genitalien spielen, Comics lesen, für dionysische Psychedelia schwärmen und fest davon überzeugt sind, daß der einzige »Weg zur Freiheit durch den eigenen Leib führt«.[33] Sie operieren daher in ihren Stories vor allem mit Aktfotos, Klosettsgraffiti, Batman-Aussprüchen, Stag Party Classics, Mao-Zitaten, Eroto-Pop, Ho-chi-minh-Rhythmen und Aufrufen zu einem allgemeinen Fuck-in mit Stones-Musik und roten Fahnen. Jeder Buhmann der ›bürgerlichen‹ Gesellschaft wird hier als Tabuzerstörer aufgeboten, um endlich den heilbringenden Einflüssen der ›Unkultur‹ die Wege zu ebnen. »Nie wieder Kultur!«, ruft Chotjewitz einmal aus, »macht alles: häßlicher, zahlreicher, weniger haltbar, wertloser, wegwerfbarer, billiger, bunter, plastischer, schöner, größer, traditionsloser, verwerflicher, sittenwidriger, unnatürlicher, länger, breiter, schneller, grüner«.[34] Nur »wo Unkultur ist, ist Leben, das sinnlich gelebt wird«, heißt es in seinen Stereotexten *Vom Leben und Lernen* (1969).[35] Statt also weiterhin für die ›Kultur‹, für den Schah von Persien und den Luftmarschall Ky zu sterben, fordert Chotjewitz in diesem Bande, sich lieber in »Konsumorgien« zu üben, zur »Aktivierung der Bisexualität beider Geschlechter« beizutragen und die »Erprobung von Drogen durch jedermann« zu gestatten. Den Großen Preis der Biennale von Venedig hat nach seiner Meinung der Designer des Plakats ›Hold on Lothar, I'm coming!‹ verdient. Kein Wunder, daß er den revolutionärsten aller revolutionären Akte darin sieht, auf die bestehende Gesellschaftsordnung einfach zu »scheißen«. Leute wie Otto Muehl haben das ganz wörtlich genommen und ihrem Partner auf öffentlicher Bühne in den Mund uriniert. Und auch jener Student, der bei den Kommunardenprozessen in Berlin mitten im Gerichtssaal ein braunes Häufchen produzierte und sich dann mit einigen Aktenstücken den Hintern abwischte, hat diesen Akt sicher als Anti-Kunst, als Straßentheater, empfunden.

Durch solche forschen Heldentaten und Husarenstücke ist die ›Kunst‹ wirklich zum letzten Dreck geworden. Wohin man auch blickt, wird fleißig depraviert, kommerzialisiert, vulgarisiert und schließlich fäkalisiert, um all das, was einmal als ›Kultur‹ gegolten hat, mit Stumpf und Stiel auszurotten. Es ist merkwürdig, wie wenig man dem bisher widersprochen hat. Natürlich will sich hier keiner als der ›Herr Saubermann‹ oder der besorgte ›Hüter abendländischer Traditionen‹ blamieren. Selbst die Älteren wollen heute noch Pep haben und fügen sich daher dem Imagezwang des Pop mit einer erstaunlichen Geschmeidigkeit. Man denke an die Sendung ›Autoren als Disc-Jockeys‹, die der Norddeutsche Rundfunk seit März 1968 veranstaltet, in der sogar die Dreißig- bis Vierzigjährigen den »easy-listening garantierenden Schnulzen-Beat« als ihre Lieblingsmusik bezeichnen.[36] Andere weichen in diesen Fragen einfach ins Schizophrene aus. »Na, insgeheim«, schreibt Heinz Ohff einmal, »liest jeder gern zur Entspannung statt *Ulysses* und *Mann ohne Eigenschaften* einen Krimi oder ein Comic-Book, der Pflichtbesuch *Letztes Jahr in Marienbad* ist nur halb so amüsant wie ein Western mit Gregory Peck oder aus der harten italienischen Welle, Schlager und Beat haben Eigenschaften, die Zwölftonmusik nicht hat.«[37] So weit, so schlecht. Doch irgendwo müssen die Kritiker dieser Bewegung ja stecken. Denn schließlich gibt es auch Menschen, die nicht von vornherein zur Geschmeidigkeit neigen.

Und so trifft man bei näherem Zusehen, vor allem in Kunstzeitschriften und Little Magazines, doch auf einige ältere Intellektuelle, die dem Pop recht feindselig gegenüberstehen. Für sie ist das alles eine bloße Un-Art, eine Warenhaus-Art, eine Kitsch-Art, das heißt viel zu vulgär und primitiv, um wirklich ›ernst‹ genommen zu werden.[38] Sie wollen ›Kultur‹ und ziehen sich deshalb lieber zu der Dreiergruppe Schönberg-Joyce-Kandinsky zurück, als ob es sich dabei um die heilige Trinität handele. Da die meisten von idealistischen Ewigkeitskonzepten herkommen, erscheint ihnen der Pop notwendig als eine ›Instant Art‹, von der einmal nicht viel übrigbleiben wird. All das sind für sie keine ›Werke‹, sondern bloße Expandables oder Disposables, die sich in ihrem allzu deutlich akzentuierten Gebrauchscharakter von vornherein als ›Waren‹ entlarven. Max Kozloff spricht daher von den ›New Vulgarians‹,[39] die lediglich Novelty Art oder Gag Art produzieren. Felix Pollak nennt den Early American Pop von 1960 bis 1964 eine Kunst der »Gadgets & Gimmicks«, eine »Art for the Maninthestreet«, eine »Lollipop Art« oder »Superdupermarket & Dimestore Art«.[40] Andere haben von phantasielosen Banalitäten, bloßen Reproduktionen oder »Junk Culture« gesprochen, deren Produzenten man als

»Commonists« oder »Factualists«, also Gemeinplätzler, anprangern sollte.[41] Ja, Katharina Scholz-Wanckel fürchtet sogar, daß durch diesen fortschreitenden Amerikanisierungsprozeß der »Begriff der Kunst« überhaupt in Zweifel gezogen werde.[42]

Solange man mit diesen Urteilen lediglich die Unprodukte eines Andy Warhol, Robert Rauschenberg, Jasper Johns, Jim Dine und Roy Lichtenstein meinte, läßt sich diese Haltung vielleicht noch rechtfertigen. Doch heute sind solche Argumente allmählich historisch geworden. Denn schließlich hat sich das Pop-Konzept seit 1965 so stark ausgeweitet, daß man darunter nicht nur die Brillo-Boxes und Marilyn-Monroe-Posters, sondern alle bewußt ›populären‹ Formen der bildenden Künste, der Musik, der Literatur, ja der gesamten Mentalität der jüngeren Generation versteht. Und damit wird eine rein negative Einstellung dieser Richtung gegenüber immer schwerer. Denn dann müßte man fast alles verdammen, was das Denken der Teens und Twens von heute bestimmt.

Man sollte sich daher hüten, die gesamte Pop-Bewegung von vornherein als einen ›neuen Barbarismus‹ oder den Ausdruck einer ›dirigistischen Massenkultur‹ hinzustellen. Für große Teile dieser Richtung trifft das sicher zu. Doch daneben gibt es immer wieder Strömungen, die wesentlich entschiedener vorgehen und nicht mit dem üblichen Kommerz-Pop verwechselt werden sollten, wie er uns aus *Time, Life, Playboy, twen* oder *Bravo* entgegenstrahlt. Schließlich hat diese Richtung auch einige recht bemerkenswerte Ergebnisse gezeitigt, bei denen man schwerlich von Bagatellen sprechen kann. Erstens hat der Pop den Warencharakter der heutigen Kunst viel schärfer herauspräpariert, als das den meisten ›Idealisten‹ älterer Schule lieb ist. Zweitens hat diese Bewegung in einem erheblichen Maße zur Entlarvung jener elitär-esoterischen Struktur beigetragen, die man bisher als ein notwendiges Attribut des ›Avantgardismus‹ empfunden hat. Drittens haben wir durch den kollektivistischen Aspekt des Pop eine wesentlich tiefere Einsicht in die sublimierende und damit im Prinzip individualistische Funktion der bisherigen Kunstverfertigung bekommen. Es wäre daher verfehlt, einfach pauschal von ›Pop‹ zu reden und dieser unverschämten ›Kulturverhunzung‹ die Patriarchen der Altmoderne als Vorbild entgegenzuhalten. Wer so denkt, denkt von vornherein undialektisch. Denn Joyce, Kandinsky und Schönberg sind schließlich die Leute von vorgestern, die bei der Rasanz des heutigen Kulturtempos notwendig veraltet sein müssen.

Horchen wir daher ruhig einmal nach ›links‹, was diese Leute zum Siegeslauf der Pop-Bewegung zu vermelden haben. Popularität, Abschaffung des Esoterischen und Elitären, Mass Produced Culture: all das müßte den Vertretern der ›Neuen Linken‹ eigentlich gut in den Kram passen. Und letztlich tut es das auch, wenn auch meist unter anderem Namen. Beginnen wir mit jenen, die sich ganz bewußt auf die Mittel der Pop Art stützen, sie jedoch im linken Sinne in eine wirkliche ›Gebrauchskunst‹, eine Prop Art oder einen Agitpop umzuwandeln versuchen. Als literarische Formen wären dabei zusammenfassend zu nennen: kurze Plakat- und Sprechlyrik, Texte für Flugblätter und Wandzeitungen, Slogans für Sprechchöre, Transparente, Straßenpflaster, Hauswände und Toiletten, Zitatmontagen, szenisch darstellbare Reporte, Dokumentationen und Kurzspiele für Wanderbühnen, politische Puppenspiele im Sinne des Bread and Puppet Theatre, öffentliche Poetry Readings oder Agitprop-Texte für die Straßenagitation, wo man im Kampf gegen die falsche ›Innerlichkeit‹ auf plakative Schlagzeilen angewiesen ist.[43] Ähnliches gilt für die linken Liedermacher und Kabarettisten, deren agitatorische Witzigkeit häufig auf der aggressiven Umkehrung liebgewordener Denkschablonen und Konsumvorstellungen beruht. Auch was diese Leute wollen, ist nicht ›Kunst‹, sondern etwas viel ›Direkteres‹, wie sie es nennen. Das gleiche vollzieht sich im Bereich der bildenden Künste. Auch hier ruft ein Mann wie Uwe Wandrey im Kampf gegen die herrschende ›Bewußtseinsindustrie‹ zu einer ›Gegen-Kunst‹ auf, die gerade die Objekte des »täglichen Gebrauchs« mit »politischen Vorstellungen« anzufüllen versucht.[44] »In einer Gesellschaft«, heißt es bei ihm, »die ihre Realität allein in Waren- und Marktwerten mißt, muß auch die aufklärende Kunst materiellen und ästhetischen Warencharakter annehmen und auf den Markt gehen.«[45] Und zwar denkt er dabei vor allem an Plakate, Plaketten und linke Comics, wie die *Rote Rosa*, *Charlie* oder die Parodie des berühmten Bundesbahnplakats mit den ›Klassikern‹ des Marxismus und dem Slogan »Alle reden vom Wetter / Wir nicht«.

Doch auch an Büchern, in denen sich diese Agitpop-Bewegung manifestiert, ist kein Mangel. Die meisten wirken auf den ersten Blick wie harmlose Bilderbücher, wie Fotoromane oder Comic Strips, das heißt halten mit ihrem Agit-Charakter so lange hinter dem Berge, bis sich der Leser eingelesen hat. Statt wie die ›hohe‹ oder ›höchste‹ Kunst der bürgerlichen Ära den ästhetisch Unkonditionierten von vornherein abzuschrecken, wird man hier höchst geschickt in ein bereits vertrautes Bezugsnetz gelockt und erst dann mit der eigentlichen ›Wahrheit‹ konfrontiert. Man denke an den *Mike Blaubart* (1968) von Gerd Winkler, das als ›Ansehbuch‹ gedruckte Fernsehstück *Rotmord oder I was a German* (1969) von Tankred Dorst, Peter Zadek und Hartmut Gehrke, den Fotoroman *Oh Muvie* (1969) von Rosa von Praunheim oder den linken Comic Strip *Super-Mädchen. Das Ende der Verkäuferin Jolly Boom* (1968) von Karl Alfred Meysenbug, die den Leser ganz bewußt aus seiner sozialen und politischen Fehlhaltung aufscheuchen wollen. Daß sie dabei alle vier mit ›Amerikanismen‹ kokettieren, beweist, wie stark man die heutige Gebrauchskultur als Ausdruck einer weltweiten Coca-Colonisierung empfindet.

Neben dieser bewußten Umfunktionierung bereits bestehender Populargenres in einen linken Agitpop hat sich in den letzten Jahren im gleichen Lager eine Richtung entwickelt, die der ›Kunst‹ überhaupt den Rücken kehrt. Was diese Leute wollen, ist die ›unverfälschte‹ Wiedergabe der ganz konkreten gesellschaftlichen Situation, wie sie nur die Reportage, die Fotografie oder das Dokumentarstück erreichen kann. Und so gibt es plötzlich Tatsachenromane, Nachschriften von Tonband-Interviews, Bühnenrekonstruktionen historischer Ereignisse oder bewußt nichtliterarische Lebensgeschichten, die weitgehend auf einem schlechten Gewissen gegenüber der Weiterführung rein »elitärer« Kunstkonzepte beruhen.[46] Wie schon in der ›Neuen Sachlichkeit‹ der späten zwanziger Jahre hört man auch heute allenthalben »Da nimm doch lieber gleich ein Foto« oder »Schreib doch keine Romane, schreib Reportagen«. Auf Grund solcher Parolen wird im Rahmen der APO- oder SDS-Bewegung immer wieder behauptet, daß die sogenannte »E-Literatur« überhaupt keine »Relevanz« mehr besitze.[47] Die Funktionäre dieser Richtungen streben nicht mehr nach der ästhetischen, sondern nur noch nach der »politischen Alphabetisierung« Deutschlands.[48] Was sie wollen, ist nicht Kunst, sondern Agitation. »Wenn die intelligentesten Köpfe zwischen zwanzig und dreißig«, schreibt Enzensberger einmal, »mehr auf ein Agitationsmodell geben als auf einen ›experimentellen Text‹; wenn sie lieber Faktographien benutzen als Schelmenromane; wenn sie darauf pfeifen, Belletristik zu machen und zu kaufen: das sind freilich gute Zeichen. Aber sie müssen begriffen werden.«[49] Und so gehen denn die ganz Radikalen immer stärker dazu über, nur noch die kritische Dokumentation oder die politische Tat als moralisch gerechtfertigt zu bezeichnen, während sie die ›Kunst‹ in der bisherigen Form von vornherein als ein elitäres und damit ineffektives Instrument der Meinungsbildung verdammen.

Vor allem die *Kursbuch*-Autoren setzen sich immer prononcierter für eine radikale Abschaffung des Ästhetischen ein. »Die progrediente, die brauchbare Phantasie«, heißt es bei Peter Schneider, »ist im Spätkapitalismus nicht mehr in der Kunst zu Hause, sondern dort, wo sie ihre Befreiung, statt in der eingebildeten, in der revolutionären Veränderung der Gesellschaft sucht.«[50] Als man Enzensberger, den maßgeblichen Inspirator dieser Zeitschrift, einmal im Fernsehen nach seiner Meinung über ›Dichter‹ wie Walter Jens oder Günter Grass ausfragen wollte, sagte er lediglich: »Diese Schriftsteller, buh, das ist doch vorbei; lassen wir die doch mal weg« und ging sofort zu Themen wie der Kastenherrschaft und der Not der unterentwickelten Länder über.[51] Eine ebenso entschiedene Haltung fordert er auf seinem *Kursbogen* vom Oktober 1969, wo er den europäischen Linken die radikalen Tupamaros, die Guerillas der südamerikanischen Großstädte, als Vorbild empfiehlt. Anstatt sich weiterhin mit einem ästhetischen Linksdilettantismus oder nichtssagenden Protesten gegen den sogenannten Konsumterror abzugeben, werden hier Aktionen gefordert, die sich direkt gegen die Staatsgewalt richten.

In völliger Übereinstimmung mit diesen Thesen fordert auch Michael Buselmeier vom ›Arbeitskreis Kulturrevolution‹ in Heidelberg seine Genossen in den anderen SDS-Gruppen auf, endlich mit dem ständigen Theoretisieren über eine ›Neue Kunst‹ aufzuhören. »Lassen wir also die Kunst rechts liegen«, schreibt er im Februar 1969 in der *Zeit*, »die Ideologen der Neuesten ebenso wie diejenigen, die von sozialistischer Kunst träumen, und fangen wir mit der gesellschaftlichen Arbeit an.«[52] Die einzigen kulturellen Praktiken, die er notfalls gelten läßt, sind die Herstellung von Lehrlingsfilmen oder Arbeiterzeitungen. Die »Kunscht«, als ein Phänomen der Elite, hat dagegen nach seiner Meinung ein für allemal abgewirtschaftet. Für ihn und seine Kreise geht es nur noch um die Revolution, die manche SDS-Adepten als das ›einzige, wahre Kunstwerk‹ der Menschheit bezeichnen.

Eine solche Einstellung ist nicht nur einseitig, sondern auch unmarxistisch. Denn schließlich handelt es sich selbst bei einer Revolution nicht nur um die schneidige Tat, sondern auch um die jeweils erstrebte ›Kultur‹. Wer in diesem Punkte mit einer ›Produktionseinstellung‹ aufzutrumpfen versucht, offenbart ein Bewußtsein, das weniger klassenkämpferische als bürgerlich-snobistische Elemente enthält. Ebenso falsch ist es, sich bei solchen Thesen auf Hegel zu berufen, dessen berühmtes Motto vom ›Ende der Kunst‹ lediglich in einem strikt ästhetischen und nicht in einem kritisch-reflektorischen Sinne gemeint ist. Wenn sich also die ›Linke‹ weiterhin auf einen theoriefeindlichen Aktionismus versteift oder die Kunst zur bloßen Prop Art erniedrigt, werden wir wirklich bald keine ›Kunst‹ mehr haben. Denn den ›Rechten‹ kommen die herrschenden Pop-Tendenzen wahrlich wie gerufen. Sie werden nicht den kleinsten Finger rühren, diese fortschreitende Kommerzialisierung wieder rückgängig zu machen, sondern im Gegenteil befreit aufatmen, daß sie nicht mehr zu

›heucheln‹ brauchen und sich mit gutem Gewissen hinter ihren Krimis vergraben können.
Und so befindet sich denn die ›Kunst‹ momentan in einer seltsamen Lage. Wenn man sie wirklich noch verteidigen will, muß man mindestens einen Fünffrontenkrieg führen. Einmal gegen die Esoteriker und Feingeister, die weiterhin ihren elitären Klüngel treiben und geistig noch immer in der Ideologie des unpolitischen Formalismus befangen sind. Zum anderen gegen die linken Aktivisten, die bei dem Wort ›Kultur‹ sofort zum Messer greifen, weil sie darin von vornherein etwas ›Bourgeoises‹ wittern. Drittens gegen jene revoluzzerhaften Stürmer und Dränger, die nur noch das Zauberwort ›Agitprop‹ anerkennen und von der E-Kunst nichts mehr wissen wollen.[53] Viertens gegen die rechten Pop-Manager und Hip-Kapitalisten, die auch auf ästhetischem Gebiet nur ihr Geschäft mit den Teens und Twens machen wollen. Und schließlich fünftens gegen jene Pop-Fanatiker, die selbst in den Songs der Beatles den Ausdruck einer wahren Jugendrevolte erblicken, aus der sich einmal eine strahlende Gegenwelt des Friedens, der Liebe und einer ins Kosmische erweiterten ›Sensibilität‹ entwickeln wird. Doch eine bloße Pop-Kultur, bei der das »Triviale als ästhetisch, das Ästhetische als trivial« angesehen wird, wie Rolf Schneider einmal schreibt,[54] erscheint mir hierzu völlig ungeeignet.
Bei aller Verachtung der bisherigen »Feierabend-Kultur, jener verwalteten Kultur der Bildungsprivilegien, des Geldadels und der Subventionen«, gegen die sich ein Mann wie Rolf-Ulrich Kaiser mit Recht empört, ist es einfach zu naiv, die Anti-Kunst der Pop-Kultur als die vorweggenommene Kunst der »klassenlosen Gesellschaft« zu feiern.[55] So leicht vollziehen sich solche Prozesse nun auch wieder nicht. Ohne eine neue Gesellschaft wird man auch keine neue Kunst herbeizaubern können. Es mag sein, daß sich im Pop auch einiges Neuartige findet, auf das sogar ein Mann wie Ernst Fischer eine gewisse Hoffnung setzt,[56] doch zum größten Teil spiegelt die Pop-Kultur genau das wider, was sich ihre ›rechten‹ Manager darunter versprechen: eine politische und geistige Reduktion auf eine Teenager-Mentalität, nach der das gesamte Universum nur noch ein ungedeutetes Chaos von Lichtimpulsen, Reklame-Spots, vorgeprägten Klischees, bewußtseinsverengenden Drogen, Comic-Strip-Erkenntnissen und rhythmisch aufpeitschenden Geräuscheffekten ist. Dies mag zwar sehr ›populär‹ sein, entbehrt jedoch jeglicher Progressivität, die man den Anhängern dieser Bewegung immer wieder vorzugaukeln versucht. Chet Helms, einer der Organisatoren der großen Rock-Konzerte in San Francisco, war daher viel ehrlicher, als er einmal konsumbewußt behauptete: »We want to make our lives as rich and colorful as we can, like a permanent TV show going on all the time.«[57]
Was also bleibt, wären wiederum nur jene vielgeschmähten Leute einer linksliberalen Mitte, die es sich nicht nehmen lassen, die ›Kunst‹ weiterhin als etwas ›Universales‹ zu betrachten, und zwar als eines der entscheidenden Medien, in denen sich die Emanzipation des Menschen von den totalen Mächten der Vergangenheit vollzieht (oder vollziehen könnte). Sie wollen weder falschen Pop, der sich als Massenkunst drapiert, noch bloße Agitation, sondern eine Kunst, die bei aller Anklage, aller rücksichtslosen Analyse jener ›finsteren Zeiten‹ (Brecht), in denen wir nun einmal leben, auch jenen großen humanistischen Appell nicht vergißt, der in ein Reich des Besseren weist. Wer hier den nötigen Atem aufbringt, hat sowohl die Massen als auch die Intellektuellen auf seiner Seite.

Anmerkungen

1. Lucy Lippard: *Pop Art.* New York 1966. S. 33.
2. Vgl. John Russel / Suzi Gablik: *pop art redefined.* London 1969. S. 116 ff.
3. Vgl. Leonard Bernstein: *Die Gitarren kommen.* In: twen 11, Oktober 1969, S. 146–151.
4. Leslie A. Fiedler: *Cross the Border, Close the Gap.* In: Playboy, Dezember 1969, S. 230, 257.
5. *The Poetry of Rock.* Hrsg. von Richard Goldstein. New York 1968. S. 11.
6. Allan Kaprow: *Die Zukunft der Pop Art.* In: Happenings. Hrsg. von Jürgen Becker u. Wolf Vostell. Reinbek bei Hamburg 1965. S. 28.
7. Tom Wolfe: *Das bonbonfarbene tangerinrot-gespritzte Stromlinienbaby.* Reinbek bei Hamburg 1968. S. 28.
8. Wolfe: *Stromlinienbaby,* a. a. O., S. 13, 62, 84.
9. *The Poetry of Rock,* a. a. O., S. XII.
10. Leslie A. Fiedler: *Das Zeitalter der neuen Literatur.* In: Christ und Welt. 19. u. 20. September 1968.
11. Susan Sontag: *Anmerkungen zum ›Camp‹.* In: Kunst und Antikunst. Reinbek bei Hamburg 1968. S. 269 ff.
12. Vgl. *Interview mit einem Verleger.* In: März Texte 1. Darmstadt 1969. S. 290.
13. *Interview . . .,* a. a. O., S. 293 ff.
14. Rolf Dieter Brinkmann: *Die Lyrik Frank O'Haras.* In: Frank O'Hara: Lunch Poems und andere Gedichte. Köln 1969. S. 68.
15. *März Texte* 1, S. 294.
16. *März Texte* 1, S. 294.
17. *März Texte* 1, S. 141.
18. Brinkmann: *Die Lyrik O'Haras,* a. a. O., S. 72.
19. Rolf Dieter Brinkmann: *Die Piloten.* Köln 1968. S. 6 f.
20. Brinkmann: *Die Piloten,* a. a. O., S. 6.
21. *Die schnellste Pizza der Welt.* Übersetzt von Ralf Rainer Rygulla. Darmstadt 1969. S. 301.
22. Felix Rexhausen: *Die Sache. 21 Variationen.* Frankfurt a. M. 1968. S. 15.
23. Rolf Dieter Brinkmann: *Film in Worten.* In: Acid. Neue amerikanische Szene. Hrsg. von Rolf Dieter Brinkmann u. Ralf Rainer Rygulla. Darmstadt 1969. S. 391.
24. Bazon Brock: *Bazon Brock, was machen Sie jetzt so?* Darmstadt 1969. S. 2.
25. Brock: *Bazon Brock . . .,* a. a. O., S. 87, 114.
26. Brock: *Bazon Brock . . .,* a. a. O., S. 31.
27. *März Texte* 1, S. 106–144.
28. Andy Warhol: *a.* New York 1969. S. 451.
29. Zitiert in: Die Zeit, 1969, Nr. 45, vom 11. November.
30. *Happenings,* a. a. O., S. 16.
31. Leslie A. Fiedler: *Die neuen Mutanten.* In: Acid, S. 19 ff. Vgl. auch Karl Bednarik: *Die dionysische Revolte.* In: Die unheimliche Jugend. Wien 1969. S. 49–97.
32. H. Clauren: *Das Leben – ein Four-Letter-Word.* In: twen 11, August 1969, S. 112.
33. *Super Garde.* Hrsg. von Vagelis Tsakiridis. Düsseldorf 1969, S. 7 ff.
34. Peter O. Chotjewitz: *Vom Leben und Lernen. Stereotexte.* Darmstadt 1969. S. 7.
35. Chotjewitz: *Vom Leben . . .,* a. a. O., S. 15.
36. Christel Buschmann: *Autoren als Disc-Jockeys.* In: Die Zeit, 1969, Nr. 43, vom 28. Oktober.
37. Heinz Ohff: *Pop und die Folgen!!!* 2. Aufl. Düsseldorf 1969. S. 177.
38. Vgl. Harold Rosenberg: *Pop Culture: Kitsch Criticism.* In: The Tradition of the New. New York 1965. S. 259 ff.
39. Zitiert in: *pop art redefined.* S. 10.
40. Felix Pollak: *The Popeye Papers.* In: The Smith 5, 1965, S. 4 ff.
41. Hans Platschek: *Tautologie der Gegenstände.* In: Merkur 18, 1964, Heft 1, S. 37.
42. Katharina Scholz-Wanckel: *Pop Import.* Hamburg 1969. S. 88.
43. Vgl. Peter Schütt: *Literarisierung des Straßenbildes.* In: Protestfibel. Hrsg. von Rolf-Ulrich Kaiser, Berlin–München. S. 112 ff. Vgl. auch Erasmus Schöfer: *Demokratisierung der Künste.* In: kürbiskern, 1969, Heft 2, S. 269 f.
44. Uwe Wandrey: *Politisches Kunstgewerbe. Prop Art.* In: tendenzen, Nr. 54, 1968, S. 226.
45. Wandrey: *Politisches Kunstgewerbe,* a. a. O., S. 227.

46. Vgl. Dieter E. Zimmer: *Die sogenannte Dokumentar-Literatur.* In: Die Zeit, 1969, Nr. 48, vom 2. Dezember.
47. Michael Pehlke: *Aufstieg und Fall der Germanistik – von der Agonie einer bürgerlichen Wissenschaft.* In: Ansichten einer künftigen Germanistik. Hrsg. von Jürgen Kolbe. München 1969. S. 38.
48. Hans Magnus Enzensberger: *Gemeinplätze, die Neueste Literatur betreffend.* In: Kursbuch 15. 1968. S. 197.
49. Enzensberger: *Gemeinplätze,* a. a. O., S. 189.
50. Peter Schneider: *Die Phantasie im Spätkapitalismus und die Kulturrevolution.* In: Kursbuch 16. 1969. S. 21.
51. Vgl. *Die Welt,* 1968, Nr. 119, vom 22. Mai.
52. Michael Buselmeier: *Gesellschaftliche Arbeit statt Kunst.* In: Die Zeit, 1969, Nr. 5, vom 4. Februar.
53. Vgl. die Nachworte zu dem Band *agitprop.* Hamburg 1969. S. 183–233.
54. Rolf Schneider: *Dem Ruin entgegen.* In: Die Zeit, 1969, Nr. 49, vom 9. Dezember.
55. *Protestfibel.* S. 197, 201, 205.
56. Ernst Fischer: *Auf den Spuren der Wirklichkeit.* Reinbek bei Hamburg 1968. S. 67.
57. Zitiert in Ralph J. Gleason: *The Jefferson Airplane.* New York 1969. S. 15.

WALTER HINDERER

Zur Situation der westdeutschen Literaturkritik

Zur Tradition der deutschen Kritik und Literatur gehört die Beschwerde über die deutsche Gesellschaft, was keineswegs ausschließt, daß die Gesellschaft sich ihrerseits zuweilen über Literatur und Kritik beklagt oder die Literatur über Kritik und Publikum. Ja, man könnte nach dem Beispiel von Hugh D. Duncan[1] auch für die Geschichte der deutschen Literaturkritik mühelos eine Typologie möglicher Wechselwirkungen zwischen Autor, Publikum und Kritiker entwickeln, wobei sich zeigen ließe, wie die einzelnen Korrespondenzverhältnisse jeweils durch einen spezifischen soziologischen Kontext bestimmt werden. Doch eine solche Typologie scheint durch das von Walter Boehlich in *Kursbuch* 15 (1968) verhängte *Autodafé* ein vorläufiges Ende gefunden zu haben. Literatur und Kritik, deren Korrelation man von Friedrich Schlegel bis Ernst Robert Curtius immer wieder behauptete, wurden hier gemeinsam mit der sie konstituierenden bürgerlichen Epoche zu Grabe getragen: »Die Kritik ist tot. Welche? Die bürgerliche, die herrschende. Sie ist gestorben an sich selbst, gestorben mit der bürgerlichen Welt, zu der sie gehört hat, gestorben mit der bürgerlichen Literatur, die sie schulterklopfend begleitet hat, gestorben mit der bürgerlichen Ästhetik, auf die sie ihre Regeln gegründet hat, gestorben mit dem bürgerlichen Gott, der ihr seinen Segen gegeben hat.« Man könnte diese Behauptungen auf ihre Faktizität hin überprüfen, den Bedeutungshorizont und Geltungsbereich von ›bürgerlich‹ analysieren, dann zu eruieren versuchen, ob unter das literarische Scherbengericht auch Joyce, Kafka, Beckett fallen oder nur Frisch und Böll, wie es in diesem Zusammenhang mit der marxistischen Literatur und Kritik steht, und würde dann am Ende nur entdecken, daß hier eine Fragestellung nachgespielt wird, die schon in den Schriften Adam Müllers, Ludwig Börnes und Heinrich Heines nachzulesen ist. Boehlich trägt nämlich eine bestimmte Art von Kritik zu Grabe, um einer anderen zur Auferstehung zu verhelfen, und zwar einer, in der man »nicht vom überzeitlichen Charakter des Kunstwerks ausgeht, sondern vom jeweils zeitlichen Charakter«. Auch die neue Kritik ist also wieder einmal eine alte, und man muß wohl mit Hans Magnus Enzensbergers *Gemeinplätzen, die Neueste Literatur betreffend* (*Kursbuch* 15, 1968) die Situation folgendermaßen charakterisieren: »Der Leichenzug hinterläßt eine Staubwolke von Theorien, an denen wenig Neues ist. Die Literaten feiern das Ende der Literatur. Die Poeten beweisen sich und anderen die Unmöglichkeit, Poesie zu machen. Die Kritiker besingen den definitiven Hinschied der Kritik ... Die ganze Veranstaltung schmückt sich mit dem Namen der Kulturrevolution, aber sie sieht einem Jahrmarkt verzweifelt ähnlich.«

Welche Folgerungen ergeben sich aus diesem Phänomen? Handelt es sich nur um den Übergang einer alten Kulturepoche in eine neue oder um das schon von Hegel konstatierte Ende von Kunst und Literatur oder bloß um die ins Epochale gesteigerten Privatsorgen von einzelnen? Für eine Antwort im Kontext Kritik muß erst noch das Terrain nach verschiedenen Orientierungspunkten hin abgesteckt werden. Unter solchen Orientierungspunkten verstehe ich die Fragen nach dem Selbstverständnis der Kritiker (I, II), nach der Applikation in der kritischen Praxis (III), nach den methodischen Möglichkeiten der Kritik (V, VI) und ihrer Funktion in der Gesellschaft (IV, V).

I

In seinem Aufsatz *Kritik und Kritiker* stellte Moritz Heimann bereits 1897 fest: »Genies der Kritik sind in Deutschland seltene Vögel. Im allgemeinen befindet sich bei uns die kritische Tätigkeit im Nebenamt, wobei noch zu beachten ist, daß das Hauptamt oft genug unbesetzt ist« – und meinte schon besorgt: »Die Maßstäbe sind diskreditiert worden. Und was sollen wir tun, wenn uns auch die Persönlichkeiten diskreditiert sind? Wenn unsere höhnische Skepsis aus den strengen Kunstrichtern traurige Bajazzi von Gottes Gnaden macht? Wenn ihre ernsthafte Wahrheit dumm, ihr Zorn lächerlich und ihre Begeisterung ranzig wird?« Genau das aber scheint heute der Fall zu sein. »Beide, der bürgerliche Großkritiker und der bürgerliche Großschriftsteller«, so weiß es Peter Hamm in einem Beitrag zu dem Band *Kritik / von wem / für wen / wie*, sind »zu Bauchrednern geworden, die längst nicht mehr wissen, von was und für wen sie sprechen«. In *Kursbuch* 15 rügt Yaak Karsunke, daß »deutsche Literaturkritik ... emsig das falsche Bewußtsein« vermehre, und zieht daraus den seltsamen Schluß: »Kritik der Kritik ist ebenso langweilig geworden wie Kritik der Literatur.« Doch nicht nur zwischen Kritik und Literatur »sind die Brücken abgerissen worden«, was Karl Heinz Bohrer in seiner Studie *Die gefährdete Phantasie, oder Surrealismus und Terror* begründet, sondern auch zwischen Kritik und Gesellschaft[2], wobei man bewußt an Walter Benjamin anknüpft, der in *Einbahnstraße* verkündet hatte: »Narren, die den Verfall der Kritik beklagen. Denn deren Stunde ist längst abgelaufen ... Sie ist in einer Welt zuhause, wo es auf Perspektiven und Prospekte ankommt und einen Standpunkt einzunehmen noch möglich war. Die Dinge sind indessen viel zu brennend der menschlichen Gesellschaft auf den Leib gerückt.«
Die zeitgemäßen Einwände gegen die Kritik ziehen ihre Hauptargumente aus der behaupteten Notwendigkeit einer gesellschaftlichen Veränderung, aus der Konstatierung zeitgeschichtlicher Tatbestände, aus dem beobachteten Mangel eines gesellschaftlich-politischen Engagements oder aus dem Hinweis auf die Obsoletheit der Maßstäbe. Dabei fällt auf, daß das, woran Ernst Robert Curtius noch 1948 in seinem Essay *Goethe als Kritiker* zweifelte, daß nämlich »literarische Kritik im deutschen Geistesleben« eine »anerkannte Stelle« habe, nun oft als gesicherte Tatsache zu gelten scheint, während doch für die heutige Situation eher Walter Benjamins Diagnose zutrifft: »Je mehr die gesellschaftliche Bedeutung einer Kunst sich vermindert, desto mehr fallen – die kritische und die genießende Haltung im Publikum auseinander. Das Konventionelle wird kritiklos genossen, das wirklich Neue kritisiert man mit Widerwillen.«
Die bestehende Kluft zwischen Gesellschaft und Kunst, zwischen Publikum und Kritik, in der auch die wachsende Diskrepanz zwischen Elite- und Massenkultur zum Ausdruck kommt, lastet Peter Glotz in seiner Untersuchung *Buchkritik in deutschen Zeitungen* den musisch-ästhetischen Eliten an, deren produzierte Kulturbestände »für die Gesellschaft immer inkommensurabler« würden. Doch, genauge-

nommen, läßt sich dieses Phänomen nicht auf die von Glotz konstatierte Unwilligkeit der Kritik zur Vermittlerrolle, die Marcel Reich-Ranicki zum Beispiel als berufsimmanent definiert hat, zurückführen, sondern schon eher auf essentielle Unterschiede der wirklich neuen gegenüber der traditionellen Literatur, die oft nur modern drapiert ist. Die neue oder sogenannte experimentelle Literatur, zu der Heinrich Vormweg etwa Autoren wie Jürgen Becker, Reinhard Lettau, Rolf Dieter Brinkmann, Hans Carl Artmann, Helmut Heißenbüttel und Franz Mon zählt, besitzt nämlich die Eigenschaft, daß sie sich – wenigstens vorläufig – als konsumfeindlich erweist, indem sie teilweise oder vollkommen die geläufigen Erwartungshaltungen gegenüber Literatur enttäuscht. Nicht umsonst reagieren die Produzenten dieser Art von Literatur – und keineswegs nur nach dem Schema einer traditionellen Idiosynkrasie, die man von Goethe bis heute verfolgen kann – zuweilen aggressiv auf die in ihren Augen inkompetente Kritik. Doch auch Martin Walser meinte – teils in den Spuren dieser traditionellen Idiosynkrasie, teils, wie sich später zeigen wird, aus gegebenem Anlaß – von seinen Kritikern: »Schließlich möchte man in der Beschreibung der eigenen Mängel wenigstens das Niveau gewahrt sehen, auf dem man diese Mängel selber zur Schau stellte.«

Der Literaturproduzent auf der einen Seite moniert also bei der Kritik das Niveau, fordert einen höheren Einsatz von Wissen und Erkenntnis, verunglimpft sie als oberflächlich und banausenhaft, der Literatursoziologe und das breitere Publikum auf der anderen halten sie für allzu elitär, spezialisiert und bildungsbefrachtet. Diesem Sachverhalt zufolge scheint sich das kritische Selbstverständnis weder auf den sozialen noch auf den literarischen Wandel adäquat eingestellt, sondern eher auf einen fast unwirklichen Zwischenbereich fixiert zu haben. Doch darüber wären zunächst einmal die Kritiker selbst zu befragen.

II

Der Literaturkritiker Friedrich Sieburg bewertet die bestehende Kluft zwischen »Gebildeten« und »Ungebildeten« durchaus als negativ und rechnet dies gar »zu den eigentlichen Erbsünden unserer nationalen Existenz«; noch mehr allerdings scheint er die fehlende »höhere Ordnung« und »Ganzheit« zu beklagen. Er charakterisiert die Situation so: »Man glaubt der Masse nahe zu sein; man glaubt der Aktualität zu dienen und sich ›zeitnah‹ zu verhalten; tatsächlich aber ist man in Experimente, Schulbeispiele und Rezeptarbeiten verstrickt, die etwas beweisen sollen, anstatt von der Unerschöpflichkeit des Menschen Zeugnis abzulegen. Das literarische Deutschland von heute ist eine Schulklasse, in der jeder den Posten eines Lehrers erringen will.« Doch träumt nicht auch jeder Kritiker seit Gottsched von der Rolle des Praeceptor Germaniae, möchte er nicht am liebsten in allen Kommunikationsräumen zu Hause sein?

Der Kritiker läßt sich zunächst einmal als Träger einer bestimmten sozialen Position definieren, dessen Selbstverständnis aus Rollenerwartungen abgeleitet ist, welche die Gesellschaft oder auch bloß die Tradition sanktioniert hat, wobei natürlich zu fragen wäre: welche Gesellschaft oder welche Tradition? Beurteilt sich der Kritiker nach seiner Funktion oder versteht er sich als freier Produzent? Ist die Literatur nur der ›Anlaß‹ oder der ›Gegenstand‹, an dem sich sein Genie entzündet? Während

Günter Blöcker und Curt Hohoff mit Moritz Heimann und Friedrich Sieburg auf die kritische Persönlichkeit bauen: »Jede Kritik ist nur soviel wert wie der Mann, der dahintersteht« (Blöcker), definiert Karl Korn die »Kritik der Zeitung« als »Spontankritik, Gesprächseröffnung« und versteht Hans Egon Holthusen »seine kritische Tätigkeit als einen hartnäckig-eindringlichen Wortwechsel mit der sich ständig verändernden Situation des literarischen Lebens«[3]. Für Sieburg ist Kritik »nicht nur Prüfung und Urteil, sondern auch ein Akt der Autorität, der sich am Kunstwerk bewährt«, deshalb komme es auch »nicht so sehr darauf an, den einzelnen Leser zu beraten, als eine Haltung zu vertreten, die als Förderung des Lebendigen und als Ermutigung des Lebensgefühls empfunden wird«.[4] Dahinter steht die Auffassung vom schöpferischen Kritiker, die Friedrich Schlegel schon früh auf diesen Nenner gebracht hat: »Ein Kunsturteil, welches nicht selbst ein Kunstwerk ist, hat gar kein Recht im Reiche der Kunst.« Bei Hermann Kesten klingt die Variante dann schon wie eine unfreiwillige Selbstpersiflage: »Eine gute Buchkritik muß ein literarisches Kunstwerk sein wie ein gutes Gedicht oder eine gute Geschichte, und sie muß recht behalten.«

Wie Kesten, so sieht auch Sieburg die kritische Persönlichkeit oder Autorität in einer für die Öffentlichkeit notwendigen moralischen Funktion. Wenn Marcel Reich-Ranicki in seinem Buch *Deutsche Literatur in West und Ost* den Kritiker vornehmlich als »Moralisten und Erzieher« bestimmt und »bessere Bücher und Leser« als seine beiden Ziele nennt, so berührt sich diese Ansicht äußerlich mit der Friedrich Sieburgs, der gemeint hat, der Kritiker von Rang übe »sein Amt nicht aus, um zu kritisieren, sondern um Dichtung ... zu ermöglichen«. Doch während es Reich-Ranicki wie Karl Korn um die Vermittlung von Literatur geht, möchte Sieburg die Gesellschaft noch für etwas Höheres erziehen, sie ›humanisieren‹. Das will auch Hermann Kesten, der bekannt hat: »Das Schöne ist nur e i n Aspekt der Kunst. Das ästhetische Urteil trifft nur e i n e Seite der Literatur. Wer über Bücher schreibt, schreibt auch über Menschen. Die Kritik kann die andern Elemente, wie das Politische, Moralische, Humane, nicht unterschlagen.« Mit solchem mehr oder weniger außerästhetisch orientierten Selbstverständnis der Kritik kollidiert ein fast puristischer Standpunkt, wie er sich in dem Vortrag *Zur literarischen Kritik in Deutschland* von Walter Höllerer ausdrückt. Es heißt dort: »Die Kritik in Deutschland hat sich weitgehend als nicht fähig erwiesen, die deutschen Bücher zu erkennen, die im internationalen Wettbewerb eine Rolle spielen könnten.« Gewiß, man könnte Höllerer das von ihm verwandte Zitat vorhalten: »Wer selbst den grauen Star hat, sollte den grauen Tag nicht der Dunkelheit zeihen«, aber man müßte ihn dann auch andererseits wieder mit dem Hinweis auf die Gruppe 47 verteidigen, deren Tagungen und Kritiken es schließlich und endlich nicht wenige der deutschen Autoren verdanken, daß sie »im internationalen Wettbewerb eine Rolle spielen« können. Doch während die Gruppe 47 zweifelsohne bis zur Mitte der sechziger Jahre auch mit ein gewichtiges Instrument des Marktes gewesen ist, gilt für die Buchkritik eher die Feststellung Yaak Karsunkes: »Man befindet sich als Kritiker im Kulturgetto der Bildungsbürger, wer es verläßt, findet für seine Ware keinen Käufer mehr.«[5] Aber dessenungeachtet glauben nicht wenige Kritiker noch an den Marktwert ihrer Stimme. Günter Blöcker zufolge stellt der Kritiker die »Öffentlichkeit« überhaupt erst her und »erlöst« das Kunstwerk »aus seiner Einsamkeit«, aber keineswegs als

»literarischer Reporter«, sondern vielmehr als »idealer Leser«, »der sich mit seiner ganzen Person – nicht nur als literarischer Fachmann – einem Buche öffnet, es in sich aufnimmt und wirken läßt«. Für Blöcker »leuchtet die Wahrheit« nur »im persönlichen Engagement, im Funkensprühen des Zusammenpralls von Kunstwerk und Beurteiler auf«.[6] Eine zusammenfassende Bestimmung gibt Blöcker mit dieser Aufzählung: Kritik ist »Musterung, Prüfung, Verweis und Polemik; sie ist ein ordnungsschaffendes Prinzip; sie will entdecken und klären, will anregen, herausfordern und vorwärtstreiben; sie schlägt Brücken vom Überkommenen zum Neuen, von der Vergangenheit zur Gegenwart«.

Das unterscheidet sich wenig vom Katalog, den Marcel Reich-Ranicki in seiner *Vorbemerkung* zu *Deutsche Literatur in West und Ost* aufstellt: »Der Kritiker soll sichten und ordnen, klären und werten, polemisieren und postulieren. Ein unentwegtes Gespräch muß er führen. Er diskutiert mit dem Autor, und er unterhält sich mit dem Publikum.« Doch solche Diskussionen scheinen auf imprägniertem Vorwissen dessen zu beruhen, was man als richtig und falsch ansprechen soll, obwohl der Kritiker es andererseits ablehnt, sich über seine Kategorien oder Maßstäbe zu äußern, und lieber wie etwa Marcel Reich-Ranicki auf das »lebendige Kunstwerk« zurückverweist, das »alle Dämme der Lehre« sprenge, »sich nicht um die Regeln und Kriterien« kümmere, die »Grundsätze« mißachte, die »Maßstäbe« zerstöre. Dieser nur scheinbare Widerspruch läßt sich am dialektischen Prozeß der Kritik mit Joachim Kaiser so verständlich machen: »Der Kritiker ist ein Malbuch. Er enthält eine Ästhetik, welcher er nicht völlig sicher ist, die sich aber bei der Berührung mit einem Werk oder einer Interpretation aus ihm herauslöst wie ein Bild ... Ehrlichkeit, Charakter, Moral: alles das sind Voraussetzungen, die man benötigt. Auf die man sich aber nicht verlassen, mit denen allein man nicht urteilen kann.« Diese ›subjektive Urteilskraft‹, von der schon Kant gesprochen hat, ist so verstanden zunächst »immer nur ein Ausgangspunkt, ein verwandelbarer Impuls«, der sich »erst beim Schreiben, beim objektivierenden Vergegenwärtigen«[7] als Kritik manifestiert.

Wie der Österreicher Eisenreich fordert Blöcker vom Kritiker die Wiedergabe des »reinen Eindrucks des Kunstwerks« – und zwar »mit den Mitteln eines geläuterten Geschmacks, eines trainierten Aufnahmevermögens und einer spezifischen Darstellungsgabe«.[8] Das Urteil offenbart sich dabei »indirekt im Vortrag, im Ton und in den Farben der Darstellung – es wird mehr suggeriert als verkündet«. Solcher Kritik geht es verständlicherweise weniger um Analyse, Interpretation, Begründung als vielmehr um Erschließung des Atmosphärischen, um die »Intensivierung des Leseerlebnisses«, die Reizung des Geschmacks. Die problematische Seite einer solchen Auffassung hatte schon Herder in einem Kapitel der viel zu wenig bekannten Schrift *Von Kunst und Kunstrichterei* erläutert: »Geschmack ... ist der individuelle, augenblickliche Reiz der Zunge, die Wirkung eines Gegenstandes auf ihr Organ, von dem sie weiter keinen Grund angeben kann, als daß es ihr so und nicht anders schmeckt, d. i. vorkommt. Geistig angewandt kann also Geschmack kein Principium des Wohlgefälligen oder Schönen werden: denn er ist E r s t e n s individuell; vielleicht kostet eine andere Zunge anders. Z w e i t e n s. Er gilt nicht für alle Zeiten: denn der Geschmack ändert sich mit Umständen, vielleicht mit Augenblicken und Jahren. D r i t t e n s. Er kann überhaupt kein Principium seyn: denn er gibt keinen Grund an; ja er schneidet es ab nach einem Grunde zu fragen ... Ohne Gründe, Begriffe und Vor-

stellungen darf ich kosten, um zu kosten, und jedes Warum abweisen. ›Mir schmeckts also. Meine Zunge hat geurtheilt, der höchste Postulator‹.«
Aus der Tatsache der Subjektivität und damit Relativität von Werturteilen wird immer wieder, wie das auch Marcel Reich-Ranicki in einem materialreichen Essay[9] bezeugt, auf die »Fragwürdigkeit jeglicher Kunstbeurteilung« überhaupt geschlossen. Allerdings sieht sich die institutionalisierte Kritik heute einem zusätzlichen Problem gegenüber, das von neuartigen Gegenständen herrührt. Reinhard Baumgart meint dazu in seinen *Frankfurter Vorlesungen*: »Literatur, wie sie heute geschrieben wird, kann weder sachkundig verwaltet, noch ungeduldig beurteilt oder sensibel abgeschmeckt werden.« Wenn er jedoch als Ausweg aus diesem Dilemma eine neue Art von Kritik propagiert, die selbst teilnimmt »an dem Prozeß, als den sie Literatur versteht«, die »Zukunft voraussehen«, das »Gestrige ins Übermorgen« fortsetzen soll, so biegt er die moderne Fragestellung auf die Goethesche Dichotomie von »zerstörender« und »produktiver« Kritik zurück,[10] aus der sich wenig Erkenntnis mehr ziehen läßt. An anderer Stelle[11] wünscht sich Baumgart eine neue Einheit von kritischer und genießender Haltung in einer künftigen Massenkultur voraus, innerhalb derer der Rezensent nichts anderes als ein »Delegierter«, ein »Disc-Jockey« wäre.
Wie schwierig es ist, die verschiedenen Argumente aus soziologischen, ästhetischen, linguistischen, psychologischen oder epistemologischen Wurzeln zu Bestandteilen einer Gleichung zu machen, die aufgeht, beweisen auch einige der Symposien, auf denen die Vielfalt der kritischen Standpunkte und Auffassungen von Literaturkritik reflektiert wurden. Als repräsentativ und symptomatisch für ein solches Unternehmen kann das Berliner ›Kritiker-Colloquium‹ von 1963 über das Thema *Maßstäbe und Möglichkeiten der Kritik* gelten. Der Gesprächsverlauf ist in einem Sonderheft der Zeitschrift *Sprache im technischen Zeitalter* (1964/65) aufgezeichnet. Das bescheidene Ergebnis der Tagung faßte Hans Mayer so zusammen: »Herausgekommen ist dabei ein Gespräch über u. a. unvereinbare Standpunkte. Herausgekommen ist die Tatsache, daß sehr große Gegensätze bestehen zwischen den einzelnen Persönlichkeiten, die eines gemeinsam haben, daß es ihnen bluternst ist mit der Literatur, und daß es bei ihnen ... zugleich sehr heiter zugeht mit der Literatur, die ja auch ein großer Freudenbringer unserer Welt ist.« Doch gerade der Freuden- oder Sinnbringercharakter der Literatur und die »einzelnen Persönlichkeiten« gehören nicht mehr durchweg zu den gemeinsamen Glaubensartikeln der deutschen Literaturkritik, deren Selbstverständnis eben nicht zuletzt durch die Konfrontation mit neuen Gegenständen in Frage gestellt worden ist.
Die Anstöße zu einem Versuch, aus dem bestehenden Dilemma einen Ausweg zu finden, kamen nicht von ungefähr von einem der experimentellen Schriftsteller, von Helmut Heißenbüttel, bei dem sich kritische auf produktive Erfahrung stützen konnte und der in seinen *Frankfurter Vorlesungen über Poetik* ganz ähnlich wie der kritische Rationalismus sein Ziel als die Eliminierung aller Dogmatik bestimmt hat. Das impliziert keineswegs einen Verzicht auf kritische Reflexion, sondern meint nur ein Aussetzen der Entscheidung zugunsten eines verlängerten Erkenntnisinteresses und die Vermeidung eines voreiligen Rekurses auf einen letzten oder zureichenden Grund. Die Reflexionsergebnisse werden dabei mehr als hypothetische Aussagen verstanden. Heinrich Vormweg, der Heißenbüttels Anstößen noch konse-

quenter als Baumgart gefolgt ist, formuliert das im *Briefwechsel über Literatur* so: »Wichtig vor allem ist demnach, sich in flexibler Kombinatorik von Wahrnehmung, Unterscheidung und Reflexion immer neu auf einzelnes einzulassen, ohne weiterhin allgemeine Verbindlichkeiten irgendwelcher Art vorauszusetzen oder als Untersuchungsergebnisse zu erwarten.« Diese Art von experimenteller Kritik, die dergestalt in einem Korrespondenzverhältnis zur experimentellen Literatur steht, bezieht ihren »zentralen Ansatzpunkt« aus der Feststellung, »Literatur beeinflusse Praxis sprachlich«. Von hier aus, so meint Vormweg, »lasse sich über kurz oder lang auch wieder mehr über Qualität und Relevanz von Texten sagen, was derzeit nur sehr bedingt möglich ist«. Als Kriterium nennt Heißenbüttel in diesem Zusammenhang, »wie entschieden Ideologie abgestoßen wird«, wie »sowohl kommerzielle wie auch konventionelle Maßstäbe (Maßstäbe des Marktes und der gesellschaftlichen Übereinkunft) relativiert« werden. Sucht noch die Annihilation der Kritik insgeheim nach den »festen, unveränderlichen Bezugsmarken«, ja begründet man die Verneinung geradezu mit der Unsicherheit der Maßstäbe, also ihrer grundsätzlichen Bejahung, bewegt sich der Pluralismus kritischer Ansichten in den traditionellen Mustern, so deuten sich mit den Kriterien der »Machtdestruktion«, wie sie die experimentelle Kritik noch tastend erwägt, neue Einsichten an, die Literatur und Kritik schon zu transzendieren und wieder – wenigstens der Funktion nach – einem gesellschaftlichen Bereich einzufügen beginnen, in dem sich auch ästhetische Werte als ein Humanum darstellen.

III

In einem bemerkenswerten Aufsatz hat Peter Schneider durch einen Vergleich von fünf Kritiken über Max Frischs *Mein Name sei Gantenbein* die »Mängel der gegenwärtigen Literaturkritik« erkundet und in polemischer Absicht den Tatbestand folgendermaßen resümiert: daß die »Urteile des Kritikers vom Himmel fallen«, daß die »Person des Kritikers ... wichtiger« sei »als seine Argumente«, daß die »Sprache des Kritikers ... anfällig« werde »für Gemeinplätze und Eitelkeiten«. Schneider entdeckte überdies Nachlässigkeiten »im Aufbau der Kritik«, Mängel »an expliziten kritischen Gesichtspunkten« und fand bei der »Mehrzahl der Kritiken ... eine lose Aufzählung von Eindrücken, die der Kritiker beim Lesen gesammelt hat«. Doch diese Entdeckungen widersprechen noch nicht dem kritischen Selbstverständnis, sondern bestätigen überwiegend die theoretischen Äußerungen, in denen zum Beispiel die Autonomie des Werturteils zwar nicht gerade verneint, aber immerhin durch Ausgriffe aufs Persönliche und auf das sich allen Regeln entziehende Kunstwerk beträchtlich relativiert wurde. Auch die von Peter Hamm mit einigem Bildungsaufwand inszenierte Anatomie des Großkritikers beugt sich nur über die Projektionen eigener Vorstellungen, von denen nur wenige Züge der Wirklichkeit entliehen sind. Denn wo findet man die Kritiker, deren Autorität Hamm zufolge »so groß geworden, daß sogar viele Autoren schon beim Schreiben den Kritiker vor Augen haben, der einmal über sie entscheiden wird«? In dem schon erwähnten Vortrag über literarische Kritik meinte Walter Höllerer ganz im Gegenteil, daß es zur Zeit »keinen einzigen überragenden Kritiker« in Deutschland gäbe und daß sich die anderen alle in Sackgassen befänden.

Wie man auch die Situation deuten mag, die Ansichten über die deutsche Kritik sind so wenig einheitlich wie die Aussagen der Kritiker über literarische Texte. Da fordert man klar fixierte Standpunkte und Maßstäbe und bestreitet andererseits die Möglichkeit fester Standpunkte und Maßstäbe; da entlarvt man Kritik als autoritäres Herrschaftsinstrument, als »privilegiertes Denken« (Hamm) und hält andererseits Ausschau nach dem »überragenden Kritiker« (Höllerer), nach der kritischen Persönlichkeit. Das »Problem der Kritik« scheint in der Tat heute ein »Problem der Literatur« und beide zusammen in extremis ein Problem der Gesellschaft zu sein, wobei entweder der Zweifel an der Gesellschaft gefahrlos an den Ersatzobjekten Literatur und Kritik befriedigt oder aber in falscher Assoziation von Marx der Versuch gemacht wird, zugunsten einer imaginierten Zukunft eine imaginierte Vergangenheit aufzuheben. Doch das sind nur Elemente des Syndroms, das es nun an der kritischen Praxis zu beobachten gilt.
Zu den wenigen Berufskritikern, die sich regelmäßig zu literarischen Neuerscheinungen äußern, gehören Marcel Reich-Ranicki und Günter Blöcker. Beide haben zudem ihre kritischen Arbeiten in Buchpublikationen vorgelegt, so daß sich mühelos ihr Reflexionsradius überprüfen läßt. Zweifelsohne zeigen die Veröffentlichungen Reich-Ranickis, obwohl er sich im Vergleich zu Blöcker mit der Beurteilung von ausländischer Literatur zurückhält, die größere Variationsbreite: er rezensiert nicht nur Literatur, sondern reflektiert auch das literarische und gesellschaftlich-politische Leben der Bundesrepublik, was seine Kommentare und Pamphlete, die er in den Bänden *Literarisches Leben in Deutschland* und *Wer schreibt, provoziert* vorgelegt hat, bezeugen. Er ist also keineswegs nur »Geschmacksrichter«, wie etwa Baumgart und Heißenbüttel unterstellen[12], sondern jemand, der Literatur immer auch in anthropologischer und soziologischer Relevanz sieht, was allerdings noch nichts über die spezifische Leistung in der kritischen Praxis aussagt. Darüber soll nun ein Vergleich der Rezensionen Reich-Ranickis und Blöckers über Martin Walsers *Halbzeit* einige Informationen liefern.
In seinem *Kritischen Lesebuch* signalisiert Günter Blöcker unter der Rubrik *Texte der Avantgarde* gleich zu Anfang eine Art Vorwarnung oder Vorentscheidung: »Es gibt keine überzeugungskräftige Kritik ohne persönliches Opfer und ohne Leiden an der Zeit.« Aus dieser Perspektive, die bereits vor der Niederschrift des ersten Satzes unverrückbar fixiert war, entwickelt Blöcker seine ganze Rezension und zieht schon nach dem zweiten Absatz das unbegründete Fazit: »*Halbzeit*, der zweite Roman Walsers, ist ein Meisterstück jener behenden Oberflächlichkeit, die alles weiß, alles kennt, alles formulieren kann und eben dadurch ein Gefühl fürchterlicher Leere in uns weckt.« Die in der Theorie behauptete Symbiose von Autor und Kritiker ist hier also von vornherein aufgekündigt, und selbst die kurze Charakterisierung der Romanhandlung vom negativen Vorurteil geprägt: »Ein Handlungsreisender stellt sich selbst in der Suada seines Berufs dar ... Seine Ehe, seine Geschäftserfahrungen, seine Freundschaften, seine körperlichen Regungen, seine Sehnsüchte und Leidenschaften verwandeln sich in einen Sprühregen der Worte, der mit milder Unbarmherzigkeit auf den Leser niedergeht.« Wenn Blöcker über den Romancier Walser kritisch vermerkt, daß dieser es versäumt habe, »die Distanz mitzukomponieren, die allein ihn glaubhaft machen könnte«, so kann man ebenso fragen, wodurch angesichts der fehlenden kritischen Distanz eigentlich Blöcker seine Glaubhaftig-

keit unter Beweis stellt, auf die selbst ein Kritiker, der mehr »suggerieren« als »verkünden« will, nicht verzichten kann.
Auch das Kategorien- und Begründungsschema, welches in dieser Rezension verwandt wird, ist suspekt. Da erfährt man, daß *Halbzeit* kein »Buch der geformten Vielfalt, des disponierten Reichtums, sondern eine Wucherung« sei, ein »Triumph des Quasselromans«, es wird über Walser festgestellt: »Der Verfasser hat den Pfiff zu gut heraus, als daß wir ihm glauben könnten, er parodiere ihn nur ... Das aber bedeutet mehr und Ernsteres als einen mißlungenen Roman, es bedeutet Verfälschung eines Begriffs, den blank zu halten wir alle Veranlassung haben.« Es muß dahingestellt bleiben, was für einen Inhalt dieser »blank« zu haltende Begriff meint, arbeiten ließe sich mit ihm wahrscheinlich ohnedies nicht.
Gerade auch in seinen gelungenen Arbeiten reproduziert Blöcker nur seine als »kennerhaft« verstandene »Liebe«, seinen als »gesund« verstandenen »literarischen Sinn«, den »reinen Eindruck des Kunstwerks mit den Mitteln« seines »geläuterten Geschmacks«, seine privaten »Leseerlebnisse«. Nicht aus der Beschreibung und Analyse der literarischen Gegenstände also wird das Urteil entwickelt, sondern in dem Ensemble von Eindrücken vorgestellt, womit weder fürs Lesepublikum noch für den Autor viel geleistet oder gar kritisches Wissen vermehrt worden ist. Die kritische Leistung liegt überhaupt weniger in der Beschaffenheit des Urteils und in der Tatsache der Urteilsäußerung als vielmehr in der Art und Weise, wie das Urteil aus der Analyse des literarischen Gegenstands herausreflektiert wird, das heißt welcher Erkenntnisraum im Hinblick auf den Gegenstand der kritische Prozeß erschlossen hat, den der Urteilsspruch oft unzulässig verkürzt oder verfälscht.
Für diesen Sachverhalt liefert Marcel Reich-Ranicki mit seiner Rezension die Probe aufs Exempel; er fällt zwar ein ähnliches Urteil wie Blöcker, aber dies eben auf Grund einer beschreibenden Auseinandersetzung mit dem Text. Wie Blöcker notiert Reich-Ranicki in seinem Buch *Deutsche Literatur in West und Ost* an der *Halbzeit* eine – allerdings »gewisse« – »Oberflächlichkeit«, nennt er Walser – mit positivem Akzent – einen Meister des Details und der Eloquenz, meint er, daß wir es bei dem Roman »mit einem wuchernden Gewächs zu tun haben«. Wird nach Blöcker in Walsers Roman »die Glosse zum Mammutroman hochgepäppelt«, so stellt er für Reich-Ranicki einen »Mammutroman aus Winzigkeiten«, einen »gigantischen Mikrokosmos« dar. Während Blöcker die gesellschaftskritischen Versuche der *Halbzeit* als »Bloßstellung durch forciertes Mitmachen« abwertet, bescheinigt Reich-Ranicki dem Autor die »Mitteilungssucht des Kranken, der an der Zeit leidet«. Trotz mancher Ähnlichkeiten im Vokabular und in den ästhetischen Ansichten zeigen sich bald die entscheidenden Unterschiede. Die Rezension Reich-Ranickis verhüllt nicht wie die Blöckers metaphorisch die Argumentation, sondern setzt sie von Anfang an schon vom Entwurf her, der den Fall nach dem Modell eines juristischen Plädoyers in Fürs und Widers gliedert, der kritischen Überprüfung aus.
Reich-Ranicki fragt zunächst einmal von der Romanfigur Anselm Kristlein auf den Autor zurück; denn der Handelsvertreter »ist im Grunde ein verkappter Schriftsteller«, also ein »vorgeschobener Ich-Erzähler«. Dieser »Ich-Erzähler«, so setzt Reich-Ranicki seine Beweiskette fort, liefert keine Deutungen, sondern Befunde, deshalb ist »nicht die Synthese seine Sache, sondern die Chronik«. Dieser Gesichtspunkt erschließt dann Walsers Methode als »Mikrokopismus«. Neben der Beschrei-

bung und der Darstellung der Einsichten läuft der Urteilsspruch, der zuweilen die Konzeption der Rezension stört. Sieht Reich-Ranicki die »entscheidende Schwäche« des Romans in der Tatsache, daß »in einer derartigen epischen Welt« gleichberechtigt »Wichtiges und Unwichtiges« nebeneinandersteht, so biegt er hier allerdings die vorher getroffene neutrale Feststellung, daß Walser »Symptome nicht deuten, sondern zunächst einmal bewußt machen« will, zu einem Urteilsspruch um und verkürzt dadurch den kritischen Prozeß. Wurde zuvor beobachtet, daß Walser nur Symptome, aber keine Diagnose geben wolle, impliziert der Urteilsspruch mit der Behauptung, daß die »Bestandsaufnahme von Symptomen ... noch keine Diagnose« sei und die »Summe von Nuancen ... nicht mit einer epischen Welt verwechselt werden« dürfe, eine axiomatische Vorentscheidung, die in keiner logischen Verbindung mehr zur anfänglichen Beobachtung steht. Das Axiom: »Die Summe von Nuancen darf nicht mit einer epischen Welt verwechselt werden« spricht zudem eine Vorstellung oder Idee des Epischen aus, die nicht ohne weiteres für Walsers *Halbzeit* zu gelten braucht, aber so, wie sie als Widerspruch zu Walsers Roman artikuliert wird, normativen Charakter erhält.

Wie Interpretation und Wertaxiomatik voneinander getrennt sind, machen auch diese Erörterungen deutlich: »Andererseits spricht es für seine [Walsers] schriftstellerische Ehrlichkeit, daß er die Elemente für eine epische Bilanz zwar in verblüffender Fülle bietet, sich aber hütet, daraus eine Bilanz zu ziehen, daß er eben nur mit Symptomen, Nuancen und Details aufwartet« – oder: »Die Menge der Einfälle und die Flut der Details sind in der Tat verblüffend und imponierend – nur daß Walser eben in Gefahr ist, von ihnen überwältigt zu werden.« Am Ende der Rezension spricht dann Reich-Ranicki, indem er selbst hier noch den Doppelaspekt von Interpretation und Urteil nebeneinandersetzt, von der »Formlosigkeit als Formprinzip«, »von faszinierendem Material zu einem Roman«, »von einem gewaltigen Übungsstück«, was deutlich den Gegensatz zur Rezension Blöckers markiert; denn selbst die kritischen Axiome, die in einem gewissen Widerspruch zur kritischen Beobachtung stehen, werden von Reich-Ranicki nicht in die Argumentation hineingezwungen oder gar metaphorisch verhüllt, sondern als solche hingestellt. Während in Blöckers Rezension der Gegenstand durch das Vorurteil verdeckt wurde, steht hier das Urteil, ob man ihm zustimmt oder nicht, neben der Einsicht in den Gegenstand, was nicht ausschließt, daß Reich-Ranicki in anderen Arbeiten das Urteil direkt aus dem kritischen Verständnis des literarischen Objekts entwickelt oder umgekehrt die Interpretation nach den axiomatischen Voraussetzungen (wie z. B. in dem Band *Lauter Verrisse*) ausrichtet.

Reinhard Baumgart, der selbst in dem Band *Literatur für Zeitgenossen* den Goetheschen Typ des »produktiven Kritikers« überzeugend exemplifizierte, leitet »den Anspruch und die Zurechnungsfähigkeit von Rezensionen« aus ihrer Leistung für die Zukunft ab; aber wie schwer sich das im Rahmen der Buchkritik realisieren läßt, soll an einer Rezension Baumgarts – und zwar von Hubert Fichtes *Palette* (*Spiegel* 1968) – dargestellt werden. In die Besprechung steigt Baumgart ein, indem er vorstellt, wie ein professioneller Kritiker Fichtes *Palette* in einer Kritik behandeln würde, um desto sichtbarer von diesem mit der »(meintwegen: blauäugigen) Gretchenfrage« abzurücken, »ob Literatur nicht mehr sein kann oder sollte als eine Summe genauer Sätze«. Nichtsdestoweniger hat gerade der professionelle Kritiker Marcel

Reich-Ranicki diese alte Frage nach der Wirklichkeit in seinen Rezensionen immer wieder aufs neue gestellt. Ähnlich wie Reich-Ranicki bei Walser konstatiert Baumgart bei Fichte: Er »stellt keine Fabel, keine Konflikte, wendet keine Psychologie auf. Er macht Inventar... Er legt ein Mosaik aus, dreht Kaleidoskop«. Vorher wird schon mit wertkritischem Akzent vermerkt, daß »Genauigkeit Fichtes Triumph« sei, und mitgeteilt: »360 Seiten lang wird ein gutes Jahr *Palette*-Zeit protokolliert, quatscht und agiert eine Raritätenschau am Rand der Gesellschaft.« Auch bei Baumgart erfährt man gleich dem von ihm eingangs erwähnten Profi mehr darüber, wie das Buch »gemacht ist«, als »was drin vorkommt«; auch bei ihm beeinflußt die Artikulierung des eigenen Leseerlebnisses mit der damit verbundenen Wertung die Mitteilung von Sachverhalten und wird die Beschreibung schon deutlich auf das Urteil hin akzentuiert, das im Grunde von Anfang an feststeht und so lautet: »Zur bloßen Information über Hamburgs Gammler würde ich doch lieber Wortwörtliches vom Tonband samt soziologischer Analyse lesen.« Weil das Urteil gewissermaßen schon in die Beschreibung hineingenommen ist, kommt es zwar zu keinem Widerspruch dieser kritischen Teile, aber dafür bleibt der literarische Gegenstand hinter dem persönlichen Leseeindruck versteckt – wenn auch nicht in der Ausschließlichkeit mancher Kritiken Günter Blöckers.

Was die hinter den Urteilen liegenden und noch so vorsichtig angedeuteten Maßstäbe oder Auffassungen betrifft, so ergeben sich hier deutliche Parallelen zwischen Baumgart und Reich-Ranicki, der zum Beispiel anläßlich der *Halbzeit* meinte, »daß nicht die Sprache Walser als Instrument dient, sondern daß er lediglich ein Medium der Sprache ist«, während Baumgart über seinen Autor schreibt: Fichte »läßt die Sache in ihren eigenen Wörtern zu Wort kommen, spielt das Medium« oder: »Auf das Erzählte greift der eigene Standpunkt nicht über. Da feiert immer nur das Material sich selbst«. Spricht Reich-Ranicki im Falle der *Halbzeit* vom »Eindruck einer gewissen Oberflächlichkeit«, weil der Autor »die Ursachen der dargestellten Zustände ausgespart« habe, so faßt Baumgart über Fichte zusammen: »Was ihm schließlich gelingt, ist die Herstellung einer präzis detaillierten Wahrnehmungsoberfläche, geistesgegenwärtig und bewußtlos, das reine Schreibkunstwerk, nicht mehr, nicht weniger.« Dieser »Realismus als l'art pour l'art« behagt Baumgart so wenig, wie er Reich-Ranicki behagen würde.

Das alles scheint darauf hinzudeuten, daß auch der ›produktive‹ Kritiker, wenn er rezensiert, unterscheidet und entscheidet, ob er will oder nicht; dabei beruhen Unterscheidung und Entscheidung wie bei der ›zerstörenden‹ Kritik auf einem bewußten oder unbewußten Konzept. Die Qualität des Konzepts wiederum kann nicht von den Entwürfen der Zukunft abhängen, wie Baumgart glaubt, was sich ohnedies am ehesten noch im Essay vorstellen ließe, sondern nur von dem, was es an Einsichten über den Gegenstand versammelt, was es an kritischem Wissen leistet. Kritik verlangt die adäquate Einstellung zum Gegenstand, woraus folgt, daß ihre Problematik im direkten Verhältnis zur persönlichen Kapazität des Kritikers gegenüber den literarischen Objekten steht. Gerade die experimentelle oder progressive Literatur sperrt sich gegen die herkömmlichen »Begriffe und Erwartungen«, die noch immer an sie herangetragen werden, weil sie, wie Baumgart es in einem Essay[13] formulierte, »scheinbar nur von Sprache statt von Welt handelt«.

Schon 1962 hat Helmut Heißenbüttel nicht ohne didaktische Übertreibung den literarischen Typus einer »Literatur von Übermorgen« beschrieben: »Ausgeprägte Faktizität, bis zur Verleugnung der eigenen Stoffverarbeitung, Registrationsmethoden, quasi Kollageelemente, Benutzung verschiedenartigster wissenschaftlicher und halbwissenschaftlicher Disziplinen, von der Informationstheorie bis zur Tiefenpsychologie, von den Schematismen der neuesten mathematischen und physikalischen Erkenntnisse bis zu den Versuchsergebnissen der empirischen Soziologie ... Ästhetik kann sich hier nur orientieren am Erkenntniswert.« In den *Frankfurter Vorlesungen* verkündete Heißenbüttel gegen alle normative Kritik, daß es für die Literatur des 20. Jahrhunderts keine Poetik, keine Regeln, sondern »nur Tendenzen« gäbe, die man »an Widerstand und Risiko der literarischen Werke« erfahre. Wenn er aber »Widerstand und Risiko« dergestalt zu »allgemeinen Maßstäben« erhebt, so proklamiert er die produktive oder experimentelle Erfahrung, das persönliche Erlebnis, die Aufhebung der Subjekt-Objekt-Beziehung. Doch nicht das literarische Objekt soll hier im Subjekt aufgelöst werden, sondern umgekehrt das Subjekt im Objekt. Bei der Betrachtung einer Literatur, in der sich statt »des sprachlichen Illusionsraums ... die sprachliche Verdopplung der Welt« ausbildet, statt einer symbolischen eine »reproduktive Redeweise«, soll nach Heißenbüttel an die Stelle des »subjektiven Bezugspunkts« offenbar eine Methode treten, in deren Spielraum der Betrachtende eben »einspringen« muß. Der Kritiker würde hier, wie das auch Baumgart gefordert hat, in den Prozeß der Literatur einbezogen, selbst zum Autor werden und sich seiner Eigenschaften als Kritiker begeben. Doch auch eine Methode, die auf Begriffe wie »Qualität«, »Dichtung«, »Intuition«[14] verzichtet, ist ja immer noch Ergebnis eines Bewußtseinsvorgangs; würde bei jeder Applikation notwendig einen neuen autoritativen Bewußtseinsakt implizieren, der eben »den im Wort gespeicherten Sachbezug z i t i e r t«[15] und »neue Sprechfelder herstellt«[16]. Gerade wenn man Heißenbüttels Grundsatz akzeptiert, »daß wir Sachen nur insoweit haben, als wir sie sprachlich haben«, stellt sich von selbst die Frage nach dem Besitzer dieses oft fragwürdigen Besitzes, also nach dem kritischen Sprachbewußtsein, womit das aufgegebene Subjekt-Objekt-Verhältnis a tergo aufs neue konstituiert wäre.

Über das Problem hat Heinrich Vormweg in dem Band *Die Wörter und die Welt* unter dem Aspekt des Literaturkritikers weiter reflektiert. Er fordert ähnlich wie Heißenbüttel und Baumgart eine Kritik, »die nicht mehr allein Kritik der Qualität, der Form-Inhalt-Identifikation speziell ist, sondern auch das Verhältnis des Geschriebenen, Gemachten zur Welt analysiert«, und verschiebt die Bewertungsgrundlage von der »Form-Inhalt-Identifikation« auf die Relevanz oder den Rang des Materials. Die »Sprachstücke« der neuen oder experimentellen Literatur sind also »nach ihrer Welthaltigkeit abzuwägen«; denn es ist nicht gleichgültig, wie Vormweg betont, »welche Repräsentanz in der Welt das Material hat, das zur Sprache kommt«, im Gegenteil: »Erfahrung, die hier nicht vordrängt, die sich hier zufrieden gibt, stirbt ab.« Vormweg erläutert diese Feststellungen unter anderem an den Arbeiten von Jürgen Becker, Helmut Heißenbüttel, Peter Weiss, H. C. Artmann, Jochen Lobe und faßt schließlich die Leistung der neuen Literatur so zusammen: »Sie hat eine neue Erfahrung der Humanität in der Sprache realisiert, und sie hat die halbbewußten ideologischen Bindungen der Literatur mit einer Konsequenz gekappt, wie sie sich letztmals in der Literatur des Barock geschichtlich konkretisiert hat.« Läßt man den etwas delikaten Barockvergleich auf sich beruhen, so erschließt

Vormweg als Funktion der Literatur die »Entideologisierung«, die Eliminierung des falschen Bewußtseins, also einen »Akt der Rehumanisierung«, was alles eben ein besonders differenziertes und kritisches Bewußtsein voraussetzt. Literaturkritik müßte also zunächst an diesem textimmanenten kritischen Bewußtsein ansetzen und es aus dem Material erschließen, wobei das Verständnis auch schon den bereits im Text investierten kritischen Widerstand freisetzen würde; deshalb kann Vormweg folgerichtig kritische Praxis nur noch verstehen »als reflektierende Kontrolle des Prozesses, in der Sprache der Realität inne zu werden«.
Wie sie sich bei Heinrich Vormweg im einzelnen ausnimmt, soll seine Auseinandersetzung mit Martin Walsers *Einhorn* demonstrieren. In der Kritik wird gleich einleitend vermerkt, daß sich die »Fragwürdigkeiten und Mängel«, die Vormwegs Kollegen festgestellt haben, »nicht wegdiskutieren« lassen, wenngleich auch »bisher durchweg versäumt« worden sei, »die Gründe für das Mißlingen ... deutlicher zu bezeichnen, d.h. Walsers Literaturtheorie zu überprüfen und den Roman im Zusammenhang der gegenwärtigen literarischen Situation zu sehen«. Obwohl man keineswegs generell behaupten kann, daß die Literaturtheorie eines Autors oder der Zusammenhang einer literarischen Situation immer Ingredienzien für eine Bewertungsgrundlage liefern, berührt Vormweg mit diesem Hinweis, wie sich zeigen wird, im Falle Walsers das punctum saliens. Was Vormweg hier mißverständlich als Überprüfung von Walsers Literaturtheorie formuliert, meint nichts anderes als einen Rekurs auf das Verhältnis des Autors zur Sprache und weiter auf die in und mit der Sprache geleistete Welt. In der Tat bildet die immer schwieriger werdende Korrelation von Sprache und Welt ein Hauptthema von Walsers Roman, über das Anselm Kristlein mit dem Autor in mehreren Variationen reflektiert und dessen Bedeutung für die ganze Struktur des *Einhorn* Vormweg mit Zitaten belegt. Dabei ergibt sich das Paradox, daß Walser mit seiner Hauptfigur zwar ständig die Unmöglichkeit einer »Wiederbelebung und Verewigung von Vergangenem in der Sprache« behauptet, aber andererseits nichts anderes tut, als diese »Übung im Unmöglichen« bis »zu einer absurden ekstatischen Auflösung des Erinnerten in blanke Gegenwart« fortzusetzen. Wenn Vormweg dieser Auflösung »etwas Fiebriges und Gewaltsames« zuspricht, so tritt er aus seinem Argumentationsmodell heraus und vermittelt wie etwa Blöcker einen subjektiven Leseeindruck, der nichts zur Sache beiträgt. Indem er jedoch beschreibt, wie Walser »literarische Schreibweisen ..., lebende und tote Sprachen, Dialekte und Fachsprachen« zitiert, ohne daß es ihm gelingt, »Reales in der Sprache zu greifen«, wie »der Skeptiker gegenüber der Sprache sich als ein außerordentlicher Sprachartist, ein meisterlicher Wortjongleur erweist«, benennt er ziemlich exakt jenen »Wahrnehmungs- und Denkfehler«, an dem der Roman gescheitert ist. Man kann nicht den Wörtern mißtrauen und gleichzeitig »aus ihnen Wasserfälle und Feuerwerke« produzieren oder die Romanform suspekt finden und sich ihrer trotzdem bedienen.
Auch in der Kritik Heinrich Vormwegs kommt es zu keinem Widerspruch zwischen Beschreibung und den axiomatischen Voraussetzungen, weil beides hier zusammenfällt, allerdings aus anderen Gründen als bei Baumgart. Vormweg entwickelt seine kritischen Ansatzpunkte nicht aus bestimmten Form-Inhalt-Bezügen, sondern aus der Korrelation Sprache – Bewußtsein – Welt. Mit der Ermittlung dieser Korrelation oder dieses Modells erschließt er gleichzeitig den Gegenstand oder wie er sagt:

das »Sprachstück«. Mögen auch Heißenbüttel und Vormweg zu einer Verabsolutierung des Sprachproblems neigen, was ihnen Karl Markus Michel »als Heilslehre von der reinen (sterilen, autistischen) Sprache«[17] und Horst Krüger – wenigstens in bezug auf Heißenbüttel – als »Dogmatismus und Kommissargeist«[18] ausgelegt haben, so zeigt sich in ihren Arbeiten doch ein neuer »Gesprächsansatz«, der sich noch nach verschiedenen Richtungen differenzieren und erweitern ließe. Helmut Heißenbüttel hat ihn im *Briefwechsel über Literatur* auf diesen schon zitierten Nenner gebracht: Es ist »ein Kriterium, wie entschieden Ideologie abgestoßen wird. Darin eingeschlossen ist ein anderes Kriterium. In der aktuellen Literatur wie in der Kritik dieser Literatur werden sowohl kommerzielle wie auch konventionelle Maßstäbe (Maßstäbe des Marktes und der gesellschaftlichen Übereinkunft) relativiert. Kritik heißt heute auch, diese Maßstäbe auf ... sprachlich-unmittelbare hin zu destruieren und sie zugleich in die Beurteilung mit einzubeziehen (als wissenschaftlich-statistische Terminologie). Dasselbe gilt auch für das Kriterium der Machtdestruktion«. Literatur und Kritik werden hier wieder in einen Funktionszusammenhang gestellt, in dem sich das vollzieht, was Jürgen Habermas in dem Aufsatz *Erkenntnis und Interesse* in diesem Satz ausgedrückt hat: »Das emanzipatorische Erkenntnisinteresse zielt auf den Vollzug der Reflektion als solchen.« Doch das führt schon zu einem anthropologisch-soziologischen Orientierungspunkt.

IV

Daß Geschmacksurteile relativ sind und sich verändern, war, wie der Gemeinplatz ›de gustibus non est disputandum‹ beweist, eigentlich nie ein Geheimnis. In seiner *Soziologie der literarischen Geschmacksbildung* meint Levin L. Schücking jedoch dazu: »Nicht der Geschmack wird in der Regel ein anderer und neuer, sondern andere werden Träger eines neuen Geschmacks.« Literarischer Geschmack ist nicht nur an eine bestimmte soziale Struktur oder einen bestimmten sozialen Kontext gebunden, sondern steht auch in Korrespondenz zu einem bestimmten Generationszusammenhang, der sich aus einem gemeinsamen Erfahrungs-, Gefühls- und Bewußtseinshorizont konstituiert. Kulturelle Veränderung oder Entwicklung resultiert zunächst einmal, wie Karl Mannheim[19] das Phänomen analysiert hat, aus einem »›neuen Zugang‹ zum akkumulierten Kulturgut«, zum Tradierten, und einem »Wandel in der seelisch-geistigen Einstellung« zur Wirklichkeit. Die neue Konstellation, die vorher nur unterschwellig vorhanden war, führt plötzlich auf Grund eines Konsenses zu einer Art »öffentlicher Auslegung des Seins«. Eine solche Umorientierung in Literatur und Kritik kennzeichnet die momentane Situation, die Karl Heinz Bohrer dergestalt skizziert: »Das Unbehagen in der Literatur und ihrer Kritik, ihr ›Anachronismus‹ hat durch Baumgart und Hamm zwei polare Auslegungen gefunden: die sich noch literaturimmanent verstehende und die nur noch gesellschaftlich determinierte.« Man müßte das allerdings erweitern und präzisieren: Weil sich für Baumgart, Heißenbüttel und Vormweg die neue Literatur »sprachlich unmittelbar zur Praxis verhält«, weil sie mit dem sprachlichen Spielraum die »Idee einer neuen Gleichheit« produziert, durch ihre Destruktionen Bewußtseinserweiterungen vornimmt, also immer auch etwas Gesellschaftliches oder Humanes leistet, ist das Verhältnis zur Kritik ein affirmatives, während sie Peter Hamm – zumindest die

Kritik, die er als herrschende beschreibt – wegen ihres Autonomie- und Privatheitscharakters und der allgemeinen »Zurücknahme der Kultur in den materiellen Lebensprozeß« liquidieren möchte. Wie Walter Boehlich in seinem *Autodafé* projiziert Hamm seine Idiosynkrasien gegen die bürgerliche Gesellschaft auf deren kulturellen Überbau, wobei er gerade jenes historische Muster praktiziert, das er ablehnt und das Karl Marx in der Einleitung zur *Kritik der Hegelschen Rechtsphilosophie* auf diese Weise beschrieben hat: »Was bei den fortgeschrittenen Völkern praktischer Zerfall mit den modernen Staatszuständen ist, das ist in Deutschland, wo diese Zustände selbst noch nicht einmal existieren, zunächst historischer Zerfall mit der philosophischen Spiegelung dieser Zustände.«
Verfehlt die traditionelle Kritik etwa der Spielart Sieburg – Blöcker – Hohoff mit ihrer Orientierung an Erlebnis- und Geschmackswerten, die oft außerästhetischen Bezirken entstammen, oder mit ihrem ästhetischen Genußverhältnis, das man auch lange Zeit fälschlicherweise ›wertimmanent‹ nannte, oft ihren literarischen Gegenstand, so steht es mit einer Kritik nicht viel besser, die soziologische Kriterien verabsolutiert. Dabei hat Hans G. Helms in dem von Hamm edierten Band *Kritik / von wem / für wen / wie* sinnvoll einen marxistischen Standpunkt auf Literatur und Kritik bezogen und zu dem ganzen Problem grundsätzlich festgestellt: »Ein sprachliches Kunstwerk ist in Hinsicht auf die geleistete Arbeit in den Dimensionen der Sprache – Semantik, Grammatik, Phonetik – zu analysieren. Seine Relevanz hängt ferner davon ab, ob das künstlerische Produkt seinen eigenen Produktionskriterien genügt, ob es zur Einsicht in die gesellschaftlichen Verhältnisse verhelfen kann, ob es den historischen Ort seiner Entstehung reflektiert.« Ganz im Sinne von Heißenbüttel und Vormweg wird hier Literatur und ihre Kritik als »Ideologiekritik« verstanden, die freilich, um Mißverständnisse auszuschließen, einen Grundsatz von Roland Barthes übernehmen müßte, daß nämlich jede Kritik »in ihrem Diskurs ... einen implizierten Diskurs über sich selbst« enthalten sollte.
Die Einsicht, daß keine kritische Theorie oder Praxis vollkommen und endgültig ist, daß normative Ästhetiken, Poetiken und Geschmacksurteile relativ sind, daß sich Ansichten notwendig mit der Aufeinanderfolge von Generationen und einzelnen Gruppen verändern, daß es eine Vielfalt von Aspekten angesichts eines vielfältigen Gegenstandes gibt, ist gewiß kein Anlaß, Kritik für ungültig zu erklären. Im Gegenteil: dieser Sachverhalt erweist nur die Notwendigkeit von Kritik, und zwar einer, die, um es mit Karl Popper zu sagen, »soweit dies möglich ist, eine unbewußte und damit unkritische Voreingenommenheit bei der Darstellung der Tatsachen vermeidet«[20]. Jede Kritik, der es um Beschreibung und Urteil geht, begibt sich in einen »Zusammenhang von Erkenntnis und Entscheidung«[21], wobei weniger die Tatsache interessiert, daß man sich zu einem Urteil entschließt, sondern die Art und Weise, wie eine solche Dezision zustande kommt; denn Kritik ist »keineswegs ein Verzeichnis von Resultaten oder ein Korpus von Urteilen«, sondern, wie Roland Barthes in dem Essay *Was ist Kritik?* ausführt, »wesentlich eine Tätigkeit, das heißt eine Folge von intellektuellen Handlungen, die tief in der historischen und subjektiven ... Existenz dessen wurzeln, der sie ausübt, das heißt, der die Verantwortung dafür übernimmt«. Entscheidungen oder Urteile werden erst dann ideologisiert, wenn sie absolute Gültigkeit beanspruchen, das heißt den Erkenntnisprozeß durch den »Rekurs auf ein Dogma« unterbrechen. Kritische Aussagen müssen sich deshalb

als Hypothesen verstehen lernen und sich selbst der kritischen Überprüfung aussetzen. Ob dann noch der Vorwurf, auch die Forderung nach Entideologisierung sei Ideologie, trifft, mögen die prüfen, die ihn erhoben.
Die Korrektive und ›Probiersteine‹ für Literaturkritik sind zweifelsohne ihre Gegenstände, aber es kann andererseits keine Frage sein, daß sich kritisches Wissen wie jedes Wissen ständig erneuern und erweitern muß. In diesem Zusammenhang hat Elder Olson bemerkt: »... die partiellen Methoden der Kritik korrigieren und ergänzen sich gegenseitig, die umfassenden Kritiken überschneiden sich, und alle zusammen tragen zu einem umfangreichen Wissen über Dichtung bei«. Daß diese Behauptung nicht ohne Einschränkungen für jede Art wissenschaftlicher Literaturkritik gelten kann, sondern schon den Anspruch auf Qualität voraussetzt, versteht sich von selbst, ebenso, daß sie sich mit denselben Implikationen auch auf die Buchkritik beziehen ließe, obwohl hier das Methodenbewußtsein mehr durch den »kritischen Impuls« repräsentiert scheint; aber auch dieser »kritische Impuls« orientiert sich an einem kritischen Muster oder Modell. Der Pluralismus solcher bewußten oder unbewußten Modelle jedoch spiegelt nur mögliche Verhaltensweisen gegenüber bestimmten literarischen Gegenständen wider. Die Kenntnis der Typologie kritischer Methoden und Verhaltensweisen sollte allerdings ebenso wie die Kenntnis der soziologischen Funktionen von Kritik zu den Grundvoraussetzungen jedes Kritikers gehören.

V

Literatur und Kritik sind nicht nur Ausdruck von Individualprozessen und Individualinteressen, sondern sie antworten auch mehr oder weniger allgemeinen Bedürfnissen, die sich soziologisch in bestimmten Funktionserwartungen äußern. An der Skala dieser Bedürfnisse und Erwartungen, aus denen sich die Vielzahl außerästhetischer Werte konstituiert, lassen sich die verschiedenen Erscheinungsformen und Richtungen erklären. Weil in einem Gesellschaftszusammenhang immer eine Vielfalt persönlicher und allgemeiner Interessen artikuliert wird, bedeutet jede Kritik, indem sie sich für eine Artikulationsweise entscheidet, auch gleichzeitig einen Interessenkonflikt; denn keine Kritik kann einerseits allen Bedürfnissen und Interessen gerecht werden und andererseits allen Forderungen, welche die Gesellschaft an sie stellt, entsagen. Selbst noch eine Kritik, die glaubt, sie baue zugunsten des literarischen Objektes den Bedürfnischarakter ab und entziehe sich dem Konsumdruck, spricht für eine gesellschaftliche Gruppe, die eben ästhetische Interessen über außerästhetische, eine bestimmte Weise der Kunstbetrachtung über eine mögliche andere stellt, also wiederum ideologisch fixiert ist. Wäre dem nicht so, der Kritiker spräche ins Leere; aber jede Kritik steht notwendigerweise in einem Verhältnis zur Institution und zum Kommunikationsraum, für die und in den sie spricht – und umgekehrt.
Literaturgruppen und die ihr zugehörenden Geschmacksträger oder kritischen Funktionäre sind zunächst einmal als Interessengruppen zu verstehen, die miteinander konkurrieren, wobei heute diejenige Gruppe zur herrschenden, d. h. meinungsbildenden wird, der es gelingt, über möglichst viele der vorhandenen Massenmedien zu disponieren. Wie Peter Glotz in der Untersuchung *Buchkritik in deutschen Zeitun-*

gen ausführt, ergibt sich schon durch die Beschaffenheit der verschiedenen Kommunikationsräume, an die sich die einzelnen Zeitungen und Zeitschriften richten, eine Differenzierung der Aufgabenstellung. Kritik steht also in einem Beziehungsgefüge von Medium, Publikum und literarischem Gegenstand, wobei es nicht zuletzt von der Struktur des Publikums abhängen wird, welche Aussagen und Entscheidungen die Kritik trifft, oder wie es Hugh D. Duncan formuliert: »Ob nun der Kritiker als Zensor, als Rezensent, Reporter oder literarischer Analytiker fungiert, er tut es aufgrund seiner Verantwortung gegenüber einem Publikum, das er darüber informiert, in welcher Weise das Werk eines Autors die Werte dieses Publikums infrage stellt, unterstützt oder zerstört.«[22]

Für die Situation der westdeutschen Literaturkritik ergibt sich insofern noch eine gewisse Differenzierung, als sie sich an »Bildungsbürger« wendet, wie Karsunke abschätzig sagt, die an dem Prozeß der Meinungsbildung mehr oder weniger stark beteiligt sind. Eine Kanalisierung oder Ventilierung solcher Meinungen fand regelmäßig auf den Tagungen der Gruppe 47 statt. Ihre jährlichen Sanktionierungen von Literaturerwartungen und Kriterien wirkten wiederum sowohl auf die Kritik wie auf das Publikum zurück, was aber keineswegs bestimmte Autoren und Kritiker daran hinderte, dagegen immer wieder auch andere Interessen zu artikulieren. Trotzdem mag man es als erstaunliches Faktum buchen, daß in dem Augenblick, als die Gruppe 47 ihre meinungsbildende Funktion einzubüßen begann, auch schon die Literatur als solche und ihre Kritik in Frage gestellt und von ausschließlich politischen und gesellschaftlichen Interessen überrundet wurde. Daraus könnte man entnehmen, wie sehr gerade in Deutschland das literarische Leben auf eine funktionierende Institutionalisierung angewiesen ist, obwohl damit ständige Verzichte und Interessenkonflikte einhergehen, was sich auch im Literaturbild zeigt, welches die Kritik und ihr Publikum seit 1945 in Deutschland durchgesetzt haben. Während in ihm Autoren wie Ingeborg Bachmann, Hans Magnus Enzensberger, Günter Grass, Uwe Johnson, Martin Walser und Peter Weiss eine zentrale Position einnehmen, billigt man den Texten von beispielsweise Arno Schmidt, Hans Carl Artmann, Jürgen Becker, Rolf Dieter Brinkmann, Helmut Heißenbüttel, Franz Mon allenfalls einen Stellenwert zu.

Wenn für die experimentelle Literatur gilt, daß sie nicht im kritischen Gespräch ist, so kann das auch für ihr Gegenteil, für den ganzen Bereich ›Unterhaltungsliteratur‹ in Anspruch genommen werden. Plädiert man wie Peter Glotz für eine sinnvolle Vermittlung von Elitekultur an eine breite Masse und gleichzeitig für die kritische Auseinandersetzung mit der populären Literatur, also für einen »Weg zur ›kulturellen Demokratie‹«, wie er sich übrigens schon in den Arbeiten von Marcel Reich-Ranicki andeutet, so sollte man daraus nicht ein Programm zur Popularisierung aller Kultur und Bildung ableiten, dessen Gefahren schon immer, man brauchte nur Bruno Bauer und Lenin zu zitieren, Pauperismus und Nivellierung gewesen sind. Mit »kultureller Demokratie« kann doch bloß ein kritischer Prozeß gemeint sein, der die durch Herrschaftsformen unterdrückten Interessen und Erkenntnisse rekonstruiert; denn nicht nur gegenüber der Popularisierung der Literatur »hegen viele Journalisten ein tiefes Mißtrauen«, wie Glotz meint, sondern ebenso gegenüber der sogenannten »experimentellen Literatur«, die man auch als esoterisch, destruktiv und elitär abwertet. Die Aufgaben der Literaturkritik ergeben sich also sowohl aus der Beschaffenheit der Gegenstände als auch aus den verschiedenen zweckgerichteten Forderungen, welche die einzelnen Interessengruppen in der Gesellschaft stellen. Es empfiehlt sich, an diesem Punkt der Überlegungen einmal kurz die Grundhaltungen von Literaturkritik zu reflektieren, wie sie sich aus der historischen Entwicklung erschließen lassen.

VI

Die Entwicklung der deutschen Kritik führte schon innerhalb des 18. Jahrhunderts, was Anni Carlsson in ihrem Buch *Die deutsche Buchkritik von der Reformation bis zur Gegenwart* näher belegt hat, vom Geschmacksurteil zur Strukturuntersuchung. Wenn Friedrich Schlegel das »eigentliche Geschäft und das innere Wesen der Kritik« als »Verstehen« definiert, »welches ... Charakterisieren heißt«[23], so verbindet er schon die beiden kritischen Grundhaltungen von Enthusiasmus und Reflexion. Das Rezensieren vollzog sich bereits für Goethe in einer Art Synthese von werkimmanenten und werktranszendenten Aspekten; er verstand es als ein Geschäft, »den Dichter aus dem Gedicht, das Gedicht aus dem Dichter zu entwickeln«. In der Tat kann man vom »großen Zeitalter der deutschen Kritik«, wie Ernst Robert Curtius das 18. Jahrhundert genannt hat, eine »systematische Leistung« der Prinzipien behaupten und von daher mit Elder Olson[24] empfehlen: »Und statt unablässig nach neuen Grundlagen für die Kritik zu suchen, sollten moderne Kritiker lieber die Grundlagen der vorhandenen kritischen Methoden überprüfen und sich deren Erkenntnisse zunutze machen.« Auch für Fritz Martini bedeutet diese »Geschichte zu kennen ... die Erkenntnis der Problematik«, in die der Kritiker »hineingezwungen ist und die ein Spiegel der Problematik unserer gegenwärtigen Kultur überhaupt ist«.[25]

Doch führt man die Möglichkeiten von Literaturkritik auf eine normative Kritik, »die da sagt, was sein soll (entscheidet, urteilt)«, und auf eine charakterisierende, »die da zeigt, was ist«,[26] zurück und konstituiert gar in Ergänzung dazu noch einen dritten Typus, der nach dem Modellfall ›Junges Deutschland‹ Literatur politischen oder soziologischen Tendenzen unterstellt, so müßten sich die Rezensionen von Blöcker, Reich-Ranicki, Baumgart bis Vormweg nach solchen Grundsätzen anordnen lassen. Aber da heute eher gewisse Vorstellungen und Ideen von Literatur als normative Grundsätze, die seit dem Sturm und Drang ebenso häufig wie hartnäckig attackiert werden, obwohl sie in dem behaupteten Sinne schon längst zu existieren aufgehört haben, die Charakterisierung eines literarischen Gegenstandes, wenn überhaupt, bestimmen, muß nochmals daran erinnert werden, daß über die Qualität einer Kritik ohnedies nicht so sehr die Beschaffenheit des Urteils entscheidet, sondern vor allem, welcher Erfahrungs- und Erkenntnisraum am Gegenstand erschlossen wird. Zum historischen und soziologischen Kontext, in dem der Kritiker steht, kommen dann noch all die textimmanenten Momente mit ihren vielfältigen Ursachen hinzu, die auf einmal und in jedem Fall zu erfassen ohnedies die Kompetenz eines einzelnen Kritikers überschreiten würde.

Die Schwierigkeiten des heutigen Kritikers liegen in der Tat weniger an den vielzitierten fehlenden oder problematischen Maßstäben als vielmehr an der Möglichkeit, neue Erfahrung zu rezipieren. Gerade wenn jedes »bedeutende literarische

Werk ... seine eigenen Maßstäbe« besitzt, wie Anni Carlsson meint, zeigt sich »das Format des Kritikers« darin, in welchem Umfang und auf welche Weise er solchen Anforderungen gerecht zu werden vermag; andererseits ist das eben wiederum nur möglich innerhalb der Grenzen des subjektiven Erfahrungshorizontes, den kein Kritiker transzendieren kann. Deshalb gehört zur kritischen Erkenntnis die Selbsterkenntnis des Kritikers oder wie es Nietzsche dem Philologen als conditio sine qua non auferlegt: »Drei Dinge muß der Philologe, wenn er seine Unschuld beweisen will, verstehen, das Altertum, die Gegenwart, sich selbst: seine Schuld liegt darin, daß er entweder das Altertum nicht oder die Gegenwart nicht oder sich selbst nicht versteht.«

Ein solches Selbstverständnis der Kritik könnte manche Mißverständnisse und Mißverhältnisse unterbinden und zu einem sinnvollen kritischen Pluralismus beitragen, bei dem die einzelnen Richtungen intelligent voneinander profitieren würden. Kritik wäre dann »keine Methode der Überprüfung«, wie Jürgen Habermas in anderem Zusammenhang[27] geäußert hat, sondern »diese Prüfung selbst als Diskussion«. Daß das noch mehr Idee als Realität ist, zeigt die Situation der deutschen Literaturkritik sowohl in der Theorie als auch in der Praxis. Hier stehen Richtungen, Gruppen, Fronten einander gegenüber, die, wenn sie überhaupt noch kommunizieren, nur ihre eigenen Erkenntnisinteressen artikulieren. Auch in der ›Kritik der Kritik‹ wird selbstverständlich die Perspektive durch den jeweiligen Standpunkt bestimmt: da spricht der Literaturwissenschaftler von der Provinzialität der Buchkritik, von einer »Kollektivierung des Geschmacks«, einer »Anpassung an das Niveau der Vielzahl« (Fritz Martini), der Literatursoziologe von dem elitären Charakter dieser Kritik, die »ihre Rolle in der Massengesellschaft noch nicht ausreichend akzeptiert« habe (Peter Glotz), der engagierte Ideologe vom »Bildungsbürger« und »Kulturgetto« (Yaak Karsunke) oder vom autoritären »Großkritiker« (Peter Hamm) und der experimentelle Schriftsteller oder seine Theoretiker von dem äußerlichen Interesse der Kritik und der Unsicherheit ihrer »Verständnisraster« (Vormweg, Heißenbüttel, Baumgart).

Neben dem Dogmatismus, der die Richtigkeit des eigenen Standpunktes und den Irrtum aller anderen behauptet, steht der Skeptizismus, der alle Literaturkritik und oft auch Literatur für grundsätzlich falsch und überflüssig hält, während der Eklektizismus, der partiell falsche Ansichten zu einer richtigen zusammenfügen will, wie auch die Kritiker-Symposien gezeigt haben, eher Seltenheitswert besitzt. Doch mehr als ein Eklektizismus könnte die Diskussion der verschiedenen Voraussetzungen, der ästhetischen, soziologischen, historischen und ideologischen Bedingungen dieser Pluralität von Meinungen eine Neubesinnung veranlassen. Man würde sich dann schnell darüber verständigen können, daß Kritik nur als Gesamtheit, nur in ihrer Vielfalt auch die Anforderungen zu erfüllen vermag, welche die alte und die neue Literatur, die verschiedenen Gesellschaftsschichten, Berufs-, Alters- und Interessengruppen und die Medien an sie stellen. Schon weil sich bloß in solcher Gesamtheit das ganze Bündel menschlicher Bedürfnisse, Wünsche und Interessen widerspiegeln kann, würde theoretisch gesehen nur eine Art – freilich vollkommen hypothetischer – selbstreflektierter kritischer Pluralismus, der keine sinnvolle Äußerung unterdrückt, sondern für die Realisierung aller Aspekte des Menschen sorgt, einen Ausweg aus der Sackgasse bieten und das realisieren helfen, was Heinz Strakula forderte: »Vermittlung, Reprä-

sentation des ganzen sozialen Fühlens, Wollens und Denkens in Wort, Schrift und Bild, aus denen pluralistisch-demokratisches Leben und Tun, die gesellschaftlich gesteuerte und verantwortete Geschichte des Heute und Morgen erwächst.«[28]
Ein solches spekulatives Prinzip Hoffnung würde jedoch weit über das bestehende und doch recht bescheidene Maß hinaus eine kaum vorstellbare Vermehrung und Erweiterung von Kritik fordern; sie erst könnte das menschliche Wesen in seiner Wirklichkeit, wie es Karl Marx[29] verstanden hat, im »Ensemble der gesellschaftlichen Verhältnisse« sichtbar machen. Daß sich in solcher Utopie von der Realisierung der Totalität aller menschlichen Vermögen und Bedürfnisse idealistische und materialistische Kulturkritik treffen, hat nicht zuletzt Herbert Marcuse in seinem Buch *Triebstruktur und Gesellschaft* demonstriert. Es heißt dort in dem Kapitel *Die ästhetische Dimension*: »Die nicht-repressive Ordnung ist ihrem Wesen nach eine Ordnung der F ü l l e : notwendige Einschränkungen erwachsen aus dem ›Überfluß‹ statt aus der Not. Nur eine Ordnung der Fülle, des Überflusses, ist vereinbar mit Freiheit. In diesem Punkt begegnen sich die idealistische und materialistische Kulturkritik.«

Anmerkungen

1. Hugh D. Duncan: *Die Literatur als gesellschaftliche Institution.* In: Moderne Amerikanische Literaturtheorien. Frankfurt a. M. 1970. S. 318–337.
2. Vgl. dazu auch Edgar Lohner: *Zur literarischen Kritik in Deutschland.* In: Sprache im technischen Zeitalter (1961/62) S. 238–248.
3. Hans Egon Holthusen: *Plädoyer für den Einzelnen.* München 1967.
4. Friedrich Sieburg: *Du sollst nicht töten.* In: Akzente (1955) S. 22–28.
5. Yaak Karsunke: *Uralte Binsenwahrheiten.* In: Kritik / von wem / für wen / wie. München 1968. S. 45.
6. Günter Blöcker: *Zur Situation der literarischen Kritik.* In: Deutsche Akademie für Sprache und Dichtung Darmstadt. Jahrbuch 1965. Heidelberg, Darmstadt 1966. S. 32. Vgl. außerdem: *Kritisches Lesebuch.* Hamburg 1962. S. 11.
7. Joachim Kaiser: *Kritik als Beruf.* In: Der Monat (1964/65) S. 34, 39.
8. Blöcker: *Zur Situation der literarischen Kritik*, a. a. O., S. 17. Vgl. auch Herbert Eisenreichs Bemerkung: »Schreibt der Wissenschaftler über das Buch als ein Ding an sich, so schreibt der Kritiker über das Erlebnis, das ihm durch die Lektüre des Buches zuteil wird.« (*Reaktionen. Essays zur Literatur.* Gütersloh 1964. S. 122.)
9. Marcel Reich-Ranicki: *Nicht nur in eigener Sache. Bemerkungen über Literaturkritik in Deutschland.* In: Lauter Verrisse. München 1970. S. 21.
10. Vgl. dazu Goethes Rezension *Graf Carmagnola noch einmal* (In: Gedenkausgabe der Werke, Briefe und Gespräche. Zürich 1950. Bd. 14, S. 830 f.); ebenso Reinhard Baumgart: *Aussichten des Romans oder Hat Literatur Zukunft?* Frankfurter Vorlesungen (1968). Neuwied, Berlin 1968. S. 88 ff.
11. Reinhard Baumgart: *Vorschläge.* In: Kritik / von wem / für wen / wie. München 1968. S. 44.
12. Vgl. dazu die Rezensionen von Reinhard Baumgart (abgedruckt in: Literatur im Spiegel. Hamburg 1969. S. 20–23) und Helmut Heißenbüttel (In: Der Monat, Januar 1964, S. 75–81).
13. Reinhard Baumgart: *Sechs Thesen über Literatur und Politik.* In: Tintenfisch 3. Berlin 1970. S. 31.
14. Helmut Heißenbüttel: *Über Literatur.* Olten, Freiburg 1966. S. 200 f.
15. Vgl. Heißenbüttel/Vormweg: *Briefwechsel über Literatur.* Neuwied, Berlin 1969. S. 29.
16. Heißenbüttel: *Über Literatur*, a. a. O., S. 197.
17. Karl Markus Michel: *Ein Kranz für Literatur.* In: Kursbuch 15. November 1968. S. 183.
18. In: Die Welt. 19. 8. 1965, S. 6.

19. Karl Mannheim: *Das Problem der Generationen.* In: Wissenssoziologie. Berlin, Neuwied 1964. S. 509–565.
20. Karl R. Popper: *Die offene Gesellschaft und ihre Feinde.* 2. Aufl. Bern 1970. Bd. 2, S. 331.
21. Hans Albert: *Traktat über kritische Vernunft.* 2. Aufl. Tübingen 1969. S. 4.
22. Duncan: *Die Literatur . . .*, a. a. O., S. 327.
23. Friedrich Schlegel: *Vom Wesen der Kritik.* In: Kritische Schriften. Hrsg. von W. Rasch. 2. Aufl. München 1964. S. 390–400.
24. Elder Olson: *Abriß einer poetischen Theorie.* In: Moderne Amerikanische Literaturtheorien. Frankfurt a. M. 1970. S. 184–211, besonders S. 192.
25. Fritz Martini: *Kritik der Kritik.* In: Deutsche Akademie für Sprache und Dichtung Darmstadt. Jahrbuch 1953/54. Heidelberg, Darmstadt 1954. S. 78–103.
26. Anni Carlsson: *Die deutsche Buchkritik von der Reformation bis zur Gegenwart.* Bern, München 1969. S. 366.
27. Jürgen Habermas: *Gegen einen positivistisch halbierten Rationalismus.* In: Der Positivismusstreit in der deutschen Soziologie. 2. Aufl. Neuwied, Berlin 1970. S. 249 (S. 235–266).
28. Zitiert bei Peter Glotz: *Buchkritik in den deutschen Zeitungen.* Hamburg 1968. S. 41.
29. Es handelt sich um die sechste von Marx' bekannten *Thesen über Feuerbach.*

Literaturhinweise

Roland Barthes: *Literatur oder Geschichte.* Frankfurt 1969.
Reinhard Baumgart: *Aussichten des Romans oder Hat Literatur Zukunft?* Neuwied, Berlin 1968.
– *Literatur für Zeitgenossen.* Frankfurt a. M. 1966.
Günter Blöcker: *Kritisches Lesebuch.* Hamburg 1962.
– *Literatur als Teilhabe.* Berlin 1966.
– *Zur Situation der literarischen Kritik.* In: Deutsche Akademie für Sprache und Dichtung. Jahrbuch 1965. Heidelberg, Darmstadt 1966. S. 9–35.
Karl Heinz Bohrer: *Die gefährdete Phantasie oder Surrealismus und Terror.* München 1970.
Walter Boehlich: *Autodafé.* In: Kursbuch 15. November 1968.
Anni Carlsson: *Die deutsche Buchkritik von der Reformation bis zur Gegenwart.* Bern 1969.
Karlheinz Deschner: *Kitsch, Konvention und Kunst.* München 1957.
Herbert Eisenreich: *Reaktionen. Essays zur Literatur.* Gütersloh 1964.
Wilhelm Emrich: *Polemik.* Bonn 1968.
Hans Magnus Enzensberger: *Gemeinplätze, die Neueste Literatur betreffend.* In: Kursbuch 15. November 1968.
Peter Glotz: *Buchkritik in deutschen Zeitungen.* Hamburg 1968.
Moritz Heimann: *Die Wahrheit liegt nicht in der Mitte.* Frankfurt 1966.
Helmut Heißenbüttel: *Über Literatur.* Olten, Freiburg 1966.
Helmut Heißenbüttel / Heinrich Vormweg: *Briefwechsel über Literatur.* Neuwied, Berlin 1969.
Walter Hinderer: *Von Methoden und Sachen.* In: Moderne Amerikanische Literaturtheorien. Frankfurt 1970. S. 517–527.
Peter U. Hohendahl: *Kritik und Öffentlichkeit.* In: Literaturwissenschaft und Linguistik I (1971).
Curt Hohoff: *Schnittpunkte.* Stuttgart 1963.
Walter Höllerer: *Kritik angesichts der Poesie.* In: Der Monat 17 (1964/65) S. 41.
– *Zur literarischen Kritik in Deutschland.* In: Sprache im technischen Zeitalter (1961/62). S. 153 bis 164.
Hans Egon Holthusen: *Das Schöne und das Wahre.* München 1958.
– *Kritisches Verstehen.* München 1961.
– *Plädoyer für den Einzelnen.* München 1967.
Walter Jens: *Deutsche Literatur der Gegenwart.* München 1961.
Hermann Kesten: *Filialen des Parnass.* München 1961.
Kritik / von wem / für wen / wie. Eine Selbstdarstellung der Kritik. Hrsg. von Peter Hamm. München 1968 (Mit Beiträgen u. a. von Baumgart, Brock, Hamm, Helms, Kaiser, Karasek, Karsunke, Melchinger, Walser).
Karl Korn: *Buchkritik in der Tageszeitung.* In: Akzente (1955) S. 15–22.
Literatur im Spiegel. Hrsg. von Rolf Becker. Hamburg 1969.

Edgar Lohner: *Zur literarischen Kritik in Deutschland.* In: Sprache im technischen Zeitalter. 1961/62. S. 238–248.
Fritz Martini: *Kritik der Kritik.* In: Deutsche Akademie für Sprache und Dichtung. Jahrbuch 1953 und 1954. Heidelberg, Darmstadt 1954. S. 78–103.
Maßstäbe und Möglichkeiten der Kritik zur Beurteilung der zeitgenössischen Literatur – Berliner Kritiker-Colloquium 1963. In: Sprache im technischen Zeitalter. Sonderheft 9/10, 1964, S. 685–836.
Siegfried Melchinger: *Keine Maßstäbe? Kritik der Kritik.* Zürich, Stuttgart 1959.
Marcel Reich-Ranicki: *Deutsche Literatur in West und Ost.* München 1963.
– *Lauter Verrisse.* München 1970.
– *Literarisches Leben in Deutschland.* München 1965.
– *Literatur der kleinen Schritte.* München 1967.
– *Wer schreibt, provoziert.* München 1966.
Peter Schneider: *Die Mängel der gegenwärtigen Literaturkritik.* In: Neue Deutsche Hefte (1965) S. 98–123.
Levin L. Schücking: *Soziologie der literarischen Geschmacksbildung.* 3. Aufl. Bern 1961.
Friedrich Sieburg: *Verloren ist kein Wort.* Stuttgart 1966.
Heinrich Vormweg: *Die Wörter und die Welt.* Neuwied, Berlin 1968.

PETER DEMETZ

Zur Situation der Germanistik: Tradition und aktuelle Probleme

Provinzialismus, Selbstflucht und Wertscheu

Die Germanistik ist eine sehr junge Wissenschaft, aber sie hat viel Vergangenheit. Im Grunde zählt sie zu den romantischen Parvenus, die sich Tradition anmaßen. Die Philosophie und die klassische Philologie blicken mit tausendjährigen Rechten auf sie herab; und ihre vielfältigen Organisationen, Verwaltungsmaschinerien, Interessenverbände, Zeitschriften, Bibliographien und Kongresse verbergen nicht, daß ihr, mit kaum hundertfünfzig Jahren, die fraglose Selbstsicherheit der großen alten Disziplinen fehlt; sie hat bisher mehr Anlehnungsbedürfnis als Gewißheit ihrer selbst verraten. Im Vergleich zu den traditionsreicheren Wissenschaften ist die Germanistik noch ein Kind, aber nichts Kindliches zeichnet sie aus. Im Gegenteil: sie erinnert an die frühreifen, ein wenig pervertierten Kinder, die auf den dumpfen Dachböden der Kafkaschen Welt ihr Wesen treiben; quicklebendig, aber erblich belastet; erfahren, aber von Süchten und Sünden früh geplagt; und obgleich sie sich gerne taufrisch gibt und es noch unlängst liebte, im völkisch unschuldigen Dirndl einherzukommen, hat sie längst mit den verschiedensten Herren geschlafen und weiß, wie man sich, zu einigem Profit, unterwirft. Halb Lorelei, halb Odradek, die unsicherste Kantonistin im Troß der stärkeren Bataillone, so steht sie vor meinem Auge; jung noch, aber schon verbraucht von den Erschlaffungen ihrer vielen Irrwege.

Rudolf Walter Leonhardt sprach einmal vom Sündenfall der Germanistik[1], aber ich weiß nicht, ob man nicht von ihren herkömmlichen Lastern sprechen sollte, die zum unausweichlichen Sündenfall führten. Keine der anderen Philologien gab je Anlaß zu ähnlichem Unbehagen; ich kann mich nicht erinnern, daß die Romanistik oder Anglistik je Gegenstand gleich heftiger Polemiken gewesen wäre. Die drei hervorstechendsten Laster der Germanistik sind Provinzialismus, Selbstflucht und Wertscheu; und obwohl sie selbst die Geschichte zu ihrem Lebensprinzip erhebt, hat sie es lange versäumt, gründlich über die Bedingungen und die Konsequenzen ihrer eigenen Geschichtlichkeit nachzudenken. Sie begreift alles historisch, nur die eigene Geschichtlichkeit ist tabu; und es ist kein Zufall, daß Sigmund von Lempickis vorbildliche Geschichte der deutschen Literaturwissenschaft[2], die vor fünfzig Jahren erschien, gerade in jenem Augenblick des achtzehnten Jahrhunderts ihr Ende findet, da sich die methodologischen Gedankenzüge der Germanistik zu formen beginnen. Werner Mahrholz publizierte seine sympathische Studie über die germanistische Moderne[3] im Jahre 1923, aber es dauerte mehr als ein Menschenalter, ehe Jost Hermand[4] (1968) die Wandlung der Methodologien politisch einsichtsreich analysierte. Ich spreche vom Provinzialismus der Germanistik, aber ich meine nicht die förderliche Begrenzung auf jene Sphäre der Weltliteratur, die ihre Leistungen in deutscher Sprache konstituiert; auch ich halte nichts von jenem Snobismus, der den Surrealis-

mus und Kafka unterm Strich zusammenwirft, ohne die literarische Individualität des einen oder anderen zu respektieren. Die Germanistik tut nichts Unrechtes, wenn sie auf den Grenzen des Forschungsgegenstandes beharrt; es kommt nur darauf an, wie sie das tut. Die Begrenzung des Forschungsgegenstandes wird zur Isolation, sobald sie auch Horizont und Methode des Forschenden verengt; und oft, wenn ich ein deutsches Seminar betrete, hab ich das bestimmte Gefühl, mich in einem geradezu emblematischen Raume zu finden, in welchem Glanz und Elend einer Wissenschaft fast ungetrennt beisammen sind. Die ein wenig verstaubten Bücherwände, die guten Klassikerausgaben, die mittelhochdeutschen Wörterbücher: als ob die deutsche Dichtung wahrhaftig je in einer solchen Einsamkeit gelebt hätte, welche die Variorum Shakespeare Edition ins anglistische Seminar verweist? Ich weiß nicht, ob wir nicht in unserer schnellbewegten Welt allen Grund besäßen, alle germanistischen Seminare als anachronistische Käfige des Intellekts zu schließen, um in hellere, transparentere, universalere Räume zu übersiedeln, in denen Goethe neben Homer, Voltaire neben Lessing, George Eliot neben Stifter stehen und Aristoteles oder Sainte-Beuve, nicht Petsch oder Pongs, zur fundamentalen Studienlektüre zählen? Spreche ich vom Provinzialismus, meine ich jenes Verfahren, das die deutsche Literatur dem Weltkreis entzieht und vorgibt, sie hätte ihr intellektuelles Auskommen immer nur im eigenen Hause gefunden. Mangel an Welthorizont: das ist nicht nur (wie Hans Mayer sagt) Lessing ohne Diderot interpretiert, das ist: Gryphius ohne Corneille; Lohenstein ohne Marini; die Stürmer und Dränger ohne Mercier; Herder ohne Blackwood, Percy oder Warton; die Romantiker ohne den flüchtigsten Blick auf Byron, Hugo und Mickiewicz; Stifter ohne Cooper; Fontane ohne Jane Austen; die Expressionisten ohne Marinetti; Benn ohne Taine; Brecht ohne die commedia dell'arte; das ist die ganze verwerfliche, undenkende und ruhmlose Art, die deutsche Literatur so zu lehren, als entstammte sie nicht eben jenem Lande, in dem ein Hochgebildeter den Begriff der Weltliteratur postulierte. Zuerst fehlt's an Horizont, und nur ein wenig später erklärt man den heimatkundlichen Fetischismus, ob er sich nun volks- oder stammesträchtig gibt, mit amtlicher Förderung zur Literaturwissenschaft.
Aber leider wird die Dürftigkeit des Horizonts zugleich durch den Provinzialismus der Methode potenziert. Ich meine jene seltsame Vorstellung, man vermöchte sich der deutschen Dichtung allein durch jene Methoden zu bemächtigen, die sich von deutschen Träumern und Denkern herleiten. Autarker Geist ist blinder Geist; ich bin durchaus nicht überzeugt, daß dem nationalen Gegenstande eine mehr oder minder lockere Kombination nationaler Methoden entsprechen müßte. Warum das Morphologische allein, das Erlebnis, die Geworfenheit, die Entfremdung? Warum nicht einmal ebenso formalistisch wie die Russen; strukturell wie die neuesten Franzosen; kritisch wie die Amerikaner? Regierte der Geist der Germanistik die Medizin, man wäre immer noch versucht, Infektionen mit Blutegeln aus heimatlichen Mooren zu behandeln, anstatt nach dem ausländischen Penicillin zu greifen.
Das andere Erblaster der Germanistik ist ihre Selbstflucht oder das herkömmliche Bemühen, jede entschiedene Konzentration auf den literarischen Gegenstand zu meiden und selig in den außerliterarischen Landschaften zu schwärmen. Die Germanistik hat leider (in einigem Gegensatz zu den anderen Philologien) als Ersatz- und Kompensationstätigkeit ihren Anfang genommen und war lang in Gefahr, eine zu bleiben; je weniger Rechte, je weniger spontane staatliche Ordnung die Nation in

der Epoche der französischen Revolutionskriege besaß, desto drängender die Versuchung, nach germanischen Rechtsaltertümern zu suchen und von einer substantielleren Vergangenheit zu träumen; je unerträglicher die »deutsche Misere« (Marx), desto lockender die Notwendigkeit, einen Bezirk aus lauter Vergangenheit, Sprache und Innerlichkeit zu schaffen, in dem sich die Existenzfragen der Nation widerstandsloser lösten als in der störrischen Empirie. Die Germanisten waren leider politische Missionare, und ihre Wissenschaft hatte sich die Aufgabe gestellt, die Energien einer geschlagenen und enttäuschten Nation zu fördern und zu nähren; die einen, die ›Germanisten‹ im ursprünglich politisch-juristischen Sinne des Wortes, suchten nach kräftigenden Rechtsdokumenten; die anderen, Menzel und Gervinus darunter, proklamierten mit altfränkischer Aufrichtigkeit, daß alle Literatur der politischen Tat voranginge und daß es hoch an der Zeit wäre, dem Papierenen der Literaturgeschichte durch staatliche Umwälzungen ein rasches Ende zu setzen. Ich kann mich des Verdachtes nicht erwehren, daß es, fast hundert Jahre lang, die Außenseiter waren, die sich die eigentlich artistischen und literarischen Aufgaben der Germanistik zur Bürde, wo nicht zum Martyrium wählten: theoriebesessene Denker wie Otto Ludwig; nüchtern und handwerklich denkende Schriftsteller wie Gottfried Keller; melancholische Wissenschaftsemigranten wie Karl Hillebrand... Die Germanistik als Institution war indes mit anderem beschäftigt: mit Weltgeist, Nation, Folklore, Organischem, Seele.

Das dritte Hauptweh der Germanistik, die Wertscheu, hat sie lange zu einer ›Eunuchen-Disziplin‹ reduziert; wie wollte man Texte edieren oder Texte deuten, ohne ja und nein zu sagen und kritische Entscheidungen zu fällen? Allzu lange wollte die eine Hand nicht wissen, was die andere tat; und während man seit jeher die resolutesten Werturteile implizierte, wollte man nichts mit Kritik zu tun haben, denn man besaß mehr als eine Theorie, welche jedes Werturteil aus der Sphäre der Wissenschaft verwarf; während man diesen Autor genau erforschte, jenen ignorierte und die Studenten zu ganz bestimmten Dissertationsthemen anhielt, pochte man zugleich darauf, daß alle gute Literaturwissenschaft wertfrei sei. Die neueren Studien von Hans-Georg Gadamer[5] und Walter Müller-Seidel[6] (von denen sich eine wirksame Revision der problematischen Wertfreiheit herleiten sollte) demonstrieren, daß das kritische Übel sehr früh begann. Im Sturm und Drang schon maßte sich jeder aufgeregte Provinzjüngling das Recht an, die aufgeklärten Normen einer kosmopolitischen Gesellschaft übers egoistische Knie zu brechen, weil er den guten Geschmack allzu eng mit dem ancien régime der Regelpoetik verbündet glaubte; die Hegelianer mißachteten den Literaturkritiker, weil er nicht den objektiven Geist repräsentierte, den sie in Generalpacht genommen; der Historismus war jeder kritischen Norm abhold, weil alles Geistige auf individuelle Art geworden war (auch der unerträglichste Kitsch); und die Lebensphilosophen und Existentialisten, von Pfeiffer bis Lockemann, mißtrauten dem wissenden, zersetzenden, kritischen Intellekt. Die Germanistik beruft sich immer wieder auf Diltheys Unterscheidung der Natur- und Geisteswissenschaften und hat dennoch die permanente Neigung, vom kritischen Urteile eine überpersönliche Objektivität naturwissenschaftlicher Art zu fordern; sie stellt Forderungen so absoluter Art, daß sie, in der Menschenwelt, niemand finden wird, der sie zu erfüllen vermag. Vielleicht ist es ihr nicht gut bekommen, daß sie sich als Geisteswissenschaft deklariert; in den angelsächsischen Ländern zählt ja auch die Germanistik zu den ›humanities‹, den Wissenschaften von den menschlichen Dingen, und nimmt, in unserer relativsten aller Welten, die Begrenzungen des Humanen in Kauf. Also subjektive Werturteile? Gewiß: in einer Literaturwissenschaft, die sich endlich vom deutschen Idealismus befreit, sind objektiv und subjektiv irrelevante Begriffe; und wo selbst das Objektive nur unter den subjektiven Hirnschädeln wohnt, ist auch der einzelne Kritiker im Recht, solang er sein aufgeklärtes und kontrolliertes Urteil durch die Elemente des Weltliterarischen bindet und nährt.

Öffnung der Grenzen

Provinzialismus, Selbstflucht und Wertscheu verlangen nach einer Therapie, ehe sie zu zerstörenden Perversionen entarten. Sobald eine Wissenschaft zögert, sich aus ihrem eigenen Geiste zu heilen, wird es zu prüfen nützlich sein, ob andere, vielleicht benachbarte Disziplinen nicht Methoden anbieten, die von lockernder und deshalb segensreicher Wirkung wären. In der internationalen Praxis der Literaturwissenschaft haben, vor allen anderen, drei Disziplinen eine stetig wachsende Anziehungskraft demonstriert: Der Forscher sieht die Literatur wieder im großen Zusammenhang mit den Urbildern der Imagination oder der mythologischen Energie des menschlichen Geistes und orientiert sich deshalb an den neuen (oft) linguistischen Interessen der Anthropologie; er versucht, die Geburt eines Gedichtes bis in die privaten Neurosen des Autors zu verfolgen, und bedient sich der Psychoanalyse; oder er entdeckt das Kunstwerk im Geflecht der gesellschaftlichen Entwicklung und befleißigt sich der Soziologie, sei sie nun von der spekulativen Couleur oder von der trockeneren Art der pragmatischen Fragebogenmethodik. Anthropologie, Psychoanalyse und Soziologie öffnen den Blick ins Gebiet jenseits der Literatur; und der geplagte Literaturwissenschaftler, dem seine unphilologischen Widersacher immer wieder vorwerfen, er beschäftige sich im technologisch interessantesten aller Zeitalter nur mit der Dichtung, wird dankbar sein, wenn er seine Kenntnisse anderswo vermehren darf. Es kommt nur darauf an, ob er sich dort seinem eigentlichen literarischen Gegenstande entfremden oder ihm treu bleiben will; die Wahl bleibt ihm nicht erspart, ob er, als Freund der Literatur, die Erkenntnisse anderer Wissenschaften für seine spezifische Arbeit zu nützen gedenkt oder ob er, als dilettierender Anthropologe, Psychologe oder Soziologe, auch literarisches Material gebrauchen will.

In Frankreich hat, anders als in Deutschland, das anthropologische Interesse die Beschäftigung mit der Literatur von Grund auf verwandelt. An den französischen Universitäten hat der alte Positivismus des neunzehnten Jahrhunderts, mit seiner unkritischen Quellenforschung, seinen primitiven Einfluß-Interessen, seiner naiven Psychologie, die akademische Behandlung der Literatur allzu lange beherrscht; offenbar ist es die Anthropologie, die nun als methodologische Antithese, ja als Befreierin erscheint. Die einen suchen die images primordiales, die Urbilder der Menschheitsphantasie und ihre charakteristischen Modifikationen in der Welt der Moderne; die anderen folgen eher dem Glasperlenspieler Claude Lévi-Strauss[7] und postulieren hinter Kunst, Religion, Mode, Tischsitten und Mythen die unwandelbare ›Logik‹ des menschlichen Geistes, die sich in binaren Oppositionen konstituiert. Die französische Symbolforschung hat ihren unvermuteten Verbündeten in dem belesenen kanadischen Humanisten Northrop Frye[8] gefunden, dessen Empfehlungen auch in der jüngsten amerikanischen Literaturwissenschaft immer energischere Nachfolge finden. Northrop Frye protestiert mit Recht gegen die tödliche Spezialisierung, die nur allzuoft mit dumpfer Pedanterie zusammenfällt, und sucht in seiner archetypischen Kritik (die sich ihres Zusammenhanges mit Carl Gustav Jung kritisch bewußt bleibt) ein Instrument zu schaffen, das die verlorene Einheit der Literaturen restituiert. Der Mythus, nicht Quelle, sondern Substanz, ja ›Handlung‹ der großen literarischen Werke, garantiert wieder die Integrität der Weltliteratur, und jede Provinzialisierung des Humanismus, der im Mythus das Allermenschlichste wiederentdeckt, ist unmöglich geworden.

Angst vor dem Mythus

Ich hege den Verdacht, daß man sich in der deutschen Literaturwissenschaft gegen die Renaissance des Mythischen aus Gründen sperrt, in welchen sich das Förderlichste mit dem Problematischen paart.[9] Das Mythische ist, nach so langer Beschäftigung mit dem Pseudo-Mythus, für lange diskreditiert; und wer in den fiktiven, weil künstlich arrangierten Mythologien des Völkisch-Stammhaften in die Irre ging, zögert, es noch einmal mit dem verbindlich Mythischen der Menschheit zu versuchen; man hat eben im Dritten Reich das Kind gleich mit dem Bade ausgeschüttet und will es nicht noch einmal mit dem potentiell Rechten versuchen. In Deutschland war der Mythenfreund allzuoft mit dem Faschismus verbündet; und auch ich gehöre zu jener Generation, die, hört sie das Wort Mythus, einen instinktiven Widerstand fühlt, der fast an Ekel grenzt. Ich weiß, das sind vor-wissenschaftliche Ressentiments (wer zum Jahrgang 1922 zählt, der hebe den ersten Stein) und verschließe mich nicht der Einsicht, daß Lévi-Strauss eine strenge, ja kartesische Logik der Mythen sucht; es ist eine andere Frage, ob seine wunderbar umfassende Geste, in welcher er uns die fernsten Horizonte aufreißt, nicht zugleich eine entschiedene Bewegung der Reduktion impliziert. Er führt uns zur unerhörten Fülle – um ihr, als linguistischer Alchimist, die konstante Struktur des menschlichen Geistes zu extrahieren. Zola hat Taine einmal einen wissenschaftlichen Träumer genannt.

Aber auch die problematischeren Ursachen des germanistischen Widerstands gegen die moderne Anthropologie sind nicht leicht zu übersehen; die alten Neigungen des Historismus sichern sich ihr Recht. Der französische und amerikanische Mythenfreund ignoriert die Geschichte, indem er – durch sie hindurch – nach den archetypischen Symbolen greift; die Mythenbilder, und ihre Deformation in der Kunst, sind synchroner Art. Northrop Frye, und noch energischer Claude Lévi-Strauss, der anthropologische Vater einer neuen französischen Literaturkritik, neigen zur Ungeschichtlichkeit; die Germanisten aber, solange sie ihren Ursprüngen folgen, werden es selten über sich bringen, Folge, Chronologie, Abhängigkeit, bruchlose Kontinuität je zu mißachten und allein der Synchronie ästhetischer Substanzen freundlich zu vertrauen. Die Beschäftigung mit der neuen Anthropologie hat die Tugend, uns in die Mitte der Linguistik hinzuführen (der sie ihre zentralen Operationskonzepte entlehnt) und neuerlich die Frage nach Literaturwissenschaft und Linguistik zu akzentuieren, welche die Arbeiten der russischen Formalisten schon vor fünfzig Jahren nahelegten. Harald Weinrich[10] verlangt mit guten Gründen ein linguistisches Begleitstudium für Literaturwissenschaftler, und Beda Alleman[11] hat mit der nüchternen Finesse, die alle seine Arbeiten charakterisiert, die Möglichkeiten der methodologischen Kooperation erörtert, geklärt und begrenzt. Ich fürchte nur, daß er eine der besonderen Schwierigkeiten nicht erwähnt, die der Literaturwissenschaftler mit der Linguistik hat. Es ist die Frage des Werturteils, auf das er nicht verzichten will; und während ihm die Linguistik sachliche Methoden anbietet, die ihm die Poetizität eines Textes melden, bleibt die Frage nach guter und schlechter Poetizität, und der Kritiker im Literaturwissenschaftler wird, über die Linguistik hinaus, nach einer Werttheorie suchen. In der Epoche der technologischen Quantität ist es ja seine besondere Aufgabe, Qualitäten zu entdecken und zu begründen, und selbst wenn sie auf Postulaten eher als auf Aussagesätzen beruhten.

In analogem Kontrast zur Entwicklung der neueren Literaturwissenschaft in Frankreich, England und Amerika hat sich die traditionelle Germanistik selten dazu bequemt, ihre Perspektiven durch psychoanalytische Forschungen zu korrigieren; ihrer entschlossenen Inzucht hat selbst die Tiefenpsychologie, die so viele Disziplinen in so vielen Ländern veränderte, nichts anzuhaben vermocht. Das hat nicht nur mit einem latenten Antisemitismus germanistischer Institutionen zu tun, die sich nicht ohne Widerstreben mit den Ideen eines mährischen Juden einlassen wollen; die Gründe sind intimer mit dem Wissenschaftsherkommen verflochten. Die Abneigung der Germanistik gegen eine nüchtern analysierende Psychologie hat darin ihren ersten Grund, daß sie, mehr als ein Jahrhundert lang, an Totalitäten eher als an Individualitäten interessiert war. Man strebte, ideologisch und politisch, zum ›Ganzen‹ hin; was bedeutete da die genauere Versenkung ins unvergleichbar Einzelne? Auf Richtung, Tendenz, Idee, Geist, Nation, Totalität kam's an; und selbst wer in der späteren Epoche der Lebensphilosophie »Seele« sagte, sprach von einem ungreifbaren Ding, das sich nur der Einfühlung öffnete; und wer sich nicht einzufühlen vermochte, begnügte sich damit, Goethes Liebesnächte reinlich zu katalogisieren.
Als der Hegelianismus in der Germanistik regierte (und wann hat er zu regieren aufgehört?), war es der absolute Geist, der triumphierte, und das Einzelne war zu einem Moment erniedrigt, an dem die List der Vernunft ihr Mütchen kühlte. Was sollte eine psychologische Forschung, die noch mit dem Odium pietistischer Introspektion behaftet war, in einer Vision, in welcher sich alles Einzelne, in Kunst und Staat, dem unbeschreiblichen Ganzen unterwarf? In der zweiten Hälfte des Jahrhunderts schien endlich die Individualität allmählich zu ihrem Rechte zu gelangen; Wilhelm Dilthey, der Größten einer, begann nach den Wurzeln des Kunstwerks zu suchen. Er war's, der psychologische Einsicht forderte, aber zugleich der deutschen Wissenschaft die Grenzmauer gegen die Psychoanalyse konstruieren half; man war an Erlebnis und Dichtung interessiert, was sollte eine Methode, die mit Krankenhaus und Klinik verbunden war? Sollte das Erlebnis, das man erfühlte, die Dichtungswissenschaft nicht eben als Disziplin des Geistes von den erfolgreichen Naturwissenschaften trennen?
In der Germanistik waren nicht Hitler noch Franz Koch, sondern der tiefe Hegel und der geniale Dilthey die eigentlichen, die älteren Gegenspieler Sigmund Freuds;

und als die völkischen Professoren über das Reichsganze jubelten, war's kein intellektueller Wendepunkt, sondern ein Sturz in den Quark, in den man (ohne zu unterscheiden) eine vulgarisierte Geschichts- und Lebensphilosophie zugleich mit der krudesten Rassentheorie verrührte. In der Germanistik hat sich der Ruf: »Zum letzten Male Psychologie!« noch immer mit heftigen Neigungen gegen alles Analytische, Rationale und Liberale verbunden. Pongs Beschäftigung mit dem geheimnisvollen »Gemeinschaftsgrund« und der »umgreifenden Ordnung des Daseins« ist symptomatisch für die Bürden, an denen wir Literaturwissenschaftler noch alle zu tragen haben.

Ich bin allerdings selbst kein unbedingter Anwalt psychoanalytischer Methoden in der Literaturwissenschaft, nur eben aus anderen Gründen als Pongs. Es schert mich wenig, ob das Metaphysisch-Ganze, das sich in der deutschen Geschichte rasch mit der Rechtlosigkeit des einzelnen zu arrangieren wußte, leidet oder nicht; ich habe nur meine Zweifel, inwiefern eine genetische Betrachtungsweise, die ihre Aufmerksamkeit allein auf den artistischen Schaffensprozeß richtet, auch das Geschaffene illuminiert. Sigmund Freuds Bildnis des Dichters hat seine aufklärenden Tugenden, aber auch seine Grenze. Der Künstler, meint Freud, ist ursprünglich ein Mensch, welcher sich von der Realität abwendet, weil er sich mit dem von ihr zunächst geforderten Verzicht auf Triebbefriedigung nicht befreunden kann. Er besitzt allerdings besondere Talente, verwandelt seine Phantasien zu neuen Wirklichkeiten und wird so (fährt Freud fort) auf eine gewisse Weise wirklich der Held, König, Schöpfer, Liebling, der er werden wollte, ohne den gewaltigen Umweg über die wirkliche Veränderung der Außenwelt einzuschlagen. Ich bin gewiß, daß nur eine psychoanalytische Untersuchung die Lebensgeschichten Rilkes, Baudelaires oder Poes zu erleuchten vermag; es ist ein anderes Problem, wie sich der psychologische Sublimationsprozeß in artistischer Form niederschlägt. Die Psychoanalyse ist eine willkommene Verbündete der Literaturwissenschaft, solange sie das Literarische respektiert: also in den Vereinigten Staaten in den aufschlußreichen Arbeiten[12] von Edmund Wilson, Lionel Trilling, Heinz Politzer und Walter Sokel, und nur selten bei Charles Neider, der die Texte Kafkas zu Krankheitsdokumenten degradiert; in Frankreich in den Arbeiten von Charles Mauron, nicht bei Marie Bonaparte, die Edgar Allan Poes Dichtung buchstäblich zerstückt. In Deutschland und Österreich sind die fruchtbarsten Pionierarbeiten energisch fortzuführen: Freud und Otto Rank; und jene Apologeten der Psychoanalyse, die vor und nach der Hitler-Diktatur ihre Stimmen erhoben: so Walter Muschg, der störrische Einzelgänger, der in der Psychoanalyse ein wirksames Instrument gegen die monumentalisierenden Tendenzen der George-Schule erblickte; so Joachim Maass, der wenige Jahre nach dem Kriege in seinen leider viel zu wenig beachteten Vorlesungen über die *Geheimwissenschaft der Literatur* (1949) Psychoanalytisches und Ästhetisches in engster Verbindung erwog. Selbst wenn die Psychoanalyse nichts anderes vermöchte, als unseren Sinn für das Individuelle aller Kunstübung zu schärfen, sie wäre, in der pädagogischen Provinz der metaphysischen Traditionen, eine sehr notwendige Lehrerin.

Zum Glück wendet sich die jüngere Germanistik von den Prozessen der Gesellschaftswissenschaften nicht ähnlich spröde fort wie von den Entwicklungen der Anthropologie und Psychoanalyse. Hochwillkommen, daß man so an vor-germani-

stische Traditionen anknüpft; die Literatursoziologie geht ja jeder Germanistik historisch voran, und wer Herder, Madame de Staël, Sismondi und de Bonald gelesen hat, weiß, daß der gesellschaftliche Umgang mit der Dichtung, der heute gelegentlich avantgardistische Ansprüche anmeldet, älter ist als die Wissenschaft von der deutschen Dichtung. Hätte auch in der deutschen Literaturwissenschaft der gesellschaftliche Geist von Coppet gesiegt, wohin Madame de Staël die kosmopolitischen Schriftsteller und Theoretiker ihrer Epoche zu ziehen wußte, und nicht die sentimentalischen Impulse der spätesten Romantik, die gesellschaftlichen Interessen wären niemals so leicht dem Primate des Nationalen gewichen; ja vielleicht hätte sich die Germanistik nicht zu ihren herkömmlichen Formen entwickelt.
Der Literarsoziologe bewegt sich allerdings auf sehr schmalen Graten; der freundlichen Verführungen sind viele. Ohne Gleichnis gesagt: ich glaube, dem Literaturfreund öffnen sich zwei soziologische Irrwege. Der eine ist der verschlungene Pfad der althergebrachten Hegelschen Spekulation, gegen die Hermann Hettner in der Mitte des vorigen Jahrhunderts protestierte; der andere führt zur statistischen Beschäftigung mit Auflageziffern und Publikumsreaktionen. Die Spekulation führt in jenen Kaltsinn, den (weil man sich dem Kulinarischen des Kunstwerkes verschloß) schon der Kritiker Schiller verdammte; die pragmatische Untersuchung der Publikumsreaktionen zur interessanten, aber kritisch nicht immer relevanten Erkenntnis gesellschaftlicher Mechanismen. Hier begibt man sich unter das geliebte Joch einer kunstfremden Philosophie, dort (ich nenne Robert Escarpits[13] Analysen französischer Lese-Gewohnheiten) in die unkritische Sklaverei der Kommunikations-Soziologie.

Irrwege der Soziologie

Der neue Linkshegelianismus in der deutschen Literaturwissenschaft hat wenig Anspruch darauf, uns als Neuester der Neuen zu kommen, denn er setzt die philosophische Tendenz, die so lange in der Germanistik dominierte, mit seinen Mitteln fort: Geistesgeschichte nach Feuerbach und mit den ›Philosophisch-Ökonomischen Manuskripten‹. Ich sehe natürlich ein, daß der Linkshegelianismus eine sehr notwendige Aufgabe zur seinen macht: das langgestörte Gleichgewicht wird hergestellt, und eine jüngere Generation bietet der rechtshegelianischen Tradition der Germanistik eine antithetisch-jakobinische Stirn. Aber ein Mohammedaner hat für den Streit der Franziskaner und Dominikaner, der auf das Literarische bedachte Forscher für den Konflikt der rechten und der linken Hegelianer nur ein entferntes Interesse. Der neue Hegelianismus vertieft unsere Kenntnis der Geschichte, indem er unseren weltliterarischen Horizont verengt; und selbst Theodor W. Adorno, der wie kein anderer Gesellschaftliches und Ästhetisches in blitzhaften Einsichten zu kombinieren wußte, gerät in Gefahr, die Literatur in Ereignisse vor und nach der industriellen Revolution zu trennen und alles Vor-Industrielle, in welchem das Phänomen der Entfremdung nicht herrschend hervortritt, dem »angestrengten Fleiße der Philologen«, wie er sagt, oder den Alexandrinern zu überlassen.
Ich bin eher geneigt, einer fundamentalen Unterscheidung zu folgen, die Hans Norbert Fügen jüngst in seiner Studie über die *Hauptrichtungen der Literatursoziolo-*

gie[14] empfahl; ich wünschte mit ihm, der Literaturwissenschaftler studierte alles erdenkliche soziologische Material, um dann zum Texte des Kunstwerkes zurückzukehren; kennt er erst Ort, Zeit und Gesellschaftsstruktur genau, ist er besser qualifiziert, die gesellschaftlichen Implikationen eines Werkes, auch gegen die Intentionen des Autors, energisch aufzudecken – ich halte also, in der Terminologie Fügens, die sozialliterarische Methode, die den Weg zurück vom Sozialen zum Ästhetischen sucht, für bedeutend nützlicher als die Literatursoziologie, welche sich der Versuchung nicht entschlägt, die Kunst zur Dokumentation gesellschaftlicher Vorgänge (wie Wilhelm Lehmann sagt) zu verschrotten. Der gesellschaftlich interessierte Literaturforscher wird weder dem gedanklichen Entwurf noch der bürdenreichen Kleinarbeit entsagen; er hat ja, auch in Deutschland, die willkommene Möglichkeit, auf Levin Schückings *Soziologie der literarischen Geschmacksbildung*[15], auf Ernst Kohn-Bramstedts[16] im Exil erschienene Studie über *Aristokratie und Bürgertum in Deutschland* zurückzugreifen oder die methodologischen Überlegungen in den französischen Arbeiten Lucien Goldmanns zu studieren. Lucien Goldmann hat den jungen Lukács gründlich studiert, aber den positiven Respekt vor den einzelnen Fakten der politisch-wirtschaftlichen Geschichte nicht verloren; ich glaube, daß seine Studie über den *Verborgenen Gott*[17], in welcher er den komplizierten Zusammenhängen zwischen den politischen Schicksalen einer bestimmten Adelsschicht und der jansenistischen Dichtung nachgeht, eine methodologische Herausforderung erster Ordnung konstituiert. Warum nicht auch in der Germanistik ähnlich gelehrte, dokumentenreiche, selbstkritische Arbeiten über das wirtschaftsgeschichtliche Profil des jungdeutschen Jahrzehnts, die ökonomisch-politische Struktur des kleinstaatlichen Mäzenatentums im Barock, die Administration und Praxis der Metternichschen Zensur: ohne eilige Spekulation, ohne vorgefaßtes Ergebnis? Das wären sehr mühsame Arbeiten, aber keiner bedarf unsere Wissenschaft mehr.

Aufhebung der Germanistik

Ich zögere aber, zu glauben, daß dem Egotismus der Germanistik allein durch den belebenden Kontakt mit manchen Nachbardisziplinen abzuhelfen sei; die linguistisch orientierte Anthropologie, Psychoanalyse und Soziologie, die ihr Zentrum jenseits der Literatur haben, lockern, nuancieren, bereichern die literarische Forschung, aber sie schaffen ebenso viele Arbeitsprobleme, wie sie lösen. Ich bin eher der Meinung, die Germanistik bedürfe der erneuerten Allianz mit der sogenannten vergleichenden oder allgemeinen Literaturwissenschaft; ja ich kehre den Hegelianismus der Germanistik gegen sie und glaube, daß nichts nützlicher wäre, als sie im Geiste einer allgemeinen Literaturwissenschaft aufzuheben – zu zerstören, zu bewahren, zu erhöhen. Auch sie mag hundertfünzig Jahre lang ein Moment gewesen sein, das im Fortschreiten der Entwicklung in einem anderen aufgeht. Anstatt aber zu theoretisieren, will ich lieber von den konkreten Entwicklungen der Germanistik nach dem Zweiten Weltkriege sprechen und mich zu meiner radikalen Skepsis bekennen. Der Zusammenbruch der NS-Diktatur hat im Grunde wenig Epoche gemacht, zumindest nicht im Mai 1945; die kompromittierten Funktionäre zogen sich in ihre Bibliotheken zurück, und die Methode des immanenten Interpretierens strebte in den

Seminaren der westlichen Besatzungszonen, und später in der Bundesrepublik, rasch zu fast ausschließlicher Hegemonie. Im Grunde besaß sie ihre eigene Kontinuität, die in die letzten Vorkriegsjahre und in die Epoche der Fronturlaube zurückreichte. Emil Staiger publizierte seine fundamentalen Überlegungen im Jahre 1939, Wolfgang Kayser artikulierte seine kosmopolitischen Interessen in seinem halben Exil in Lissabon und Heinz Otto Burgers *Gedicht und Gedanke*[18] erschien, als programmatischer Rückzug ins unbefleckte Gedicht, ein Jahr vor Stalingrad. Die gebrannten Kinder der Diktatur (einschließlich der ›Groß-Germanisten‹) hatten allen Grund, die werkimmanente Methode zu pflegen, aber es ist falsch, die Geltung der Methode durch polemische Hinweise auf die politische Biographie ihrer Repräsentanten zu entkräften. Wer Philologie betreibt, wird sich nicht darüber entrüsten, daß eine ganze Generation wieder genau lesen lernte; problematisch eher, daß sich die Techniken des genauen Lesens allzuoft mit dem ekstatischen Jargon einer popularisierten Existenzphilosophie, einer irrationalen Hermeneutik (also keiner) und dem implizierten Werk-Kanon der gutbürgerlichen Goldschnitt-Bibliotheken verband. Die deutsche Interpretationskunst entbehrte der Neigung zur rationalen Analyse, welche die Arbeiten der slawischen Formalisten charakterisierte; in Deutschland fuhr man fort, vom Organischen zu sprechen, während sich die sowjetischen Formalisten durchaus nicht gescheut hatten, das Literarische als etwas Gemachtes zu akzeptieren und, auf technomorphe Art, von den montierenden Verfahrensweisen der Schriftsteller zu sprechen; der Interpretationskünstler war dem literarischen Status quo (von anno 1800) verbündet, die slawischen Formalisten[19] aber entwickelten ihre Ideen im engen Zusammenhang mit den Experimenten der Futuristen, der Linguistik und dem Avantgarde-Film. Selten war die akademische Literaturforschung der zeitgenössischen Literatur ferner als in den ersten Nachkriegsjahren: hier Kahlschlag und Nüchternheit, Trümmer und neoverismo, dort das romantische Gedicht, das kaum mehr die Interpreten selber tröstete.

Mag sein, daß die Studenten der unmittelbaren Nachkriegsjahre, die noch einmal aus Schneefeldern, Bunkern und Gefangenenlagern davongekommen waren, durch ihre Erfahrung nicht eben dazu prädestiniert waren, ihren instinktiven Existentialismus durch einen optimistischen Glauben an die Kräfte der Geschichte zu ersetzen; selbst Alfred Andersch oder den ersten Gründern der Gruppe 47 war ja die strenge Überzeugung von den fortschreitenden Tendenzen der Geschichte (wie sie der orthodoxe Marxismus postuliert) nicht von wesentlicher Bedeutung. Das änderte sich rasch, als um die Mitte der fünfziger Jahre die jüngere Generation der ehemaligen Luftwaffenhelfer in die Seminare (und in die Literatur) nachrückte, staunend den altfränkischen Geist der Ordinarien sah und ihre Gegenargumente in den frühen dreißiger Jahren entdeckte. Die Lukács-Renaissance, die damals ihren Anfang nahm (wie die Renaissance Brechts entbehrte sie nicht eines archäologischen Elements) hatte ihre Tugenden und Probleme. Lukács öffnete aller Augen wieder für die Zusammenhänge des Kunstwerkes mit der Gesellschaftsgeschichte, lenkte die Aufmerksamkeit auf eine revolutionäre Tradition, die hinter den germanistischen Regressionen wie verschwunden war, und skizzierte die (ungenutzte) Möglichkeit, das Nationale mit dem Blick auf die Weltliteratur zu durchbrechen.

Aber die Veränderungen schienen radikaler, als sie es waren. Lukács hatte ähnliche philosophische Neigungen wie manche deutsche Ordinarien, sprach die gleiche Sprache von Objekt, Subjekt und Dialektik und setzte die bewegende Geschichte anstelle des bewegenden Geistes. Er stellte die traditionelle deutsche Literaturwissenschaft, die lange kopfgestanden war, auf die materiellen Füße, aber die Denkstrukturen selbst ermangelten der Veränderung. Die Konservativen aller Schattierungen konnten sich rasch bei ihm heimisch fühlen: Da war die unveränderte Neigung, ein philosophierendes politisches Wunschdenken als ›objektiv‹ in die ungeordneten Ereignisse zu projizieren; die unveränderte Suche nach dem Stellenwert des Kunstwerkes, der sich jeweils als parteilicher Marktwert enthüllte; und die unveränderte, sich noch aus dem protestantischen Pfarrhause herleitende Antipathie gegen die unmittelbare Sinnlichkeit des ästhetischen Materials. Die jüngere Generation war offenbar nicht lange mit dieser Option für das Klassische, Gediegene und den Realismus des 19. Jahrhunderts glücklich und suchte die neueren Denkmodelle des Marxismus im Zeitalter seiner Pluralität: Adorno (der auf den beweglichen Geist Benjamins zurückwies), Lucien Goldmann, Hans Mayer, Ernst Fischer, Werner Krauss. Entscheidend, daß Adorno die traditionelle Metapher von der Literatur als Spiegel der Gesellschaft mißachtete und von den Sedimenten der Geschichte in der ästhetischen Form oder von der Konvergenz des Kunstwerks auf gesellschaftliche Verhältnisse sprach. Marxismus und literarische Modernität waren nicht mehr unvereinbar, der alte Realismus trat in die Geschichte zurück und der neue ›Realist‹ hatte keine andere Wahl, als ›Formalist‹ zu sein, wollte er das gesellschaftlich Reale treffen. Der Weg war offen für eine marxistische Apologie der experimentierenden Künste, denn in einer von Entfremdung, Markt und Massenmedien geschändeten Epoche waren sie's allein, die dem Geist ein Asyl boten, in dem er sich nicht ›zu encanaillieren‹ brauchte.

Von der Mitte der fünfziger Jahre bis in die Mitte des folgenden Jahrzehnts dominierte der Konflikt der Interpreten mit den Partisanen der gesellschaftlichen Relevanz, der zugleich die Generationen mehr und mehr schied. Aber die Widersacher waren aufeinander angewiesen; die Jüngeren waren die Gefangenen der Väter, selbst wenn sie der Ketten spotteten. Was immer Staiger, Kayser oder Benno von Wiese gesagt hatten, sollte als Ganzes nicht sein; dem geistigen Wesen stand das Materielle, der heilen die entfremdete Welt, der ›Großen Tradition‹ die Trivialliteratur entgegen (und den Ordinarien die Zelle oder das Team). Die Nachkriegszeit hatte ihr Ende noch nicht erreicht, denn der hinhaltende Konflikt der Interpreten und der Gesellschaftsanalytiker bezeugte eine Verspätung intellektueller Prozesse, die selbst wieder auf die Verschüttungen der NS-Diktatur zurückging; erst mit der Überwindung der ausschließenden Alternativen von Autonomie oder Relevanz beginnt eine neue, von allen Schatten des Krieges und der Diktatur befreite Literaturwissenschaft. Selbst der dilettierende Historiker kann nicht übersehen, wie in den Jahren 1966/67 die Symptome einer Emanzipation von den nachhaltenden Nachkriegskonflikten zutage traten und eine neue Konstellation sich geradezu sprunghaft ankündigte – die Zusammenstöße der Berliner Studenten mit der Polizei (Februar 1966); der Zürcher Literaturstreit[20] (Winter 1966/67), in dem das Klassisch-Romantische nur wenige Verteidiger fand; die Selbstprüfung der deutschen Literaturwissenschaft auf nationale Reizstoffe und Gifte (Germanistentag 1966)[21]; die intellektuelle Aktivität der exemplarischen Konstanzer Gruppe[22] und die Antrittsvorlesung von Hans Robert Jauß (April 1967)[23], die sich den sterilen Alternativen

der Vergangenheit mit Erfolg zu entziehen sucht. Die neue Rezeptionsästhetik bleibt uns zwar die Antwort schuldig, wie sie die legitimen ›Resonanzen‹ der Rezipierenden von den illegitimen trennt (ich fürchte, daß Jauß, als philosophischer Schüler Hans-Georg Gadamers, die ›Bedeutung‹ eines Textes eher sucht als seinen ›Sinn‹), aber die Wiederentdeckung eines Textes als ›Ereignis‹, wie Husserl oder S. C. Pepper ähnlich postulierten, signalisiert das willkommenste Tauwetter der Theorie.
Aber diese selbstkritische Auffächerung der Möglichkeiten und das neue Miteinander von Rezeptionsästhetik, Linguistik, Hermeneutik und gesellschaftsorientierter Analyse, die in ihren theoretischen Voraussetzungen alle über das nur Nationale hinausweisen, bestärken mich in meiner Hoffnung auf eine Aufhebung der Germanistik in eine allgemeine Literaturwissenschaft, welche die Konventionen einer Staats- und Nationalphilologie hinter sich läßt. Ihr Neues besteht darin (so könnte man sagen), im Widerstand gegen die nachwirkenden Forderungen des neunzehnten Jahrhunderts die Tugenden des achtzehnten zu restituieren – daß dies an diesem oder jenem Ort noch unter dem Namen der ›Vergleichenden Literaturwissenschaft‹ geschieht, ändert nichts an der entscheidenden Sache; die Bezeichnung, aus der französischen Littérature comparée abgeleitet, hat sich leider eingebürgert, und erst die konsequente Praxis wird sie verdrängen. Wir wollen ja nicht national geschlossene Literaturen vergleichen, sondern die Literatur von einem internationalen Standpunkt aus studieren.
Es ist offenbar die erste Absicht dieser Literaturwissenschaft, dem Provinzialismus ein neues Weltbürgertum entgegenzusetzen, das sich in ungehinderter Sensibilität in der unendlichen Sphäre der Literaturen bewegt. Racine, Shakespeare und Schiller sind ihrem Geiste gleich nah, und sie sieht's nur mit Schrecken, daß in der Unterrichtspraxis das Nationale überall vorangeht, selbst wenn es von begrenzter literarischer Bedeutung wäre. Was heißt denn Hauptfach, wenn man sich dort in einer Prosa-Übung allein mit Adalbert Stifter (an dessen Adel ich nicht zweifle) beschäftigt, aber Balzac, George Eliot oder Henry James niemals oder nur in den sogenannten Nebenfächern flüchtig studiert? Ich weiß, die Schulverwaltungen benötigen Deutschlehrer; aber warum sollten die künftigen Erzieher einer aufgeklärteren Jugend Mörike oder Storm nicht aus dem kontrollierenden Bewußtsein Gautiers oder Baudelaires vortragen? Mit solchen Ketzereien gerate ich sogleich in Konflikt mit den akademischen Traditionen der französischen Komparatistik und jenen Etappen der deutschen vergleichenden Literaturwissenschaft, die sich in der behaglichen Fiktion eingerichtet haben, man könnte die Nationalliteraturen in luftloser Isolation auf sich beruhen lassen und allein an ihren Grenzen, Rändern und Zwischenräumen arbeiten – indem man Einfluß-Vermittler- und Übersetzer-Archäologie betreibt, anstatt dem Kern der Weltliteratur kühn und unmittelbar entgegenzutreten. Merkwürdig, daß sich selbst Horst Rüdiger, Erik Lunding, Roger Bauer und Oskar Seidlin, die hochgebildeten und feinsinnigen Herausgeber der neuen deutschen Zeitschrift für vergleichende Literaturwissenschaft, die sich *Arcadia* nennt, noch nicht ganz von diesem gaullistischen Konzept befreit haben; auch sie polemisieren im Programmentwurf der Zeitschrift gegen einen problematischen Ahistorismus und geben sich der Hoffnung hin, der national-literarischen Forschung nicht in die Quere zu geraten. Wahrhaftig, arkadische Hoffnung! Ich glaube, die Praxis wird die Herausgeber davon überzeugen, daß die Alternativen nicht ähnlich idyllisch sind. Nur zwei

Wege stehen offen: den Literaturwissenschaftler zum Gast auf den trennenden Zäunen der Nationalliteraturen zu degradieren, oder das Weltliterarische, in allen seinen Formen, in die älteren Rechte einzusetzen.
Die andere Intention einer erneuerten Literaturwissenschaft wird es sein, das konsequente Studium der kritischen Normen und der charakteristischen Gattungen, wie sie prägend durch die einzelnen Literaturen hindurchschlagen, energisch zu fördern und das traditionelle Interesse an den Entstehungsweisen der Kunstwerke durch die Analyse der resultierenden Strukturen zu balancieren. Poetik, Rhetorik, Ästhetik, Topologie, Gattungslehre, Geschichte der Literaturkritik sind ihre Fundamente; und statt jene wolkig geistesgeschichtlichen Systeme zu exzerpieren, die sich in der zweifelhaften Erkenntnis vollenden, daß allein die Germanen echte Daseinssymbole schaffen, während sich bedauernswerte Romanen mit dem Witze begnügen müssen (man lese das in den Wälzern der späteren dreißiger Jahre nach), wird der Student, gerade in den unersetzlichen Jahren seiner intellektuellen Ausbildung, eher Aristoteles, Horaz, Dryden, Lessing und Friedrich Schlegel lesen; kennt er erst die gespannte Energie der Dichtungstheorie, wird er sich über alles Lokale, Ungefähre und Gefühlvoll-Ungeistige sein eigenes Urteil schaffen. Im achtzehnten Jahrhundert noch hatte jede gute Universität ihren Professor für Poetik und Rhetorik, und das weitblickende Tübingen hat ihn schon wieder; wer sonst aber hat den nivellierenden, den historisierenden Tendenzen des vorigen Jahrhunderts ähnlich klug widerstanden?
Der herkömmlichen Wertscheu der Germanistik wird eine solche Literaturwissenschaft ihre resolute kritische Gesinnung entgegensetzen und Vorzüge wie Untugenden des Historismus prüfend reflektieren. Sie kann nicht anders, denn sobald sie Weltliterarisches und Provinzielles trennt, bedarf sie nicht geographischer, sondern ästhetischer Normen; vielleicht ist es ihr Geheimnis, daß sie nichts anderes ist als ein forteilender kritischer Prozeß, der sich, wie das dahinfließende Wasser, selbst reinigt, wandelt und klärt. Die kritische Literaturwissenschaft verachtet die schönen Tugenden des Verstehens nicht, aber die Wege scheiden sich dort, wo das Verstehen die Erschlaffung oder gar Zerstörung der urteilenden Energien nach sich zieht. Genug, daß die Germanistik ihre jahrhundertlange Liaison mit dem Historismus hatte; warum die Affaire in eine unverbrüchliche Mesalliance verwandeln? Die Literaturwissenschaft, anders als die bisherige Germanistik, begrüßt den Kritiker als ihren willkommensten Freund; ginge es nach ihr, würde man sich den begabten Kritiker nicht in der Quarantäne der Extra-Dozenturen vom akademischen Leibe halten, sondern ihn über Nacht zum Professor berufen, selbst wenn er seine intellektuellen Qualifikationen nicht in den dürftigen Jahren der Assistententätigkeit erworben hätte. Ich habe es nie verstanden, warum Hans Egon Holthusen nur in Amerika das ganze Jahr lang Professor sein, während er in seinem Heimatland nur Gastrollen spielen darf; und ich denke nur mit Trauer daran zurück, in welcher blinden Unempfindlichkeit die Universität Max Rychner, solange er lebte, vergaß.
Keine Universität ohne Raumfahrtlaboratorium, aber wie viele haben Anteil an den veränderten Prozessen der Literaturwissenschaft? Die Universität Bielefeld hat gut daran getan, die Studienmodelle Wolfgang Isers und Harald Weinrichs als Planungsgrundlage zu akzeptieren; aber wer ist ihr auf diesen Wegen gefolgt? Es genügt nicht mehr, die welkende blaue Blume der Germanistik rot zu färben (Herba-

rium bleibt Herbarium); und selbst die Elektronengehirne, die Bibliographien und Studenten registrieren, sind nur ein schwacher Trost. Solange auch sie nur den unrevidierten Konzepten des neunzehnten Jahrhunderts dienen, zählen auch sie zum alten, zum rostbefleckten, zum hundertfünfzigjährigen Eisen.

Anmerkungen

1. Rudolf Walter Leonhardt: *Der Sündenfall der deutschen Germanistik.* Zürich u. Stuttgart 1959 (= Schriften zur Zeit 21).
2. Sigmund von Lempicki: *Geschichte der deutschen Literaturwissenschaft bis zum Ende des 18. Jahrhunderts.* Göttingen 1920.
3. Werner Mahrholz: *Literaturgeschichte und Literaturwissenschaft.* Berlin 1923.
4. Jost Hermand: *Synthetisches Interpretieren. Zur Methodik der Literaturwissenschaft.* München 1968.
5. Hans-Georg Gadamer: *Wahrheit und Methode. Grundzüge einer philosophischen Hermeneutik.* Tübingen 1960. 2. Aufl. 1965.
6. Walter Müller-Seidel: *Probleme der literarischen Wertung. Über die Wissenschaftlichkeit eines unwissenschaftlichen Themas.* Stuttgart 1965.
7. Claude Lévi-Strauss: *Strukturale Anthropologie.* Frankfurt 1967.
8. Northrop Frye: *Analyse der Literaturkritik.* Stuttgart 1964.
9. Vgl. dazu das Schlußkapitel *Mythos und Mythologie als Gegenstand der Literaturwissenschaft* in Gerhard Schmidt-Henkels Untersuchung: Mythos und Dichtung. Zur Begriffs- und Stilgeschichte der deutschen Literatur im 19. und 20. Jahrhundert. Bad Homburg 1967. Vgl. ebenso Theodore Ziolkowski: *Der Hunger nach dem Mythos.* In: Die sogenannten Zwanziger Jahre. Bad Homburg 1970. S. 169–201.
10. Harald Weinrich: *Überlegungen zu einem Studienmodell der Linguistik.* In: Ansichten einer künftigen Germanistik. Hrsg. von Jürgen Kolbe. München 1969. S. 208–218.
11. Beda Alleman: *Strukturalismus in der Literaturwissenschaft.* In: Ansichten (s. Anm. 10). S. 143 bis 152.
12. Vgl. dazu das vierte Kapitel *Psychologische Kategorien* in der von Joseph Strelka und Walter Hinderer herausgegebenen Dokumentation: Moderne amerikanische Literaturtheorien. Frankfurt 1970. Vgl. ebenso Walter Sutton: *Modern American Criticism.* Englewood Cliffs 1963. 2. Aufl. 1965.
13. Robert Escarpit: *Das Buch und der Leser. Entwurf einer Literatursoziologie.* Köln 1961.
14. Bonn 1964. Vgl. ebenso die von Fügen herausgegebene Dokumentation: *Wege der Literatursoziologie.* Neuwied 1968.
15. Leipzig u. Berlin 1931.
16. Ernst Kohn-Bramstedt: *Aristocracy and the Middle-Classes in Germany. Social Types in German Literature, 1830–1900.* London 1937.
17. Paris 1955.
18. Halle 1942.
19. Vgl. dazu die grundlegende Untersuchung von Victor Erlich: *Russischer Formalismus.* München 1964.
20. Vgl. dazu die Dokumentation und Analyse in *Sprache im technischen Zeitalter.* 22/1967 und 26/1968.
21. Vgl. die vier Vorträge in *Germanistik – eine deutsche Wissenschaft.* Frankfurt a. M. 1967 (= edition suhrkamp Nr. 204).
22. Es handelt sich um die Forschungsgruppe »Poetik und Hermeneutik«, die bisher u. a. die folgenden Dokumentationen vorlegte: *Immanente Ästhetik. Ästhetische Reflexion, Lyrik als Paradigma der Moderne* und *Die nicht mehr schönen Künste. Grenzphänomene des Ästhetischen.* München 1966 u. 1968.
23. Hans Robert Jauß: *Literaturgeschichte als Provokation der Literaturwissenschaft.* Konstanz 1967 (= Konstanzer Universitätsreden 3). Auch: edition suhrkamp Nr. 418. Frankfurt 1970.

Literaturhinweise

Ansichten einer künftigen Germanistik. Hrsg. von Jürgen Kolbe. München 1969 (= Reihe Hanser 29).

Helmut Arntzen: *Der Streit um die Germanistik.* In: Neue Deutsche Hefte 17/3 (1970), S. 3–27.

Walter Boehlich: *Aus dem Zeughaus der Germanistik. Die Brüder Grimm und der Nationalismus.* In: Der Monat. 18. Jg., Okt. 1966, Heft 217, S. 56–68.

Karl Otto Conrady: *Einführung in die Neuere deutsche Literaturwissenschaft.* Reinbek 1966 (= rowohlts deutsche enzyklopädie).

Germanistik in der Diskussion. In: Die Zeit (29. 1. 1965).

Deutschunterricht und Germanistik. In: *alternative.* 11. Jg., Heft 61, Berlin 1968.

Marie Luise Gansberg, Paul Gerhard Völker: *Methodenkritik der Germanistik. Materialistische Literaturtheorie und bürgerliche Praxis.* Stuttgart 1970 (= Texte Metzler 16).

Germanistik – eine deutsche Wissenschaft. Beiträge von E. Lämmert, W. Killy, K. O. Conrady, P. v. Polenz. Frankfurt a. M. 1967 (= edition suhrkamp Nr. 204).

Germanistik – Reform oder Politisierung? In: alternative. 10. Jg., Heft 55, Berlin 1967.

Rainer Gruenter: *Verdrängen und Erkennen. Zur geistigen Situation der Germanistik.* In: Der Monat. 17. Jg., Febr. 1965, Heft 197, S. 16–26.

Marlis Krüger: *Krise in der Germanistik. Zur Lage der Germanistik an westdeutschen Universitäten.* In: The German Quarterly. Vol. XLII, March 1969, No 2, p. 225–253; und in: Student im Studium. Untersuchungen über Germanistik, Klassische Philologie und Physik an drei Universitäten. Stuttgart 1969.

FRITZ J. RADDATZ

Zur Entwicklung der Literatur in der DDR

Spricht man von den Schriftstellern der DDR, ist dies voranzustellen: Sie alle, vor allem die älteren unter ihnen, sind in einer bösen, ja tragischen Situation. Ihr halbes Leben hatten sie geschrieben, um eine Welt zu verändern; man hatte sie verjagt, zu ermorden versucht, um die halbe Welt gehetzt deswegen. Außer Peter Huchel sind ausnahmslos alle bekannten DDR-Schriftsteller der älteren Generation Emigranten – und keiner von ihnen hatte es leicht während dieser Jahre. Verglichen mit der Realität, aus der sie kamen, war die Illusion, zu der sie heimkehrten, ihrem Wesen entsprechend besser. Nur wenige merkten gleich, daß etwas wie Mehltau sich auf sie legte. Keiner aber schrieb. Selbst von Brecht, nach dem widerwilligen Einzug in Ostberlin, kam nichts Nennenswertes; Anna Seghers, Bredel, Becher, Uhse, Zweig – sie hatten ihre Sprache verloren, nicht in der Fremde, wo sie schrieben, sondern heimgekehrt, als man sie druckte. Jahre vor Hitler waren sie aufgebrochen, um neue Wege für die Menschen ihres Landes zu finden; es war und blieb ein Irrweg – und so absurd es war: Ein großer Teil der Schriftsteller ging diesen Irrweg ständig mit. Die hilflosen neuen Romane von Arnold Zweig oder Anna Seghers zeigen, daß sie diese neue Wirklichkeit nicht mehr bewältigen konnten.

Polen, Russen, Franzosen, Holländer: Sie alle waren den Leidensweg ihres Volkes mitgegangen. Die deutschen Schriftsteller aber waren für anderthalb Jahrzehnte ohne ihre Nation geblieben, hatten sich ein Gewissen nur in der Sehnsucht erhalten, in einer ›vorgestellten‹ Realität. Vielen waren fremde Landschaften zur Heimat geworden, einige – etwa Stefan Heym – schrieben nicht mehr deutsch. Es war die Rückkehr in eine Heimat, die sie nicht mehr kannten, in eine Heimat, die umgekehrt die Schriftsteller nicht mehr erkennen wollte, in ein soziales Gefüge, das anders war als das erträumte. Wunsch und Hoffen hatten sich, als sie wirklich wurden, pervertiert.

Aber auch die Sprache war fremd geworden, spaltete sich gar. Nicht nur hatte der Nationalsozialismus bis ins intimste Vokabular hinein das Deutsche verändert; die jähe Auseinanderentwicklung der beiden Teile Deutschlands ließ auch zweierlei Sprachen entstehen, die zumindest so voneinander verschieden sind wie das Englische vom Amerikanischen; die in Ost und West jeweils erscheinenden Duden fixieren bereits grammatikalische Unterschiede, in der vergleichbaren 15. Auflage[1] beider Wörterbücher sind es 85. Relevanter aber ist, daß es neue Begriffe gibt und neue Begriffsinhalte. Eine Leipziger Sekretärin beispielsweise kann sich nicht als ›Arbeitnehmer‹ definieren – der Begriff fehlt in ihrem Duden; sie kann auch nicht ›Arbeitslosenversicherung‹ nachschlagen – das Wort existiert nicht in der Sprache der DDR. Und erst seit der Ausgabe von 1967 kann sie sich der richtigen Schreibweise von ›Aktienkapital‹ versichern – in früheren Ausgaben war dieser Grundbegriff des Kapitalismus nicht geführt. Der bundesdeutsche Duden dagegen begnügt sich mit vagen Pauschalierungen dort, wo man in Leipzig handfest, parteilich und sogar meistens richtig kommentiert, also bei philosophischen oder politischen Begriffen wie etwa ›Ästhetik‹, ›Faschismus‹, ›Blasphemie‹. Warum etwa der nicht erst seit dem Überfall auf die Tschechoslowakei mögliche Begriff ›Sowjet-Imperialismus‹ im Osten gänzlich unverstanden bleiben muß, zeigt sogar der Duden. Noch 1930 wurde der Begriff mit »Kaiserherrschaft, Neigung zur Schaffung eines Weltreichs« charakterisiert. Im westdeutschen Duden von 1958 bedeutet er »Ausdehnungs-, Machterweiterungsdrang der Großmächte« – also *aller* Großmächte –, während der DDR-Duden von 1957 präzise und parteilich so definiert, daß natürlich die Sowjetunion nicht mit-begriffen werden kann: »Höchstes und letztes Stadium des Kapitalismus mit Konzentration von Produktion und Kapital in Monopolen und mit der Tendenz zur Neuaufteilung der Welt durch Kriege zwischen den imperialistischen Ländern.«

Die Hilflosigkeit, sich nur mehr in der gleichen, nicht mehr in derselben Sprache verständigen zu können, wird bei vielen Ost-West-Begegnungen deutlich. In einer Diskussion zwischen Schriftstellern der DDR und der Bundesrepublik sagte ein westdeutscher Autor zu einem aus der DDR: »Ein Problem in der DDR ist die Eingliederung des Menschen in den Arbeitsprozeß. Ich sage das jetzt nicht propagandistisch, ich sage es positiv.«[2] Dieser Einwurf muß dem Ostberliner Gesprächspartner unverständlich bleiben, denn propagandistisch ist für ihn ja positiv; der westdeutsche Gesprächspartner setzt dagegen das Wort ohne Zögern als Synonym für ›feindlich, aggressiv‹. Bei einer Fernsehdiskussion in West-Berlin, die mit dem bekannten DDR-Lyriker Rainer Kirsch geführt wurde, konnte man sich nicht über das Phänomen der konkreten Lyrik einigen. Hilflos, weil eben die gewohnte Sprache sich versagte, meinte Kirsch: »Das ist keine konkrete Lyrik, wie ich konkret verstehe.« Die Inhalte äußerlich identischer Wörter haben sich also bis zur Sprachlosigkeit verschoben oder auseinandergespreizt, wie das auch andere gesellschaftliche Strukturen bei anderen Begriffen bewirkten.

Deutlich wird aber darüber hinaus, daß das Deutsch der Nachkriegszeit dem Prozeß einer doppelten Analogiebildung unterworfen wird: einmal der schlichten Analogie zur Fremdsprache der Besatzer, zum anderen – da ja die gesamte staatliche und wirtschaftliche, also auch kulturelle Struktur analog den jeweiligen Modellen USA/Sowjetunion gebildet wurde – sprachlichen Reflexen auf diese Analogien. Beides geht ineinander über.

Daß verballhornte Anglizismen die bundesdeutsche Trivialsprache verunschönen, ist inzwischen bekannt: ›Texter‹, ›Killen‹, ›Lobbyist‹, ›Bestseller‹, ›Trend‹, ›Campen‹, ›Testen‹, ›fit‹ – schon bei diesen wenigen Beispielen weiß man nicht: War zuerst die Sache oder zuerst die Benennung eingeführt worden? Selbst die Übernahme von Begriffen wie ›Babysitter‹, ›Fan‹ oder ›Manager‹ zeigt, daß gleichzeitig mit sozialen Verhaltensweisen auch ihre Benennung importiert wurde. Dabei sind einfache Lehnübersetzungen – etwa ›Jungfernrede‹ aus ›maiden speech‹ – zu unterscheiden von Lehnbedeutungen wie beispielsweise die Neufassung des Verbums ›realisieren‹ (von ›to realize‹) im Sinne von ›einsehen‹, ›verstehen‹.[3] Interessant ist aber, daß im Vergleich dazu in der DDR sehr viel mehr Institutionelles übernommen wurde, daß mit anderen Worten die Veränderung viel mehr an die Substanz ging als die sogenannte Umerziehung im Westen, die sich oft mit Äußerlichkeiten begnügte. Es finden sich natürlich, ähnlich den hier genannten westlichen Beispielen, auch allenthalben jene äußerlich russifizierten Versatzstücke der Sprache – ›Diver-

sant‹, ›Initiator‹, ›Kombinat‹, ›Intelligenz‹ und das allbeliebte ›Sollschwein‹. Es finden sich aber auch wesentliche Umdenk-, also Umformuliervorgänge: Eine Station ist nicht mehr Durchgangsstadium, etwa für einen Zug, sondern ständiger Sammelort, nämlich für Traktoren; ein Regierungsbüro, das sich vor allem mit Intellektuellen, also doch offenbar unheimlichen und unzuverlässigen Typen zu beschäftigen hat, nennt sich Staatssekretariat für Hochschul w e s e n ; Perspektive ist nicht nur etwas, das sich verengt, sondern ein Ausblick, zwangsläufig positiver Natur, ist, weit weg von der architektonischen Urbedeutung, ein eschatologisches Tabuwort geworden. Die Brutalisierung der Sprache, die aus der militärischen oder wirtschaftlichen Kommandosprache genommen wird, hat in beiden Teilen des Landes ihre genaue Entsprechung: Redet man in der DDR von der ›Aneignung des kulturellen Erbes‹, von der ›künstlerischen Bewältigung der Gegenwart‹ oder vom ›sozialistischen Lager‹, so ist das zumindest so bedenklich und verräterisch wie der bedauernde Terminus ›Zusammenbruch‹, der in Westdeutschland gang und gäbe ist, wenn das Ende der Naziherrschaft im Jahre 1945 gemeint ist.
Aber bestimmte Verhaltensweisen, besser gesagt Verhaltensmuster, werden, vor allem in der Sprache der DDR, deutlich, zum Beispiel die Freude am Superlativ, die möglichst häufige Anwendung solcher Worte wie ›groß‹ oder ›schön‹ oder ›einst‹ oder ›zukünftig‹, von ›gewiß‹ oder ›ohne Frage‹ – das alles prätendiert Sicherheit und Macht über die Welt; wenn sich eine Literaturzeitschrift beispielsweise in Westdeutschland zögernd *Akzente* nennt, so heißt das Äquivalent in der DDR prompt sehr bestimmt und sehr bestimmend *Sinn und Form*.
Der Vergleich zweier Texte, die beide bei wichtigen Anlässen des kulturellen Lebens beider deutscher Staaten vorgetragen wurden, zeigt frappante Unterschiede, die Denken, Zweifel und Überzeugung der deutschen Sprache zufügen. Dabei wurde nicht zufällig einmal die Rede eines Staatsrepräsentanten und zum anderen die eines Schriftstellers gewählt; beides soll in sich bereits als prototypisch verstanden werden: Ich spreche einmal von Walter Ulbrichts Referat auf der zweiten Bitterfelder Schriftsteller-Konferenz im April 1964[4] und zum zweiten von der Rede des westdeutschen Schriftstellers Hans Magnus Enzensberger bei Entgegennahme des Georg-Büchner-Preises im Oktober 1964[5]. Bei Ulbricht tönt substantiviertes Machtgefühl, bei Enzensberger verbalisierter Zweifel. Der DDR-Redner flüchtet sich auf die bombastische Plattform der Substantiva: Allein die vier Zwischenüberschriften seines Referats enthalten ›Entwicklung‹ (zweimal), ›Auseinandersetzung‹, ›Entfremdung‹, ›Verantwortung‹ (zweimal), ›Forderung‹, ›Orientierung‹, ›Gestaltung‹. Entsprechende Substantiva im Text sind nicht mehr zählbar. Das verrät Unsicherheit im Denken, getarnt als Sicherheit.
Der Darmstädter Redner benutzt im ganzen Text sechzehn Substantiva auf ›ung‹. Davon sind zwölf im ursprünglichen Sinn verwendete Begriffe, also Begriffe, die Enzensberger durch ihren bloßen Nennwert entwerten will: ›Machtentfaltung‹, ›Anmaßung‹, ›Genugtuung‹, ›Handreichung‹, ›Entspannung‹, ›Regierung‹, ›Zivilbevölkerung‹ und andere. Gewissermaßen ein Prozeß der sprachlichen Entsicherung.
Ulbrichts Pseudo-Sicherheit läßt ihn ex cathedra sprechen. Er redet nur qua wir: »Wir wünschen von den Schriftstellern und Künstlern ...«, »... das fordern wir von ihnen ...«, »Wir sehen in Künstlern und Schriftstellern ...«. Es ist nicht die

Sprache der Debatte, des Überlegens, sondern die der Dekrete, der Überlegenheit. Eine der häufigst gebrauchten Vokabeln ist ›Volk‹; dabei genügt es, die Wortverbindungen mit ›Volk‹ zu überprüfen, um in der grammatikalischen Passivform bereits eine Ideologie zu entdecken. Es heißt etwa: »Die große Aussprache hat bereits breite Kreise des ganzen Volkes erfaßt« – es ist also nicht nur das Volk, sondern das ganze Volk, und das ganze Volk wird in breiten Kreisen von etwas erfaßt wie von einer Naturkatastrophe. Ulbricht verrät letztlich in seiner Sprache seine Distanz: Das Volk ist dem Landesvater so fern wie Gott. Ein Satz wie »Heute diskutiert man im Volk über die Gegenwartsliteratur« unterscheidet sich in seiner sprachlichen Logik nicht von dem Satz eines Managers an der Ruhr: »Geben Sie den Leuten heute eine Stunde früher frei.« (Wobei interessanterweise auch häufig von der Rolle der staatlichen Verwaltungen oder Organe gesprochen wird. Eine Rolle ist aber bekanntlich etwas Vorgetäuschtes, Auswechselbares.) Ein hierarchisches Denken, eine hierarchische Ausdrucksweise.

Enzensberger dagegen beginnt seine Rede, indem er auf die Frage »Was haben wir zu feiern?« antwortet: »Wir nämlich wissen kaum, was das heißen soll, wir.« Entsprechend dieser Infragestellung kommt das Wort ›ich‹ höchst selten vor, meist in Verbindung mit einem Fragezeichen oder in einer Negation: »Das glaube ich eigentlich nicht.« ›Ich‹ setzt hier keine Werte, ist allenfalls Ferment, unbestimmt und gar nicht zuverlässig. ›Ich‹ oder ›Du‹ oder ›wir‹ sind gleichsam Konjunktive, Möglichkeitsformen. Enzensberger stellt aus der Sprache selbst Zweifel her, Fragwürdigkeit, Zögern. Er tastet witternd und zugleich gewitzt, züngelnd und gezügelt, Existenzformen und politische Verstellungen aus, und seltsam: Es sind seine Definitionen, die überzeugen. Aus seiner Deklaration der Unzugehörigkeit, der Paß- und Staatenlosigkeit kristallisiert sich wohl nicht zufällig ein Wort heraus, das er bemerkenswert oft benutzt, dem er sich nicht andient, wie Ulbricht dem Volk, und mit dem er sich daher um so glaubwürdiger identifiziert: ›Deutschland‹. Rede eines Politikers – Rede eines Schriftstellers – das hat in unserem Kontext schon einen Sinn. Der Institutionalisierung im Osten entspricht ja das Prägen eines individuellen Markenartikels im Westen; das ist es eben: Dem Auftrag, Amt und Sendungsbewußtsein drüben entspricht die Sprache eines, der ohne Auftrag, Amt und missionarischen Kothurn hüben seine Stimme erhebt. Doch auch ein anderes mögliches Beispiel, der über fünfhundert Seiten starke Band über die zweite Bitterfelder Konferenz[6], der ja die Diskussionsbeiträge von Schriftstellern enthält, zeigt barocke Lehrhaftigkeit – Fragen, gar Infragestellen auch dort nicht. Dies ist Erwin Strittmatters Wort- und Begriffsmaterial: Faktenpfeiler; eine Form, die der Stoff erfordert, ermitteln; es besteht keine hinlängliche Klarheit; der Schriftsteller sieht sich gezwungen, das Fehlende im dialektischen Ablauf einer Entwicklung mit Hilfe seiner Phantasie zu ergänzen; Schritte (i. e. Maßnahmen) besprechen; Linien (i. e. Richtlinien) ausgeben. Das typische Schlüsselwort, das einen Text stets als Belegtext, als belehrende, nahezu mathematisch-logische und nicht widerlegbare Predigt ausweist, das Wort ›also‹, kommt bei Strittmatter dreimal in neun Zeilen vor (in Enzensbergers Rede einmal). Dieses Sprachgitter ist undurchlässig für unbeauftragtes, unbeamtetes Denken, für das Individuum. Individuell – dieses Wort fällt bei Strittmatter nur einmal: die »individuelle Kuh«.

Ein anderer Sprachvergleich macht den Rückkoppelungsprozeß zu ideologischen oder moralischen Mustern noch deutlicher – wenn man nämlich die Reden ostdeutscher und westdeutscher Politiker zum 17. Juni 1953[7] vergleicht. Die Definition derer, die am Aufstand beteiligt waren, erfolgt fast ausschließlich in der Passivform, löst sich also nicht vom christlichen Modell des Erleidens: Das meist verwendete Wort ist ›Mensch‹. Dem folgen Variationen: Mann, Frau, Bruder, Schwester, Opfer, beziehungsweise Heimatvariationen: Berliner, Magdeburger, Menschen in Jena. Dem folgt die ausgesprochene Leideform: Verhaftete, Verletzte, Verwundete, Gefallene, Tote. Nicht was sie taten, wird also herausgehoben, sondern was sie erlitten.

Die DDR-Redner haben dieselben Personengruppen zu erfassen – aber sie bestimmen nach anderen Kategorien, nämlich denen der Tätigkeit. Vornan, für die angeblichen Urheber des Aufstandes, stehen die Benennungen ›Revanchisten, Konzernherren, Monopolherren, Faschisten, Imperialisten, Kriegstreiber‹. Auch die auf dem Gebiet der DDR angesiedelten Beteiligten werden so erfaßt: ›Organisatoren, Hintermänner, Führer der Provokationen, Banditentrupps, Elemente, Banden, Agenten, Provokateure‹. Und sogar die, die von den Rednern verteidigt werden, sind an Tätigkeitsmerkmalen zu erkennen: ›Arbeiter, Werktätige, verführte Mitläufer‹. Ebenso deutlich wird der Rückgriff auf die Weltanschauung bei der Definition des Aufstandes selber. Im Westen überwiegen Worte, die auch für Überschwemmungen oder Erdbeben dienen könnten: ›Vorgänge, Ereignis, Geschehnis, Ausbruch, was sich ereignet hat, dieser Tag‹. Im Osten heißt es ›Putsch, Provokation, Tag X‹.

Die Inanspruchnahme der religiösen Sondersprache ist in den westlichen Reden eklatant: Der Bundespräsident spricht von dem Opfer, das gebracht wurde; der gute Hirte des Johannesevangeliums, der sein Leben hingab, taucht bei Ehlers wie bei Adenauer auf: ›Menschen, deutsche Brüder, die ihr Leben hingaben ...‹ Und Adenauer konsekriert den ›Tag der deutschen Einheit‹ als einen ›Tag der Erfüllung‹. Christlich-religiöses Vokabelrepertoire wird also bewußt oder unbewußt dort eingesetzt, wo Werte des sogenannten Abendlandes festgehalten werden; das kann auch auf einer Industriemesse geschehen, beispielsweise auf der Berliner Funkausstellung 1961, die der damalige Bundeswirtschaftsminister Erhard in seiner Eröffnungsansprache so verstand, daß sie »dem Gedanken der Verbundenheit Weihe geben solle«, in der das »deutsche Leben eine Inkarnation« fände und die zeigen solle, daß »alle Deutschen mit Gläubigkeit und Hingabe dafür sorgen sollen, daß Berlin Berlin bleibt«.

Im Gegensatz dazu leiht sich ein DDR-Redner nur dann pseudoreligiöse Sprache, wenn Menschen quasi als Übermenschen (also Helden) oder Institutionen quasi als Über-Mächte (also Autoritäten) ausgegeben werden sollen; so kämpft man gern mit der Sowjetunion »Schulter an Schulter für die heilige Sache der Befreiung der Menschheit«, folgt der Weisheit der Partei oder faßt das Erziehungsgesetz der Jungen Pioniere in zehn Gebote.

Nun bewegt sich Sprache nicht im luftleeren Raum. Sie ist neben den Taten die einzige Erscheinung, an der verborgene Antriebe, proklamierte Systeme, beschworene Ziele, Machtansprüche, Lenkungsversuche, Abriß- und Aufbaubewegungen abgelesen und nachgeprüft werden können. Dies vor allem natürlich in der Kunstprosa, in der Literatur. Ein Satz wie der folgende, ein Satz aus einer Erzählung eines jungen ostdeutschen Schriftstellers, ist in Köln, München oder Hamburg kaum noch zu verstehen: »Das ist Futterroggen vom VEG, getrocknet auf unserer Anlage. Mein Bruder, der in der LPG bei den Hühnern ist, sagt, man kann prima Kraftfutter daraus machen. So kam die Idee eines greisen Predigers durch eine FDJ-Gruppe auf die MMM. Das Interesse an diesem Jugendobjekt ist so groß, daß es die Produktionskapazität der PGH weit übersteigt.«

Das hier nur skizzierte Sprachgefälle beider Deutschland, die Entwicklung einer neuen Trivial- und Kunstsprache in der DDR, ist aber in direktem Zusammenhang zu sehen mit ideologischen, anders gesagt ästhetischen Positionen. Sprache wie Kunst allgemein ist in der marxistischen Ästhetik nicht Frage und Spiel, sondern dient dem Beweis. Das eben bis ins sprachliche Detail hinein ablesbare didaktische Moment ist wesentlicher Bestandteil der heute noch in der DDR und auch noch in der Sowjetunion herrschenden Orthodoxie: Kunst ist Lehre, Belehrung. Das Kunst s c h ö n e kommt in der marxistischen Ästhetik nicht vor. Da die Ausformung der Gesellschaft und die Stellung der Menschen innerhalb der Gesellschaft und zu ihr einziger Gegenstand der Kunst ist, kann auch die Ästhetik nur gehalten sein, den Standort – die Funktion also – künstlerischer Betätigung oder künstlerischer Werke innerhalb dieses soziologisch-geometrischen Modells zu bestimmen. Die marxistische Ästhetik ist nicht Wertfindung, sondern Ortfindung. In einem über siebenhundert Seiten starken Band *Grundlagen der marxistisch-leninistischen Ästhetik*, einer Übersetzung aus dem Russischen, an der mehr als zwanzig sowjetische Literaturwissenschaftler mitarbeiteten, heißt es bezeichnenderweise: »Die marxistisch-leninistische Ästhetik bereichert unsere Kunst, unsere Kunstwissenschaft und Kunstkritik durch fortschrittliche gesellschaftliche Ideen und gibt ihnen Perspektiven für eine weitere progressive Entwicklung.« An anderer Stelle dieses Bandes – der bis heute neben Lukács' zweibändiger Ästhetik die verbindlichste und umfassendste Darstellung der marxistischen Ästhetik geblieben ist – heißt es: »Die Künstler besitzen die Möglichkeit, sich jedes beliebige Thema zu wählen, sich allen Seiten der Wirklichkeit zuzuwenden, alle künstlerischen Mittel zu nutzen, die für eine richtige Darstellung der Wirklichkeit notwendig sind. Der Künstler ist ein Mensch, der seinen Gegenstand genau kennt, ihn fühlt, ihn liebt und große Schaffensfreude empfindet.« In dieser sonderbar banalen, ja gar naiven Definition sind gleich zwei Grundirrtümer marxistischer Ästhetik enthalten. Offenbar weiß nämlich da irgend jemand ganz genau, was richtig ist, was auch die richtige Darstellung der Wirklichkeit ist. Und zum zweiten zeigt sich bereits hier in dieser Formulierung in nuce die ganz undialektisch übernommene Ideologie der Kalokagathie, der Theorie der Identität von Tugend und Schönheit. Die Ästhetik ist im marxistischen Verständnis eine Unterkategorie der Erkenntnistheorie – ein schönes Hilfsmittel quasi –, ist also in ihrer Erkenntnismöglichkeit und auf dem Wege dieser Erkenntnis endgültig moralischen, will sagen politischen Maßstäben unterworfen. Das Kunstwerk wird moralisch gewertet: »Man kann sagen, daß eine der Besonderheiten des ästhetischen Urteils seine organische Verbindung mit moralischen Urteilen ist; das Schöne und das Gute sind immer untrennbar miteinander verbunden«, heißt es an anderer Stelle des genannten Buches, »und eine ehrliche, edle Tat, eine Tat, in der hohe fortschrittliche, gesellschaftliche Ideale und Forderungen zum Ausdruck kommen, ruft in uns nicht nur eine moralische Befriedigung, sondern auch ein unmittelbares ästhetisches Entzücken hervor.«

Von hier datiert das Verstörend-Optimistische, Repetierend-Positive sowjetischer oder ostdeutscher Kunstwerke, datiert auch das Phänomen, daß ambivalente, nicht ohne weiteres einstufbare Helden – Klaus Fuchs oder Claude Eatherly – in dieser Kunst nie Gestalt gewannen. Das Credo, das Häßliche und Niedrige seien das ästhetisch Negative, hat beispielsweise dazu geführt, daß Hitler in der sowjetischen Kunst bis hin zum Film gänzlich unbegriffen blieb: eine Karikatur, die sich von Teppichen nährt. Da ist nichts von dem Witternden, Animalischen, Männchen-, ja Friseurhaften dieser Gestalt; allenfalls ein keifender Zyniker, nie der Mann, der sich selbst glaubte, sein eigenes Image nicht nur produzierte, sondern auch konsumierte, eine Inszenierung, die sich für Regisseur, Akteur, Kulisse und Noten der Begleitmusik zugleich hielt – und das alles doch sehr genau wußte und durchschaute. Aber eine Kunst, die auf derart niedere Verordnungen zur Erkenntnis eingeschworen ist, hat schließlich – hohnvollste aller Folgen – nicht einmal mehr politischen Wert: Sie hat keine Mittel, derartiges wahrhaft zu gestalten. Inhaltskunst ohne Inhalt.

Im Vordergrund der meisten ästhetischen Erörterungen steht die Abbild-Theorie, formuliert etwa in Brechts Kurzchiffre von der Kunst als ›praktikablem Abbild‹ – als einem wesentlichen Mittel der Orientierung im Leben[8]. Das gesamte Mißverständnis von Funktion und Möglichkeiten der Literatur hat ja hier seinen Ursprung, die Verbote und Dekretierungen leiten von hier ihre Berechtigung ab. Ist Kunst ›Widerspiegelung, Einsicht, Erkenntnis‹, oder schafft sie eigene, gültige Realität? Wenn der Taschkent-Berichterstatter des Moskauer *Abendblattes* zum Beispiel seinem Blatt berichtet, Wossnessenskij habe mit seinem Gedicht *Helft Taschkent* die Erdbebenkatastrophe der usbekischen Hauptstadt maßlos übertrieben, und er sich empört: »Wie kann man Dinge sehen, die es gar nicht gibt, und wie kann man andererseits das übersehen, was wirklich ist«, so klingt das fast wie eine Definition dieses Nicht-Verständnisses. Wossnessenskijs *Mutter, die im Wahn ihre Kinder umbringt*, war eben keine Reportage. Der Prager Philosophieprofessor Karel Kocik ist in seiner Studie *Die Dialektik des Konkreten* diesem Verhältnis zwischen Wahrheit und Wirklichkeit nachgegangen und hat das Primat der komplizierteren, erschaffenen Wahrheit gegenüber der gleichsam naiven, jedenfalls vorgegebenen Wirklichkeit gefordert: »Wenn Shakespeares Dramen nichts anderes sind als künstlerische Darstellungen des Klassenkampfes in der Epoche der ersten Akkumulation, wenn der Renaissance-Palast nichts anderes ist als der Ausdruck einer Klassenmacht, die der kapitalistischen Bourgeoisie erwächst, dann stellt sich die Frage, warum diese sozialen Erscheinungen, die an und für sich und unabhängig von der Kunst existieren, noch einmal in der Kunst dargestellt werden müssen, und zwar in einer Gestalt, die eine Verkleidung ihres wirklichen Charakters ist und im gewissen Sinn ihr wahres Wesen sowohl verdeckt als auch aufdeckt.« Hier ist bereits angedeutet, wo der eigentliche Unterschied der Kriterien, wo die Gefahren der falschen Kriterien liegen. Für die dogmatischen Marxisten ist Kunst, gleichgültig ob bildende Kunst oder Literatur oder Theater, ein anderes Mittel, Wirklichkeit zu erkennen; allenfalls geht man in der Formulierung so weit, vom schaffenden Erkennen zu sprechen, und bezieht sich dabei auf Marx und dessen Theorie, geistige Aneignung erfolge dadurch, daß man etwas produziert. Mit dieser etwas erweiterten Definition sind die orthodoxen marxistischen Theoretiker schon offenbar an die äußerste Grenze des im Augenblick denk- und realisierbar Möglichen gegangen, bis hin zur etymologischen Wurzel des Wortes Poesie – ›poiein‹, schaffen. Aber sorgfältig ausgespart bleibt das, was zum Schaffen gehört, nämlich das Subjekt. Daß der Mensch, der Schöpferisches leistet, eben über die Realität hinausgeht, ja von ihr weggeht, andere, neue Realität vorwegnimmt, fürchtet, erhofft, beschwört – daß er andere Realität schafft, eine, die keinem Taschkent-Korrespondenten erkennbar ist, das heißt in der DDR ›Subjektivismus‹ und bleibt unerörtert. Genau das fruchtbare Element, genau das, was den sozialistischen Schriftsteller in Vorteil bringen könnte gegenüber dem weltanschauungslosen Experimentator, nämlich aus seinem Kopf und seinen Ideen neue Realität zu schaffen, wird ihm verwehrt. Das künstlerische ›Ausstreichen der Wirklichkeit‹ aber, nicht in der populären Attacke, sondern in seiner Kunst, bleibt ihm versagt und damit das große Gelingen. Zwar wird in den meisten Debatten und Auseinandersetzungen zwischen Autoren und Theoretikern in der DDR gern und viel Karl Marx zitiert, aber einem sehr bekannten Zitat aus dem *Kapital* begegnet man nie: »Eine Spinne verrichtet Operationen, die denen des Webers ähneln, und eine Biene beschämt mit dem Bau ihrer Wachszellen manchen menschlichen Baumeister. Was aber den schlechtesten Baumeister vor der besten Biene auszeichnet, ist, daß er die Zelle in seinem Kopf gebaut hat, bevor er sie in Wachs baut. Am Ende des Arbeitsprozesses kommt ein Resultat heraus, das beim Beginn desselben schon in der Vorstellung des Arbeiters, also ideell, vorhanden war. Nicht, daß er nur eine Formveränderung des Natürlichen bewirkt, er verwirklicht im Natürlichen zugleich seinen Zweck, den er weiß, der die Art und Weise seines Tuns als Gesetz bestimmt.« Die Theoretiker aber des orthodoxen Marxismus reservieren dem Ungewohnten und Ungewöhnlichen selten einen Platz. Sie sehen nicht, daß literarische Wirkung subkutan sein kann, daß von Lautréamont bis Queneau, von Sklovskij bis Anna Achmatowa, von Schwitters bis Alan Ginsburg, von Turner bis Richard Lindner die Kunst in anderen Linien, anderen Wirkungsfeldern verläuft, andere Veränderungen bewirkt als die, das Volk zu erziehen und zu belehren.

Interessanterweise werden marxistische Theoretiker, vor allem anderer Länder, inzwischen in der DDR und auch in der Sowjetunion verfemt, die anderen Gedankengängen nachgehen, die eine gedankliche Verlängerung des klassischen Marxismus versuchen. Zu ihnen gehört neben dem Polen Kolakowski, dem Italiener Lombardo Radice und dem Franzosen Roger Garaudy auch und vor allem der Österreicher Ernst Fischer, der lange Jahre zu den führenden Literarhistorikern und Essayisten gehörte, die in der DDR publizierten, und der mit seinem Buch *Kunst und Koexistenz* (1969) wie auch schon mit vorangegangenen Untersuchungen nun zu den in der DDR verfemten Häretikern gehört. Sein Ausgangspunkt ist der des klassischen Marxismus, nämlich die bekannte Engelssche These von der Menschwerdung des Affen durch die Arbeit, durch die allmähliche Verwendbarkeit der Hand, die schon zu Benjamin Franklins Definition des Menschen als einem ›tool making animal‹ führte und die schon wesentlich früher bei Thomas von Aquin anklingt, wenn er von der menschlichen Hand als ›organum organorum‹ spricht und seinerseits den Menschen definiert »habet homo rationem et manum«. Der historische Materialismus bietet von jeher die Gleichung: Hand = Arbeit = Verstand (weil Zwang zur Verständigung) = Bewältigung der Umwelt = Magie = Kunst. Das Interessante nun in Ernst Fischers Versuchen ist, daß er in dem frühestmöglichen Stadium einer marxistischen Kunstanalyse Raum für etwas schafft, das man ein Moment der

Durchlässigkeit nennen könnte; wenn nämlich, mit ausdrücklichem Bezug auf Kunstfertigkeit und Kunst, schon bei der Deduktion der Marx-Engelsschen Themen die Worte ›Auswahl‹ und ›Möglichkeit‹ benutzt werden, wie im hier folgenden Zitat, ist, ohne es zu nennen, palimpsestartig, das Wort ›Experiment‹ gefallen: »Die Entdeckung der verschiedenen Möglichkeiten, die Auswahl unter verschiedenen Möglichkeiten und damit die Möglichkeit, ein Ding mit dem anderen zu vergleichen, seine größere oder geringere Brauchbarkeit festzustellen, ist das Neue. Für den Affen ist es unmöglich, den Apfel zu pflücken, der seiner Hand entrückt ist, aber durch den Gebrauch des Werkzeugs ist im Prinzip nichts mehr unmöglich, man muß nur das geeignete Werkzeug finden, dann kann man alles erreichen, was bisher unerreichbar war. Eine neue Macht über die Natur wurde gewonnen, und diese Macht ist p o t e n t i e l l g r e n z e n l o s; in dieser Entdeckung liegt eine der Wurzeln der Magie und damit der Kunst.« Alle Studien Ernst Fischers gelten dem Versuch, durch Widerspruch und Konflikt die Balance zwischen dem Ich und der Gemeinschaft, die er für niemals ausgeglichen hält, stets und immer wieder herzustellen; ob er Essays über Robert Musil oder Thomas Mann, über Grillparzer oder über Kafka veröffentlichte – immer wandte er sich in den Folgerungen für eine mögliche sozialistische Literatur gegen die Gefahr, daß das Kraftfeld zwischen Widerspruch und Konflikt künstlich entspannt werde. Gar nicht unabsichtlich, zwar undemonstrativ, aber doch präzise, erforschte Ernst Fischer jenes Grenzland zwischen Einsamkeit und Gemeinschaft, das er zur Chiffre für Kafkas Werk erklärte und dem er gleichstellte jenes Phänomen der Kälte, dem er schon früher in seiner *Doktor-Faustus*-Studie[9] nachging: eine Kälte nämlich, die, wie Marx sagt, die Menschen zur gesellschaftlichen Hieroglyphe reduziert und sie Tätigkeit als Leiden, Kraft als Ohnmacht, Zeugung als Entmannung erleben läßt. Hier ist das Problem der Entfremdung angesprochen, jenes Problem, das vor allem durch die Entdeckung früher Marxscher Schriften virulent wurde und seitdem in der gesamten theoretischen Debatte des modernen Marxismus eine immer größere Rolle spielt. Fischers Feststellung, daß die Selbstentfremdung des Menschen keineswegs nur ein Prozeß des Kapitalismus ist, sondern durchaus ein Phänomen, mit dem auch der Mensch im Sozialismus – also auch der Held der sozialistischen Literatur – zu tun hat, setzt er selbst seinen Begriff des Mythos gegenüber. Wider Erwarten und wider den Protest des klassischen Marxismus fordert Ernst Fischer eine neue Prägung des Wortes Mythos, versucht, den modernen Mythos von Mißverständnissen zu reinigen, und postuliert, daß ein Kunstwerk ohne Geheimnis nicht Dauer und Bestand hat, ein Kunstwerk ohne das Geheimnisvolle – also eines, das sich auf Beweis und Beleg reduziert sieht – den Anspruch auf Kunst nicht stellen darf.

Wie Fischer, so forderte auch der französische kommunistische Theoretiker Roger Garaudy, etwa in seinem Buch *Pour un réalism sans rivage*, eine Art Rehabilitierung des Mythos, in dem er den Wunsch, das Chaos zu überwinden, Ordnung in die Welt hineinzutragen und Dinge und Erscheinungen zu aufeinander bezogenen Systemen zusammenzufügen, sieht; Garaudy nennt das Schaffen von Mythen den eigentlichen menschlichen Akt und die eigentliche Funktion der Kunst von Homer bis zum *Don Quichotte*, von *Faust* bis zu Gorkis *Mutter*, und er will, sowohl in ideologischen Denkkategorien als auch in künstlerischen Hervorbringungen, sei es der Malerei, des Theaters oder der Literatur, indem er den Begriff Mythos neu faßt und rehabilitiert, dem Zufall und dem Zweifel, dem Spiel und dem Abwägen, kurz gesagt dem Ambivalenten, neues Recht verschaffen. Bezeichnenderweise hat ein anderer marxistischer Theoretiker, der Ostberliner Physiker und Philosoph Robert Havemann, in seinem sensationellen Buch *Dialektik ohne Dogma* genau diesen Gedankengang aufgegriffen und variiert. Havemann, dessen Buch in Ost-Berlin nicht nur verboten ist, sondern dessen Publikation in Westdeutschland ihn sein Lehramt an der Berliner Universität und seine Mitgliedschaft in der Ostberliner Akademie der Wissenschaften gekostet hat, wies vor allem darauf hin, daß der dialektische Materialismus in einen mechanischen Materialismus zurückgefallen ist, daß sogar eine Art Degeneration bis hin zum Laplaceschen metaphysischen Determinismus erreicht sei. Dadurch, daß sich noch heute in der DDR, wie auch bis vor kurzem in der Sowjetunion, die landläufige Schuldoktrin widersetzte, die simpelsten Lehren aus neuen naturwissenschaftlichen Erkenntnissen zu übernehmen, ergab sich zum Beispiel eine gänzlich mechanistische Auffassung etwa von Zufall und Notwendigkeit, die den Zufall als eine Art naturwissenschaftlichen Verkehrsunfall begriff, eintretend nämlich, wenn zwei Kausalketten sich treffen.

Wenn dies auch ein abstrakter, naturwissenschaftlich-philosophischer Gedankengang ist, so hat er doch ganz unmittelbare Einwirkungen auf die marxistische Ästhetik und auf die marxistische Kunstpraxis. Wenn nämlich jeder einzelnen Kausalkette eine streng bestimmbare Ursache zugrunde liegt, so ist der Zufall, daß meinetwegen Herr Müller von einem Ziegel erschlagen wurde, der sich von einem Dach löste, letzten Endes doch kein Zufall, das heißt, der historische Materialismus degeneriert zu einer kismetartigen Logik und zu einer gänzlich unflexiblen Auffassung von der Rolle des Menschen innerhalb der Geschichte. Das naturwissenschaftliche Gesetz, daß eine Ursache mehrere mögliche Wirkungen haben kann, daß also hier die Quelle des Zufalls liegt, wurde nicht zur Kenntnis genommen, und wie Robert Havemann richtig sagte: Ohne die Dialektik von Zufälligkeit und Notwendigkeit, von Möglichkeit und Wirklichkeit können wir nicht begreifen, was Freiheit wirklich ist. Der Begriff der Freiheit ist für die Menschheit von fundamentaler Bedeutung. Übrigens gründet eine der Hauptforderungen dieses falsch verstandenen dogmatischen Marxismus, der eben dieser Freiheit, diesem Zweifel, dieser Subjektivität – also auch dem Experiment – keinen Raum läßt, nämlich die Forderung nach der Parteilichkeit der Literatur, auf einem falsch verstandenen Lenin-Zitat. Die Verteidiger dieser engen Literaturauffassung in der DDR beziehen sich vor allem auf einige Aufsätze Lenins wie *Parteiorganisation und Parteiliteratur* und *Über die proletarische Kultur*. In einem Gutachten aber, das die sowjetische Zeitschrift *Drushba Narodow* im Jahre 1960 veröffentlichte und das von Lenins Frau Nadeshda Krupskaja stammte, führt sie, als Kritik eines Artikels, der sich mit Lenins naturwissenschaftlichen Arbeiten beschäftigt, aus, daß es sich bei allen Äußerungen Lenins, die in diesen Zusammenhängen meist zitiert werden, niemals um Werke der schöngeistigen Literatur handelte, sondern um Parteiliteratur, das heißt um propagandistische Broschüren, Manifeste und Aufsätze. Dieses Gutachten, das schon aus dem Jahre 1937 stammt und sich gegen den Plan eines Sammelbandes literaturwissenschaftlicher Artikel und Äußerungen Lenins wandte, den Bozkova herausgeben wollte, ist insofern sehr wichtig, als es ja, da es von der Frau Lenins stammt, als authentische Quelle ange-

sehen werden kann und einen Grundirrtum der marxistischen Literaturauffassung seit Jahrzehnten betrifft.
Schon Karl Korsch, der berühmte marxistische Lehrer Bertolt Brechts, hatte sich in seinem Buch *Marxismus und Philosophie* (das 1923, im selben Jahr wie Georg Lukács' *Geschichte und Klassenbewußtsein*, erschien) vordringlich mit Lenin und den Konsequenzen der Leninschen Ideologie beschäftigt. Korsch warf schon damals Lenin vor, daß er eine pragmatische, taktische Konzeption vom Marxismus habe, den er nicht den eigenen dialektischen Prüfungen und Befragungen unterziehe. Korsch wandte sich schon Ende der zwanziger Jahre gegen die Abbild-Theorie und setzte ihr die Konzeption entgegen, daß Ideen und Kunstwerke nicht lediglich Widerspiegelungen gesellschaftlicher Zustände seien, sondern Bestandteil dieser jeweiligen gesellschaftlichen Realität, ja, sie sogar mit erschaffe. Die aktive, schöpferische, gar in Frage stellende Rolle des Individuums – des Künstlers, wenn man so will – wurde von Korsch erstmals definiert. Der Marxismus wurde als geschichtliches Phänomen, also als unterworfen seiner eigenen historisch-materialistischen Methode gezeigt.
Schon damals war das Häresie. Korschs Buch wurde energisch bekämpft und abgelehnt; 1926 wurde er aus der KPD ausgeschlossen. Wichtig wurden seine Gedanken aber nicht zuletzt dadurch, daß er Vorbild und theoretischer Lehrer Bertolt Brechts war, der prompt in den vehementen Debatten der zwanziger und dreißiger Jahre dem Hegelianer Lukács entgegentrat. In einem Aufsatz aus dem Jahre 1938[10] wandte Brecht sich energisch gegen Lukács, dessen Realismus-Theorie er formalistisch nannte und dessen Modelle realistischer Literatur – nämlich die Romane des 19. Jahrhunderts – er für veraltet hielt; Brecht verweigert dieser Abbild-Theorie Kompetenz und Gefolgschaft und berichtet über seine eigene Arbeit an den Szenen *Furcht und Elend des Dritten Reiches*: »Dieses Stück ist ein Szenen-Zyklus, der das Leben unter der braunen Diktatur behandelt. Bisher montierte ich 27 Einzelszenen. Auf einige von ihnen paßt das realistische Schema X entfernt, wenn man ein Auge zudrückt. Auf andere nicht. Lächerlicherweise schon nicht, weil sie ganz kurz sind. Auf das Ganze paßt es überhaupt nicht. Ich halte es für ein realistisches Stück. Aus den Tafeln des Bauern-Breughel habe ich mehr herausgeholt dafür, als aus den Abhandlungen über Realismus.« An anderer Stelle dieses Aufsatzes verteidigt Brecht den *Ulysses* von Joyce gegen die banalen Vorwürfe der Pornographie, der krankhaften Freude am Schmutz, der Überbewertung von Vorgängen unterhalb des Nabels, der Unmoral usw.; die Polemik seinerzeit ging vor allem gegen das technische Mittel des inneren Monologs, und Brecht zeigte – wohl zum ersten Mal in der marxistischen Literaturdebatte –, daß es keine eo ipso belasteten technischen Mittel gibt. Er sagt: »Daß Tolstoi so etwas anders gemacht hätte, ist ja kein Grund, die Art, wie Joyce so etwas machte, abzulehnen.« Und er erinnert daran, daß zum Beispiel als Mittel der innere Monolog sich etwa bei dem antifaschistischen deutschen Schriftsteller Kurt Tucholsky großer Beliebtheit erfreute.
Wir wissen inzwischen, daß Brechts Werk innerhalb der marxistischen Ästhetik und Praxis auf vielerlei Weise einen Ausnahmefall bedeutet, daß er jahrzehntelang abgelehnt wurde und noch heute beispielsweise in der Sowjetunion kaum gespielt, jedenfalls nicht anerkannt ist. Auch die Tatsache, daß ausgerechnet Korsch bis zu seinem Tode von Brecht als Lehrer genannt und akzeptiert wurde, ist in diesem Zu-

sammenhang wichtig. Die berühmte Antwort auf Dürrenmatts Frage[11], ob die heutige Welt noch auf dem Theater darstellbar sei – »Ja, als eine veränderbare« –, ist doppeldeutig und in der Tradition des Korschschen Denkens gegeben: Notwendig veränderbar war für Korsch ja auch der Marxismus in all seinen Benennungen und Institutionen. Die Arbeit verschiedener marxistischer Theoretiker in Europa schloß sich an dieses Konzept an. Aber die Reaktion der Ostberliner Ideologen war eher panisch. Nicht erst jetzt, nach der Invasion der CSSR und nachdem Kulturminister Klaus Gysi auf einer Staatsratssitzung am 18. Oktober triumphierend den Bankrott der Revisionisten Goldstücker und Svitak, Havemann und Biermann verkündete, sie »geistig geschlagen und isoliert« nannte, sondern schon im Sommer 1968 lief eine wahre Kampagne, die ein mögliches Buschfeuer im Keim ersticken, zumindest regulieren sollte. Auf ›Schrittmacherkonferenzen‹, in Fortsetzungsfolgen des *Neuen Deutschland* zur ›sozialistischen Kulturpolitik‹, in Referaten und ›Thesen zur Gesellschaftsprognostik‹ und schließlich auf dem Philosophenkongreß sollten augenscheinlich drei Themen eingekreist oder, anders ausgedrückt, drei Gefahren gebannt werden:

Erstens: Sozialistische Kultur ist ein Gesamtphänomen, unter Einschluß a l l e r Lebensgebiete. ›Schrittmacher der Kultur‹ sind auch ›Schrittmacher der Arbeit‹. Literaturwissenschaft ist, etwa nach Werner Mittenzwei, Teil der Gesellschaftsprognose. Schon vor einem Jahr löste der Leipziger BGL-Vorsitzende Kurt Kittler mit seiner Frage, »wieweit Kunstgenuß zum Parteileben und Kultur überhaupt zu unserem Alltag gehöre«, eine monatelange Diskussion aus, die schließlich auf dem VII. SED-Parteitag eine vorläufige Antwort fand: die Zeit sei gekommen, jetzt ein für allemal die Anerkennung der Kultur als eines entscheidenden Hebels für die gesamte sozialistische Entwicklung durchzusetzen.

Das *Neue Deutschland* schrieb in einem späteren Kommentar: Unter den zehn grundlegenden Anforderungen, die im Staatsratsbeschluß an die sozialistische Kulturpolitik heute gerichtet werden, steht an erster Stelle die Aufgabe, bei der Gestaltung des entwickelten gesellschaftlichen Systems des Sozialismus alle Lebensbereiche mit sozialistischer Weltanschauung und Kultur so zu durchdringen, daß die reichen geistigen, sittlichen und emotionalen Werte der sozialistischen Menschengemeinschaft zur Formung sozialistischer Persönlichkeiten fruchtbar werden.

Die permanente Betonung des ›Gesamtcharakters der sozialistischen Kultur‹ gleicht einer Denunziation der Bemühungen um neue sozialistische Konzepte, wie sie von Autoren wie Ernst Fischer, Roger Garaudy, Kolakowski, Adam Schaff und von Svitak vorgetragen werden. Selbst Zwinkersignale wie Vaclav Havels Stücke bleiben in der DDR unbeachtet, werden nicht aufgeführt. Kurt Hager[12] wandte sich ausdrücklich gegen solche neuen Modelle: »In jüngster Zeit werden unter dem Deckmantel eines angeblich ›modernen Marxismus‹ von dem österreichischen Publizisten Ernst Fischer und anderen solche Theorien und Konzeptionen vertreten, die weit entfernt sind von den Grundsätzen des Marxismus-Leninismus und seiner Philosophie. Bei den ›modernen Marxisten‹ kommt jedoch die Arbeiterklasse höchstens als Objekt der Geschichte vor, während sie der Intelligenz, besonders den Schriftstellern, die Rolle des eigentlichen oder potentiellen Machtfaktors zuweisen. Dies soll angeblich vor allem für den Sozialismus gelten.«

Dabei taucht der stetige Widerspruch auf, daß einerseits eine ›intellektuelle Vorhut‹

durchaus wichtig ist, sie andererseits vollständig integriert werden soll. Der Staatsrat gab dem in Beschlußform Ausdruck und dekretierte: Zentrales prognostisches Ziel jeder kulturellen und künstlerischen Tätigkeit ist der sozialistische Mensch und seine Gemeinschaft, deren Züge sich schon heute bei den fortgeschrittensten Schichten der Arbeiterklasse, der Genossenschaftsbauern und der Intelligenz ausprägen.
Und Kurt Hager verwarnte noch einmal die Vorhut, nicht zu sehr Vorhut zu sein, sich gleichsam nicht der Entfernung von der Truppe schuldig zu machen: Die philosophischen Anschauungen von Marx gipfelten in dem Nachweis, daß gesellschaftlicher Fortschritt, Freiheit und Humanismus nur durch die revolutionäre Arbeiterklasse verwirklicht werden können. In dem beschworenen Gesamtzusammenhang nun steht die Literatur, die Kunst allgemein als Teil der wissenschaftlichen Prognostik.
Das ist das zweite Thema, dem neuerdings viel Platz eingeräumt wird. Es hängt zusammen mit dem dritten Problemkreis, der ›Konvergenztheorie‹, die als ›Leitbild imperialistischer Ideologie‹ in großen Aufsätzen diffamiert wird. Es handelt sich um eine Art technologischer Variante der Idee von der – im Osten desavouierten – ideologischen Koexistenz. In Westeuropa und vor allem in den USA gibt man immer mehr dem Gedanken Raum, daß eine neu konzipierte, technologisch durchrationalisierte Welt ideologische Unterschiede einfrieren, gar einebnen wird. Der französische Germanist Pierre Bertaux sagt: Die Maschinen sind ganz unparteiisch; für sie sind Ost und West, Links und Rechts, Kapitalistisch oder Kommunistisch keine Begriffe, mit denen sich arbeiten ließe. Am Ende ergibt sich die Liquidierung der großen Polarität, welche die Geschichte der Welt heute beherrscht.
Und Carl Friedrich von Weizsäcker äußerte schon 1963 in der Paulskirche ähnliche Gedanken: Das moderne Problem heißt: Freiheit und Planung. Moderne Industriegesellschaften wie einerseits die der Atlantischen Nationen, andererseits die der Sowjetunion werden einander unmerklich immer ähnlicher; dies geschieht unter der Decke widerstreitender Ideologien und echter Gegensätze politischer Gewohnheiten und politischen Gefühls. Die technischen Notwendigkeiten erzwingen ein weitgehend geplantes Leben, und mit dem oft kaum erkennbaren Zwang, mit ökonomischem Druck werden die Menschen dem Plan eingefügt.
Dieser Friede durch Technologie wird allerdings nicht immer so harmlos friedfertig formuliert. Schon das 1960 erschienene Buch *Stadien wirtschaftlichen Wachstums* W. W. Rostows, 1961 bis 1966 Chef des Planungsstabs des US State Department und späterer Berater Präsident Johnsons, trug den Untertitel »Ein nichtkommunistisches Manifest«. Und die Theorien Zbigniew Brzezinskis klingen zwar sensationell, aber gewiß nicht fortschrittlich im marxistischen Sinne: Brzezinski prägt den Begriff des technotronischen Zeitalters, in das Amerika bereits eingetreten ist, und zwar in einem Ausmaße, das die europäischen Staaten nicht einmal zu ahnen scheinen; er geht so weit festzustellen, daß die USA und Europa nicht mehr im selben historischen Zeitabschnitt leben. Gerade seine gewisse Nähe zum sowjetischen Bildungsideal – er spricht von einer meritocratic democracy – muß natürlich Sozialisten und Marxisten im dogmatischen Sinn Sorge bereiten, wenn man bedenkt, daß sich ja auch der Sozialismus als Gesellschaft versteht, in der jeder seinen Leistungen entsprechend lebt. Doch sichert dieses Prinzip Hoffnung, diese technisch fabrizierbare Wirklichkeit, die geeignet wäre, jede ideologische Utopie abzulösen, nach

Brzezinskis Gedanken, den USA immer noch einen Vorsprung: Nicht nur arbeiten 75 Prozent aller Computer auf der Welt in den USA, nicht nur kontrollieren amerikanische Firmen 80 Prozent der europäischen Computerindustrie, 90 Prozent der mikroelektronischen Industrie und fast 100 Prozent der Laser-Herstellung, sondern Amerika hat heute dreieinhalbmal soviel Wissenschaftler und technische Forscher wie die Sowjetunion, und es gibt dreieinhalbmal soviel für die Forschung aus wie die Sowjetunion. Trotzdem gibt er der Theorie Raum, daß sich von den drei Großmächten der Zukunft zwei – Sowjetunion und USA – zusammenschließen und die dritte – China – isolieren werden; er nimmt Bezug auf die Lin-Piao-These, daß Amerika und Europa sich als die Städte der Welt zusammenschließen, während Asien, Afrika und Lateinamerika die Agrargebiete der Welt bleiben werden. Das ist natürlich ein Status-quo-Denken, was die Aufteilung der Güter dieser Welt beziehungsweise die Fixierung des Verhältnisses der ›have and have nots‹ betrifft.

Prompt wandte sich Kurt Hager auf dem philosophischen Kongreß auch speziell gegen Brzezinski: Die Gleichsetzung der Widersprüche des Kapitalismus und des Sozialismus mit dem Begriff ›moderne Gesellschaft‹ ist zugleich eine besondere Variante der sogenannten Konvergenztheorie, die behauptet, daß sich auf Grund der wissenschaftlich-technischen Revolution Kapitalismus und Sozialismus immer ähnlicher werden und schließlich eine einheitliche Industriegesellschaft mit gleichartigen Problemen entsteht. Allerdings haben die Berater des amerikanischen Präsidenten, die diese Theorie vor allem entwickelten, Brzezinski und Huntington, nicht verschwiegen, daß eigentlich nur eine ›Veränderung‹ der Welt in der Weise beabsichtigt ist, daß die sozialistische Gesellschaftsordnung, die sozialistische Völkergemeinschaft sich ›ändern‹, ja ›beseitigt‹ werden soll.

Andererseits weist ein großer Aufsatz in der Ostberliner Wochenzeitschrift *Der Sonntag*, die eine ganze Nummer dem Thema *Konvergenztheorie* widmete, auf mögliche echt demokratische Annäherungen hin, auf einen eventuellen Dialog, der die Probleme der Automation und des Umsteigens ins 21. Jahrhundert einer gemeinsamen Untersuchung reserviert. Helmut Gollwitzer hat ja jüngst auf einem der Bergedorfer Gespräche solche Möglichkeiten angedeutet, als er betonte, man möge »die Welt drüben nicht primär als die des Feindes sehen, sondern als einen Teil der einen Welt des 20. Jahrhunderts, ohne die wir nicht leben können« und die für drei Grundprobleme unseres Zeitalters eventuell bessere Lösungen bietet: erstens für die Regelung des Verhältnisses von Produktion und Konsumtion, zweitens für die innere Beheimatung des Menschen in der Gemeinschaft und drittens für die Bewältigung von Rüstung und Krieg.

Der generelle Widerspruch – und die aggressive Angst vor der Konvergenztheorie, der technologischen Koexistenz also – liegt darin, daß Amerikas Traum vom technotronic age im Osten als eine neue Kolonisationstheorie gesehen wird; daß Entwicklung ohne humane Mutation, also Entwicklung, die nicht auf den Sozialismus im klassisch-ideologischen Verständnis zugeht, nicht akzeptiert werden kann. Daher auch die Verbindung zur Kulturdebatte. Der Leiter der Abteilung Kultur beim FDGB-Bundesvorstand griff wohl auch deshalb in die Debatte ein: »Nach vorliegenden Erfahrungen führen auch die völlige Umstellung eines Betriebes auf moderne Fertigungsverfahren und Automatisierung ganzer Abteilungen nicht zwangsläufig

zur Vernachlässigung des kulturellen Lebens. Das Rationelle, die nüchterne Logik der Automatisierung wirkt sich nicht nachteilig auf das musische Klima im Betrieb aus. Bei kluger Leitung gingen die Automatisierung und komplexe sozialistische Rationalisierung einher mit Maßnahmen für eine wohldurchdachte Produktionskultur, die optimale Bedingungen für die schöpferische Arbeit gewährleistet, und mit der Bildung verschiedener neuer Interessengemeinschaften und Zirkel und vielfältiger Vortrags- und Veranstaltungstätigkeit.« Der westlichen Konzeption vom reinen Modell des technisch Möglichen, ohne Beachtung des gesellschaftlich Wünschenswerten, steht die östliche gegenüber, die in ideologischer – sogar künstlerischer – Aufweichung den Beginn einer ›Marshallplanisierung‹ sieht. Die Angriffe auf die tschechoslowakische Entwicklung hängen mit dieser Furcht vor einem kombinierten ideologisch-technologisch-politischen ›Rollback‹ zusammen. Das wird in der Analyse des *Sonntag* exakt formuliert: »Natürlich gibt sich die imperialistische Bourgeoisie nicht mit der Produktion von ideologischen Leitbildern und Pseudoperspektiven zufrieden. Die praktisch-politische Funktion der Konvergenztheorie besteht darin, daß sie konzeptionelle Grundlagen für die imperialistische Globalstrategie liefert. Denn ihre ›Beweisführung‹ läuft darauf hinaus, die ersehnte ›Transformation‹ des Sozialismus durch eine gezielte ökonomische, politische und ideologische Einwirkung auf die sozialistische Welt zu beschleunigen und in die gewünschte Richtung einer ›Entideologisierung‹, ›Liberalisierung‹, ›Konsumorientierung‹ und ›Verbürgerlichung‹ zu lenken. Damit leitet die Gesellschaftsinterpretation in die Prognose über; die Prognose fließt in die außenpolitische Strategie der imperialistischen Mächte gegenüber der sozialistischen Welt ein.«
Interessant ist, daß die Tabuierung literarischer Mittel bis heute in der Ästhetik-Diskussion eine Rolle spielt. Der Begriff der Satire beispielsweise wird generell mißverstanden als eine leichtere Nuance der gesellschaftlichen Attacke, wird also nur benutzt für die Anti-Figur. In einer großen Studie über die Satire im sozialistischen Roman, die die Zeitschrift *Sinn und Form* im Jahre 1965 veröffentlichte,[13] wird der Begriff der Satire eingeengt als Möglichkeit des negativen Charakteristikums des Anti-Helden beziehungsweise der Anti-Figur. Alle Beispiele dieser Arbeit zeichneten nur Negativklischees nach, d. h. daß Satire nur verstanden wird als Charakteristikum beispielsweise des westlichen Menschen, um ihn innerhalb eines sozialistischen Romans zu degradieren. Auf diese Weise bleibt das epische Mittel der Satire nur ein Appendix. Es ist gleichsam eine Außenseitersatire, weil die meisten der Autoren die Welt, deren Attribute hier verteilt beziehungsweise karikiert werden, gar nicht mehr kennen. Dies ist einer der Gründe, warum satirische Gestalten oder Charakteristika in neueren Romanen der DDR-Literatur eher läppisch wirken. Das Mißverständnis Satire = feindlich erlaubt dem sozialistischen Autor nicht, seine eigene Umwelt, die eben zu bejahende Realität, satirisch anzugehen.
Diese Diskriminierung bestimmter literarischer Mittel werden wir vor allem bei der Debatte um die jüngere Lyrik beobachten können. Das Verrinnen aber interessanter Erzählerbegabungen unter diesen Umständen zeigen vielleicht am deutlichsten die beiden Beispiele Anna Seghers und Arnold Zweig.

Anna Seghers hat in der DDR nie mehr zu ihrer früheren spröden, holzschnittartigen Prosa zurückgefunden. Die beiden wichtigen Erzählungen, die ein Nachkriegs-

datum tragen, nämlich *Die Hochzeit auf Haiti* (1948) und *Wiedereinführung der Sklaverei in Guadeloupe* (1948), bedienen sich fremder Kulisse, fremder Realität. Was bei Brecht China oder das Mittelalter waren, sind nun bei der Seghers Mexiko oder Haiti. Es ist Literatur aus der Erinnerung an das Abenteuer und aus der Phantasie einer Demokratie. Typischerweise spielt auch eine der besten Erzählungen der Seghers überhaupt, *Der Ausflug der toten Mädchen*, in ihrem Exilland Mexiko, obwohl es ihre einzige Ich-Erzählung ist. Ihre Helden in all diesen Prosatexten, auch in *Das Ende* (1945) und *Crisanta* (1950), heißen nicht Schmidt oder Lehmann oder Schulz, sondern Debuisson oder Sas Portas oder Toussaint. Sie reiten und liegen in einer Hängematte statt mit der U-Bahn zu fahren oder in einem Mietshaus zu wohnen. Es stellt sich mit anderen Worten aus dem Sprach- und Erlebnismaterial der Seghers bis tief in die Zeit der DDR hinein eine gänzlich andere Realität her; der erste große Versuch mit dem 1959 erschienenen ersten Teil ihres Romans *Die Entscheidung*, der neuen sozialistischen Wirklichkeit gerecht zu werden, scheiterte. Die überzeugende Stärke der Dichterin, Menschen bei ihren einfachsten Verrichtungen zu zeigen und durch einen fast simplen Stakkatostil zu kennzeichnen – man denke an den Beginn der Erzählung *Die Ziegler*, in der jeder Satz der ersten Seite mit ›Sie‹ und einem folgenden Verb beginnt –, ist von Pathos und Aufschwung verdrängt worden.
In ihrem 1966 herausgegebenen Erzählungsband *Die Kraft der Schwachen* spielt wiederum nur eine der neun Erzählungen in der DDR – man fragt sich, ob hier nicht eine Art umgekehrter Projektion, also Anverwandlung des Gestaltbaren in die Historie, stattgefunden hat wie zuvor in die Zukunft. Die Trockenheit, die früher das hervorstechende Merkmal der großen Prosa von Anna Seghers war, rutscht hier ab ins Plärrende. Der Ernst verbleibt dem Inhalt des Erzählten, die Sprache schleift, hängt durch, ist unernst. Zweifel, Angst oder Mißtrauen, Gefahr und Bedrohung werden stets malerisch deutlich gemacht. Das Vokabular dieser Erzählerin besteht plötzlich aus Farbräuschen: Rot-Gold, Grün-Gold, Tot-Grau, Tot-Violett, Grau-Violett, Golden-Violett, Grünlich-Silbrig, ›verblaßte Sterne‹, ein ›unermeßlicher Himmel‹ und eine Sonne, ›strahlend wie durch Kristall‹ – das ist das epische Material einer einst zuchtvollen Erzählerin, die jetzt Emotionen, politische Erkenntnisse und Geschichte zusammenraffen will, statt sich auf konkrete Beobachtung zu stützen, statt Vision und Begreifen nicht aus dem Begriff, aber aus Tasten, Schmecken und Sehen zu filtern. Die Arglosigkeit geht so weit, daß ausgerechnet Anna Seghers den legitimierend-harmlosen Ausdruck von Hitlers ›Machtantritt‹ benutzt, als habe da jemand nach erfolgreicher Bewerbung eine ihm zustehende Stellung angetreten.
Von Arnold Zweig erschien 1954 sein Buch *Die Feuerprobe* bereits nicht mehr als eigenständiger Roman, sondern als Variation des Themas seines 1935 geschriebenen Romans *Erziehung vor Verdun*; Zweig, fast blind, ließ sich den Roman noch einmal vorlesen und »prüfte sein Weltbild von 1930 an dem heutigen und hob viele Bereicherungen ins gestaltende Bewußtsein«. Und sein letzter Roman, *Traum ist teuer* (1962), ist nicht mehr als eine Paraphrase auf frühere Konstruktionen und epische Überlegungen: Die Fabel ist nicht mehr als ein Vorwand für Abhandlung und Belehrung. Ein nach Israel ausgewanderter deutscher Jude, zuvor in Berlin als Psychotherapeut tätig, wird medical orderly der britischen Armee in Israel. Zur Betreuung, eher Überwachung, übergibt man ihm einen Fall. Der griechische Leutnant Kephalides hat Vorgesetzte geohrfeigt und muß entweder vors Kriegsgericht oder

ins Irrenhaus. Die bewährte (bewährt als Romanapparatur im *Grischa*) Maschinerie eines militärischen Verwaltungsapparates setzt sich in Bewegung. Offenbar wollte Zweig das Geschick der Emigration, ihre Belastung bis in Liebe und Ehe hinein schildern und gleichzeitig ein Exempel vom Überleben statuieren. Aber dieser Traum ist zu teuer, denn beides vermittelt der Roman nicht. Das Buch wurde eine Anhäufung von Klischees und Ressentiments und präsentiert sich in der Sprache durchschnittlicher Unterhaltungsliteratur.

Schlimm ist, wenn das nun, da ja von weithin respektierten Schriftstellern stammend, bereits zum Muster wird, zu neuer Tradition also. Bis in den Titel hinein charakteristisch für diese unkünstlerische Prosakonzeption ist der vorläufig zweibändige Roman des 1927 geborenen Dieter Noll, *Die Abenteuer des Werner Holt* (1960/63). Es ist der Versuch, den deutschen Entwicklungsroman um eine gesellschaftlich-verbindliche Variation zu bereichern. Werner Holt, Sohn eines Chemieprofessors, der sich früh weigerte, die Gasformeln für die IG zu entwickeln, die man für spätere Arbeit in Auschwitz benötigte, und einer mondänen, von ihrem Mann geschiedenen Mutter, treibt durch den Krieg. Ein guter Entwurf, der über Remarque und bei Glück und Kunstverstand über Norman Mailer hätte hinausgehen können. Noll schickt seinen Helden durch alle Höllen der Brutalität, bis aus dem kriegsbegeisterten Pimpf der heimatlose Heimkehrer geworden ist, der dann im zweiten Band wieder zickzack durch Städte und Dörfer aller Besatzungszonen des Jahres 1946 irrt auf der Suche nach Sinn und Identität. Dabei geschieht etwas Typisches: Der Autor stellt nicht einen Moment sich selbst, seine Position als Erzähler in Frage – er ist allwissend. Es gibt aber heute kein sicheres Mittel, um die Ehrlichkeit eines solchen Themas zur Banalität zu reduzieren. Die Identität des Berichtenden mit dem zu Berichtenden – der Autor heißt Dieter Noll, der Held Werner Holt – ist sehr viel größer als in all den Ich-Berichten im Osten so verdächtiger Autoren wie Grass und Johnson.

Nun wissen wir zwar, daß in der jüngsten experimentellen Literatur Westdeutschlands das Ich wieder im Vordergrund steht; kaum ein Text, in dem die erste Person Singular des Personalpronomens nicht im ersten Satz auftaucht. Bei Jürgen Becker ist es immerhin erst das siebente Wort seines Buches *Felder*, in Heißenbüttels *Textbuch 4* das fünfte, in Enzensbergers *Landessprache* das dritte wie auch in Johnsons *Das dritte Buch über Achim*, in der *Blechtrommel* das zweite, und Gisela Elsner beginnt ihr Buch *Die Riesenzwerge* mit ›mein‹. Keines dieser Ich ist aber bloßer Ersatz; jedes vermittelt eine wie immer verstellte, blockierte Wirklichkeit. Die vollständige Identität von Autor und Held – sprich Buch – bei Noll dagegen ist undurchlässig für alles Unerwartete, Unwahrscheinliche, Überraschende – kurz für Realität. Sein Realismus transportiert kaum noch Wirklichkeit, sondern Details, sozusagen Beweise für Theorien. Und das Schlimme geschieht: Ein ehrlich gemeintes, offenbar zu guten Teilen aus eigenem Erleben geschaffenes Bild deutscher Wirklichkeit langweilt, da der Autor unentwegt weiß, was geschehen wird und geschieht; so weiß es der Leser natürlich auch. Ein tödlicher Determinismus, die Demonstration einer altbackenen, stets belehrenden Soziologie – ein Realismus ohne Wahrheit.

Wie im deutschen Barock die Lust an der Didaktik schließlich zu einer Schnittmusterbogenstarre führte, zu regelrechter Verfertigung von Gedicht und Drama, so verliert der Roman in der DDR zunehmend das, was ihn sonst eigentlich erst dazu macht:

Unvermutetes, Umvermutbares zu versinnlichen. Fabel statt Sprachleib, Theorie statt Bild, das sind die Strukturelemente dieser Prosa.
Ein Beispiel dafür ist auch Erwin Strittmatter, der nicht nur in der DDR als hoffnungsvollster Repräsentant einer sozialistischen Prosakunst galt und dessen Roman *Der Wundertäter* (1957) zweifellos einen phantasiestarken Erzähler versprach. Sein Roman *Ole Bienkopp* (1963) wurde zwar ein großer Bucherfolg in der DDR – der Grund für diesen Erfolg ist aber, daß er einen ideologischen, keinen künstlerischen Streit provoziert hat. Wer nur die Diskussion läse, müßte annehmen, der Autor hätte eine unbequeme Rede auf einem Bauernkongreß gehalten und erstmalig mutig auf Parteiirrtümer hingewiesen. Nirgends ist zu erkennen, daß hier ein Roman vorliegt. Überall da, wo Strittmatter sich als Schriftsteller spezifisch auszuweisen hätte, gähnen phrasenhafte Banalitäten.
Drei Jahre erschien nichts von Strittmatter, dann der *Schulzenhofer Kramkalender* (1966), ein schmales Bändchen, dessen Motto sozusagen im Text zu finden ist: »Mein Roman ist der große Bruder dieser kleinen Geschichten. Er ist eifersüchtig und stößt mich: immer die Kleinen.« Dieses Zwischenspiel, eine Prosa von spielerischer Leichtigkeit, ist ein rundum gelungenes, vergnügliches Büchlein, das Realität einmal ganz anders einzufangen sucht: nicht mit der Problemkralle des Disputanten, dem kämpferischen Elan des Inferioren. Die Parabeln, Skizzen oder Erinnerungen (vor allem die an Brecht) lesen sich wie die Prosa eines Lyrikers. Da ist manchmal Trotz, meist aber Humor, oft auch ein wenig Verzagtheit. Zum erstenmal beschleicht den Leser eines Strittmatter-Textes gelegentlich das Gefühl: Vielleicht kann der Mensch doch nicht alles. Strittmatters nächstes Buch nennt sich im Untertitel »Sechzehn Romane im Stenogramm«. Dieser neue Band, *Ein Dienstag im September*, ideologisch wie stilistisch sehr in der Nähe des *Schulzenhofer Kramkalenders*, sind eher zögernde, tastende, nahezu entgesellschaftlichte Etüden; bei diversen Vorabdrucken in DDR-Zeitschriften nannten sich die einzelnen Teile noch Erzählungen. Bereits dieses Definitivum hat Strittmatter aufgegeben – und diese bis in die Definition hineingetragene Ambivalenz prägt die Texte insgesamt: »Die Erde altert.« Es sind resignierende, müde gewordene, nachdenkliche Töne, die Strittmatter regieren, seine Situationen sind skizziert, und die Denkmechanismen seiner dünn gewordenen Figuren enden in der Konsequenz: »Er weiß nicht, was denken« (wie es über einen verliebten Soldaten heißt, der die frisch eroberte Lehrerin nach zwei Wochen Wartezeit verliert). Das Buch gibt Pastelle huschender Gestalten, zeigt Menschen in einer Bewegung des Auseinander-Driftens. Mit einer einzigen Ausnahme spielen sich diese sechzehn Szenen zwischen alten, müden, auseinandergehenden Menschen ab; meist ist der Tod das Ende.
Und der Landschaftskenner Strittmatter weiß natürlich, was das Reizwort ›September‹ evoziert, das die Titelerzählung einstimmt; offene ›herbstliche‹ Enden kennzeichnen fast alle Texte – ein Liebhaber verläßt die Seine nach nächtlichem Lager, der Bauer freut sich über die neue Magd (»Mit Hacheln im Haar«), aber seine Frau sitzt derweil beim Tischler auf dem Schoß, der Fleischermeister Boll wird nach durchzechter Nacht vom Zug überfahren, der trotz des Winkens mit zwei Fünfzig-Mark-Scheinen nicht hält, die Frau des Renommierprofessors, mitten in seiner Arbeit über den kollektiven Helden im zeitgenössischen Roman, läßt sich scheiden, und der Schlußdialog der unfröhlichen Saubohnenesser skandiert sich nicht mehr prall als ein

der Scholle naher Strittmatter-Text, sondern eher wie ein Biermann-Chanson: »Ja, so hängen wir uns doch auf, ja weshalb hängen wir uns dann nicht auf?«
Dieses Ausweichen – ist es eine neue Variante von Resignation? – kennzeichnet nun auf ganz und gar erschreckende Weise den neuen Roman von Rolf Schneider: *Der Tod des Nibelungen. Aufzeichnungen des deutschen Bildschöpfers Siegfried Amadeus Wruck, ediert von Freunden* (1970). Schneider, dessen erste Publikation 1958 ein Parodienbändchen *Aus zweiter Hand* war, hat seine literarische Kennerschaft und Bildung stilisiert zur Zitatenkoketterie, hat sich ins Elegante, Belesene, augenzwinkernd Andeutende geflüchtet. Fast hat man den Eindruck, daß er in rasendem Lauf vor etwas davonläuft und daß er nur immer bei sich selber ankommt. In der Skizze *W. zum Beispiel* des Bandes *Städte und Stationen in der DDR*, die bereits eine Paraphrase seines Romans *Tage in W.* (1966) ist, heißt es: »Die Beschreibung ist Zitat. Es entschuldigt nicht viel, daß sie ein Selbstzitat ist.« Mit diesem neuen Roman – vom Titel über den zu Thomas Mann hinüberschielenden Untertitel bis zur Konstruktions-›enteignung‹ von Ernst von Salomons damals origineller Fragebogenidee – ist ein ganz und gar synthetisches, ja kokettes Buch entstanden: Der Eingangsbrief an den Rowohlt-Verlag, der offenläßt, ob das Schneider-Manuskript nicht tatsächlich der Piper-Konkurrenz vorgelegen habe, ist so peinlich wie die von Seite zu Seite fast als Rätselspiel aufgegebenen literarischen Anspielungen, die an Tonio Kröger und Oskar Matzerath und Christa T. erinnern.
»Ich nahm die Nähnadel und stieß sie in die Mitte der Verfärbung. Die Nadel erwies sich als stumpf, die Haut als zähe. Ich mußte mehrmals drücken und stoßen, ehe ich ein dünnes Hautläppchen ausreißen konnte, das mir besseren Ansatz bot. Ich wühlte mit der Nadel in der entstandenen Öffnung, förderte winzigste Bräunlichkeit zutage, dazwischen quoll Lymphe. Blut erschien überhaupt nicht, am Anfang. Ich nahm die Schere und versuchte, die aufgewühlten Hautstücke abzutrennen. Sie entzogen sich biegsam der Scherenschneide. Ich versuchte die Hautläppchen mit den Vorderzähnen zu erfassen, wölbte ihnen mit den Fingern der rechten Hand die Haut entgegen, biß und nagte, riß an den Hauthaaren, faßte endlich die Haut und zog. Ein winziger Schmerz entstand, dem sofort Antwort wurde in Gedärm und Steißnerven. Als ich abließ, blutete die Hand. Ich leckte das Blut fort und wühlte wieder mit der Nadel, biß und nagte wiederholt, dann hatte ich den Leberfleck getilgt.«
Der Leser hat die Wahl – ist das von Gisela Elsner oder von Ror Wolf? Von Rolf Schneider ist es, sozusagen, nicht. Er hat eine so perfekte Pirouette drehen wollen, das Thema Faschismus-Antifaschismus, das in beiden Teilen Deutschlands wichtig ist, an Hand einer Kunstfigur noch einmal durchsichtig machen wollen – aber man sieht nichts, was man nicht schon gesehen hätte, und man liest nichts, was man nicht schon gelesen hätte. Der Trick, den verkitschten, kriecherischen, homosexuellen Nazibildhauer sprechen zu lassen (beziehungsweise schreiben zu lassen, denn er ist es ja, der den Fragebogen der Amerikaner im Internierungslager ausfüllt), hat Rolf Schneider selber die Sprache gekostet. Unüberlegtheit wie die »Boxcalffärbung eines Gesichts« – als sei Boxcalf eine Farbe und nicht eine Lederqualität – und schiefe Bilder wie »Da trat der halbnackte Leib ins Frühlicht, der dem Grafen Plettenberg gehörte«, das wird hier auf das Konto der Schreibunsicherheit eines bildhauerischen Möchtegerns gebucht. Es bringt aber das Konto Rolf Schneiders ins Debet.
Es ist der Ton von Schwermut und Vergeblichkeit, der auch das Buch eines jüngsten

Debutanten der DDR-Literatur prägt; der 1927 geborene Alfred Wellm hat mit seinem Erstlingsroman *Pause für Wanzka* gleichsam ein ›altes‹ Buch geschrieben. Verglichen etwa mit den westdeutschen Neuerscheinungen des Jahres 1970, mit Heißenbüttels selbstsicherer Klatsch-Collage, Wondratscheks modischer Wortkette, Jürgen Beckers an seiner Umgebung sich reibendem *Nachdenken über Jürgen B.* oder Uwe Johnsons eindringlicher Studie über Gewalt und Faschismus – verglichen also mit den verschiedenen Möglichkeiten, auf dem Umweg über moderne Prosa der Welt Erkenntnisse abzuzwingen, liest sich Wellms Buch wie unverfälschter Wilhelm Raabe. Zeit und Ort, das wird hier evident, sind nicht mehr identisch in Ost und West: Während hier vom politisch bewußten Protest bis zum konstruktiven Detail der Kunstprosa hin das Aufgeben des Individuums thematisiert wird, findet sich dort der herbstlich versponnene Klagesang über das aufgegebene Individuum. Bezeichnend schon die Themenwahl (die sich seit Jahren, ja Jahrzehnten in der deutschen Literatur nicht mehr fand): der alternde Lehrer, der – allen Widernissen zum Trotz – den begabten einzelnen fördert. Das war seit Hermann Hesse kein Sujet mehr. Und wie das *Glasperlenspiel*, so hat auch dieses sanfte, melancholische Buch, das mit erstaunlicher Stilsicherheit hergebrachte Erzählformen nicht variiert, aber ausbeutet, einen doppelten Schluß: Der in seinen Mathemathik-Wunderschüler vernarrte alte Lehrer wird vom Kollektiv für die Sorgsamkeit der Pflege dieses einen eher bestraft, das Rechengenie – sonst ungebärdig, eigenbrötlerisch und verträumt – soll nicht zur Oberstufe zugelassen werden; fast aufgesetzt (gar von einem Verlagslektorat ›empfohlen‹?) wirkt die ›Lösung Nr. 2‹, das schließlich positive Ende, die Intervention des berühmten Berliner Professors, der die Begabung erkennt und fördert.

Der Erzählhaltung – einer altdeutschen Freundlichkeit, einer individuellen Freundlichkeit eher im Sinne des klassischen Humanismus – entspricht der gesamte epische Apparat des Buches. Wenn nicht, sehr gelegentlich, ein Parteisekretär genannt würde oder die Kollegen sich (es klingt fremd und ›umgehängt‹ wie die Colombine eines Kostümfestes) mit ›Genosse‹ anredeten, dächte man einen klassischen deutschen Erziehungsroman zu lesen, mit der (für die DDR-Literatur inzwischen spezifisch gewordenen) Variante, daß Erziehung nicht nur in die Gemeinschaft hinein gerichtet zu sein hat, sondern daß Erziehung auch das Singuläre, Außer-Ordentliche, Sich-nicht-Einpassende zu fördern hat. ›Welt‹ wird nur gelegentlich, fast nebenbei, eingeführt, als Applikation eher denn als kausale Größe; die radikale, daten- und ziffernpräzise Weltgläubigkeit etwa Uwe Johnsons findet sich hier nicht, Stacheldraht oder 13. August bleiben Kulissenworte, beliebig verschieb- und verwendbar. Selbst der Beginn der Hitler-Herrschaft wird in einen Märchenton eingelagert:

»Es kam jenes Jahr, in dem der weiße Garten einen anderen Anstrich erhielt, eines Sonntags waren über zwanzig Kinder mit Pinseln und Gefäßen an dem langen Gartenzaun. Die Kinder hatten braune Hemden, und auch den Zaun strichen sie braun an. Zuvor war Rektor März fristlos aus dem Dienst entlassen worden, denn er war Sozialdemokrat...

Damals zogen wir zurück ans Haff. Der Heide lebte nun nicht mehr, doch wir zogen in dasselbe alte Fischerhaus... Wir zwei ruderten dann auf das Haff und nahmen Reusen auf und redeten über Atome und die Wissenschaft. Oder über den Professor Einstein, der nun nicht in Deutschland lebte. Anfangs kam Martin jede Ferien – ach, dies war eine gute Zeit!«

Die innere Emigration beim Haff und an den Reusen – der emotionale Wert von Huchels Gedichten stellt sich ein. Mehr noch: Das Wortmaterial, maschendicht, lagert die Geschichte gleichsam aus: Beinhosen, Limonadenwasser, Imbißstube. Und muß schon einmal die moderne Welt, etwa in Form eines Automobils, zur Kenntnis genommen werden, dann reagiert die Sprache eher abwehrend darauf: »Er dreht die Scheibe ein und läßt auswärts den Arm herunterhängen, das tut ihm gut.« Dieser Sprachgestus entspricht nun nicht nur einer inneren Haltung, sozusagen der epischen Moral des Buches, sondern auch dem ›Lokal‹: Dorf und Weiher und Angelpartien und stille Brücken über entlegenen Gewässern, auf denen einsilbige Gespräche geführt werden. Hier ist ein sonderbares Phänomen zu konstatieren: Die wahrnehmbare, ernstzunehmende Literatur der DDR – des achten Industriestaats der Welt – spielt sich nicht, auftragsgemäß, am Hochofen und im Elektrokombinat ab, sondern im soziologischen Kleinstorganismus. Von Strittmatters ›Einzelnem‹ Ole Bienkopp, der im Seeschilf verreckt, über des Buckow-Balladensängers »Ich bin der einzelne, das Kollektiv hat sich von mir isoliert« oder Christa T., die sich ein Haus am See baut, bis zu Karl Mickels ›See‹-Parabel von der Beziehung zwischen Individuum und Gemeinschaft und nun diesem nachdenklichen, traurigen Roman von dem Schuljungen aus dem Dorf Domjüch-Mühle, der Geige spielen konnte wie ein junger Oistrach und beim Dorfschuster das Träumen lernte (und das Sehnen nach Fernem und Unbekanntem): Hier findet ein Rückzug statt von der Welt. Wie ein Rezept für diese Literatur klingt ein Satz zu Beginn des Buches, in dem statt des zu vermutenden Wortes ›Wirklichkeit‹ ein anderes, moralisches (also subjektives) das Mittelachsenwort ist: »Die Phantasie, die kluge Gefährtin, bückt sich nach jedem Stück Wahrhaftigkeit, ehe sie sich an den Zauber macht.«
Und ein anderer Topos findet sich wiederholt in neueren Büchern der DDR: Reise. Das lakonisch Definitive westlicher Literatur, Faktizistisches gegenüber Psychologischem offenbar vorziehend, das sich bereits aus Titeln wie *örtlich betäubt, Jahrestage, Umgebungen* oder *D'Alemberts Ende* ablesen läßt, hat eine Gegen-Entsprechung in der DDR, deren Parallele absurderweise im amerikanischen Hesse-Mißverständnis zu erkennen ist; Reise und Landschaft titulieren die Fliehkraft des ›Aussteigens aus der Gesellschaft‹ von *On the Road* bis zu *Easy Rider* – und eine Fliehbewegung, ein Motiv des ›Nicht-zu-Ende‹ zeigen Titel wie *Der Weg nach Oobtiadooh, Nachdenken über Christa T.* oder auch dieses Buch, das eben nicht ›Wanzkas Ende‹ heißt und das den Untertitel »Die Reise nach Descansar« trägt. Einen Ort dieses Namens gibt es aber nicht – es ist eine Reise ins Nirgendwo.

Wir haben vorhin erwähnt, daß sich sehr gelegentlich ein Mauerspalt öffnet, der Subjekt und Subjektivität einläßt in den strengen Bau des marxistischen Kunstverständnisses. Fraglos ist es die Lyrik, die diese Chance am ehesten nutzt und wo, folgerichtig, auch das Interessanteste entstand. Der amerikanische Literaturwissenschaftler Leo Spitzer hat in seiner Untersuchung *Amerikanische Werbung verstanden als populäre Kunst* die Zusammenhänge zwischen der Arbeitswelt, die von der Sprache der Werbung unterschlagen wird, und dem Manierismus, etwa Gongoras, nachgewiesen. Diese Arbeit sei deshalb erwähnt, weil sie exakte Hinweise enthält, wie die lyrische Kurzchiffre gesellschaftliche Zusammenhänge, beispielsweise der modernen Industrieproduktion, zwar meint, aber nicht ausspricht. Auf andere Weise finden wir die Lyrik der DDR in dieser Situation, in der Situation eines Blinkfeuers, einer Geheimchiffre, eines Verständigungskassibers. Zuerst wurde man vor ein paar Jahren darauf aufmerksam, als Stefan Hermlin seine Lyrikveranstaltungen in der Ostberliner Akademie der Künste abhielt, wo Wolf Biermann zum ersten Mal auftrat und sang: »Ich bin der einzelne, das Kollektiv hat sich von mir isoliert.« Aber Wolf Biermann, dessen Bücher in der DDR verboten und verfemt sind und nur in Westdeutschland erscheinen konnten, bekennt sich gleichzeitig zum Kommunismus; viele andere Lyriker der DDR, vor allem der älteren oder mittleren Generation, beantworten diese Frage keineswegs zweifelhaft. Die Schriftstellerin Christa Reinig – die 1964 in die Bundesrepublik übersiedelte – schrieb noch in Ostdeutschland Gedichte, deren elegischer, ja klagend-verzweifelter Grundton unüberhörbar ist:

»Ich rufe den Menschen.
Antworte mir.
Ich rufe – es schweigt.
Nichts antwortet mir.«

Christa Reinigs Gedichte wie ihre Prosa sind doppeldeutige Texte. Unter den Worten liegen Motiv und Akkord verborgen, wird der Sinn aufgehoben im Hegelschen Doppelsinn von müßiger Vernichtung und Bewahrung:

»Mein tiefstes Herz heißt Tod.
Wenn das die Mörder wüßten,
wären sie es müde.«

Bei einem der wesentlichen Lyriker der DDR, wenn auch der früheren Generation, findet sich dann das totale Bekenntnis zu Elegie und Klage: Erich Arendts Position innerhalb der Literatur Ostdeutschlands ist auf vielerlei Weise einmalig. Seine ersten expressionistischen Gedichte erschienen im *Sturm*. Gleich 1933 ging er nach Frankreich und Spanien, nahm am Bürgerkrieg teil, emigrierte weiter nach Bogotá, von wo er schließlich, weißhaarig, 1950 nach Deutschland zurückkehrte, um sein schriftstellerisches Werk quasi hier zu beginnen, zuletzt mit den hervorragenden Übertragungen Nerudas, Albertis, Aleixandres und anderer lateinamerikanischer Dichter. Sein eigenes Werk ist eine insuläre Dichtung in des Wortes vieldeutiger Möglichkeit, der Gesang von den Sichelinseln des Mittelmeeres, aber auch von der Inseleinsamkeit, zu der der Mensch verurteilt ist. In seiner Dichtung fehlt das Jauchzen und die Lebenslust, das pochende, reißende Temperament, etwa von Nerudas *Großem Gesang*, oder die freundliche Geschmeidigkeit von Guillén – Arendts Identifikation mit der Trauer war immer vollständig. Sein Wortmaterial gibt stets dunkle Töne, ›Kummer‹ und ›Stein‹, ›Blindheit‹ und ›Leid‹, ›kalt‹ und ›hohl‹, ›Schwermut‹ und ›Vergeblichkeit‹:

»Dunkles Wehen der Netze
und der Nachtvogel schreit.
Leer ist von Dunkel gefegt
die schwarze Tenne der Sterne
der Mund des Lichts
verschloß sich der Welt.«

Am Verharren der beiden bedeutenden Lyriker der älteren Generation in der Elegie ist ablesbar, daß der freudige Aufbau-Song und das nett-lustige Schnitterlied doch schließlich keinen Eingang in die Literatur der DDR fanden: Huchels Werk steht zwischen ›Zeichen‹ und ›Psalm‹, Erich Arendt nannte eines seiner Poeme *Über Asche und Zeit.*

Man muß sich da einmal die Disparatheit der lyrischen Ausgangsposition zwischen Westdeutschland und der DDR vor Augen führen, um den schwierigen Anfang und die diversen inzwischen zu beobachtenden Entwicklungen in der DDR-Literatur genauer wahrnehmen zu können. In Westdeutschland gab es kaum eine Unterbrechung der Tradition der Innerlichkeit; Peter Rühmkorf hat in seiner *Lyrischen Bestandsaufnahme* (1962) einmal versucht, allein an den Titeln der frühen Nachkriegslyriksammlungen nachzuweisen, wie ungerührt und ungeschoren von aller Katastrophenstimmung in Westdeutschland weitergedichtet wurde: *Das Weinberghaus* (F. G. Jünger), *Die Silberdistelklause* (F. G. Jünger), *Alten Mannes Sommer* (Rudolf Alexander Schröder), *Abendländische Elegie* (Hans Carossa), *Irdisches Geleit* (Oda Schäfer), *Mittagswein* (Anton Schnack), *Die kühlen Bauernstuben* (Ernst Waldinger), *Der Laubmann und die Rose* (Elisabeth Langgässer). Dagegen begann in der DDR Kuba (Kurt Bartel) 1948 mit dem *Gedicht vom Menschen* eine andere Zeit nicht einzuläuten, sondern stürmisch anzukündigen. »Dies rebellierende Jahrhundert entbietet dem rebellierenden Jahrtausend Gruß.« Damit ist aber auch angekündigt, was sich mehr und mehr zum Stigma der Lyrik in der DDR entwickeln sollte: Ein lyrischer Innenraum konnte sich nicht entwickeln. Klage, Verzweiflung oder Einsamkeit sollten nicht Ausdruck finden. Ein besonders spezifischer Fall für diese Situation ist das Werk und die Person Günter Kunerts. Weniger und weniger klang optimistisch, was dieser seit 1950 publizierende Lyriker zu sagen hat, den einst Johannes R. Becher lobte und der in seiner Ballade *Wie ich ein Fisch wurde* klagt:

> »Denn aufs neue wieder Mensch zu werden
> wenn man's lange Zeit nicht mehr gewesen ist
> das ist schwer für unsereins auf Erden
> weil das Menschsein sich zu leicht vergißt.«

Prompt meldeten sich Einwände der offiziellen Literatur-, besser gesagt: Ideologie-Kritik, die ihn scharf attackierte und feststellte, daß sich in den letzten Jahren mehr und mehr Widersprüche im Werk Günter Kunerts zeigten, daß er den sozialistischen Aufbau nicht mehr gestalte, sondern sich zurückziehe auf die erste antifaschistische Phase der Entwicklung in der DDR, daß immer dort, wo das Leben der DDR gespiegelt wird, es aus dem Blickwinkel des Noch-nicht-Erreichten, des Noch-Bedrohtseins geschehe. Vor allem die Ballade *Wie ich ein Fisch wurde* zeige die Stellung des Menschen in der Gesellschaft der DDR verzerrt, und ein Mitglied des Politbüros der SED rügte zwei Fernsehfilme Kunerts, die nicht gesendet wurden (*Fetzers Flucht* und *Monolog für einen Taxifahrer*), besonders hart: »Beide Filme sind durchdrungen von einem tiefen, unserer sozialistischen Weltanschauung fremden Skeptizismus gegenüber dem Menschen und seiner Fähigkeit, die Welt und dabei sich selbst zu verändern.« Besonders wendet sich der kommunistische Funktionär gegen einen Satz des Taxifahrers, der, als er Streit mit einem Fahrgast bekommt und ihn melden will, denkt: »Melde, Mensch, immer melde. Ein Volk von verhinderten und nicht-

verhinderten Polizisten, das sind wir und sind wir schon immer gewesen. Heil uns.«
Es darf nicht wundernehmen, wenn Kunert seine eigene, persönliche Situation nach diesen scharfen Attacken höchster Parteiinstanzen noch mehr resignierend zusammenfaßt mit einem Fünfzeiler, den er ironisch *Unterschiede* nennt und der wohl als die bitterste Summierung der Erfahrungen eines Autors in sozialistischer Umgebung bezeichnet werden darf:

»Betrübt höre ich einen Namen aufrufen:
nicht den meinigen.
Aufatmend
Höre ich einen Namen aufrufen:
nicht den meinigen.«

Die Situation eines Autors in der staatlich verwalteten Welt, der betrübt den Aufruf seines Namens vermißt, glaubend, Ehrungen und Preise würden verteilt, und der aufatmend das Nicht-Aufrufen seines Namens registriert, als es sich zum Bösen wendet, zum Verteilen von Tadel und lebensgefährdender Kritik – diese Situation hat in dem Fünfzeiler wohl ihren präzisesten, verzweifeltsten Ausdruck gefunden. Auch die jüngst in der DDR entflammte, von der Partei gesteuerte Diskussion[14] über neue Ausdrucksformen der Lyrik wandte sich wieder Kunert zu. Auf Fragen der Ostberliner Studentenzeitschrift *Forum*, ob die neue Stellung des Menschen in der durch die technische Revolution herbeigeführten sozialistischen Gesellschaft zu strukturellen Veränderungen der Lyrik führe oder welche Wirkungen der Autor innerhalb einer sozialistischen Gesellschaft von sich selber erwarte, antwortete Kunert: »Mir erscheint als bedeutendste technische Revolution, nicht ganz im Sinne Ihrer Frage, die Massenvernichtung von Menschen, das möglich gewordene Ende allen Lebens. Ich glaube, nur noch große Naivität setzt Technik mit gesellschaftlich-humanitärem Fortschreiten gleich.«[15] Und als Kunert auf Bitten derselben Zeitschrift ein Gedicht *Notizen in Kreide* schickte, war die Redaktion endgültig entgeistert, denn das Gedicht endete:

»Glücklich, wer am Ende mit leeren Händen dasteht,
denn aufrecht und unverstümmelt da sein ist alles.
Mehr ist nicht zu gewinnen.«

Die Redaktion fügte dem Abdruck sofort einen Angriff hinzu, demzufolge solche Gedichte mit an der Entmachtung, ja an der Zerstörung der Vernunft arbeiteten. Aber wichtig ist, daß es inzwischen auch Literarhistoriker und Literarkritiker (z. B. Dieter Schlenstedt, Horst Haase) gibt, die diese jüngeren Autoren zu verteidigen bereit sind. Das ist keineswegs nur wichtig innerhalb der akuten Debatte, sondern innerhalb eines Prozesses, der ganz offenbar auch ein Umdenken und Neuordnen bisheriger theoretischer Positionen mit sich bringt. Der Strukturalismus nämlich wendet sich entschieden vom moraltheologischen Verständnis des Marxismus ab und bringt neue Denkkategorien. Wie im Westen Sartres wertgebundene Existentialphilosophie von Claude Lévi-Strauss oder Michel Foucault attackiert wird, so beginnen auch im Osten neue Denkweisen und Modelle zur Analyse das ganze Gebäude der Kategorien zu zersetzen. Der junge Mitarbeiter der Ostberliner Akade-

mie der Wissenschaften (Leiter der Arbeitsstelle Strukturelle Grammatik) Manfred Bierwisch hat mit seinen Untersuchungen[16] dem literarischen Verständnis offenbar neue Wege gewiesen. Die nüchterne Strukturanalyse, die Belehrungsinhalte vorerst dementiert, statt dessen sprachliche Grundmuster, Redeweisen und allenfalls gemeinsame Modelle überprüft, muß quasi automatisch eine kühlere, nüchternere, am Formalen mehr interessierte Ästhetik zur Folge haben. Gleichsam eine Kybernetik der Literatur. Dieser Einfluß kann nicht hoch genug veranschlagt werden und berechtigt zu der Hoffnung, daß sich entgegen der leerlaufenden Variationsästhetik des Bürgertums eine sinnvolle, echt progressive Kunstlehre des Marxismus entwikkeln kann.
Und tatsächlich entbrannte auf Grund der Gedichte von Kunert und nach der Publikation einer von den DDR-Lyrikern Adolf Endler und Karl Mickel herausgegebenen Lyrikanthologie eine Diskussion, wie es sie bisher in der DDR noch nicht gegeben hatte, so grundsätzlich, aber auch so kenntnisreich. Bereits in der Vorrede zu ihrer Anthologie *In diesem besseren Land* (1966) wehrten sich die Herausgeber gegen die mögliche Hoffnung, hier läge ein Handbuch der DDR in Versform vor, und betonten ihre nicht kleine Unduldsamkeit gegenüber Halbfabrikaten und ihre Sicherheit, daß auf diese Weise ein Buch entstanden sei, das Maßstäbe zu setzen imstande ist und das durch die Art der Bereitstellung konkreter Beispiele die Frage nach der Qualität des Gedichtes beantworten hilft. Mit großer Verstörung nahm die offizielle Literaturkritik in der DDR wahr, daß sich etwas Bedrohliches, Gefahrdrohendes, Schreckliches, Unheimliches, Erstickendes und Tödliches in die lyrische Bildsprache der DDR-Schriftsteller dränge. Besonderen Anlaß zu dieser vergleichsweise katastrophalen Schlußfolgerung gab Karl Mickels Gedicht *Der See*, das so endet:

»Also bleibt einzig das Leersaufen
Übrig in Tamerlans Spur, der soff sich aus Feindschädel-
Pokalen eins an (›Nicht länger denkt der Erschlagene‹,
Sagt das Gefäß, ›nicht denke an ihn!‹ sagt der Inhalt).
So faß ich die Bäume (›Hoffentlich halten die Wurzeln!‹)
Und reiße die Mulde empor, schräg in die Wolkenwand
Zerr ich den See, ich saufe, die Lippen zerspringen
Ich saufe, ich saufe, ich sauf – wohin mit den Abwässern!
See, schartige Schüssel, gefüllt mit Fischleibern:
Durch mich, durch jetzt Fluß inmitten eurer Behausungen!
Ich lieg und verdaue den Fisch.«

Zum Verdruß der Funktionäre wurde ausgerechnet diesem Gedicht die ausführlichste Aufmerksamkeit zuteil. Die Zeitschrift des Schriftstellerverbandes veröffentlichte beispielsweise eine Strukturanalyse[17], die das Baumuster und die einzelnen Elemente sehr gründlich untersuchte, die notwendige Übersteigerung eines Ich, um Mittler zwischen Leib und Natur (also Gesellschaft und Realität) sein zu können; die vorgebliche Großspurigkeit, ja Gewalttätigkeit, die gebraucht wird, Natur zu ändern – also einen See auszusaufen (oder zum Beispiel das Atom zu spalten); die Betonung des Menschen im Ablauf der Geschichte, ob ihr zum Heile oder unheilvoll, wie Tamerlan der Schreckliche, der aus Feindschädeln trank.

Wenn wir vorhin betonten, daß Robert Havemann die dialektische Beziehung von Zufall und Notwendigkeit, von Geschichte und Persönlichkeit neu fassen wollte – nicht zuletzt unter dem Eindruck der offenbar gewordenen Kriminalität Stalins –, so sehen wir hier, kaum zwei Jahre später, ein groß konzipiertes, gelungenes Gedicht, das diesem Gedanken bereits Form und damit andere Wirkung gab.

Damit auch, ohne Frage, hängt zusammen, daß mehr oder weniger offen die Schriftsteller Konfliktstoff in der DDR als Prozesse auffassen, sogar in der Lyrik, etwa Erich Arendts Gedicht *Nach dem Prozeß Sokrates.* Spezifisch aber für die Dramatiker unter den DDR-Autoren scheint zu sein, daß in ihrem Geschichtsbewußtsein die Geschichte in Prozeßform abläuft: In Hartmut Langes *Hundsprozeß* (1968) tritt Stalin selber auf, in Helmut Baierls *Johanna von Döbeln* wird die eigene DDR-Vergangenheit wie in einem Prozeß neu aufgerollt, und in Heiner Müllers Stück *Der Bau* ist die Suche nach Schuld, Recht und Unrecht das Motiv; auch Peter Hacks' durch das Verbot berühmt gewordenes Stück *Die Sorgen und die Macht* (1959/60) ist ein Drama der Rechtsfindung für geschehenes Unrecht. Und da üblicherweise ein Mensch im Mittelpunkt eines Prozesses steht, heißen die neueren Stücke der DDR-Literatur *Marski*, *Philoktet* oder *Moritz Tasso*, während früher eine derartige Individualisierung verpönt war, eine Sachbeziehung die Stelle der Subjektbeziehung eingenommen hatte; Stücke derselben Autoren hießen früher *Eröffnung des indischen Zeitalters* (Hacks), *Senftenberger Erzählungen* (Lange), *Klettwitzer Bericht* (Heiner Müller). Diese Untersuchung von Titeln zeigt aber noch etwas anderes: Fast alle jüngeren und interessanteren Versuche, die Bühne der DDR zu beleben, stehen in nahezu sklavischer Abhängigkeit von Bertolt Brecht. Ein flüchtiger Vergleich zeigt fatale Anlehnungen; was bei Brecht *Der Jasager und Der Neinsager*, *Die Maßnahme* oder *Die Ausnahme und die Regel* hieß, heißt jetzt *Die Feststellung*, *Die Lohndrücker*, *Die Korrektur*, *Die Dorfstraße* oder *Die Umsiedlerin.* Weit intensiver als im Titel folgen die Stücke dem dramaturgischen Bau des Lehrstücks, bedienen sich also des politischen Arguments, nicht des poetischen. Das Lehrstück, entstanden in einer Zeit nicht nur des generell akzeptierten Illusionstheaters, sondern vor allem der Informationsarmut, will ja in Chiffren – also unrealistisch – Sachzusammenhänge erläutern, Facts mitteilen. Die parolenhafte Repetition der Songs sind Elemente von Lehre und Belehrung. Das Lehrstück ist so realistisch und unrealistisch wie Radionachrichten. Es ist die moderne Variante des barocken Schultheaters. Bis ins Detail hinein – bei Müller etwa im Wechsel zwischen Blankvers und rhythmisierter Prosa – dient auch die Sprache dem politischen Argument. Peter Hacks hat einmal in einem Aufsatz über den Vers bei Heiner Müller darauf hingewiesen, daß der Wechsel korrekter und unkorrekter Verse nicht nur Element sprachlicher Schönheit sein kann, sondern erst die Möglichkeit schaffe, Inhaltliches formal zu akzentuieren: »Wie der Umsiedler im Jambus immer wieder neu produziert werden muß, muß der Sozialismus immer wieder neu produziert werden. Beide sind nicht selbstverständlich.«
Die Klippe für einige DDR-Dramatiker ist doppelgrätig. In einer Umgebung, die fast nur noch Produktionsziffern, Produktionskapazitäten und andere Belehrungen mitzuteilen weiß, welche Lichtjahre weit weg sind von allem, was Illusionstheater heißen könnte, ist das Publikum müde geworden der Informationen und Belehrun-

gen. Das aber macht gleichzeitig das Lähmende, Undramatische zahlreicher Stücke dieser Literatur aus, und die Autoren können den gordischen Knoten weder lösen noch durchhauen. Der generelle Geschichtsoptimismus, das Pflichtmandat des historischen Materialismus in seiner augenblicklichen Ex-cathedra-Enge erlaubt, geht es ans Schreiben, vorsichtige Nuancen, aber nicht die Darstellung zerstörerischer Kräfte innerhalb der sozialistischen Gesellschaft. Der Autor muß sich auf präfabrizierte Antagonismen zurückziehen, auf die nämlich außerhalb seiner Gesellschaft. Das Ergebnis ist sonderbar: Was für die DDR-Behörden so explosiv wirkt, so kritisch gegenüber der neuen Gesellschaftsordnung, daß es verboten ist – Langes *Marski*, Hacks' *Die Sorgen und die Macht* –, wirkt auf den westlichen Beobachter flach, agitatorisch, fremd und undramatisch. Was man früher bei Hacks rühmen konnte, davon ist gerade in *Die Sorgen und die Macht* nichts mehr zu finden; die Gestalten wirken undifferenziert, ohne Kontur, die Sprache ist künstlich und gewollt, die Metaphern sind kraftlos. Das Beschreiben der Tätigkeit eines Generatorwarts, Parteisekretärs oder Brikettvorarbeiters reicht nicht aus, um einen Menschen zu charakterisieren, um einen Bühnencharakter zu schaffen. Und die stilisierte Sprache, angewandt auf Parteidispute und Produktionsdebatten, landet in der Lächerlichkeit. Die eingeteilte Wirklichkeit – Hacks' Stück zeigt ja die Reaktion deutscher Glasarbeiter auf den ungarischen Aufstand 1956 – wird eben in der Kunst nicht zur halben Wahrheit, sondern zur ganzen Lüge. Diese Form von Konkretheit laugt letztlich aus zum gänzlich Vagen, zum Märchenhaften.

Und seit je weiß man, daß Reaktionäres in der Kunst den Denkschemata des Märchens eng verwandt ist: Nicht wo das ›Böse‹ durch einen Russen oder Juden oder Polen verkörpert wird, ist a priori Reaktionäres; Reaktionäres entsteht in der Kunst immer da, wo das Ambivalente wegdefiniert wird, wo in Schablonen gedacht und unreflektiert das Schema ›Gut-Böse‹ überhaupt übernommen wird; typisch für den Faschismus und faschistische Kunst etwa ist die Unfähigkeit, von einer Märchenwelt zur Vernunftwelt überzugehen. Die eigentliche Ursache für diese Fehlhaltung, diese Vermengung von Ethik, Ästhetik und Erkenntnistheorie scheint darin zu liegen, daß das Menschenbild des Sozialismus von dem Grundpostulat ausgeht: ›Der Mensch ist gut.‹ Zweifel, Trauer, Skepsis, Unheil und Schmutz, etwa Mord, Sexualität, Süchte und Höllen oder politische Häßlichkeit sind dann ›Pannen der Geschichte‹, Verkrüppelung des eigentlich guten und schönen Menschen durch gesellschaftliche Zwänge. Das Menschenbild des Sozialismus ist das des Menschen vor dem Sündenfall. Folglich ist die Wunschvorstellung des sozialistischen Realismus, der ›revolutionären Romantik‹, eine paradiesische oder, weltlich ausgedrückt, eine idyllische. Not sind ›Notstände‹ (also reparierbar), Schweres sind ›Übergangsschwierigkeiten‹ (also abhelfbar), Probleme sind ›Engpässe‹ (also überwindbar). Das Undeutliche ist unwahr, das Vieldeutige zweideutig. Das Ergebnis ist eine Kunst ohne Zwischentöne und Andeutungen – eine stumme Kunst; denn Sprache hat nur, was über Nuancen verfügt, sei es die bildliche oder die musikalische Komposition oder die des Wortes. Sprache, will sie mehr als Rede sein, braucht Zwischenräume, Deutbarkeiten.

Anmerkungen

Bei diesem Beitrag handelt es sich um die erweiterte Fassung eines Aufsatzes, der unter dem Titel »Die zweite deutsche Literatur« in der Zeitschrift »Merkur« erschien.

1. Leipzig 1957; Mannheim 1954.
2. Die Alternative. Zeitschrift für Literatur und Diskussion. Berlin. Oktober 1964. S. 98.
3. Der früheste Beleg dafür übrigens ist bei Thomas Mann zu finden; in der *Entstehung des Doktor Faustus* heißt es: »Erst jetzt realisiere ich, was es heißt, ohne das Joseph-Werk zu sein.« Und der schwedische Germanist Gustav Korlén macht in seiner einschlägigen Untersuchung darauf aufmerksam, daß es im heutigen Schwedischen eine genaue Parallele gibt, wo ›definitivt‹ nicht nur ›endgültig‹, sondern im Anschluß an ›definitely‹ auch ›entschieden‹ bedeutet.
4. Walter Ulbricht: *Über die Entwicklung einer volksverbundenen sozialistischen Nationalkultur.* In: Zweite Bitterfelder Konferenz 1964. Protokoll der von der Ideologischen Kommission beim Politbüro des ZK der SED und dem Ministerium für Kultur am 24. und 25. April im Kulturpalast des Elektrochemischen Kombinats Bitterfeld abgehaltenen Konferenz. S. 71 ff. Berlin: Dietz-Verlag 1964.
5. Darmstadt am 19. Oktober 1963. In: Hans Magnus Enzensberger: Deutschland Deutschland unter anderem (= edition suhrkamp Nr. 203, S. 14 ff.).
6. Siehe Anm. 4.
7. Vgl. dazu: Theodor Pelster: *Die politische Rede im Westen und Osten Deutschlands. Vergleichende Stiluntersuchung mit beigefügten Texten.* Düsseldorf 1969.
8. Bertolt Brecht: *Lyrikwettbewerb 1927.* In: Bertolt Brecht: Schriften zur Literatur und Kunst, Band I. Berlin u. Weimar: Aufbau-Verlag 1966. S. 70 ff.
9. Ernst Fischer: *Doktor Faustus und die deutsche Katastrophe.* In: Ernst Fischer: Dichtung und Deutung. Wien: Globus-Verlag 1953. S. 305 ff.
10. Vgl. dazu das gesamte Kapitel *Formalismus und Realismus.* In: Bertolt Brecht: Schriften zur Literatur und Kunst. Band II. Berlin u. Weimar: Aufbau-Verlag 1966. S. 11 ff.
11. Bertolt Brecht: *Kann die heutige Welt durch Theater wiedergegeben werden?* In: Sinn und Form. 2. Heft, 1955, S. 306.
12. Kurt Hager: *Grundfragen des geistigen Lebens im Sozialismus. 10. Tagung des ZK der SED 28./29. 4. 1969.* Berlin: Dietz-Verlag 1969.
13. Werner Neubert: *Satire im sozialistischen Roman.* In: Sinn und Form. 1./2. Heft, 1965, S. 66 ff.
14. Hans Koch: *Unsere soziale Wirklichkeit im Spiegel der Literatur.* In: Neues Deutschland. 26. Juli 1966; 27. Juli 1966; 2. August 1966. – Hans Koch: *Haltungen, Richtungen, Formen.* In: Forum. Nr. 15/16, 1966; Nr. 10, 1966; Nr. 11, 1966; Nr. 12, 1966; Nr. 13, 1966.
15. Der zitierte Text von Kunert ist seine Antwort auf die Rundfrage im »Forum«.
16. Beispielsweise Manfred Bierwisch: *Strukturalismus – Geschichte, Probleme und Methoden.* In: Kursbuch. Hrsg. von Hans Magnus Enzensberger. Heft 5, Mai 1966, S. 77 ff.
17. Siehe Anm. 14.

Literaturhinweise

alternative. Hrsg. von Hildegard Brenner. Heft 35: »Literarisches Grenzgespräch«, April 1964; Heft 38/39: »Zwei deutsche Literaturen?«, Oktober 1964; Heft 67/68: »Materialistische Literaturtheorie I«, Oktober 1969.

Werner Betz: *Zwei Sprachen in Deutschland.* In: Deutsch – Gefrorene Sprache in einem gefrorenen Land? Polemik, Analysen, Aufsätze. Hrsg. von Friedrich Handt. Berlin (Literarisches Colloquium) 1964. S. 155 ff.

– *Der zweigeteilte Duden*, a. a. O., S. 164 ff.

Hans Bunge: *Fragen Sie mehr über Brecht. Hanns Eisler im Gespräch.* Nachwort von Stephan Hermlin. München 1970.

Günter Fröschner: *Die Herausbildung und Entwicklung der gesellschaftsphilosophischen Anschauungen von Georg Lukács.* Inauguraldissertation. Institut für Gesellschaftswissenschaften beim ZK der SED. Berlin 1965.

Wilhelm Girnus: *Zukunftslinien – Gedanken zur Theorie des sozialistischen Realismus.* I, in: Sinn und Form. 1. Heft, 1968, S. 182 ff. II, in: Sinn und Form. 2. Heft, 1968, S. 429 ff. III, in: Sinn und Form. 3. Heft, 1968, S. 697 ff. IV, in: Sinn und Form. 1. Heft, 1969, S. 172 ff. V. in: Sinn und Form. 2. Heft, 1969, S. 485 ff. VI, *Statt Zukunftslinien – Materialien zur ästhetischen Theorie.* In: Sinn und Form. 3. Heft, 1969, S. 721 ff.

– *Von der unbefleckten Empfängnis des Ästhetischen – Betrachtungen zur Ästhetik von Georg Lukács.* In: Sinn und Form. 1. Heft, 1967, S. 175 ff.

Grundlagen der marxistisch-leninistischen Ästhetik (Autorenkollektiv). Berlin [Ost]: Dietz-Verlag 1962.

Joachim Höppner: *Widerspruch aus Weimar – Über die deutsche Sprache und die beiden deutschen Staaten.* In: Deutsch – Gefrorene Sprache in einem gefrorenen Land? Polemik, Analysen, Aufsätze. Hrsg. von Friedrich Handt. Berlin (Literarisches Colloquium) 1964. S. 143 ff.

Moissej Kagan: *Vorlesung zur marxistisch-leninistischen Ästhetik.* Berlin [Ost]: Dietz-Verlag 1969.

Hans Koch: *Marxismus und Ästhetik.* Berlin [Ost]: Dietz-Verlag 1961.

Gustav Korlén: *Zur Entwicklung der deutschen Sprache diesseits und jenseits des Eisernen Vorhangs.* In: Deutsch – Gefrorene Sprache in einem gefrorenen Land? Polemik, Analysen, Aufsätze. Hrsg. von Friedrich Handt. Berlin (Literarisches Colloquium) 1964. S. 123 ff.

– *Nachtrag zu Joachim Höppner,* a. a. O., S. 142.

– *Mitteldeutschland – Sprachlenkung oder Neutralismus? Eine wortgeschichtliche und sprachpädagogische Bestandsaufnahme.* In: Moderna Sprak (The Journal of the Modern Language Teachers' Association of Sweden, Stockholm). Language Monographs 6.

Jürgen Kuczynski: *Studien über Schöne Literatur und Politische Ökonomie.* Schriftenreihe der deutschen Akademie der Künste. Nr. 8. Berlin: Henschel-Verlag 1954.

Georg Lukács: *Die Seele und die Formen.* Essays. Berlin: Egon Fleischel & Co. 1911.

– *Essays über Realismus.* Berlin [Ost]: Aufbau-Verlag 1948.

– *Werke. Ästhetik Teil I. Die Eigenart des Ästhetischen.* 1. und 2. Halbband. Neuwied u. Berlin 1963.

– *Skizze einer Geschichte der neueren deutschen Literatur.* (»Fortschritt und Reaktion in der deutschen Literatur«, »Deutsche Literatur im Zeitalter des Imperialismus«.) Berlin [Ost]: Aufbau-Verlag 1953.

Georg Lukács und der Revisionismus. Eine Sammlung von Aufsätzen. Berlin [Ost]: Aufbau-Verlag 1960.

Werner Mittenzwei: *Die Brecht-Lukács-Debatte.* In: Sinn und Form. 1. Heft, 1967, S. 235 ff.

Theodor Pelster: *Die politische Rede im Westen und Osten Deutschlands – Vergleichende Stiluntersuchung mit beigefügten Texten.* Beihefte zur Zeitschrift: Wirkendes Wort. Nr. 14. Düsseldorf 1969.

Probleme des Realismus in der Weltliteratur. Hrsg. im Auftrag des Instituts für Slawistik an der Deutschen Akademie der Wissenschaften zu Berlin. Berlin 1962.

Referateblatt zur Frage der marxistischen Ästhetik und Literaturwissenschaft in der Deutschen Demokratischen Republik. Hrsg. von der Abteilung Information und Dokumentation im Institut für Gesellschaftswissenschaften beim ZK der SED in Berlin. 1 (1967) Nr. 1–10. 2 (1968) Nr. 1–4. Dazu: Information 1 (1966) Nr. 10.

Hans H. Reich: *Sprache und Politik – Untersuchungen zu Wortschatz und Wortwahl des offiziellen Sprachgebrauchs in der DDR.* Münchener Germanistische Beiträge. Hrsg. von Werner Betz u. Hermann Kunisch. München 1968.

F. A. Schischlein: *Grundlagen der marxistischen Ethik.* Hrsg. von Dr. Reinhard Müller. Berlin [Ost]: Dietz-Verlag 1965.

Sozialismus und Ideologie. Hrsg. von Werner Müller. Berlin [Ost]: VEB Deutscher Verlag der Wissenschaften 1969.

Weimarer Beiträge – Zeitschrift für deutsche Literaturgeschichte. Sonderheft 1958 (Probleme des sozialistischen Realismus in Deutschland. Referate gehalten auf der wissenschaftlichen Konferenz des Germanistischen Instituts der Humboldt-Universität zu Berlin am 9. und 10. Mai 1958).

JÖRG B. BILKE

Die Germanistik in der DDR: Literaturwissenschaft in gesellschaftlichem Auftrag

Krise einer Wissenschaft

Vom Krisenbewußtsein der westdeutschen Germanistik ist in der DDR nichts zu spüren. Die dortige Ideologiekritik richtet sich gegen die bürgerliche Literaturwissenschaft überhaupt, deren Traditionen sie nicht fortzuführen gedenkt. Von der Krise einer Germanistik, die ihre politische Aufgabe nicht mehr habe wahrnehmen wollen, müsse bereits in den Jahrzehnten nach 1871 gesprochen werden.
In seinem Beitrag *Literaturwissenschaft in Deutschland* (1965) zum Fischer-Lexikon versucht der 1963 von Leipzig in die Bundesrepublik gekommene Hans Mayer, die Anfänge deutscher Literaturwissenschaft, sofern sie mehr sein wollte als nur Literaturkritik im Sinne der Brüder Schlegel oder Philologie in der Art der Brüder Grimm, neu zu bestimmen. Trotz beachtlicher Einzelleistungen Lessings, Herders und Schillers auf literaturtheoretischem Gebiet schieden die drei Epochen Aufklärung, Klassik, Romantik für die Entwicklung einer genuin literaturgeschichtlichen Betrachtungsweise schon deshalb aus, weil erst mit Hegels (1831) und Goethes Tod (1832) die »Kunstperiode« (Heine) überschaubar und wissenschaftlicher Erforschung somit zugänglich wurde. So habe Georg Gottfried Gervinus (1805–71), der in Göttingen als Professor für Geschichte und Literatur tätig war, mit seiner *Geschichte der poetischen Nationalliteratur der Deutschen* (1835/42) als Begründer deutscher Literaturwissenschaft zu gelten, weil er sich der Geschichtlichkeit literarischer Prozesse bewußt gewesen sei. Literaturgeschichte als politische Wissenschaft sei auch von Hermann Hettner (1821–82) betrieben worden, der schon vom hegelianischen Idealismus zum Materialismus Feuerbachs fortgeschritten sei. Nach dem Scheitern der bürgerlichen Revolution von 1848/49 und der Einigung Deutschlands unter Preußens Führung 1871 aber sei diese Tradition von einer ›staatstreuen‹ Germanistik abgelöst worden, als deren Vertreter Julian Schmidt (1818–86) und vor allem Wilhelm Scherer (1841–86) anzusehen seien. Die Schule Scherers, die sich auf reine Werkinterpretation und Textkritik beschränkte und der man deshalb geschichtsfeindliche Tendenzen nicht absprechen kann, wird von Mayer ziemlich apodiktisch abgefertigt: »Die Substanz dieser wissenschaftlichen Schule? Preußisch-deutsche Ideologie. Die Methode? Deutsche Philologie als Selbstzweck. Eine Wissenschaft der Spätzeit.«[1] Diese neue Traditionslinie sollte sich als ungemein folgenreich für die künftige Entwicklung deutscher Literaturwissenschaft erweisen, ihre Auswirkungen zeigten sich im Goethe-Buch (1916) Friedrich Gundolfs und im Nietzsche-Buch (1918) Ernst Bertrams wie in der systemkonformen Germanistik des Dritten Reichs, selbst die Nachkriegsgermanistik in Westdeutschland, zumindest in ihren älteren Vertretern, zehrt noch von dieser Substanz.
Mit dieser hier angedeuteten Auffassung steht der Marxist Mayer nicht allein. Vom »Versagen einer Wissenschaft«[2] im Rückblick auf das Goethejahr 1949 sprach auch

der damals in Leipzig lehrende Romanist Werner Krauss in seinem Aufsatz *Literaturgeschichte als geschichtlicher Auftrag* (1950), der als Revision deutscher Literaturgeschichte der letzten achtzig Jahre gemeint war. Krauss wandte sich sowohl gegen den Positivismus Schererscher Prägung wie auch gegen die durch Wilhelm Dilthey (1833–1911) eingeführte geisteswissenschaftliche Betrachtungsweise, weil beide Verfahren als Absage an die Geschichtlichkeit aufträten, und empfahl die Rückbesinnung auf die wissenschaftliche Arbeit von Gervinus: »Der theoretisch in Deutschland so häufig verfehlte Ansatz einer gesellschaftswissenschaftlichen Orientierung wird durch die geschichtliche Zeugniskraft der literarischen Phänomene gewonnen.«[3]

Neue Ansätze

Die Schwierigkeiten, eine marxistische Literaturwissenschaft an den sechs DDR-Universitäten zu installieren, waren jedoch fürs erste mehr organisatorischer als methodologischer Art. Die Lehrstühle waren von bürgerlichen Fachvertretern besetzt, die den Marxismus ablehnten, weil sie dadurch eine nicht verantwortbare Politisierung ihres Forschungszweigs befürchteten. In ihrem Beitrag *Die marxistische Rezeption des klassischen Erbes* zu dem Band *Positionen. Beiträge zur marxistischen Literaturtheorie*[4] gibt Ursula Wertheim, die heute an der Universität Jena tätig ist, Auskunft über die Lage in den ersten Nachkriegsjahren: »Die Rückschau dient zugleich der Erinnerung daran, daß es 1948 noch keine historisch-dialektisch gebildeten Marxisten auf dem Lehrstuhl eines germanistischen Instituts innerhalb der Philosophischen Fakultäten an den Universitäten der damaligen sowjetisch besetzten Zone Deutschlands gab ... Die literaturwissenschaftliche Germanistik verändern, wenn es keine marxistischen Germanisten in Schlüsselpositionen gab? Sie mußten dafür erst herangebildet werden. Es gab Traditionen durch die Arbeiten und Briefe von Marx, Engels, Mehring, deren grundlegende methodische Hinweise zu Fragen der Literatur und Kunst zu studieren und auf den speziellen Fachbereich anzuwenden waren. Es gab die kulturpolitischen Arbeiten von Abusch, die literaturkritischen von Rilla. Der Literaturstudent hatte ferner Gelegenheit, die materialistisch orientierten Arbeiten von Lukács aus den dreißiger und vierziger Jahren zu lesen. Und es gab selbstverständlich die Beschlüsse der Partei zur Kulturpolitik.«[5]
Die Forderung nach einer »marxistisch-leninistischen Darstellung der Geschichte der Literatur unserer Nation«[6], ein Verfahren also, das, allgemein gesprochen, die Entwicklung von Literatur mit dem Geschichtsablauf koordinieren sollte, wurde schon in den fünfziger Jahren erhoben. So schrieb Friedrich Albrecht in seinem Aufsatz *Für eine neue deutsche Literaturgeschichte* 1953: »Aufgabe der Literaturwissenschaftler wird es also sein, sich über die Periodisierung im Sinne des historischen Materialismus klarzuwerden und sie nicht von irgendwelchen literarischen Strömungen abhängig zu machen, die doch nur Ausfluß gesellschaftlicher Erscheinungen sind.«[7] Freilich waren für Albrecht, damals selbst noch Germanistikstudent, vor allem pädagogische Gründe maßgebend: »Woraus schöpfen denn heute noch die meisten jungen Menschen ihre literaturgeschichtlichen Kenntnisse? Ohne Zweifel aus objektivistischen, bürgerlichen Arbeiten auf dem Gebiet der Literaturgeschichte,

wenn ihnen nicht gar noch reaktionäre, faschistische Machwerke in die Hände fallen.«[8]

Die Anwendung des historischen Materialismus auf geistes- und literaturgeschichtliche Vorgänge erwies sich jedoch, wenn sie wissenschaftlich überzeugend sein wollte, als mühseliger und zeitraubender, als man ursprünglich hatte annehmen können. Mit einer mechanischen Übertragung materialistischer Konzeptionen auf die Literaturgeschichte, mit einer Dekretierung marxistischer Lehrsätze war es nicht getan: »Es ging also nach 1945 und 1949 nicht nur um eine bloße Entstaubung des bürgerlichen, nicht um eine bloße Reinigung eines verfälschten, chauvinistischen oder esoterischen Klassikbildes, es galt, die Klassik aus der Sicht der aktuellen Gegenwartsproblematik zu untersuchen und zu verstehen. Des weiteren galt es, der geschichtlichen Realität entsprechend, die Weltanschauung der herrschenden Klasse, der Arbeiterklasse, also den Marxismus-Leninismus auch in den jeweiligen Fachbereichen durchzusetzen.«[9]

Der Vorwurf, dem sich der klassische Marxismus immer wieder zu stellen hat, ist, es versäumt zu haben, die *Ästhetik* (1815/35) Hegels durch einen materialistischen Gegenentwurf zu ergänzen. Der empfindliche Mangel an Theorie, der sich hier bemerkbar machte, konnte auch nicht dadurch behoben werden, daß man die zahllosen, im Gesamtwerk von Marx und Engels verstreuten Randbemerkungen zu literarischen Fragen zu einem System ausweitete, da es höchst private Meinungen von eingeschränkter Relevanz sind[10]. Zur Rolle der Literatur in der bürgerlichen Klassengesellschaft konnte Marx ohnehin nur einen allgemeinen Bezugsrahmen angeben, ohne Genaueres über die Art der Verknüpfung oder die Intensität des Verhältnisses von Literatur und Gesellschaft auszusagen: »In der gesellschaftlichen Produktion ihres Lebens gehen die Menschen bestimmte, notwendige, von ihrem Willen unabhängige Verhältnisse ein, Produktionsverhältnisse, die einer bestimmten Entwicklungsstufe ihrer materiellen Produktivkräfte entsprechen. Die Gesamtheit dieser Produktionsverhältnisse bildet die ökonomische Struktur der Gesellschaft, die reale Basis, worauf sich ein juristischer und politischer Überbau erhebt und welcher bestimmte gesellschaftliche Bewußtseinsformen entsprechen. Die Produktionsweise des materiellen Lebens bedingt den sozialen, politischen und geistigen Lebensprozeß überhaupt. Es ist nicht das Bewußtsein der Menschen, das ihr Sein, sondern umgekehrt ihr gesellschaftliches Sein, das ihr Bewußtsein bestimmt ... Mit der Veränderung der ökonomischen Grundlage wälzt sich der ganze ungeheure Überbau langsamer oder rascher um.«[11]

Will man die marxistische Literaturbetrachtung, vor allem auch wegen ihrer gesellschaftspolitischen Funktion, als literatursoziologische Variante gelten lassen, so wird man bemerken, daß sie eine Reihe von Fragestellungen, zumindest in den fünfziger Jahren, wie Soziologie des Autors als Berufsstand, Rezeption literarischer Werke, Struktur von Leserschichten, vernachlässigt und sich weitgehend auf die gesellschaftlichen Implikationen von Literatur beschränkt. Ihr kommt es primär darauf an, in literarischen Texten politische Kämpfe als Klassenkämpfe belegt zu finden, wobei es freilich auch einleuchtende Erklärungen dafür gibt, daß diese Kämpfe manchmal nicht nachweisbar sind. Die Literatur einer aufsteigenden Klasse, des Bürgertums im 18./19. Jahrhundert und des Proletariats im 20. Jahrhundert, bekommt durch die antizipatorische Tendenz, die sie aufweist, eine höhere Wertung. Allerdings produziert Literatur den objektiven Geschichtsprozeß, der auch ohne sie abliefe, nicht, sondern macht ihn nur ästhetisch bewußt. Da Literatur auf diese Weise zum nur soziologischen Material wird, das die Evidenz des marxistischen Geschichtsbildes bestätigt, kann Germanistik in der DDR auch nur als historische Wissenschaft betrieben werden, die eng mit den Methoden und Tendenzen der politischen Geschichtsschreibung verbunden ist. Vom Literaturhistoriker erwartet man nicht nur, daß er Texte als historische Dokumente mit aktuellem Bezug interpretiert, sondern daß er auch das marxistische Geschichtsbild als für sein Fach verbindlich ansieht. Da nicht jede Literaturströmung, nicht einmal jedes Einzelwerk, diesem Geschichtsbild vollständig einzuordnen ist, so müssen notwendigerweise literarhistorische Quellen beschnitten und entscheidende Abschnitte der Literaturtradition (so noch vor einigen Jahren Naturalismus und Expressionismus) ausgespart werden. Der Begriff ›nationales Kulturerbe‹, der hier für die Literatur vor 1945 im Gebrauch ist und der mit den Begriffspaaren ›humanistisch‹ und ›progressiv‹ im Gegensatz zu ›reaktionär‹ arbeitet, meint schon Selektion, indem er Literaturgeschichte auf das reduziert, was mit dem marxistisch interpretierten Geschichtsprozeß in Deckung zu bringen ist, und das ausscheidet, was ihm zuwiderläuft: »Die Aneignung des K[ulturerbes] durch eine Klasse unterliegt deren Klasseninteresse. Erst in der sozialistischen Gesellschaft ... ist es möglich, den humanistischen Gehalt überlieferter progressiver Ideen und Kunstwerke voll auszuschöpfen ... Die Aneignung des K. erfordert die konsequente Auseinandersetzung mit reaktionären Elementen des überlieferten Kulturgutes.«[12]

Welche Prinzipien für einen marxistischen Literaturwissenschaftler zu gelten hätten, sagte der damalige Kulturminister Johannes R. Becher in seiner Rede *Von der Größe unserer Literatur* 1956: »Der Arbeiterbewegung war es aufgegeben, die klassische Literatur der Nation und der Menschheit zu erhalten und ihr humanistisches Prinzip den neuen gesellschaftlichen Verhältnissen entsprechend fortzusetzen und zu verwirklichen. Unsere Literatur, entstanden, was wir nie und nimmer vergessen wollen, als L i t e r a t u r d e r d e u t s c h e n A r b e i t e r k l a s s e, hatte damit auch ihrerseits die Verpflichtung übernommen, das klassische Erbe, nachdem es in der naturalistischen und expressionistischen Phase unserer Kulturentwicklung zurückgedrängt worden war, wieder in den Vordergrund zu rücken, es zu reinigen und zu befreien von Mißdeutungen und Mißbrauch und es in seinem wesentlichen Kunstgehalt wiederherzustellen.«[13] Der DDR-Germanist war danach aufgerufen, die Tradition bürgerlicher Verfälschungen in der Literaturgeschichtsschreibung rückgängig zu machen.

Allerdings konnte die marxistische Literaturgeschichtsschreibung selbst fast keine Tradition vorweisen. Franz Mehrings (1846–1919) Klassik-Bild blieb, trotz seiner antipreußischen *Lessing-Legende* (1893), in bürgerlicher Klassikerverehrung befangen. Deshalb schien die Frage Wolfgang Harichs, der 1951 in Ostberlin über *Herder und die bürgerliche Geisteswissenschaft* promoviert hatte, nur zu berechtigt, ob man nicht die progressiven Tendenzen in der bürgerlichen Literaturgeschichtsschreibung des 19. Jahrhunderts für die DDR-Germanistik fruchtbar machen könne. In seinem Aufsatz *Zur Frage des Erbes in der Literaturwissenschaft* schrieb er 1954: »An welche bürgerlichen Leistungen können wir auf dem Gebiet der Literaturwissenschaft kritisch anknüpfen? Sicher vorwiegend an solche, die zu einer Zeit entstanden sind, in der in den historischen Disziplinen Wahrhaftigkeit und solide Forschung mit dem bürgerlichen Klassenstandpunkt weniger unverträglich waren, als sie es heute sind ... Was wir in der bürgerlichen Literaturwissenschaft vornehmlich als Erbe bewerten müssen, liegt nicht in der Gegenwart, sondern im 19. Jahrhundert. Hier aber ergibt sich die Schwierigkeit, daß zwei Linien, eine abfallende und eine aufsteigende, sich überkreuzen.«[14] Mit Heine und Gervinus werden die Gegenpositionen zu einer sich nach 1871 auf Werkinterpretation und Biographik beschränkenden Literaturforschung benannt: »Der Weg von diesen Gipfeln zur Schule Wilhelm Scherers führt hoffnungslos abwärts ...«[15] Harich blieb jedoch bei Gervinus, dessen Wissenschaftsethos er später durch die nationalliberale Bewegung als gebrochen ansah, nicht stehen, sondern meinte, in den beiden Linkshegelianern Hermann Hettner und Rudolf Haym (1821–1901) mögliche Vorläufer einer marxistischen Literaturgeschichtsschreibung gefunden zu haben, »die also die philologische Unzulänglichkeit des Anfangs der deutschen Literaturgeschichte bereits hinter sich gelassen haben, ohne von den ideologischen Einflüssen der siebziger und achtziger Jahre bis in den Kern ihrer Geisteshaltung korrumpiert zu sein.«[16]

Lukács und die Folgen

Als Revision bürgerlicher Literaturgeschichtsschreibung ist auch das Werk des ungarischen Marxisten Georg Lukács angelegt, dessen Wirkung auf die DDR-Germanistik noch bis in die sechziger Jahre hinein zu verfolgen ist. In den Jahren 1945 bis 1957 galt Lukács, von dem im Gründungsjahr der DDR 1949 bereits sechs Bücher im Ostberliner Aufbau-Verlag erschienen waren, darunter *Deutsche Literatur im Zeitalter des Imperialismus* (1945) und *Fortschritt und Reaktion in der deutschen Literatur* (1945), als Begründer der marxistischen Literaturwissenschaft schlechthin. Die allzu bescheidenen Ansätze eines Franz Mehring um die Jahrhundertwende schienen vergessen. Noch in der Festschrift zum 70. Geburtstag (1955) des ›Marx der Ästhetik‹[17] würdigte Alexander Abusch die literaturtheoretische Leistung des drei Jahre danach von ihm wegen ›Revisionismus‹ Kritisierten: »Er ... trug dazu bei, die ästhetischen Anschauungen von Marx, Engels und Lenin weiterzuentwickeln. Uns Deutschen gab er eine wichtige Hilfe bei der Aneignung des großen Erbes unserer klassischen Literatur.«[18]

Aus gleichem Anlaß schrieb damals Hans Mayer, der wohl als Lukács' bedeutendster Schüler in Deutschland anzusehen ist: »Von Lukács sprechen, heißt für manchen aus meiner Generation, von sich selbst sprechen ... Für eine marxistische Literaturwissenschaft auf deutschem Boden waren nicht mehr als Ansätze vorhanden ... eine Zusammenstellung der Arbeiten von Marx und Engels über Fragen der Kunst und Literatur fehlte im eigenen Vaterland eben dieser Marx und Engels; die vorhandenen Lehrbücher und Nachschlagewerke bürgerlicher Literaturwissenschaftler trugen nur allzu deutlich sichtbar das Kainszeichen bürgerlicher Endzeit und des ideologischen Verfalls ... So war die Lage, die ein wissenschaftliches Neubeginnen wahrhaft gebieterisch erzwang. Hier mußte nun Lukács wirken, und hier hat er gewirkt.«[19]

Lukács, der als Hegelianer begann und erst in den zwanziger Jahren zu marxisti-

schen Positionen fand, interpretierte die Weimarer Klassik als Teil der bürgerlichen Emanzipationsbewegung. Was er ihr vorwarf, war die Tendenz zur ästhetischen Abstraktion, die die gesellschaftliche Wirklichkeit des Spätfeudalismus nicht aufdeckte, sondern verschleierte. Seiner Meinung nach konnte eine sich mit werkimmanenter Interpretation begnügende Germanistik eine solche Art von Klassikkritik, die sich am Mißverhältnis zwischen Realität und Literatur orientierte, nicht leisten. Die Ideologiekritik, die hier gefordert wurde, war erst nach der Rezeption der Werke von Marx und Engels möglich. Die realistische Literatur des 19. Jahrhunderts, vor allem der Roman, schien Lukács die sozialpolitischen Tendenzen der Zeit offener zum Ausdruck zu bringen. Diese Literatur wurde ihm zum Maßstab, an dem er seine ästhetischen Kategorien entwickelte. Noch in seiner Schrift *Wider den mißverstandenen Realismus* (1958), die im Original den treffenderen Titel trägt: *Die Gegenwartsbedeutung des kritischen Realismus*, zwei Jahre nach seiner Beteiligung am ungarischen Aufstand erschienen, sah er in Thomas Manns Romanen den Höhepunkt deutscher Gegenwartsliteratur, während er gleichzeitig das Werk Franz Kafkas als spätbürgerliches Verfallsprodukt ablehnte.
In den Jahren nach 1956, die man als wichtige Zäsur in der Entwicklung der DDR-Germanistik ansehen muß, wurde mit Lukács ›abgerechnet‹. Die falsche Literaturkonzeption, die man ihm vorwarf und womit seine Mißachtung des ›sozialistischen Realismus‹ gemeint war, versuchte man aus einem falschen Demokratiebegriff des ›konterrevolutionären‹ Volksbildungsministers von 1956 abzuleiten. Auf ›geistigen Aristokratismus‹, ›Verwischung des Klassenstandpunkts‹ und ›Antimarxismus‹ lauteten die zur ›Selbstkritik‹ auffordernden Verdikte gegenüber dem Mann, dem noch im Januar 1956 auf dem Ostberliner Schriftstellerkongreß wegen seines Referats *Das Problem der Perspektive*[20] eine »Monopolstellung in unserer Literaturtheorie«[21] eingeräumt worden war. Das ging so weit, daß selbst die Bücher, die bisher als Glanzleistungen marxistischer Literaturforschung angesehen worden waren, wie das Buch über Thomas Mann, das noch 1957 in 5. Auflage erscheinen konnte, auf versteckte ›Revisionismen‹ untersucht wurden: »Nach 1945 baute Lukács seine revisionistische Theorie weiter aus«[22], hieß es 1964 im *Lexikon sozialistischer deutscher Literatur*. In mehreren Aufsätzen, die zum Teil 1960 in dem Sammelband *Georg Lukács und der Revisionismus*[23] herausgegeben wurden, setzten sich die tonangebenden Vertreter der DDR-Germanistik wie Alexander Abusch, Inge Diersen, Hans Kaufmann, Hans Koch und Hans-Günther Thalheim mit seinem Werk auseinander, wobei man ihn als, wenn auch ›revisionistischen‹, Marxisten immer noch gelten ließ, was man seinen Schülern jedoch nicht mehr zugestehen wollte: »Lukács ist trotz der revisionistischen Züge in seiner Literaturtheorie ein materialistischer Literaturwissenschaftler. Hans Mayer ist trotz der materialistischen Elemente in seiner Literaturkonzeption, der Hinweise auf gesellschaftliche Verhältnisse, trotz seiner Beziehungen zu den Schriften von Marx und Engels, von Mehring und Lukács kein marxistischer Literarhistoriker.«[24]
Die Konsequenz, die Hans Koch aus der ideologischen Abgrenzung gegen Lukács zog, war ein Rekurs auf die Positionen des von Lukács angeblich verkannten Franz Mehring. Dieser Schritt lag nahe, weil es notwendig schien, in der Zeit vor Lukács nach einem theoretischen Ort zu suchen, von wo aus sein umfangreiches Werk revidierbar wurde. Kochs Buch *Franz Mehrings Beitrag zur marxistischen Literatur-*

theorie[25] brachte das erste Ergebnis dieser Bemühungen. Die Aufgabe aber, die Wirkung Lukács' in der Literaturtheorie zu neutralisieren, wie es 1960 gefordert wurde, stand weiterhin vor der DDR-Germanistik: »Diese im wesentlichen noch bevorstehende Überwindung der Wirkung von Georg Lukács ... muß in großen Teilen von einer völlig neuen Sichtung des Quellenmaterials ausgehen, das Lukács oft genug im Interesse seiner Konzeption nur einseitig ausgewertet hat.«[26] Zur gleichen Auffassung kam Hans Koch in seinem Aufsatz *Aufgaben der marxistisch-leninistischen Literaturwissenschaft im Siebenjahrplan* (1960): »Der Revisionismus Lukácsscher Prägung ist bei uns im wesentlichen politisch geschlagen und ideologisch zurückgedrängt; er ist literaturtheoretisch und -historisch jedoch noch längst nicht überwunden.«[27]

Die Wirkung von Lukács auf eine ganze Generation von DDR-Germanisten der fünfziger Jahre läßt sich immer wieder nachweisen. Sowohl die Konzeption der im Ostberliner Aufbau-Verlag von Werner Krauss und Hans Mayer herausgegebenen Reihe *Neue Beiträge zur Literaturwissenschaft* als auch Wolfgang Harichs Arbeit *Rudolf Haym und sein Herderbuch. Beiträge zur kritischen Aneignung des literaturwissenschaftlichen Erbes* (Berlin 1955) sind ihm verpflichtet. Weitaus folgenreicher aber für die sich neu besinnende DDR-Germanistik blieb sein zu enger Realismusbegriff. Hier ist dem Urteil des *Lexikons sozialistischer deutscher Literatur* sicherlich beizupflichten: »Lukács' Einfluß hat besonders der Entwicklung der sozialistischen Literatur und vor allem der Literaturwissenschaft in Deutschland beträchtlichen ideologischen Schaden zugefügt.«[28] Sein einseitiges Expressionismus-Bild, dargelegt in seinem Aufsatz ›*Größe und Verfall*‹ *des Expressionismus* (1934), verbaute der Forschung jahrelang den Zugang zu einer literaturgeschichtlichen Epoche, in der Lukács den Nährboden für ›reaktionäre‹ Ideologien der ersten Nachkriegszeit sah. Erst mit der Edition mehrerer Auswahlbände expressionistischer Literatur und der Anthologie *Menschheitsdämmerung* durch Werner Mittenzwei (1968) zeichnete sich hier eine Änderung ab.

Der Umorientierung in der DDR-Germanistik nach Lukács diente andererseits auch die verstärkte Abwehr bürgerlicher Konzeptionen, wie man sie in den Schriften Hans Mayers und Joachim Müllers (Jena) zu finden glaubte. Von Mayer war im Dezember 1956 in der kulturpolitischen Zeitschrift *Sonntag* der Aufsatz *Zur Gegenwartslage unserer Literatur*[29] erschienen, der die DDR-Literatur einer gut abgesicherten, nichtsdestoweniger vernichtenden Kritik unterzog. Gegen diesen als objektiv ›antikommunistisch‹ mißverstandenen Lagebericht nahm im Deutschlandsender Wolfgang Rödel, Mayers Leipziger Kollege, Stellung. Ebenfalls im Dezember 1956 hatte Müller in der *Wissenschaftlichen Zeitschrift der Universität Jena* den Aufsatz *Zur Entwicklung der deutschen Literatur im 20. Jahrhundert*[30] veröffentlicht, wogegen im Jahr darauf der Ostberliner Anglist Erwin Pracht mit dem Artikel *Irrweg der Literaturwissenschaft*[31] polemisierte.

Ein redaktioneller Beitrag in den *Weimarer Beiträgen* mit dem Titel *Über die Aufgaben der Zeitschrift für deutsche Literaturgeschichte* (1958) forderte schließlich den »kompromißlosen Kampf gegen den Liberalismus in der Literaturwissenschaft«[32]. Als Aufgabe der sechziger Jahre blieb, eine Geschichte der deutschen Literatur zu schreiben, die sich bewußt von bürgerlichen Traditionen abkehrte, was von Hans-Günther Thalheim 1958 so formuliert wurde: »Die wichtigste Forschungsaufgabe der literaturwissenschaftlichen Germanistik in der DDR besteht somit in der Erarbeitung einer marxistischen Konzeption der Geschichte der deutschen Nationalliteratur als Geschichte des Realismus in der deutschen Literatur ... Diese Aufgabe kann nur im Zusammenhang mit einer systematischen Kritik der bürgerlichen Literaturwissenschaft besonders seit der Großen Sozialistischen Oktoberrevolution richtig gelöst werden.«[33]

Literaturpädagogik

Neben diesen oft unfruchtbaren Auseinandersetzungen um methodologische Fragen der Literaturwissenschaft, die nur mit ihren politischen Prämissen verständlich sind, konnten schon in den fünfziger Jahren die materialen Bedingungen für eine marxistische Literaturgeschichte geschaffen werden. Hier war es möglich, auf bürgerliche Leistungen, nicht zuletzt der Schule Wilhelm Scherers, in einigen philologischen Disziplinen wie die sich auf den Text, seine Kritik und seine Kommentierung beschränkende Editionstechnik zurückzugreifen. Auch die Leipziger Buchhändler- und Verlegertraditionen trugen sicher dazu bei, dem Verlagswesen der DDR, das sich organisatorisch von kommunistischen Verlagen der Weimarer Republik und der Exilzeit absetzte, internationales Ansehen einzubringen.
Bereits am 16. August 1945 bekam der heute führende Verlag der DDR und mit 5000 Titeln in 62 Millionen Exemplaren im Jahr 1970 größte Verlag für Belletristik in Deutschland überhaupt, der Ostberliner Aufbau-Verlag, der vom ›Kulturbund zur demokratischen Erneuerung Deutschlands‹ gegründet wurde, die Lizenz der Besatzungsbehörde. Sein Programm umschrieb Peter Goldammer in seinem Gedenkartikel *Begegnung mit Klassikern* zum 25jährigen Bestehen: »Die sorgsame Pflege und differenzierte Vermittlung des nationalen Literaturerbes ... gehört zu den wichtigsten kulturpolitischen Aufgaben des Aufbau-Verlages.«[34] Die überaus wichtige Funktion, die der Verlag in den ersten Nachkriegsjahren zu erfüllen hatte, war, eine geistig entmündigte Leserschaft erst einmal mit den Werken der deutschen Exilliteratur vertraut zu machen. So erschienen die nahezu vergessenen oder überhaupt unbekannten Bücher von Johannes R. Becher, Ernst Bloch (bis 1961), Bertolt Brecht, Lion Feuchtwanger, Georg Lukács (bis 1957), Heinrich und Thomas Mann, Hans Mayer (bis 1962), Anna Seghers, Friedrich Wolf und Arnold Zweig. Der Kanon ›klassischer Werke‹ im Sinn des ›nationalen Kulturerbes‹ vom 16. Jahrhundert bis zur sozialistischen Gegenwartsliteratur erwies sich in den sechziger Jahren für die literarische Moderne in der Lyrik als durchlässiger als in der Epik: die Prosa von Hermann Broch, Hans Henny Jahnn, Robert Musil wie die von Günter Grass, Uwe Johnson, Martin Walser blieb ungedruckt, Franz Kafkas Romane und Erzählungen erschienen 1965 in einer einmaligen Ausgabe, während nach 1961, außer Gottfried Benns Lyrik selbstverständlich, nacheinander Gedichtausgaben von Ingeborg Bachmann, Paul Celan, Else Lasker-Schüler, Oskar Loerke und Georg Trakl herauskamen, von Georg Heym sogar zwei Ausgaben, eine mit dem Nachwort Stephan Hermlins. Zu dieser Zeit erst wagte man auch eine mehrbändige Edition *Expressionismus. Lyrik* (durch Martin Reso, Berlin 1969) und *Expressionismus. Dramen*

(durch Klaus Kändler, Berlin 1967), die 1970 mit zwei Auswahlbänden *Naturalismus 1885–1899* (durch Ursula Münchow) fortgesetzt wurde. Nachdem um 1950 im Aufbau-Verlag ein eigenes Lektorat zur »editorischen Betreuung ... des nationalen ... literarischen Erbes«[35] eingerichtet worden war, wurden umfangreiche Klassiker-Ausgaben vorbereitet. In den Jahren 1954 bis 1958 erschien die zehnbändige Lessing-Ausgabe mit einem Essay zur marxistischen Einschätzung Lessings durch Paul Rilla, die sich bisher auch für den westdeutschen Germanisten als unentbehrlich erwiesen hat. Von Bruno Kaiser wiederentdeckt, erschien 1956 zum ersten Mal eine fünfbändige Ausgabe der Werke Georg Weerths mit einer Fülle bisher ungedruckten Materials, den Friedrich Engels den »ersten und bedeutendsten Dichter des deutschen Proletariats«[36] genannt hatte.

Mit entsprechenden Vorworten und Einleitungen versehen, konnten die Klassiker-Ausgaben der ersten Orientierung des Lesers dienen, solange noch keine neue Literaturgeschichte greifbar war. Diese pädagogische Note in der »Vermittlung der klassischen Nationalliteratur an breite Leserschichten«[37] wurde noch verstärkt, als der Aufbau-Verlag 1964 den Weimarer Volksverlag übernahm und seine beiden Reihen, *Lesebücher für unsere Zeit*, betreut von Walther Victor, und die 1955 entstandene *Bibliothek deutscher Klassiker*, herausgegeben von den ›Nationalen Forschungs- und Gedenkstätten der klassischen deutschen Literatur in Weimar‹, weiterführte. Diese *Bibliothek*, die 1972 mit 145 Bänden abgeschlossen vorliegen soll und Literatur des 16.–19. Jahrhunderts anbietet, scheint der »kulturpolitischen und ... pädagogischen Zielsetzung«[38] am ehesten zu entsprechen. Was darin intendiert war, konnte man 1958 in den *Weimarer Beiträgen* lesen: »Volksausgaben, ... die ... zu einem neuen Bild der deutschen Literatur ... führen, indem sie von der bürgerlichen Wissenschaft vernachlässigten Werken ihren notwendigen Platz einräumen und zu Unrecht in den Vordergrund geschobene Dichtungen ihrer wahren historischen Bedeutung entsprechend eingliedern.«[39]

In den Jahren nach 1961 wurde auch die *Berliner Ausgabe* von Goethes *Poetischen Werken* in 16 Bänden vorbereitet, die 1968 abgeschlossen wurde und neben der *Artemis*-Ausgabe und der *Hamburger Ausgabe* als repräsentativ gelten kann.

Aufschlußreich für die Literaturrezeption in beiden deutschen Staaten ist das Kapitel der Heine-Editionen nach 1945. Während in Westdeutschland nahezu 25 Jahre hindurch keine mehrbändige Heine-Ausgabe zu haben war, gab es in der DDR bereits 1951 die sechsbändige Ausgabe Wolfgang Harichs, der Mitte der fünfziger Jahre ein fünfbändiger Volks-Heine aus Weimar folgte. Die zehnbändige Heine-Ausgabe 1962/64 des Jenaer Germanisten Hans Kaufmann wurde schließlich vom Kindler-Verlag in München ins Taschenbuchprogramm aufgenommen. Seit 1969 erscheinen mehrere westdeutsche Heine-Ausgaben nebeneinander: im Insel-Verlag (Frankfurt a. M.) die *Werke* in vier Bänden, von Hans Mayer eingeleitet, im Winkler-Verlag (München) die *Sämtlichen Werke* in vier Bänden, kommentiert von Werner Vordtriede, und im Hanser-Verlag (München) die *Sämtlichen Schriften* in sechs Bänden, herausgegeben von Klaus Briegleb. Als wissenschaftliche Gesamtausgaben konkurrieren die von Manfred Windfuhr vorbereitete Düsseldorfer historisch-kritische Ausgabe in 15 Bänden und die Weimarer *Säkular-Ausgabe* in 50 Bänden, an der elf Germanisten aus Frankreich, sechs aus der DDR beteiligt sind und von der 1970 bereits vier Bände im Ostberliner Akademie-Verlag erschienen sind.

Zur ›Pflege des Literaturerbes‹ in der DDR gehört auch die Unterhaltung und der Ausbau der am 6. August 1953 gegründeten ›Nationalen Forschungs- und Gedenkstätten der klassischen deutschen Literatur in Weimar‹. Zwar besteht das Goethe-Nationalmuseum schon seit 1885, doch wurden die Weimarer Institute, deren Direktor Helmut Holtzhauer ist, in den letzten 18 Jahren durch das ›Goethe-Schiller-Archiv‹, das ›Institut für deutsche Literatur‹, die ›Zentralbibliothek der deutschen Klassik‹ und die Angliederung von rund 30 Gedenkstätten erheblich erweitert. In Weimar, das auch Sitz der ›Goethe-Gesellschaft‹ ist, arbeiten etwa 35 Literaturwissenschaftler an der Sichtung und Erschließung der deutschen Literatur zwischen 1750 und 1850 nach marxistischen Gesichtspunkten, worüber ein jährlich erscheinender Almanach Rechenschaft ablegt. Neben der *Heine-Säkular-Ausgabe* entsteht dort auch, in Zusammenarbeit mit dem ›Schiller-Nationalmuseum‹ in Marbach, die *Schiller-National-Ausgabe.*

Zu den Leistungen der DDR-Germanistik, die erwähnt werden müssen, gehört schließlich auch die Wiederentdeckung vergessener Autoren des 18. und 19. Jahrhunderts. So machte man der bürgerlichen Germanistik zum Vorwurf, ›progressive‹ Schriftsteller aus der Aufstiegsphase des Bürgertums bewußt vernachlässigt und in den Literaturgeschichten verschwiegen zu haben. Auf der Suche nach neuen Traditionen stieß man zum Beispiel auf unbekannte Romane des Sturm und Drang wie Heinrich Leopold Wagners (1747–79) *Leben und Tod Sebastian Silligs* (1776) und Johann Friedrich Reichardts (1752–1814) *Leben des berühmten Tonkünstlers Heinrich Wilhelm Gulden* (1779), man entdeckte den Fabeldichter Gottfried Konrad Pfeffel (1736–1809) und den Reiseschriftsteller Johann Gottfried Seume (1763 bis 1810) neu und fand bei der Beschäftigung mit oppositionellen Autoren des 18. Jahrhunderts wie Christian Friedrich Daniel Schubart (1739–91), Wilhelm Ludwig Wekhrlin (1739–92) und vor allem Johann Georg Adam Forster (1754–94), daß es im Deutschland der Weimarer Klassik einen ganzen Zweig jakobinischer Literatur zu entdecken gab, wie er in Hedwig Voegts Leipziger Dissertation *Die deutsche jakobinische Literatur und Publizistik 1789–1800* (Berlin 1955) untersucht wird. Diese Linie ließ sich im 19. Jahrhundert fortsetzen: über Ludwig Börne (1786–1837), den Satiriker Johann Hermann Detmold (1807–56) und den von Marx und Engels geschätzten Georg Weerth (1822–56) bis hin zu Jakob Julius David (1859–1906), einen österreichischen Novellisten. In Westdeutschland wurde die Mißachtung demokratischer Traditionen in der deutschen Literatur erst durch die Textausgaben der *Sammlung Insel* (Frankfurt a. M. 1965/70) zu revidieren versucht.

Da man im 19. Jahrhundert, etwa von 1830/48 an, Ansätze einer sozialistischen Literatur zu erkennen glaubte, so wandte man dieser Epoche besondere Aufmerksamkeit zu: im Akademie-Verlag in Ost-Berlin erschien eine Reihe *Textausgaben zur frühen sozialistischen Literatur in Deutschland* und als Einzelband, herausgegeben von Ursula Münchow (Ost-Berlin) und Friedrich Knilli (West-Berlin), *Frühes deutsches Arbeitertheater 1847–1918* (Ost-Berlin 1970, München 1970). Im *Lexikon sozialistischer deutscher Literatur* (2. Auflage, Leipzig 1964), das den Zeitraum von 1848 bis 1945 monographisch erfaßt, liest man: »Forschungsgegenstand wurde jener Teil der deutschen Nationalliteratur, den die bürgerliche Literaturwissenschaft bewußt verschwieg, der niemals in eine ihrer Literaturgeschichten Aufnahme fand.«[40] Auch zwei Textsammlungen zur Literatur der Weimarer Republik, in deren prole-

tarischer Komponente die DDR-Literatur ihre eigentliche Vorgeschichte sieht, dienen der Traditionsbildung: die Dokumentarbände *Aktionen, Bekenntnisse, Perspektiven* (Berlin 1966) und *Zur Tradition der sozialistischen Literatur in Deutschland* (2. erweiterte Auflage, Berlin 1967).
Daneben veranstaltete man fotomechanische Nachdrucke längst vergriffener Exilzeitschriften und veröffentlichte, was als nicht zu unterschätzende Leistung der Germanistik im anderen Teil Deutschlands anzusehen ist, eine dreibändige *Internationale Bibliographie zur Geschichte der deutschen Literatur* (Berlin 1970 ff.).

Monographien und Dissertationen

Die Bemühungen um eine Literaturgeschichte auf marxistischer Grundlage nach 1961 lassen eine Versachlichung erkennen, die einer Reihe von lesenswerten Dissertationen und Monographien zugute kam. Diese literarhistorischen Einzelforschungen entstanden an Hand des in den fünfziger Jahren erarbeiteten Materials und der Vorarbeiten der vier ganz oder teilweise mit literaturgeschichtlichen Fragen befaßten Zeitschriften: *Aufbau. Kulturpolitische Monatsschrift mit literarischen Beiträgen* (Berlin 1945–58), *Sinn und Form. Beiträge zur Literatur* (Akademiezeitschrift, Chefredakteur bis 1962: Peter Huchel, Berlin 1949 ff.), *Neue Deutsche Literatur* (Organ des Deutschen Schriftstellerverbandes, Berlin 1953 ff.) und der *Weimarer Beiträge. Zeitschrift für deutsche Literaturgeschichte* (herausgegeben von den ›Nationalen Forschungs- und Gedenkstätten der klassischen deutschen Literatur in Weimar‹, Weimar/Ost-Berlin 1955 ff.), die ursprünglich nur auf die klassische Literatur 1750–1850 orientiert waren, 1957 aber ihren Themenbereich bis zur Gegenwartsliteratur ausdehnten.
Als vorläufiger Ersatz für eine noch zu schreibende Literaturgeschichte diente einerseits die siebenbändige Reihe *Erläuterungen zur deutschen Literatur* (Aufklärung; Sturm und Drang; Klassik; Zwischen Klassik und Romantik; Romantik; Zur Literatur der Befreiungskriege; Zur Literatur des Vormärz 1830–1848), andererseits das sich auf fast den gleichen Zeitraum beschränkende vierbändige Standardwerk des in Leipzig lehrenden bürgerlichen Germanisten Hermann August Korff (1882–1963), *Geist der Goethezeit* (1923/53). Der Trend zur sachlich fundierten marxistischen Literaturwissenschaft erstreckte sich auch auf die literarische Lexikographie, wie ein Vergleich der 1. Auflage des *Deutschen Schriftstellerlexikons* (Leipzig 1960) mit der 6. Auflage *Lexikon deutschsprachiger Schriftsteller* in zwei Bänden (Leipzig 1967 und 1968) zeigt.
Weiterhin sammelten literaturwissenschaftliche Reihen die Ergebnisse von Einzelforschungen, so die *Beiträge zur deutschen Klassik*, die *Germanistischen Studien* mit den erwähnenswerten Arbeiten von Inge Diersen über Thomas Mann (1959) und Anna Seghers (1965), mit Klaus Hermsdorfs Dissertation *Kafka. Weltbild und Roman* (1961) und Klaus Pezolds Monographie *Martin Walser. Seine literarische Entwicklung 1952–1965* (1970). Wissenschaftlich anspruchsvoller sind die jetzt von Werner Krauss und Walter Dietze herausgegebenen *Neuen Beiträge zur Literaturwissenschaft* mit Dietzes gründlicher Untersuchung *Junges Deutschland und deutsche Klassik. Zur Ästhetik und Literaturtheorie des Vormärz* (3. Auflage 1962) und

mit den Dissertationen von Helmut Richter, *Franz Kafka. Werk und Entwurf* (1962); Klaus Schuhmann, *Der Lyriker Bertolt Brecht 1913–1933* (1964); Friedrich Albrecht, *Die Erzählerin Anna Seghers 1926–1932* (1965), und Siegfried Streller, *Das dramatische Werk Heinrich von Kleists* (1966). Der Monographie Ursula Münchows, *Deutscher Naturalismus* (Berlin 1968), in der die naturalistische Literatur aufgewertet wird, soll eine Arbeit Klaus Kändlers, *Der deutsche literarische Expressionismus*, folgen.

Andererseits war man interessiert, auch den proletarischen Zweig deutscher Literaturentwicklung stärker zu berücksichtigen, und richtete in der ›Deutschen Akademie der Künste‹ eigens eine Abteilung ›*Geschichte der sozialistischen Literatur*‹ ein. Die im Aufbau-Verlag erscheinende Reihe *Beiträge zur Geschichte der sozialistischen Literatur im 20. Jahrhundert* kann bereits mit zwei Bänden aufwarten: Klaus Kändler, *Drama und Klassenkampf. Beziehungen zwischen Epochenproblematik und dramatischem Konflikt in der sozialistischen Dramatik der Weimarer Republik* (1970), und Friedrich Albrecht, *Deutsche Schriftsteller in der Entscheidung. Wege zur Arbeiterklasse 1918–1933* (1970), vorgesehen sind *Literatur und Arbeiterklasse* (Aufsätze über sozialistische Literatur in Deutschland nach 1917) und Alfred Klein, *Wege und Leistungen der Arbeiterschriftsteller.* Die auf der Leipziger Konferenz 1962 *Zur Geschichte der sozialistischen Literatur 1918–1933* gehaltenen Referate erschienen als Buch 1963 unter dem gleichen Titel.

Als Kollektivarbeit in Jena unter der Leitung Hans Kaufmanns entstand das Buch *Krisen und Wandlungen der deutschen Literatur von Wedekind bis Feuchtwanger* (2. Auflage, Berlin 1968), das sich um ein abgewogenes Bild über die Literatur von 1890 bis 1933 bemüht und ausführlich auf die ›Literaturrevolution‹ des Expressionismus (Kapitel 6–9) eingeht. Mit der Einbeziehung expressionistischer Literatur in die literaturwissenschaftliche Auseinandersetzung und ihrer ›progressiven‹ Tendenzen ins ›Literaturerbe‹ scheint aber auch eine Grenze angegeben zu sein, jenseits welcher die Werke Franz Kafkas und Gottfried Benns zu finden sind.

Expressionismus und Kafka

Schon die Tatsache, daß in der DDR nicht die ›linke‹ Anthologie expressionistischer Lyrik, Ludwig Rubiners *Kameraden der Menschheit. Dichtungen zur Weltrevolution* (Potsdam 1919), sondern die ein Jahr später erschienene Sammlung von Kurt Pinthus, *Menschheitsdämmerung. Ein Dokument des Expressionismus* (Leipzig 1968), neu herausgegeben wurde, läßt die Bereitschaft erkennen, eigene Traditionen aufzugeben.[40a] Auch die Rezension Kurt Batts, *Expressionismus und kein Ende*[41], zeigt bei aller Abgrenzung gegen die bürgerliche Expressionismus-Forschung (Armin Arnold, Peter Uwe Hohendahl, Karl Ludwig Schneider) Verständnis für die Gegenposition. In der Einleitung *Der Expressionismus. Aufbruch und Zusammenbruch einer Illusion* zum Pinthus-Band schreibt Werner Mittenzwei: »Der Geist der Utopie, der diese Dichter einst beseelte, zerbarst in der revolutionären Nachkriegszeit. Das Ende der Utopie war zugleich der Beginn einer neuen Realität. Vielleicht lassen sich Hoffnung, Illusion und Irrtum dieses expressionistischen Jahrzehnts heute vom Blickpunkt einer neuen Gesellschaftsordnung, der sozialistischen Men-

schengemeinschaft, besser und gerechter beurteilen, als es im Streit und Kampf um diese literarische Richtung möglich war ... Aus der expressionistischen Dichtung spricht noch nicht die Stimme der Revolution, aber doch die Ahnung und Erwartung kommender großer Umwälzungen. Gerade das soziale Pathos dieser Dichtungen verdient hervorgehoben zu werden, gibt es doch heute in der spätbürgerlichen Literaturkritik nicht wenige Versuche, die gesellschaftskritische Note des Expressionismus auszulöschen ... Losgelöst von der revolutionären Arbeiterbewegung erschöpft sich der Protest der Expressionisten weitgehend in einer Antibürgerlichkeit, die nur das idealistische oder anarchistische Gegenbild des bürgerlichen Typus ist.«[42]
Auf der anderen Seite wird aber auch eine kritische Auseinandersetzung mit Lukács' Expressionismus-Essay (1934) versucht, der »die marxistische Expressionismus-Rezeption für lange Zeit beeinflußt«[43] habe.
Über das Werk Franz Kafkas scheint man sich jedoch mit Lukács immer noch weitgehend einig zu sein. Deshalb mag es verwunderlich klingen, daß die marxistische Kafka-Rezeption in der deutschen Exilliteratur, nicht nur bei Anna Seghers, eine gewisse Tradition und seine Werke eine positive Resonanz hatten. Eine wissenschaftliche Beschäftigung mit Kafka, eine Art kommentierender Literatur zu verbotenen Originaltexten, läßt sich in der DDR jedoch erst seit 1957 feststellen, als Klaus Hermsdorf in Kafkas Werk antikapitalistische Tendenzen zu finden glaubte. Politische Aktualität bekam dieses Werk im Mai 1963, als zum bevorstehenden 80. Geburtstag Kafkas auf Schloß Liblice bei Prag eine internationale Konferenz stattfand, zu der der Prager Germanist Eduard Goldstücker eingeladen hatte. Dort versuchte der französische Marxist Roger Garaudy den Nachweis zu führen, daß der in Marx' Frühschriften auftauchende Begriff ›Entfremdung‹, deren Ausdruck Kafkas Dichtung sei, auch auf die sozialistischen Staaten angewandt werden könne: »Kafka war sich seiner Zwiespältigkeit als eines bis zu den Wurzeln seines Wesens gespaltenen Menschen sehr wohl bewußt. In seinem Tagebuch finden wir die Eintragung, daß es für ihn eine furchtbare Doppelexistenz sei, die offensichtlich keinen andern Ausweg als das Verrücktsein habe. Die Marxisten haben gezeigt, daß dieser Konflikt in seiner letzten Instanz Klassencharakter hat. Infolge seiner persönlichen Stellung erlebte Kafka die Klassengegensätze und die Entfremdung, die sie hervorriefen, in verstärkter Form.«[44]
Von den vier anwesenden DDR-Germanisten Klaus Hermsdorf (Berlin), Werner Mittenzwei (Berlin), Helmut Richter (Leipzig) und Ernst Schumacher (Berlin) wurde ihm darin widersprochen. In seinem Diskussionsbeitrag *Kafka vor der neuen Welt* meinte Schumacher: »Nach meiner Meinung erklärt sich die lange Verbannung Kafkas aus dem kulturellen Erbe, das der Marxismus der Aneignung für wert hält, nicht nur aus der Abneigung gewisser Funktionäre gegen diese vorweggenommene ›Enthüllungsliteratur‹, sondern gerade aus dieser Befürchtung, Kafka könnte auch in der sozialistischen Literaturgesellschaft nicht nur ›Mode‹ werden, sondern bei den Schriftstellern Schule machen ... Vielleicht wird diese Gefahr im sozialistischen Teil Deutschlands besonders stark empfunden, weil die Auswirkung des ›Kafkaismus‹ ... und ... die ... parabolische Schreibweise Kafkas auch dann nicht als geeignetste Weise erscheint, den Lesern ... zu einem realen Bewußtsein ihrer selbst zu verhelfen, wenn die weltanschauliche Basis, von der aus die literarische Bewältigung der Wirklichkeit erfolgt, historisch-materialistisch sein sollte.«[45]

Daß der noch immer nicht überwundene Stalinismus den Nährboden für eine Kafka-Mode in der DDR abgeben und deshalb eine offiziell nicht gewünschte Diskussion in Gang setzen könnte, dessen war sich auch Alfred Kurella bewußt, als er mit seinem Aufsatz *Der Frühling, die Schwalben und Franz Kafka*[46] gegen Roger Garaudys ›revisionistische‹ Auffassungen in dem in Paris gedruckten Artikel *Kafka und der Prager Frühling* (1963) polemisierte und davor warnte, eine ›Schwalbe‹ mit einer ›Fledermaus‹ zu verwechseln: »Der Personenkult und seine Auswirkungen sind unter dem Begriff ›Entfremdung‹ überhaupt nicht zu verstehen. Erscheinungen wie diese haben historisch konkrete Ursachen, deren Hauptfaktoren heute genügend erkannt sind, so daß wir mit Erfolg gegen alles ankämpfen können, was wirklich mit diesen Problemkomplexen zusammenhängt. Zu diesem Zweck Franz Kafka und sein Reich der unerbittlichen Zwänge und unerforschlichen Ratschlüsse zu bemühen, heißt, von der eigentlichen Aufgabe ablenken!«[47]
Hier wird die Interpretation von Literatur, wie die politische Entwicklung in der Tschechoslowakei bis 1968, in der die Kafka-Konferenz eine entscheidende Rolle spielte, Kurella zu bestätigen schien, für den Ostberliner Kulturfunktionär zur reinen Machtfrage.

Organisierte Literaturforschung

Die Notwendigkeit, in eine nichtbürgerliche Geschichte der deutschen Literatur auch proletarische Strömungen einzubeziehen, was einen neuen Literaturbegriff implizierte, sie dadurch anders zu akzentuieren und zu periodisieren, fand ihren ersten Niederschlag in einer *Skizze zur Geschichte der deutschen Nationalliteratur von den Anfängen der deutschen Arbeiterbewegung bis zur Gegenwart*, die im 5. Heft 1964 der *Weimarer Beiträge*[48] abgedruckt war. Die Zäsuren in der literarischen Entwicklung werden hier den Richtzahlen der politischen Geschichte in der Weise zugeordnet, daß man acht Epochen annimmt, deren erste von Goethes Tod bis zur bürgerlich-demokratischen Revolution von 1848 reicht. Der zweite Abschnitt ist mit der Gründung des deutschen Kaiserreichs 1871, der dritte mit dem Übergang vom Kapitalismus in den Imperialismus 1895 abgeschlossen. Der nächste Einschnitt wird 1918 angesetzt, während eigenartigerweise Weimarer Republik und Drittes Reich (1918–1945) als Einheit gefaßt sind. Bis zur Gründung der beiden deutschen Staaten 1949, als die Exilliteratur rezipiert wurde, reicht der sechste Abschnitt, danach gibt es zwei Literaturentwicklungen in Deutschland, die einander ausschließen.
Dieses Einteilungsprinzip wird in die *Deutsche Literaturgeschichte in einem Band* (Berlin 1966), die der Greifswalder Germanist Hans Jürgen Geerdts mit einem Fachkollektiv und dem Verlag ›Volk und Wissen‹ erstellte, übernommen. Hier ist nicht mehr von Aufklärung, Sturm und Drang, Klassik, Romantik, Realismus und Naturalismus die Rede, sondern von Eingrenzungen wie *Die deutsche Nationalliteratur in der Epoche ihrer klassischen Ausprägung (1700–1848)* und *Die nationalliterarische Epoche von 1848–1917* und *Die Entwicklung der deutschen Nationalliteratur von 1917–1945* und *Die deutsche Nationalliteratur nach 1945*. Warum der Klassikbegriff auf einen Zeitraum von fast 150 Jahren ausgedehnt wurde, erfährt man aus einem Aufsatz Helmut Holtzhauers: »Wir nennen den gesamten Zeitraum

von Lessing bis Heine ›Epoche der klassischen deutschen Literatur‹, weil wir ihn ... als Einheit betrachten, innerhalb deren für Kunst und Literatur die Aufnahme und Verarbeitung des humanistischen Gedankenguts, die hellenische, heidnische Sinnenfreude, die Wertschätzung des Wirklichen vor dem Eingebildeten, die Priorität des Lebens vor der Idee das Kennzeichnende ist. Wie abwegig muß es, unter diesem Gesichtspunkt betrachtet, anmuten, wenn der Begriff der Klassik auf das Jahrzehnt des Freundschaftsbundes zwischen Goethe und Schiller beschränkt wird und die Einheit der Epoche in eine Aufeinanderfolge von gegensätzlichen Erscheinungen wie Aufklärung, Sturm und Drang, Klassik, Romantik, Biedermeier, Vormärz usw. aufgelöst wird, so daß die kausalen Zusammenhänge verloren gehen und Wirkungen sowie Gegenwirkungen unverständlich bleiben.«[49]

Jeder dieser genannten Zeitabschnitte wird mit einem Grundsatzreferat über die politische Geschichte, die mit der Literaturgeschichte korrespondiere, eingeleitet, so die Zeit nach 1848 mit *Karl Marx und Friedrich Engels und die Geschichte der deutschen Nationalliteratur.* Innerhalb des Abschnittes 1700–1848 wird der ›Sturm und Drang‹ – der Begriff wird nur noch im Untertitel genannt – aufgelöst in *Die deutsche Literatur in der Periode der ›literarischen Revolution‹*, die durch die beiden Daten 1770 und 1789 begrenzt ist. Die Zeit nach der Französischen Revolution bis 1806 nennt sich *Periode des klassischen Realismus*, woran sich die *Periode der napoleonischen Fremdherrschaft und der Befreiungskriege (1806–1815)* und die *Periode der politischen Reaktion (1815–1830)* anschließen. Ansätze bürgerlich-demokratischer, aber auch schon sozialistischer Literatur findet man im Vormärz 1830–48, wobei Heinrich Heine, Georg Büchner und Georg Weerth besondere Bedeutung beigemessen wird, weil sie mit ihrem Werk die bürgerlichen Klassengrenzen zu überschreiten vermochten und sich nicht mehr als ›Dichter‹, sondern als politische Schriftsteller verstanden.

Die Literatur von 1848 bis 1917 steht zwischen der gescheiterten bürgerlichen Revolution in Deutschland und der siegreichen sozialistischen Revolution in Rußland. An diesen beiden Bezugspunkten werden alle literarischen Werke gemessen, die in diesem Zeitraum entstanden. Das entscheidende Kriterium zur Bewertung von Literatur wird die Einstellung ihrer Verfasser zur deutschen Arbeiterbewegung. In dieser Zeit bildet sich neben dem ›Kritischen Realismus‹ auch schon ein sozialistischer Zweig in der deutschen Literatur aus, der sich nach 1917 in der ›proletarisch-revolutionären Literaturbewegung‹ fortsetzt, der die ›linksbürgerlichen Gesellschaftskritiker‹, von ›reaktionären‹ Strömungen abgesehen, gegenüberstehen. Die Exilliteratur, der Begriff selbst taucht nicht auf, wird unter dem Titel *Die deutsche Nationalliteratur im Kampf gegen den Faschismus 1933–1945* abgehandelt, was insofern seine Berechtigung hat, als die Literatur der Emigranten als (mit wenigen Ausnahmen innerhalb Deutschlands) d i e deutsche Literatur der damaligen Zeit schlechthin anzusehen ist. Nach 1945 gibt es nur noch die sozialistische Nationalliteratur in der DDR und den absterbenden Zweig spätbürgerlicher Literatur in Westdeutschland, der in diesem Kapitel von 74 Seiten nur sieben Seiten zufallen.

Diese Art der Periodisierung mag befremdend wirken und nur im Kontext marxistischer Geschichtsbetrachtung einsichtig sein, doch wäre im Einzelfall zu prüfen, wo ein falsches Literaturbild vermittelt wird. Friedrich Hölderlin zu seinem 200. Geburtstag in einem Weimarer Festakt als »Sänger revolutionärer Hoffnung«[50] zu feiern, stößt heutzutage auch in Westdeutschland oder Frankreich, wo Pierre Bertaux (Paris) und Robert Minder (Paris) den Jakobiner Hölderlin entdeckten, nicht mehr auf schroffe Ablehnung.

Ähnliches läßt sich zur Fontane-Forschung anführen. Hans-Heinrich Reuters zweibändige Monographie *Fontane* (Ost-Berlin 1968/München 1969), die die Wirkungs- und Forschungsgeschichte einbezieht, gilt trotz der marxistischen ›Einfärbung‹ als gründlichste Darstellung, die es über diesen Autor je gab.

Inzwischen ist neben den seit 1953 bestehenden ›Nationalen Forschungs- und Gedenkstätten der klassischen deutschen Literatur in Weimar‹, wo Reuter arbeitet, in Ost-Berlin ein der Akademie der Wissenschaften angeschlossenes ›Zentralinstitut für Literaturgeschichte‹ (1969) gegründet worden, wo Germanisten, Anglisten, Romanisten und Slawisten die »Entstehungs- und Wirkungsgeschichte«[51] der jeweiligen Nationalliteraturen untersuchen. Der amtierende Direktor und Brecht-Forscher Werner Mittenzwei erklärte dazu in einem Interview (1969): »Die Hauptforschungsrichtung unseres Zentralinstituts richtet sich auf die Integration des humanistischen Erbes der Nationalliteratur und der Weltliteratur in die sozialistische Gesellschaft.«[52] Als dringlichste Aufgabe stelle sich daher die »Erarbeitung einer revolutionären Erbetheorie«.[53] Diesen Punkt, mit dem Mittenzwei das pädagogische Ziel der Becherschen ›Literaturgesellschaft‹ anspricht, führt er in seinem Aufsatz *Aufgaben und Auftrag des Zentralinstituts für Literaturgeschichte* in den *Weimarer Beiträgen* (1970) weiter aus: »Das jeweilige Verhältnis von Literatur und Gesellschaft wird in der Dialektik von sozialistischer Gegenwart und geschichtlichem Prozeß, von sozialistischer deutscher Nationalliteratur und weltliterarischer Entwicklung erforscht. Der literaturgeschichtliche Prozeß wird damit im Spiegel und im Dienste der sozialistischen Gegenwart untersucht und von der Höhe unserer geschichtlichen Bewegung um neue historische Einsichten, ästhetische Erkenntnisse und theoretisch-methodologische Verallgemeinerungen vertieft. Die Forschungen über die humanistischen Literaturtraditionen dienen der allseitigen Entwicklung gebildeter sozialistischer Persönlichkeiten und tragen mit dazu bei, ein höheres gesellschaftlich-ästhetisches Bewußtsein zu entwickeln.«[54]

Dieses literaturpädagogische Ziel läßt sich jedoch nur in dauernder Abwehr bürgerlicher Ideologien in der Literaturwissenschaft, d. h. der westdeutschen Germanistik, anstreben, über die der Leipziger Germanist Claus Träger in seinem Aufsatz *Sozialistische Ideologie und bürgerlicher Dogmatismus in der Literaturwissenschaft* (1970) ein vernichtendes Urteil fällt: »Die bürgerliche Literaturwissenschaft reflektiert auf besondere Weise die ideologische Situation einer zum Untergang verurteilten Klasse. Es führt kein Weg aus dem methodologischen Irrgarten einer Wissenschaft, deren soziale Wirklichkeit ausweglos ist ... In dem Maße, wie die klassisch-humanistischen Werke etwa der deutschen Nationalliteratur untauglich wurden, einer verewigenden Legitimation der bürgerlich-kapitalistischen Gesellschaft unmittelbare Argumente zu liefern, traten an die Stelle der historisch-philologischen Kritik, die das latente Bewußtsein geschichtlicher Kontinuität voraussetzte, immer zudringlicher die Fragen der ›Interpretation‹.«[55] Die aus dieser Wissenschaftskrise abzuleitenden Aufgaben für die DDR-Germanistik nennt Mittenzwei: »Aber die imperialistische Welt verwendet nach wie vor die literarischen Werte der Vergangenheit für ihre Zwecke. Deshalb muß unsere Wissenschaft polemisch und offensiv bleiben und ihre Anstrengungen ständig aufs neue mit den dringlichsten Kampfzielen der Arbeiterklasse in Übereinstimmung bringen. In der Auseinandersetzung mit nichtmarxistischen Auffassungen stoßen wir bei der Verteidigung des Erbes immer wieder auf Versuche, die Literatur aus ihren gesellschaftlichen Grundlagen herauszulösen. Diese Tendenz der Entideologisierung taucht in ständig neuen Variationen auf.«[56]

Die elfbändige *Geschichte der deutschen Literatur*, die im Zentralinstitut erarbeitet wurde und 1971 abgeschlossen sein soll, ist als erstes Ergebnis dieser ›antibürgerlichen‹ Konzeption zu werten. Ihre Edition fällt um so mehr ins Gewicht, als keine der mehrbändigen Literaturgeschichten in Westdeutschland (Newald/de Boor; Wehrli/Kohlschmidt/Lehnert; Rüdiger) bis heute fertiggestellt sind. In seinem Aufsatz führt Mittenzwei weitere Forschungskomplexe an, denen man sich in den kommenden Jahren zuwenden wird: Literatur der Renaissance (frühbürgerliche Revolution und Humanismus); Literatur der europäischen Aufklärung; Sozialistische Literatur in Deutschland vor 1945; Weltliterarische Leistungen der europäischen sozialistischen Literaturen und Methodologische Grundprobleme (Kultur des Lesens). Dieses letztgenannte Projekt verfolgt »das Ziel, auf den Prozeß des Lesens, der Aneignung von Literatur, produktiv einzuwirken«.[57] Manfred Naumann, Romanist und Mitarbeiter des Zentralinstituts, macht in seinem Aufsatz *Literatur und Leser* in den *Weimarer Beiträgen* (5/1970) dazu nähere Angaben.

Anregungen der westdeutschen Literaturwissenschaftler Hans Robert Jauß (*Literaturgeschichte als Provokation der Literaturwissenschaft*, Konstanz 1967) und Harald Weinrich (*Für eine Literaturgeschichte des Lesers* in *Merkur* 236/1967) greift Robert Weimann, Anglist und Bereichsleiter im Zentralinstitut, in seinem Aufsatz *Gegenwart und Vergangenheit in der Literaturgeschichte* in den *Weimarer Beiträgen* (5/1970) auf und gibt zugleich einen Abriß der Geschichte der DDR-Germanistik: »Während nämlich in der Nachkriegszeit erst einmal die historisch-materialistischen Voraussetzungen erarbeitet und die irrationalen und nationalistischen Verfälschungen der deutschen Literaturgeschichte zurückgewiesen werden mußten, konnte in den darauffolgenden Jahren neben der vergangenheitsgeschichtlichen E n t s t e h u n g der Literatur schon stärker ihre gegenwärtige, bewußtseins- und persönlichkeitsbildende W i r k u n g mit erforscht und berücksichtigt werden. Die veränderten gesellschaftlichen Erfordernisse verwiesen uns von der abbildenden Funktion verstärkt auch auf die bildende Funktion der Literatur ... Im Lichte dieser Prozesse ... rücken Gegenwart und Vergangenheit in der Literaturgeschichte in ein auf neue Weise praktisches und produktives Verhältnis zueinander. Literaturgeschichtsschreibung ist heute nicht schlechthin das historische Resumé vergangener Dichtung und ihrer ehemaligen Wirklichkeitsbezüge, sondern der bewußte Prozeß der Konfrontation vergangener Werte und gegenwärtiger Wertungen. Der Inhalt der Literaturgeschichte verliert alles nur Museale: Er wirkt als das Vergangene, das in der Gegenwart so recht zu funktionieren vermag. Gegenstand der Literaturgeschichte ist dann nicht schlechthin die Literatur vergangener Zeiten, sondern auch unsere gegenwärtige Beziehung zu dieser vergangenen Literatur, die erst durch diesen Bezug wieder zu etwas Lebendigem wird.«[58]

Die Konsequenzen, die Weimann für eine rezeptionsorientierte Literaturgeschichte daraus zieht, lauten: »Eine humanistische Theorie der Literaturgeschichte kann die wirkungsgeschichtliche Dimension gar nicht ernst genug nehmen; aber sie wird die Wirkungsgeschichte neben und zeitlich hinter der Entstehungsgeschichte studieren. Mehr noch: Sie wird die Geschichtlichkeit der Literatur gerade aus der historisch-ästhetischen K o r r e l a t i o n von Entstehung und Wirkung begreifen und gerade in dieser Korrelation die eigentliche ›Schwierigkeit‹ ihrer Aufgabe erblicken. Diese Schwierigkeit gipfelt nicht zuletzt in der von uns bereits angedeuteten methodologischen Problematik von Tradition und Antizipation als literaturgeschichtliche Kategorien.«[59]

Mit dem 16. Jahrgang 1970 wurden auch die *Weimarer Beiträge* in *Zeitschrift für Literaturwissenschaft, Ästhetik und Kulturtheorie* umbenannt und als ›kulturpolitisches Führungsorgan‹ in die Forschungsplanung einbezogen. Fünf Schwerpunkte, auf die sich die Redaktion konzentrieren will, werden genannt:

1. *Theorie und Geschichte des Realismus in der Literatur. Der sozialistische Realismus als Weltliteratur und als deutsche Nationalliteratur.*
2. *Probleme der Literaturgesellschaft in Vergangenheit und Gegenwart.*
3. *Fragen der Methodologie von Literaturwissenschaft, Ästhetik und Kulturtheorie.*
4. *Sozialistische Rezeption des Erbes. Die kulturellen und künstlerischen Traditionen und ihre Integration in die sozialistische Volkskultur.*
5. *Auseinandersetzung mit imperialistischen Theorien und mit den Spielarten des Revisionismus auf dem Gebiet von Kultur und Kunst.*

Diese Ausführungen deuten an, daß die Germanistik der DDR, die eines Tages sicher auch fähig sein wird, ›feindliche‹ Strömungen aus der Literatur und Literaturwissenschaft Westdeutschlands zu verarbeiten, sich anschickt, der westdeutschen Germanistik, was Planung und Verfügung über finanzielle Mittel betrifft, den Rang abzulaufen.

Anmerkungen

1. Hans Mayer: *Literaturwissenschaft in Deutschland.* In: Literatur II. Frankfurt 1965. Erster Teil. S. 317–333 (Zitat S. 327).
2. Werner Krauss: *Literaturgeschichte als geschichtlicher Auftrag.* In: Studien und Aufsätze (= Neue Beiträge zur Literaturwissenschaft. Bd. 8). Berlin [Ost] 1959. S. 19–71 (Zitat S. 19).
3. Krauss: *Literaturgeschichte . . .*, a. a. O., S. 66.
4. Ursula Wertheim: *Die marxistische Rezeption des klassischen Erbes.* In: Positionen. Beiträge zur marxistischen Literaturtheorie in der DDR. Leipzig 1969. S. 473–527.
5. Wertheim: *Marxistische Rezeption*, a. a. O., S. 475/476.
6. Friedrich Albrecht: *Für eine neue deutsche Literaturgeschichte.* In: Neue Deutsche Literatur. Jg. 1, Heft 6, S. 167–173 (Zitat S. 168). Berlin [Ost] 1953.
7. Albrecht, a. a. O., S. 169.
8. Albrecht, a. a. O., S. 169.
9. Wertheim: *Marxistische Rezeption*, a. a. O., S. 487.
10. Marx/Engels: *Über Kunst und Literatur.* 2 Bde. Frankfurt u. Wien 1968.
11. Marx/Engels: *Über Kunst . . .*, a. a. O., Bd. 1, S. 74/75.
12. *Kleines politisches Wörterbuch.* Berlin [Ost] 1967. S. 366.
13. Johannes R. Becher: *Von der Größe unserer Literatur.* In: IV. Deutscher Schriftstellerkongreß Januar 1956. Berlin [Ost] 1956. Protokoll 1. Teil. S. 15–42 (Zitat S. 17).
14. Wolfgang Harich: *Zur Frage des Erbes in der Literaturwissenschaft.* In: Aufbau, Jg. 10, Heft 7, S. 594–595 (Zitat S. 594). Berlin [Ost] 1954.
15. Harich: *Zur Frage . . .*, a. a. O., S. 594.

16. Harich: *Zur Frage ...*, a. a. O., S. 595.
17. Peter Ludz: *Marxismus und Literatur.* In: Georg Lukács: Schriften zur Literatursoziologie (= Soziologische Texte, Bd. 9). Neuwied, Berlin ^{2}1963. S. 19–68 (Zitat S. 22).
18. Alexander Abusch in: Georg Lukács zum siebzigsten Geburtstag. Berlin [Ost] 1955. S. 5.
19. Hans Mayer: *Zwei Ansichten über Georg Lukács.* In: Zur deutschen Literatur der Zeit. Reinbek 1967. S. 236–249 (Zitate S. 236/241).
20. Georg Lukács: *Das Problem der Perspektive.* In: IV. Deutscher Schriftstellerkongreß Januar 1956. Berlin [Ost] 1956. Protokoll 1. Teil. S. 75–82.
21. Alexander Abusch: *Lukács' revisionistischer Kampf gegen die sozialistische Literatur.* In: Kulturelle Probleme des sozialistischen Humanismus (Schriften. Bd. III). Berlin [Ost] ^{2}1967. S. 323 bis 335 (Zitat S. 324).
22. *Lexikon sozialistischer deutscher Literatur.* Leipzig ^{2}1964. Stichwort: Lukács. S. 339–343 (Zitat S. 342).
23. *Georg Lukács und der Revisionismus.* Berlin [Ost] 1960.
24. Hans-Günther Thalheim: *Kritische Bemerkungen zu den Literaturauffassungen Georg Lukács' und Hans Mayers.* In: Weimarer Beiträge. Jg. 4, Heft 2, S. 138–171 (Zitat S. 155). Weimar 1958.
25. Hans Koch: *Franz Mehrings Beitrag zur marxistischen Literaturtheorie.* Berlin [Ost] 1959.
26. *Georg Lukács und der Revisionismus.* Berlin [Ost] 1960. Vorbemerkung. S. 5/6.
27. Hans Koch: *Aufgaben der marxistisch-leninistischen Literaturwissenschaft im Siebenjahrplan.* In: Einheit. Jg. 15, Heft 1, S. 104–121 (Zitat S. 107). Berlin [Ost] 1960.
28. *Lexikon ...*, a. a. O., S. 343.
29. Hans Mayer: *Zur Gegenwartslage unserer Literatur.* In: Zur deutschen Literatur der Zeit. Reinbek 1967. S. 365–373.
30. Joachim Müller: *Zur Entwicklung der deutschen Literatur im 20. Jahrhundert.* In: Wissenschaftliche Zeitschrift der Universität Jena. Gesellschafts- und sprachwissenschaftliche Reihe. Jg. 6, Heft 3/4, S. 281 ff. Jena 1957.
31. Erwin Pracht: *Irrweg der Literaturwissenschaft.* In: Wissenschaftliche Zeitschrift der Humboldt-Universität zu Berlin. Gesellschafts- und sprachwissenschaftliche Reihe. Jg. 8, Heft 2/3, S. 229 bis 234. Berlin 1959.
32. *Über die Aufgaben der Zeitschrift für deutsche Literaturgeschichte.* In: Weimarer Beiträge. Jg. 4, Heft 2, S. 133–137 (Zitat S. 135). Weimar 1958.
33. Hans-Günther Thalheim: *Gedanken über die gegenwärtigen Forschungsaufgaben der literaturwissenschaftlichen Germanistik.* In: Weimarer Beiträge. Jg. 4, Heft 1, S. 88–92 (Zitat S. 90). Weimar 1958.
34. Peter Goldammer: *Begegnung mit Klassikern.* In: Sonntag. Jg. 26, Heft 33, S. 6. Berlin [Ost] 1970.
35. Goldammer: *Begegnung ...*, a. a. O.
36. Friedrich Engels: *Weerth, der erste und bedeutendste Dichter des deutschen Proletariats.* In: Marx/Engels: Über Kunst und Literatur, a. a. O., Bd. 2, S. 296/297.
37. Goldammer: *Begegnung ...*, a. a. O.
38. Goldammer: *Begegnung ...*, a. a. O.
39. *Über die Aufgaben der Zeitschrift für deutsche Literaturgeschichte.* In: Weimarer Beiträge. Jg. 4, Heft 2, S. 133–137 (Zitat S. 135). Weimar 1958.
40. *Lexikon ...*, a. a. O., S. 7.

40a. Ludwig Rubiner: *Kameraden der Menschheit.* Leipzig 1971 [Nachtrag].

41. Kurt Batt: *Expressionismus und kein Ende.* In: Neue Deutsche Literatur. Jg. 17, Heft 12, S. 173 bis 179. Berlin [Ost] 1969.
42. Werner Mittenzwei: *Der Expressionismus. Aufbruch und Zusammenbruch einer Illusion.* In: Kurt Pinthus: Menschheitsdämmerung. Leipzig 1968. S. 5–26 (Zitate S. 5, 12, 15).
43. Mittenzwei: *Expressionismus*, a. a. O., S. 23.
44. Roger Garaudy: *Kafka, die moderne Kunst und wir.* In: Die Prager Kafka-Konferenz (Beilage zu: alternative. Heft 42/43). Berlin [West] 1965. S. 37–40 (Zitat S. 39).
45. Ernst Schumacher: *Kafka vor der neuen Welt.* In: Die Prager Kafka-Konferenz, a. a. O., S. 16 bis 20 (Zitate S. 17/19).
46. Alfred Kurella: *Der Frühling, die Schwalben und Franz Kafka.* In: Kritik in der Zeit. Halle 1970. S. 532–544.
47. Kurella: *Der Frühling ...*, a. a. O., S. 539.

48. *Skizze zur Geschichte* ... In: Weimarer Beiträge, Jg. 10, Heft 5, S. 644–812. Berlin [Ost] u. Weimar 1964.
49. Helmut Holtzhauer: *Die Nationalen Forschungs- und Gedenkstätten der klassischen deutschen Literatur in Weimar.* In: Neue Zürcher Zeitung. Nr. 258 vom 28. April 1968. S. 51–52 (Zitat S. 52).
50. Alexander Abusch: *Sänger revolutionärer Hoffnung.* In: Neues Deutschland. 3. April 1970. Berlin [Ost].
51. *Literatur der Zeitenwende.* In: Sonntag. Jg. 25, Heft 47, S. 14–15 (Zitat S. 15). Berlin [Ost] 1969.
52. *Literatur der Zeitenwende*, a. a. O., S. 14.
53. Werner Mittenzwei: *Aufgaben und Auftrag des Zentralinstituts für Literaturgeschichte.* In: Weimarer Beiträge. Jg. 16, Heft 5, S. 10–30 (Zitat S. 19). Berlin [Ost] 1970.
54. Mittenzwei: *Aufgaben* ..., a. a. O., S. 23/24.
55. Claus Träger: *Sozialistische Ideologie und bürgerlicher Dogmatismus in der Literaturwissenschaft.* In: Studien zur Literaturtheorie und vergleichenden Literaturgeschichte. Leipzig 1970. S. 7–26 (Zitat S. 8/9).
56. Mittenzwei: *Aufgaben* ..., a. a. O., S. 17.
57. *Literatur der Zeitenwende*, a. a. O., S. 14.
58. Robert Weimann: *Gegenwart und Vergangenheit in der Literaturgeschichte.* In: Weimarer Beiträge. Jg. 16, Heft 5, S. 31–57 (Zitate S. 31/32). Berlin [Ost] 1970.
59. Weimann: *Gegenwart* ..., a. a. O., S. 44.

WALTER WEISS

Die Literatur der Gegenwart in Österreich

Bisherige Versuche über die Literatur seit 1945 in Österreich haben deren weiterhin gültige Kontinuität und Stabilität, über alle Veränderungen unseres Jahrhunderts hinweg, betont. So erklärte Friedrich Heer programmatisch in seinen *Perspektiven österreichischer Gegenwartsdichtung* (1959),[1] ihr Grundzug sei »eine Kontinuität, die – ungebrochen im Innersten – mitten durch die Brüche und Katastrophen des Menschentums und der Gesellschaft in Österreich hindurchführt«. Und Herbert Eisenreich[2] rückt die Generation der österreichischen Nachkriegsschriftsteller an die Grillparzer- wie an die Hofmannsthal-Generation heran. Im Unterschied zu weniger ausgeprägt österreichischen Dichtergenerationen dazwischen seien sie die eigentlichen Vertreter und Gestalter einer zeitüberdauernden österreichischen Dichtungs- und Geistesform. Von heute aus betrachtet werden solche Thesen fragwürdig im doppelten Sinn. Am Ende der fünfziger Jahre hatten sie noch viel für sich. Was sie erschüttern sollte, war erst dabei, aus dem literarischen Untergrund aufzutauchen.

Nach dem Ende des Hitler-Staates traten in Österreich wie in Deutschland Schriftsteller ganz verschiedener Altersstufen gleichzeitig hervor. Vom NS-Regime unterdrückte, ausgesperrte Dichtung und in die Emigration getriebene Autoren wurden entdeckt oder wieder wirksam. Der Neubeginn in Österreich zeigte nun aber einige Besonderheiten, die nur zum Teil durch die besondere politische Situation der »Zwischenstation zwischen Siegern und Besiegten«[3] bedingt war. So fehlten hier weitgehend Autoren wie Borchert, Böll, Nossack, die in der Spannung zwischen radikaler Verzweiflung und der Hoffnung auf einen radikalen Neubeginn das Gesicht der deutschen Literatur in der unmittelbaren Nachkriegszeit entscheidend prägten. Während sich im deutschen Westen schon bald, im *Ruf* und in der nach seinem Verbot sich zusammenfindenden Gruppe 47, ein scharfer Gegensatz zwischen einer jungen Schriftstellergeneration und jenen Älteren herausbildete, die die Bundesrepublik politisch, wirtschaftlich und geistig formierten, bietet das literarische Leben in Österreich bis weit in die fünfziger Jahre hinein das Bild eines nicht grundsätzlich gestörten Neben- und Miteinanders der verschiedenen Schriftstellergenerationen. Es ist symptomatisch dafür, wie der fast siebzigjährige Heimito von Doderer für die avantgardistische Wiener Gruppe eintrat.

Eine weitere Besonderheit ist das Nachleben und Weiterwirken altösterreichischer Zusammenhänge noch in die Zeit der Zweiten Republik herein. Österreichische Juden kehrten schon bald nach 1945 zurück und förderten die junge Literatur ebenso, wie sie sich der österreichischen Tradition des Theaters und des modernen Romans annahmen (z. B. Hans Weigel, Friedrich Torberg). Sie knüpften damit an den Geist der jüdischen Künstler und Wissenschaftler an, die zur letzten Kultur- und Literaturblüte Altösterreichs entscheidend beigetragen haben. Andere Emigranten vor Hitler, die im alten, größeren Österreich geboren waren, kehrten zwar nicht zurück, blieben dem wiedererstandenen kleineren Österreich jedoch im Zeichen der Vergangenheit verbunden (z. B. Johannes Urzidil). Selbst ein nach dem Untergang der

Monarchie in einem ihrer Nachfolgestaaten Geborener, wie Paul Celan, kam zunächst auf den Spuren der alten Ausstrahlung nach Wien – »Das Erreichbare, fern genug, das zu Erreichende hieß Wien«[4] –, wenn er da auch nur kurz blieb. Andere blieben, wie der Serbe Milo Dor und der Ungar György Sebestyén.
Dazu kommt ein weiteres, das sichtbar wird, wenn man die repräsentative österreichische Nachkriegszeitschrift *Plan* (1945–48)[5] betrachtet, in der 1946 Ilse Aichingers *Aufruf zum Mißtrauen*, das oft zitierte Signal für den Neubeginn der Nachkriegsliteratur in Österreich, erschien.[6] Da fehlen zwar nicht die Anklage und der sozialkritische Ton, wie z. B. in den Gedichten Walter Tomans; im Vordergrund steht jedoch die Kunstform, besonders die Vermittlung und Anverwandlung des Surrealismus, der der jungen Lyrik in Österreich den stärksten Anstoß gab.[7] Ich nenne nur die Namen Elfriede Mayröcker, Paul Celan (zuerst im *Plan*); Hans Carl Artmann, Andreas Okopenko (zuerst in den *Neuen Wegen*, die ab 1949 erschienen); Ingeborg Bachmann (zuerst in *Stimmen der Gegenwart*, 1951 von Hans Weigel herausgegeben). Zu den Zeichen für die erwähnte Gemeinschaft der Älteren mit den Jüngeren gehört es, wenn sich Heimito von Doderer 1947 im *Plan* unter dem Pseudonym René Stangeler mit einem Lob der Form einstellt: *Von der Unschuld des Indirekten. Zum 60. Geburtstag von Albert Paris Gütersloh*. Indem Doderer sein Leitbild feiert, formuliert er seine eigene Kunstauffassung. Sie steht im diametralen Gegensatz zum bekannten »Manifest« Borcherts[8]: »Im Grunde beginnt das neunzehnte Jahrhundert mit dem Satz Goethes: ›Jede Form, auch die gefühlvollste, hat etwas Unwahres‹. Im Sinne Güterslohs dürfte man entgegensetzen: ›Jede Formlosigkeit, auch die gefühlvollste, hat etwas Unwahres‹.«[9] In seinem Buch *Deutsche Literatur der Gegenwart* bringt Walter Jens eine Zäsur in der deutschen Nachkriegsliteratur mit dem Auftreten von Paul Celan, Ingeborg Bachmann und Ilse Aichinger bei der Gruppe 47 in Zusammenhang: »... es war in Niendorf an der Ostsee, Frühjahr 1952, eine Tagung der Gruppe 47 fand statt. Die Veristen, handwerklich gute Erzähler, lasen aus ihren Romanen. Dann plötzlich geschah es. Ein Mann namens Paul Celan (niemand hatte den Namen vorher gehört) begann, singend und sehr weltentrückt, seine Gedichte zu sprechen; Ingeborg Bachmann, eine Debütantin, die aus Klagenfurt kam, flüsterte, stockend und heiser, einige Verse; Ilse Aichinger brachte, wienerisch-leise, die ›Spiegelgeschichte‹ zum Vortrag.«[10] Nun, die Autoren, mit denen Jens diese Wendung zu einem neuen Formbewußtsein verbindet, waren in Österreich schon vorher, in der Blütezeit des Neorealismus, der Nachkriegsprogramme hervorgetreten. Doch die Publizität stellte sich, wie fast immer, erst mit dem Erfolg außerhalb Österreichs ein.
In den fünfziger Jahren wirkten die in der unmittelbaren Nachkriegszeit beobachteten Tendenzen weiter. Hatten jedoch in den ersten Jahren sowohl der Anschluß an die Tradition als auch die Öffnung für das Neue, das Experiment, in Zeitschriften wie *Plan* und *Neue Wege*[11] nebeneinander Platz gefunden, so schlug nun das Pendel zur Tradition hin aus. Während sich im Deutschland der fünfziger Jahre ein Vorgang der Konsolidierung und der Polarisierung von ›Restauration‹ und ›Antirestauration‹ im Zeichen der sich verfestigenden politisch-ideologischen Teilung vollzog, geschah die österreichische Konsolidierung im Zeichen der Herstellung des integren Staates, des Staatsvertrages, des Abzuges der Besatzungstruppen und der Neutralitätserklärung. Die nach dem Kriege begonnene Besinnung auf Österreich

wurde in der Folge auch vom Staat eifrig gefördert, nicht zuletzt aus den Erfahrungen mit der Ersten Republik heraus, die u. a. durch ihren Mangel an Selbstbewußtsein so krisenanfällig gewesen war.
Vor dem Untergang des alten Österreich und in der Ersten Republik war *»Die österreichische Kulturidee«* (Oskar Benda, 1936) nicht zuletzt von österreichischen Schriftstellern entworfen und beschworen worden, so von Hermann Bahr (*Austriaca*, 1911), Hugo von Hofmannsthal (*Preuße und Österreicher*, 1917), Richard Schaukal (*Österreichische Züge*, 1918), Anton Wildgans (*Rede über Österreich*, 1929), Leopold Andrian (*Österreich im Prisma der Idee*, 1937). Den literarhistorischen Unterbau hatten Josef Nadler, Otto Rommel u. a. durch die Herausarbeitung der barocken Literaturlandschaft geliefert. 1931 schrieb Walther Brecht über *Österreichische Geistesform und österreichische Dichtung*[12]. Nun kam man darauf zurück. In wenigen Jahren erschienen zahlreiche Schriften, die sich mit Themen wie der österreichische Mensch, sein Geist und seine Literatur im wechselseitigen Zusammenhang beschäftigten. Der Freiburger Literarhistoriker Gerhart Baumann schrieb 1954 in Anlehnung an Hofmannsthal über *Franz Grillparzer. Sein Werk und das österreichische Wesen* und dann 1957 in dem repräsentativen Sammelwerk *Spectrum Austriae*, weiter ausholend, über *Österreich als Form der Dichtung*. Er stützte die These von der Kontinuität der österreichischen Literatur, indem er Grillparzer und die österreichische Literatur der Jahrhundertwende eng zusammenrückte. Hellmut Olles beantwortete die Frage *Gibt es eine österreichische Literatur?* (1957)[13] mit dem Aufweis konstanter Motive. Joseph Strelka und Kurt Adel beschäftigten sich mit dem *Wesen der österreichischen Literatur* (1961)[14] und *Dichtung* (1964)[15]. Ernst Schönwiese, der mit seiner Literaturzeitschrift *das silberboot* (1935/36; 1946–52) Brücken zwischen der österreichischen Moderne Hermann Brochs und Robert Musils und der Literatur nach 1945 schlagen wollte, schrieb zu einer Anthologie moderner österreichischer Lyrik (*Das zeitlose Wort*, 1964) *Marginalien über die Eigenart der österreichischen Literatur*[16], in denen er diese Eigenart noch schärfer als seine Vorgänger profilierte und, im Anschluß an Hofmannsthal, Benda und den deutschen Wahlösterreicher Oskar A. H. Schmitz (*Der österreichische Mensch*, 1924), den Unterschied zur deutschen Kultur zu einer Art metaphysischem Gegensatz zuspitzte. 1962 kam als Band Nr. 100 (!) der Buchreihe *Das österreichische Wort* eine Essaysammlung mit dem programmatischen Titel *Das Große Erbe*[17] heraus.
Allein schon die Titel der nur in Auswahl genannten Schriften sind aufschlußreich. Die Wörter »Wesen, Erbe, Mensch, Idee, zeitlos, Dichtungs- und Geistesform«, die da den Konstanten »Österreich, österreichisch, Österreicher« zugeordnet werden, treten feldartig zusammen, in der gemeinsamen Sinnrichtung auf Stetigkeit und Dauer. Damit verbundene gedanklich-sprachliche Leitmotive sind: das Evidenthalten des katholisch-barocken, imperial-übernationalen Erbes; der Sinn für das Metageschichtliche, ein enges Verhältnis zum Tod ebenso wie ein letztes Vertrauen in Gnade und Natur; Stabilität, thomistisches Maß, Gleichgewicht der Gegensätze, Ablehnung der Dialektik, der extremen und einseitigen Umschläge (des Faustischen); Aversion gegen das Gewaltsame, Veränderungssüchtige; Sinn für das Alte in der Bedeutung des Bleibenden, des immer gegenwärtigen Ursprungs; Heimat- und Volksverbundenheit. Während Hofmannsthal, Baumann u. a. auch auf fragwürdige Kehrseiten wie z. B. die Selbstaufgabe an die Tradition hinweisen, wächst die Ten-

denz zur Gleichsetzung des ›zeitlos Österreichischen‹ mit der, trotz allem, heilen, ganzen Welt und dem Menschen der Mitte. Hand in Hand mit der Deutung ging die Sammlung: Drei geförderte und inzwischen auf mehrere hundert Nummern angewachsene Kleinbuchreihen, *Das österreichische Wort*, *Neue Dichtung aus Österreich* und die *Österreich-Reihe*, sammeln das literarische Nationalvermögen. Dazu gesellt sich die seit 1966 erscheinende umfangreiche Anthologie *Dichtung aus Österreich*. Ab 1955 erschien *Wort in der Zeit* als repräsentative österreichische Literaturzeitschrift, die es sich zum Ziele setzte, das literarische Besitztum Österreichs vorzustellen und zu verhindern, daß etwa »das fremdsprachige Ausland oft die literarischen Zusammenhänge zwischen dem alten und dem neuen Österreich nicht begreift und etwa Rainer Maria Rilke und Franz Kafka zu Tschechoslowaken oder Ödön von Horvath zu einem Ungarn stempelt« (Rudolf Henz, Herausgeber)[18].

»Literarische Zusammenhänge zwischen dem alten und dem neuen Österreich« – das könnte man beinahe als Motto über die österreichische Literatur der fünfziger Jahre setzen, soweit sie damals bekannt und angesehen war. Das zeigt sich besonders klar in der erzählenden Dichtung. Ihr repräsentativer Vertreter war Heimito von Doderer (* 1896). Fast noch ein Zeitgenosse der österreichischen Klassiker des modernen Romans (Kafka, Musil, Broch), ist er in seiner Dichtung wie in seiner Theorie eng mit ihnen verbunden. Auf der anderen Seite bekannte sich einer der namhaftesten Erzähler der jüngeren Generation in den fünfziger Jahren, Herbert Eisenreich (* 1925), wiederholt zu Doderer und brachte seine Kurzprosa – zumindest theoretisch – in einen Zusammenhang mit Doderers Großform.[19] Bemerkenswert ist ferner, daß Doderer erst mit seiner Trilogie (*Die erleuchteten Fenster*, 1950; *Die Strudlhofstiege*, 1951; *Die Dämonen*, 1956) so recht zum Durchbruch kam, obwohl er seit 1924 bereits drei Romane veröffentlicht hatte, in denen Grundzüge – Motive, Gestalten, Bauformen – seiner Erfolgswerke bereits sichtbar waren. Das traditionsfreundliche Klima der fünfziger Jahre begünstigte den Erfolg dieser Romane um die wiedergefundene österreichische Tradition. Es gab in diesen Jahren noch eine Reihe vergleichbarer Spätwirkungen, Spätentdeckungen, Späthervorbringungen. Genannt seien nur Joseph Roth und Fritz Herzmanovsky-Orlando, deren gesammelte Werke 1956 bzw. 1957 bis 1963 herausgegeben wurden; George Saiko, dessen Romane *Auf dem Floß* und *Der Mann im Schilf* 1948 und 1955 erschienen; Albert Paris Gütersloh, dessen Hauptwerk *Sonne und Mond* erst 1962, und Albert Drach, dessen *Protokoll gegen Zwetschkenbaum* 1964 herauskam. Doderers später Ruhm ist also kein Sonderfall, sondern eher charakteristisch für das literarische Leben Österreichs in den fünfziger und in den beginnenden sechziger Jahren. Ähnliches gilt auch für konstitutive Züge von Doderers Romanwerk und Romantheorie: die Präsenz des alten Österreich, das Konzept des totalen (universalen) Romans, das Motiv der Apperzeption und der Apperzeptionsverweigerung.

Die Präsenz des alten Österreich – vom Milieu bis zum Modell – mitten in der Wirklichkeit der Zweiten Republik verbindet die Romane Doderers mit der Mehrzahl der bedeutenden österreichischen Romane in den fünfziger Jahren. Es ist bezeichnend, daß in drei zwischen 1955 und 1960 erschienenen Romanen von Autoren der ältesten, der älteren und der jungen Generation das Schloß als Schauplatz und als geistiger Ort erscheint: Gütersloh, *Sonne und Mond*, George Saiko, *Auf dem Floß*,

Gerhard Fritsch, *Moos auf den Steinen.* Man wird Frank Trommler zustimmen, der meint, daß die österreichischen Romanciers bei der Antwort auf die Frage der Realität »an die politische und geistige Landschaft Österreichs gebunden bleiben ... Ob man will oder nicht, man kommt in ihrer Interpretation von Österreich nicht los«.[20]

Auch im Zeichen des totalen Romans ergeben sich zahlreiche Längs- und Querverbindungen. Von den österreichischen Klassikern des modernen Romans hat jeder auf seine Weise dieses Konzept verfolgt. Ihr gemeinsamer Ausgangspunkt war dabei die ›moderne‹ Erfahrung des Verlusts der Einheit und Übersichtlichkeit der Welt, durch die ihre erzählerische Gestaltung zunehmend schwieriger wurde. Musils bzw. Ulrichs Reflexionen darüber sind genug bekannt. Hermann Broch handelt in dem Essay *James Joyce und die Gegenwart* davon, wo er sich fragt, »ob eine Welt ständig zunehmender Wertzersplitterung nicht schließlich überhaupt auf ihre Totalerfassung durch das Kunstwerk verzichten muß und sohin ›unabbildbar‹ wird«. Der totale Roman soll die Desintegration nicht nur darstellen, sondern, ihr begegnend, »Universalität neu konstituieren«.[21] Für Eisenreich ist der totale Roman im 20. Jahrhundert das, »was die Kathedrale im Mittelalter war: das zeitgemäße Mittel zur Universalität«, »die stellvertretend wiederhergestellte Totalität des Seins«.[22]

Damit sind wir bei Doderers Grundmotiv der Apperzeption, das sein Werk von den Anfängen her durchzieht. ›Apperzepierer‹ öffnen sich der Erfahrung des ganzen, konkreten, individuellen und zugleich unendlich verwobenen Lebens. Doderers »Menschwerdung« ist wesentlich apperzeptive Öffnung. ›Apperzeptionsverweigerer‹ kapseln sich gegenüber der Lebenstotalität ab und leben in abgeschlossenen Wahnwelten verschiedener Spielarten, z. B. sexuellen, politischen, bürokratischen. In der Gleichsetzung von Revolutionär und Apperzeptionsverweigerer, von Ideologiebefangenheit und Apperzeptionsverweigerung[23] wird der konservative Aspekt von Doderers Grundmotiv sichtbar. Eisenreich stimmt auch hier überein, und er steht damit nicht allein: »Was, als Vereinzeltes, im zersplitterten modernen Leben uns stört und verstört[!], das rückt er [der Roman] zurück ins Ganze der Schöpfung, und schon erstirbt uns das Nein auf der Lippe«. Dies ist nicht zuletzt eine Kampfansage an die ›engagierte‹ Literatur[24], die sich der Kritik, dem Nein, der Veränderung verschrieben hat.

Neben dem Roman bestimmte die Lyrik das Gesicht des österreichischen literarischen Lebens der fünfziger Jahre. Auch bei ihr spielen »Zusammenhänge zwischen dem alten und dem neuen Österreich« keine geringere Rolle. An Gedichten, welche die Zeitschrift *Plan* kurz nach dem Kriegsende veröffentlichte, fällt neben der bereits erwähnten neuen Form des metaphorischen Sprechens der Ton der Versöhnung über allen Schrecken auf. Dies gilt für Gedichte Paul Celans und besonders für die Gedichte Christine Bustas, die von sich sagt: »Mein Grundthema ist die Verwandlung der Furcht, des Schreckens und der Schuld in Freude, Liebe und Erlösung. Freilich hat die Schönheit dabei oft unbarmherzige Farben und die Tröstung kostet zumindest eine Hüfte«.[25] Auch die Gedichte Ingeborg Bachmanns, die als österreichische Lyrikerin in den fünfziger Jahren repräsentativ war wie Doderer als Epiker, werden von denselben Zügen geprägt. Ihre eigentümliche Verbindung von surreal-verschlüsseltem und emblematisch-deutendem Sprechen, von Zeitkritik und

Aufblick zu Zeitenthobenem, von Härte und Tröstlichkeit wurde wiederholt als wenig radikale Verbindung von Avantgarde und Traditionsgebundenheit zustimmend oder kritisch hervorgehoben und nicht zuletzt auf die österreichischen Herkünfte zurückgeführt. Wenn Christine Lavant, die dritte bedeutende Lyrikerin, auch weniger versöhnlich wirkt, so schließt sie sich hier doch an mit der aus Leid, Angst, Krankheit, Gefährdung und Sehnsucht gemischten, Trakl nahen Atmosphäre ihrer Gedichte wie mit ihrer eigenartigen Metaphernwelt, die ungewöhnliche Wandelbarkeit und Konstanz der Elemente paradox vereinigt.[26] Eine Abgrenzung gegenüber Tendenzen, denen wir uns jetzt zuwenden, nahm Ingeborg Bachmann in ihren *Frankfurter Vorlesungen* zur Poetik (1959/60) programmatisch vor: »Mit einer neuen Sprache wird der Wirklichkeit immer dort begegnet, wo ein moralischer, erkenntnishafter Ruck geschieht, und nicht, wo man versucht, die Sprache an sich neu zu machen, als könnte die Sprache selbst die Erkenntnis eintreiben und die Erfahrung kundtun, die man nie gehabt hat ... Es gibt in der Kunst keinen Fortschritt in der Horizontale, nur das immer neue Aufreißen einer Vertikale. Nur die Mittel und Techniken in der Kunst machen den Eindruck, als handelte es sich um Fortschritt«.[27]

In den sechziger Jahren vollzog sich nach und nach eine Klimaveränderung[28], die es zunehmend schwieriger macht, die Literatur, die nun in Österreich nach vorne drängt, mit den früher skizzierten Kategorien zu erfassen. Eine Art Wendemarke stellt Hans Carl Artmanns Gedichtband *med ana schwoazzn dintn* (1958) dar. Auf den ersten Blick ließ sich das Neue darin scheinbar zwanglos mit der Tradition verbinden. Der große Publikumserfolg sprach denn auch für eine solche Deutung. Von heute aus muß sie aber korrigiert werden. Inzwischen hat sich herausgestellt, daß mit Artmanns Dialektgedichten erstmalig ein literarischer Untergrund für eine breitere Öffentlichkeit sichtbar wurde, der sich in dem, was er wollte und hervorbrachte, erheblich von der offiziell anerkannten österreichischen Literatur der fünfziger Jahre unterschied. Wiener Autoren, die dann von außen her die Kollektivbezeichnung ›Wiener Gruppe‹ erhielten, arbeiteten von etwa 1952 bis 1964 in einer gemeinsamen Richtung und fanden sich auch in wechselnden Konstellationen zu Gemeinschaftsunternehmungen zusammen. Außer Artmann, der sich nach seinem Erfolg 1958 zurückzog und später auch die Existenz einer echten Gruppe bestritt, zählten dazu Friedrich Achleitner, Konrad Bayer, Gerhard Rühm und Oswald Wiener. Dazu gesellen sich Autoren, die außerhalb der Gruppe oder doch nur in loser Verbindung mit ihr eine ähnliche Richtung einschlugen, so Elfriede Mayröcker, Andreas Okopenko, Ernst Jandl. Nachdem nun die damals unbekannten Arbeiten der Wiener Gruppe in der von Gerhard Rühm herausgegebenen und eingeleiteten Anthologie (1967)[29] und Artmanns *gedichte aus 21 jahren* (1969) vorliegen, haben die Dialektgedichte von 1958 einen Kontext erhalten, der ihren Stellenwert erheblich verändert. Rühm bestimmt ihn, wie folgt: »der dialekt war damit – im gegensatz zur bisher naiven dialektdichtung – als ein bestimmter, manipulierbarer ausdrucksbereich in den materialbestand der neuen literatur aufgenommen«[30]. Mit anderen Worten, es handelt sich weniger um Gedichte im Dialekt als mit dem Dialekt, um »keine Wiener Gedichte, sondern um Gedichte aus Wien«[31]. Die Wiener Gruppe griff zwar auf lokale Formen und Traditionen zurück (Wiener Dialekt, Wiener Volkstheater, Milieu und Gestalten der Vorstadt usw.), verstand das aber nicht als literarische Folklore. Sie fand ihre Vorgänger und Vorbilder vielmehr in den Artisten der Barockliteratur – Artmanns Interesse für Quirinus Kuhlmann! –, bei Expressionisten wie Stramm und den Dadaisten und bei den Surrealisten, in einer literarischen Tradition, die Gustav René Hocke im Anschluß an Ernst Robert Curtius als *Manierismus in der* [europäischen] *Literatur*[32] beschrieben hat. Sie fand Mit- und Gleichstrebende in aller Welt, besonders die Vertreter der konkreten Poesie, von Eugen Gomringer in der Schweiz, Claus Bremer und Helmut Heißenbüttel in Deutschland bis zur Noigandres-Gruppe in Brasilien. Sie verfolgte das Konzept einer umfassenden Erprobung dichterischer Möglichkeiten, Elemente, Verfahrensweisen, sowohl sprachlicher als auch außersprachlicher, in den verschiedensten Kombinationen, von Schreibmaschinentexten bis zum Happening. Ihr Sprach- und Dichtungsverständnis zeigt ungeachtet der Dominanz von Spiel und Artistik auch revolutionäre Züge: »neue ausdrucksformen modifizieren die sprache und damit sein [des menschen] weltbild. das besagt natürlich auch, inwieweit unsere dichtung über ihre ästhetische bedeutung hinaus wirksam sein soll. gerade in ihrer unabhängigkeit von einer sanktionierten gebrauchsweise besteht die chance, neue ausdrucksformen zu provozieren, zu ›verändern‹«[33]. Man kann in dieser Äußerung Rühms eine nachträgliche modisch-politisierende Umdeutung argwöhnen. Nicht zuletzt die Wirkungsgeschichte der Wiener Gruppe gibt Rühm recht. Als nämlich weniger janusköpfige Texte als die Artmanns (1957 in den *Neuen Wegen*, 1964 in *Wort in der Zeit*) ein breiteres Publikum erreichten, wurden sie sogleich auch als gesellschaftliche Provokation empfunden. Die These von der Wirklichkeitsveränderung durch Veränderung der Sprachmodelle, von der Gesellschaftskritik durch Kritik der etablierten Sprachmuster sollte für die Fortsetzer der Sprachexperimente der Wiener Gruppe in den sechziger Jahren zunehmende Bedeutung gewinnen.

Zuvor aber gilt es noch einen anderen Aspekt der Veränderung im österreichischen Literaturklima zu betrachten. Ein Autor, dessen Weg aus den fünfziger in die sechziger Jahre als repräsentativ für die Wandlungen und Spannungen in der österreichischen Literatur des letzten Jahrzehnts gesehen werden kann, ist Gerhard Fritsch (1924–69). Sein 1956 erschienener Roman *Moos auf den Steinen* war ein Beitrag zum Thema der österreichischen Kontinuität. Er verbindet die Sehnsucht nach einem Anschluß an die altösterreichische Tradition mit der Kritik an einer verfälschenden Restauration im wiederhergestellten Österreich und schließt elegisch, wenn auch mit einer unbestimmten Hoffnung. Friedrich Heer wertete diesen Roman als gelungenen »Anschluß an die große Tradition«[34], Herbert Eisenreich erkennt darin d a s symptomatische Werk der literarischen Nachkriegsgeneration, das ihr Dilemma zwischen gut österreichischer Hinwendung zur Tradition und einem übermächtigen betrügerischen wie selbstbetrügerischen Pseudotraditionalismus darstellt.[35] 1962 übernahm Fritsch die Redaktion der Zeitschrift *Wort in der Zeit* und öffnete sie energisch dem Neuen. Im zweiten Heft 1964 veröffentlichte er Texte von Konrad Bayer und Gerhard Rühm und zog *Bilanz* (Gedichttitel!) für sich selbst. Sie heißt Absage an das zitierte eigene Werk, Absage an die »traditionelle Gesinnung« als Sentimentalität, als illusionäre Flucht in die Vergangenheit, als Pseudoerlösung, als Fixierung auf den Tod. – Der Erfolg: Heftige Proteste[36] und die Entlassung des Redakteurs Fritsch. Als *Wort in der Zeit* Ende 1965 praktisch zu existieren aufgehört hatte, gab

Fritsch, seit 1966, zusammen mit anderen, die neue Literaturzeitschrift *Literatur und Kritik* heraus. Im darin publizierten *Nachruf auf eine Zeitschrift* nennt er »die größte Gefahr ..., die es für die Literatur in Österreich und anderswo gibt: den Provinzialismus allzu biederer und selbstsicherer Poeterei«[37]. Er bleibt dabei, daß »Bayer, Rühm, Jandl, Okopenko« »Repräsentanten der Gegenwartsliteratur in Österreich« sind. Mit den *Protokollen* (ebenfalls ab 1966) versuchte Fritsch (zusammen mit Otto Breicha) das Beispiel eines nichtprovinziellen, nicht selbstverliebten Wiener Literaturjahrbuchs zu geben. Und 1967 brachten Fritsch und Breicha das Sammelwerk *Aufforderung zum Mißtrauen. Literatur, Bildende Kunst, Musik in Österreich seit 1945* heraus. Der Titel des Werks weckt Erinnerungen und provoziert Vergleiche: 1946 im *Plan* Ilse Aichingers *Aufruf zum Mißtrauen*, 1959 Herbert Eisenreichs Essay *Schöpferisches Mißtrauen oder Ist Österreichs Literatur eine österreichische Literatur?* An der Abfolge der drei Titel und der dahinterstehenden Beiträge lassen sich die Klimaveränderungen im literarischen Leben Österreichs seit 1945 ablesen: Nach dem Krieg der Aufruf zur Selbstprüfung, der sich freilich nicht gegen die Kulturtradition richtet. In den fünfziger Jahren das Lob der österreichischen Tradition, nicht zuletzt als Leitbild für Gegenwart und Zukunft, Mißtrauen als zeitüberdauernde österreichische Tugend. In den sechziger Jahren der neu erwachte Sinn für die Gefahren einer einseitigen Fixierung aufs Vergangene, die sich mit provinzieller Verengung verbindet, und die Kritik daran: »Man beschwört hierzulande gerne das ›große Erbe‹ und preist die Kontinuität gerade in den Künsten, den bewährt konservativen Sinn für das Bewahrende, Erhebende etc.« Gegenüber den »Klischees österreichischer Selbstvorstellung, die nach der Idylle in einer heilen Welt sucht«, möchte die »Aufforderung zum Mißtrauen« das »Bild eines Kunst-Raumes« geben, »der trotz vieler Kustoden kein Museum geworden, sondern Werkstatt geblieben ist«.[38]

Ebenfalls 1967 veröffentlichte Fritsch seinen Roman *Fasching*, als dichterisches Ergebnis der Wandlung, die er seit *Moos auf den Steinen* durchgemacht hatte. Standen im ersten Roman Schloß Schwarzwasser als »guter Ort« und die Welt der Großstadt als böser Ort (»Hier ist kein guter Ort«) einander gegenüber, so ist der Schauplatz des zweiten Romans eine österreichische Provinzstadt und ihre Gesellschaft vom Zweiten Weltkrieg bis heute, eine Art Pandämonium. Und diese verkehrte Welt ist ein Modell, wenn nicht Österreichs im ganzen, so doch der österreichischen Provinzialität. Auf dem Weg von den fünfziger Jahren in die sechziger Jahre ist der Romancier Fritsch vom Österreich-Elegiker und Erben der österreichischen Romantradition zum Österreichkritiker und formalen Neuerer, wenn auch nicht Avantgardisten, geworden. Mit *Fasching* hat er einen nicht unanfechtbaren, aber markanten Beitrag zu einer für die österreichische Literatur der sechziger Jahre charakteristischen Erscheinung geleistet, die ich Problematisierung des Heimatromans bzw. des Regionalromans nennen möchte.[39] Bedeutender Vorläufer ist der Bergroman Hermann Brochs; *Die Wolfshaut* (1960) von Hans Lebert (* 1919), mehr oder weniger das ganze Prosawerk von Thomas Bernhard (* 1931) und *Geometrischer Heimatroman* (1969) von Gert F. Jonke (* 1946) bieten weitere Beispiele.

Die Problematisierung hat inhaltliche wie formale Aspekte. Sie bezieht sich auf das Bild der heilen Provinz ebenso wie auf das ihm zugeordnete einfache Erzählen, und darüber hinaus auf eine gerade in Österreich sehr starke literarische Tradition

(Rosegger, Schönherr, Waggerl, Grogger, Nabl, Perkonig usw.). Die Modellfunktion der geschlossenen Kleinwelt bleibt erhalten und wird im Zusammenhang mit Tendenzen der Gegenwartsliteratur (Kafka-Nachfolge, konkrete Poesie) noch verstärkt. Dazu kommt, zumindest bei Fritsch und Lebert, als besondere Motivierung die Ansicht, daß die heutige österreichische Gesellschaft, Wien nicht ausgenommen, im ganzen der Provinzialisierung zuneige und deshalb am besten im Modell des Dorfes oder der Kleinstadt dargestellt und kritisiert werden könne.

Dieser besondere Bezug tritt bei Bernhard und Jonke zurück. Zwar sind Bernhards Romane und Erzählungen von *Amras* (1964) bis zum *Kalkwerk* (1970) alle in verschiedenen Gegenden Österreichs angesiedelt, aber die damit verbundenen Namen und Details erhalten eine gemeinsame Richtung auf die überall gleiche Weltverfassung, die von Krankheit, Agonie, Tod, Deformation, Isolierung, Angst, Wahnsinn bestimmt ist. Dadurch werden die jeweiligen lokalen Besonderheiten eigentümlich irrelevant. Wie die Entstehungsgeschichte zeigt, sind sie austauschbar, als Elemente einer Unheilswelt, die als Sprachwelt durch fortlaufende Entsprechungen (»tödliche Analogien«), Wiederholungen, Zitate (»ein fortwährendes Zitieren, das die Welt i s t «), phonetische, semantische, rhythmische Variationen des Identischen konstituiert wird.[40] – Bereits der Titel Jonkes paßt nicht oder doch nur antithetisch zum geläufigen Heimatroman mit seiner ideologischen Bindung an das Irrational-Natürliche. Die Landschaft, das Dorf und die Menschen darin (»Figuren«) werden more geometrico behandelt, d. h. konstruiert. Der schematisch skizzierte Dorfplatz ist ein »strukturales muster«. Damit sind ebenso räumliche wie auch politisch-soziale (z. B. obrigkeitlich-hierarchische) und sprachliche Beziehungen bzw. Determinationen gemeint.[41] Das Dorf ist eine Art geschlossenes System, in das man nur unter größten Schwierigkeiten einzudringen vermag. Am Ende wird es wieder verlassen: »Im gleichen Luftbereich, / im selben Zeitraum / ... ist es möglich und durchaus erlaubt, / das Dorf in weißes oder andersfarbiges Packpapier mit / oder ohne Firmeninschrift einzuwickeln / oder zu einem Ellip- / soid mit den Ausmaßen eines herkömmlichen Rugbyballes / zusammenzufalten / ... hinter den Rücken / zu werfen / u m i n e i n e a n d e r e L a n d s c h a f t e i n z u b i e g e n !« In der abschließenden Manipulationsgeste, die das Dorf (Heimatdorf?) als ein konstruierbares, damit durchschaubares und beliebig verfügbares Modell unter vielen anderen möglichen behandelt und abtut, verbindet sich die formale Revolution der Wiener Gruppe und der ihr nahestehenden Autoren mit einer Gesellschaftskritik, die das spezifisch Österreichische nicht aufdringlich herausstellt, aber auch nicht ausschließt, sondern einschließt. Diese Verbindung ist charakteristisch für eine profilierte Gruppe der um 1940 herum geborenen und in den sechziger Jahren zuerst hervorgetretenen österreichischen Schriftsteller. Ihr wichtigstes Zentrum wurde das Forum Stadtpark in Graz. Es bildete sich Ende der fünfziger Jahre unter der Leitung von Alfred Kolleritsch als Ort der Begegnung, mit erklärter Spitze gegen den Provinzialismus von Publikum und Autoren.[42] Besonders die Wiener Gruppe und ähnlich gerichtete Autoren und Tendenzen in anderen Ländern wurden hier vorgestellt und wirkten als Impulsspender für Autoren wie Peter Handke (* 1942), Barbara Frischmuth, Wolfgang Bauer, Michael Scharang (alle * 1941). Sie debütierten hier und konnten in der seit 1960 erscheinenden Zeitschrift des Forums, *manuskripte*, veröffentlichen. Die Verbindung zwischen der älteren Wiener Gruppe und dem jüngeren Grazer

Zentrum dokumentieren zwei Erstveröffentlichungen in den *manuskripten*: *die verbesserung von mitteleuropa* von Oswald Wiener (in Fortsetzungen ab 1965) und *Publikumsbeschimpfung* (1966) von Peter Handke. Die Pole ›Text‹ und ›Aktion‹ sind auch für die Jüngeren charakteristisch, ›Gemeinschaftsarbeiten‹ spielen eine geringere Rolle als in der älteren Wiener Gruppe. Sind etwa Frischmuth und Scharang textorientiert, Bauer mehr aktionsorientiert, so verbindet Handke die zwei Pole auf seinem Bühnenweg von *Publikumsbeschimpfung* über *Kaspar* (1967) zu *Das Mündel will Vormund sein* (1968). Handke, und ganz ähnlich Frischmuth und Scharang, richten sich in gestaltender Reflexion auf sprachliche Bedingungen, Sprachmuster, Klischees, Strategien, die den verschiedenen Spielarten der Manipulation, der Beherrschung, der Terrorisierung des Menschen in unserer Gesellschaft voraus- und zugrunde liegen. Sie bedienen sich dabei sowohl »reproduzierender« als auch »antigrammatischer« Verfahrensweisen im engeren Sinn (Heißenbüttel)[43], denen die Reduktion gemeinsam ist. »In Sätzen steckt Obrigkeit«[44], unter diesem Titel besprach Handke den *Geometrischen Heimatroman* und charakterisierte damit zugleich den zwanghaften Lehr- und Lernvorgang im *Kaspar*. Frischmuth läßt in der *Klosterschule* (1968) die Sprache der repräsentativen Erziehungsanstalt sich selbst entlarven, indem sie diese scheinbar ganz einfach wiedergibt. Ähnlich reproduzierend-entlarvend verfährt Scharang in obrigkeitlichen Strafreden wie »Rüge« oder »Ein Verantwortlicher entläßt einen Unverantwortlichen«.[45] Bei aller Gemeinsamkeit in der beabsichtigten Verbindung von Sprachkritik und Gesellschaftskritik, von Sprachexperiment und Bewußtseinsveränderung – getreu dem Diktum Wittgensteins: »Die Grenzen meiner Sprache sind die Grenzen meiner Welt«[46], bestehen doch beträchtliche Unterschiede zwischen den ›Sprachspielen‹ Handkes, die primär Formen reflektieren und verändern, und der ›politischen Grammatik‹ eines Scharang, der die Dialektik von Schreiben und Realisieren reflektiert (*Schluß mit dem Erzählen und andere Erzählungen*, *Streik* 1970).[47] Wieder anders verhält es sich mit der Mischung von Volkstheater, Happening und Klischeereflexion bei Bauer (*Magic Afternoon*, *Change*, *Party for Six*, 1969).

Neben der Reduktion macht sich in der jüngsten Zeit eine gegenläufige Tendenz bemerkbar. Oswald Wieners Roman *die verbesserung von mitteleuropa* (1969) beginnt mit einem umfangreichen »personen- und sachregister« als »inhaltsverzeichnis«; ihm folgt ein »vorwort«, das, von den Titeln her, unmittelbar in die »appendices A–C« übergeht; den Schluß bilden umfangreiche »literaturhinweise«. Diese Anordnung und Versammlung verschiedenartigster literarischer Elemente, wie Schlagzeilen, Aphorismen, Exkurse, Essays, Prosaszenen, Lautgedichte, lettristische Texte usw. legen es nahe, das Buch nicht so sehr linear, sondern in der Art einer Enzyklopädie zu lesen. Und 1970 legt Andreas Okopenko den »Lexikon-Roman« *Lexikon einer sentimentalen Reise zum Exporteurtreffen in Druden* vor. Im Titel begegnen einander die Anspielung auf den subjektiven Reiseroman des 18. Jahrhunderts und das Lexikonprinzip der Welt von A bis Z. Eine Vermittlung zwischen den zwei gegensätzlichen Prinzipien des linearen Weges und der nur mehr äußerlich geordneten diskontinuierlichen Vielfalt stellt die »Gebrauchsanweisung« her, wenn sie im Stil der Reisefiktion außer einer Hauptroute noch viele andere Reiserouten, sprich Leserouten, vorschlägt bzw. zuläßt. Somit entsteht ein »Möglichkeitenroman«, aus dem sich jeder Leser aktiv einen eigenen Roman zusammenkombinieren

soll oder kann. Der Lexikon-Roman führt damit die polyphonen, enzyklopädischen Tendenzen des Romans im 20. Jahrhundert zu einem vorläufigen Extrem.
Wenn sich Okopenko im 2. Stichwort bewußt provozierend zur »affirmativen Dichtung« bekennt, trotz allem, was dagegensteht, so macht er sich damit – wenn auch zweideutig – zum Gegenpol der *verbesserung von mitteleuropa*, die mit einem Appell zum (anarchischen) Protest gegen den Zwang der totalen Information endet; ähnlich wie sich Handkes Kaspar zuletzt gegen die totale Zwangsordnung anarchisch auflehnt.
Parallel zur Problematisierung der österreichischen Kontinuität des ›großen Erbes‹ in der Literatur der sechziger Jahre beginnt ein Wandel in der Deutung. 1963 publizierte der Triestiner Claudio Magris ein Buch über die österreichische Literatur des 19. und 20. Jahrhunderts, das 1966 unter dem Titel *Der habsburgische Mythos in der österreichischen Literatur* ins Deutsche übersetzt wurde. Magris deutet den Österreich-Mythos als sekundäres Erzeugnis der veränderungsfeindlichen politischen Ideologie des untergehenden Habsburgerreiches. Die geistig-literarische österreichische Kontinuität, auch nach dem Untergang der Monarchie, wird, bei allen positiven Akzenten im einzelnen, als rückwärtsgewandte Statik, als Immobilismus, als mangelnde Anpassung an die Gegenwart und ihre geschichtlichen Tatsachen und Forderungen, ›entlarvt‹. Ungeachtet grundsätzlicher Vorbehalte und notwendiger Korrekturen behält der Versuch von Magris seinen Wert als kritische Korrektur des früher skizzierten Prozesses der Rechtfertigung bis mythisierenden Verklärung des Österreichischen in der Kultur wie im Menschentum. Weniger polemisch ergänzte Frank Trommler die Thesen von Magris (*Der österreichische Roman im 20. Jh. – eine Episode?*, 1967). Auch er wendet sich gegen die vorschnelle und ungeschichtliche Behauptung der Überzeitlichkeit der österreichischen Dichtung und ihres Wesens. Der »Totalitätsanspruch« der österreichischen Klassiker des modernen Romans ist für ihn Erbe der Romantik und geschichtlich an die Existenz des »Hofmannsthalschen Österreich« gebunden: »dieses Österreich ist vergangen und mit ihm dieser Roman.«
Alles in allem bietet die Literatur in Österreich am Beginn der siebziger Jahre ein viel weniger harmonisches Bild als, zumindest nach außen hin, in den fünfziger Jahren. Die Autoren, die mit ihrem Leben und Werk die Verbindung zum alten Österreich und zu den österreichischen Klassikern der Moderne bewahrten, traten nach und nach ab: Saiko starb 1962, Doderer 1966, Csokor 1969, Urzidil 1970. Zwischen den führenden Autoren der mittleren und der jüngeren bis jüngsten Schriftstellergeneration gibt es mehr Spannung und Entfremdung als Harmonie und Verständnis. Zwischen Herbert Eisenreich, Ingeborg Bachmann, Christine Busta auf der einen Seite und Autoren wie Peter Handke, Michael Scharang, G. F. Jonke auf der anderen Seite liegen Klüfte. Gerhard Fritsch, der sie von der mittleren Generation her überbrücken wollte, ist nicht mehr.
Wolfgang Stegmüller bezeichnet als Hauptphänomen und Hauptproblem der Gegenwartsphilosophie einen »Prozeß der gegenseitigen Entfernung und zunehmenden Kommunikationslosigkeit zwischen Philosophen verschiedener Richtungen«.[48] Dies läßt sich auf die heutige Situation der Literatur in Österreich übertragen, auf das Verhältnis zwischen Autoren verschiedener Richtungen und auf das Verhältnis zwischen Autoren und Publikum. Nun ist dieser Zustand keine österreichische Speziali-

tät. Doch wird er hier geprägt und verschärft durch eine zu wenig differenzierte Einheitsfront von falscher und echter Traditionsverbundenheit. Diese bedingt und befördert auf der Gegenseite eine radikale bis verzweifelte Traditionskritik und Traditionsverachtung. In den letzten Jahren gab es viele Abwanderer aus Unzufriedenheit mit dem Konservativismus und dem antiprogressiven Geist der Zweiten Republik und ihrer Gesellschaft.[49]

So wenig erfreulich dieser Zustand an sich ist, er hat offenbar produktive Energien freigesetzt. Dies zeigt sich nicht zuletzt darin, daß der literarische Ton in der Bundesrepublik heute in einem erstaunlichen Maß von österreichischen Autoren wie Handke, Bauer, Bernhard, Jandl bestimmt wird.

Anmerkungen

1. Friedrich Heer: *Perspektiven ...* In: Deutsche Literatur in unserer Zeit. 3. Aufl. Göttingen 1961. S. 125–158. Zitierte Stelle S. 125.
2. Herbert Eisenreich: *Das schöpferische Mißtrauen ...* (1959). In: Reaktionen. Essays zur Literatur. [Gütersloh] 1964. S. 72–104.
3. Hans Weigel: *Das verhängte Fenster.* In: Plan. Jg. 1, Heft 5 (März–April 1946), S. 397–399. Zitierte Stelle S. 397.
4. Paul Celan: *Ansprache anläßlich der Entgegennahme des Literaturpreises der Freien Hansestadt Bremen.* In: P. C.: Ausgewählte Gedichte. Zwei Reden. Nachwort von Beda Allemann. Frankfurt a. M. 1968 (= edition suhrkamp Nr. 262). S. 127.
5. Ein knapper Überblick von Hans F. Prokop: *Österreichische literarische Zeitschriften 1945–1970.* In: Literatur und Kritik 50 (1970) S. 621–631.
6. Auszugsweise wieder abgedruckt in: Aufforderung zum Mißtrauen. Salzburg 1967. S. 10. Dazu Hans Weigel: Es begann mit Ilse Aichinger. Ebd. S. 25–30.
7. Vgl. dazu: Plan. Jg. 1, Heft 11; Jg. 2, Heft 4. Surrealistische Publikationen. Hrsg. von Edgar Jené u. Max Hölzer. Heft 1 (1950).
8. Wolfgang Borchert: *Das ist unser Manifest.* In: W. B.: Das Gesamtwerk. Hamburg o. J. S. 308 bis 315.
9. Plan. Jg. 2, Heft 1, S. 2–14. Zitierte Stelle S. 4.
10. Jens: *Deutsche Literatur* ... 2. Aufl. München 1966 (= dtv 172). S. 129/130.
11. Vgl. dazu Andreas Okopenko: *Der Fall ›Neue Wege‹.* In: Aufforderung zum Mißtrauen. S. 279 bis 304.
12. Deutsche Vierteljahrsschrift für Literaturwissenschaft und Geistesgeschichte 9 (1931) S. 607–628.
13. Wort und Wahrheit 12 (1957) S. 115–134.
14. Österreich in Geschichte und Literatur 5 (1961) S. 534–544.
15. (= Österreich-Reihe 267.) Darin: Österreichische Literatur als Ausdruck geschichtlicher, aber überzeitlicher Wesensart. S. 82–89.
16. (= Stiasny-Bücherei 125.) S. 229–236.
17. Darin Herbert Eisenreich: Das schöpferische Mißtrauen oder Ist Österreichs Literatur eine österreichische Literatur?; Ivar Ivask: Das große Erbe. Die übernationale Struktur der österreichischen Dichtung; Otto Basil: Panorama vom Untergang Kakaniens.
18. Vorwort zu Heft 1, Jg. 1.
19. Die Doderer-Essays von Eisenreich in: Reaktionen. S. 166–215. Besonders aber in: Der Roman. Keine Rede von der Krise (S. 43–57) und *Eine Geschichte erzählt sich selbst* in: Böse schöne Welt. Suttgart 1957. S. 166–173.
20. Frank Trommler: *Der österreichische Roman im 20. Jh. – eine Episode?* In: Literatur und Kritik. Heft 16/17 (1967) S. 381.
21. *Hermann Broch der Denker.* Hrsg. von Harald Binde. Zürich 1966 (= 2. Teil der Hermann-Broch-Auswahl). S. 78. – Heimito von Doderer: *Grundlagen und Funktion des Romans.* Nürnberg [1959]. S. 35.
22. Herbert Eisenreich: *Der Roman. Keine Rede von der Krise.* In: Reaktionen. [Gütersloh] 1964. S. 44/45, 47, 53.

23. *Tangenten.* München 1964. Über den Zusammenhang zwischen Ideologie und Apperzeptionsverweigerung S. 183–187.
24. *Reaktionen.* 1964. S. 50: »... der Begriff der engagierten Literatur« als »Mißverständnis«. »Wir verzichten ... auf jede naheliegende Polemik gegen diese Verwechslung von Politik und Literatur, von direkter und indirekter Wirksamkeit, und behaupten bloß, daß des Schriftstellers Humanität sich weitaus umfassender äußere als durch politisches Engagement, nämlich durch ein Ja zur vollen und ganzen Wirklichkeit.«
25. Christine Busta: *Das andere Schaf.* Graz 1959 (= Stiasny-Bücherei 43). S. 31. – Gedichtbände: Der Regenbaum (1951), Lampe und Delphin (1955), Die Scheune der Vögel (1958), Unterwegs zu älteren Feuern (1962).
26. Vgl. vor allem die Gedichtbände: Die Bettlerschale (1956), Spindel im Mond (1959), Der Pfauenschrei (1962). Zur Metaphorik die Untersuchung von G. Lübbe-Grothues: *Zur Gedichtsprache der Christine Lavant.* In: Zeitschrift für deutsche Philologie 87 (1968) S. 613–631. Sie legt den Akzent einseitig auf die Wandelbarkeit.
27. Ingeborg Bachmann: *Gedichte, Erzählungen, Hörspiele, Essays.* München 1964 (= Die Bücher der Neunzehn. Bd. 111). S. 305/306, 309.
28. Man vergleiche dazu Überblicke über die österreichische Lyrik und Epik der vierziger und fünfziger Jahre mit vergleichbaren Versuchen vom Standpunkt der sechziger Jahre. Etwa auf der einen Seite Ernst Schönwiese: *Die österreichische Lyrik der Gegenwart.* In: Études Germaniques 13 (1958) S. 333–347. Wolfgang Kraus: *Der österreichische Roman seit 1945.* In: Die Verbannten. Eine Anthologie. Hrsg. von Milo Dor. Graz 1962. S. 60–65.
Auf der anderen Seite Otto Breicha: *Die neue österreichische Lyrik nach 1945.* In: Wort in der Zeit (1964), Heft 2, S. 4–10. Paul Kruntorad: *Prosa der sechziger Jahre.* In: protokolle 66, S. 45 bis 51, bzw. in: Aufforderung zum Mißtrauen, S. 498–505.
29. *Die Wiener Gruppe Achleitner Artmann Bayer Rühm Wiener Texte Gemeinschaftsarbeiten Aktionen Herausgegeben von Gerhard Rühm.* Hamburg 1967 (= Rowohlt Paperback 60).
30. *Die Wiener Gruppe ...*, a. a. O., S. 13.
31. Friedrich Polakovics, Herausgeber der »Neuen Wege«, im Vorwort-Kommentar zu »med ana schwoazzn dintn, gedichtar aus bradnsee«. Salzburg 1958. S. 16.
32. Gustav René Hocke: *Manierismus in der Literatur. Sprach-Alchimie und esoterische Kombinationskunst.* Hamburg 1959 (= rde 82/83).
33. *Die Wiener Gruppe ...*, a. a. O., S. 27/28.
34. Heer: *Perspektiven ...*, a. a. O., S. 146.
35. Eisenreich: *Das schöpferische Mißtrauen ...* In: Das Große Erbe. S. 110–115.
36. Vgl. Wort in der Zeit, Jg. 10, 1964, Heft 7/8, S. 1–8; Heft 11, S. 1–7.
37. Literatur und Kritik. Heft 1 (1966) S. 54–55.
38. *Aufforderung zum Mißtrauen.* Salzburg 1967. S. 5.
39. Vgl. dazu auch Wendelin Schmidt-Dengler: *Die antagonistische Natur. Zum Konzept der Anti-Idylle in der neueren österreichischen Prosa.* In: Literatur und Kritik. Heft 40 (1969), S. 577 bis 585.
40. *Die Verstörung.* Frankfurt a. M. 1967. S. 123, 169.
41. Vgl. dazu Hannes Rieser: *Die Grammatik des Dorfes.* In: Literatur und Kritik. Heft 49 (1970), S. 560–566.
42. Vgl. dazu Alfred und Hedwig Kolleritsch: *Das Forum Stadtpark und die Grazer Situation.* In: Aufforderung zum Mißtrauen. Salzburg 1967. S. 532–538.
43. Helmut Heißenbüttel: *Frankfurter Vorlesungen über Poetik* (1963). In: Über Literatur. Freiburg im Breisgau, Olten 1966.
44. Spiegel. 21. 4. 1969. S. 186.
45. In: *Verfahren eines Verfahrens.* Neuwied u. Berlin 1969 (= Luchterhand-Druck 5). S. 17–21. – In: manuskripte. Jg. 9, 1969, Heft 26, S. 32–37.
46. *Tractatus logico-philosophicus.* Frankfurt a. M. 1963. S. 33.
47. »Streik« schließt an Walter Benjamins Essay *Der Autor als Produzent* an und verlängert ihn in die heutige Situation. In: protokolle 70. Teil 1. S. 134–142.
48. *Hauptströmungen der Gegenwartsphilosophie.* 2. Aufl. Stuttgart 1960. S. XXXIV.
49. Beispiele sind u. a. Gerhard Rühm, Peter Handke, H. C. Artmann, Oswald Wiener.

Literaturhinweise

Aufforderung zum Mißtrauen. Literatur, Bildende Kunst, Musik in Österreich seit 1945. Hrsg. von Otto Breicha u. Gerhard Fritsch. Salzburg 1967.

Otto Breicha: *Die neue österreichische Lyrik nach 1945.* In: Wort in der Zeit. Jg. 10, 1964, Heft 2, S. 4–10.

Deutsche Literatur seit 1945 in Einzeldarstellungen. Hrsg. von Dietrich Weber. Stuttgart 1968 (= Kröners Taschenausgabe 382). Darin Celan, Doderer, Aichinger, Eisenreich, Bachmann.

Herbert Eisenreich: *Das schöpferische Mißtrauen oder Ist Österreichs Literatur eine österreichische Literatur?* (1959). In: Reaktionen. Essays zur Literatur. [Gütersloh] 1964. S. 72–104.

Das Große Erbe. Aufsätze zur österreichischen Literatur von Otto Basil, Herbert Eisenreich, Ivar Ivask. Graz u. Wien 1962 (= Stiasny-Bücherei 100).

Friedrich Heer: *Perspektiven österreichischer Gegenwartsdichtung.* In: Deutsche Literatur in unserer Zeit. 3. Aufl. Göttingen 1961 (= Kleine Vandenhoeck-Reihe 73/74). S. 125–158.

Hellmuth Himmel: *Die österreichische Literatur seit 1918.* In: 1918–1968 Österreich – 50 Jahre Republik. Wien 1968. S. 315–327.

Wolfgang Kraus: *Der österreichische Roman seit 1945.* In: Die Verbannten. Eine Anthologie. Hrsg. von Milo Dor. Graz 1962. S. 60–65.

Paul Kruntorad: *Prosa der sechziger Jahre.* In: protokolle 66. S. 45–51.

Claudio Magris: *Il mito absburgico nella letteratura austriaca moderna.* Torino 1963. – *Der habsburgische Mythos in der österreichischen Literatur.* Salzburg 1966.

Janko von Musulin: *Österreichische Literatur nach 1945.* In: Hochland 59 (1967) S. 437–444.

Heinz Rieder: Österreichische Moderne. Bonn 1968 (= Abhandlungen zur Kunst, Musik- und Literaturwissenschaft 60).

Adalbert Schmidt: *Dichtung und Dichter Österreichs im 19. und 20. Jahrhundert.* Bd. 2. Salzburg 1964.

Ernst Schönwiese: *Die österreichische Lyrik der Gegenwart.* In: Études Germaniques 13 (1958) S. 333 bis 347.

Frank Trommler: *Der österreichische Roman im 20. Jh. – eine Episode?* In: Literatur und Kritik. Heft 16/17 (1967) S. 380–392.

Walter Weiss: *Österreichische Literatur – eine Gefangene des habsburgischen Mythos?* In: Deutsche Vierteljahrsschrift für Literaturwissenschaft und Geistesgeschichte 43 (1969) S. 333–345.

OTTO OBERHOLZER

Die Literatur der Gegenwart in der Schweiz

Die Schweiz ist, wie es im *Schweizer Brevier* (1970) heißt, »ein binnenländischer Gebirgs- und Kleinstaat in der nördlich gemäßigten Zone«. Binnenwanderung und sozialer Ausgleich haben ihren Tribut gefordert. Aber noch immer verleihen überwältigende Naturszenerien dem Land sein charakteristisches Gepräge, noch immer fasziniert es durch Vielfalt der Sprachen, religiösen Anschauungen, sozialen Formen, durch den Reichtum der Folklore auf kleinem und kleinstem Raum.

Das durchstrukturierte demokratische System in Bund, Kanton und Gemeinde mit seiner Vielzahl an Parteien, die durchgehende und eifersüchtig gehütete Selbstverwaltung unter strenger Wahrung des Proporzes haben seit je viele politische Energien gebunden und das Interesse an den Problemen anderer Landesteile und an außenpolitischen Fragen gedämpft. Das dauernde Politisieren auf engem Raum kann für größere Zusammenhänge blind machen. So hat das Bekenntnis zur strikten Neutralität zu einer gewissen Stagnation im Verhältnis zu den Nachbarländern geführt. Kaum mehr, daß einer der Mächtigen dieser Welt die Schweiz mit einem Besuch beehrt, und wenn es geschieht, dann ist dieser Besuch politisch ohne Folgen und wird von der Weltöffentlichkeit gar nicht erst zur Kenntnis genommen. Mit dem Zerbröckeln der EFTA wird sich die außenpolitische Isolation des Landes zweifellos noch verschärfen. Freilich wird immer wieder betont, daß der Schweizer keine Gesinnungsneutralität kenne. Gesinnungsmäßig ist die Bindung an den Westen eindeutig und vorbehaltlos. Vom Kommunismus fühlt man sich ebenso weit entfernt wie vom Faschismus. Man kennt keinen Amerikanerhaß und ist – im Gedenken an den Zweiten Weltkrieg – proisraelisch. Ein kleines, blühendes Land abseits vom Weltgeschehen? Gewiß, aber doch immer noch ein Land mit einem großen moralischen Potential. Wenn es irgendwo in der Welt brennt, sind die Flugzeuge und Lastwagenkolonnen aus Genf zur Stelle. Sie tragen das Zeichen des Roten Kreuzes auf weißem Grund, das umgekehrte Schweizer Wappen.

Die Nachkriegszeit brachte dem Land einen jähen wirtschaftlichen Aufschwung, und damit das Danaergeschenk der Hochkonjunktur. Eine anormale Bevölkerungszunahme – knapp eine Million Fremdarbeiter auf fünf Millionen Schweizer – beschert dem kleinen Land schwere politische und kulturelle Probleme. Dem Fortschritt und der wirtschaftlichen Entfaltung werden Baudenkmäler, Dörfer und ganze Talschaften oft bedenkenlos geopfert. Nur zögernd und viel zu spät rafft sich die Allgemeinheit zu halbherzigen Maßnahmen gegen die Profitgier des einzelnen auf. Man hat das Schlagwort vom ›Ausverkauf der Heimat‹ geprägt.

Es hat nicht an Mahnern gefehlt. Das Land besitzt hervorragende Politiker, Journalisten, Lehrer, die die auftauchenden Probleme erkennen und sich dem allgemeinen Trend entgegenstemmen. Bundesrat Graber sagte auf der Auslandschweizertagung 1970: »Wir haben zu viel an die Wirtschaft und zu wenig an den Menschen gedacht.« In einem Land, wo man nicht mehr an den Menschen denkt, können die demokratischen Einrichtungen nicht mehr funktionieren. Der größte und derzeit

einzige Feind der Schweiz ist die manipulierte moderne Massen- und Konsumgesellschaft, die sich an keinerlei Überlieferung mehr gebunden weiß.
Schon Goethe notierte in der *Reise in die Schweiz 1797* am 17. September, abends: »Bemerkung eines gewissen stieren Blicks der Schweizer, besonders der Zürcher.« Heute erinnert man sich im schweizerischen Alltag oft einer Formulierung von Jacob Burckhardt: »... Roheit unter der Tünche des Luxus.« Das Wort paßt auf die motorisierte Wohlstandsgesellschaft. Es gibt für die Stimmung im Land ein Schlagwort: ›Unbehagen im Kleinstaat‹. *Unbehagen im Kleinstaat* ist der Titel eines Buches von Karl Schmid. Er untersucht das Phänomen in den literarischen Spiegelungen bei C. F. Meyer, Henri-Frédéric Amiel, Jakob Schaffner, Max Frisch und Jacob Burckhardt. In der französischen Schweiz spricht man vom ›Malaise‹. *Helvetisches Malaise* ist der Titel einer Schrift von Max Imboden. Er sagt: »Das Wort Malaise bezeichnet eine seltsame Mittellage zwischen ungebrochener Zuversicht und nagendem Zweifel.« Der Verfasser untersucht die Symptome, zum Beispiel den Schwund der demokratischen Teilnahme, die abnehmende Leistung von Staat und Verwaltung.
Die folgenden Ausführungen über Tendenzen und Aspekte in der schweizerischen Gegenwartsliteratur gehen von drei Gesichtspunkten aus, die eine mehr oder weniger zwanglose Anordnung des Materials erlauben: die Schweiz und ihre Umwelt (›Abbau des Mythus Schweiz‹), Aggression gegen innen, Fluchtversuche und neue Positionen.

Die Schweiz der Nachkriegszeit hat zwei überragende Schriftsteller hervorgebracht, die zugleich ihre entschiedensten Kritiker unter dem ersten Gesichtspunkt geworden sind: Max Frisch und Friedrich Dürrenmatt. Sie haben lange Zeit das literarische Feld fast allein beherrscht, und sie bestimmen bis heute die Attitüde manchen Vertreters der jüngeren Schriftstellergeneration.
Bei Max Frisch (* 1911) wird man immer zuerst zum *Tagebuch 1946/49* (1950) greifen, in dem sich entscheidende Eindrücke und Erlebnisse der Nachkriegszeit spiegeln und sich auch die Fabeln und stofflichen Anregungen zu einer ganzen Reihe von Stücken finden, unter anderem zu der *Chinesischen Mauer* (1947), zu *Als der Krieg zu Ende war* (1949), *Graf Oederland* (1951), *Biedermann und die Brandstifter* (1953 als Hörspiel, 1959 als Theaterstück) und *Andorra* (1962).
Krieg und Kriegszerstörungen, der Kontrast zum eigenen Land, das verschont geblieben war – diese Eindrücke schlugen sich in Notizen nieder, als Bestandsaufnahme eines nüchternen, selbstkritischen Geistes. Mit dem *Tagebuch*, das unter dem Jahr 1948 auch eine aufschlußreiche autobiographische Skizze enthält, endet die erste Periode in Frischs Schaffen, dessen Ursprünge in der Nähe Hofmannsthals zu suchen sind, und beginnt eine Bewußtseinserforschung, die sich von der unmittelbaren Vergangenheit (*Nun singen sie wieder*, 1945) auf die allgemeinen Fragen zwischenmenschlichen Verhaltens ausdehnt. Schon manche Bemerkung ließ ahnen, daß es für Frisch keine vaterländischen Tabus mehr geben würde. Der Angriff auf die biedermännische Nachkriegsschweiz gipfelte im Roman *Stiller* (1954) und in den Schauspielen *Biedermann und die Brandstifter* und *Andorra*.
Der Erfolg gerade der erwähnten Stücke im Ausland beweist, daß in Frischs Denkmodelle mehr eingegangen ist als nur das Bürgertum eines Kleinstaates. Selbst-

gerechtigkeit, Überheblichkeit und Besserwisserei, Eskapismus und Materialismus sind nicht nur schweizerische Eigenschaften, doch stehen sie vielleicht dem Schweizer besonders schlecht zu Gesicht.
Charakteristisch für die Ausweitung der Perspektive ist die Wandlung des *Grafen Oederland* vom Revolutionsstück (1946) zum Drama der Revolution selbst (1951, 1961). Das Szenarium im *Tagebuch* führt die Handlung bis zum Ausbruch einer Revolution, die den affirmativen Alltagsbetrieb einer wohlgeordneten bürgerlichen Gesellschaft sprengt und den Menschen frei machen will. Schon in der Moritat 1951 wird unter dem Eindruck des Umsturzes in der Tschechoslowakei (1948) das Scheitern der Revolution gezeigt, das heißt das Umkippen von der einen tyrannischen Herrschaft in die extrem entgegengesetzte (neu hinzugekommen sind die Szenen 1 und 8 bis 12). Es ist eine Binsenwahrheit, aber sie ist schmerzlich erkauft, wenn es am Schluß des Stückes heißt: »Wer, um frei zu sein, die Macht stürzt, übernimmt das Gegenteil der Freiheit, die Macht.« Mit *Graf Oederland* und der Parabel *Biedermann und die Brandstifter* setzt Frisch die Linie Brechts fort, den er gekannt und bewundert hat. Mit *Andorra* hat er den Lehrmeister verlassen. Das Stück will ein ›Modell‹ sein, das heißt menschliches Verhalten mit wissenschaftlicher Exaktheit zum Gleichnis filtrieren. Die Skizze im *Tagebuch* hieß *Der andorranische Jude*, das Stück heißt einfach *Andorra*. Das ist eine bedeutsame Akzentverschiebung: Nicht mehr das Einzelschicksal steht im Vordergrund, sondern das Verhaltensschema eines Kollektivs wird untersucht. Das Wort ›Andorra‹ ist eine Verfremdung, um Allgemeingültigkeit zu gewinnen, ›Jude‹ und ›Judenschau‹ dagegen schaffen unverwechselbare, genau fixierbare Assoziationen; man kann ›Jude‹ nicht einfach, wie es ja in einem ›Modell‹ eigentlich sein müßte, durch ›Individuum‹ oder ›Minderheit‹ ersetzen. Daß es Frisch um das Problem ›Andorra‹ geht, zeigt sich in den Szenen an der Rampe, den Selbstbezichtigungen und Ausflüchten der Bürger, die vor einem imaginären Gericht Rechenschaft über ihre Mitschuld ablegen müssen. Die Wirkung dieser Szenen ist stark, aber es kann nicht übersehen werden, daß die Personenreihe zu konventionell, zu sehr auf die vierziger Jahre zugeschnitten ist und der Realität der siebziger Jahre nicht mehr kongruent scheint. Künstlerisch nicht weit von *Andorra* entfernt ist *Biedermann und die Brandstifter*, das Gleichnis von der Leichtgläubigkeit des westeuropäischen Bürgertums. Auch hier herrscht eine Ambivalenz zwischen höchster Aktualität (oder Zeitbedingtheit) und kühler Allgemeingültigkeit.
Es ist ganz unverkennbar, daß Frisch mit dem Stück *Biografie* (1967) neue Wege gehen will. Sein Problem ist – vereinfacht gesagt – die Freiheit des Willens. Dabei geht es nicht um sittliche Entscheidungen herausgehobener Personen, sondern um das Durchspielen wertfreier Lebensmöglichkeiten des Einzelmenschen. Noch ist das ›Variantenmodell‹ überschaubar – so nennt es Walter Höllerer in seinem Briefwechsel mit Max Frisch *Dramaturgisches* (1969) und fragt nach dem Kollektiv und nach den Fäden, die Einzel- und Kollektivschicksal verknüpfen. Darauf weiß Frisch keine Antwort und verrät zugleich, daß er über neue Gestaltungen nachdenkt: »Die Ausweitung auf ein Kollektiv [...], das führt zu einer Permutation, die ich nicht mehr zu denken vermag; aber auch wenn ein Computer sie mir ausrechnet, sehe ich die Darstellbarkeit auf der Bühne nicht mehr.«
Die überzeugendsten Leistungen sind Frisch doch wohl auf dem Feld des Romans gelungen, obwohl von den Dramen starke Wirkungen ausgegangen sind. Das gilt in

besonderem Maße für den *Stiller* und für *Homo Faber* (1957), das Gleichnis des technischen Menschen, der alles im Dasein glaubt wissenschaftlich oder mathematisch erfassen zu können, der den Zufall ausschalten will, und sich doch verrechnet. Um dieses Gleichnis zu gestalten, war kein Computer nötig. Das gilt auch für *Mein Name sei Gantenbein* (1964). Diese Romane kreisen besonders um das Problem der Willensfreiheit, das Frisch offenbar bedrängt. Man darf gespannt sein auf seine Weiterentwicklung.

Friedrich Dürrenmatt (* 1921) begann sein Studium, als der Zweite Weltkrieg ausgebrochen war. Die Ohnmacht des Geistes gegen Gewalt und Brutalität wurde dem Heranwachsenden zu einer Erfahrung, die sich in einer Reihe Prosaskizzen niederschlug (herausgegeben im Sammelband *Die Stadt*, 1952). Am bekanntesten wurde die Kurzgeschichte *Der Tunnel*. Man kann den Schnellzug zwischen Bern und Zürich, der in einen unerwartet sich verlängernden und schließlich einem Abgrund zuführenden Tunnel gerät, als ein Symbol unserer Zivilisation auffassen.

Trotz einiger weit verbreiteter Prosawerke – darunter einige vielgelesene Kriminalromane – ist es das Drama, das Dürrenmatt berühmt gemacht hat. Er begann mit dem Wiedertäuferstück *Es steht geschrieben* (1948), das später noch einmal umgearbeitet unter dem Titel *Die Wiedertäufer* (1967) erscheint. Hier und in dem Stück von dem Nobelpreisträger Schwitter, der nicht sterben kann, *Der Meteor* (1966), kommt Dürrenmatts Position am klarsten zum Ausdruck. Es geht um die Wiederherstellung des Reiches Gottes auf dieser Erde und um die Aussichtslosigkeit dieses Unterfangens. Dic radikale Daseinsskepsis, ein Leitthema in Dürrenmatts Werk, bestimmt den Abstand zur Umwelt, zur Wirklichkeit und ebenso zur Geschichte, die nur noch in der Komödie zu begreifen ist. »Komödien« nennt Dürrenmatt seine Stücke. Die Skepsis macht auch vor dem eigenen Werk nicht halt. Bezeichnend, wie er seine eigenen Stücke oft umgestaltet, zweimal, dreimal, und weiter bei den Proben zur Aufführung.

Doch gibt es gewisse elementare Zonen, die Dürrenmatt unangetastet läßt und deren Verletzung er mit grimmiger Konsequenz verfolgt: der kreatürliche Bereich, das rein sich entfaltende Leben, die unmittelbare Liebe. In einer Visionenfolge mit oft groteskem Einschlag und Nähe zum Absurden, tauchen die Mächte und Institutionen auf, die den Menschen in seiner Entfaltung hemmen und bedrohen. Der Moralismus, oder genauer: der ethische Rigorismus scheint bei dem Abkömmling einer Berner Pastoren- und Politikerfamilie letztlich religiös begründet, ohne daß er dies je offen und direkt bekennt.

Die erlebte Zeitgeschichte ist noch nah in der ›ungeschichtlichen historischen Komödie‹ *Romulus der Große* (1949), wo fanatische Vaterlandsliebe entlarvt wird; in der *Ehe des Herrn Mississippi* (1952), worin ein überspitzter Gerechtigkeitsbegriff ad absurdum geführt wird. *Ein Engel kommt nach Babylon* (1953) hätte der erste Teil eines Dramas vom babylonischen Turmbau werden sollen, wobei die Kultur in ein satirisches Zwielicht rückt und der Engel Kurrubi mit Indras Tochter (in Strindbergs *Traumspiel*) ausrufen könnte: »Es ist schade um die Menschen.« Die Gestalten des Romulus, des Grafen Übelohe-Zabernsee, des Bettlers Akki aber sind es, denen Dürrenmatts Sympathie gehört.

Als dramatisches Hauptwerk gilt *Der Besuch der alten Dame* (1956), aus einer Groteskfabel entwickelt, voll von satirischem Beiwerk, aber unerbittlich in seiner Konsequenz. Gewiß ist es in seiner oberen, offen zutage tretenden Schicht eine Parodie auf die Wohlstandsgesellschaft, aber zugrunde liegt doch eine individuelle Schuld und eine individuelle Sühne: der Liebesverrat des Händlers Ill. Auf ihn setzt die alte reiche Dame, einst Opfer des Verrats, den Tod. Keine der menschlichen Instanzen kann dem so jäh wegen einer längst vergessenen Jugendsünde in den Anklagezustand versetzten Ill helfen, weder die Polizei noch die Behörde, noch die Kirche. Und auch eine Flucht, wozu Ill alle Anstalten trifft, wäre sinnlos. Für Dürrenmatt handelt es sich nicht um irgendeine, sondern um die denkbar schwerste Sünde, den Verrat an der Liebe. Es gibt nur eines: die Schuld annehmen und zur Sühne bereit sein.

In einigen Stücken überdeckt die Freude an grotesken Einfällen und kühnen Stilmischungen die einheitliche Linie. Die von der *Dreigroschenoper* inspirierte ›Oper einer Privatbank‹ *Frank V.* (1959; Musik von Paul Burkhard) und *Herkules oder der Stall des Augias* (1964; 1954 als Hörspiel erschienen) – schon August Strindberg hat das Motiv für eine Satire verwendet – gehören zu dem, was man ›Dürrenmatts Monstrekabarett‹ genannt hat. Die Satiren lassen sich genüßlich auskosten, aber auch sie stecken voll Hintergründigkeiten. Ein Wurf gelang Dürrenmatt noch einmal mit den *Physikern* (1962). Die Thematik berührt sich unüberhörbar mit Frischs *Homo Faber*, und auch die dramaturgische Intention kreist um dasselbe Problem, das Frisch fasziniert: den Konflikt zwischen freier Entscheidung und Verhängnis, zwischen Wille und Zufall. In einigen Thesen hat dies Dürrenmatt anklingen lassen. Eine lautet: »Je planmäßiger die Menschen vorgehen, desto wirksamer vermag sie der Zufall zu treffen« *(21 Punkte zu den Physikern).*

Nach dem *Meteor*, der ›negativen Parabel‹, wurde die Vermutung laut, daß Dürrenmatt an eine Grenze dessen, was sich auf der Bühne noch darstellen läßt, gelangt sei. Er experimentierte weiter, führte kurze Zeit Regie in Basel und befaßte sich mit dramaturgischen Umgestaltungen einiger Werke der Weltliteratur: Strindbergs *Totentanz*, Shakespeares *König Johann*, Goethes *Urfaust*. Im *Monstervortrag über Gerechtigkeit und Unrecht* mit dem Untertitel ›Eine kleine Dramaturgie der Politik‹ (1969), die eine Modellgeschichte von verschiedenen Standpunkten – dem kapitalistischen und dem sozialistischen – beleuchtet und variiert, sieht man ihn an der Bewältigung moderner politisch-sozialer Fragen herumpröbeln. Das im November 1970 im Düsseldorfer Schauspielhaus uraufgeführte Stück *Porträt eines Planeten* ist nach den einen Kritikern nicht mehr als eine »Anthologie von unverarbeiteten Einfällen«, eine Art ›planetarisches Monsterkabarett‹ also, führt aber nach andern in die Nähe der »metaphorischen und todernsten Einfachheit eines Samuel Beckett«. Die erwähnte Vermutung scheint sich zu bestätigen: Wie Frisch sucht auch Dürrenmatt einen zweiten Durchbruch.

Mit *Andorra* hat Max Frisch das Thema des Flüchtlings- und Emigrantenelends im ›humanen‹ Kleinstaat angeschlagen. Walter Matthias Diggelmann (* 1927) hat es in dem Roman *Die Hinterlassenschaft* (1965) aufgegriffen. Er geht in der Selbstanprangerung so weit, daß er Frisch die Reduktion des Themas auf das ›Modell‹ zum Vorwurf macht. An einer Stelle wird unter dem Titel *Der Pogrom von T. Ein Modell*, der eine ironische Spitze gegen Frisch enthält, auf Grund dokumentarischer Unterlagen eine Kommunistenhetze dargestellt, ein Vorkommnis aus der Zeit des

Ungarnaufstands, das den Wankelmut und die Manipulierbarkeit eines demokratischen Kollektivs veranschaulichen soll. Nach Diggelmann wäre so ein Verfemungsprozeß in einer schweizerischen Kleinstadt nicht weniger grausam als eine Verfemungskampagne im totalitären Staat. Aber das Hauptthema des Romans bilden die Nachforschungen David Bollers im Zusammenhang mit der Hinterlassenschaft seines Pflegevaters. David Boller heißt nämlich, wie sich herausstellt, David Fenigstein, und er hat seine Eltern in einem deutschen Konzentrationslager verloren, weil die schweizerischen Behörden das Einreisevisum verweigert hatten. Trotz nüchterner Sachlichkeit, die durch die dokumentarischen Einsprengsel unterstrichen wird, ist die polemische Absicht überall zu spüren, selbst in der grotesken Einlage *Davids Traum*, die darin gipfelt, daß die von Freiwilligen überquellende Schweizer Armee Hitler zur Kapitulation zwingt:
»Und es kamen Hunderttausende in die Schweiz, die meisten nur mit dem, was sie auf dem Leib trugen, aber jeder Schweizer, der zwei Hemden hatte, gab eines ab, und wer zwei Paar Schuhe besaß, gab ein Paar für die Flüchtlinge. Die jüngeren Männer traten freiwillig in die Armee ein, die älteren arbeiteten bei Bauern oder in Fabriken, und die Frauen halfen, wie sie konnten. Und es geschah etwas, womit Hitler und die Millionen seiner Anhänger nicht gerechnet hatten: Die Schweizer Armee wurde so groß und mächtig, daß Deutschland Angst bekam... Im Jahre 1941 war die Schweiz durch den Zustrom von Flüchtlingen so erstarkt, daß der Bundesrat Hitler ein Ultimatum stellen konnte...«
In dem Dokumentarbericht *Das Boot ist voll. Die Schweiz und die Flüchtlinge 1933 bis 1945* (1967) hat der Publizist Alfred A. Häsler die schweizerische Flüchtlingspolitik während des Zweiten Weltkrieges durchleuchtet. Das Schuldtrauma, das latent seit den Enthüllungen während der letzten Kriegszeit und kurz danach bestand, ist seitdem in ein Stadium akuter Virulenz geraten. Der Lyriker Albert Ehrismann (* 1908) schreibt aber schon 1964 in seinem *Memorial* (in der Sammlung *Nachricht von den Wollenwebern*):

»Denn da war ein Satz, der noch immer
Wie Schamröte uns auf den Stirnen brennt.
Sagte nicht jemand,
Es wäre kein Platz mehr im Boot?
Und jetzt merke ich, die da vorüberziehn
Sind alle tot...«

Es gilt ein Wort von Walter Vogt (im Roman *Melancholie*, 1967): »... davon hat sich unsere Generation nie völlig erholt – davon nicht und von dem Komplex, Verschonte zu sein.«
Mehrmals hat dieses Thema der als Historiker und Filmproduzent tätige Zürcher Schriftsteller David Wechsler (* 1918) behandelt, zum Beispiel in dem Drama *Wege zu Rahel* (1961). Überraschend ist auch der Erzähler Otto F. Walter (* 1928), der in seinen formal neuartigen sozialkritischen Romanen *Der Stumme* (1959) und *Herr Tourel* (1962) das gestörte Verhältnis heutiger Menschen zur Umwelt und zu den Mitmenschen darstellt, mit einem Schauspiel *Die Katze* (1967 in Zürich uraufgeführt) auf diese Problematik eingeschwenkt. Eines der eigenartigsten Bücher zu diesem Thema ist schließlich Heinrich Wiesners (* 1925) *Schauplätze. Eine Chronik*

(1969). In unterkühlter Sachprosa berichtet es aus der Zeit von 1933 bis 1945 und läßt spüren, daß man sich mit Brutalität und Verachtung für das Leben infizieren kann wie mit einer Krankheit.
Aber es gibt andere Brennpunkte, Brennpunkte unserer Gegenwart. Der Lyriker Walter Gross (* 1924) stammt aus einer Arbeiterfamilie. Er hat sich schon sehr früh für Johannes Bobrowski und Peter Huchel eingesetzt. Gross, der im Gedichtband *Botschaften noch im Staub* (1957) südliche Gefilde aufsucht und in dem Band *Antworten* (1964) schlichte Zeilenfolgen schreibt, gibt doch immer wieder einer weltweiten Verantwortung, ohne die der Schweizer nun wirklich nichts weiter als ein spießbürgerlicher Anachronismus ist, bewegten Ausdruck. So etwa in dem Gedicht *Berlin*, aus dem ein paar Verse zitiert seien:

»... wer wirft jetzt,
wer wirft nach den Tauben,
mit Sand und Steinen,
Meineckestraße und Spittelmarkt,
das Unrecht, wo wohnt es,
in welchem Haus,
an welcher Straße
am Alexanderplatz war ich,
wo Biberkopf kneipte,
einarmig an der Havel
bei Schwanenwerder,
wo Heym ertrank,
hinüber sah ich,
Richtung Wilhelmshorst,
haltet ein,
findet ein Wort
für einen Steinwurf weit,
wer trägt hier Schuld
und jetzt, wenn nicht ich
und du.«

Die Tendenz, politisches Engagement im Gedicht auszudrücken, ergreift um die Mitte der sechziger Jahre auch Lyriker wie Erwin Jaeckle, Urs Oberlin, Urs Martin Strub. Jörg Steiner (* 1930) schreibt in dem Band *Der schwarze Kasten. Spielregeln* (1965):

»In der Schule hören die Kinder eine Geschichte,
sie hören die Geschichte von Hiroshima,
Hiroshima ist ein Dorf in der Schweiz.

Hiroshima ist eine keltische Siedlung,
in Hiroshima stehen die Sachen nicht zum besten,
die Bauern sind unzufrieden.

Hiroshima braucht Industrie,
die Kinder lesen im Chor
der Lehrer schreibt ein Wort an die Tafel.«

Viele Anspielungen dieser Art finden sich schließlich in den Gedichten des Berner Pfarrers Kurt Marti (* 1921), eine der originellsten Begabungen der modernen Literatur in der deutschen Schweiz. Ihm ist es gelungen, der heimatlich konventionellen Dialektpoesie neue Impulse zu verleihen und mit Zeitgedichten ›in bärner umgangsschprach‹ sogleich über die Landesgrenze hinauszudringen. Sein Bändchen *Rosa Loui* (1967) ist in einem deutschen Verlag erschienen, und Helmut Heißenbüttel hat dazu ein Nachwort beigesteuert. Eine ›Loui‹ (Laui) ist eine Lawine, sie hängt drohend über dem Abgrund, die Abendsonne färbt sie rosarot. Aber ›rosa‹ ist ein Äquivokum, es ist doppeldeutig; wir sehen und färben das Drohende, das über uns herabzustürzen droht, rosa. In *Rosa Loui* erscheinen die Südafrikanische Union, Tibet, Kuba, Vietnam; zum Beispiel so:

»ornig muess si
– – –
vo wäge:
dr bürger hetts bös
dr bürger söll schlafe
vietnam isch x-nöime
ornig muess si
dass mr guet chönne schlafe.«

In hochdeutscher Übersetzung würde das etwa so lauten: »Ordnung muß sein, denn: der Bürger hat viele Sorgen, der Bürger soll schlafen können. Vietnam ist irgendwo weit weg. Ordnung muß sein, damit wir gut schlafen können ...«

Der im Herzen der Schweiz, in Schwyz, lebende Erzähler Meinrad Inglin (* 1893) – er hat schon 1938 den bedeutendsten zeitkritischen Roman der Zwischenkriegszeit verfaßt, *Schweizerspiegel* – behandelt in dem Roman *Urwang* (1954) ein brennendes Problem der schweizerischen Gegenwart. Urwang ist ein einsames Bergtal, in dem einige Bauern seit eh und je ihr Auskommen finden. Das Tal soll in einen Stausee umgewandelt werden. Aber die Bauern wollen ihr Land nicht verlassen, sie hängen am altererbten Besitz. Wie immer behalten Fortschritt und Technik recht, und Inglin schildert den schmerzhaften Prozeß der Enteignung und die Trennung der Bauern von ihrer Heimat. Zwischen den Parteien, also zwischen den Bauern im Hochtal und den Technikern und Industriebonzen ohne Beziehung zum Tal, steht ein neutraler Beobachter, ein Bergwanderer und Jäger, der die Leute und jeden Hof kennt – der Major Bonifazius von Euw. Es ist nicht schwer, in ihm ein Selbstporträt des Verfassers zu erkennen. Was der Major sagt, sagt Inglin, und es ist eine Warnung vor einem Fortschrittsglauben, der nur noch den Wohlstand und die materiellen Interessen im Auge hat:

»Ich wehre mich nicht gegen die Krafterzeugung, fällt mir nicht ein, Kraftwerke sind unentbehrlich. Sie dürfen aber endlich nicht mehr zur Vernichtung ganzer Täler führen, und sie sollen nicht die Industrie veranlassen, ohne Rücksicht auf das Ganze weiterzuwuchern ... Der materielle Wohlstand ist nicht unser höchstes Ziel, es gibt noch höhere Werte, und es ist eine Schande, wenn wir auf Kosten dieser Werte unsern Geldsack füllen. Der innere Wohlstand ist wichtiger als der äußere.

– – –

Ich kenne die Urwanger Bauernfamilien, sie sind nicht mustergültig, sie stellen keine Auslese dar, aber was man ihnen jetzt antut, das darf man ihnen im nationalen Interesse nicht antun. Man nimmt ihnen mehr weg als nur den Boden, der sie ernährt hat, man nimmt ihnen die Heimat, ihre engere Heimat, in der sie, wohl oder übel, zäher verwurzelt sind als Städter in ihrer Stadt... Und nicht nur der Einzelne wird betroffen, auch die Gemeinschaft, eine wirtschaftlich unwichtige, aber lebendige kleine Talgemeinschaft, die ihre Geschichte hat, ihre Tradition, ihr gemeinsames Glaubensbekenntnis, und die man jetzt auseinanderreißt und zerstört. Voraussetzungen, auf denen unsere Volksgemeinschaft beruht, werden hier ohne eine wirklich im höchsten Sinne nationale Notwendigkeit über den Haufen geworfen. Eine Mehrheit vergewaltigt im Dienste einer Wirtschaftsmacht eine wehrlose Minderheit. Mit Demokratie hat dies nichts mehr zu tun.«

Angriffe dieser Art finden sich häufig in der Literatur der jüngeren Generation, wenn auch von anderen Positionen aus und kaum mehr in der unumwunden realistischen Darstellungsweise Inglins. Das Vorbild von Frisch und Dürrenmatt ist offenkundig, manchmal mit Händen zu greifen. Tagebuch, Briefnovelle, monologisierende Erzählformen, Dokumentarberichte, fingierte Berichte sind beliebt, und seit Dürrenmatt zwei Kriminalromane geschrieben hat, auch der Kriminalroman. – Zwei Beispiele: Die letzten Szenen des *Grafen Oederland* von Max Frisch spielen im Kanalsystem der Residenz. Daran muß man denken, wenn der Erzähler Hugo Loetscher (* 1929) seinen gesellschaftskritischen Roman *Abwässer. Ein Gutachten* (1963) als Bericht eines Inspektors des städtischen Kanalisationswesens anlegt. Origineller (doch mit dem Sintflutmotiv eine alte Tradition aufnehmend) ist sein Roman *Noah* (1967), ebenfalls eine Satire auf die Hochkonjunktur mit Seitenhieben gegen die moderne Kunst, die Fremdarbeiter und die auch in der Schweiz spürbar werdenden Veränderungen der öffentlichen Moral. Das Fremdarbeiterproblem zum Beispiel spiegelt sich im *Noah* auf folgende Weise (bei den »türkischen Hochländern« denkt jeder Schweizer natürlich sofort an die Fremdarbeiter aus dem italienischen Tiefland):

»Sie stammten aus dem türkischen Hochland. Sie hatten ihre Habe in Ziegenfelle eingeschnürt, als sie kamen, und wenn sie an den Festtagen nach Hause gingen, trugen sie das Erworbene in Kamelhaardecken fort. Kein einheimischer Arbeiter hätte im Zweistromland noch einen Baum geschleppt, aber er war bereit, ›Ho‹ zu rufen, wenn die türkischen Hochländer an den Stricken zogen. Diese türkischen Hochländer wohnten teilweise in Baracken, welche die Einheimischen längst verlassen hatten, und die Fremden zahlten teuer dafür, froh, irgendwo unterzukommen...«

Jeder Satz birgt Anspielungen auf allbekannte Sachverhalte. Zur Zeit, als der Roman geschrieben wurde, stieß man in Äußerungen namhafter Publizisten auf den Slogan, aus dem ›Volk der Hirten‹ sei ein ›Volk der Herren‹ geworden.

»Ich hasse nicht die Schweiz, sondern die Verlogenheit«, sagt Stiller. Und Frisch meint die Scheinmoral, die »selbstgefällig-fraglose Annahme«, man sei besser. »Kein Volk ist so beliebt wie wir« *(Andorra)*. Auch Dürrenmatt ist in diesem Zusammenhang noch einmal zu erwähnen. Eine der bösesten Satiren auf Selbstgefälligkeit und Scheinmoral ist sein Hörspiel *Die Panne* (1956). Da gerät ein Konjunkturritter, weil er mit seinem Studebaker auf der Strecke bleibt, in eine Gesellschaft alter Herren, die zu ihrem Vergnügen und zum Zeitvertreib Gerichtsszenen veranstalten. Der

Gast – er heißt Alfredo Traps – spielt den Angeklagten. Und es kommt zutage, daß Herr Traps ein Mörder ist, nicht ein richtiger Mörder natürlich, aber einer, der durch seine unbekümmerte Rücksichtslosigkeit den Tod seines Vorgesetzten verschuldet hat. – Die Ausgangssituation der *Panne* taucht wieder auf in dem satirischen Kriminalroman *Melancholie* (1967) des Berner Röntgenarztes Walter Vogt (* 1927). Der Roman ist von der Kritik nicht so gut aufgenommen worden wie Vogts Erstling *Wüthrich* (1966), das Selbstgespräch eines sterbenden Arztes, das zum Besten gehört, was in den letzten Jahren in der Schweiz erschienen ist, und das man in seiner grimmigen Konsequenz mit Dürrenmatts *Meteor* zusammensehen müßte. Aber *Melancholie* ist doch typisch für die radikale Desillusionierungstendenz einiger jüngerer Schriftsteller. Es ist im übrigen noch nicht genügend beachtet worden, daß der Roman in die Nähe der desperaten Schlußszenen der *Physiker* führt. Die Treffsicherheit von Vogts satirischem, immer menschlich engagiertem Stil bewährt sich auch in der Erzählung *Der Vogel auf dem Tisch* (1968) und in einigen Gedichtfolgen.

Man wird hier den jungen Christoph Mangold (* 1939) anschließen, der nach dem Roman *Konzert für Papagei und Schifferklavier* (1969) eine Folge von Notizen und satirischen Etüden, *Christoph Mangolds Agenda* (1970), erscheinen ließ. Eine Probe aus dem fingierten Zeitungsbericht *Umsturz in der Schweiz*, der von einer Revolution mit unblutiger Machtübernahme erzählt:

»... Bis jetzt sind nur die Namen der neuen Machthaber bekannt: Neuer Bundespräsident ist Hanspeter Tschudi (bisher Hanspeter Tschudi) ... Auch auf dem Sektor Kultur wurden sämtliche Spitzen neu besetzt: Der Präsident des Schweizerischen Schriftstellervereins heißt Maurice Zermatten (bisher Maurice Zermatten), sein Sekretär Beidler (bisher Beidler). Die neuen Führer der geistigen Opposition heißen Friedrich Dürrenmatt (bisher Friedrich Dürrenmatt) und Max Frisch (bisher Max Frisch) ...«

So wird die ganze offizielle Schweiz durchgezogen. Und Mangold meint: In der Schweiz wird sich sowieso nichts ändern.

Zur selben Gattung gehören Franz Hohlers (* 1943) *Idyllen* (1970). Alphabetisch nach Schauplätzen geordnet sind die Notizen, die sachlich und oft mit ironischem Unterton Beobachtung an Beobachtung reihen. So stehen neckisch nebeneinander: Prag und Stierva (Ort im Kanton Graubünden); und Zürich muß man unter ›Ignaz-Heim-Platz‹ suchen. Hohler ist im übrigen ein erfolgreicher Kabarettist.

Auffällig in der modernen Schweizer Literatur ist die Tendenz, zu den einfachsten Elementen der Gebrauchsprosa hinunterzugehen, Sprache sozusagen im Rohzustand zu fassen. Daher die Versuche, auch die Mundart in die Literatur einzubeziehen. Von Martis *Rosa Loui* ist schon gesprochen worden. Auch Walter Vogt hat Mundartgedichte verfaßt. Alltägliche Redensarten werden in eine rhythmische Sequenz gezwungen, um ihre Hohlheit oder Verlogenheit zu entlarven. Ernst Eggimann (* 1936) hat, ebenfalls in Berner Mundart, ein Bändchen *Henusode* (1969) herausgegeben. Er versteht es, ganze Geschichten in einige banale Mundartwendungen zu bannen. In der *Venus-Ode* erwartet eine Frau ein Kind, die Umwelt geht mit ein paar gedankenlosen Floskeln darüber hinweg: Henusode (he nu so denn, etwa: nun dann also).

Kaum einer aber beherrscht die Kunst des Wortspiels, der Wortalchimie und des verfeinerten Rhythmuswechsels so wie Kurt Marti. Er veröffentlichte in den frühen fünfziger Jahren zuerst in Anthologien. 1959 erschienen die *Republikanischen Gedichte*, 1963 die *Gedichte am Rand*, 1965 die Geschichten zwischen Dorf und Stadt *Wohnen zeitaus*. Die Marginalien zum Zeitgeschehen des heute in Zürich amtierenden Pfarrers Kurt Marti zeichnen sich durch sprachliche Geschliffenheit und gedankliche Energie aus. Seine Invektiven treffen nicht nur schweizerische Unsitten und Fehlentwicklungen. Das folgende *Gleichnis in Progression* stammt aus den *Gedichten am Rand*:

»verlorener
als der verlorene sohn
im elend
verlor sich
der sohn
des verlorenen sohnes
im wohlstand

er landete
nicht am schweinekoben
sondern hoch oben
und nährte sich
statt von trebern und kummer
mit spargelspitzen und hummer

verlorener
als der verlorene sohn
beim hummer
wartet
des sohnes
verlorener vater
im kummer«

Kritik an der Vergangenheit, zum Beispiel am ›Mythus Schweiz‹, an der Igel-Mentalität; Kritik an der Gegenwart, kaum je am System oder an der Idee, sondern an den Menschen, die dem Wohlstand und der bequemen Bürgerruhe zuliebe die Idee (und das System) verraten – das sind die wichtigsten Impulse in zahlreichen der bisher erwähnten Werke. Bei den im Folgenden vorzuführenden Werken liegen die Akzente anders. Der Aktivismus kann sich sublimieren, er kann auch – aus intellektueller Überlegenheit oder moralischen Motiven – in Resignation münden. Verändern die Dichter die Welt? Die Frage ist bezeichnenderweise in der schweizerischen Literatur kaum je gestellt worden, weil die Verwurzelung in der Realität nicht reflektiert zu werden braucht und die pragmatische Absicht selten verleugnet wird. Das Dilemma des modernen Schweizer Schriftstellers ergibt sich erst daraus, daß eben im Versuch zu genauem Gestalten und Abbilden die qualitative Veränderung der Wirklichkeit schon geschieht.

Es gibt von dem vertrottelt wirkenden Vierundzwanzigjährigen in Dürrenmatts Parabelgeschichte *Der Tunnel* bis in die unmittelbare Gegenwart zahlreiche Zeugnisse, die von der Hilflosigkeit und Wirkungslosigkeit des Schriftstellers in unserer

Zeit sprechen. Was bleibt dem Schriftsteller zu tun übrig in einer Gemeinschaft, die ihn offensichtlich nicht mehr ernst nimmt?
In der erzählenden Literatur der deutschen Schweiz findet sich ein Handlungsmuster, das auffällig häufig vorkommt: Ein junger Mensch verläßt in Zorn und Auflehnung die Heimat, reift in der Fremde zum Mann und kehrt zurück, um sich in die Gemeinschaft einzufügen und tätig an der Gestaltung der Zukunft mitzuwirken. Das ist zum Beispiel das Grundmodell der Handlung im *Bauernspiegel* von Jeremias Gotthelf oder im *Grünen Heinrich* von Gottfried Keller. Man müßte in diesem Zusammenhang auch zwei Romanwerke von Robert Faesi und Arnold Kübler erwähnen. Bei dem Dramatiker Cäsar von Arx, der sich 1949 das Leben genommen hat, bestimmt dieses Modell das Drei-Akte-Schema in einigen seiner besten Stücke. Der berühmteste Rückkehrer in der modernen Literatur ist Stiller. Aber Stiller kann sich nicht mehr in die Gemeinschaft einfügen. Er verdämmert wirkungslos in der Einsamkeit. Vielfach begegnet jedoch die erste Phase: die Flucht aus der Heimat, die zornige Abkehr oder der Versuch dazu, und vielleicht nicht einmal mehr im Zorn, sondern nur mehr in Resignation. Die Fluchtattitüde hat in der modernen Schweizer Literatur schon geradezu topische Bedeutung. Das kleine Schiff im Arbeitszimmer des Staatsanwaltes im *Grafen Oederland* – es gibt einem immer besonders zu denken; auch Santorin, Peking, Santa Cruz, Santa Fé gehören in diesen Zusammenhang. Die Fluchtattitüde scheint so etwas wie die Antwort auf das Gefühl der Gefangenschaft, auf das Unbehagen, das den Menschen in einem verwalteten, bürokratischen Dasein beschleicht, eine Antwort auf die permanente Verärgerung, auf Mißmut und Langeweile.
Der Autor Hans Boesch (* 1926) hat auf dem Bau gearbeitet, war Verkehrsplaner für den Kanton Aargau und ist jetzt am Institut für Landesplanung an der Eidgenössischen Technischen Hochschule tätig. Die Welt der Technik, das Gefüge der Mathematik bedeutet für ihn eine Versicherung gegen Elementares, Dämonisches, Unfaßbares, das im Leben des jungen Hans Boesch eine Rolle spielte. Man findet dafür aufschlußreiche Hinweise im Band *Schweizer Schriftsteller im Gespräch*, und man wird an den ersten Roman *Der junge Os* (1957) denken. Die Romane *Das Gerüst* (1960) und *Die Fliegenfalle* (1968) führen in den beruflichen Bereich Boeschs, auf Bauplätze. Otto F. Walters *Der Stumme* bietet sich zum Vergleich an; Boesch selbst gesteht, Walter sei »gefährlich nahe«. Das gilt auch für die Thematik, denn Kollektiv und Technik bilden nur den Umraum, in dem persönliche Konflikte ausgetragen werden. Es geht um das Individuum und sein Verhalten »gegenüber all den irrationalen Anfechtungen, denen es dauernd ausgesetzt ist«. Diese Thematik dominiert, zur Parabel verdichtet, in der Groteske *Ein David* (1970). Die Dichtung verbindet einen schon vor zwanzig Jahren entstandenen Rahmentext mit einem Gedichtzyklus vom Hünen Goliath, Verkörperung der äußeren Mächte, und seinem Bezwinger David, Individualist und Freiheitsheld.

»Hier sein,
scharfkantig den Kern der Freiheit in mir.«

Die Gewalttat trägt David das Königtum ein, und damit – wer würde sich nicht an die Oederland-Konsequenz erinnern! – die Verwandlung zum Goliath. Resigniert schließt der Zyklus:

»Gib einen Sohn jetzt,
mir meinen David,
daß er mich treffe
genau zwischen die Augen.«

Drei Schriftsteller aus der Generation der Dreißig- bis Vierzigjährigen suchen noch immer einen Weg zwischen Erzählung und Roman. Ihrem Werk ist gemeinsam, daß die erzählerischen Kurzformen thematisch reich beladen oder überladen sind und zum Roman tendieren, die Romane dagegen oft in kleinere episodische Einheiten zerfallen.

Jürg Federspiel (* 1931) hat nach Erzählungen *Orangen und Tode* (1961) und dem Roman *Massaker im Mond* (1963) 1970 ein Tagebuch *Museum des Hasses. Tage in Manhattan* herausgebracht. Es ist der faszinierendste Amerikabericht, den wir in der schweizerischen Literatur haben. In ihm bringt die expressive Sprachgebärde dieses Autors ihre stärksten Wirkungen hervor.

Adolf Muschg (* 1934), dem ein Kritiker »virtuose Formulierfähigkeit bis zur Koketterie« nachsagte, gibt im Roman *Im Sommer des Hasen* (1965) Fernostschilderungen von ungewöhnlicher Intensität. Daß die epische Linie in dem Roman, wie auch im zweiten Buch, *Gegenzauber* (1967), allzu verschlungen sei, ist mehrfach hervorgehoben worden. Daß sich indessen ein in weiteste Bezüge ausgreifender Intellekt und ein überhelles Bewußtsein in einer straff durchkomponierten Erzählung ebenso verwirklichen kann, hat Muschg in dem Band *Fremdkörper* (1968) bewiesen. Die biologischen Mechanismen von Anziehung und Abstoßung werden in diesen Erzählungen auf den seelischen oder sozialen Bereich übertragen. Auch wenn zum Beispiel das Selbstgespräch eines sterbenden siamesischen Zwillings, *Schluß mit der Tierquälerei*, grotesk unwirklich anmutet, bleibt doch der Erzählstil realistisch. Der parabolische Sinn erschließt sich erst im Blick auf den Titel der Sammlung.

Der dritte zu nennende Name: Peter Bichsel. – Doch müßte auch Jörg Steiner (* 1930), der nach zwei Romanen (*Strafarbeit*, 1962, und *Ein Messer für den ehrlichen Finder*, 1966) und zwei Filmtexten mit einem Geschichtenbuch *Auf dem Berge Sinai sitzt der Schneider Kikrikri* (1969) hervorgetreten ist, in diesem Zusammenhang noch einmal erwähnt werden, während umgekehrt Werner Schmidli (* 1939) nach seinen Kindheits- und Knabengeschichten *Der Junge und die toten Fische* (1966) einen noch nicht ganz gelungenen Romanversuch *Meinetwegen soll es doch schneien* (1967) gewagt hat. Im *Schattenhaus* (1969) dagegen, dem zweiten Teil einer offenbar als Trilogie angelegten Familiengeschichte, ist der sozialkritische Realismus aussagekräftiger geworden. Die im Arbeitermilieu angesiedelte Erzählwelt des Baslers Schmidli hat der modernen Literatur der Schweiz einen neuen, bisher spärlich vertretenen Themenbereich erschlossen.

Der erfolgreichste Autor unter den Dreißig- bis Vierzigjährigen ist Peter Bichsel (* 1935) auf Grund zweier Geschichtenbände und eines Romans. Sein Weg war gemacht, als er in der Gruppe 47 las und ausgezeichnet wurde. Das Thema seiner Kurzgeschichten ist schon dem Titel des Bändchens *Eigentlich möchte Frau Blum den Milchmann kennenlernen* (1964) zu entnehmen: die Anonymität des modernen Daseins, der Mangel an Kommunikation, die Gefahr menschlicher Verödung. 1967 erschien sein Roman *Die Jahreszeiten*, doch im Band *Schweizer Schriftsteller im Ge-*

spräch sagte Bichsel dazu: »*Die Jahreszeiten* sind für mich nichts andres als eine Sammlung vieler Kurzprosa-Stücke ... Sie waren nie als Roman gedacht. Es ist mir völlig klar, daß ich ein Kurzprosaist bin.« So ist denn das dritte Buch auch wieder ein Erzählband: *Kindergeschichten* ([4]1969). Zwei Betrachtungen wurden unter dem Titel *Des Schweizers Schweiz* (1969) publiziert. Peter Bichsel sagt von sich: »Ich nehme nur das Inventar auf.« Aber schon die sprachliche Gebärde an sich ist – nach seinem eigenen Geständnis – Engagement. Unbehagen? Malaise? Der Gedanke an Flucht ist eine der Möglichkeiten, eine Möglichkeit freilich, die sich der Lehrer und kämpferische Publizist Bichsel nicht gestatten würde. Über die kleine Geschichte *San Salvador* (in den Milchmann-Geschichten) ließe sich ein ganzer Essay schreiben. »Mir ist es hier zu kalt, ich gehe nach Südamerika«, notiert ein Mann am Abend auf einen Zettel. Man könnte zunächst wieder an Frisch denken, an Santa Cruz und Santa Fé; darin spukt noch romantische Sehnsucht. Aber nicht mehr in Bichsels ›San Salvador‹, dem doppeldeutigen Schlüsselwort. Über dem Stück liegt eine resignierende Wehmut, denn Paul wird ja gar nicht nach Südamerika gehen, die Flucht bleibt im ›Was wäre, wenn‹-Bereich. Dieselbe Thematik wie in *San Salvador* begegnet in dem kurzen Prosastück *Idyll und Perspektive* aus Kurt Martis Band *Wohnen zeitaus* (1965). Es liest sich wie eine Erklärung und Verdeutlichung zu Bichsel und manchen andern, und hat doch seinen unverwechselbaren, nur Kurt Marti eigenen Tonfall:

»Und floh. Zog seinen Hut und floh. Sagte, grüß Gott, wie gehts Ihnen immer, sieht man Sie heute beim Match, und floh. Trat zum Kiosk, sagte ein North State bitte, und floh. Ging gemächlich, sah Autos vorüberflitzen, und floh. Winkte einem Kollegen, der hinter dem Gartenzaun harkte, ciaou Louis, rief er ihm zu, und floh. Gewissenhaft, wie er war, erinnerte er sich, worum ihn die Frau gebeten, betrat eine Bäckerei, sagte, ein Roggenbrot bitte, jawohl, nun macht sich das Wetter, gewiß, der freie Samstag ist schön, und floh.

Kam nach Hause, legte das Brot auf den Tisch in der Küche, und floh. Flickte dem Kleinen die Übersetzung am Fahrrad, spielte dann Schwarzen Peter mit ihm, und floh. Saß später essend und trinkend mit den Seinen am Tisch, erzählte, ließ sich erzählen, und floh. Legte sich auf den Diwan, stellte das Radio leiser, sagte, wecke mich, wenn es Zeit ist, heute ist Match. Was immer er tat: er floh. Was immer er sagte: er floh. Er war glücklich. Und floh. Auch wenn er ihn nie erriet, der Fluchtpunkt war stärker. Der Fluchtpunkt war, so möchte man sagen, sein einziger Standpunkt.«

Die Literatur der deutschen Schweiz hat sich seit Mitte der fünfziger Jahre in einer breiten Skala entwickelt. Sie reicht von großen lyrischen Folgen (Franz Fassbind, Urs Martin Strub) über streng geformte und zeitferne Lyrik (Erwin Jaeckle, Max Allenspach, Silja Walter) zu spruchartigen ›engagierten‹ Gebilden (Marti, Eggimann, Steiner). Oder sie reicht, ohne daß eine zeitliche Schichtung zu erkennen wäre, vom historischen Roman, Gesellschaftsroman, Entwicklungsroman über Montage- und Dokumentarroman bis zum Sachbuch. In der dramatischen Gattung macht sich das Übergewicht von Frisch und Dürrenmatt bemerkbar. Daneben ist noch Herbert Meier (* 1928) zu erwähnen. Er hat neben Gedichtbänden 1954 das Stück *Die Barke von Gawdos* veröffentlicht. Es folgten unter anderm das Oratorium *Dem unbekannten Gott* (1956) mit Musik von Albert Jenny und die Oper *Kaiser*

Jovian (1967) mit der Musik von Rudolf Kelterborn. 1968, im Jahr der Zürcher Krawalle, kam Herbert Meier erneut ins Gespräch: mit dem Manifest *Die neuen Verhältnisse* (im Band *Manifest und Reden*, 1968), dessen dritte These lautet: »Der neue Mensch steht weder rechts noch links – er geht ... Wer rechts steht und links steht, steht so oder so abseits ...«

Literaturhinweise

Werner Bucher / Georges Ammann: *Schweizer Schriftsteller im Gespräch*. Bd. I. Basel 1970.
Guido Calgari: *Die vier Literaturen der Schweiz*. Olten 1966.
Werner Günther: *Dichter der neueren Schweiz*. 2 Bde. Bern 1963 u. 1968.
Kurt Marti: *Die Schweiz und ihre Schriftsteller – die Schriftsteller und ihre Schweiz*. Zürich 1966.

Samuel Arnold: *Provozierte Schweiz*. Mit Einleitung von Daniel Roth. Zürich 1970.
Adolf Guggenbühl: *Die Schweizer sind anders*. Zürich 1967.
Max Imboden: *Helvetisches Malaise*. Zürich 1964.
Arnold Jaggi: *Die Schweiz – gestern, heute und morgen*. Bern 1969.
Karl Schmid: *Unbehagen im Kleinstaat*. Zürich 1963.
Schweizer Brevier (20. Auflage). Bern 1970.
Victor Willi: *Überfremdung – Schlagwort oder bittere Wahrheit?* Bern 1970.

FRANÇOIS BONDY

Die Rezeption der deutschen Literatur nach 1945 in Frankreich

Als Madame de Staël vor 160 Jahren ihr *De l'Allemagne* in Druck gab – erscheinen konnte das Werk der Zensur wegen erst Jahre später –, da hob sie Theater und Philosophie als jene Bereiche hervor, in denen die Deutschen ihr am meisten Erneuerer schienen, von Lessing bis Werner, von Leibniz bis Jacobi, mit Schiller und Goethe einerseits, Kant andererseits im Mittelpunkt. Vom deutschen Theater schrieb die aus Frankreich Vertriebene: »Ich behaupte nicht, daß seine Grundsätze besser seien als die unseren. Aber ausländische Kombinationen können neue Ideen anregen, und wenn man sieht, von welcher Unfruchtbarkeit unsere Literatur bedroht ist, so scheint es mir schwierig, nicht zu wünschen, daß unsere Schriftsteller mehr als bisher Eroberer im Reich der Phantasie werden.« Von der Philosophie hingegen meinte sie, die der Deutschen sei zwar tief, aber nicht gesellschaftsbindend, sie vertiefe »die Distanzen zwischen Unwissenden und Aufgeklärten. In Deutschland sind zu viel neue und zu wenig gemeinsame Ideen im Umlauf, und was an den verschiedenen deutschen Weltanschauungen merkwürdig ist, isoliert sie voneinander.«
Überblicken wir das Vierteljahrhundert französischer Aufnahme deutscher Literatur seit 1945, so finden wir wieder im Mittelpunkt: das Theater, die Philosophie. Die beiden in Frankreich am aufmerksamsten aufgenommenen, am leidenschaftlichsten umstrittenen deutschen Autoren heißen: Bertolt Brecht, Martin Heidegger. Um diese Wirkung zu berücksichtigen, müssen wir den Begriff des ›Literarischen‹ nach zwei Richtungen hin erweitern. Einesteils gehört das Theater im ganzen dazu, nicht nur die Werke, sondern auch der Stil von Regie und Aufführungen, die Organisation eines Ensembles, andererseits müssen wir über die ›schöne Literatur‹ hinaus auf das ›Schrifttum‹ im weiteren Sinn blicken, zu welchem die ganze Welt der Ideen, auch die Geistesgeschichte, zählt.
Damit nicht genug. Um die Wirkung der deutschen Literatur in Frankreich zu bemessen, ist außerdem eine erweiterte Definition der Begriffe ›Zeit‹ und ›Raum‹ notwendig. Der Zeit: denn es sind Autoren aus naher und ferner Vergangenheit, die zum ersten Mal oder neu rezipiert, die wiederum oder erst jetzt für Franzosen fruchtbar wurden. Die drei hier wichtigsten Namen sind: Hölderlin, Kafka, Musil. Die Zahl der französischen Hölderlin-Übersetzungen war seit 1933 nicht gering, ist aber durch Versuche französischer Dichter (Philippe Jacottet, André du Bouchet z. B.) seit 1950 sehr gewachsen, an Quantität wie an Bedeutung. Wichtiges Beispiel: die im einzelnen nicht unanfechtbare Hölderlin-Ausgabe in der ›Pleiade‹[1] unter Leitung von Philippe Jacottet und die zahlreichen Hölderlin-Deutungen, die freilich meist auf Heideggers Hölderlin-Auslegung Bezug nehmen.
Obgleich Lyriker dieses Jahrhunderts übersetzt und beachtet wurden – Trakl, Benn, Nelly Sachs, zuletzt vor allem Paul Celan –, ist die Beziehung zu Hölderlin stärker, was sich sowohl in den Arbeiten der Germanisten – darunter Pierre Bertaux – wie bei den Lyrikern zeigt.

Was Franz Kafka, namentlich von Paul Vialatte und von Marthe Robert übersetzt – letztere ist seine einflußreichste Deuterin –, betrifft, so war sein Einfluß seit 1945 von einer Tiefen- und Breitenwirkung, die kaum auszuloten ist. Es begann vor 1933 durch das Verdienst des großen Mittlers Bernard Groethuysen, der langjährigen ›grauen Eminenz‹ des Verlages Gallimard. Doch ist die spätere Wirkung viel stärker. Sie reicht von den Existentialisten über das Theater (André Gide, Jean-Louis Barrault als Adaptatoren) bis zum ›Nouveau Roman‹. Marthe Robert hat kritisch untersucht, durch wie viele Mißverständnisse Kafka von den Surrealisten zu den Existentialisten und darüber hinaus von französischen Geistesrichtungen angeeignet wurde. Dazu kommt die Sicht auf den ›Propheten der Konzentrationslagerwelt‹, die Einordnung in den spät wahrgenommenen Expressionismus und in die Welt des untergehenden Habsburgerreiches, nach Musil hier gerne ›La Cacanie‹ genannt. Kafka beschäftigte Theologen und Philosophen wie die Schriftsteller, und im Volksmund wird jede besonders langwierige Schikane der Ämter als ›kafkaesque‹ bezeichnet. Es versteht sich, daß eine solche Popularisierung – es gibt viele Taschenbuchausgaben – nicht ohne Mißverständnisse, auch groteske Verzeichnungen verlaufen konnte. Dennoch ist der französische Beitrag zum Kafka-Verständnis, von einer frühen Schrift Jean Starobinskis an, ersten Ranges. Es handelt sich hier um eine ›späte‹, aber nicht auch deswegen ›verspätete‹ Wirkung. Wie viele anregende Begegnungen zwischen französischen und deutschen Schriftstellern seit 1945 stattgefunden haben mögen – in Lahr 1947, in Vezelay 1956 z. B. –, die Begegnung mit den Schriften Kafkas hat mehr bedeutet. In einer Epoche, in der auch de Sade, dann Shakespeare als »unsere Zeitgenossen« gedeutet worden sind, ist in unvergleichlichem Maße Franz Kafka in Frankreich als Zeitgenosse wahrgenommen worden.

Auch der ›Raum‹ muß im weitesten Sinn verstanden werden. Deutsche Literatur ist für die Franzosen alle Literatur deutscher Sprache – Kafka und Musil gehören dazu, nicht minder Max Frisch und Friedrich Dürrenmatt. Zwar werden Besonderheiten des österreichischen Kulturkreises[2] eher bemerkt als solche der deutschen Schweiz, aber alles das zusammen bildet doch in der Literatur das, was General de Gaulle gerne ›la chose allemande‹ nannte. Das hat nicht nur mit französischer Unkenntnis der Verschiedenheiten innerhalb des deutschen Sprachgebietes zu tun, sondern auch mit dem Objekt: einem im Vergleich zu Frankreich in Umfang und Grenzen überaus schnell sich wandelnden ›Deutschland‹. Sinnlos wäre es, die ›deutsche Literatur‹ hier anders abzugrenzen, als es die Franzosen in ihrer Aufnahme tun.

Nach dieser zwar umständlichen, aber unumgänglichen Vorbemerkung nun zur Chronologie: Der Name Ernst Wiechert hat am Anfang zu stehen, wie das Claude David in *Critique*[3] betont hat. Zwar waren Romane Wiecherts schon 1940 und 1941 erschienen, aber das eigentliche Interesse konzentriert sich auf *Das einfache Leben* (übersetzt 1946) und andere Bücher bis hin zu den *Jerominkindern* und natürlich in besonderem Maße auf den *Totenwald*. Wiechert, der Gesinnungsmensch, ist in der Tat »der erste Name, der sich aus den Ruinen erhebt« (Claude David), sein Schicksal, seine Botschaft tragen zu der Wirkung bei. Es ist das Zeugnis der ›inneren Emigration‹, des ›besseren Deutschland‹, doch hält ganz wie im deutschen Sprachbereich die Wirkung nicht lange an. Nach 1950, als Nossack, Andersch, Luise Rinser, Böll und andere neue Erzähler bekannt werden, ist von Ernst Wiechert kaum mehr die Rede.

Wie steht es um Thomas Mann, dessen Rezeption weit vor 1945 zurückreicht und daher für die Nachkriegsperiode mehr am Rande zu verzeichnen ist? Weiterhin wird sein Werk übersetzt: der *Joseph*-Zyklus, *Doktor Faustus*, *Felix Krull*, Aufsätze, Briefe. Essays von Marguerite Yourcenar, Michel Deguy, Alain Clément beweisen, wie wesentlich in den fünfziger und sechziger Jahren sein Werk empfunden wird, das die von Thomas Mann selbst hochgeschätzte Louise Servicen als Übersetzerin vermittelt. Auf französische Romanciers, mit Ausnahme des Elsässers Alfred Kern, hat Thomas Mann wenig Einfluß. Beträchtlicher und von tieferer Wirkung ist die relativ späte Rezeption Robert Musils, dessen *Mann ohne Eigenschaften* die Edition du Seuil ab 1954 in mehreren Bänden herausbringt, denen nicht nur kritische Anerkennung, sondern unerwarteter Verkaufserfolg begegnete. Es ist ein Einfluß von Dauer. Die Taschenbuchausgabe des *Mann ohne Eigenschaften* wird in Frankreich früher veranstaltet als in der Bundesrepublik.

Wenn Musil selber bemerkte, Thomas Mann habe für vorhandene Leser geschrieben, er aber für Leser, die erst zu erschaffen seien, so entspricht dem die so verschiedenartige intensive Wirkung der beiden Schriftsteller in Frankreich. Bernard Groethuysen hatte noch vor 1933 versucht, gleichzeitig mit Kafka auch Musil in Frankreich einzuführen, war aber daran gescheitert.[4] Nach dem unvermuteten Erfolg Musils wagten sich französische Verleger auch an andere ›Schwierige‹ mit Werken ungewohnten Umfangs, wie Hermann Broch und Heimito von Doderer, ohne daß sich jedoch das ›Musil-Wunder‹ wiederholt hätte, an dem der Übersetzer Philippe Jacottet bedeutenden Anteil hatte. Musil ist nicht einfach rezipiert worden. Es gehört zu seiner Aufnahme, daß sie umstritten war, daß sein Werk auch schockieren, abstoßen konnte. »Nicht systematisch genug für den französischen Leser« nannte ihn Robert Kempf in *Les Nouvelles Litteraires* im Dezember 1954 und meinte: »Die Parallelaktion läßt den französischen Leser gleichgültig.« François Erval – seit langem für deutsche Literatur bei Gallimard zuständig – sah im *Express* Musil als einen jener großen deutschen Schriftsteller, die wie Goethe mit dem nur künstlich abgeschlossenen Faust »großartige Fragmente« hinterlassen hätten und deren »Scheitern einer Literatur zum Ruhm gereichte«. In *Les Lettres Nouvelles* 1959 schreibt Jean Claude Hemery: »Man beginnt in Frankreich zu begreifen, daß mit Thomas Mann, Brecht, Benn und Musil, auch noch mit Hesse, Broch und Döblin die deutsche Literatur vielleicht die bedeutendste unserer Zeit ist«. Maurice Nadeau betont in *France Observateur* vom Juni 1958, Musil sei »nicht nur ein großer Schriftsteller, sondern auch ein großer Geist«. Empört über das Inzestmotiv im dritten Band war Marcel Schneider.[5] Man habe sich »von Obszönitäten und Subtilitäten verseuchen lassen« und verstehe erst jetzt Musils verdächtigen Erfolg. Zu der Popularität des Namens Musil haben die Aufführungen seiner Stücke in Paris wenig beigetragen, viel hingegen bewirkte der Film *Törleß*, einer der wenigen deutschen Filme, die in Frankreich Anklang gefunden haben.

Versäumt wurde seltsamerweise Wolfgang Borchert, erster Vertreter einer »verlorenen Generation«, wie das René Wintzen, einer der unentwegten und unentbehrlichen Deuter deutscher Gegenwartsliteratur, in *Documents* (Januar 1958) vermerkt hat. Er wurde nachträglich als das »schlechte Gewissen« innerhalb eines schon wieder etablierten und prosperierenden Westdeutschland gewertet. Die Aufführung von *Draußen vor der Tür* (1952) wurde wenig beachtet, die späten Übersetzungen

von 1962 und 1963 fielen bereits in eine Zeit, in der nicht nur Heinrich Böll, sondern auch schon Günter Grass bekannt wurde; Borchert wurde nunmehr unter die Vorläufer dieser langerwarteten ›neuen deutschen Literatur‹ eingeordnet.
Nicht übersehen, im Gegenteil: viel gefeiert und viel gelesen wurde Ernst von Salomon, dessen *Fragebogen* (*Le Questionnaire*, 1954) zum ersten deutschen Sensationserfolg in Frankreich nach dem Krieg geworden ist, nicht anders als in Deutschland selber. Übersetzt hat das Werk Guido Meister, den Albert Camus zu seinem eigenen Übersetzer ins Deutsche bestimmt hat. Kritiker vergleichen Ernst von Salomon und André Malraux als Zeugen einer stürmischen Zeit. Neben Salomons *Fragebogen* ist ein anderer deutscher, zuerst in Frankreich und französisch erschienener romanhafter Rechenschaftsbericht, Georg Glasers *Geheimnis und Gewalt*, von einer geringeren Zahl von Lesern, jedoch von etlichen Kritikern als das weit bedeutendere Buch aufgenommen worden. Um Salomon herrschte – abgesehen davon, daß er über das Dritte Reich von innen heraus so viel Atmosphärisches zu berichten wußte – eine Aura des Unheimlichen, die faszinierte, was mit seinen Berichten aus der Zeit des Rathenau-Mordes, der Kerkerstrafe zu tun hatte. Er war zwar offenbar kein Nazi, aber auch keiner jener ›guten Deutschen‹, die in Frankreich mit Respekt und Langeweile anerkannt wurden – das gilt auch für Heinrich Mann, für Alfred Döblin, (immerhin wurde *Alexanderplatz* 1970 bei Gallimard neu aufgelegt) – und bei denen dem Franzosen das gruselige ›Fremderlebnis‹ des Teutonen zu sehr fehlte. Und wie das bei übersetzten Werken leicht geschehen kann – auch H. H. Kirst wird von französischen Kritikern nicht nur unter den viel gelesenen, sondern auch unter den literarisch bedeutenden deutschen Autoren oft genannt! –, wird Ernst von Salomons literarischer Rang überschätzt; das Interesse an dem, was er berichtet, und an der Perspektive, aus der er berichtet, gibt den Ausschlag. Ja, in politischen Debatten am staatlich so eng kontrollierten Fernsehen ist Ernst von Salomon einer der seltenen Deutschen, dessen Meinung man erfragt. Manche Franzosen hörten es gerne, wenn Salomon sie vor den Amerikanern als den ›Europafremden‹ warnte. Ohnehin ist der antiamerikanische Zug des *Fragebogens* einer der Gründe, warum das Buch gut in die französische intellektuelle Atmosphäre jener Jahre paßte. Im übrigen ist ein ›außerliterarisches‹ Interesse an Büchern nichts Einzigartiges, am wenigsten bei übersetzten Büchern, aus denen der Leser immer auch Kenntnis des fremden Volkes entnehmen will. Selbst die spätere Begeisterung für Günter Grass' *Blechtrommel* hat, trotz des literarischen Ranges dieses Romans, zu einem Teil mit solchem außerliterarischen Interesse zu tun.
Der erste deutsche Schriftsteller der Nachkriegszeit, der mit seinem gesamten Werk aufgenommen und weithin beachtet wird, ist Heinrich Böll, von *Der Zug war pünktlich* (französisch 1956) bis hin zu seinen neuesten Werken. Wie Musil, Grass, Bobrowski, Härtling wird Böll von der Edition du Seuil verlegt, die sich auf diesem Gebiet neben dem Mammutverlag Gallimard, wo der größte Teil der deutschen Literatur zu finden ist, gut behauptet. An Böll interessiert das Christliche, besonders das Katholische, das Sozialkritische, der Humor, die Satire, die Gesellschaftskritik, während die eigentlich formalen Elemente seiner Romane und Novellen von den Kritikern weniger beachtet wurden. Um ihn ist Sympathie, nicht Kontroverse, und es mag wohl sein, daß seine Aussage mehr zur Kenntnis genommen wurde als seine Erzählkunst. Ziemlich gleichzeitig mit Heinrich Böll werden Alfred Andersch,

Luise Rinser, Hans Erich Nossack gelesen, und das Interesse an ihnen ist wach geblieben. Günter Grass wird auch in Frankreich zur großen Nachkriegsentdeckung – und hat auch hier Glück mit seinem Übersetzer: Jean Amsler. Er wird mit Rabelais, Grimmelshausen, Celine, Henry Miller verglichen, interessanter noch vielleicht: der Vergleich der *Blechtrommel* mit Laurence Sternes *Tristram Shandy*[6]. Gerühmt wird die Wiederkehr des ›pikaresken Romans‹, oft polemisch gegenüber dem eben damals die intellektuelle Szene beherrschenden ›Nouveau Roman‹. Kritiker – auch von *Le Monde*, wo seither die Literatur weniger sittenrichterlich behandelt wird – nahmen an der Obszönität Anstoß, aber nicht mehr, als das auch deutsche Kritiker taten. Im allgemeinen überwiegt die Begeisterung. Typische Rezension: »Wenn Sie Zeit haben, in dieser Saison nur ein einziges Buch zu lesen, so sei es ›Le Tambour‹.«[7] Georges Schlocker konnte 1962 aus Paris in der deutschen Presse berichten: »Was die Kritik im Werk sah, ist schnell erläutert. Mit diesem Buch vollzog sich die Rückkehr Deutschlands ins literarische Bewußtsein Frankreichs. Ein Buch deutscher Sprache ohne typisch deutsche Verkrampfung. Das nicht in unlösbaren Problemen wühlt, das aber auch nicht in Metaphysik aufsteigt, sondern Menschen zeichnet und ihr Zusammenleben, das erzählt und nicht Schuldkomplexe abreagieren will, das – fürs Ausland eine Offenbarung – Humor hat und Breite und innerhalb ihrer zu nuancieren weiß ...« Noch im jüngsten Prix-Goncourt-Roman vom Dezember 1970 *Le Roi des Aulnes* von Michel Tournier, der am Ende des Krieges in Ostpreußen handelt, ist die Wirkung von *Le Tambour* in Frankreich zu spüren. Wie aufmerksam auch von interessierten Lesern Uwe Johnson, Alexander Kluge, Hans Magnus Enzensberger und andere neuere Autoren rezipiert wurden, Günter Grass' Aufnahme und Breitenwirkung ist ein Phänomen besonderer Art, war zu Beginn sogar massiver als im deutschen Sprachraum selber.

Bertolt Brecht war vor dem Krieg durch eine Pariser Aufführung der *Dreigroschenoper* und den gleichnamigen Film von W. Papst wie durch die von Marianne Oswald gesungenen Kurt-Weill-Chansons bekannt, sonst kaum. 1952 führt Jean Vilar *Mutter Courage* auf, aber der Durchbruch läßt sich genau datieren. Es ist der 12. Dezember 1954 – im ersten Jahr des ›Théatre des Nations‹ –, als in Anwesenheit Brechts das ›Berliner Ensemble‹ *Mutter Courage* spielt. Die Wirkung, die von dieser Aufführung und späteren Gastspielen des ›Berliner Ensemble‹ auf das französische Bühnenleben ausgegangen ist, war gewaltig, sie reichte in die ›Provinz‹, zu Planchon in Lyon, Dasté in Straßburg, Garran in der ›Banlieu‹. Unter französischen Brecht-Aufführungen werden vor allem *Der kaukasische Kreidekreis* (Planchon) und *Im Dickicht der Städte* (Bourseiller) berühmt. Eine Brechtomanie entwickelt sich, deren Verkünder der Theatertheoretiker Bernard Dort ist und die Eugène Ionesco in Stücken wie in Interviews verhöhnt. Doch ist bezeichnend, daß 1950 im gleichen Kellertheater Brechts *Die Regel und die Ausnahme* und Ionescos Erstling *Die kahle Sängerin* abwechselnd gespielt werden.

Im großen ›Theatre National Populaire‹ setzen sowohl Jean Vilar wie sein Nachfolger Georges Wilson immer wieder Stücke von Brecht an (*Mahagonny, Arturo Ui, Puntila*). Obgleich übersetzt, finden die Gedichte Brechts hingegen niemals große Resonanz. Brecht gehört seit 1958 als Klassiker zum Deutschprogramm der Licence an der Sorbonne, und die Bücher über Brecht[8] finden ihrerseits große Beachtung. Die Wirkung auf französische Stückeschreiber, mit Ausnahme Artur Adamovs und eines epischen Stücks von François Billetdoux, ist weniger groß als die Wirkung auf die Konzeption des Theaters insgesamt. Hat die Tatsache, daß Brecht Kommunist war, aus Ost-Berlin kam, zu seiner Resonanz viel beigetragen? Ich meine: ja. Denn Begeisterung für den Kommunismus war das allgemeine Klima der französischen Theaterwelt mindestens bis 1956, und Brecht war das einzige Beispiel eines großen und formal neuen Schöpfers aus dem kommunistischen Bereich. Der ganze Apparat des kommunistischen Kulturbetriebes zelebrierte seinen Ruhm; nicht minder tat es die nichtkommunistische ›intellektuelle Linke‹. Doch ging die Schätzung dessen, was Brecht dem Theater an neuen Impulsen brachte, über jedes politisch und ideologisch abgegrenzte Milieu weit hinaus.

Merkwürdig, auch bedauerlich, daß Brecht in keiner Weise als Vorreiter gewirkt hat, daß jenes deutsche Theater, zu dem er gehörte, von Carl Sternheim über Georg Kaiser bis Carl Zuckmayer in Frankreich fast nicht zur Kenntnis genommen worden ist. Auch Ödön von Horváth wurde 1970 zum erstenmal in Paris aufgeführt. Theaterautoren, die vor Brecht da waren, sowie seine Zeitgenossen sind in Frankreich übersehen worden. Anders verhält es sich mit den ›Nachgeborenen‹, angefangen bei Friedrich Dürrenmatt und Max Frisch, wobei der jüngere dieser beiden Schweizer in Frankreich zuerst bekannt wurde. Es kam – mit viel Skandal und vielen Kommentaren (darunter ein Buch von Jacques Nobécourt) – Rolf Hochhuths *Stellvertreter*. Später: Martin Walsers *Eiche und Angora* (Theatre National Populaire, ein großer Erfolg), Peter Weiss' *Marat/Sade* (durch einen Prozeß der Familie Sade zum Schutz ihres Namens in die Gerichtsannalen eingegangen). Freilich interessiert auch im hohen Maß das frühere deutsche Theater, von Jean Vilars Inszenierung des *Prinzen von Homburg* mit Gerard Philipe bis zu Jorge Lavellis Versuch mit Goethes *Triumph der Empfindsamkeit*.

Auf die Schöpfer eines neuen französischen Theaters – Beckett, Ionesco, Audiberti, Genet – hat Brecht keine Wirkung. Heute wird Brecht weniger gespielt und – obgleich seine *Notizen über Literatur und Kunst* erst unlängst erschienen sind – auch weniger diskutiert als zwischen 1950 und 1965, aber das Ausmaß der direkten und indirekten Wirkung darf deswegen nicht unterschätzt werden. Auch bleibt Brecht der einzige mächtige Impuls, der jemals von Deutschland her auf das französische Theater ausgegangen ist.

Ernst Jünger findet seine französischen Leser kaum unter den ›Brechtomanen‹, doch ist auch das Phänomen der Jünger-Aufnahme recht exzeptionell. Sie setzte früher ein, wirkte während der Kriegsjahre und hat darunter in späteren Zeiten nicht gelitten – wohl der einzige Fall dieser Art. Zu Ernst Jünger bekennen sich Schriftsteller hohen Ranges wie Julien Gracq und Marcel Jouhandeau. Die Kriegstagebücher – editorisch in der französischen Auswahl anfechtbar – schockieren hier weniger als in der Bundesrepublik, werden unbedenklicher aufgenommen. Am ehesten richten sich Angriffe gegen eine politische Schrift, *Der Frieden*, die in Frankreich 1948 erschien. Weniger Jüngers Beziehung zum ›l'art pour l'art‹ und zum ›fin de siècle‹, von den Brüdern Goncourt bis zu Remy de Gourmont, berührt, als eben das, was an Ernst Jünger fremd wirkt und an die Traumwelten deutscher Romantik denken läßt. Er wird »der repräsentativste Schriftsteller seiner Zeit« genannt – doch fehlt eine kritische Gesamtwürdigung. Im Zeichen des Interesses an Ernst Jünger sind andere deutsche ›Zeugen‹ und Essayisten jener Jahre wie Felix Hartlaub, Reck-

Malleczewen, auch E. G. Winkler, untergegangen oder unbemerkt geblieben. Nicht nur der Reiz der Schriften wirkt bei Jünger, sondern auch die Gestalt des Offiziers, Gelehrten, Sammlers, Waldgängers, Grüblers.

Der Ärger oder Kummer mancher Deutschen, daß die Franzosen sich nicht vor allem an jenen deutschen Schriftstellern ergötzen, die ihnen selber exemplarisch erscheinen, ist zu verstehen. Doch interessiert der Dialog mit dem Verschiedengearteten; wer dem Nationalsozialismus nicht in irgendeiner Weise nahegestanden hat, scheint dem Franzosen ein für seine Generation nicht bezeichnender, daher nicht eigentlich ›interessanter‹ Deutscher, zu wenig faszinierend oder auch zu wenig ›gruselig‹, um ganz zu fesseln. Albert Camus hätte an Jünger denken können, wenn er in seinen unter der Okkupation geschriebenen *Briefen an einen deutschen Freund* davon spricht, sie beide hätten den Ausgangspunkt, das Erlebnis des Absurden, gemeinsam und trennten sich erst in den Konsequenzen. Kürzer als der Weg von Brecht zu Jünger ist derjenige von Jünger zu Heidegger, doch interessiert Jünger jenseits aller Ideologien, Heidegger auch in Verbindung mit Ideologien, wie die Dissertation an der Sorbonne von Kostas Axelos über Heidegger und Marx als Denker der technischen Welt bezeugt. Die französische Bereitschaft, von ›dunkeln‹ deutschen Philosophen hingerissen zu sein, ist nicht nur jüngsten Datums. Heinrich Heine verspottet sie im Gedicht, das beginnt:

> »Sie philosophieren und sprechen jetzt
> Von Kant, von Fichte, von Hegel,
> Sie rauchen Tabak, sie trinken Bier,
> Und manche schieben auch Kegel.«

und am Ende beklagt, die Franzosen seien »keine Voltairianer mehr«.

In seinen Erinnerungen an Maurice Merleau Ponty bemerkt Jean Paul Sartre, sie hätten sich sofort verständigt, da sie beide Husserl und Heidegger gelesen hatten. Wie Sartre in Berlin, so las Raymond Aron in Frankfurt deutsche Autoren – aber Dilthey, Simmel, Max Weber, und auch sie ebenso als Philosophen wie als Soziologen. Eric Weil, einer der Anreger von *Critique*, und Jean Wahl sind zu nennen unter den zahlreichen französischen Philosophen, die ausgezeichnete Kenner der deutschen Philosophie sind. Das Phänomen Heidegger mag für die Aufnahme der Philosophie ebenso stellvertretend gesehen werden wie das Phänomen Brecht für das Theater. Nur ist hier ein Unterschied. Heidegger kam nicht allein. Seit 1945 gibt es in Frankreich eine neue, ungemein intensive Rezeption von Hegel (Jean Hyppolite), von Husserl (Gerard Granel), von Nietzsche (Gilles Deleuze), von Jaspers (Paul Ricoeur).

Zur Wirkung der deutschen Philosophie gehören auch die Namen Karl Marx und Sigmund Freud. Karl Marx beschäftigt weniger als Wirtschafts- und Sozialdenker, mehr als Philosoph, als Ideologe – wogegen Raymond Aron in zwei Büchern, die in 20 Jahren Abstand erschienen sind, gekämpft hat. Es gibt für Frankreich einen existentialistischen, einen strukturalistischen, einen christlichen Marx.

Neueren Datums ist die Rezeption Freuds, an dessen französischer Gesamtausgabe gearbeitet wird. Diskussionen über das Verständnis einzelner Wörter sind in bezug auf Freud ebenso heftig geführt worden wie um Heidegger. Wenn viele Zeitschriftenpolemiken den Sinn des Wortes ›völkisch‹ bei Heidegger diskutiert haben – meint es ›populaire‹, ›national‹, ›raciste‹? –, so wurde nicht minder über die richtige Übersetzung von ›Trieb‹ in Freuds Sprachgebrauch – ›pulsion‹? ›instinct‹? – geschrieben. Marthe Robert, die Lichtenberg, Büchner, Kafka und Robert Walser übersetzt hat, war zugleich ein wichtiger Freud-Exeget. Wegen der Freudschen Psychoanalyse kam es zum Austritt des Kritikers Bernard Pingaud aus der Redaktion von Sartres *Temps Modernes.* Diese Beispiele bestätigen, daß die Wirkungen des Schrifttums im weitesten Sinne zu berücksichtigen sind. Wäre es anders, so könnte auch die deutsche Aufnahme der französischen ›philosophes‹ im 18. Jahrhundert nicht in einer Geschichte der literarischen Wirkungen Platz finden, was offenbar absurd wäre.

Für Nietzsche, der zugleich als Denker und als Schriftsteller wirkte, wäre ein Exkurs am Platz, um die Art seiner Aufnahme, von Charles Andler bis zu Gilbert Deleuze und Michel Foucault, zu ermessen.[9]

Bei Martin Heidegger wiederum wäre die Wirkung auf französische Lyriker – René Char, Yves Bonnefoy, André du Bouchet u. a. – zu bedenken, wie auf Autoren des ›Nouveau Roman‹, die hier den Begriff des ›Gerede‹ und des ›man‹ fanden. Der Versuch, diesen Einfluß auszuloten, würde zu weit ins Interpretatorische führen. Nicht wie es sich mit dieser Rezeption verhält, sondern daß sie bedeutend war, sei hier vermerkt. In diesem Zusammenhang ist kennzeichnend, daß Paul Celan, der in Paris lebte, zu Heidegger in Beziehung stand, was sonst für deutsche Dichter seiner Generation kaum der Fall ist, und umgekehrt: daß Günter Grass' Satire der Heideggerschen Terminologie in *Hundejahre* seinen französischen Lesern nichts bedeutet hat. Auch die scharf kritischen Studien Robert Minders über Heideggers Hölderlin- und Hebeldeutung, über seinen »Agrarkonservatismus« haben auf die ›linken‹ französischen Heideggerianer kaum Eindruck gemacht. Für sie blieben Heidegger und Marx Götter im gleichen Olymp. Der politische Streit um Heideggers Haltung zwischen 1933 und 1935 hat nicht Rechte von Linken, sondern Linke von andern Linken geschieden.[10]

Heidegger genau wie Marx sind im Frankreich dieser Jahre nicht nur bedeutende Geister, sondern sie bestimmen ein Ideenklima. Ihnen gegenüber wird überwiegend ›werkimmanent‹ und aus ihren eignen Bezügen heraus argumentiert, andere Diskussionsansätze werden schnell als irrelevant abgetan. Da es hinsichtlich Marx ähnliche Phänomene in deutschen Landen gibt, ist es möglich, von da aus diese ›Ideenstimmung‹ nachzuempfinden.

Noch einige Daten seien zu Heideggers Aufnahme in Frankreich mitgeteilt: Übersetzungen betreffen zuerst späte und weniger umfassende Werke: *Kant und das Problem der Metaphysik* (1953), die Schrift über Humanismus (1957), die Hölderlin-Deutung (1962), *Holzwege* (1962), während *Sein und Zeit* erst 1964 französisch vorliegt und die Diskussion außerhalb der Fachkreise relativ am wenigsten beeinflußt hat. Philosophisch und politisch motivierte Ablehnungen sind mehrfach – namentlich in den kommunistisch geführten *Lettres Françaises* – erschienen, aber sie sind auch für die intellektuelle Linke nicht typisch. Charakteristischer sind glühende Bekenntnisse von Schriftstellern zu Heidegger. So Michel Tournier in *Table Ronde* 1953, es gäbe »nur zwei große Philosophen, die zugleich große Ideenhistoriker waren, Hegel und Heidegger«. Bei Kant habe Heidegger »das schwierige Problem der Übersetzung seiner gnoseologischen Lehre ins Ontologische« gelöst: anders gesagt, aus einer Erkenntnistheorie ein Denken vom Sein gemacht. In der Zeitung

Rassemblement[11] wird Heidegger neben André Malraux als der relevante Denker dieser Zeit gepriesen. Großen Widerhall findet Heideggers Anwesenheit in einem philosophischen Gespräch in Cerisy mit Maurice de Gandillac, Gabriel Marcel, Paul Ricoeur, Lucien Goldmann, Jean Starobinski. Sein Deuter und Übersetzer Jean Beaufret weist mit Genugtuung darauf hin, daß auch ein Psychoanalytiker wie Jacques Lacan (strukturalistischer Freudianer) sich für Heidegger begeisterte. Theologen rühmen an Heidegger die Wahrnehmung des Seins. Auch hier gibt es neben einer Spitzenwirkung eine Breitenwirkung, die sich zum Teil aus Mißverständnissen nähren mag, doch ist die erwähnte produktive Wirkung Heideggers auf Lyriker, auf Romanciers, auch auf Bühnenautoren (Ionesco) so stark, daß von einer bloßen Mode nicht die Rede sein kann, und wenn von Mißverständnissen, so von produktiven.
Mit Karl Jaspers verhält es sich anders. Über seine Rezeption hat sich Jeanne Hersch, die etliche seiner Werke übersetzt hat, geäußert[12] und sie mit der Heidegger-Aufnahme verglichen. Jaspers sei mehr begrifflich abwägend, kein ›Zauberer‹. Für die merkwürdigen Wege, die ein ausländisches Verständnis annehmen kann, sei erwähnt, daß *Les Temps Modernes* Jaspers politisch als des Nazismus verdächtig angegriffen haben, niemals jedoch Heidegger. Andererseits ist bewegend, daß zwei französische Philosophen, Paul Ricoeur und Mikel Dufrenne, in deutscher Kriegsgefangenschaft in einem Stalag gemeinsam ein bedeutendes Buch über Karl Jaspers geschrieben haben. Sartre hat an der Übersetzung der »Psychopathologie« mitgearbeitet.
Vollständigkeit ist bei einem Überblick dieser Art und dieses Umfangs nicht anzustreben, so sehr das Weglassen vieler wichtiger Namen und Fakten zu bedauern bleibt. Mindestens sei noch erwähnt, daß neben hervorragenden Germanisten manche in beiden Sprachen und Kulturen heimische Schriftsteller und Essayisten wie Ferdinand Lion, Joseph Breitbach, Manes Sperber im deutsch-französischen literarischen Gespräch eine wesentliche Rolle gespielt haben oder spielen. Zu nennen wären auch einige weitere Lektoren und Kritiker, die zu der Aufnahme deutscher Literatur in Frankreich besonders beigetragen haben, wie Henri Thomas, Marcel Brion, Luc de Goustine. Auch historisch-politische Deutung, wie sie namentlich Alfred Grosser leistet, ist aus dieser Aufnahme nicht wegzudenken.
Es sei zum Schluß festgehalten, daß die deutsche ›schöne Literatur‹ in Frankreich in dieser Zeit keine Wirkung hatte, die etwa derjenigen des amerikanischen Romans vergleichbar wäre. Wenn unter Erzählern deutscher Sprache Kafka und Musil am stärksten gewirkt haben, so weil sie auch als ›Ideenträger‹ aufgenommen wurden. Die Wirkung deutscher Denker auf die französische Literatur reicht von Hegel und Marx zu Freud und Heidegger, überspringt hingegen Wittgenstein, Ernst Bloch und die sogenannte Frankfurter Schule mit Ausnahme des aus Amerika rezipierten Herbert Marcuse. Um diese Wirkung zu ermessen, müßte das französische Geistesleben seit 1945 nahezu in seiner Totalität dargestellt werden. Abgesehen davon, daß ein solches Unterfangen selbst den Rahmen eines Buches sprengen würde, wäre es überdies weniger nützlich als einzelne monographische Untersuchungen, wie sie z. B. über Bernard Groethuysen, über Ferdinand Lion leider fehlen.
Mit Bertolt Brecht hat das deutsche Theater Frankreich zum erstenmal beeinflußt. Die Wirkung deutscher Denker entspricht hingegen einer langen Tradition. Sie ist nicht nur von den Ideen her zu beurteilen, sondern auch aus dem Atmosphärischen

und dem Sprachlichen. Denn eine aus anderen Sprachmodellen und Denkformen vermittelte Infragestellung, Erschütterung, Aufbrechung des Französischen wird vielfach als notwendig, als fruchtbar empfunden.
Im Gegensatz zu der Zeit nach 1918 ging es seit 1945 kaum darum, Spannungen zu mindern, Mißverständnisse abzutragen, Nationen zu versöhnen, Kluften zu überbrücken, ›Volksgeist‹ zu konfrontieren. All das ist diesmal mindestens zum Teil die Voraussetzung gewesen für unzählige fördernde Begegnungen mit einzelnen Personen und Werken. Schon in der Widerstandszeit[13] wurde für diese Begegnungen der Boden bereitet.
Madame de Staëls vielfach anfechtbares und dennoch prägendes Buch hat bewiesen, daß auch Irrtümer und Mißverständnisse zu einer fruchtbaren Begegnung gehören mögen, daß es hier mehr auf den ›Impetus‹ als auf die Akribie ankommt – für welche immerhin gerade in Frankreich die Germanisten vorzüglich sorgen. Bühne und Ideenwelt standen im Vordergrund, doch ist es insgesamt seit 1945 eine vielfach aufgefächerte Rezeption. Hoffentlich ist in dem, was hier summarisch und vereinfacht angedeutet werden konnte, noch etwas von dieser Vielfalt zu spüren!

Anmerkungen

1. Gallimards Klassikerausgaben im Dünndruck. Paris 1967.
2. Dem österreichischen Kulturkreis widmete *Les Cahiers du Sud* mit Nr. 366 im Jahre 1962 ein Sonderheft.
3. Vgl. das Heft vom März 1951.
4. Ich stütze mich hier auf eine persönliche Mitteilung Groethuysens aus dem Jahre 1944.
5. Vgl. Schneiders Besprechung in *Nouvelles Litteraires* vom 18. September 1958.
6. Vgl. dazu die Besprechung von André Dalmas im *France Oberservateur* vom 5. Oktober 1961.
7. So Mathieu Galey 1961 in *Arts*.
8. So übersetzte Bernard Dort beispielsweise das Brecht-Buch von Martin Esslin.
9. Vgl. dazu die Protokolle des Nietzsche-Kolloquiums, das im Juli 1964 in Royaumont stattgefunden hat. Editions de Minuit.
10. Vgl. dazu Beda Allemann: *Heidegger und die Politik*. In: Merkur. Oktober 1967. François Bondy, unter dem gleichen Titel, in: Merkur. Januar/Februar 1968.
11. Vgl. die Nummer vom 23. November 1953.
12. Vgl. *Preuves* vom April 1963.
13. Vgl. dazu Konrad Biebers Dissertation über *Deutschland in der Sicht des Schriftstellers der Résistance*. Genf 1954 (mit einem Vorwort von Albert Camus).

Am besten stellt sich die Rezeption der deutschen Literatur in Frankreich in den Verlagsarchiven dar, in denen die Rezensionen der betreffenden Werke aufbewahrt wurden. Corinna Coulmas, Paris, hat dieses Material gesichtet, soweit es erhalten war, namentlich bei Gallimard und Le Seuil. Die meisten relevanten Hinweise dieses Beitrags werten diese Dokumentation aus, soweit es im verfügbaren Raum möglich war. Konsultiert wurden ferner namentlich die Zeitschriften *Critique*, *Documents*, *Preuves*, *La Quinzaine Litteraire* und die literarischen Seiten von *Le Monde*. Die zweisprachigen Schriftsteller Manes Sperber und Josef Breitbach, Germanisten wie Marthe Robert, Robert Minder, Claude David und noch manche andere wären unter den stets hilfreichen Kennern dieses Themas dankbar zu nennen.

FRANK E. F. JOLLES

Die Rezeption der deutschen Literatur nach 1945 in England

Die Rezeption einer fremden Literatur verläuft von Land zu Land sehr unterschiedlich. Der Umfang, in dem sie Anklang findet, wird von mehreren Faktoren abhängig sein: zunächst von der Einstellung dem Fremden gegenüber schlechthin, dann von den literarischen und geistesgeschichtlichen Traditionen des Empfängerlandes und schließlich von den Unterschieden und Ähnlichkeiten in den sozialen Strukturen der beiden Länder. Diese Faktoren bestimmen die nationalen Empfindungs- und Ausdrucksformen und die vielen allgemeinen Umstände des täglichen Lebens, von denen die Fähigkeit, im Fremden das Ansprechende oder das Befruchtende zu entdecken, letzten Endes bestimmt wird. Insofern einzelne Literaturgattungen an bestimmte Institutionen gebunden sind (etwa das Drama an ein subventioniertes Theater in Deutschland, in England jedoch an ein rein kommerzielles), müssen solche auch in Betracht gezogen werden. Da Sprache und Kultur untrennbar verflochten sind, wird auch die Übersetzbarkeit des fremden Werks von diesen allgemeinen Voraussetzungen abhängen. Besteht ein entsprechendes sprachliches Medium, so kann das Werk als Kunstwerk übertragen werden; wenn hingegen keine vorgeformte Ausdrucksmöglichkeit vorhanden ist, wird es einer Umwandlung beziehungsweise Verfälschung unterzogen, bei der es in den meisten Fällen vorzüglich auf die Übermittlung des Stoffes ankommt. In diesem Zusammenhang wäre noch die Aufgabe des schöpferischen Übersetzers zu erwähnen, der das fremde Werk so umformt oder angleicht, daß es den literarischen Gesetzen der Tradition genügt, ohne jedoch mit einem einheimischen Produkt verwechselbar zu sein. Schlegels Shakespeare-Übertragungen, von den Zeitgenossen zunächst als »dunkel« empfunden, wurden rasch assimiliert und übten in der Folge eine eigenständige Wirkung auf die deutsche Literatur aus.

Die Fähigkeit, sich fremde Werke fruchtbar anzueignen, ist ein spezifisches Merkmal der deutschen literarischen Überlieferung. Sie geht der englischen (jedenfalls was den deutschen Einfluß betrifft) fast vollkommen ab. Der ausgesprochenen Offenheit allem Fremden gegenüber in Deutschland entspricht ein tiefverwurzeltes Mißtrauen in England. Der – wie von englischer Seite immer wieder betont wird – häufig unterbrochenen literarischen Überlieferung in Deutschland steht eine außerordentlich kontinuierliche und geschlossene in England gegenüber. Die spekulative Tendenz in der deutschen Geistesgeschichte wird als gefährdend für den pragmatisch-moralischen Standpunkt der englischen empfunden[1]: »The value of art is not beauty, but right action«, schreibt Somerset Maugham.[2] Letztlich befindet sich die englische Sozialstruktur erst seit der Mitte der fünfziger Jahre in einer Umwälzung, die den Erschütterungen der deutschen durch die beiden Weltkriege in ihrer Weise vergleichbar wäre.

Obgleich diese Umstände gegen eine Aufnahme der deutschen Literatur in England wirken, läßt sich immer wieder der deutsche Einfluß in der englischen Literatur nachweisen. Es handelt sich allerdings, wie Schirmer auch betont, »nicht um eine künstlerische Beeinflussung, sondern um eine gedankliche«[3]: Die auf Deutschland zurückzuführenden künstlerischen Beeinflussungen seien, wie Stokoe nachweist, »von nebensächlicher Bedeutung«. »Yet by and large«, schreibt Ronald Gray, »the response to German literature of English poets and critics, novelists and dramatists has been wary, to say the least.«[4] Der deutsche Einfluß wird oft erst durch Autoren dritter Länder vermittelt – etwa durch Sartre (Nietzsche), Ionesco (Kafka) oder in allgemeinerer Form etwa durch die Dramen Ibsens.[5] Als einziger Autor der jüngeren Zeit, der eine starke Wirkung unmittelbar ausgeübt hat, wäre Brecht zu nennen. Seine Werke werden an manchen englischen Universitäten dem Studium der Anglistik angegliedert. Aber auch hier steht das Gedankliche, die Theorie des epischen Theaters und seiner Umsetzung in die Praxis, im Vordergrund. Es ist bezeichnend, daß das einzige Theaterstück Brechts, das auf englischen Bühnen mit größerem Erfolg aufgeführt werden konnte, *Der aufhaltsame Aufstieg des Arturo Ui* war: ein schwaches Stück, das lediglich durch seinen Stoff das breitere Publikum fesselte. Es ist daher kaum zu erwarten, daß durch eine Untersuchung der gegenwärtigen literarischen Beziehungen an das, was Horst Oppel »die noch ungemessene Tiefe der schöpferischen Anverwandlung« nennt, gerührt werden kann. Sie wird sich begnügen müssen, der Verbreitung der deutschen Literatur in England »im Urtext wie in der Übersetzung ... nachzugehen und die ›meistgelesenen Autoren‹ zu ermitteln.«[6]

Die überwiegende Mehrzahl der Übersetzungen entfällt auf Romane der Unterhaltungsliteratur. Stoffe aus der jüngsten Geschichte, insbesondere die des Zweiten Weltkriegs, werden mit Interesse aufgenommen: Hans Hellmut Kirst – ein deutlich bevorzugter Autor – mag für viele stehen. Seine Produktion an Kriegsgeschichten ist fast vollständig und in mehreren Auflagen in England erschienen: *08/15, in der Kaserne, im Kriege, und bis zum Ende (Brothers in Arms, Gunner Asch goes to War, The Revolt of Gunner Asch); 08/15 heute (What became of Gunner Asch), Keiner kommt davon (No one will escape), Die Nacht der Generale (The Night of the Generals), Fabrik der Offiziere (Officer Factory), Die letzte Karte spielt der Tod (Death Plays the Last Card), Die Wölfe (The Fox of Maulen), Aufstand der Soldaten (The 20th. of July)* und *Letzte Station Camp 7 (Camp 7 Last Stop).* Heinrich Gerlach und Gert Ledig sind im gleichen Zusammenhang noch zu nennen. Es sind jedoch alle Gattungen des Unterhaltungsromans und der höheren Reportage gut vertreten. Einige bekanntere Autoren wären Joachim Fernau, Hans Habe, Willi Heinrich, Michael Horbach, Stefan Olivier [= Reinhart Stalmann], Wolfgang Ott und Johannes Mario Simmel, der bei weitem erfolgreichste dürfte der Erotiker Willi Heinrich sein. Diese Literatur ist nicht nur ihrem Umfang nach, sondern vielleicht auch in ihrer Bedeutung als wichtigster Einfluß zu betrachten. Denn die klare Trennung zwischen einer ›schöngeistigen‹ Literatur, die den Anspruch auf ästhetische Bewertung erhebt, und einer Unterhaltungs- oder Trivialliteratur gibt es in England nicht, zumindest nicht in dem Maße wie in Deutschland. Die ›moralische‹ Beurteilung der Literatur, die in England bis in die jüngste Vergangenheit zu Literaturprozessen geführt hat, hat auch bewirkt, daß der realistische Roman allen Neuerungen zum Trotz sein Ansehen unverändert beibehalten konnte. Dieser Umstand, der das Eindringen des ›literarischen‹ modernen deutschen Romans erschwert, ermöglicht eine verhältnismäßig kritiklose Annahme der Unterhaltungsliteratur auf mehr als einer Ebene. Eine solche Tendenz läßt sich im Aufsatz *New German Writing (Times Literary Supplement* vom 12. September 1968[7]) erkennen. Dort werden die Autoren der Unterhaltungsliteratur als unterbewertet bezeichnet im Gegensatz zu den von deutscher Seite »hochgepriesenen Avantgardisten«, die eine »Literatur der Minderheit darstellen«: »While the [German] critics restricted their praise with almost comical consistency to minority literature, ignoring entertainers like Willi Heinrich, Hans Hellmut Kirst and Johannes Mario Simmel, whose craftsmanship is superior to most of the highly praised *avant-gardistes*, the German public ignored literature of any kind and restricted its interests to the carnival aspects of the literary scene. Without being read, writers became public figures. Günter Grass's *ruffiano* moustache, Peter Handke's androgynous haircut, Gisela Elsner's haunted beauty, Peter Weiss's naked Marat, Hochhuth's fight with the advocates of Church and Churchill brought them publicity but no comprehension.« Das Vorurteil gegen die Werke scheint sich hier implicite auch auf die Autoren zu erstrecken. Ein Roman solle »culinary« sein: leicht verständlich und leicht verdaulich. Die deutsche Avantgarde sei jedoch vorsätzlich »non-culinary«. Wie kommt es, daß ihre Werke überhaupt verlegt werden? Weil, so lautet die Antwort des anonymen Rezensenten, nur dort »jene Szenen aus dem geschlechtlichen Intimbereich, Verderbtheit, Grausamkeit und Perversion – ja, Perversion im buchstäblichsten Sinne des Wortes –, wie es die Verleger von Pornographie unter den strengen Jugendschutzgesetzen Deutschlands nicht wagen könnten zu veröffentlichen«, zu finden seien. Während die Werke der Avantgardisten demnach als weitgehend ungenießbar und sogar widerwärtig empfunden werden, scheint die Möglichkeit einer echten kulturellen Begegnung vorwiegend auf der Ebene der Unterhaltungsliteratur gegeben zu sein: Sie schließt sich am ehesten der Tradition des realistischen Romans in England an.

Eine gewisse Nähe zu dieser englischen Überlieferung und das Interesse an sozialen Fragen haben Heinrich Böll zum erfolgreichsten deutschen Erzähler der letzten fünfzehn Jahre gemacht. Unter den Romanen sind *Wo warst Du, Adam (Adam, Where Art Thou)*, *Und sagte kein einziges Wort (Acquainted with the Night)*, *Billard um halbzehn (Billiards at half past nine)* und *Ansichten eines Clowns (The Clown)* übersetzt worden. Die Erzählungen erfreuen sich auch einer großen Beliebtheit. *Der Zug war pünktlich (The train was on time)* ist mehrfach aufgelegt worden, eine größere Sammlung von Geschichten *(Absent without leave)* ist ebenfalls erschienen. *Doktor Murkes gesammeltes Schweigen* ist über den Rundfunk gesendet worden, und eine Umfrage unter irischen Studenten ergab, daß das *Irische Tagebuch* als eine treue Schilderung der geltenden Lebensverhältnisse empfunden wird. Auch dürfte die humorvolle Erzählweise Bölls zu seinem Erfolg beigetragen haben. Der bereits zitierte Rezensent der *Times Literary Supplement* bemerkt, daß gerade jene Eigenschaften, die Böll zu seinem Erfolg im Ausland verholfen haben, von deutscher Seite bemängelt worden sind: »Böll, who has succeeded abroad because of his craftsmanship in bringing unremarkable people to life, has been faulted by many German critics precisely because of these aspects of his work: Böll ›schreibt Illustrierten-Romane‹ (writes magazine stories).«[8]

Aus ähnlichen Gründen erklärt sich der Erfolg von Gerd Gaiser und Alfred Andersch. Von jenem sind *Die sterbende Jagd (The Last Squadron)* und *Schlußball (The Last Dance of the Season)*, von diesem *Sansibar oder der letzte Grund (Flight to afar)* und *Die Rote (The Red-Head)* in Übersetzung erschienen. Darüber hinaus besitzt Andersch, der über eine vorzügliche Kenntnis der neueren englischen Literatur verfügt, die seltene Begabung, fremde Umgebungen so darzustellen, daß sie den Einheimischen als vertraut anmuten: »Rarely in literary history has a writer domiciled in one country brought such authority to the evocation of life in others... London and Rome are a palpable presence in these pages.«[9] Auch Dürrenmatt hat in England ein Publikum mit *Das Versprechen (The Pledge)* und *Der Verdacht (The Quarry)* gefunden. Daß sich das Interesse der englischen Leserschaft freilich nicht ausschließlich auf Autoren beschränkt, die eine annähernd realistische Schreibweise ausüben und die in ihren Werken die bereits erwähnten naheliegenden Themen bearbeiten, beweist die Aufnahme etwa von Gisela Elsner, Max Frisch, Uwe Johnson und Martin Walser. Hier spielt die Initiative einzelner Verleger eine entscheidende Rolle. Es läßt sich kaum annehmen, daß die Veröffentlichung von Reinhard Lettaus *Schwierigkeiten beim Häuserbauen* (*Obstacles*, 1967) durch Calder & Boyars ein wirtschaftlich einträgliches Vorhaben sein könnte: In der Tat waren bis September 1970, also innerhalb von drei Jahren, ganze 314 Exemplare abgesetzt worden. Dennoch brachte der Verlag im Frühjahr einen zweiten Band mit Geschichten von Lettau heraus *(Enemies)*. Im Falle Frischs wird die Rezeption der Romane durch die der Schauspiele gefördert: *Biedermann und die Brandstifter* und *Andorra* stehen auf den Lehrplänen der Schulen im Fach Deutsch, sechs Stücke von Frisch wurden als Hörspiele gesendet (siehe Anhang). *Stiller (I'm not Stiller)* wurde 1958 in Übersetzung veröffentlicht, eine zweite Auflage als Paperback erschien 1962 (Penguin edition); *Mein Name sei Gantenbein (A Wilderness of Mirrors)* erschien 1965 und erlebte ebenfalls eine zweite Auflage (1967). Während *Stiller* und *Homo Faber* vom Rezensenten des *Times Literary Supplement* unproblematisch aufgegriffen und gewürdigt wurden,[10] setzte bei *Gantenbein* die Diskussion um Form und Aufgabe des Romans ein, die bereits bei der Besprechung der Unterhaltungsliteratur angedeutet wurde. »It is as though Herr Frisch had told himself to stop pretending that novels deal with ›real‹ people in ›real‹ circumstances, to stop fooling himself and his readers by presenting a plausible replica of this pseudo-reality. The result, decidedly, is an anti-novel, if not a non-novel.« Am Schluß des Aufsatzes versucht der Rezensent eine Definition der Form zu finden: »... a sort of essay illustrated with fictitious episodes«. Das Unzulängliche, das diesem Versuch innewohnt, bestehe darin, daß jene fiktiven Episoden »unweigerlich auf ein vorweggenommenes Ergebnis hinauslaufen«.[11] An Gisela Elsners *Riesenzwerge (The Giant Dwarfs)* entfacht sich ebenfalls die Diskussion um die Form – dieses Mal allerdings von der Autorin selber ausgelöst, die dem Werk den Untertitel »Ein Beitrag« gegeben hat. Es sei unbedingt »a work of fiction«, das auch eine Art »Einheit« besitze. Für einen Roman fehle es aber an »Entwicklung oder Progression«, an »Anfang, Mitte und Ende«. Seine Struktur gleiche am ehesten einem Bandwurm, einer Aneinanderreihung austauschbarer Segmente. Der Rezensent nennt das Buch schließlich »Bericht« (report) und betrachtet es als einen Endpunkt: »Frau Elsner has already passed beyond the bounds of novel-writing, and it seems unlikely that she will be able to take a step forward from this book without taking several steps back.«[12] Er verspricht dem Buch keine größere Leserschaft in England, da die soziale Satire zu sehr an das deutsche Milieu gebunden sei und weil es ohnehin »nicht viele Leser geben kann, die fähig wären, ein rein ästhetisches Vergnügen einem so vorsätzlich unerfreulichen Bericht abzugewinnen, sei er noch so gut geschrieben«.[13] Hierin täuschte sich offenbar der Rezensent, da das Buch zwei Jahre später als Penguin Paperback neu aufgelegt wurde. Von Uwe Johnson sind drei Werke übersetzt worden: *Mutmaßungen über Jakob (Speculations about Jacob), Zwei Ansichten (Two Views)* und *Das dritte Buch über Achim (The Third Book about Achim)*. Im Jahre 1965 lobten die Rezensenten noch seinen Stil: seine Sprache sei »beautifully crisp, exact and unemphatic«, er sei »one of the canniest analytic novelists writing today«.[14] Er wird im Gegensatz zur Nachfolge von Günter Grass als »leader of the independant movement« gesehen, dessen literarische Ansichten den theoretischen Grundlagen des ›nouveau roman‹ am nächsten kommen. Gemessen an der Avantgarde vom Jahre 1968 wird Johnson allerdings dann mit Böll und Grass zu den »Halbrealisten« gerechnet. Im gleichen Aufsatz heißt es anscheinend widersprüchlich weiter, daß seine Dunkelheit nun absichtlich undurchdringlich geworden sei. Anschließend findet auch die grundsätzlichste Auseinandersetzung mit dem deutschen »Formalismus« statt. Ihm wird vorgeworfen, daß er seine Aufgabe, die Welt zu verändern bzw. zu verbessern, nie erfüllen kann. Es lohnt sich, hier etwas ausführlicher zu zitieren, da ein maßgeblicher englischer Standpunkt zum Ausdruck kommt: »For to exert a social influence, literature must fulfil two demands: it must be readily understood and it must cause the reader to act out what he reads. And this, precisely, is where the German avantgarde has failed. Fear of conventionality has not made their works unconventional but epicene. Fear of the obvious has made them obscure. Fear of sentimentality has drained them of vitality. Fear of plot has made them dull. Fear of character has robbed them of humanity. Rarely has political involvement yielded greater escapism: the revolutionary ends up by despising the masses who don't understand him.«[15] So habe sich, im Bestreben, dem Unerkennbaren Ausdruck zu verleihen, eine »Mutmaßungsliteratur« herangebildet, deren Verfechter von Robbe-Grillet, Joyce, Faulkner und anderen geborgt haben »wie Bleichsüchtige von einer Blutbank«.

Im Vergleich zu den Vorangehenden ist Martin Walser in England weitgehend unbekannt geblieben. Zwar wurde *Ehen in Philippsburg (The Gadarine Club)* bereits 1960 übertragen. *Halbzeit* stieß jedoch auf Unverständnis.[16] Eine Würdigung erfuhr Walser anläßlich der Rezension von *Das Einhorn*, die sich allerdings auf inhaltliche und sozialkritische Aspekte seines Werkes beschränkt.[17] Eine etwas gekürzte Übersetzung von *Das Einhorn* ist von Calder & Boyars für April 1971 angekündigt. Daß für die Aufnahme des modernen Romans in England während der sechziger Jahre im allgemeinen ein ungünstiges geistiges Klima herrschte, bestätigt auch die Haltung der etwas spärlichen englischen Delegation am Treffen europäischer Schriftsteller Juni 1963 in Leningrad. Das Thema hieß: Die Krise des Romans. Die englischen Teilnehmer konnten sich offenbar noch weniger dafür erwärmen als selbst ihre russischen Kollegen. Angus Wilson stellte sogar die Voraussetzung in Frage, daß die stagnierende Romanform des 19. Jahrhunderts überwunden werden müsse, und wies die meisten Argumente zurück als »unfamiliar and, for us, sterile disputations expressed in a distorted metaphysical jargon«.[18]

Der einzige jüngere deutsche Autor, der eine umfangreiche Leserschaft in England gewinnen konnte, ist der obengenannte »Halbrealist« Günter Grass. Einen Überblick über die frühe Rezeption der *Blechtrommel (The Tin Drum)*, die in einer »vom stilistischen Standpunkt aus ... raffinierten Übertragung« von Ralph Manheim 1962 erschien, gewährt Thomas J. Garrett in der *Zeit.*[19] Nachdem Hans Egon Holthusen in einem Vortrag über die deutsche Literatur seit 1945 im III. Programm der B.B.C. den Roman »ein barbarisches Gegenstück zu Th. Manns *Felix Krull*, ein Buch, das skandalöser sei als eine Menge *Lolitas*«, bezeichnet hatte, kündigte der Verlag Secker & Warburg ihn als den »teuflischsten, meistbesprochenen Roman des Jahres« an. Günter Grass reiste nach London, um aus seinem Werk vorzulesen, er stellte sich auch einem kurzen Rundfunkinterview, in dem er »in dürftigem Englisch zum Ausdruck brachte, sein kleiner Held sei ein Analogon zu allem, was er, Grass, in Deutschland liebte und haßte«. Von der Literaturkritik akademischer Herkunft wurde *Die Blechtrommel* positiv aufgenommen. Andere Rezensenten stellten gemischte Empfindungen und gelegentlich Abwehr zur Schau. Philip Toynbee nannte ihn im *Observer* »einen der langweiligsten Romane, die ich jemals habe lesen müssen«. Wie könne eine nichtmenschliche Heldenfigur etwas über die Menschlichkeit aussagen? Er schloß jedoch mit der Hoffnung, »daß Grass, einmal von der Zwangsjacke seiner ›expressionistischen‹ Tradition befreit, ein herrliches Buch schreiben würde«. Der anonyme Rezensent der *Times* hielt es für ein »interessantes, jedoch undiszipliniertes Werk eines echten, aber keineswegs größeren Talents«. Auch Thomas J. Garrett meint in seinem *Zeit*-Aufsatz, es sei »unvermeidlich, daß ein Roman wie dieser von englischen Lesern nur mit großer Reserve aufgenommen wird«. Als Gründe führt er die Länge des Buches an, seine phantastischen und grotesken Züge und die Furcht der Briten vor »deutscher philosophischer Tiefe«. Während es stimmt, daß im Gegensatz zu Frankreich und Amerika die Aufnahme der *Blechtrommel* in England »verhältnismäßig kühl« verlief, läßt sich dieser Umstand nicht in erster Linie, wie W. J. Schwarz meint, auf die puritanische Veranlagung der Engländer zurückführen.[20] Übertragungen von *Katz und Maus (Cat and Mouse)* und *Hundejahre (Dog Years)* schlossen sich dem ersten Erfolg an. Sie wurden im *Times Literary Supplement* durch feinfühlige Rezensionen dem englischen Publikum vermittelt.[21] Dem Erscheinen von *Über das Selbstverständliche* widmete die gleiche Zeitschrift eine außerordentlich einsichtige Besprechung[22]; auch dieses Werk konnte in etwas gekürzter Form als Übersetzung unter dem Titel *Speak Out!* 1969 herausgegeben werden. Die Besprechung von *örtlich betäubt* verhält sich eher fragend und abwartend. Der Rezensent (ein anderer als der Verfasser der vorigen Kritiken) findet keinen rechten Zugang zu dem Buch, ihn stört »the mixed-up messagizing, the unblinkered uneasy commitment which distinguish *örtlich betäubt* from its predecessors«.

Eine weitere Anzahl von Autoren sind mit einzelnen oder mehreren übersetzten Romanen vertreten, ohne eigentlich profilierte literarische Gestalten im englischen Bewußtsein zu sein. Unter ihnen wären Albert Paris Gütersloh, Walter Jens, Hans Erich Nossack und Hans Werner Richter zu nennen.[23] Nossack dürfte auch vielen durch seine erfolgreichen Lesungen in England und Irland ein Begriff sein. Richter traf die seltene Auszeichnung, ins Walisische übersetzt zu werden: *Spuren im Sand (Ôl tread yn y tywoch).*

In einem besonderen Zusammenhang stehen die Autoren Artur Koestler und Elias Canetti, da sie, und in etwas geringerem Maße auch Erich Fried, einen eigenen Platz im englischen Geistesleben einnehmen. Sie dürften eine wichtige, jedoch schwer festzulegende vermittelnde Rolle zwischen den Kulturen spielen. In dieser Beziehung

muß der Kritiker, Dichter und Übersetzer Michael Hamburger ebenfalls hervorgehoben werden.
In der Kurzgeschichte ist die Lage nicht so übersichtlich. Neben Heinrich Böll sind vor allem Ilse Aichinger und Ingeborg Bachmann, Reinhard Lettau, Jakov Lind und Peter Bichsel mit eigenen Sammlungen vertreten. Manche anderen Autoren erscheinen in Anthologien – entweder in Übersetzung oder als deutschsprachige Textausgaben für den Schul- und Universitätsgebrauch. Eine Sammlung von Peter Weiss ist vom Verlag angekündigt (*The Conversation of the Three Walkers* und *The Shadow of the Coachman's Body*, 1971). In der Diskussion werden ähnliche Aspekte wie bei dem Roman aufgeworfen. Für den Rezensenten des *Times Literary Supplement* sind »Handkes manischer Fleiß« und »Lettaus Masche, stets beweisen zu müssen, wie schwer es ihm fällt, mehr als ein paar Seiten im Jahr zu schreiben«, nur extreme Gegensätze des gleichen Dilemmas. Der Reiz von Lettaus metaphysischer Spielerei mit der offenen Form im *Auftritt Manigs* entgeht ihm: es seien »Fingerübungen, nichts weiter«, es fehle am »Durchhaltevermögen eines echten schöpferischen Einsatzes«.[24]

Die Aufnahme fremdsprachiger Theaterstücke unterliegt anderen Gesetzen als die des Romans oder der Kurzgeschichte. Theaterstücke gehören nicht zur Lektüre, sie werden zunächst aufgeführt. Auf der Bühne werden oft Bearbeitungen verwendet, manchmal sogar aus einer dritten Sprache.[25] Es sind folglich verhältnismäßig wenige deutsche Schauspiele in Übersetzung gedruckt worden. Ein bleibender Einfluß der unmittelbaren Bühnenwirkung auf das englische Theater ist keineswegs auszuschließen, nur läßt er sich ohne einen gewissen Zeitabstand nicht festlegen. Die wichtigste Vermittlung des zeitgenössischen deutschen Theaters in den sechziger Jahren geschah durch den englischen Rundfunk, vor allem auf dem ehemals sehr anspruchsvollen, aber inzwischen in dieser Hinsicht stark reduzierten III. Programm der B.B.C. In sehr vielen Fällen wurden die Übersetzungen im Auftrag angefertigt. Es ist ein entscheidender Vorteil eines zentral verwalteten Rundfunks, daß die Mittel dafür bereitgestellt werden konnten. Ein weiterer fördernder Umstand ist die Besetzung der leitenden Stellung ›Controller of Drama‹ durch Martin Esslin. Diesen günstigen Voraussetzungen entsprechend hat die B.B.C. ihren Hörern ein außerordentlich umfangreiches Repertoire angeboten.[26] Der Widerhall aus dem Publikum war allerdings enttäuschend, er blieb fast vollständig aus, wie Martin Esslin mir mitteilte. Um 1960 waren Frisch und Dürrenmatt die einzigen zeitgenössischen deutschen Dramatiker, die dem englischen Theaterpublikum bekannt waren. Das Fehlen eines eigentlich deutschen modernen Theaters wurde in der Presse häufig kommentiert unter Betonung der Tatsache, daß diese beiden Schweizer seien. In dem Bruch mit der europäischen Überlieferung durch das Dritte Reich liege die Ursache dafür, daß Deutschland an der regen Entwicklung in England und Frankreich keinen Anteil habe. Die Deutschen müßten dort anknüpfen, wo ihre eigene Überlieferung unterbrochen wurde: an dem Drama der zwanziger Jahre, am expressionistischen Theater. Während der sechziger Jahre wurde Dürrenmatt wohl am häufigsten aufgeführt (Inszenierungen von Peter Brook: *The Visit*, Royalty, 1960; *The Physicists*, Aldwych, 1963). Von ihm und von Frisch erschienen neben einzelnen Übersetzungen auch Sammelausgaben.[27]

Im September 1963 inszenierte die ›Royal Shakespeare Company‹ Rolf Hochhuths *Stellvertreter (The Representative)*. Durch die notwendigen Kürzungen wurden die Gegensätze schärfer herausgearbeitet als im Text, dennoch urteilte der Rezensent des *Times Literary Supplement* auch nach der Lektüre: »Ein Stück, das ein tragisches Drama hätte abgeben können, wird ... nichts weiter als eine propagandistische Anklage.«[28] *Die Soldaten (The Soldiers)* mußten dank des Stoffes eine heftige Reaktion in England hervorrufen. Bereits bei der Ankündigung des Werks prophezeite ein Leitartikel der gleichen Zeitschrift, daß die Aussichten geringfügig seien, Churchill auf der englischen Bühne darzustellen, »in einer Rolle, die auch nur ein wenig anfechtbarer sei, als diejenige, die die Nachwelt ihm verliehen habe«.[29] Diese Befürchtung erwies sich in der Folge als gerechtfertigt, da der Vorstand des ›National Theatre‹ gegen die Empfehlungen des Direktors Sir Laurence Olivier und des Literary Managers Kenneth Tynan beschloß, das Stück von dem vorgeschlagenen Spielplan abzusetzen. Kenneth Tynan, der allerdings zur Überschwenglichkeit neigt, hatte es als »eines der majestätischsten und vielseitigsten Porträts eines Menschen, das er jemals gesehen habe,« bezeichnet. Als Begründung für die Absetzung verwies Lord Chandos, Vorsitzender des Vorstandes, auf die Unannehmbarkeit des Themas. Es half auch nicht, daß Rolf Hochhuth offenbar einige Stellen geändert hatte, um das Churchill-Bild etwas zu mildern.[30] Als dann der Text endlich erschien, bekam auch der bisher so wohlgesonnene Verfasser der Leitartikel des *Times Literary Supplements* Zweifel – zunächst an der Form. Der Text liefere »die Rohmaterialien für das Theater«, als Schauspiel sei er »embryonisch«. Er vermißte offenbar an Hochhuth jene Begabung, die man an Andersch gerühmt hatte, denn er schreibt, man müsse bei der Lektüre »gegen die völlige Unwahrscheinlichkeit ankämpfen von dem, was historische Personen sagen, die noch in frischer Erinnerung sind.«[31] Der nur mäßige Erfolg des Stückes in Dublin, wo man für einen englandkritischen Standpunkt im allgemeinen Verständnis zeigt, ist wohl auch auf diese ungewollte Verfremdung zurückzuführen.

Es ist vielleicht kennzeichnend, daß das ›dokumentarische‹ Theater eher Anklang gefunden hat als die experimentellen Versuche der jüngsten Zeit. Von Heinar Kipphardt ist *In der Sache J. Robert Oppenheimer (In the matter of J. Robert Oppenheimer)* erschienen und von Peter Weiss *Die Ermittlung (The Investigation)*. Beide behandeln Themen, die für ein englisches Publikum von unmittelbarem Interesse sind, beide schließen sich einer akzeptierten Form an, wenn auch ein Rezensent unter Hinweis auf diese Stücke die Verwendung von Dokumenten als moralisch anfechtbar erachtet.[32] Von Weiss ist auch *Die Verfolgung und Ermordung Jean Paul Marats* in einer erfolgreichen Inszenierung von Peter Brook aufgeführt worden. Die Übersetzung des Stücks hat einen überraschend regen Absatz gefunden, der bis Mitte 1970 mehr als 15 000 Exemplare betrug. Daß ein Sammelband mit Stücken von E. Sylvanus, T. Dorst, C. Laszlo, G. Grass, W. Hildesheimer, M. Frisch, P. Weiss und F. Dürrenmatt unter dem Titel *Postwar German Theatre* kürzlich erscheinen konnte, läßt auf ein wachsendes Interesse am deutschen Drama schließen.[33]

Die Rezeption der lyrischen Dichtung ist wohl von allen Gattungen am schwierigsten zu bestimmen. Hier dürfte die Bindung an die in der Sprache verkörperten nationalen Überlieferungen noch ausschlaggebender sein, als es im Roman und im Drama

der Fall ist. Die englische Literaturkritik hat sich mit dem Widerstand gegen den Einfluß des deutschen Expressionismus beschäftigt, als dessen Nachfolge sie die Nachkriegsdichtung betrachtet.[34] Sie stellt fest, daß in den fünfziger Jahren die wichtigsten deutschen Aussagen auf dem Gebiet der Lyrik geschehen sind, bezweifelt jedoch, daß diese in den englischen Raum übertragbar seien. Die ältere Generation – Hofmannsthal, George, Trakl, Rilke und Benn – stünde noch in einem europäischen Zusammenhang, während die jüngere vergleichsweise provinziell sei. Immer wieder wird die Beeinflussung der deutschen Nachkriegsdichtung durch englische und amerikanische Modelle betont. Vereinzelte Stimmen plädierten um 1960 für die Möglichkeit einer Belebung der stagnierenden englischen Dichtung durch die deutsche: »Es ist gut möglich, daß diese Lyrik von Trakl, Heym, Benn, Goll und Celan der englischen Dichtung auf neue Wege verhelfen wird ...«[35] Sobald jedoch ein Einfluß eindeutig festgestellt wird, wie im Falle des Dichters und Übersetzers Christopher Middleton, muß mit einer Ablehnung gerechnet werden: »Ex-Dylanist Christopher Middleton met the German Muse on the Black Mountain. He said, You are my doppelgänger. She said, beat it timesever. The nonsequence was a brood of expressionismus and Skinny Poetry, and the world said, Here is the New Imagism.«[36] In der zweiten Hälfte der sechziger Jahre steigert sich die Reaktion gegen den ›Formalismus‹ der deutschen Lyrik in den Besprechungen des *Times Literary Supplement* zum blinden Vorurteil. Dort lassen sich gelegentlich auch mangelnde Sprachkenntnisse nachweisen.
Lyriker der älteren Generation wie Wilhelm Lehmann oder Gertrud Kolmar werden als Vertreter einer sinnvollen Dichtung zitiert. Von Hans Magnus Enzensberger ist eine Sammlung *Poems*, translated by M. Hamburger, J. Röthenberger and H. M. Enzensberger, erschienen. Obwohl das Interesse an den Gedichten Enzensbergers naheliegend scheint, dürfte sein politisches Bewußtsein sich zu wenig mit den englischen sozialen Bestrebungen decken, um einschlägig zu wirken. Einhellige Bejahung finden Johannes Bobrowski und aus sehr verschiedenen Gründen Paul Celan. Als internationale Bewegung der sechziger Jahre zeichnet sich die ›Concrete Poetry‹ ab. Auf diesem Gebiet kann man von einem gegenseitigen Einfluß sprechen. Die deutschen Experimente werden in England aufmerksam verfolgt. Ernst Jandl, durch seine gemischt deutsch-englischen Texte und seine »surface translations« bekannt,[37] hat auch eine erfolgreiche Rundfunksendung veranstaltet.

Die bisherige Übersicht hat sich mit der Rezeption durch ein breiteres Publikum befaßt. Da Deutsch als zweite moderne Fremdsprache im englischen Bildungswesen eine nicht unerhebliche Rolle spielt, müssen auch der Unterricht und die Forschung an Schule und Universität in diesen Bericht mit einbezogen werden. Auf den Lehrplänen für das ›General Certificate of Education – Advanced Level‹ (Schulabschlußprüfung) findet die zeitgenössische Literatur immer mehr Beachtung. Als Beispiel mag die Klausur für deutsche Literatur der als fortschrittlich geltenden Nordirischen Behörde[38] gelten: aus 16 Fragen (von denen 4 beantwortet werden mußten) betrafen 9 Werke des 20. Jahrhunderts, davon 5 aus der Nachkriegsepoche: Andersch, *Sansibar*; Böll, *Doktor Murkes gesammeltes Schweigen*; Borchert, *Draußen vor der Tür*; Dürrenmatt, *Besuch der alten Dame*; Frisch, *Andorra*. Die Lehrpläne an den Hochschulen haben sich im Verlauf der letzten zehn Jahre zwar von

Universität zu Universität unterschiedlich, doch im ganzen bemerkenswert in Richtung auf die moderne und zeitgenössische Literatur verschoben. Durch die Gründung der neuen Universitäten wurde diese Reform, die sich wohl ohnehin durchgesetzt hätte, merklich beschleunigt. Sie beschränkt sich natürlich nicht auf die Germanistik: in den Fremdsprachen, in Englisch und Geschichte wird dem Studium der Gegenwart immer größerer Umfang eingeräumt.
Die Schwerpunkte der englischen Forschung bestätigen die Ergebnisse der vorangehenden Untersuchung. Mehr als die Hälfte aller Einzeluntersuchungen in den Jahren 1960–68 galten den vier Autoren Böll, Dürrenmatt, Frisch und Grass. Das wissenschaftliche Interesse an Frisch und Grass setzte verhältnismäßig spät ein (um 1965), behauptete sich jedoch stark, während die Beschäftigung mit den Werken Bölls in der zweiten Hälfte des Jahrzehnts abflaute. Bei der Lyrik interessierten vor allem Ilse Aichinger, Ingeborg Bachmann, Johannes Bobrowski, Paul Celan und H. M. Enzensberger. In Drama und Hörspiel untersuchte man außerdem Günter Eich, Rolf Hochhuth, Fritz Hochwälder und Peter Weiss und im Roman Elias Canetti, Heimito von Doderer, Uwe Johnson und Hans Erich Nossack.
Bemerkenswert scheint, daß trotz wiederholter Hinweise in dem *Times Literary Supplement* auf die Vorteile der ›konservativeren‹ realistischen Literatur der DDR diese weder beim breiteren Publikum noch in der Forschung bisher nennenswerte Beachtung gefunden hat.

Es wäre verfehlt, über einen so kurzen Zeitraum eine allgemeine Tendenz über die Aufnahme der deutschen Literatur in England feststellen zu wollen. Und doch zeichnet sich eine rückläufige Entwicklung unverkennbar ab, wenn man die Anzahl der veröffentlichten Übersetzungen aller Gattungen über das Jahrzehnt 1960–70 verfolgt. Das braucht keineswegs ein Nachlassen des Interesses an der deutschen Literatur zu bedeuten: Das Gegenteil ist eher der Fall. Die Ursache für diesen Rückgang liegt in der fortschreitenden Umstrukturierung des englischen Verlagswesens. Gerade in den letzten zehn Jahren ist eine bedeutende Anzahl unabhängiger Verlage durch die großen internationalen Verlagsgesellschaften übernommen worden. Da in diesen Konzernen lediglich Rentabilitätserwägungen über die Veröffentlichung eines Werks entscheiden und die Einführung eines fremden Autors stets mit einem Risiko verbunden sein wird, besteht die Gefahr, daß der kulturelle Austausch zunehmend auf engerer Basis stattfinden wird.

Anmerkungen

1. Vgl. Gray: *The German Tradition,* a. a. O., S. 327–354: English Resistance to German Literature.
2. Schirmer: *Der Einfluß der deutschen Literatur ...*, a. a. O., S. 3.
3. Schirmer: *Der Einfluß der deutschen Literatur ...*, a. a. O., S. 2.
4. Gray: *The German Tradition*, a. a. O., S. 328.
5. Gray: *The German Tradition*, a. a. O., S. 329.
6. Oppel: *Der Einfluß der englischen Literatur ...*, a. a. O., S. 307 f.
7. TLS, 1968, S. 984. Vgl. aber auch die negativen Urteile über Kirst: TLS, 1963, S. 772; 1968, S. 840; 1969, S. 396. Alle Rezensionen im TLS erscheinen anonym.
8. TLS, 1968, S. 984.
9. TLS, 1967, S. 868.

10. TLS, 1958, S. 5.
11. TLS, 1964, S. 805.
12. TLS, 1964, S. 471.
13. TLS, 1965, S. 324.
14. TLS, 1965, S. 849.
15. TLS, 1968, S. 982 f.
16. TLS, 1961. Supplement 28. April, S. vi.
17. TLS, 1966, S. 800.
18. TLS, 1965, S. 848.
19. Die Zeit. Hamburg 1962. Nr. 43, S. 15.
20. Schwarz: Der Erzähler Grass, a. a. O., S. 7.
21. TLS, 1962, S. 776; 1963, S. 728; 1965, S. 859.
22. TLS, 1968, S. 367.
23. Von Peter Weiss befindet sich der Roman *Fluchtpunkt (Vanishing Point)* im Druck.
24. TLS, 1968, S. 984. Vgl. dagegen die positive Besprechung 1969, S. 759.
25. Z. B. Fritz Hochwälder: *The Strong are lonely*. Adapted by Eva le Gallienne from the French version by J. Mercure and R. Thieberger. Heinemann Educational Books. London 1968.
26. *Deutsche Stücke, die von der British Broadcasting Corporation seit 1958 gesendet wurden:*

Autor	*Titel*	*Programm*	*Tag*
Heinrich Böll	*The Knocking*	Third Prog.	28. 9. 67
Friedrich Dürrenmatt	*One Evening in late Autumn*	Home Service	24. 9. 59
	The Physicists	Third Prog.	17. 10. 63
	Conversation at Night	Third Prog.	29. 11. 63
	Operation Vega	Radio 4	7. 10. 70
Günter Eich	*The Rolling Sea at Setubal*	Third Prog.	3. 6. 58
	The Hundredth Name of Allah	Third Prog.	24. 5. 59
	The Girls from Viterbo	Third Prog.	31. 8. 59
	Omar and Omar	Third Prog.	13. 7. 60
	The Year Lacertis	Third Prog.	26. 11. 61
Max Frisch	*Mr. Biedermann and the Fire-Raisers*	Third Prog.	21. 6. 61
	Andorra	Third Prog.	8. 6. 62
	Rip Van Winkle	Third Prog.	3. 10. 63
	Don Juan or the Love of Geometry	Third Prog.	21. 1. 65
	Santa Cruz	Home Service	29. 11. 65
	Biography, a Game	Radio 4	13. 4. 70
Günter Grass	*The Salt Lake Line*	Third Prog.	16. 6. 62
	A Public Discussion	Third Prog.	27. 10. 65
	[The Poetry of Günter Grass]	Third Prog.	12. 1. 66
Peter Handke	*Self Accusation*	Third Prog.	5. 5. 68
Richard Hey	*The Last of the Kappoffums*	Third Prog.	22. 8. 69
Wolfgang Hildesheimer	*Under Ground*	Third Prog.	22. 3. 63
	The Hole in the Milky Way	Third Prog.	27. 5. 66
Gert Hofmann	*The Son*	Third Prog.	27. 8. 69
Heinar Kipphardt	*The General's Dog*	Home Service	23. 1. 66
Martin Walser	*The Detour*	Third Prog.	8. 5. 64
	Geography	Third Prog.	14. 6. 68
Peter Weiss	*The Tower*	Third Prog.	3. 7. 64
	The Investigation	Third Prog.	23. 11. 65
	The Conversation of the Three Walkers	Third Prog.	15. 10. 67

27. F. Dürrenmatt: *Four Plays*. London 1964 *(The Visit, The Physicists, Romulus, A Dangerous Game)*. M. Frisch: *Three Plays*. London 1962 *(The Fire-Raisers, Count Öderland, Andorra)*.
28. TLS, 1963, S. 722.
29. TLS, 1967, S. 107.
30. TLS, 1967, S. 357.
31. TLS, 1967, S. 1061.
32. TLS, 1968, S. 984.
33. M. Benedikt and G. E. Wellwarth (Hrsg.): *Postwar German Theatre*. London 1969.

34. Vgl. z. B. A. Closs: *The Genius of the German Lyrik*. London 1962. – TLS, 1960, S. 833.
35. TLS, 1962, S. 414.
36. TLS, 1966, S. 119.
37. *mai hart lieb zapfen eibe hold*. Writers Forum Poets No. 11. London 1965.
38. *Northern Ireland General Certificate of Education Examinations, 1970, German (Advanced), Third Paper*. o. O. [Belfast]. o. J. [1970].

Literaturhinweise

Martin Esslin: *Brief Chronicles. Essays on Modern Theatre*. London 1970.
Ronald Gray: *The German Tradition in Literature 1871–1945*. Cambridge 1965.
Horst Oppel: *Der Einfluß der englischen Literatur auf die deutsche*. In: Deutsche Philologie im Aufriß. Hrsg. von W. Stammler. 2. Auflage Berlin 1962. Bd. III, S. 201–308.
Walter F. Schirmer: *Der Einfluß der deutschen Literatur auf die englische im 19. Jahrhundert*. Halle/Saale 1947.
Wilhelm J. Schwarz: *Der Erzähler Günter Grass*. Bern, München 1969.
F. W. Stokoe: *The German Influence in the English Romantic Period*. Cambridge 1926.
The Times Literary Supplement [Wochenschrift]. London 1902 ff. [abgekürzt: TLS].

Mrs. Marion Boyars vom Verlag Calder & Boyars, London, Mr. Martin Esslin und Mr. Hallam Tennyson von der British Broadcasting Corporation bin ich für freundlich erteilte Hinweise verpflichtet. Für die Unterstützung der Alexander-von-Humboldt-Stiftung möchte ich an dieser Stelle meinen besonderen Dank aussprechen.

MANFRED DURZAK

Die Rezeption der deutschen Literatur nach 1945 in den USA

Die amerikanische Buchproduktion erreichte im vergangenen Jahr einen Umsatz, der fast die Drei-Milliarden-Dollar-Grenze berührt. Das ergibt im Vergleich zum Umsatz der beiden vorangegangenen Jahre eine Zuwachssteigerung von 6 Prozent.[1] Ein erstaunliches Phänomen in einem Land, das, in allen seinen Bereichen von der permanenten Agonie des Vietnam-Krieges erfaßt, überall mit wirtschaftlicher Rezession, Geldentwertung und einem immer knapper werdenden Arbeitsmarkt zu kämpfen hat. Freilich wird man fairerweise hinzufügen müssen, daß auch die Zuwachsrate im Buchhandel zu einem Teil auf die Verteuerung der Bücher zurückzuführen ist. Doch selbst wenn man diesen Aspekt berücksichtigt, bleibt noch ein Anstieg zu verzeichnen.
Unter den Bestsellern des letzten Jahres, die den Löwenanteil am finanziellen Gewinn für sich beanspruchten, befand sich lediglich ein einziges deutschsprachiges Buch: die von den Verlagen Harper & Row, Random House und Macmillan gemeinsam herausgegebenen Memoiren von Hitlers ehemaligem Rüstungsminister Albert Speer, die unter dem Titel *Inside the Third Reich* zu einem für die Verlage selbst überraschenden Erfolg wurden. Was im Bereich der ›Nonfiction‹-Literatur den Memoiren Speers gelang, hat in der Sparte der ›Fiction‹-Literatur, der Belletristik also, am ehesten noch der letzte Roman von Günter Grass erreicht: *Local Anaesthetic*, wie *örtlich betäubt* in der Übersetzung lautet, war vor allem bei der literarischen Kritik ein geradezu sensationeller Erfolg, wenn man damit die mäßige Resonanz vergleicht, die der Roman bei den deutschen Rezensenten gehabt hat[2].
In der Liste der besten Bücher des Jahres, die Anfang Januar in dem renommierten amerikanischen Nachrichtenmagazin *Time*[3] erschien, werden denn auch sowohl Grass' Roman als auch – in der Sparte der Sachbücher – Speers Memoiren unter »The Year's Best Books« aufgeführt. Ja *Time* hatte im April 1970[4] das Erscheinen von Grass' neuestem Roman zum Anlaß genommen, um ihn als ersten deutschen Autor der Nachkriegszeit mit einer Titelgeschichte zu feiern, in deren Einleitung der Passus steht: »Grass macht im Alter von 42 sicherlich nicht den Eindruck, der größte lebende Romancier der Welt oder Deutschlands zu sein, obwohl er durchaus beides sein könnte«. Wenn *örtlich betäubt* in der amerikanischen Ausgabe auch bei weitem noch nicht den Erfolg von Grass' Erstlingsroman eingeholt hat, der unter dem Titel *The Tin Drum* mit 600 000 Exemplaren verbreitet ist, so wird Grass jedoch zum Beispiel eines außergewöhnlich erfolgreichen deutschsprachigen Autors in den USA, in der Vergangenheit am ehesten mit Thomas Mann zu vergleichen und auf dem Hintergrund der letzten Jahre mit der unverhofften Renaissance von Hermann Hesse, der zum Autor der Hippie-Bewegung kreiert wurde und dessen Bücher inzwischen in einer Auflage von mehr als zwei Millionen in den USA verbreitet sind.
Freilich wäre es irreführend, auf irgendeine Kontinuität zu schließen, die sich aus dem zeitlichen Zusammenhang der drei Namen ergeben könnte. Daß die deutsche Literatur als Entwicklungszusammenhang wahrgenommen und rezipiert würde, da-

von kann in den USA keine Rede sein. Es wäre daher verfehlt, von dem spektakulären Erfolg, den Grass hat, auf eine breitere Kenntnis der deutschen Literatur seit 1945 zu schließen. Das Interesse ist sicherlich da, aber wie dieses Interesse kanalisiert wird, ist großenteils eine Sache des Zufalls. Die Initiative einzelner Emigranten-Verleger wie Kurt Wolffs etwa, der die Aufnahme von Grass in den USA vorbereitete, blieb begrenzt, da der finanzielle Spielraum solcher Verleger eingeengt ist und marktwirtschaftliche Überlegungen avantgardistischen verlegerischen Einsatz von vornherein lähmen.

Wie wenig populär die deutsche Gegenwartsliteratur tatsächlich in den USA ist, beleuchtet beispielhaft die Tagung der Gruppe 47 vom 22. bis 24. April 1966 in Princeton. Was sich da als literarische Mammutparty im Jet-Zeitalter vor der idyllisch-klassizistischen Kulisse einer renommierten neuenglischen Campus-Universität abspielte, blieb in seinem Echo auf die provinzielle Kleinstadt Princeton beschränkt und wurde im nur wenige hundert Kilometer entfernten New York kaum mehr wahrgenommen. Keine der großen amerikanischen Fernseh- und Rundfunkgesellschaften oder Zeitungen hat über den literarischen Wochenendausflug der deutschen Autoren unterrichtet, abgesehen von einigen Kritikern wie Leslie Fiedler, Eric Bentley oder Susan Sontag[5], die aber nur ein begrenztes Publikum erreichen. In Deutschland unterbrachen hingegen die Rundfunkanstalten in der Nacht vom Sonnabend zum Sonntag ihr Tanzmusikprogramm, um in Direktübertragung über die ersten Runden des bundesdeutschen Literatur-Festivals in Princeton zu berichten, als ginge es um die Übertragung einer sportlichen Sensation.[6]

Ein gewisses Echo in USA erregte lediglich eine politische Interview-Äußerung von Peter Weiss in der *New York Times*, der sich gegen die Vietnam-Politik der Vereinigten Staaten aussprach. Als diese Äußerung von der Zeitung als politisches Stimmungsbarometer der gesamten Gruppe ausgelegt wurde, beeilte sich Hans Werner Richter zu erklären, daß Weiss' Äußerung lediglich seine Privatmeinung und nicht ein politisches Gruppen-Credo wiedergebe.[7] So vollzog sich die Princetoner Tagung praktisch unter Ausschluß der Öffentlichkeit. Denn die aus verschiedenen amerikanischen und kanadischen Universitäten herbeigereisten Germanistikprofessoren, die sich das literarische Spektakel aus der Nähe anschauen wollten und sich als Zuschauer unter deutsche Verleger und Journalisten mischten, repräsentieren schwerlich ein charakteristisches Segment amerikanischer Öffentlichkeit.

So hat sich auch aus der Perspektive von 1970 grundsätzlich wenig an dem Resultat geändert, zu dem Bernhard Blume[8] schon 1959 angesichts der Wirkung deutscher Literatur auf Amerika kam: Von einer kontinuierlichen literarischen Rezeption kann nicht gesprochen werden. Es gilt als Ausnahmen lediglich jene Schriftsteller zu verzeichnen, die sich isoliert durchgesetzt haben und sich einer gewissen Geltung erfreuen. 1959 waren das Rilke, Kafka, Thomas Mann und – im Anfangsstadium – Brecht. Aus der Perspektive von 1970 wäre die Skala dieser Namen zu revidieren: Rilke ist völlig in den Hintergrund getreten, Kafka und Thomas Mann haben sich noch eine gewisse akademische Geltung bewahrt. Das hat nicht zuletzt damit zu tun, daß vor allem Erzählungen und kürzere Texte von beiden in die Textbücher aufgenommen wurden, die in den Deutschkursen der Universitäten und Colleges benutzt werden. Brechts Geltung hat in der Zwischenzeit erheblich zugenommen. Er wird vor allem an den Universitätstheatern viel gespielt und diskutiert.

Aber als der eigentliche Überraschungssieger an der literarischen Börse, an der die deutschen Autoren gehandelt werden, erwies sich der »Guru aus Montagnola«[9] Hermann Hesse, dessen Popularität in Deutschland nach dem Zeugnis seines Verlegers Unseld[10] 1965 einen Tiefpunkt erreicht hatte, dessen Roman *Steppenwolf* aber der Drogen-Prophet der amerikanischen Hippie-Bewegung Timothy Leary Ende der sechziger Jahre zu seinem Lieblingswerk der Weltliteratur erhob[11]. Von Hesses *Siddharta* wurden allein 1967 100 000 Exemplare verkauft. Die amerikanische Literaturkritik, die die Verleihung des Nobelpreises an Hesse 1946 irritiert zur Kenntnis genommen und nicht an abschätzigen Bemerkungen über Hesses verwaschene Metaphysik und Romantik gespart hatte, hat ihr Urteil, wie der lange Hesse-Aufsatz von D. J. Enright in *The New York Review of Books*[12] beweist, inzwischen revidiert und versucht, dem Hesse-Boom durch literarische Aufwertung seines Werks nachzukommen. Mag freilich das Urteil der *San Francisco Chronicle*: »Hermann Hesse – der größte Schriftsteller dieses Jahrhunderts« nur ein Reflex der Hippie-Vergötzung Hesses sein, verblüffend bleibt, daß auch die amerikanische literarische Kritik vom ›Hesse-Bazillus‹ infiziert wird, während sein Werk in Deutschland in der literarischen Rumpelkammer verstaubt. Freilich bleibt es abzuwarten, ob die Rückwirkung des Hesse-Booms auf Deutschland ausreicht, um eine Hesse-Renaissance zu tragen, die kürzlich der Suhrkamp Verlag hierzulande mit einer zwölfbändigen Hesse-Ausgabe, im Taschenformat und mit dem literarischen Segen Peter Handkes versehen, zu inaugurieren versuchte. Daß die gleiche Ausgabe, mit englischen Kommentaren, Vokabular und Glossarium versehen, auf dem amerikanischen Markt, wo sie gleichfalls erscheint, zum Erfolg werden wird, ist kaum zu bezweifeln.

Die widersprüchliche Rezeption der deutschen Literatur in den USA läßt sich nicht besser illustrieren als durch die Namen von Hesse und Grass, die zur Zeit die beiden erfolgreichsten deutschen Autoren in Amerika sind. Die Disparatheit dieser Wirkung ist in der Kombination der beiden Namen gleichsam auf eine Formel gebracht. Denn was verbindet den sprachmächtigen Fabulierer Grass, der in seinen Romanen den politischen Sündenfall des Tausendjährigen Reiches in beklemmenden Bildern auslotet und der keinen Zweifel an der Erkenntnisaufgabe seiner Bücher läßt, mit der romantischen Rebellion des mystisch versponnenen, allen Gefahren der Sentimentalität überantworteten Hermann Hesse, der im politischen Refugium der Schweiz die Katastrophen seiner Zeit ohne allzu große konkrete Belastungen überstand? Sicherlich, die ›Drop-out‹-Mythologie der amerikanischen Jugendbewegung, die einen regressiven Traum von der Rückkehr zum einfachen Leben durch anarchistische Rituale und Drogen träumt, findet in Hesses Büchern vorgeprägte Muster, die sie bereitwillig aufgreift. Aber wird damit zugleich ein Nachholbedarf an deutscher Dichtung vollzogen? Zweifel scheinen angebracht.

Dabei hat es immer wieder Ansätze zu einer Traditionsbildung in der literarischen Ausstrahlung Deutschlands auf Amerika gegeben. Am folgenreichsten vielleicht in der zweiten Hälfte des 19. Jahrhunderts, als die neuenglischen Transzendentalisten Thoreau, Emerson, Hawthorne[13] Deutsch lernten, um die deutschen Klassiker im Original zu lesen und zu übersetzen. Goethe, Schiller, Jean Paul, Fichte, Schleiermacher, Novalis wurden damals übertragen und im amerikanischen Weimar des ›Transcendental Clubs‹, zu dem sich die Freunde in dem kleinen Dorf Concord in der Nähe von Boston zusammengeschlossen hatten, eifrig gelesen. Der Rang, den diese Autoren in der jungen amerikanischen Literatur einnahmen, ließ ihren Einsatz für die klassische deutsche Dichtung zu einer wichtigen kulturpolitischen Aktion werden, die die Einschätzung der deutschen Dichtung in den USA auf einige Jahrzehnte bestimmte.

Daß diese Ansätze in der Folgezeit wieder abbröckelten, hat nicht so sehr mit der kulturellen Lethargie der Amerikaner oder gar mit der Provinzialität der deutschen Literatur zu tun (obwohl sich beide Aspekte nicht völlig verleugnen lassen), sondern vor allem mit den politischen Voraussetzungen, unter denen diese kulturelle Annäherung zustande kam. In der Ausgangssituation waren hier die Bedingungen für die deutsche Literatur günstiger als in den meisten andern Ländern. Denn die Deutschen haben seit jeher ein starkes Kontingent in der Einwanderungsquote der USA gestellt. Man sollte daher annehmen können, daß jene ausgewanderten Deutschen, die sich in der Neuen Welt ansiedelten, in erster Linie als potentielles Publikum für die importierte deutsche Literatur in Frage kamen.

Freilich haben sich die Deutschen, im Unterschied zu den osteuropäischen und romanischen Völkern, wesentlich rascher assimiliert, die neue Sprache schneller übernommen und waren bestrebt, die nationalen Eigenarten nach Möglichkeit bald zu verlieren. Dennoch stellte Deutsch vor dem Ersten Weltkrieg an den großen Universitäten und Colleges die führende Fremdsprache dar.[14] Eine höchst überraschende Tatsache auf dem Hintergrund der gegenwärtigen Situation, wo Deutsch hinter Spanisch und Französisch an dritter Stelle liegt, während Spanisch vor dem Ersten Weltkrieg noch kaum eine Rolle an den Universitäten spielte. Freilich läßt sich aus den Statistiken ebenso eindeutig erschließen, was den Rückgang der deutschen Sprache und damit auch eine Minderung der Ausstrahlung deutscher Dichtung auf Amerika verursacht hat: Bezeichnenderweise ging während des Ersten Weltkrieges die Popularität von Deutsch stark zurück.

Es fällt nicht schwer, die Auswirkungen der politischen Zeitgeschichte auch analog in der Situation wiederzuerkennen, die der Zweite Weltkrieg heraufbeschworen hat. So wie naturalisierte Deutsche während des letzten Krieges peinlich darauf achteten, daß ihre Kinder ohne die Kenntnis der deutschen Sprache aufwuchsen, wurde auch die deutsche Literatur, mit der Ausnahme von Thomas Mann, der sich als NS-Verfolgter höchste Sympathie sicherte, an die Peripherie gedrängt. Daß Thomas Mann auch hier die Ausnahme war, beweist das Schicksal vieler anderer deutscher Exilautoren, die wie er als NS-Verfolgte auftreten konnten, aber literarisch völlig unbekannt blieben und von der amerikanischen Öffentlichkeit selten wahrgenommen wurden. Das gilt für Autoren wie Döblin, Heinrich Mann, Brecht und Broch, der lediglich mit dem *Tod des Vergil*, 1945 zugleich in einer deutschen und amerikanischen Ausgabe erschienen, einen gewissen Achtungserfolg hatte.

Jener in der Geschichte wohl einmalige Exodus von deutschen Schriftstellern nach Amerika blieb von der amerikanischen Öffentlichkeit ungenutzt. Obwohl man den Exilierten die materiellen Lebensbedingungen ermöglichte, blieben die Begegnung mit ihrem Werk und die bestätigende Anteilnahme an ihrem Schaffen aus. Sicherlich läßt sich auch hier wiederum die politische Situation für diese kulturelle Verödung verantwortlich machen.

Aber eine positive Nachwirkung hat die Exilsituation dennoch gehabt. Zahlreiche

deutsche Hochschullehrer, die in den frühen dreißiger Jahren aus politischen Gründen Deutschland verließen, blieben in der neuen Heimat und haben – das gilt besonders für die Literaturwissenschaftler – auch die Kenntnis der deutschen Sprache und Dichtung nachhaltig gefördert. Daß die amerikanische Germanistik in der gegenwärtigen Situation so nachdrücklich in Erscheinung tritt und in der Relevanz ihrer Forschungsarbeit mit der inländischen Germanistik konkurriert, ist nicht zuletzt eine Folge der damals geschaffenen Bedingungen.
Hier wird zugleich auch ein Aspekt berührt, der bei der Frage nach der Geltung der jungen deutschen Literatur in den USA berücksichtigt werden muß. Der Wirkungsbereich der deutschen Literatur ist nämlich auf zweifache Weise zu differenzieren: Einmal läßt sich von einem akademischen Publikum sprechen, das an den zahlreichen großen Universitäten des Landes in relativ engem Kontakt mit neuer deutscher Literatur aufwächst, und zum andern von dem schwer zu definierenden allgemeinen Lesepublikum des gebildeten Mittelstandes, das besonders in den großstädtischen Zentren an der Ost- und Westküste anzutreffen ist. Beide Wirkungsaspekte gilt es sorgfältig zu unterscheiden.
Angesichts der Studentenzahlen, die inzwischen fast 60 Prozent der jungen Leute in den jeweiligen Altersgruppen ausmachen, kommt auch dem akademischen Publikum durchaus beachtliche quantitative Bedeutung zu. In den zahlreichen Textbüchern, die im Literaturunterricht der Universitäten benutzt werden, sind Autoren wie Borchert, Böll, Andersch, Grass, Johnson, Gaiser häufig vertreten und entsprechend bekannt. Brecht, der von Eric Bentley, einem Professor an der Columbia University in New York, jahrelang mit geringem Erfolg propagiert wurde, war an den Universitäten längst ein vielgelesener Autor, bevor die breitere literarische Öffentlichkeit von ihm Notiz zu nehmen begann.
Eine ähnlich wichtige Funktion als Vermittlungsinstanz wie der Literaturunterricht der Universitäten und Colleges hat das Universitätstheater, das besonders an den häufig mehr als 30 000 Studenten umfassenden Mammutuniversitäten ein beachtliches Niveau besitzt. Brecht, Dürrenmatt und Frisch sind hier häufig aufgeführte Autoren. So wurde z. B. 1969 an drei benachbarten Universitäten in Neuengland gleichzeitig Brechts *Guter Mensch von Sezuan* gespielt. Einer ähnlichen Beliebtheit erfreut sich Brechts *Mann ist Mann*, das besonders auf dem Hintergrund der Anti-Vietnam-Stimmung neue Aktualität gewonnen hat. Brecht ist gewissermaßen zum Klassiker der akademischen Jugend Amerikas geworden (so wie Hermann Hesse der Klassiker des underground ist), während auf den professionellen Bühnen, die, abgesehen von gelegentlichen privaten Zuwendungen, ohne Subventionen arbeiten und daher den Akzent auf ihre Gewinnkalkulationen legen müssen, der nachhaltige Erfolg bisher ausgeblieben ist.
Immerhin wurde der *Galilei* mit beachtlichem Erfolg im New Yorker Lincoln Repertoire-Theatre gespielt, und *Der aufhaltsame Aufstieg des Arturo Ui* wurde 1968, übersetzt von George Tabori, im neueröffneten Tyone Guthrie Theatre in Minneapolis gezeigt und kam als Gastspiel nach New York – in einer Inszenierung, deren hohes Niveau auch die New Yorker Kritik anerkannte. Freilich hatte es zwei Jahrzehnte gedauert, bevor sich dieser Durchbruch Brechts in den USA abzeichnete. Bentley hatte bereits 1948 in dem Band *Parables for the Theatre* seine nicht immer von Willkür und Entstellungen freien Übersetzungen des *Guten Menschen von Se-*

zuan und des *Kaukasischen Kreidekreises* erscheinen lassen. Andere Übersetzungen (u. a. der *Dreigroschenoper*, des *Galilei* und von *Mann ist Mann*) folgten später. Bentley hat sich auch für den Lyriker Brecht eingesetzt und so die *Hauspostille* übertragen, wobei allerdings seine anfechtbaren Übersetzungen von der Kritik zum Teil scharf getadelt wurden. Diese Geltung von Brecht in den USA entspricht der Andeutung nach durchaus der Wertschätzung, die man ihm auch in Deutschland entgegenbringt.

Ähnliches läßt sich über die Dramatiker Frisch und Dürrenmatt sagen. Von Frisch wurden bisher nur *Biedermann und die Brandstifter* und *Andorra* in New York aufgeführt. In Buchform liegen ferner *Biografie* und *Die chinesische Mauer* vor. Aber die 1963 im Maidman Theatre in New York gebrachte Inszenierung des *Biedermann*, die offensichtlich in einem überzogenen spätexpressionistischen Stil präsentiert wurde[15], verschwand bereits nach wenigen Aufführungen von der Bühne. *Andorra*, das 1964 vom Londoner National Theatre inszeniert wurde und auch nach New York kam, wurde zwar weniger scharf als das erste Stück abgelehnt, aber in seiner dramatischen Substanz dennoch sehr kritisch beurteilt. Der New Yorker Kritiker Robert Brustein äußerte angesichts des Antisemitismus-Themas, daß Frisch »Deutschland, das in abstoßender Weise zur Selbstgeißelung drängt, eine Peitsche aus Samt«[16] reiche.

Auch von Dürrenmatt ist eine große Zahl von Stücken in Übersetzungen erhältlich: *Ein Engel kommt nach Babylon*, *Die Ehe des Herrn Mississippi*, *Die Physiker*[17], *Der Besuch der alten Dame*[18]. Peter Brook inszenierte am 5. Mai 1958 im Lunt-Fontanne-Theatre in New York *The Visit* und fand die Zustimmung der New Yorker Theaterkritik von Brooks Atkinson bis hin zu Walter Kerr.[19] Freilich hat die mißglückte Verfilmung des *Besuchs der alten Dame* der Breitenwirkung in Amerika wenig genutzt. Auch *Die Physiker*, die Peter Brook 1963 zuerst im Aldwych Theatre in London herausgebracht hatte und die dann ebenfalls nach Amerika kamen, vermochten nicht den Erfolg des *Besuchs* zu wiederholen, obwohl sich das Stück besonders an Universitätstheatern großer Beliebtheit erfreut.

Ein zwiespältiges Bild ergibt die Wirkung Hochhuths im amerikanischen Theater. Zwar kam es auch in New York bei der sehr besuchten Broadway-Aufführung des *Stellvertreters*, den Herman Shumlin und Jerome Rothenberg inszeniert hatten, zu Protesten und Demonstrationen, aber die Resonanz bei der Kritik war überwiegend negativ. Der Kritiker John Simon beanstandete die arg zusammengestrichene Fassung, die der Aufführung zugrunde lag und die alle interessanten, auf moralische und politische Überlegungen zielenden Textstellen vermissen ließ, während Robert Brustein das Drama als deutsche Dissertation in Versen abqualifizierte.[20] *Die Soldaten*, die in England aus verständlichen Gründen noch heftiger als Hochhuths erstes Stück umstritten waren, fanden bei der Aufführung in New York nur ein schwaches Echo.

Den triumphalsten Erfolg der letzten Jahrzehnte als deutschsprachiger Dramatiker hat zweifelsohne Peter Weiss mit seinem *Marat/Sade* in New York gehabt. Peter Brooks Inszenierung mit der Royal Shakespeare Company vom Herbst 1964 kam als Gastspiel nach New York und wurde zum spektakulären Erfolg zweier New Yorker Theaterwinter. Brooks Aufführung gewann dem Stück den »Tony«-Preis für das beste Theaterstück des Jahres und den Preis der New Yorker Theaterkritiker für das beste ausländische Drama. Da die Inszenierung auch verfilmt und zudem auf Schallplatten verbreitet wurde, dürfte Weiss hier vielleicht der größte Durchbruch auf der amerikanischen Bühne gelungen sein, den je ein deutschsprachiger Dramatiker gehabt hat. Auch *Die Ermittlung* wurde in New York aufgeführt, fand aber nur begrenzte Resonanz. 1967 stellte die neugegründete Negro Ensemble Company Weiss' *Lusitanischen Popanz* in New York vor und verstärkte mit der vielbeachteten Inszenierung das Echo von Weiss als einem der maßgeblichen neueren Dramatiker, der besonders die Beschäftigung junger amerikanischer Stückeschreiber mit dem Dokumentartheater nachdrücklich beeinflußt hat.

Andere jüngere deutsche Dramatiker, die in Amerika aufgeführt wurden, hatten weniger Erfolg. So wurden z. B. Grass' *Die bösen Köche* in einem Off-Broadway-Theater gegeben, verschwanden aber nach wenigen Aufführungen in der Versenkung. Im Frühjahr 1970 wurde die *Amphitryon*-Variation von Peter Hacks im Forum-Theater des Lincoln Theatre präsentiert, wo früher bereits Heinar Kipphardts *In Sachen J. R. Oppenheimer* gespielt worden war, ohne freilich große Wellen zu schlagen. Hacks' Stück wurde von der New Yorker Theaterkritik mit großer Aufmerksamkeit und nicht ohne Bewunderung registriert. Bezeichnenderweise war es den Kritikern gar nicht bewußt, daß es sich hier um das Werk eines ostdeutschen Dramatikers handelte. Diese Ignoranz ist nicht zuletzt darauf zurückzuführen, daß ostdeutsche Literatur bisher nur in wenigen Ausnahmen in den USA vertreten war. Manfred Bieler ist als einer der ersten übersetzt worden, lebt aber freilich inzwischen in der Bundesrepublik. Eric Bentley hat im April 1969 vier Biermann-Balladen in Übersetzungen vorgestellt und eine Schallplatte mit Liedern Biermanns propagiert. Der in Ost-Berlin ansässige Verlag Seven Seas Publishers, der kürzlich gegründet wurde, hat es sich zur Aufgabe gesetzt, diesem Mangel abzuhelfen, und hat so beispielsweise bereits Christa Wolfs Roman *Der geteilte Himmel* in einer englischen Taschenbuchausgabe herausgebracht. Auch das mit einer großzügigen Zuwendung der Volkswagenstiftung an der Indiana University gegründete »Institute for German Studies« hat es sich zum Ziel gesetzt, die Kenntnis der DDR-Literatur in den Vereinigten Staaten zu fördern und zu vertiefen.

Der aus deutscher Sicht überraschendste Theatererfolg ist mit dem Namen von Jakov Lind verbunden, der in Deutschland als eigenwilliger Romancier nur von einer kleinen Schar von Kennern geschätzt wird. Linds Komödie *Ergo*, die nach seinem gleichnamigen Roman geschrieben wurde, ist 1968 von Joseph Papp, dem Direktor des New Yorker Shakespeare Festival Public Theatre, inszeniert worden und hinterließ bei der Kritik einen großen und nachhaltigen Eindruck. Hier bleibt es dem deutschen Theater vorbehalten, seinerseits etwas nachzuholen.

Läßt sich angesichts der in den USA erfolgreichen Dramatiker sagen, daß, bis auf Ausnahmen wie Hacks und Lind, im Grunde auch dort die Autoren auf Aufmerksamkeit stoßen, die bereits im Mutterland erfolgreich waren (Brecht, Dürrenmatt, Frisch, Hochhuth, Weiss), so ist andererseits festzuhalten, daß eine ganze Reihe von Autoren, besonders unter den Jüngeren (Handke oder Wolfgang Bauer), unbekannt ist. Auch der Dramatiker Martin Walser wäre erst zu entdecken. Walser dürfte generell zu den renommierten deutschen Autoren der Gegenwart zählen, die in den USA am unbekanntesten geblieben sind. Lediglich sein erster Roman erschien als *Marriage in Philippsburg* 1962 in New York. Seine späteren Arbeiten blieben unübersetzt.

Auch die Aufnahme von Heinrich Böll zeigt ein zwiespältiges Bild. Böll ist zwar mit vielen seiner kürzeren Texte in einer ganzen Reihe von amerikanischen Textbüchern für den Universitätsgebrauch vertreten.[21] Auch seine Romane, angefangen bei *Adam, where are thou?* (1955) über *Acquainted with the Night* (1954 – *Und sagte kein einziges Wort*), *Tomorrow and Yesterday* (1957 – *Haus ohne Hüter*) bis hin zu *Billiards at half past nine* (1962), *The Clown* (1965) und *End of a Mission* (1968 – *Ende einer Dienstfahrt*), sind so gut wie alle in Übersetzungen greifbar, aber es wäre weit gefehlt, daraus zu schließen, Böll würde in den Vereinigten Staaten ein ähnliches literarisches Ansehen genießen wie in Osteuropa, wo sein Name mit dem neuen deutschen Roman seit 1945 geradezu synonym ist. Die literarische Öffentlichkeit Amerikas verharrt Böll gegenüber in der Distanz.
Von einer gewissen Distanz läßt sich auch gegenüber dem Romanwerk von Uwe Johnson sprechen, wobei allerdings im Augenblick noch nicht abzusehen ist, wie sein bisher noch nicht übersetzter jüngster Roman *Jahrestage*, der erste Band einer Trilogie, die die deutsch-amerikanische Symbiose zum Thema erhebt, auf das amerikanische Lesepublikum wirken wird. Auch von Johnson wurden alle bisherigen Romane übersetzt. Und obwohl er nicht im entferntesten den spektakulären Erfolg von Günter Grass gehabt hat, wird er von der Kritik als ernstzunehmender Romancier eingeschätzt. Symptomatisch dafür ist die Besprechung von William L. Shirer, dem Autor von *The Rise and Fall of the Third Reich*, der 1963 in der *New York Herald Tribune Books*[22] in einem Vergleich von Johnson und Grass die Ansicht vertrat, daß beide Autoren fähig seien, dem deutschen Roman wieder zu der Geltung zu verhelfen, die er unter Thomas Mann gehabt habe. Aber noch bemerkenswerter ist Shirers Feststellung, daß Johnson im Vergleich zu Grass zwar der schwierigere, aber zugleich originellere und damit letztlich auch bedeutendere sei. Ein positives Echo in der amerikanischen Literaturkritik, das auch John Updikes Besprechung von Johnsons *Zwei Ansichten* im *New Yorker*[23] bestätigt.
Autoren wie Alfred Andersch, Wolfdietrich Schnurre, Walter Jens, Peter Härtling, Dieter Wellershoff oder Wolfgang Koeppen sind in den Vereinigten Staaten jedoch kaum bekannt. Bezeichnend ist, daß von einem so bedeutenden Romancier wie Hans Erich Nossack, der sich beispielsweise in Frankreich beträchtlicher Wertschätzung erfreut, bisher keine einzige Arbeit in einem amerikanischen Verlag erschien. Lediglich sein Roman *Unmögliche Beweisaufnahme* wurde 1968 in einer englischen Fassung zugleich in London und New York herausgebracht, ohne daß die Kritik aufmerksam geworden wäre. Man darf auch bezweifeln, ob Gisela Elsner, deren *Riesenzwerge* nach der Verleihung des Prix Formentor 1964 in vierzehn Sprachen, unter anderm ins Amerikanische, übersetzt wurde, mit ihren Romanen *Der Nachwuchs* und *Das Berührungsverbot* den Achtungserfolg des ersten Buches ausbauen wird; beide Bücher wurden bisher nicht übersetzt. Ob sich Gerhard Zwerenz' *Casanova oder der kleine Herr in Krieg und Frieden*, der kürzlich in Übersetzung erschien, literarisch durchsetzen wird, scheint ebenfalls zweifelhaft. Von Autoren wie Handke, Chotjewitz, Herburger, Heißenbüttel oder Oswald Wiener hat man bisher in Amerika kaum Notiz genommen, während Romanciers des gängigen Unterhaltungskonsums wie Hans Habe oder Hans Hellmut Kirst bereits seit Jahren über eine treue Lesergemeinde verfügen.
Im Bereich der Lyrik ist die Situation noch schwieriger. Die Übersetzungsprobleme,

die sich bereits bei der erzählenden Prosa und beim Drama stellen, sind hier potenziert vorhanden. Die Resonanz der deutschen Lyriker ist also häufig davon abhängig, ob ein kongenialer Übersetzer vorhanden ist. Schon die Bentleysche Ausgabe des Brechtschen *Manual of Piety* ist in sprachlichen Details vielfach angefochten worden, obwohl Brechts Sprache in ihrer bildhaften Konkretheit bei weitem nicht die Probleme stellt, die mit den spätsymbolistischen Gedichten Celans, Bobrowskis oder der verschlüsselten Kargheit Eichs verbunden sind. Diese Lyriker sind vermutlich nicht zuletzt auf Grund der Übersetzungsschwierigkeiten der breiteren literarischen Öffentlichkeit Amerikas so gut wie unbekannt geblieben. Analoges gilt für die Lyrik der Bachmann, Huchels, von Sprachkonstrukteuren wie Heißenbüttel oder Gomringer ganz zu schweigen. Lediglich Grass, der in Ralph Manheim bereits einen kongenialen Übersetzer seiner Romane fand, wurde auch hier vom Glück begünstigt. Eine Auswahl seiner Gedichte erschien 1966, von Michael Hamburger und Christopher Middleton betreut, in England und Amerika und intensivierte, dank der Übersetzerleistung von Hamburger vor allem, das Bild von Grass' literarischem Werk in den USA.

Die am weitesten verbreitete Anthologie zeitgenössischer deutscher Lyrik hat die New Yorker Übersetzerin Gertrude Clorius Schwebell herausgegeben.[24] Das Buch erschien 1964 zum erstenmal und führte Autoren wie Hans Magnus Enzensberger, Marie-Luise Kaschnitz und Nelly Sachs, deren Popularität kaum durch den ihr inzwischen verliehenen Nobelpreis vergrößert wurde, beim amerikanischen Leser ein. Celan, Eich oder Ingeborg Bachmann waren zwar bereits vorher einer kleinen Schar von Kennern dem Namen nach bekannt, aber es wäre irreführend zu behaupten, daß sie den amerikanischen Kritikern und dem Publikum in ihrem Rang als Lyriker gegenwärtig sind.

Es gibt gewisse Anzeichen, die dafür sprechen, daß sich die Beziehung zwischen der jungen deutschen Literatur und dem amerikanischen Publikum in der Zukunft festigen könnte. So erscheinen etwa alle vierzehn Tage in der weitverbreiteten Literaturzeitschrift *Saturday Review* zusammenfassende informative Darstellungen von Robert Clements über europäische Neuerscheinungen, wo nicht zuletzt auch auf deutsche Erstveröffentlichungen aufmerksam gemacht wird. Freilich bleibt die Information in der Regel auf flüchtige Hinweise beschränkt.

In eine ähnliche Richtung weist eine summarische Darstellung der literarischen Entwicklung in Ost- und Westdeutschland seit 1945, die 1967 unter dem Pseudonym E. R. von Freiburg in der *Nation* erschien. Auch hier wird der Versuch gemacht, die vereinzelten Erfolge deutscher Bücher in den Vereinigten Staaten zu einem Gesamtbild zu vereinigen, das freilich von der politischen Entwicklung in beiden Teilen Deutschlands her zu einer eher skeptischen Prognose über die zukünftige Entfaltung der deutschen Literatur kommt. Die bisher umfassendste Information und kritische Standortbestimmung zur deutschen Gegenwartsliteratur liegt in dem Buch *Postwar German Literature* von Peter Demetz vor, das im vergangenen Jahr in New York erschien.

Seit 1968 erscheint auch an der University of Texas in Austin eine von Leslie Willson herausgegebene Zeitschrift mit dem Titel *Dimension*, die sich ausschließlich der Verbreitung der jungen deutschen Literatur in den Vereinigten Staaten widmet und erstmalig Texte von Piontek, Wondratschek und Christa Reinig veröffentlichte.

Freilich ist die Zirkulation dieser Zeitschrift begrenzt und die Breitenwirkung entsprechend gering. Immerhin werden diese Bemühungen durch geplante Literatur-Kongresse – im Frühjahr 1970 fand ein »Grass-Festival« statt – und die Einrichtung einer Gastdozentur für deutsche Autoren unterstützt: Siegfried Lenz und Hans Bender sind u. a. bereits einer solchen Einladung der University of Texas nachgekommen.
Mag auch die anläßlich von Grass' jüngstem Roman von dem amerikanischen Kritiker Maxwell Geismar vertretene Meinung[25], die junge deutsche Literatur gehöre mit Autoren wie Grass und Johnson zu den vitalsten und geschlossensten in der Gegenwart, Übertreibung sein, so deutet diese Feststellung zumindest die Bereitschaft an, die bisher eher vom Zufall diktierten kulturellen und literarischen Beziehungen zu intensivieren und die Kenntnis einer Literatur zu vertiefen, die in den letzten zehn Jahren allzusehr im Schatten des auf monumentalem Sockel erhöhten literarischen Großmeisters Grass stand.

Anmerkungen

1. Vgl. dazu den Bericht von Henry Marx: *Amerikas Buchmarkt floriert.* In: Die Welt Nr. 29 (4. 2. 1971) S. 19.
2. Vgl. dazu den Bericht: *Grass-Echo.* In: Der Spiegel Nr. 19 (4. 5. 1970) S. 198–199.
3. Time. Nummer vom 4. 1. 1971, S. 60.
4. Vgl. *The Dentist's Chair as an Allegory of Life.* Time (13. 4. 1970) S. 54–59.
5. Diese Kritiker waren auf einer der Podiumsveranstaltungen vertreten, die die Universität Princeton im Rahmen der Gruppen-Tagung veranstaltete. Vgl. den Bericht von Joachim Kaiser: *Drei Tage und ein Tag.* In: Die Gruppe 47. Ein Handbuch. Hrsg. von Reinhard Lettau. Neuwied 1967. S. 218–225.
6. Vgl. den Bericht *Streiflicht.* In: Die Gruppe 47. S. 218–219.
7. Vgl. dazu den Bericht von J. P. Bauke in: New York Times Book Review (15. 5. 1966); abgedruckt in: Die Gruppe 47. S. 236–240.
8. Bernhard Blume: *Amerika und die deutsche Literatur.* In: Jahrbuch der deutschen Akademie für Sprache und Dichtung (1959). Ohne Seitenzahlen.
9. Zitiert nach Egon Schwarz: *Hermann Hesse, die amerikanische Jugendbewegung und das Problem der literarischen Wertung.* S. 124. In: Basis I. Jahrbuch für deutsche Gegenwartsliteratur (1970). S. 116–133.
10. In: Der Spiegel Nr. 40 (1968) S. 177.
11. Vgl. Stephen Koch: *Prophet of the Youth.* In: The New Republic (13. 6. 1968) S. 23.
12. 12. 9. 1968. S. 10.
13. Vgl. dazu die Studie von Hans Egon Holthusen: *Deutscher Geist im Urteil der Welt.* In: Kritisches Verstehen. München 1961. S. 257–313, besonders S. 276 ff.
14. Vgl. dazu die Ausführungen von Richard Jente: *Der gegenwärtige Stand des deutschen Unterrichts in den Vereinigten Staaten.* In: Germanisch-Romanische Monatsschrift IX (1921) S. 378 bis 379. Eine Umfrage an 116 namhaften Universitäten und Colleges ergab 1914 eine Zahl von 31 990 Deutsch-Studenten; 1919 war diese Zahl fast um ein Drittel reduziert: 11 488. 1920 zeichnete sich wieder ein leichter Anstieg ab: 12 159. Im gleichen Zeitraum von 1914 bis 1919 nahm die Zahl der Französisch-Studenten um mehr als das Doppelte zu. Die Zahl der Spanisch-Studenten verzehnfachte sich sogar. Jente führt bezeichnenderweise aus, »daß die Lage hinsichtlich der deutschen Sprache in den High Schools fast trostlos ist« (S. 379). In vielen Staaten hatte man noch 1920 den Deutschunterricht an den High Schools entweder aufgegeben oder sogar gesetzlich verboten wie in Maryland, North Carolina, Indiana, Iowa, Montana, New Mexico und Washington. Die führende Stellung, die Deutsch bis 1914 gehabt hat, ist in den folgenden Jahrzehnten niemals mehr annähernd erreicht worden.
15. Vgl. dazu die Besprechung von Hans Sahl, die Hellmuth Karasek in seiner Frisch-Monographie (Velber 1969) auf S. 103–104 zitiert.

16. Zitiert nach Peter Demetz: *Die süße Anarchie. Deutsche Literatur seit 1945*. Berlin 1970. S. 142. Die amerikanische Originalausgabe erschien unter dem Titel: *Postwar German Literature*. New York 1970.
17. Diese vier genannten Stücke sind beispielsweise in dem Sammelband enthalten, der unter dem Titel »Four Plays«, übersetzt von Gerhard Nellhaus, Michael Bullock, William McElwee, James Kirkup, 1965 in New York erschien.
18. *The Visit* erschien 1958 im New Yorker Verlag Random House in der Übersetzung von Maurice Valency.
19. Vgl. die zitierten Rezensionen in der Dürrenmatt-Monographie von Urs Jenny (Velber 1968), S. 140–141.
20. Vgl. dazu die zitierten Pressestimmen in der Hochhuth-Monographie von Siegfried Melchinger (Velber 1967), S. 107.
21. Vgl. dazu die Bibliographie in: Der Schriftsteller Heinrich Böll. Hrsg. von Werner Lengning. München 1968. S. 182–183.
22. 7. 4. 1963, S. 1.
23. 7. 1. 1967, S. 92.
24. ›Contemporary German Poetry‹, translated by G. Clorius Schwebell, with an introduction by Victor Lange, New York 1964.
25. Ich beziehe mich hier auf die im Spiegel-Beitrag *Grass-Echo* (Nr. 19, 4. 5. 1970, S. 198–199) zitierte Feststellung Geismars, Deutschland besitze die »beste Einzelgruppe zeitgenössischer Schriftsteller«, und zwar auf Grund der »enormen Vielfalt formaler Möglichkeiten und des »nachdrücklichen moralischen Engagements«.

CLAUDIO MAGRIS

Die Rezeption der deutschen Literatur nach 1945 in Italien

Gerade in diesen Monaten besorgt die wichtigste italienische Tageszeitung *Il Corriere della Sera* für ihren literarischen Teil eine Folge von Sonderausgaben über Beziehungen, Kontakte und wechselseitige Einflüsse zwischen der italienischen Kultur der Gegenwart und dem Ausland, um zu untersuchen, welche Stimmen und Aspekte im gegenseitigen Dialog und in der internationalen Debatte am stärksten hervortreten, und um zu prüfen, in welchem Maße ein stilistischer und ideologischer Erfahrungsaustausch zwischen den Schriftstellern und Intellektuellen der betreffenden Länder besteht. Die Schwierigkeit, diese Feuilleton-Ausgabe über die Beziehungen zwischen der italienischen und der deutschen Literatur zusammenzustellen, kann symptomatisch sein. Sie fällt um so mehr auf, wenn man in Betracht zieht, mit welcher Schnelligkeit und Leichtigkeit die Zeitungsseiten über die kulturellen Beziehungen und den Kulturaustausch zu anderen Ländern, wie z. B. zu England oder den Vereinigten Staaten, entstanden sind. Die befragten deutschen Schriftsteller, die natürlich zu den berühmten und angesehensten gehören, haben zum größten Teil die Aufforderung zur Mitarbeit mit der Begründung abgelehnt, das heutige Panorama der italienischen Literatur wenig oder gar nicht zu kennen, während die Wahl ihrer italienischen Kollegen sich nicht weniger schwierig erwies. Offensichtlich darf man sich hier wie dort nicht an die allerorts bekannten ›Leaders‹ des intellektuellen ›Establishment‹ wenden, man muß vielmehr Persönlichkeiten befragen, die – mit einigen Ausnahmen – abseits vom Getriebe des Literaturmarktes stehen und sicherlich deshalb nicht weniger bedeutsam sind, sondern eher authentischer und – sachlich gesehen – maßgeblicher erscheinen.
Diese kleinen Schwierigkeiten, mit denen ich und meine Freunde, die Redakteure vom *Corriere della Sera*, uns gegenwärtig auseinandersetzen, können vielleicht zeigen, daß trotz der außergewöhnlichen Zunahme an Übersetzungen und an modernen Informations- und Kommunikationsmitteln die gegenseitige Kenntnis auf literarischem Gebiet zwischen Italien und Deutschland spärlich und lückenhaft bleibt. Diese Behauptung läßt selbstverständlich die Spezialisten außer acht und bezieht sich auf jenes allgemeinere und deshalb aufschlußreichere Gebiet der breiteren Kultur und des großen Publikums von gebildeten und engagierten Lesern.
Analysiert man die Rezeption der deutschen Gegenwartsliteratur in Italien, stößt man auf einen deutlichen Widerspruch. Einerseits entstehen mit Arbeitseifer Übersetzungen und Veröffentlichungen, die in der Aktualität mit der deutschen Produktion Schritt halten. Wir sehen das wachsame Interesse einer Germanistik, die sich immer mehr von jeder Art akademischen Konservatismus befreit, und eine alte, aber andauernde Prestigetradition der ›Kultur‹. Anderseits bleibt ein echtes Vertrautsein mit der deutschen Welt aus, ist die Rezeption der literarischen Werke von nördlich der Alpen quantitativ beträchtlich, aber qualitativ konfus und ungewiß; es fehlen Urteilsmaßstäbe, die eine Orientierung im Angebot der zahlreichen Lesestoffe ermöglichen, damit ihnen eine Bedeutung als ›Erlebnis‹ und ›Bildung‹ zukommt. Im

wesentlichen fehlt weiterhin ›der innere Zugang‹ zur deutschen Literatur, wie oft auch in der Vergangenheit (mit einigen Ausnahmen, wie im Hegelschen Neapel der Jugendzeit Croces oder im habsburgischen Triest von Svevo). Dieser Mangel widerspricht der heutigen Gleichzeitigkeit, die durch die Nachrichtenmedien und die Kulturindustrie erzielt worden ist und eine Ausbreitung von Ideen in internationalen Dimensionen bewirkt. Heute stellt der Ausländer nicht mehr eine »postérité contemporaine« dar, wie ein berühmter Ausspruch besagte, sondern er ist einzig und allein ein Zeitgenosse. Sein Urteil vermag nicht mehr jene Garantie oder wenigstens jenes Versprechen der Dauer zu geben, das es vielleicht früher anstreben konnte. Dafür kommt dieses Urteil aber auch nicht mehr verspätet und ungleichmäßig und knüpft nicht mit der nächsten Vergangenheit, sondern mit der wirklichen Gegenwart der anderen Kulturen einen Dialog an. Die Verkürzung und Aufhebung der räumlichen Entfernungen haben auch den zeitlichen Abstand nivelliert, der zwischen dem Auftreten eines Phänomens in einem Land und dessen Rezeption in anderen Ländern bestand. Noch 1956, als in Mailand *Die Dreigroschenoper* aufgeführt wurde, schien der Durchschnittszuschauer eher einem jungen und unerwarteten Autor der Avantgarde Tribut zu zollen als dem Werk eines inzwischen von der Tradition besiegelten Klassikers. Kurz vor seinem Tode war Brecht also für die Italiener ein im wesentlichen noch zu entdeckender Autor. Eine Gedichtsammlung von Günter Kunert, die vor einigen Monaten erschien, brachte dagegen unveröffentlichte Auszüge aus einem Lyrikband, den der Verleger Hanser zwar angekündigt hatte, der aber bei Erscheinen der italienischen Fassung und der einführenden Studie noch nicht vorlag.[1] Die zeitliche Anpassung erscheint perfekt; wie in dem Film *It happened tomorrow* von René Clair inspiriert sich oft die Politik der Verleger an einer gewissen Futurologie und sieht die Veröffentlichung von Werken vor, die in der ursprünglichen Ausgabe noch nicht erschienen, aber von den Lektoren der Verlagshäuser im Manuskript geprüft und beurteilt worden sind. Dennoch unterscheidet sich in Italien sehr stark die Figur des Lektors, der die Abteilung deutsche Sprache überprüft, von jener des für andere Sprachen verantwortlichen Kollegen; sie bleibt fast von einer Atmosphäre der mißtrauenden und bewundernden Achtung und von dem verdächtigen Privileg umgeben, Zugang zu besitzen zu Gebieten, die nur Eingeweihten bekannt sind. Auf dem Gebiet der Übersetzungen, der Verlagswerbung und des wissenschaftlichen Interesses ist jedenfalls die deutsche Literatur der letzten zehn Jahre mit einem beträchtlichen Angebot vertreten und setzt damit eine allgemeine Tradition deutscher Studien in Italien fort, die durch den kürzlich erfolgten Verlagsboom und von der allgemein günstig aufgenommenen Protestliteratur noch einmal einen besonderen Impuls erhalten hat.

Nach dem Zweiten Weltkrieg war zunächst die Fortdauer, aber auch das allmähliche Erlöschen des liebevollen Interesses am alten Deutschland der ›Kultur‹, am großen und ›gelehrten‹ Deutschland der ›Pastorensöhne‹ zu beobachten, dem »Deutschland, das wir geliebt haben«, dem Benedetto Croce schon 1936 einen bewegten Nachruf gewidmet hatte.[2] Wie diese Tradition auch unter gegenwärtigen Umständen wiederaufgenommen wurde, zeigen die vollständige Nietzsche-Ausgabe an Hand von Originalhandschriften[3] und die Übersetzungen von Benn[4]. Diese Richtung tritt besonders deutlich hervor in dem starken Anteil, den die Klassiker finden

– ständig erfolgen Veröffentlichungen oder Neuauflagen fast aller großen Werke der deutschen Literatur vom 18. Jahrhundert bis zu den dreißiger Jahren unseres Jahrhunderts –, und in dem Anklang, den jene Bücher gleich nach dem Krieg und später gefunden haben, die direkt oder indirekt an die moralische Tradition des deutschen Humanismus anzuknüpfen schienen. Es hat offenbar eine Generation gegeben, die Deutschlands Tragödie nacherlebt hat durch die Lektüre von Wiecherts Romanen und die ersten Werke von Heinrich Böll oder Wolfgang Borchert dann auch sozusagen aus Wiechertscher Sicht gelesen hat. Die führende Rolle Thomas Manns zeigt sich in der außergewöhnlichen philologischen und stilistischen Genauigkeit der Übersetzungen, in der Anregung zu vielen kritischen Studien und im Interesse für sein Werk, so daß in Italien die erste vollständige Übersetzung der *Betrachtungen eines Unpolitischen*[5] entstanden ist (mit Ausnahme der japanischen von 1950 bis 1951). Neben diesen klaren Hauptinteressen gibt es unmittelbar nach dem Krieg auch eine außerakademische Vorliebe für die deutsche Literatur im Zeichen eines neuen ethisch-politischen Engagements. Vorher hatte die deutsche Literatur nie einen direkten Einfluß und eine stimulierende Wirkung auf die italienischen Intellektuellen ausgeübt, die eher in der französischen oder amerikanischen Literatur einen Ansatzpunkt für ihren antifaschistischen Kampf gefunden hatten. Die Begegnung mit der amerikanischen Literatur hatte z. B. für Pavese und Vittorini die Übertragung eines leidenschaftlichen ethisch-politischen Engagements in kritische Ausdrucksformen bedeutet und die Gelegenheit, den italienischen Lesern ein neues literarisches, zugleich mythisches und realistisches Gebiet vorzuschlagen, das sich als selbstverständliche Alternative und Anfechtung der herrschenden Ideologie anbot. Nachdem die deutsche Literatur von jeder konkreten Debatte dieser Art zunächst fast ganz ausgeschlossen war, wurde sie schon gegen Ende des Krieges mit potentiellen Bezügen zur Gegenwart wiederentdeckt. Allen genügt der Name Giaime Pintor, des Übersetzers von Rilke und des Theaterforschers,[6] der sehr jung im Widerstandskampf fiel und für die deutsche Literatur eine ähnliche Funktion gehabt hat wie Cesare Pavese und Elio Vittorini für die Einführung der erzählenden amerikanischen Literatur.

Das Interesse, das die deutsche Literatur in Italien gefunden hat, ist eng mit jener lebhaften politisch-kulturellen Gruppe verbunden, die ausgesprochen nach links orientiert ist – immer ohne Berücksichtigung des spezifisch akademischen Gebietes, wo natürlich die verschiedensten wissenschaftlichen Interessen weiter gepflegt wurden. Die Begeisterung für Brecht kann als Beweis und Wertmesser dieses Phänomens verstanden werden. Brecht ist ohne Unterbrechung in diesen letzten Jahren übersetzt, veröffentlicht und neu herausgegeben worden bis hin zu dem kürzlich erschienenen Buch *Me-Ti* (1970)[7]. Die Brecht-Begeisterung zeigte sich vor allem in den berühmten Inszenierungen Giorgio Strehlers im Piccolo Teatro in Mailand, welche die jeweils bedeutendsten Ereignisse im italienischen Kulturleben der Nachkriegszeit darstellten und dazu beitrugen, eine wirkliche Schule – und manchmal eine Kirche – im Zeichen des politischen Realismus zu schaffen. Mit der Entdeckung Brechts war unwillkürlich die Entdeckung einer deutschen Tradition verbunden, die abseits der klassisch-idealistischen stand, nämlich die ›chinesische‹, die von der Sprache Luthers bis zu den *Schwänken*, vom Barock bis zu Hebel verläuft. Sicherlich begünstigte die Entdeckung Brechts auch die Ausbreitung eines modisch-manierierten ›Brecht-Kults‹.

Diese Tendenz ist jedoch bekämpft und korrigiert worden durch eine aktive Universitätskritik, von deren Vertretern wenigstens Ladislao Mittner, Paolo Chiarini, Cesare Cases und Sergio Lupi[8] genannt werden sollen. Parallel, wenn auch offenbar verschieden, ist der Einfluß von Lukács gewesen. Im Bereich der Germanistik und zugleich im größeren Rahmen der allgemeinen italienischen Kultur bestimmte Lukács die Entstehung einer intellektuellen Orientierung, die methodologische Prinzipien und ideologische Stellungnahme miteinander verschmolz. Auch wenn die eigentliche Germanistik davon unabhängig ihren Weg fortgesetzt hat, hat das ideologische ›Engagement‹ im Zeichen von Brecht und Lukács das bedeutendste Moment auf dem Gebiet italienischer Studien über die deutsche Literatur dargestellt.

Weiter wird – bei größerer Originalität und Bedeutung der Entdeckungen – die Überlieferung des intellektuellen und ›totalen Romans‹ der dreißiger Jahre gepflegt. Die Gesamtausgabe von Musils *Mann ohne Eigenschaften* in der Bearbeitung von Ernst Kaiser und Eithne Wilkins erschien zum erstenmal in Italien 1965.[9] Von Musil sind separat die beiden ersten Bände vom *Mann ohne Eigenschaften*, mehrmals *Die Verwirrungen des Zöglings Törleß*, *Vereinigungen*, *Drei Frauen*, *Die Schwärmer*, *Vinzenz und die Freundin bedeutender Männer* und der *Nachlaß zu Lebzeiten* veröffentlicht worden[10], die Publikation der *Tagebücher* wird vorbereitet. Fast das gesamte Werk von Broch ist übersetzt *(Die Schlafwandler*, *Die Schuldlosen*, *Die unbekannte Größe*, *Der Tod des Vergil*, *Die Entsühnung*, *Dichten und Erkennen)*[11]; ferner *Die Blendung* von Elias Canetti[12], dessen Essay *Masse und Macht* sich im Druck befindet. Außerdem sind erschienen: *Auf dem Floß* von George Saiko[13], *Der Gaulschreck im Rosennetz* von Fritz von Herzmanovsky-Orlando[14], *Das Holzschiff* von Hans Henny Jahnn[15], *Ein Hermelin in Tschernopol* von Gregor von Rezzori[16], *Die erleuchteten Fenster* und *Die Strudlhofstiege* von Heimito von Doderer[17], von dem demnächst die *Dämonen* veröffentlicht werden, während die Übersetzung von *Sonne und Mond* von Albert Paris Gütersloh in Vorbereitung ist. In diesem Zusammenhang hat auch das erneute Interesse für Alfred Kubin *(Die andere Seite)*[18], für Robert Walser *(Der Gehülfe*, *Jakob von Gunten)*[19] und für die Prager Literatur Bedeutung. Diese Übersetzungen sind durch eine rege wissenschaftliche und hermeneutische Arbeit unterstützt worden, angefangen bei den Kafka-Studien von Ladislao Mittner und Giuliano Baioni[20] (um nur die hervorragendsten Vertreter zu nennen) bis zu den Studien über Musil, ebenfalls von Mittner, von Cesare Cases, Aloisio Rendi, Pietro Citati, Giorgio Zampa[21]; von den Arbeiten über Broch (L. Mittner, Luigi Forte)[22] bis zu denen über Doderer (A. M. Dell'Agli, L. Mittner)[23]. Mit der österreichisch-mitteleuropäischen Literatur hat sich auch der Schreiber selbst beschäftigt.[24]

Die Begegnung mit der deutschen Literatur der unmittelbaren Gegenwart erfolgt entschieden in politischer Form und wird bezeichnenderweise durch zwei Anthologien bestimmt, die speziell für Italien von Hans Bender[25] und Hans Magnus Enzensberger[26] erarbeitet worden sind. Die erste erscheint 1962 und betrifft daher Werke, die durchweg vor 1960 geschrieben sind; sie ist aber von Bedeutung, weil sie die Richtung angibt, in der während des ganzen Jahrzehnts 1960–70 der neue Dialog zwischen der italienischen Kultur und der deutschen Literatur stattfindet. Sie heißt programmatisch *Il dissenso* (Der Protest), setzt den Akzent auf die protestierende Natur der neuen deutschen Literatur und trennt scharf zwischen dieser und der vergangenen Tradition. Sie beginnt bei Felix Hartlaub und stellt dann Rolf Becker, Wolfgang Borchert, Hans Bender, Hans Erich Nossack, Martin Walser, Wolfdietrich Schnurre, Gerd Gaiser, Siegfried Lenz, Heinrich Böll, Alfred Andersch, Klaus Roehler, Ingeborg Bachmann, Ilse Aichinger, Günter Grass, Walter Höllerer, Arno Schmidt, Peter Weiss und Uwe Johnson in einem Moment vor, da auch Schriftsteller, denen ein großes Echo in Italien beschieden war, wie z. B. Grass und Johnson, gerade am Horizont erschienen waren. Nicht zufällig wird die Anthologie vom Verleger Feltrinelli veröffentlicht, der zusammen mit dem Verleger Einaudi am stärksten die neue europäische und besonders deutsche Avantgarde bekannt gemacht hat und zu einem wichtigen Vermittler zwischen jungen italienischen und deutschen Schriftstellern geworden ist.

1966 erscheint dann im Verlag Einaudi die von Enzensberger bearbeitete Anthologie *Letteratura come storiografia* (Literatur als Geschichtsschreibung) in der Reihe *Il menabò*, einer Sammlung, die von Vittorini (der kurz vor Erscheinen des Bandes starb) geleitet wurde, dem Theoretiker und ›Animator‹ einer Literatur, die als Gemeinschaftswerk, als Plan und Baustelle der Ideen verstanden wurde. Wenn er vor dem Krieg zusammen mit Pavese die amerikanische Erzählkunst als Beispiel für eine ideologisch-strukturelle Erneuerung gewählt hatte, ist es bezeichnend, daß er sich in der neukapitalistischen Gesellschaft der sechziger Jahre der deutschen Literatur zuwandte. *Letteratura come storiografia* bringt Erzählungen und Theatertexte von Karl Mundstock, Peter Hacks, Hans Günter Michelsen, Alexander Kluge, Arno Schmidt, Martin Walser, Jürgen Becker, Peter Weiss und Uwe Johnson. Jeder Autor wird durch eine kritisch-biographische Anmerkung von Enzensberger vorgestellt, der in die Anthologie überdies polemisch die Zeugnisse von Flüchtlingen (Erika von Hornstein: *Die deutsche Not. Flüchtlinge, Berichte.* Köln, 1960) aufgenommen hat als Beispiel einer epischen Qualität, die in der berufsmäßigen Literatur unbekannt ist. In einem von Enzensberger gezeichneten Überblick wird die Lage der deutschen Schriftsteller interpretiert mit einer »Konkurserklärung der Literatur, in dem Maße wie sie Erfindung ist«, d. h. mit dem Zweifel an der Möglichkeit, die Wirklichkeit literarisch darzustellen. Gerade auf dieser Ebene war eine Verständigung zwischen der italienischen und der deutschen Literatur besonders gegeben. Als die Zeit der humanistischen Polemik gegen das Wirtschaftswunder vergangen war, drückte sich der Zorn des Schriftstellers gegenüber der Gesellschaft in einem Protest gegen die Literatur als Erfindung, Schöpfung und Synthese aus. Diese Phase, die im großen und ganzen um 1959/60 begann und durch einige frühere Arbeiten von Arno Schmidt und Helmut Heißenbüttel eingeleitet wurde, hat das Interesse italienischer Avantgarde-Kreise, wie z. B. der Gruppe '63, erweckt. Durch die Beziehungen dieser Kreise zu einigen der größten Verleger und durch den plötzlichen Boom auf dem Verlagsmarkt, der den Buchhandel mit jeder Art von alten und neuen Werken überschwemmte, entstand aus diesem Interesse eine intensive Übersetzungs- und Drucktätigkeit. Werke mit dem Titel *Kombinationen* (1954) oder *Textbuch 1* (1960) oder *Beschreibung einer Beschreibung* (Alternativtitel von Johnsons *Das dritte Buch über Achim*, 1961) oder beschreibende Werke wie *Der Schatten des Körpers des Kutschers* von Peter Weiss mußten das Interesse der italienischen Kollegen wecken, die mit ähnlichen Experimenten beschäftigt waren. Ein Verfahren, wie es Piwitt anwendet, der Bildfolgen beschreibt, die entstehen, während er ein Frauengesicht durch ein Loch in der Zeitung erspäht, oder wie es Born anwendet, der bewußt durcheinandergeworfene Beobachtungen sammelt, könnte leicht auch der italienischen Avantgarde als Vorbild dienen.

So fand im Jahrzehnt 1960–70 tatsächlich ein bemerkenswerter Anstieg der Übersetzungen deutscher Gegenwartsliteratur statt, sowohl von Autoren, die den italienischen Lesern bereits durch frühere Werke bekannt waren, als auch von bis dahin unbekannten Schriftstellern. Es sind die großen Erfolgsjahre von Günter Grass, von dem *Die Blechtrommel*, *Katz und Maus*, *Hundejahre* und die *Stücke* erscheinen[27], während zur Zeit *örtlich betäubt* übersetzt wird; von Uwe Johnson, der mit *Mutmaßungen über Jakob*, *Das dritte Buch über Achim* und *Zwei Ansichten* vertreten ist[28]; von Peter Weiss, dessen Werke alle übersetzt worden sind[29]. Weiter werden Andersch *(Efraim)*[30] und Böll *(Billard um halbzehn, Ansichten eines Clowns)*[31] übersetzt, die in Italien schon durch frühere Arbeiten sehr bekannt waren. Man veröffentlicht *Ehen in Philippsburg*, *Halbzeit* und *Das Einhorn* von Martin Walser.[32] Die sensationellen Dramen von Hochhuth[33] und Graetz[34] verschaffen sich sogleich Gehör, die Gedichte von Ingeborg Bachmann[35] werden gelesen, und mit der beinahe vollständigen Veröffentlichung aller Werke dauert der Erfolg von Dürrenmatt[36] und Frisch[37] an. Der plötzliche Durchbruch von Peter Handke findet ein ebenso schnelles Echo in der Übersetzung aller seiner *Stücke* und seines Romans *Der Hausierer*.[38] Ferner werden Werke übersetzt von: Kluge, Kunert, Lettau, Lind, Bieler, Esser, Kusenberg, Augustin, Elsner, Heißenbüttel, Kipphardt, Urzidil, Rasp, Hildesheimer, Bobrowski, Spiel, Schmidt, Bichsel, Schallück, Enzensberger.[39] Was die Lyrik betrifft, genügt es, Namen wie Heißenbüttel, Bobrowski, Huchel, Enzensberger, Kunert, Sachs anzuführen[40] und die Anthologie *Giovani poeti tedeschi*[41] (Junge deutsche Dichter) von Roberto Fertonani, die zum größten Teil der Sammlung *Aussichten* von Peter Hamm (1965) entnommen ist und worin auch die jüngste Generation zu Worte kommt.

Es ist sicherlich schwierig oder vielleicht unmöglich, aus dieser Aufzählung von Fakten, die keinerlei Anspruch auf Vollständigkeit erhebt und nur auf informativer Ebene richtungweisend sein will, Schlußfolgerungen über die Konsistenz der Begegnung zwischen deutscher und italienischer Kultur zu ziehen und darüber, wie tief die deutsche Literatur tatsächlich in Italien eingedrungen ist. Eine avantgardistische Modewelle, die von Protest und Markt getragen wird, fließt mit echten Dialogen zusammen, für die die gegenseitigen Übersetzungen von Enzensberger und Franco Fortini[42], einer der stärksten ideologischen Stimmen der heutigen italienischen Kultur, repräsentativ sind. Die Radikalisierung des politischen Protests hat die politisch-ideologische Debatte und vor allem die Stellung der traditionellen Linken völlig verändert; sie hat ferner den Erfolg der Frankfurter Schule und der »Kritischen Theorie« bewirkt sowie die Begeisterung für Bloch, Benjamin und Adorno, das Interesse für die deutsche Studentenbewegung und für das Verhältnis ›Literatur – Revolution‹[43], wie auch für die Zeitschrift *Kursbuch*[44]. Auch in der Germanistik hat die allgemeine Debatte über das Theater nach Brecht zu einer der interessantesten Diskussionen über den heutigen Bezug zwischen Kunst, Gesellschaft und Politik den Anlaß gegeben.[45] Es handelt sich um sehr komplexe Fragen, die, wenn sie verdientermaßen eine Begegnung zwischen Intellektuellen der beiden Sprachräume begünstigt haben, oft zu Unrecht vereinfacht oder zu absoluten und normativen Kriterien er-

hoben worden sind, so daß zwangsläufig im Urteil des ›anderen Gesprächspartners‹ vorgefaßte Werthierarchien angenommen wurden.
Weitaus gemäßigter als diese übereilige Politisierung der kulturellen Diskussion erscheinen die Forschungen der Germanistik, wobei es genügt, an den meisterhaften Essay von Cesare Cases über die Literatur der DDR[46] zu erinnern, der jetzt ideell durch einen Überblick von Luigi Forte[47] fortgesetzt wird, und an die Studien von Giuseppe Bevilacqua, Paolo Chiarini und Ladislao Mittner[48], der in diesen Monaten seine grundlegende *Storia della letteratura tedesca*[49] beendet, die beim Erscheinen die gesamte literarische Produktion von 1970 mit einbeziehen und somit von italienischer Seite ein erstes geschichtliches Erfassen oder wenigstens eine erste Definition unserer Gegenwart anbieten wird; auch wenn die Gegenwart sich eben jeder Definition und historischen Festlegung entziehen will.

Anmerkungen

Dieser Aufsatz wurde im Sommer 1970 abgeschlossen; später erschienene Literatur konnte nicht mehr berücksichtigt werden.

1. G. Kunert: *Ricordo di un pianeta*. Vorw. u. Übers. v. L. Forte. Torino 1970.
2. B. Croce: *La Germania che abbiamo amata*. Jetzt in: Il dissidio spirituale della Germania con l'Europa. Bari 1944. S. 31–43.
3. Es handelt sich um die von G. Colli u. M. Montinari besorgte kritische Ausgabe, die parallel bei den Verlagen Adelphi (Milano), De Gruyter (Berlin), Gallimard (Paris) u. Hakusuisha Publishing Company (Tokio) erscheint.
4. Vgl. z. B. G. Benn: *Poesie*. Vorw. u. Üb. v. L. Traverso. Firenze 1954. – *Aprèslude*. Vorw. u. Üb. v. F. Masini. Torino 1966. – *Saggi*. Üb. v. L. Zagari. Milano 1963. – *Doppia vita*. Üb. v. M. Gregorio u. E. Bonfatti. Milano 1967.
5. Th. Mann: *Considerazioni di un impolitico*. Einl. u. Üb. v. M. Marianelli. Bari 1967.
6. Vgl. z. B. G. Pintor: *Il sangue d'Europa* (1939–1943). Hrsg. v. V. Gerratana. Torino 1965. – *Poesie* di R. M. Rilke. Torino 1942. – *Teatro tedesco*. Hrsg. v. G. Pintor u. L. Vincenti. Milano 1946.
7. Vgl. z. B. B. Brecht: *Teatro*. Hrsg. v. E. Castellani u. R. Mertens. 4 Bde. Torino 1951–61, 3 Bde. Torino 1963. – *Poesie e canzoni*. Hrsg. v. R. Leiser u. F. Fortini. Torino 1959. – *Poesie 1918-1933*. Üb. v. E. Castellani u. R. Fertonani. Torino 1968. – *Il romanzo da tre soldi*. Üb. v. R. Leiser u. F. Fortini. Torino 1958. ⁵1969. – *Gli affari del signor Giulio Cesare e Storie da calendario*. Üb. v. L. Bassi u. P. Corazza. Torino 1959. ⁵1963. – *Dialoghi di profughi*. Üb. v. M. Cosentino. Vorw. v. C. Cases. Torino 1962. – *Turandot e atti unici*. Üb. v. E. Castellani u. M. Carpitella. Vorw. v. E. Castellani. Torino 1969. – *Me-Ti. Libro delle svolte*. Vorw. u. Üb. v. C. Cases. Torino 1970.
8. Vgl. L. Mittner: *Impegno e giuoco in Bertolt Brecht*. In: La letteratura tedesca del Novecento e altri saggi. Torino 1960. S. 295–315. – P. Chiarini: *Bertolt Brecht*. Bari 1959. ²1967. – *Brecht e la dialettica del paradosso*. Milano-Varese 1969. – C. Cases: *Bertolt Brecht. La resistibile ascesa di Arturo Ui*. In: Saggi e note di letteratura tedesca. Torino 1963. S. 191–196. – *Bertolt Brecht. Dialoghi di profughi*. Ibid. S. 197–205. – *Introduzione* zu B. Brecht, *Me-Ti*, a. a. O., S. VII bis XLIII. – S. Lupi: *Tre saggi su Brecht*. Milano 1966.
9. R. Musil: *L'uomo senza qualità*. Üb. v. A. Rho. Vorw. v. C. Cases. Torino 1965.
10. *L'uomo senza qualità*. Bd. I. Üb. v. A. Rho. Torino 1957. – Bd. II. Üb. v. A. Rho. Torino 1958. – *I turbamenti del giovane Törless*. Üb. v. A. Rho. Torino 1959. ⁵1967. – *Il giovane Törless*. Üb. v. G. Zampa. Milano 1965. – *Tre donne*. Üb. v. A. Rho. Torino 1960. – *I fanatici*. Üb. v. A. Rho. Nachwort v. A. Rendi. Torino 1964. – *Vinzenz e l'amica di uomini importanti*. Üb. v. I. A. Chiusano. Vorw. v. A. Rendi. Torino 1962. – *Racconti e teatro*. Üb. v. A. Rho u. I. A. Chiusano. Torino 1964. – *Pagine postume pubblicate in vita*. Üb. v. A. Rho. Torino 1970.
11. *I sonnambuli*. Üb. v. C. Bovero. Torino 1960. – *Gli incolpevoli*. Üb. v. G. Gozzini Calzecchi Onesti. Torino 1963. – *L'incognita*. Üb. v. A. Ciacchi. Milano 1962. – *La morte di Virgilio*.

Vorw. v. L. Mittner. Üb. v. A. Ciacchi. Milano 1962. – *L'espiazione*. Üb. v. G. Lunari. Milano 1964. – *Poesia e conoscenza*. Üb. v. S. Vertone. Milano 1965.

12. *Auto da fé*. Üb. V. L. u. B. Zagari. Milano 1967.
13. *Sulla zattera*. Üb. v. L. Magliano. Milano 1967.
14. *Lo spaventacavalli nel roseto*. Üb. v. L. Secci. Milano 1962.
15. *La nave di legno*. Üb. v. F. Saba Sardi. Milano 1966.
16. *Un ermellino a Cernopol*. Üb. v. G. Forti. Milano 1962.
17. *Le finestre illuminate, ovvero come il consigliere Julius Zihal divenne uomo*. Üb. v. C. Bovero. Torino 1961. – *La scalinata*. Besorgt v. A. Ca' Zorzi Noventa. Üb. v. E. Pocar. Vorw. v. M. Contini. Torino 1965.
18. *L'altra parte*. Üb. v. L. Secci. Milano 1965.
19. *L'assistente*. Üb. v. E. Pocar. Torino 1961. – *Jakob von Gunten*. Üb. v. E. Castellani. Nachwort v. R. Calasso. Milano 1970.
20. L. Mittner: *Kafka senza kafkismi*. In La letteratura tedesca del Novecento e altri saggi, a. a. O., S. 249–294. – G. Baioni: *Kafka. Romanzo e parabola*. Milano 1962.
21. L. Mittner: *Robert Musil e l'unità irreperibile del tempo perduto*. In: *La letteratura tedesca del Novecento e altri saggi*, a. a. O., S. 316–333. – C. Cases: *Introduzione* zu R. Musil, *L'uomo senza qualità*. Torino 1965. S. VII–XXIX. – A. Rendi: *Robert Musil*. Milano 1963. – P. Citati: *L'uomo senza qualità*. In: Paragone. Letteratura. 1962. Nr. 152. S. 3–35. – G. Zampa: *L'odissea di Robert Musil*. In: L'illustrazione italiana. Febr. 1961. S. 53–57 u. 92–95.
22. L. Mittner: *Hermann Broch e la mistica del sacrificio gratuito*. In: La letteratura tedesca del Novecento e altri saggi, a. a. O., S. 334–346. – L. Forte: *Romanzo e utopia. Hermann Broch e la trilogia dei sonnambuli*. Firenze 1970.
23. L. Mittner: *Heimito von Doderer fra i mostri e la grammatica latina*. In: La letteratura tedesca del Novecento e altri saggi, a. a. O., S. 346–354. – A. M. Dell'Agli: *Umanesimo e alienazione nell'opera di Heimito von Doderer*. In: Annali dell'Istituto Universitario Orientale di Napoli. 1962. S. 263–280.
24. C. Magris: *Il mito absburgico nella letteratura austriaca moderna*. Torino 1963. – Deutschspr. Ausg.: *Der habsburgische Mythos in der österreichischen Literatur*. Salzburg 1966. – *Aktuelle Perspektiven der mitteleuropäischen Literatur*. In: Literatur und Kritik. Nr. 26/27. 1968. S. 321–337.
25. *Il dissenso. 19 nuovi scrittori tedeschi presentati da Hans Bender*. Üb. v. A. Comello, E. Filippini, C. Mainoldi, E. Picco. Milano 1962.
26. *Letteratura come storiografia, di H. M. Enzensberger con i testi di nove scrittori tedeschi*. Üb. v. B. Bianchi, M. Nordio, I. Pizzetti, E. Filippini, R. Beardi Paumgartner, E. Picco, G. Zampa, B. Cetti Marinoni. Torino 1966.
27. *Il tamburo di latta*. Üb. v. L. Secci. Milano 1962. – *Gatto e topo*. Üb. v. E. Filippini. Milano 1964. – *Anni di cani*. Üb. v. E. Filippini. Milano 1966. – *Tutto il teatro*. Üb. v. E. Filippini. Milano 1968.
28. *Congetture su Jakob*. Üb. v. E. Filippini. Milano 1961. – *Il terzo libro su Achim*. Üb. v. E. Filippini. Milano 1963. – *Due punti di vista*. Üb. v. V. Ruberl. Milano 1970.
29. *L'istruttoria*. Üb. v. G. Zampa. Torino 1966. – *Cantata del fantoccio lusitano. Notte con ospiti*. Nachw. v. G. R. Morteo. Üb. v. G. Magnarelli. Torino 1968. – *La persecuzione e l'assassinio di Jean Paul Marat rappresentati dai filodrammatici di Charenton, sotto la guida del Marchese di Sade*. Üb. v. I. Pizzetti. Torino 1967. – *Discorso sul Vietnam*. Üb. v. I. Pizzetti. Torino 1968. – *Congedo dai genitori*. Üb. v. F. Manacorda. Torino 1965. – *Punto di fuga*. Üb. v. U. Gimmelli. Torino 1967. – *Colloquio dei tre viandanti*. Üb. v. F. Manacorda. Torino 1969. – *L'ombra del corpo del cocchiere*. Üb. v. B. Bianchi. Milano 1968.
30. *Efraim*. Üb. v. I. A. Chiusano. Milano 1969.
31. *Biliardo alle nove e mezzo*. Üb. v. M. Marianelli. Milano 1962. – *Opinioni di un clown*. Üb. v. A. Pandolfi. Milano 1965.
32. *Matrimoni a Philippsburg*. Üb. v. E. Anastasi Pittorra. – *Dopo l'intervallo*. Üb. v. E. Anastasi Pittorra. Milano 1964. – *L'unicorno*. Üb. v. B. Bianchi. Milano 1969.
33. *Il vicario*. Vorw. v. C. Bo. Nachw. v. E. Piscator. Üb. v. I. Pizzetti. Milano 1964. – *I soldati*. Üb. v. B. Bianchi u. E. Filippini. Milano 1968.
34. *I congiurati del 20 luglio*. Üb. v. I. Pizzetti. Milano 1965.
35. *Il trentesimo anno*. Üb. v. C. Schlick. Milano 1963.
36. *Giuochi patibolari. Tutti i romanzi*. Üb. v. M. Spagnol, E. Bernardi, E. Filippini, S. Daniele.

Milano 1963. – *Il matrimonio del signor Mississippi.* Vorw. v. C. Cases. Üb. v. A. Rendi. Torino 1960. – *La visita della vecchia signora.* Üb. v. A. Rendi. Milano 1959.

37. *Il teatro.* Üb. v. E. Filippini u. A. Rendi. Milano 1962. – *Homo Faber.* Üb. v. A. Rendi. Milano 1959. – *Il mio nome sia Gantenbein.* Üb. v. I. Pizzetti. Milano 1965. – *Diario d'antepace.* Üb. v. A. Comello u. E. Bernardi. Milano 1962.
38. *Teatro.* Üb. v. M. Canziani u. E. Filippini. Milano 1969. – *L'ambulante.* Üb. v. M. Canziani. Milano 1970.
39. A. Kluge: *Organizzazione di una disfatta.* Üb. v. A. M. Carpi. Milano 1967. – *Biografie.* Üb. v. E. Filippini. Milano 1968. – *Gli artisti sotto la tenda del circo: perplessi. L'incredula. Progetto C. Detti di Leni Peickert.* Vorw. v. P. P. Pasolini. Üb. v. B. Bianchi u. E. Filippini. Milano 1970. – G. Kunert: *In nome dei cappelli.* Üb. v. B. Cetti Marinoni. Milano 1969. – R. Lettau: *Costruire case.* Üb. v. E. Picco. Milano 1966. – J. Lind: *Un'anima di legno.* Üb. v. M. Marianelli. Milano 1964. – *Paesaggio di cemento.* Üb. v. M. Ingenmey u. M. Marianelli. Milano 1966. – M. Bieler: *Bonifazio ovvero il marinaio nella bottiglia.* Üb. v. L. Ritter Santini. Milano 1969. – M. Esser: *Duello.* Üb. v. L. Nesler. Torino 1966. – K. Kusenberg: *La città di vetro e altre storie peregrine.* Üb. v. E. Picco. Torino 1964. – E. Augustin: *La testa.* Üb. v. G. Scimone. Torino 1966. – G. Elsner: *I nani giganti.* Üb. v. I. Pizzetti. Torino 1965. – H. Heißenbüttel: *Testi 1/2/3.* Üb. v. E. Picco. Torino 1968. – H. Kipphardt: *Sul caso di J. Robert Oppenheimer.* Vorw. u. Üb. v. L. Lunari. Torino 1964. – J. Urzidil: *Trittico di Praga.* Vorw. v. C. Magris. Üb. v. M. Nordio u. V. Ruberl. Milano 1967. – R. Rasp: *Un figlio degenere.* Üb. v. B. Cetti Marinoni. Milano 1968. – W. Hildesheimer: *Tynset.* Üb. v. I. A. Chiusano. Milano 1968. – J. Bobrowski: *Il mulino di Levin.* Üb. v. S. T. Villari. Milano 1968. – H. Spiel: *La camera di Lisa.* Üb. v. L. Coeta. Milano 1968. – A. Schmidt: *Alessandro o della verità.* Üb. v. E. Picco. Torino 1965. – P. Bichsel: *Il lattaio.* Vorw. v. G. Zampa. Üb. v. B. Cetti Marinoni. Milano 1967. – P. Schallück: *Il professor Reineke.* Üb. v. M. G. Pizzoni. Milano 1964. – H. M. Enzensberger: *Questioni di dettaglio.* Üb. v. G. Piana. Milano 1965.
40. H. Heißenbüttel: *Testi 1/2/3.* Üb. v. E. Picco. Torino 1968. – J. Bobrowski: *Poesie.* Vorw. u. Üb. v. R. Fertonani. Milano 1969. – P. Huchel: *Strade strade.* Vorw. v. F. Fortini. Üb. v. R. Leiser u. F. Fortini. Milano 1970. – H. M. Enzensberger: *Poesie per chi non legge poesia, Trenta poesie.* Üb. v. F. Fortini u. R. Leiser. Milano 1964. – G. Kunert: *Ricordo di un pianeta.* Vorw. u. Üb. v. L. Forte. Torino 1970. – N. Sachs: *Al di là della polvere.* Vorw. v. H. M. Enzensberger. Üb. v. I. Porena. Torino 1966.
41. *Giovani poeti tedeschi.* Hrsg. v. R. Fertonani. Torino 1969.
42. Vgl. H. M. Enzensberger: *Poesie per chi non legge poesia. Trenta poesie,* a. a. O.
43. Enzensberger/Michel-Schneider: *Letteratura e/o rivoluzione.* Üb. v. L. Berti. Milano 1970.
44. *Kursbuch: l'opposizione extraparlamentare.* Hrsg. v. G. Backhaus. Milano 1969.
45. Vgl. P. Chiarini: *Brecht e la dialettica del paradosso,* a. a. O., S. 5–8.
46. C. Cases: *Alcune vicende e problemi della cultura nella R. D. T.* In: *Saggi e note di letteratura tedesca,* a. a. O., S. 93–138.
47. L. Forte: *Prefazione* zu G. Kunert: *Ricordo di un pianeta,* a. a. O., S. 5–48.
48. G. Bevilacqua: *Studi di letteratura tedesca.* Padova 1965. – P. Chiarini: *La letteratura tedesca del Novecento. Studi e ricerche.* Roma 1961. – *La narrativa tedesca del dopoguerra tra sperimentalismo e engagement.* In: Il Contemporaneo. 1962. Nr. 53, S. 106–109.
49. Es handelt sich um den dritten Band der Literaturgeschichte, deren zweiter Band *Storia della letteratura tedesca dal Pietismo al Romanticismo (1700–1820)* (Torino 1964) schon erschienen ist. Der dritte Band wird die Periode 1820–1970 behandeln.

GUSTAV KORLÉN

Die Rezeption der deutschen Literatur nach 1945 in Skandinavien

Es war bekanntlich eine Zeitlang Mode, die deutsche Nachkriegsentwicklung mit dem ›Jahr Null‹ beginnen zu lassen, um damit zu unterstreichen, daß die deutsche Literatur 1945 ›radikal von vorn‹ begonnen habe[1]. Inzwischen ist man wohl in dieser Hinsicht etwas vorsichtiger geworden. Wie namentlich Urs Widmer nachgewiesen hat, war der in der Nachfolge von Wolfgang Weyrauch vielzitierte ›Kahlschlag‹ nun doch nicht so kahl, der Traditionsbruch vielleicht nicht so markant, wie man es sich zunächst vorgestellt hatte.[2]
Wohl aber empfehlen sich die angeführten Vokabeln als Kennzeichen der allgemeinen Lage nach Kriegsschluß, wenn von der Rezeption der deutschen Nachkriegsliteratur in Skandinavien zu berichten ist. Blättert man in alten Jahrgängen der literarischen Zeitschriften und in den Feuilletonabteilungen der Tageszeitungen aus den ersten Nachkriegsjahren in diesen Ländern, so stellt man nämlich unschwer fest, daß das Interesse an deutschsprachiger Literatur in der Tat am Nullpunkt angelangt war. Eine schwedische Kritikerin, die sich vor allem als unsere bedeutendste Böll-Kennerin ausgewiesen hat, formulierte die Gründe dafür folgendermaßen: »Nach und nach hatten wir gelernt, Hitler und den Nationalsozialismus zu hassen, was in der Regel bedeutete, daß wir ›die Deutschen‹ haßten. In unseren Herzen fand sich nur wenig Raum für die deutsche Kultur . . ., von der wir selbst vor nicht gar zu langer Zeit geglaubt hatten, ihr etwas schuldig zu sein. Unser Unvermögen, zwischen Sache und Person zu unterscheiden, wurde oft bezeugt – dies ist eine der Variationen: wenn wir die Regierung eines Landes verwerfen, wollen wir auch von seinem Geistesleben nichts mehr wissen.«[3]
Daß diese Charakteristik in noch höherem Maße für die besetzt gewesenen Länder Dänemark und Norwegen gelten muß, liegt auf der Hand. Das Interesse an deutschsprachiger Literatur richtete sich denn auch – soweit überhaupt vorhanden – naturgemäß auf die deutsche Exilliteratur, über die der aus Dänemark (infolge der dort einsetzenden Judenverfolgungen im Jahre 1943) nach Schweden geflüchtete Hamburger Literaturhistoriker Walter A. Berendsohn bereits 1946 die erste zusammenfassende Übersicht vorlegte[4]. Berendsohn ist es auch zu verdanken, daß nun 25 Jahre nach Kriegsschluß endlich die Erforschung der geistigen und kulturellen Leistung der Flüchtlinge aus dem Dritten Reich für die nordischen Aufnahmeländer als ein zentrales interdisziplinäres Forschungsthema auf breiterer Basis in Angriff genommen wurde.[5] Es wird sich dabei zweifellos herausstellen, nicht nur daß »Deutschlands Verlust des jeweiligen Aufnahmelandes Gewinn« gewesen ist[6], sondern auch daß die Wiederherstellung der kulturellen Beziehungen zum deutschen Sprachraum zu einem nicht geringen Teil das Verdienst der deutschen Exilanten war. Als ein besonders markantes Beispiel sei namentlich auf die unermüdliche Tätigkeit von Max Tau in Norwegen hingewiesen.[7] Für Schweden braucht hier nur an Namen wie Nelly Sachs und Peter Weiss erinnert zu werden. Und schließlich ein dänisches Bei-

spiel aus einem anderen Bereich: die humanitäre und publizistische Leistung eines Karl Raloff, des späteren Presseattachés der Bundesrepublik in Kopenhagen.
Daß man auch in den skandinavischen Ländern unmittelbar nach dem Kriege mit dem Begriff Deutsche Exilliteratur in erster Linie den Namen Thomas Mann verknüpfte, ist angesichts seiner zentralen Rolle in der geistigen Auseinandersetzung mit Hitler-Deutschland kaum verwunderlich. In der norwegischen Festschrift zu seinem 80. Geburtstag und in seiner Ernennung zum Ehrendoktor der südschwedischen Universität Lund im Jahre 1948 darf man wohl daher auch einen symbolischen Akt der Anerkennung eines ›anderen Deutschland‹ sehen, nicht weniger als in der Verleihung des Nobelpreises zwei Jahre vorher an Hermann Hesse – der im Norden bisher allerdings keine Renaissance von der Art der amerikanischen Hippie-Bewegung erlebt hat.
Überblickt man aber die Übersetzungsliteratur[8] der ersten Nachkriegsjahre, so dominieren – und zwar bis weit in die fünfziger Jahre hinein – in allen drei nordischen Ländern nun freilich eher Exilautoren, die man mit mehr oder weniger großem Recht als Unterhaltungsschriftsteller einreihen könnte, allen voran Vicky Baum, ferner Erich Maria Remarque, Lion Feuchtwanger und Stefan Zweig. Hinzu kommt von den Daheimgebliebenen der vor allem in Schweden seit den dreißiger Jahren sehr beliebte, um nicht zu sagen überschätzte Hans Fallada, während die konservativen Vertreter einer Literatur der ›heilen Welt‹, vielleicht mit Ausnahme von Hans Carossa, keine nennenswerte Rolle spielen.
Bemerkenswert ist aus dem Jahr 1948 die frühe dänische Übersetzung des zeitkritischen antifaschistischen Romans *Ein Kind unserer Zeit* von dem erst in unseren Tagen einem breiteren Publikum bekannt gewordenen Dramatiker Ödön von Horváth. Auffallend spät dagegen – und offensichtlich ein betrübliches Indiz für die Auswirkung des Kalten Krieges auf das damalige geistige Klima – findet in allen drei Ländern die Rezeption von Brecht statt, der in Schweden z. B. erst nach unermüdlicher Aufklärungsarbeit von Erwin Leiser in den sechziger Jahren die schwedische Nationalbühne erreichte.
In die ersten Nachkriegsjahre fällt auch in den skandinavischen Ländern die Entdeckung von Kafka.[8a] Damit hängt es wohl zusammen, daß der an Kafka orientierte Roman von Hermann Kasack, *Die Stadt hinter dem Strom*, in Schweden schon 1950 (in Norwegen 1954) vorliegt, ohne aber eine nachhaltigere Wirkung auszuüben. Überhaupt läßt sich an Hand der Übersetzungen ein erwachendes Interesse für eine n e u e deutsche Literatur nur langsam nachweisen. Als erster wird Wolfgang Borchert entdeckt. Sein Hörspiel *Draußen vor der Tür* wird vom schwedischen Rundfunk schon im November 1948 gesendet, seine Kurzgeschichten werden 1951 in Dänemark übersetzt. Im übrigen richtet sich das Interesse der Verleger schon recht früh vorwiegend auf die Autoren der Gruppe 47. Auffällig – und offenbar auf eine Anregung von Max Tau zurückzuführen – ist die Tatsache, daß Hans Werner Richters bemerkenswerter Debütroman *Die Geschlagenen* bereits 1950 ins Norwegische übertragen wurde. Es ist dies übrigens bis heute das einzige Werk von Richter, das in einer skandinavischen Sprache vorliegt. Um so nachhaltiger ist dafür, zunächst für Schweden, aber indirekt wohl auch darüber hinaus, sein Einfluß in anderer Hinsicht. Im Januar 1952 erschien in der führenden schwedischen Tageszeitung *Dagens Nyheter* von dem jetzigen Feuilletonredakteur Ingemar Wizelius ein ausführliches

Interview mit Richter, das höchstwahrscheinlich den eigentlichen Impuls zu einer näheren Beachtung der deutschen Nachkriegsliteratur darstellte. In Schweden und Dänemark setzt um die Mitte der fünfziger Jahre (in Norwegen einige Jahre später) ein markantes Interesse für Heinrich Böll ein. Und bis heute gilt Böll wohl für viele hier – nicht weniger als in manchen anderen Ländern[9] – durch sein moralisches Engagement und die Glaubwürdigkeit seiner gesellschaftskritischen Thematik als einer der großen Aktivposten der Bundesrepublik, auch wenn inzwischen für die junge skandinavische Kritikergeneration andere Namen stärker in den Vordergrund gerückt sind. Dies gilt in erster Linie für Günter Grass, wobei offenbar auch seine parteipolitische Aktivität eine publizitätsfördernde Rolle gespielt hat.

Das ›Romanjahr‹ 1959, in dem ja nicht nur die *Blechtrommel*, sondern auch Bölls *Billard um halbzehn* und Uwe Johnsons *Mutmaßungen über Jakob* erschienen, erreicht nun mit nur geringfügiger Verspätung die skandinavischen Länder.[10] Das Interesse an diesen und anderen Schriftstellern, in Schweden vor allem durch eine lange Reihe von Autorenlesungen angeregt, führt dann zu der Sigtuna-Tagung der Gruppe 47 im September 1964.[11] Es war dies wohl die letzte einigermaßen unangefochtene Tagung der Gruppe, kurz vor dem Aufstand der jungen Generation gegen die etablierte Gesellschaft. Die Wirkungen der Tagung waren aus der schwedischen Perspektive unvorhergesehen nachhaltig. Sie lassen sich in drei Punkten zusammenfassen.[12] Zunächst bedeutete die auffällige Publizität in Presse, Rundfunk und Fernsehen, daß ein breiteres schwedisches Publikum als bisher von der Existenz einer deutschen Nachkriegsliteratur Notiz nahm, und zwar weit über die Gruppe 47 hinaus. Zweitens ist seit 1964 vor allem in der jüngeren Kritikergeneration ein bis dahin kaum vorhandenes Interesse für deutsche Literatur zu spüren, das u. a. zu stärkeren persönlichen Kontakten geführt hat. Ein Beispiel dafür war z. B. das von Walter Höllerer in Zusammenarbeit mit Lars Gustafsson, dem Herausgeber der führenden schwedischen Literaturzeitschrift *Bonniers Litterära Magasin* veranstaltete deutsch-schwedische Schriftstellersymposium in Westberlin 1968[13], dem ein zweites in Stockholm 1969 folgte. Ein weiteres, nicht weniger markantes Beispiel ist der von den Massenmedien stark beachtete Besuch einer Anzahl von Autoren der Dortmunder Gruppe 61, die auf Einladung des schwedischen Autorenzentrums zusammen mit schwedischen Kollegen im Frühjahr 1970 Lesungen und Diskussionen in Fabriken und Universitäten unseres Landes veranstalteten[14]. Der Besuch war gleichzeitig symptomatisch für das in beiden Ländern inzwischen veränderte literarische Klima: hier wie dort eine Hinwendung zur dokumentarischen Literatur und zu einem breiteren gesellschaftspolitischen Engagement.

Schließlich ist darauf hinzuweisen, daß im Herbst 1970, gewissermaßen als Dokumentation der Bemühungen der sechziger Jahre, die erste zusammenfassende skandinavische Darstellung der deutschen Nachkriegsliteratur von Thomas von Vegesack veröffentlicht wurde, und zwar unter dem bezeichnenden Titel *Nicht nur Grass ... Die deutschen Literaturen nach dem Krieg*[15]. Der Verfasser behandelt in diesem außerordentlich informativen und mit bemerkenswertem Fingerspitzengefühl zusammengestellten Taschenbuch u. a. in einem besonderen Kapitel die deutsche Teilung als literarisches Motiv. Es handelt sich hier im Grunde um eine dritte Nachwirkung der Sigtuna-Tagung. Schon damals ließ sich nämlich ein stärkeres Interesse für die literarische Problematik des geteilten Deutschland registrieren. Das auffälligste Beispiel dafür war wohl der vom schwedischen Rundfunk zweimal über ein ganzes Semester ausgestrahlte und von der schwedischen Presse ebenfalls stark beachtete Radiokurs *Zweimal Deutschland* vom Jahre 1966. Auch die für den Deutschunterricht der Schulen hergestellten Lehrbücher – in denen heutzutage die moderne Literatur eine dominierende Rolle spielt – nehmen seit dieser Zeit in zunehmendem Maße Rücksicht auf die DDR. Hier hat sich die Existenz eines DDR-Kulturzentrums in Stockholm seit 1967 neben dem älteren westdeutschen Goethe-Institut sehr konkret ausgewirkt.

Dagegen ist in der skandinavischen Übersetzungsliteratur, wenn man von vereinzelten Beiträgen in Anthologien absieht, die DDR so gut wie nicht existent. Zwar ist in den sechziger Jahren für alle drei Länder eine markante Zunahme an Übersetzungen deutschsprachiger Belletristik zu konstatieren. Außer den bereits genannten Schriftstellern verzeichnet der »Index Translationum« zahlreiche Werke etwa von Ilse Aichinger, Alfred Andersch, Ingeborg Bachmann, Hans Magnus Enzensberger – der auch als Übersetzer skandinavischer Literatur eine wichtige Vermittlerrolle spielt –, Gerd Gaiser, Wolfgang Hildesheimer, Rolf Hochhuth, Alexander Kluge (nur für Schweden registriert, wo er Per-Olof Enquists vieldiskutierten Baltenroman *Die Ausgelieferten* romantechnisch beeinflußt hat), Siegfried Lenz (dessen *Deutschstunde* stark beachtet worden ist), Hans Erich Nossack, Peter Weiss, ferner natürlich die Schweizer Max Frisch, Friedrich Dürrenmatt und neuerdings auch Peter Bichsel. Die Nachkriegsliteratur der DDR ist dagegen lediglich durch Bruno Apitz mit *Nackt unter Wölfen* auf Dänisch und Schwedisch sowie durch Johannes Bobrowski mit *Levins Mühle* auf Dänisch und Norwegisch vertreten. In ganz Skandinavien lag bis vor kurzem kein einziger Roman eines DDR-Autors der jüngeren Nachkriegsgeneration vor.

In der Lyrik ist Wolf Biermann die große Ausnahme. Seit langem spielt er hier eine Rolle als literarische Symbolgestalt für einen ›Sozialismus mit menschlichem Antlitz‹. In Schulbüchern und Rundfunkprogrammen gehört er zu den am häufigsten genannten Namen. In Dänemark erschien 1969 eine Anthologie seiner Protestlieder, eine weitere wird für Schweden zum Frühjahr 1971 angekündigt.

Aber in keinem skandinavischen Land sind also bisher so wichtige Werke wie Hermann Kants informativer Roman *Die Aula*, Christa Wolfs bemerkenswerte Elegie *Nachdenken über Christa T.* oder Günter de Bruyns unterhaltsamer Eheroman *Buridans Esel* übersetzt worden. Hier bestätigt sich in der Tat in auffälliger Weise der Titel einer vor kurzem erschienenen glänzenden dänischen Reportage von Jørgen Knudsen: »Die DDR, unser unbekanntes Nachbarland«. Es muß die Aufgabe der siebziger Jahre sein, diese Lücke in der Rezeption der deutschen Nachkriegsliteratur in Skandinavien zu schließen[16] – auch wenn Erklärungen wie die des ostdeutschen Schriftstellerverbandes zum Nobelpreis für Alexander Solschenizyn (im *Neuen Deutschland* vom 29. Oktober 1970) nicht gerade dazu angetan sind, derartige Bemühungen zu erleichtern.

Anmerkungen

1. So noch Gerd Müller: *Aufriß der neueren deutschen Literatur.* Stockholm 1969. S. 214.
2. Urs Widmer: *1945 oder die ›Neue Sprache‹.* 1966.
3. Gunnel Vallqvist. In: Buch der Freundschaft. Zenta Maurina zum 70. Geburtstag. 1967.
4. Walter A. Berendsohn: *Die humanistische Front.* Daß diese »überaus reichhaltige Stoff- und Materialsammlung eigentlich bis heute unentbehrlich geblieben ist«, unterstreicht Georg Heintz: *Deutsche Literatur und Nationalsozialismus.* In: Muttersprache (1969) S. 239 ff.
5. Siehe Helmut Müssener: *Die deutschsprachige Emigration nach 1933 – Aufgaben und Probleme ihrer Erforschung* (In: Moderna språk. Language Monographs 10 [1970]) sowie die bibliographischen Angaben im *Bericht I der Stockholmer Koordinationsstelle zur Erforschung der deutschsprachigen Exil-Literatur* (1970).
6. Kurt R. Grossmann: *Emigration, die Geschichte der Hitlerflüchtlinge 1933–45.* 1969. S. 293.
7. Siehe Lothar Stiehm: *Max Tau* (1968) mit der dort angeführten Literatur, darunter zwei norwegische Huldigungsschriften.
8. Die folgenden Angaben verdanke ich einer Zusammenstellung meines Assistenten Dieter Stöpfgeshoff, der eine Dissertation über die Rezeption der deutschsprachigen Nachkriegsliteratur in Schweden vorbereitet.

8a. Siehe G. Périlleux: *Kafka et le groupe suédois »40-tal«.* In: Revue des Langues Vivantes, 1970, S. 637–645.

9. Vgl. dazu den Sammelband: *In Sachen Böll.* Hrsg. von Marcel Reich-Ranicki. [3]1970.
10. Dies gilt offenbar auch für Finnland. Vgl. Kai Laitinen: *Berührungspunkte der deutschen und der finnischen Literatur.* In: Ausblick. Mitteilungsblatt der Deutschen Auslandsgesellschaft. Lübeck. Oktoberheft 1970. S. 37–39. – Zur Übersetzungsproblematik vgl. G. Korlén: *Vom Elend und Glanz der schwedischen Übersetzungen moderner deutscher Literatur.* In: Nerthus. Bd. I, 1964.
11. Siehe die Dokumentation im *Stockholmer Katalog zur Tagung der Gruppe 47 im Herbst 1964.* Als Indiz dafür, daß diese Tagung auch über Schweden hinaus beachtet wurde, erschien im folgenden Jahr in Norwegen eine Anthologie *Gruppe 47. Tysk etterkrigslitteratur.* Oslo 1965.
12. Das folgende nach G. Korlén: *Schweden und die deutsche Nachkriegsliteratur.* Duden-Beiträge 35, 1968.
13. Die Beiträge zu dieser Berlin-Tagung sind abgedruckt unter dem Titel: *Erklärbarkeit und Nicht-Erklärbarkeit der Welt als Axiom der Literatur.* In: Sprache im technischen Zeitalter 31 (1969).
14. Siehe die Dokumentation im *Stockholmer Katalog der Dortmunder Gruppe 61.* Hrsg. von Egon Dahinten. 1970.
15. Thomas von Vegesack: *Inte bara Grass ... De tyska litteraturerna efter kriget.* Norstedts förlag: Stockholm 1970.
16. Es gibt Anzeichen dafür, daß dies auch der Fall sein wird: Eine norwegische Tageszeitung kündigte im Oktober 1970 die Übersetzung von Christa Wolfs Roman an, und der schwedische Verlag Norstedt hatte zum gleichen Zeitpunkt die Rechte für diesen und einige andere DDR-Romane erworben. (Korrekturnote: Inzwischen liegt der Roman sowohl auf norwegisch wie auf dänisch vor. Die schwedische Ausgabe erscheint im Herbst 1971.)

Die Autoren der Beiträge

Jörg Bernhard Bilke

Geboren 1937. Studium der Germanistik in Berlin und Mainz. Arbeitet an einer Dissertation über Anna Seghers.

Publikationen:
Aufsätze zur DDR-Literatur u. a. in »Die Welt der Bücher« und »Der Deutschunterricht«.

François Bondy

Geboren 1915. Feuilletonredakteur der Zeitung »Die Weltwoche«, Zürich, und Literaturkritiker.

Publikationen u. a.:
Aus nächster Ferne. Berichte eines Literaten in Paris. München 1970. – Zahlreiche literaturkritische Arbeiten.

Alexander von Bormann

Geboren 1936. Studium der Germanistik, klassischen Philologie und Philosophie in Tübingen, Göttingen und Berlin. Dr. phil. Assistent am Germanischen Seminar der Freien Universität Berlin.

Publikationen:
Natura loquitur. Naturpoesie und emblematische Formel bei Joseph von Eichendorff. Tübingen 1968. – Aufsätze und Rezensionen.

Rolf-Peter Carl

Geboren 1942. Studium der Germanistik, Geschichte und Politischen Wissenschaften in Bonn und Kiel. Dr. phil. Assistent am Institut für deutsche Sprache und Literatur der Universität Köln.

Publikationen:
Prinzipien der Literaturgeschichtsschreibung bei Georg Gottfried Gervinus. Bonn 1969.

Burghard Dedner

Geboren 1942. Studium der Germanistik, Geschichte, Romanistik. Dr. phil. Professor an der Indiana University (Bloomington).

Publikationen:
Topos, Ideal und Realitätspostulat. Studien zur Darstellung des Landlebens im Roman des 18. Jahrhunderts. Tübingen 1969. – Aufsätze zur deutschen Literatur des 18. Jahrhunderts.

Peter Demetz

Geboren 1922. Studium der Literaturwissenschaft in Prag, Zürich und London. Dr. phil. Professor of German and Comparative Literature an der Yale University. Seit 1966 Korr. Mitglied der Akademie der Künste, Berlin. Goldene Goethe-Medaille der Bundesrepublik Deutschland 1971.

Publikationen u. a.:
René Rilkes Prager Jahre. Düsseldorf 1953. – Marx, Engels und die Dichter. Stuttgart 1959. – Formen des Realismus: Theodor Fontane. München 1964. – German Post-War Literature: A Critical Introduction. New York 1970 (dt.: Die süße Anarchie. Deutsche Literatur seit 1945. Berlin 1970). – Zahlreiche Aufsätze, literaturkritische Arbeiten und Rezensionen.

Reinhard Döhl

Geboren 1934. Studium der Literaturwissenschaft, Philosophie, Politischen Wissenschaften und Geschichte. Dr. phil. Akademischer Rat am Institut für Literaturwissenschaft der Universität Stuttgart.

Publikationen:
Das literarische Werk Hans Arps 1903–1930. Stuttgart 1967. – Aufsätze zur Literatur des 20. Jahrhunderts.

Manfred Durzak

Geboren 1938. Studium der Literaturwissenschaft und Philosophie in Bonn und Berlin. Dr. phil. Professor an der Indiana University (Bloomington) und seit 1969 an der Universität Kiel.

Publikationen u. a.:
Hermann Broch. Stuttgart 1967. – Hermann Broch. Der Dichter und seine Zeit. Stuttgart 1968. – Der junge Stefan George. Kunsttheorie und Dichtung. München 1968. – Poesie und Ratio. Vier Lessing-Studien. Bad Homburg v. d. H. 1970. – Zahlreiche Aufsätze, literaturkritische Arbeiten und Rezensionen.

Bodo Heimann

Geboren 1935. Studium der Germanistik, Geschichte, Philosophie und Politischen Wissenschaften in Freiburg, Berlin und Frankfurt. Dr. phil. Assistent am Institut für Literaturwissenschaft der Universität Kiel.

Publikationen:
Der Süden in der Dichtung Gottfried Benns. Diss. Freiburg 1962. – Aufsätze zur Literatur des 20. Jahrhunderts.

Jost Hermand

Geboren 1930. Studium der Germanistik, Philosophie, Geschichte und Kunstgeschichte. Dr. phil. Vilas Research Professor an der University of Wisconsin in Madison.

Publikationen u. a.:
Die literarische Formenwelt des Biedermeier. Gießen 1958. – Deutsche Kunst und Kultur von der Gründerzeit bis zum Expressionismus. Bd. 1–4. Berlin 1959–1967 (mit Richard Hamann). – Literaturwissenschaft und Kunstwissenschaft. Stuttgart 1965. – Jugendstil. Ein Forschungsbericht. Stuttgart 1965. – Das Junge Deutschland (Hrsg.). Stuttgart 1966. – Der deutsche Vormärz (Hrsg.). Stuttgart 1967. – Von deutscher Republik (Hrsg.). Frankfurt a. M. 1968. – Synthetisches Interpretieren. Zur Methodik der Literaturwissenschaft. München 1968. – Von Mainz nach Weimar. 1793–1919. Studien zur deutschen Literatur. Stuttgart 1969. – Die sogenannten Zwanziger Jahre (Hrsg., mit Reinhold Grimm). Bad Homburg v. d. H. 1970. – Zur Literatur der Restaurationsepoche. 1815–1848 (Hrsg., mit Manfred Windfuhr). Stuttgart 1970. – Pop International. Eine kritische Analyse. Frankfurt a. M. 1971. – Unbequeme Literatur. Eine Beispielreihe. Heidelberg 1971. – Stänker und Weismacher. Zur Dialektik eines Affekts. Stuttgart 1971. – Zahlreiche Aufsätze.

Walter Hinderer

Geboren 1934. Studium der Germanistik, Philosophie, Anglistik und Geschichte in Tübingen und München. Dr. phil. Professor an der University of Maryland.

Publikationen u. a.:
Hermann Brochs ›Tod des Vergil‹. Diss. München 1961. – Börne: Menzel der Franzosenfresser und andere Schriften (Hrsg.). Frankfurt 1969. – Wieland: Hann und Gulpenheh, Schach Lolo (Hrsg.). Stuttgart 1970. – Moderne amerikanische Literaturtheorien (Mithrsg.). Frankfurt 1970. – Zahlreiche Aufsätze, literaturkritische Arbeiten und Rezensionen.

Frank E. F. Jolles

Geboren 1931. Studium der Germanistik und Romanistik in Paris, Manchester, Köln und Bonn. Dr. phil. Professor am Deutschen Seminar der New University of Ulster, Nordirland.

Publikationen u. a.:
Editionen: A. W. Schlegels Sommernachtstraum in der ersten Fassung vom Jahr 1789. Nach den Handschriften herausgegeben. Göttingen 1967. – A. W. Schlegels Vorlesungen »Über das academische Studium«, erstmalig nach den Handschriften herausgegeben. Heidelberg 1971. – Samuel Gotthold Lange: Horatzische Oden. Stuttgart 1971. – Zahlreiche Aufsätze.

Marianne Kesting

Geboren 1930. Musikstudium in Freiburg, anschließend Studium der Literatur- und Theaterwissenschaft in München. Dr. phil. Literaturkritikerin der »Zeit« und der »Frankfurter Allgemeinen Zeitung«. Mitglied des Internationalen PEN-Clubs.

Publikationen u. a.:
Das epische Theater. Stuttgart 1959; [4]1969. – Bertolt Brecht. Hamburg 1959; [15]1970. – Panorama des zeitgenössischen Theaters. München 1962; [2]1969. – Vermessung des Labyrinths. Studien zur modernen Ästhetik. Frankfurt 1965. – Entdeckung und Destruktion. Zur Strukturumwandlung der Künste. München 1970. – Zahlreiche Aufsätze, Editionen und Mitarbeit an Sammelwerken und Lexika. Literaturkritische Arbeiten und Rezensionen.

Gustav Korlén

Geboren 1915. Studium der Germanistik, Anglistik und Romanistik in Lund, Uppsala, Kiel, München und Paris. Dr. phil. Professor an der Universität Stockholm. Goethe-Medaille 1965, Konrad-Duden-Preis 1967, Korr. Mitglied der Deutschen Akademie für Sprache und Dichtung Darmstadt.

Publikationen u. a.:

Die mittelniederdeutschen Texte des 3. Jahrhunderts. Lund u. Kopenhagen 1945. – Norddeutsche Stadtrechte I–II. Lund u. Kopenhagen 1950–51. – »Mitteldeutschland«. Sprachlenkung oder Neutralismus? In: Moderna Språk 59 (1965). – Schweden und die deutsche Nachkriegsliteratur. Mannheim 1968. – Zahlreiche Aufsätze.

Herbert Lehnert

Geboren 1925. Studium der Germanistik, Geschichte und Philosophie. Dr. phil. Professor an der University of California, Irvine.

Publikationen:

Thomas Mann. Fiktion, Mythos, Religion. Stuttgart 1965. – Struktur und Sprachmagie. Zur Methode der Lyrik-Interpretation. Stuttgart 1966. – Thomas-Mann-Forschung. Ein Bericht. Stuttgart 1969. – Aufsätze und Rezensionen.

Claudio Magris

Geboren 1939. Studium der Germanistik in Turin und Freiburg. Dr. phil. Professor an der Universität Turin. Lektor für deutsche Literatur beim Rizzoli Verlag.

Publikationen u. a.:

Il mito absurgico nella letteratura austriaca moderna. Turin 1963 (dt.: Der habsburgische Mythos in der österreichischen Literatur. Salzburg 1966). – Wilhelm Heinse. Triest 1968. – Zahlreiche Aufsätze.

Hans Mayer

Geboren 1907. Studium der Staats- und Rechtswissenschaften sowie der Literaturgeschichte und Geschichte in Köln, Berlin und Bonn. Dr. jur. Professor für deutsche Literatur und Sprache an der Technischen Universität Hannover. Seit 1949 Mitglied des PEN-Clubs, Nationalpreis der DDR 1955, seit 1964 o. Mitglied der Akademie der Künste in Berlin, Literaturpreis der deutschen Kritiker 1966, Dr. phil. h. c. der Universität Brüssel 1969.

Publikationen u. a.:

Georg Büchner und seine Zeit. Wiesbaden 1946. – Literatur der Übergangszeit. Essays. Berlin 1949. – Thomas Mann. Werk und Entwicklung. Berlin 1950. – Schiller und die Nation. Berlin 1953. – Studium zur deutschen Literaturgeschichte. Berlin 1954. – Deutsche Literatur und Weltliteratur. Reden und Aufsätze. Berlin 1957. – Richard Wagner. Reinbek 1959. – Von Lessing bis Thomas Mann. Wandlungen der bürgerlichen Literatur in Deutschland. Pfullingen 1959. – Bertolt Brecht und die Tradition. Pfullingen 1961. – Ansichten. Zur Literatur der Zeit. Reinbek 1962. – Heinrich von Kleist. Der geschichtliche Augenblick. Pfullingen 1962. – Dürrenmatt und Frisch. Anmerkungen. Pfullingen 1963. – Zur deutschen

Klassik und Romantik. Pfullingen 1963. – Anmerkungen zu Brecht. Frankfurt a. M. 1965. – Anmerkungen zu Richard Wagner. Frankfurt a. M. 1966. – Gerhart Hauptmann. Velber 1967. – Zur deutschen Literatur der Zeit. Zusammenhänge, Schriftsteller, Bücher. Reinbek 1967. – Das Geschehen und das Schweigen. Aspekte der Literatur. Frankfurt a. M. 1969. – Der Repräsentant und der Märtyrer. Frankfurt a. M. 1971. – Zahlreiche literaturkritische und literaturwissenschaftliche Aufsätze, Rezensionen, Herausgaben, Übersetzungen.

Otto Oberholzer

Geboren 1919. Studium der Germanistik und Geschichte in Zürich und Basel. Dr. phil. Professor für neuere skandinavische Literatur an der Universität Kiel.

Publikationen u. a.:
Kleines Lexikon der Weltliteratur. Bern 1946. – Richard Beer-Hofmann. Werk und Weltbild des Dichters. Bern 1947. – Pär Lagerkvist. Studien zur Prosa und den Dramen. Heidelberg 1958. – Zahlreiche Aufsätze und Übersetzungen.

Fritz J. Raddatz

Geboren 1931. Studium der Germanistik, Kunstgeschichte und Theaterwissenschaft. Dr. phil. Leiter des SPIEGEL-Instituts für Projektstudien und Lehrbeauftragter für moderne deutsche Literatur an der Technischen Universität Hannover. Vorsitzender der Kurt-Tucholsky-Stiftung.

Publikationen u. a.:
Als Verfasser: Kurt Tucholsky. Biographie. München 1961. – Die Literatur der DDR. Traditionen und Tendenzen. Frankfurt 1971. – Verwerfungen. Literarische Essays (im Druck). – Als Hrsg.: Kurt Tucholsky: Gesammelte Werke in 3 Bänden. Reinbek 1960/61 (Mithrsg.). – Kurt Tucholsky: Ausgewählte Briefe 1913–1935. Reinbek 1962 (Mithrsg.). – Marxismus und Literatur. Eine Dokumentation in drei Bänden. Reinbek 1969. – 1951–59 Hrsg. der Rowohlt-Taschenbuchreihe »rororo aktuell«. – Zahlreiche Veröffentlichungen in Zeitschriften und Anthologien sowie Fernsehbeiträge.

Hans Dieter Schäfer

Geboren 1939. Studium der Germanistik, Geschichte, Philosophie und Pädagogik in Wien und Kiel. Dr. phil. Literaturkritiker.

Publikationen:
Peter Altenberg: Sonnenuntergang im Prater (Hrsg.). Stuttgart 1968. – Wilhelm Lehmann. Studien zu seinem Leben und Werk. Bonn 1969. – Aufsätze und Rezensionen.

Walter Seifert

Geboren 1936. Studium der Germanistik, Geschichte und Soziologie in Marburg, Tübingen und Berlin. Dr. phil. Studienrat.

Publikationen:
Das epische Werk Rainer Maria Rilkes. Bonn 1969. – Aufsätze und Rezensionen.

Heinrich Vormweg

Geboren 1928. Studium der Germanistik, Philosophie und Psychologie in Bonn. Dr. phil. Freier Publizist, Literatur- und Theaterkritiker. O. Mitglied der Mainzer Akademie der Wissenschaften und Literatur. Mitglied des PEN-Clubs.

Publikationen u. a.:

Die Wörter und die Welt. Über neue Literatur. Essays. Neuwied 1968. – Briefwechsel über Literatur, mit Helmut Heißenbüttel. Neuwied 1969. – Zahlreiche Aufsätze, Editionen, literaturkritische Arbeiten und Rezensionen.

Walter Weiss

Geboren 1927. Studium der deutschen Philologie, Geschichte und Philosophie. Dr. phil. Professor an der Universität Salzburg. Mitglied der Internationalen Lenau-Gesellschaft. Seit 1965 o. Mitglied im Wiss. Rat des Instituts für deutsche Sprache, Mannheim.

Publikationen u. a.:

Goethes Mephisto. Entwicklung und Wesen vom Faust II aus gesehen. Diss. Innsbruck 1952 (Teildruck in: Innsbrucker Beiträge zur Kulturwissenschaft 1956). – Enttäuschter Pantheismus. Zur Weltgestaltung der Dichtung in der Restaurationszeit. Dornbirn 1962. – Thomas Manns Kunst der sprachlichen und thematischen Integration. Düsseldorf 1964. – Zahlreiche Aufsätze.